ISBN 978-0-260-92070-6
PIBN 10987569

Bericht

über die

zur Bekanntmachung geeigneten

Verhandlungen

der Königl. Preuſs. Akademie der Wissenschaften
zu Berlin.

Aus dem Jahre 1855.

Mit 7 lith. Tafeln.

Berlin.

Gedruckt in der Druckerei der Königlichen Akademie
der Wissenschaften.

1855.

In Commission in Ferd. Dümmler's Verlags-Buchhandlung.

Bericht

über die

zur Bekanntmachung geeigneten

Verhandlungen

der Königl. Preufs. Akademie der Wissenschaften zu Berlin.

Aus dem Jahre 1855.

Mit 7 lith. Tafeln.

Berlin.

Gedruckt in der Druckerei der Königlichen Akademie
der Wissenschaften.

1855.

In Commission in Ferd. Dümmler's Verlags-Buchhandlung.

Bericht

über die

zur Bekanntmachung geeigneten Verhandlungen der Königl. Preufs. Akademie der Wissenschaften zu Berlin

im Monat Januar 1855.

Vorsitzender Sekretar: Hr. Ehrenberg.

8. Januar. Sitzung der physikalisch-mathematischen Klasse.

Hr. **Ewald** las einen Beitrag zur Kenntnifs der untersten Liasbildungen im Magdeburgischen und Halberstädtischen.

Hinsichts der Schichten, welche in dem nördlich vom Harz gelegenen Hügellande zwischen den bunten Keupermergeln und dem Gryphitenlias auftreten, herrscht Verschiedenheit der Meinungen darüber, wie weit dieselben dem Keuper, wie weit sie dem untersten Lias zuzurechnen seien. Es sind aber übereinstimmende Ansichten über das Alter dieser Schichten um so wünschenswerther, als auf solchen geognostischen Karten, auf welchen nur die Formationen, nicht auch ihre Unterabtheilungen durch besondere Farben unterschieden werden, das Bild des genannten Hügellandes wesentlich von jener Altersbestimmung abhängig ist.

Die folgenden Bemerkungen sind dazu bestimmt zu zeigen, dafs in der vom Magdeburger Grauwackengebirge nach Südwest abfallenden Schichtenfolge Profile vorkommen, in denen sämmtliche Sandsteine, deren Alter bisher streitig gewesen ist, vom Keuper getrennt werden müssen. Es wird hiermit nicht behauptet, dafs in dem nördlich vom Harz gelegenen Hügellande überhaupt keine Keupersandsteine vorkommen, sondern es soll nur eine Reihe von Beobachtungen zur Sprache gebracht werden, welche aus einem bestimmten Profil entnommen sind und hinsichts deren es dahin gestellt bleibt, wie weit sie auf eine allgemeine Lösung der Frage Einfluss ausüben können. Es wird zu diesem Zwecke ein Durchschnitt erörtert werden, welcher durch die vom Magdeburger Grauwackengebirge abfallende Schichtenfolge so gelegt ist, daß er durch die Orte Beckendorf und Seehausen hindurchgeht.

Bei Beckendorf selbst findet man ein System von Schichten, in welchem feste Sandsteinbänke mit dünnen Lagen von lockerem Sande und mit grauen Thonen verbunden sind. Die festen Sandsteine sind stellenweise mit Cardinien und Ostrea sublamellosa Dunker erfüllt und durch diese Fossilien vollkommen charakterisirt. Dieselben sind, wie Hr. von Strombeck nachgewiesen hat, das genaue Äquivalent der fossilienreichen Liasbildungen des Kanonenberges bei Halberstadt, mit denen sie auch in petrographischer Hinsicht vollkommen übereinstimmen. Es sind Liasschichten, welche ihre Stelle noch unter dem unteren durch Gryphäa arcuata charakterisirten Lias einnehmen und welche, wo sie, wie hier, einem gesonderten und selbstständigen System von Ablagerungen angehören, mit dem von Hrn. von Strombeck dafür angewandten Namen der Cardinienbänke bezeichnet werden können.

Im Hangenden der Beckendorfer Schichten hat sich der Gryphitenlias mit Sicherheit nachweisen lassen. In einem eisenschüssigen sandig-mergeligen Gestein finden sich nicht weit von Beckendorf kenntliche Abdrücke von Gryphäa arcuata und Avicula inaequivalvis, und es unterliegt keinem Zweifel, daß die bekannten Schichten von Sommerschenburg sich hierher erstrecken.

Verfolgt man dagegen das zu betrachtende Profil von den Beckendorfer Schichten aus ins Liegende, so gelangt man sogleich auf ein mächtiges System lockerer Sandsteine, welche zu den in Rede stehenden bald in den Keuper, bald in den Lias versetzten Bildungen gehören. Dieselben enthalten nördlich von Neindorf ein Fossil, welches seit langer Zeit die Aufmerksamkeit der Geologen auf sich gezogen hat. Es ist eine Asterie, welche mit Asterias lumbricalis Goldf. verglichen worden ist, deren Übereinstimmung mit dieser aber nicht sicher genug festgestellt werden kann, um zu Schlüssen auf das Alter der Neindorfer Schichten zu berechtigen.

Dieselbe Asterie hat sich aber auch an einer Reihe anderer Stellen auffinden lassen und scheint eine in diesen Sandsteinen überaus verbreitete Form zu sein. Von Westen nach Osten in demselben Profil vorschreitend findet man sie auch bei Seehausen und zwar unter Umständen, welche es klar machen, dafs man es mit unterstem Lias zu thun hat. Denn hier finden sich zugleich zahlreiche Abdrücke von Cardinien und dieselbe Ostrea sublamellosa wie zu Beckendorf und Halberstadt. Die Asterie ist also ein Liasfossil und der Sandstein von Neindorf durch dieselbe als Lias bezeichnet.

Ist schon daraus, dafs man bei Seehausen und nördlich von Neindorf den Lias antrifft, zu vermuthen, dafs die zwischen beiden Punkten vorkommenden Gesteine derselben Formation angehören, so wird dies dadurch zur Gewifsheit, dafs diese Gesteine in ihrem Fortstreichen gegen Nordwest in sehr geringer Entfernung von dem hier betrachteten Profil, z. B. an mehreren Punkten westlich von Gehringsdorf, Abdrücke von Ammonites psilonotus, einem für den untersten Lias durchaus charakteristischen Fossil, geliefert haben.

Es mag hier noch eines anderen Fossils Erwähnung geschehen, welches erst kürzlich in den Sandsteingebieten der von Magdeburg abfallenden Schichtenfolge, wenngleich noch um ein weniges nördlicher als die bisher erwähnten organischen Reste, aufgefunden worden ist und welches ebenfalls den Lias an Punkten nachweisen zu lassen verspricht, an denen das Vorkommen desselben bisher streitig war. Es ist eine Bivalve, welche man seit längerer Zeit aus der Gegend von Eisenach kennt. Hr. Bornemann hat sie neuerlich auch bei Göttingen entdeckt und mit der von Dunker für ein Fossil aus dem Lias von Halberstadt aufgestellten Gattung *Taeniodon* verbunden *). Sollte sie aufser dem von Bornemann an ihrem Schlosse nachgewiesenen Lateralzähne auch Cardinalzähne besitzen und zu Terquem's

---

*) **Bornemann**, Über die Liasformation in der Umgegend von Göttingen, p. 66.

Gattung *Hettangia* gehören, mit welcher sie durch ihre Unsymmetrie und ihre Carina auf der hinteren Seite der Schale übereinstimmt, so würde auch dann der Lias durch sie angezeigt sein, da die *Hettangien* bis jetzt einzig und allein in Lias- und Jurabildungen vorgekommen sind*).

Die lockeren Sandsteine des Profils von Beckendorf nach Seehausen erreichen bei Seehausen die äufserste östliche Grenze, bis zu welcher hier überhaupt über dem Keupermergel Sandsteine zu beobachten sind. Zwischen ihnen und dem östlich von Seehausen auftretenden Muschelkalk bleibt nur eine schmale mit Diluvium überdeckte Depression übrig, welche den hier ihre Stelle findenden Keupermergeln zuzuschreiben ist. Es wird also mehr als wahrscheinlich, dafs in diesem Profile die Keupersandsteine nicht entwickelt sind.

Es ist noch zu bemerken, dafs bald über bald zwischen den betrachteten Sandsteinen sandig-thonige und mergelige Bildungen vorkommen, welche durch lebhafte rothe, grüne und gelbe Farben den bunten Keupermergeln auffallend ähnlich werden. Ihre Auflagerung auf Sandstein ist an vielen Punkten zu beobachten, sowohl zwischen Beckendorf und Neindorf, wie in nordwestlicher Richtung von Ampfurth und südlich von Seehausen. Ist der Sandstein vom Keuper zu trennen, so sind es auch diese bunten Thone und Mergel, und es darf demnach als eine Thatsache angesehen werden, dafs hier Gesteine, die stellenweise von den Keupermergeln nicht zu unterscheiden sind, im Lias gefunden werden.

Das Vorkommen des *Ammonites psilonotus*, der *Ostrea sublamellosa* und der *Cardinien* in den besprochenen Sandsteinen beweist, dafs dieselben mit den Cardinienbänken von Beckendorf nahe verwandt sind und damit ein einziges unter den Gryphitenschichten liegendes Glied des Lias ausmachen. Während dieses die festen Cardinienbänke in seinem oberen Theile enthält, gestaltet es sich innerhalb des betrachteten Profils in seinem unteren Theile zu einem sehr mächtigen System im Allgemeinen lockerer Sandsteine, welche sich mit Thonen

---

*) Terquem, Sur un nouveau genre de mollusques acéphalés fossiles. — Bull. d. l. Soc. géol. d. France, 2me sér., vol. X, p. 364 sqq.

von grauer Farbe, wie sie im Lias gewöhnlich sind, aber auch mit bunten Thonen und Mergeln verbunden zeigen.

Es liegt nahe, diese Sandsteine mit denen von Luxemburg zu vergleichen. Hier wie dort haben sich starke Sandanhäufungen während der Liasperiode im Innern einer Bucht abgelagert, dort in der von den Ardennen, dem Hundsrück und den Vogesen gebildeten, hier in der zwischen dem Magdeburger und Harzer Grauwackengebirge enthaltenen. Aber während im Luxemburgischen die Hauptanhäufung der Liassande vom Alter der Gryphitenbildungen ist, sind die hier betrachteten Sandsteine etwas älter und daher nicht damit identisch.

———————

Hr. H. Rose berichtete über eine Abhandlung des Hrn. Heintz, welche die Destillationsproducte der Stearinsäure zum Gegenstand hat. — Während Chevreul angab, daſs die Stearinsäure unzersetzt destillirbar sei, daſs sie zur Bildung einer nur geringen Menge von Destillationsproducten Anlaſs gebe, worunter namentlich Kohlensäure, Wasser und Kohlenwasserstoff, hatte Redenbacher aus seinen Versuchen geschlossen, es bilde sich bei dieser Operation aus der Stearinsäure Margarinsäure, Margaron, Kohlensäure, Wasser und Kohlenwasserstoffe. Der Umstand, daſs die Margarinsäure nach den frühern Untersuchungen des Hrn. Heintz nicht als eine chemisch reine Substanz existirt, und daſs ganz neuerdings von Laurent und Gerhardt behauptet worden ist, die Stearinsäure könne unter günstigen Umständen ganz ohne Zersetzung destillirt werden, gab die Veranlassung, die Versuche von Redenbacher zu wiederholen. Hr. Heintz führte die Destillation im Wasserstoffstrom aus und sonderte die Producte derselben gleich in dem ersten Destillationsapparate in drei Portionen, wovon die eine bei gewöhnlicher Temperatur fest war, und bei 150° C. nicht überdestillirte, die zweite von der ersten durch eine Temperaturerhöhung bis 150° C geschieden als Flüssigkeit aufgesammelt wurde, die dritte endlich in Gasform aufgefangen werden konnte. In dieser letztern Portion hat Hr. Heintz die Kohlensäure entschieden nachgewiesen. Die flüssigen Producte bestanden aus einer wässrigen und einer öligen Schicht. Jene

enthielt neben Wasser Essigsäure und geringe Mengen einer
kohlereicheren Säure der Fettsäurereihe, wahrscheinlich But-
tersäure, wonach die Essigsäure in der That roch. Diese dagegen gab bei der Analyse Zahlen, die der Formel $C^7 {}^0 H^7 {}^0 O$
entsprachen. Sie war indessen sicher noch ein Gemisch von
mehreren Substanzen und zwar höchst wahrscheinlich von Kohlenwasserstoffen ($C^m H^n$) und von Ketonen ($C^a H^b O$). Das feste
Destillat liefs sich in eine fette Säure und in nicht saure Producte zerlegen, wovon erstere fast reine Stearinsäure war, da
sie bei 68°,5 C. schmolz. Durch einmaliges Umkrystallisiren
stieg ihr Schmelzpunkt sofort auf 69°,2 C, den Schmelzpunkt
der chemisch reinen Stearinsäure, mit der sie vollkommen über-
einkam. Die hiervon abgepreßte Alkohollösung enthielt neben
Stearinsäure noch geringe Mengen fester, aber leichter schmelz-
barer Säuren der Fettsäurereihe. Der nicht saure Theil der
festen Destillationsproducte enthielt eine bei 87°,5 schmelzende,
in kaltem Äther sehr schwer lösliche Substanz, außerdem eine
gleichfalls feste, aber leichter lösliche, leichter schmelzbare
Substanz und endlich flüssige ölartige Stoffe. Von allen diesen
Stoffen wurde in reinem Zustande nicht so viel erhalen, um
eine Elementaranalyse ausführen zu können. Die flüssigen Producte wurden der fractionirten Destillation unterworfen, wobei
der Kochpunkt stetig stieg, und Portionen erhalten wurden,
die je später sie aufgefangen waren, um so leichter in der
Kälte feste Substanzen absetzten. Das letzte Destillat enthielt
nur noch 0,8—0,9 Proc. Sauerstoff, bestand daher zum größten
Theil aus Kohlenwasserstoff. Da darin eben so viel Äquivalente Kohlenstoff als Wasserstoff enthalten waren, so darf auch
diese Substanz als ein Gemisch von Kohlenwasserstoffen ($C^m H^n$)
mit Ketonen ($C^a H^b O$) betrachtet werden. Der Rückstand in
der Retorte endlich enthielt keine wesentlichen Mengen saurer
Bestandtheile. Er bestand wesentlich aus denselben Substanzen,
welche sich in dem nicht sauren Theil des festen Destillats
vorgefunden hatten. Von dem schwer schmelzbaren Stoff jedoch enthielt er soviel, daß er einer Analyse unterworfen
werden konnte, welche lehrte, daß diese Substanz das von
Bussy entdeckte Stearin ($C^{36} H^{34} O$) war. Hr. Heintz zieht
aus den Resultaten dieser Versuche den Schluß daß bei der

Destillation der Stearinsäure der gröfste Theil derselben unverändert überdestillirt, ein anderer Theil aber zersetzt wird,
und zwar in zwei verschiedenen Weisen. Zum Theil geschieht
die Zersetzung so, dafs sich Säuren der Fettsäurereihe mit geringerem Kohlenstoffgehalt als die Stearinsäure unter Abscheidung von Kohlenwasserstoffen ($C^a H^a$) bilden, zum Theil so,
dafs sich Kohlensäure, Wasser und Stearin ($C^{35} H^{35} O$) erzeugt.
Dieses Stearin aber zersetzt sich bei der Destillation ebenfalls
zum Theil in Kohlenwasserstoffe und in andere leichter flüchtige, an Kohlenstoff ärmere Ketone. Die Gleichungen durch
welche diese Zersetzungen deutlich gemacht werden können,
sind folgende:

1) $C^{16} H^{36} O^4 = C^n H^a O^4 + C^{(36-a)} H^{(36-a)}$

2) $C^{36} H^{36} O^4 = CO^2 + HO + C^{35} H^{35} O$

3) $C^{35} H^{35} O = C^n H^n O + C^{(35-n)} H^{(35-n)}$

Hr. Weifs theilte einige krystallographische Bemerkungen mit, die sich auf das rhomboëdrische
Krystallsystem beziehen.

Durch Beachtung der Zonen, welche bei einem gegebenen
Dreiunddreikantner $\boxed{a : \overset{\gamma}{\colon} a : ..}$ je zwei abwechselnde Flächen desselben unter einander bilden, und welche die Kanten-
zonen seiner rhomboëdrischen Hälftflächner heifsen können,
wurden allgemein durch jeden Dreiunddreikantner 3 neue Rhomboëder bestimmt, deren Ausdrücke diese waren:

$$\begin{bmatrix} \dfrac{n^2 - n + 1}{2n - 1} y\,c \\ a' : a' : \infty\, a \end{bmatrix}, \quad \begin{bmatrix} \dfrac{n^2 - n + 1}{n + 1} y\,c \\ a : a : \infty\, a \end{bmatrix}, \text{ und } \begin{bmatrix} \dfrac{n^2 - n + 1}{n - 2} y\,c \\ a : a : \infty\, a \end{bmatrix}$$

und zwar die erstere Fläche durch das Fallen in zwei solche
Zonen übers Kreuz jenseit der scharfen Endkante, die
zweite durch zwei solche Zonen übers Kreuz jenseit der
stumpfen Endkante, die dritte durch zwei solche Zonen
nicht übers Kreuz, sondern von der an der Endkante (gleichviel, ob man von der stumpfen oder der scharfen ausgeht)

rechts anliegenden zu der mit ihr abwechselnden zur R e c h -
ten, und von der l i n k s anliegenden zur L i n k e n (vgl. d. Abh.
der Akad. v. J. 1836. S. 207—213).

Nun zerfallen die Flächen der Kantenzone eines Rhomboëders jederzeit in 3 natürliche Abtheilungen, von welchen
die erste die schärfer (gegen die halbirende Ebene der
Endkante) geneigten Flächen enthält (als die Rhomboëderfläche
selbst geneigt ist), die z w e i t e die stumpfer geneigten, von
der Neigung der Rhomboëderfläche bis zur d r e i f a c h s t u m p -
f e r e n Neigung, und die dritte die m e h r a l s d r e i f a c h
s t u m p f e r geneigten. Das Zwischenglied zwischen beiden
letzteren nehmlich, das dreifach stumpfer geneigte selbst, ist
jedesmal die Fläche eines Dihexaëders; die beiderlei Endkanten
werden gleich unter sich.

Nun ist es zuförderst bemerkenswerth, daſs die obigen
3erlei Rhomboëderflächen, welche wir der bequemeren Vergleí-
chung halber mit den gleichgeltenden Ausdrücken schreiben
wollen:

$$(n^2-n+1)\gamma c \qquad (n^2-n+1)\gamma c \qquad (n^2-n+1)\gamma c$$
$$(2n-1)a' : (2n-1)a' : \infty a, \; (n+1)a : (n+1)a : \infty a, \; (n-2)a : (n-2)a : \infty a$$

in einer solchen Kantenzone, worin sie gemeinschaftlich liegen,
die erste jederzeit d r i t t e r , die zweite z w e i t e r , die dritte
e r s t e r Abtheilung ist; und weiter findet sich, daſs die Neigung der ersten jederzeit die 2n—1 fache, die der zweiten die
$\dfrac{n+1}{n-1}$ fache, die der dritten die $\dfrac{n-2}{n}$ fache (der Dreiunddreikant-

nerfläche) ist, die letztere also die $\dfrac{n}{n-2}$ fach s c h ä r f e r e , wäh-

rend die beiden andern die $(2n-1)$ und $\dfrac{n+1}{n-1}$ fach s t u m p -

f e r e n sind.

Wenn man nun diese Resultate mit dem allgemeinen Ausdruck der Fläche des Dreiunddreikantners =

$$\begin{array}{c}
\gamma c \\
\hline
\dfrac{a}{1} : \dfrac{a}{n} : \dfrac{a}{n-1} \\[2mm]
\dfrac{2s}{n+1} : \dfrac{2s}{2n-1} : \dfrac{2s}{n-2}
\end{array}$$

(vgl. die Abh. v. J. 1823) zusammenhält, so zeigt sich sehr einfach, dafs der Quotient der Vervielfachung der Neigung die jede der genannten Rhomboëderflächen characterisirende Gröfse $2n-1$, $n+1$ und $n-2$ ist, dividirt durch jene, welche den Divisor bildet in demjenigen a des Zeichens, welches das rechtwinkliche ist, auf dem durch die Divisoren $2n-1$, $n+1$, oder $n-2$ charakterisirten s.

Bei dem gewöhnlichen Dreiunddreikantner des Kalkspathes, wo $n=3$, hat man also für die 3erlei Rhomboëder die 6fach stumpfere, die 2fach stumpfere, und die 3fach schärfere Neigung in der betrachteten Zone.

Der sehr einfache Beweis der hier vorgetragenen Lehrsätze ist anderswo zu geben.

Hr. Ehrenberg machte eine vorläufige Mittheilung über den unzweifelhaften Ursprung des Marmors der Grafschaft Antrim in Irland aus Polythalamien-Kreide durch vulkanische Hitze.

Hr. Ehrenberg legte eine Reihe von Handstücken vor, welche durch Hrn. Leonhard Horners Vermittlung von den merkwürdigen Marmorfelsen in Nord-Irland in bestimmten gemessenen Abständen vom unveränderten weifsen Kalkstein bis zum unmittelbaren Verschmelzen desselben als Marmor mit Lavamassen, von Hrn. Mac Adam in Belfast genommen worden sind. Das Mikroskop liefs keinen Zweifel übrig, dafs der dortige Marmor ein aus Polythalamienschalen umkrystallisirtes organisches Gebilde sei. Hr. Ehrenberg behält sich vor weitere Details über die massebildenden Lebensformen mitzutheilen.

---

11. Januar. Gesammtsitzung der Akademie.

Hr. W. Grimm las über Thier-Fabeln bei den Meistersängern.

Hierauf wurden die folgenden eingegangenen Schriften
vorgelegt:

Jahrbuch der K. K. Geologischen Reichsanstalt. 5. Jahrg. no. 3. Wien
   1854. gr. 8.

Nachrichten von der Universität Göttingen. no. 15. 16. 17. Göttingen
   1854. 8.

Astronomische Nachrichten. no. 929—931. Altona 1854. 4.

Pharmacopoea norvegica Christiania 1854. 8. (Mit gedrucktem Begleitschreiben der Redaktoren F. Holst, Chr. Boeck, Peter Möller vom
   30. Sept. 1854.)

Correspondenzblatt des Naturforschenden Vereins zu Riga. Jahrgang 7.
   Riga 1854. 8.

Natuurkundige Tijdschrift voor nederlandsch Indie. Deel VI. Aflevering
   5. 6. Batavia 1854. 8.

Annales de chimie et de physique. Vol. 42. Dec. Paris 1854. 8.

Revue archéologique. Année XI. Livr. 9. Paris 1854. 8.

Neues Jahrbuch für Pharmacie. Band 11. Heft 5. Speyer 1854. 8.

L'Institut. Année 22. Sc. math. no. 1090—1094. Cl. hist. no. 225.

Corrispondenza scientifica in Roma. Anno III. no. 41. Roma 1854. 4.

E n c k e , *Astronomisches Jahrbuch für* 1857. Berlin 1854. 8.

K. H. B a u m g ä r t n e r , *Physiologischer Atlas.* Stuttgart 1853. 4. obl.'

———————————————, *Lehrbuch der Physiologie.* Stuttgart 1853. 8.

———————————————, *Lehrbuch der allgemeinen Pathologie und The-
   rapie.* 3. umgearbeitete Auflage Stuttgart 1854. 8.

———————————————, *Nähere Begründung der Lehre von der Embryo-
   nalanlage durch Keimspaltungen.* Stuttgart 1854. 8. (Mit Schreiben
   des Verfassers vom 28. Decemb. 1854.)

Mnemosyne. Deel III. Stuk 4. Leyden 1854.

K a r l K r e i l , *Jahrbücher der K. K. Central-Anstalt für Meteorologie und
   Erdmagnetismus.* Band 1 u. 2 Jahrgang 1848—1850. Wien 1854. 4.

*Monumenta habsburgica. Sammlung von Aktenstücken und Briefen zur
   Geschichte des Hauses Habsburg.* Erste Abtheilung: *Das Zeitalter
   Maximilian's I.* Band 1. Wien 1854. 8.

Sitzungsberichte der kaiserl. Akademie der Wissenschaften zu Wien Philos.-historisch. Klasse. Band 12. Heft 5. Band 13. Heft 1. 2. (Mai—
   Juli 1854.) Mathematisch-naturwissenschaftliche Klasse. Band 12.
   Heft 5. Band 13. Heft 1. 2. (Mai—Juli 1854) Register zu Band
   1 — 10 der Sitzungsberichte der mathemat.-naturw. Klasse. Wien
   1854. 8.

Archiv für die Kunde österreichischer Geschichtsquellen. Band 13. Heft
   1. 2. Wien 1854. 8.

Notizenblatt. Beilage zum Archiv u. s. w. 4. Jahrgang. no. 18—24. Wien 1854. 8.

Joh. Czjzek, *Geognostische Karte der Umgebungen von Krems und von Manhardsberge, aufgenommen 1849.* (1 Blatt gr. folio.)

Fr. W. Unger, *Disque chromharmonique, pour servir à expliquer les règles de l'harmonie des couleurs.* Guttingue 1854. 4. (Eine Mappe mit Tafeln) (Mit Schreiben des Verfassers vom 30 Dez. 1854.)

J. Roulez, *Choix de vases peints du Musée d'antiquités de Leide.* Gand 1854. fol. (Durch Hrn Gerhard uberreicht im Auftrage des Verfassers)

Journal für Mathematik, von Crelle. Band 49. Heft 2. Berlin 1854. 4.

G. Landau, Beschreibung der deutschen Gaue. Band 1. Wettereiba. Kassel 1855. 8. (Mit Begleitschreiben des Verfassers, d. d. Cassel 3. Januar 1855.)

Michiels van Kessenich, *Cahiers du cours de droit criminel.* Tome II. Ruremonde 1854. 8.

Bulletin de la société des sc. nat. de Neufchâtel. Tome III. p. 95—182. (Neufchâtel 1854.) 8.

Demnächst kamen drei Verfügungen des vorgeordneten Hrn. Ministers zum Vortrag:

1. Rescript vom 28. Dec. a. p.

2 Rescript vom 29. Dec. a. p. Die Akademie wird in Kenntnifs gesetzt, dafs für die Pracht-Ausgabe der Werke König Friedrich II. weitere Summen disponibel gemacht worden sind.

3. Ein drittes Rescript vom 29. Dec. a. p.

Ferner ein Schreiben des Hrn. Alfred von Reumont in Florenz vom 29. Dec. dankt für seine Ernennung zum correspondirenden Mitgliede der Akademie.

---

18. Januar. Gesammtsitzung der Akademie.

Hr. Schott las über die Annamitische Sprache im transgangetischen Indien.

Hr. **Poggendorff** las: **Fortgesetzte Beobachtungen über Inductions-Elektricität.**

Diese Beobachtungen bilden einen Nachtrag zu den vor Kurzem über denselben Gegenstand mitgetheilten *), welche hier, da von denselben bisher noch kein Bericht erstattet worden ist, mit den neuen zusammengefaßt werden. Sie verbreiten sich theils über die Construction, theils über die Erscheinungen bei Anwendung des Volta-Inductions-Apparats.

I. Construction des Apparats.

In seiner gegenwärtigen Gestalt besteht derselbe aus nicht weniger als sechs Theilen, nämlich 1) der Drahtrolle, in welcher der Inductionsstrom entwickelt wird, 2) der Drahtrolle, welche den inducirenden galvanischen Strom leitet, 3) dem Eisendrahtbündel, 4) dem Strom-Unterbrecher, 5) dem Condensator und 6) der Voltaschen Batterie, als primärer Elektricitätsquelle. Jedes dieser sechs Elemente wirkt auf die übrigen fünf mehr oder weniger ein, und das Endresultat, der Inductionsstrom, hängt von der zweckmäßigen Einrichtung und Anordnung aller ab.

Inductionsrolle.

Der Verf. begann seine Arbeit mit der Inductionsrolle. Es schien ihm als sei dieselbe bisher noch nicht nach dem rechten Princip construirt worden. Bei allen bisherigen Inductionsrollen nämlich bilden die Drahtwindungen Lagen, die sich hin und her ohne Unterbrechung über die ganze Länge der Rolle erstrecken, gewöhnlich in gerader Anzahl, so daß Anfang und Ende des Drahts an einer und derselben Seite der Rolle liegen. Nun aber ist klar, daß in einem Draht, dessen Punkte alle in ziemlich gleichem Grade elektrisch erregt werden, die Spannung von der Mitte aus nach den Enden hin in entgegengesetztem Sinne wachsen muß. Es werden also bei oben erwähnter Umwicklungsart Drahtpunkte, die in großer elektrischer Differenz stehen, einander sehr nahe gebracht, und dadurch muß das Überspringen von Funken zwischen solchen Punkten sehr befördert, mithin die Wirkung der Rolle nach außen sehr geschwächt werden.

---

*) Siehe Monatsbericht 1854, Sitzung vom 7 December, Seite 683.

Es schien ihm, als könne man diesem Übelstand, wenigstens theilweise, dadurch abhelfen, dafs man die Rolle der Länge nach in mehrere Abtheilungen zerfälle, diese durch isolirende Scheidewände trenne, und nun eine nach der andern in der früher für die ganze Rolle angewandten Weise mit Draht bewickle, nur mit dem Unterschied, eine ungerade Zahl von Lagen zunehmen, um somit den Draht regelmäfsig von einer Abtheilung zur anderen fortführen und schliefslich seine Enden an den entgegengesetzten Enden der Rolle auslaufen lassen zu können.

Ferner war einleuchtend, dafs, wenn man bedeutende Spannungswirkungen erlangen wolle, man auch für eine gute Isolation der einzelnen Drahtwindungen sorgen müsse. Wo man die gewöhnliche und auch nie zu entbehrende Umspinnung mit Seide noch durch ein zweites Isolationsmittel unterstützt hat, — hat man sich dazu immer eines alkoholischen Lack-Firnisses bedient. Ein solcher erfüllt aber hier, wo man den Draht wegen seiner grofsen Länge doch nicht füglich anders als lagenweis firnisen kann, seinen Zweck nur sehr unvollkommen, weil er unter solchen Umständen äufserst langsam, vielleicht niemals vollständig austrocknet, und dann immer einen gewissen Grad von Leitung verstattet, einen gröfseren sogar als die trockne Seide für sich.

Der Verfasser hielt es für besser, statt dessen, einen leicht schmelzbaren Isolator anzuwenden (Wallrath, Stearinsäure, oder ein Gemisch von Wachs und Oel) und denselben, stark erhitzt über seinen Schmelzpunkt, aufzutragen, damit er auf den kalten Drahtwindungen nicht sogleich erstarre, sondern deren Seiden-Überzug wohl durchdringe und vollständig tränke.

Um ferner auch nach aufsen hin eine gute Isolation herzustellen, hielt er es für zweckmäfsig, den Draht auf einen Glascylinder zu wickeln, die Seitenfassungen dieses Cylinders von Guttapercha zu nehmen, zumal sich in derselben die Ansatzstifte des Drahts sehr gut befestigen lassen, dann die ganze Rolle mit einem dicken Wachs-Überzug zu versehen, und endlich, nachdem auch dieser gefirnifst worden, zwei starke Ringe von Guttapercha herumzulegen, mittelst welcher das Ganze auf einem Holzgestelle ruhen könne.

Nach diesen Principien hat der Verf. einstweilen drei Inductionsrollen angefertigt, von denen jede eine Länge von $5\frac{1}{4}$ par. Zoll, einen innern Durchmesser von 22 p. Lin. und einen äufsern von 32 besitzt.

Zwei derselben enthalten einen äufserst dünnen Draht, einen Draht von nur 0,15 Millm. Durchmesser; in der dritten ist er beträchtlich dicker, nämlich von 0,25 Millm. Durchmesser.

In jeder der beiden ersten hat der Draht eine Länge von rund gerechnet 10000 par. Fufs, und macht in 8 Abtheilungen deren jede 38 Lagen enthält, etwa 16000 Windungen.

Der Draht der dritten Rolle ist etwa 2400 par. F. lang und bildet in jeder der 6 Abtheilungen, welche sie enthält, 19 Lagen.

Wiewohl der Verf. bei Anfertigung dieser Rollen mit möglichster Sorgfalt verfahren ist, und auch glaubt, dafs sie mehr leisten, als andere von gleichen Dimensionen, die nach der gewöhnlichen Methode dargestellt worden sind, so ist er doch keineswegs der Meinung seinen Zweck schon vollkommen erreicht zu haben; im Gegentheil hat er sich überzeugen müssen, dafs die angewandte Isolation noch lange nicht stark genug ist, um die Rollen gegen die Zerstörungen zu schützen, welche beim Gebrauche die Funken in ihrem Innern anrichten. Er hat diefs besonders bei der zweiten der aus feinem Draht bestehenden Rollen erfahren müssen. In den ersten Momenten war die Wirkung derselben ausserordentlich, aber nach einer Viertelstunde schon nahm sie bedeutend ab. Sie war dadurch auf einen stabilen Zustand gekommen, den sie nun monatelang behielt und mit dem man immer noch zufrieden sein konnte, da sie, durch 2 Grove'sche Elemente angeregt, eine Funkenweite von über 5 par. Lin. fast 12 Mllm. lieferte. Wahrscheinlich würde sie diesen Zustand permanent behalten haben, wenn der Verf. nicht später einmal veranlafst worden wäre, sie durch 4 Grove's anzuregen. Er erhielt dadurch Funken von über 7. par. Lin. = 16 Millm.; — er erhielt sie aber nur in den ersten Minuten, in den folgenden nahmen sie merklich ab; — und als er nun wieder zu 2 Grove's zurückging, bekam er statt der früheren Schlagweite von 5 par. Lin., nur noch

eine von 4. — Aus dieser Erfahrung geht hervor, dafs man,
wenn man seine Inductionsrollen conserviren will, sie ja nicht
zu sehr anstrengen mufs, wenigstens nicht im ungeschlossenen
Zustande oder zur Erlangung von Funken in Luft von gewöhnlicher Dichtigkeit, weil dabei die erregte Elektricität sich überall zwischen den Drahtwindungen Bahn zu brechen sucht.

Ohne Zweifel würden die Inductionsrollen wirksamer und
dauerhafter ausfallen, wenn man die Dicke des isolirenden Zwi-
schenmittels vergröfserte; allein, wenn sich auch dann die
Länge des Drahts beträchtlich reduciren liefse, würde dennoch
die Rolle, um eine bedeutende Wirkung zu erlangen, sehr vo-
luminös gemacht werden müssen, die inducirende Rolle müfste
in entsprechendem Grade vergröfsert, die Volta'sche Batterie
verstärt werden, und damit verlöre denn der ganze Apparat
sehr viel an Bequemlichkeit des Gebrauchs.

Der Verf. glaubt, dafs sich die erwähnten Übelstände beträchtlich vermindern lassen, wenn man 1) keinen zu dünnen
Draht wählt, 2) demselben eine recht starke Umspinnung geben läfst, und 3) statt des starren Isolationsmittels, ein flüssiges anwendet, ein fettes oder ätherisches Oel, z. B. rectificir-
tes Terpenthinöl. Dadurch würde wenigstens der allmäligen
Verschlechterung der Rolle vorgebeugt sein, denn die Kanäle,
welche die Funken sich durch Verbrennung der Seide zwischen
den Drahtwindungen gebohrt hätten, würden durch die Flüssigkeit immer wieder ausgefüllt werden.

Man könnte ferner die Anzahl der Abtheilungen auf der
Rolle noch über die vom Verf. gewählte vergröfsern, könnte die
ganze Rolle aus losen und natürlich wohl isolirten Drahtrin-
gen zusammensetzen. Letzteres hätte den Vortheil, dafs sich
die schadhaften leicht durch neue ersetzen liefsen; allein der
Apparat würde dadurch eine Menge Verbindungsklemmen erfordern und sehr complicirt werden.

Endlich ist der Verf. der Meinung, dafs die gewöhnliche
und auch bis jetzt noch von ihm angewandte cylindrische
Form keineswegs die vortheilhafteste für die Inductionsrolle
ist. Er hält eine selenoid- oder spindelartige Gestalt
für besser, weil die inducirende Rolle und das Drahtbündel ihre
Wirkung hauptsächlich in der Mitte ausüben. Bis jetzt hat

er jedoch noch nicht Muße gehabt, alle diese zeitraubenden und mühsamen Abänderungen mit dem Apparate vorzunehmen.

Ein nothwendiger Zusatz zu der Inductionsrolle, wenn man die bei derselben auftretenden Erscheinungen mit Bequemlichkeit und mit Sicherheit vor elektrischen Schlägen beobachten will, ist noch die kleine Vorrichtung, welche man Auslader nennen kann. Der vom Verf. angewandte Auslader, hat im Ganzen die Einrichtung des Funken-Mikrometers, ist aber von allgemeinerem Gebrauch als dieses Instrument, indem die von Glasstäben getragenen und durch Drähte mit den Enden der Inductionsrolle zu verbindenden Platin-Stifte oder Drähte sowohl in horizontaler Lage eine horizontale, vertikale und drehende Bewegung verstatten, als auch in vertikaler Lage neben und übereinander gestellt werden können, sich überdieß die Spitzen dieser Stifte durch Kugeln und Platten ersetzen lassen.

Hauptrolle.

Als inducirende Rolle, die der Verf. kurzweg Hauptrolle nennt, hat derselbe für gewöhnlich drei angewandt, die einander vollkommen ähnlich sind. Ihre Construction weicht nur in sofern von der üblichen ab, als jede derselben z w e i übersponnene und überfirnißte Kupferdrähte enthält, die entweder e i n z e l n o d e r v e r b u n d e n, n e b e n e i n a n d e r oder h i n t e r - e i n a n d e r, angewandt werden können.

Der Draht ist 1 Millm. dick und jeder seiner Theile etwa 100 par. Fuß lang. Er bildet auf einer Papp- oder Glasröhre, welche einen inneren Durchmesser von $15\frac{1}{2}$ p. Lin. hat, vier Lagen, und füllt somit die Inductionsrolle vollständig aus.

Für gewiße Zwecke wurden noch andere Hauptrollen, theils von längerem und dünnerem, theils von kürzerem und dickerem Drahte angewandt.

Das Eisendrahtbündel.

Gewöhnlich bildet man diese Bündel aus ziemlich dicken Drähten oder kleinen Stäben, welche von einer gemeinsamen Hülle fest zusammen gehalten, aber doch durch einen isolirenden Firniß von einander getrennt werden.

Auch der Verf. hat in einigen Fällen ein solches Stabbündel angewandt, allein meistens benutzte er Bündel aus viel

dünnerem Draht, einmal weil mit der Dünnheit die Wirkung
nur steigen kann, und dann, weil sie ihn in den Stand setzte,
die Bündel selber anzufertigen. Der Draht hält nur 0,25 Millm.
im Durchmesser. Er wurde ausgeglüht, in Stücke von ange-
messener Länge zerschnitten, mit Seidenfäden zu einem Bündel vereint, und endlich, der besseren Handhabung wegen, mit
einer Papierhülle umgeben.

Die Drähte mit einem Firnifs zu überziehen, fand er überflüssig, theils weil die Oxydulschicht, welche sich beim Glühen
auf ihrer Oberfläche bildet, schon ein relativ schlechter Leiter
ist, theils weil die Unregelmäfsigkeit der Lücken zwischen den
keineswegs ganz gerade gebliebenen Drähten mehr als hinreicht,
die schädliche Continuität im Sinne der Peripherie des Bündels zu vernichten. Hütet man sich nur, die Zwischenräume
durch übermäfsiges Einschnüren zu sehr zu verringern, so leistet ein solch kunstloses Drahtbündel ebensoviel und mehr als
ein aufs sorgfältigste aus schnur geraden und gefirnisten Stäben
zusammengesetztes von gleichem Gewicht.

Zwei der vom Verf. angewandten Bündel sind wenig länger als die Inductionsrollen, halten nämlich 6 Zoll in der Länge
und wiegen 13 Unzen. Ein drittes ist 3 mal so lang, also
$1\frac{1}{2}$ Fufs. Jedes von ihnen enthält 4200 Drähte von ge-
nannter Stärke.

Er hat sich indefs überzeugt, dafs man diese Anzahl, unbeschadet der Wirkung, bedeutend verringern kann, wobei
denn die Hauptrolle zu einem beträchtlichen Theil unausgefüllt bleibt.

Er fand sogar, dafs ein hohles Bündel vom erwähnten
Draht, welches einen leeren cylindrischen Raum von 9 Lin.
Durchmesser einschlofs, und kaum halb so viel wog als das
massive, eben solche Wirkung hatte wie dieses.

Es überraschte ihn dabei zu sehen, dafs sich in den hohlen Raum dieses Drahtbündels ein massiver Stab von weichem
Eisen einschieben liefs, ohne dafs dadurch die Wirkung — d.
h. die Funkenwirkung der Inductionsrolle, — im Mindesten geschwächt wurde; wogegen derselbe Eisenstab, entkleidet von
seiner Drahthülle, ganz unverkennbar die Wirkung verringerte,
welche die Hauptrolle für sich auf die Inductionsrolle ausübte.

Es ist diefs offenbar ein Analogon zu der vor vielen Jahren von Hrn. Magnus beobachteten Thatsache, dafs ein massiver Eisenstab, eingeschoben in eine aufgeschlitzte Blechröhre, die Wirkung dieser nur sehr wenig schwächt.

Das Eisendrahtbündel ist praktisch von grofsem Nutzen; — theoretisch führt es Complicationen ein. — Wollte man es dieserwegen ganz fortlassen, so müfste man dem Apparat, um nichts an Wirkung zu verlieren, eine etwas andere Einrichtung geben. — Man müfste die Rolle des inducirenden Drahtes von gröfserem Durchmesser nehmen, und den Inductionsdraht zur Hälfte aufserhalb, zur Hälfte innerhalb anbringen. Sonst würde der inducirende Draht nur einseitig benutzt. Das Eisen wirkt wesentlich deshalb verstärkend, weil es, gleichsam durch eine Art von Reflexion, auch die innere Seite der inducirenden Rolle nach aufsen zur Thätigkeit bringt.

Strom-Unterbrecher.

Zum Unterbrechen des Stroms wandte der Verf., wie es gewöhnlich geschieht, den s. g. Neef'schen oder eigentlich Wagner'schen Hammer an, und zwar in zwei Exemplaren.

Das eine Exemplar hat im Ganzen die gewöhnliche Einrichtung, nämlich einen herabgehenden festen Stift, gegen welchen von untenher eine federnde Zunge mit einem darauf befestigten Plättchen schlägt.

Aufserdem besitzt es den von Hrn. Riefs hinzugefügten zweiten Stift unterhalb der Zunge, um die herabgehenden Vibrationen derselben ebenfalls zur Schliefsung des galvanischen Stromes zu verwenden, und somit diesen Strom nicht allein doppelt unterbrechen, sondern auch umkehren zu können. Diese Prozesse lassen sich, wenn die Hauptrolle zwei Drähte besitzt, mittelst einer einzigen galvanischen Kette ausführen, indem man die Verbindungen so bewerkstelligt, dafs der Strom abwechselnd durch den einen und den andern Draht geht.

Den zweiten Stift hat der Verf. häufig benutzt, um mittelst eines dicken, winkelförmigen Drahts, der sich daran fest schrauben und gegen die Zunge stemmen läfst, das Hypomochlion dieser zu verschieben, den vibrirenden Theil derselben zu verkürzen, und somit ihren Gang zu beschleunigen.

Man muſs sich indeſs darin mäſsigen. Ein zu rascher Gang des Hammers, verbunden mit einer so geringen Amplitude, daſs die Schwingungen kaum sichtbar sind und ein wespenartiges Gesumse verursachen, sind für die Wirkungen der Inductionsrolle nachtheilig.

Übrigens hat dieses Exemplar des Unterbrechers noch eine Vorrichtung, um einen zweiten galvanischen ¡Strom gleichzeitig und in gleichem Tempo mit dem ersten unterbrechen zu können.

Das andere Exemplar hat den Zweck, die Unterbrechungen des Stromes im Innern einer tropfbaren Flüſsigkeit zu bewerkstelligen.

Zu dem Ende befindet sich der kleine Elektromagnet oberhalb des Ankers der Zunge; die Zunge trägt den Stift oder Hammer, und der Amboſs, ein dicker Platindraht, steht mitten in einem kleinen Glascylinder, welcher auf einem messingnen Fuſse ruht. In diesem Fuſs ist der Platindraht festgeschraubt, und um ihn herum der Glascylinder ausgegossen mit einer Lage Schwefel, welcher, weil er in der Kälte den meisten Flüſsigkeiten widersteht, hiezu wohlgeeignet ist. — Deshalb wendet der Verf. auch schon seit langer Zeit zum Verkitten des Platins in den Deckeln seiner Grove'schen Ketten Schwefel an.

Im Übrigen ist dieser Unterbrecher wie der gewöhnliche eingerichtet, und, wie bei dem ersten, sind die gegeneinander schlagenden Theile von Platin.

Bei den meisten, vielleicht allen bisherigen Inductionsapparaten, macht der Unterbrecher einen untrennbaren Theil des Ganzen aus; und bei einigen derselben, z. B. dem Ruhmkorff'schen, wird er auch durch dasselbe Eisenbündel in Bewegung gesetzt, welches die Wirkung des inducirenden Drahts verstärkt.

Der Verf. hat es vorgezogen, nicht allein diese Bewegung, wie bei den Halske'schen Apparaten, durch einen kleinen abgesonderten Elektromagnet bewerkstelligen, sondern auch den Unterbrecher ganz als ein selbstständiges Instrument anfertigen zu lassen, um ihn nach Belieben mit dem Übrigen verbinden, und nöthigenfalls auch unter der Luftpumpe anwenden zu können.

2 *

Condensator.

Der Condensator wurde vom Verf. anfänglich ganz so construirt, wie er, muthmaßlich nach Hrn. Fizeau's eigener Angabe,
den vom Mechanikus Ruhmkorff verfertigten Apparaten beigefügt ist, nämlich aus einem langen, auf beiden Seiten mit Stanniol belegten Stücke Wachstafft, gefaltet zu hin- und herge-
benden Lagen, damit er weniger Raum einnehme und zugleich
nur die Theile einer und derselben Belegung mit einander in
Berührung kommen. Bei dem Exemplar des Verf. hat jede der
Zinnflächen 8 par. Fuß Länge und 11 p. Zoll Breite. Bald hernach construirte er ein zweites Exemplar, etwa ein Viertel so
groß wie das erste, nämlich von 23 par. Zoll Länge und 11 p.
Zoll Breite, und trennte dabei die gefalteten Lagen durch dazwischen geschobene Papptafeln, um so zu verhüten, daß die
Belege sich rückseits selber berühren, was nothwendig einen
nachtheiligen Einfluß haben muß.

Späterhin wurde er bekannt mit der Vereinfachung, welche
Hr. Mechanikus Halske angebracht hat, indem derselbe die vo-
luminöse Vorrichtung der Ruhmkorff'schen Apparate durch ein
einziges belegtes Glimmerblatt von nicht mehr als Octavformat
Größe ersetzt. Der Verf. hat Gelegenheit gehabt, einen von
Hrn. Rieß selbst verfertigten Condensator dieser Art und dieser Größe zu prüfen, und sich dadurch überzeugt, daß derselbe unter den Umständen, unter welchen die Prüfung geschah,
dem großen Wachstafft-Condensatoren außerordentlich an Wirksamkeit nahe kommt. Diese, in Betreff der Dimensionen, so
bedeutende Überlegenheit des Glimmer-Condensators hat offenbar darin ihren Grund, daß die condensirenden Flächen auf der
Rückseite ganz frei die Luft berühren und zugleich einander
näher stehen, als auf der großen Tafftwand, die nicht allein
dicker ist als das angewandte Glimmerblatt, sondern auch durch
Krümmungen und Falten, die nur fort zu schaffen wären, wenn
man sie in einem Rahmen ausspannte, ein enges Anschließen
der Stanniolblätter verhindert.

Der Glimmer ist ein vortreffliches Material zu dergleichen
Condensatoren; allein er ist nicht überall in Tafeln von der
erforderlichen Größe zu haben. Der Verf. ist dadurch veranlaßt worden, sich nach Substanzen umzusehen, die ihn zu er-

setzen vermöchten. Dergleichen Ersatzmittel sind, wie er gefunden: Postpapier, bestrichen auf beiden Seiten mit alkoholi-
scher Schellacklösung oder Bernsteinfirnifs; ebenso dünnes Wachspapier von weifsem Wachs, wie man es in den Apotheken bekommt, und dann mit Lackfirnifs überzogen. Wenn man nicht
gerade Rigidität verlangt, die diese Präparate nur in geringem
Grade besitzen, so ersetzen sie den Glimmer vollkommen.

Der Verf. hat sich mehrere solcher Papier-Condensatoren
verfertigt, theils von 54, theils von 30 p. Quadratzoll belegter
Oberfläche. Er hat sie einzeln, und, durch Stanniolstreifen
verbunden, paarweis geprüft, und gefunden, dafs zwei zusammen nicht mehr leisten als ein einziger, und dafs selbst einer
der kleineren Art ziemlich ebenso wirksam ist als der grofse
von Wachstaftt.

Um zu sehen, wie weit man die Verkleinerung dieser
Condensatoren, unbeschadet ihrer Wirksamkeit, wohl treiben
könne, wurden noch einige verfertigt, von 16, 9, 4 und 1
Quadratzoll belegter Fläche auf jeder Seite, theils von gefir-
nifstem Wachspapier, theils von Guttapercha, theils auch von
Wachstaftt, auf welchen sich bei dieser Gröfse die Stanniolblätter durch Schellakfirnifs leicht und fest ankleben lassen.

Zu seiner Überraschung fand der Verf. alle diese kleinen
Condensatoren, selbst die kleinsten nicht ausgenommen, was
Schlagweite der Inductions-Funken betrifft, eben so
wirksam als die beiden grofsen aus Wachstaftt; wenigstens
waren die Unterschiede sehr unerheblich und unregelmäfsig, so
dafs sie ohne Zwang den Veränderungen zugeschrieben werden
konnten, welche die gegeneinander hämmernden Theile des
Unterbrechers durch die an ihnen entstehenden Funken erleiden.

Nur darin waren die grofsen den kleinen überlegen, dafs
sie compactere, massigere Funken hervorriefen als diese, mit
ihnen auch die Funken schneller auf einander folgten, wenn
man den Abstand der Pole der Gränze näherte, bei welcher
die Funken einzeln erscheinen oder überhaupt noch zum Vorschein kommen.

Schon dieserwegen sind also die grofsen Condensatoren
nicht überflüssig; allein sie sind es auch noch aus andern Gründen.

Fürs erste wurden alle die angeführten Resultate mit dem
Strome von einem oder von zwei zur Batterie vereinigten
Grove'schen Elementen erhalten, und die Vergleichung beider
Fälle schien anzudeuten, daſs sich bei Anwendung eines inten-
siveren galvanischen Stroms, dem der Verf. aber absichtlich
seine Inductionsrollen nicht aussetzen wollte, daſs Verhältniſs
der Wirksamkeit der Condensatoren wohl ändern würde.

Zweitens wird bei dem Inductionsapparat die Wirkung
der Condensatoren wesentlich bedingt durch den s. g. **Extrastrom**, d. h. den Inductionsstrom, der in der eigenen Bahn
des galvanischen Stroms bei dessen Unterbrechungen entsteht.

Alles was vorhin gesagt ist, gilt nur für den Fall, daſs
dieser **innere** Inductionsstrom relativ schwach ist, also für
den Fall, wo der Hauptstrom einen verhältniſsmäſsig kurzen
und dicken Draht durchläuft. Verstärkt man den ersteren Strom
indem man den letzteren durch einen langen und dünnen Draht
leitet, ohne übrigens an der Quelle der galvanischen Electricität oder an dem Eisendrahtbündel etwas zu ändern, so nimmt
auch die Wirkung aller kleinen Condensatoren bedeutend ab
je nach ihrer Kleinheit, fast bis zur völligen Nullität; während
die groſsen ihre Kraft ungeschwächt behalten.

Der Verf. hat sich davon überzeugt, indem er die Drähte
der Hauptrolle statt nebeneinander, wie bei den vorhin genannten Versuchen, hintereinander verknüpfte, also statt des Draht
von doppeltem Querschnitt und einfacher Länge, einen von
einfachem Querschnitt und doppelter Länge anwandte, — und
noch mehr, — als er diesen Draht, der nun 1 Millm. dick und
200 p. Fuſs lang war, ersetzte durch einen von $\frac{2}{3}$ Millm.
Durchmesser und 400 p. Fuſs Länge, ohne sonst an dem Apparat etwas zu ändern. In beiden Fällen, wo also der **galvanische Strom** eine relativ **geringe**, der innere **Inductionsstrom** aber eine relativ **groſse** Stärke besaſs, war der
kleine 1□zöllige Condensator, der sich früher so wirksam erwies, so gut wie ohne Wirkung.

Drittens hängt die Wirkung der Condensatoren auch wesentlich ab von der **Inductionsrolle**, auf welche sie ihren
Einfluſs auszuüben bestimmt sind. Alle vorhin genannten Resultate wurden mit dem sehr dünnen, 10000 Fuſs langen Induc-

tionsdraht erhalten; als statt dessen der dickere, nur 2400 Fuſs
lange Draht angewandt wurde, zeigten die kleinen Condensatoren ebenfalls keine oder nur eine sehr schwache Wirkung;
ja die beiden kleinsten von ihnen, schienen die Funken-Entwicklung zwischen den Polen der Inductionsrolle nicht nur
nicht zu verstärken, sondern gar zu schwächen. Dies Verhalten
stellte sich in ziemlich gleichem Grade ein, es mochte dem
i n n e r e n I n d u c t i o n s s t r o m in angegebener Weise eine
g e r i n g e oder eine relativ g r o ſ s e Stärke gegeben worden sein.

Die beiden groſsen Wachstafft-Condensatoren dagegen,
äuſserten auch jetzt noch, in beiden Fällen, ihre frühere kräftige Wirkung; ja es lieſs sich deutlich erkennen, daſs der
8füſsige dem 2füſsigen überlegen war.

Je k r ä f t i g e r also die g a l v a n i s c h e B a t t e r i e, je s t ä r-
k e r der E x t r a s t r o m und je dicker und m a s s i g e r der I n-
d u c t i o n s d r a h t ist, — desto g r ö ſ s e r muſs auch der Condensator sein, wenn eine energische Funken-Entwicklung zwischen den Polen des Apparates erlangt werden soll. Hinzugesetzt mag noch sein, daſs es auch scheint, als habe die Güte
der Isolation des Inductionsdrahts einen Einfluſs auf die Wirkung des Condensator, — so nämlich, daſs diese Wirkung um
so mehr hervortritt, je schlechter die Isolation ist.

Was so eben von den Funken in freier Luft gesagt ist,
gilt zum Theil auch von den Licht-Erscheinungen im partiellen
Vacuo; sie sind unter sonst gleichen Umständen mit den kleinen Condensatoren nicht so entwickelt wie mit den groſsen.
Doch ist hier wohl zu bemerken, daſs die verstärkende Wirkung der Condensatoren überhaupt desto mehr zurücktritt, je
intensiver der Inductionsstrom und je vollkommner oder leitender das Vacuum ist. Wurde in dem langen Inductionsdraht
der Strom durch zwei Grove'sche Elemente angeregt und das
s. g. elektrische Ei bis auf 1 par. Lin. ausgepumpt, so hatte
auf die Licht-Erscheinungen in diesem selbst der groſse Condensator gar keinen Einfluſs.

Übrigens wurden bei allen Condensatoren die Drähte,
welche dieselben mit dem Neef'schen Hammer verbanden, stets
dies- und jenseits der Unterbrechungsstelle, in geringer Ent-

fernung von derselben angelegt. — Man kann sie auch mit anderen entfernteren Punkten der Drahtleitung des galvanischen Stroms verknüpfen, aber ihre Wirkung ist dann schwächer.

II. Erscheinungen bei Anwendung des Apparats.

Die Erscheinungen, welche der Apparat darbietet, sind, was bisher entweder gar nicht oder nicht genugsam hervorgehoben worden ist, wesentlich verschieden, je nachdem die Enden oder Pole des Inductionsdrahts entweder 1) verbunden sind durch einen guten Leiter, oder 2) getrennt durch Luft oder Gas, oder 3) getrennt durch einen flüssigen oder starren Isolator. Diese Eigenthümlichkeit unterscheidet den Volta-Inductions-Apparat wesentlich von der magneto-elektrischen Maschine.

Erster Fall.

Sind die Pole der Inductionsrolle durch einen Metalldraht oder durch eine gut leitende Flüssigkeit verbunden, so besteht der Inductionsstrom aus zwei Theilen, die abwechselnd hin- und herlaufen, entsprechend den Momenten der Schließung und Öffnung des inducirenden galvanischen Stroms, in entgegengesetzter und gleicher Richtung mit diesem. In beiden Stromtheilen bewegt sich eine gleiche Elektricitätsmenge, nur wird sie in dem letzteren rascher erregt.

Dies geht zunächst aus dem Verhalten des Galvanometers hervor. Schaltet man ein solches ein, so zeigt dasselbe, wenn der Inductionsdraht sehr dünn und lang ist, keine Ablenkung, oder, wenn er dicker und kürzer, oder der inducirende Strom stärker ist, das vom Verf. im J. 1838 beschriebene Phänomen der doppelsinnigen Ablenkung *), welches bekanntlich auf schnell in entgegengesetzten Richtungen einander folgenden Magnetisirungen der Nadel beruht.

Bringt man mittelst Platinplatten Wasser oder verdünnte Schwefelsäure in den Strom, so wird an jeder Platte Sauerstoff und Wasserstoff entwickelt und von einer Polarisation des Platins ist, nach Aufhebung des Stroms, keine Spur zu entdecken.

---

*) Ann. d. Phys. u. Chem. Bd. XLV, S. 353.

Feuchtes Jodkalium-Papier mit den Polen in Berührung gesetzt, zeigt analog unter jedem derselben eine Ausscheidung von Jod, und zwar von gleicher Stärke.

Ein Elektro-Thermometer wird zum Steigen gebracht, da für dasselbe die Richtung des Stroms gleichgültig ist, aber eine thermo-elektrische Kette nimmt keine Ladung an.

Endlich hat der Condensator keinen Einfluß auf alle diese Erscheinungen.

Zweiter Fall.

Sind die Pole durch eine Luft- oder Gasstrecke, auch nur durch eine ganz kurze, unterbrochen, so äußert sich bloß der eine der beiden Inductionsströme, derjenige, der durch das Öffnen des galvanischen Stroms ensteht; der andere, der beim Schließen hervorgerufen wird, bleibt wirkungslos nach außen in der Rolle zurück, die nun dadurch feste Pole bekommen hat.

Dies zeigt sich zunächst, wenn die Inductionsrolle ungeschlossen ist, d. h. ihre Pole durch eine große Luftstrecke getrennt sind, in den Spannungs-Erscheinungen.

Bringt man, während der Apparat in Thätigkeit ist, ein Elektrometer momentan mit einem der Pole in wirkliche Berührung, so hängt es ganz vom Zufall ab, ob sich dasselbe positiv oder negativ lade, da beide Elektricitäten an jedem Pol in jedem Augenblick mit einander wechseln. Nähert man aber das Elektrometer nur soweit, daß Funken auf dasselbe überspringen, so erhält man aus jedem Pol stets einerlei Elektricität, diejenige, die dem Pol nach Richtung des Öffnungsstrom zukommt.

Noch besser zeigt sich dieses, wenn einer der Pole durch einen Draht mit dem Erdboden in leitende Verbindung gesetzt ist. — Dann ladet sich das Elektrometer schon in bedeutender Entfernung (bei einem Versuche des Verf. in anderthalb Zoll Entfernung), von dem anderen Pol, unvermittelt durch Funken, bloß durch dunkle Ausstrahlung, constant mit der Elektricität, welche diesem Pol im ebengenannten Strom entspricht.

In Übereinstimmung mit diesen Resultaten steht es, daß, wenn man einem der Pole einen mit dem Erdboden verbundenen Draht bis zur Schlagweite nähert und eine zeitlang Funken auf ihn überspringen läßt, alsdann die ganze Inductions-

rolle, — nach Erlöschen des Stroms — mit derjenigen Elek-
tricität geladen ist, welche dem anderen Pol angehört. —
Es war dies dem Verf. ein Beweis von der Güte der äußeren
Isolation seiner Inductionsrollen.

Übrigens sind die Funken, die man im ungeschlossenen
Zustand der Inductionsrolle aus einem ihrer Pole ziehen kann,
natürlich stärker wenn der andere Pol zur Erde abgeleitet ist,
und auch, wie es scheint, beständig stärker am negativen als
am positiven Pol.

Werden die Pole der Inductionsrolle einander so weit genähert, daß Funken zwischen ihnen überschlagen, so kann
man die Kette als geschlossen betrachten; aber diese Schließung
ist von der durch einen guten Leiter darin wesentlich verschieden, daß nur der Öffnungsstrom circulirt.

Die unterbrechende Luftschicht, die hier gleichsam die
Stelle eines Filtrums vertritt, auf welchem der eine Strom zurückbleibt, braucht nur ganz dünn zu sein. — Ein Stück trocknes Fließpapier, gelegt zwischen zwei Metallplättchen, die
durch Dräbte mit den Polen der Inductionsrolle verbunden
werden, erfüllt den Zweck der Absonderung der einen Elek-
tricitätshälfte vollkommen, und überläßt dem Experimentator
einen Strom von constanter Richtung, der, mit Ausnahme seiner
Discontinuität, alle Eigenschaften eines galvanischen Stroms
besitzt, und zwar eines von hoher Intensität, ähnlich dem einer
sehr großen Anzahl sehr kleiner Plattenpaare.

Die Unterbrechung mittelst Spitzen leistet natürlich dieselben Dienste und noch bessere in mancher Beziehung die
mittelst des s. g. elektrischen Eies, da in der verdünnten Luft
desselben die Entladung zwischen den Enden der metallischen
Leitung viel sanfter geschieht, als durch das stoßweise Überspringen der Funken in Luft von gewöhnlicher Dichtigkeit.
Je kürzer und verdünnter die Luftstrecke ist, desto weniger
zeigt sich durch diese Unterbrechung der Strom geschwächt,
obwohl dabei vielleicht immer ein Theil desselben in dem
Draht zurückbleiben mag.

Was die Wirkungen des durch Luft unterbrochenen
Stroms betrifft, so zeigt sich deren Verschiedenheit von der des
vollständig geschlossenen zunächst am Galvanometer.

Man bekommt jetzt eine Ablenkung in einem bestimmten Sinne, der von der Richtung des Stromes abhängt. Dieselbe ist stärker beim dicken Inductionsdraht als beim dünnen, — ist auch steter und regelmäfsiger bei Unterbrechung des Stroms durch Entladungen im partiellen Vacuo als durch Funken in gewöhnlicher Luft.

Wenn man die Schwierigkeit erwägt, mit welcher die Ablenkung einer Magnetnadel durch Reibungs-Elektricität zu bewerkstelligen ist, so mufs die Leichtigkeit, mit der sie hier ohne alle Isolirung des Galvanometergewindes zu Stande kommt, einigermafsen auffallend erscheinen.

Eine thermische Wirkung im Draht des unterbrochenen Stroms ist da, wie Hr. Riefs beobachtet, aber eine äufserst schwache. — Der Verf. konnte sie mit seinem weniger empfindlichen Luftthermometer nicht wahrnehmen, obwohl dasselbe die Erwärmung in dem ganz geschlossenen Draht, besonders dem dickeren, deutlich nachweist.

Bemerkenswerth ist, dafs defsungeachtet eine Thermokette leicht geladen wird, ganz im Sinne wie von einem galvanischen Strom, entgegengesetzt der Richtung desselben. Der Verf. beobachtete es an einer Combination von zwei V-förmigen Wismuth-Antimon-Paaren. Die gewöhnlichen Thermosäulen sind wegen mangelnder Isolation hiezu nicht brauchbar.

Auch die Funken an der Unterbrechungsstelle üben eine thermische Wirkung aus, und offenbar eine viel stärkere als in der metallischen Bahn des Stroms stattfindet. Wenn man zu den Polen sehr dünne Platindrähte nimmt und sie einander sehr nahe bringt, so kann man beobachten, — was schon vor dem Verf. geschehen ist, — dafs die Spitze des negativen Drahts, die dann vom positiven Funkenstrom eingehüllt wird, zum Glühen kommt.

Die chemischen Zersetzungen, die Zersetzung des Wassers, Jodkalis u. s. w. erfolgen ganz so, wie bei einem galvanischen Strom, d. h. an jedem Pol wird nur einer der Elektrolyte geschieden. Im Wasser werden die Elektroden polarisirt, und, wenn man sie aus sehr dünnen Platindrähten bildet, sieht man die negative an der Spitze leuchten.

Interessant sind mehrere dieser Zersetzungen, wenn man sie in der Art vornimmt, daſs die Unterbrechung des Stroms an der Flüssigkeit selbst geschieht.

Zu dem Ende stellt man die Drähte des Ausladers senkrecht neben einander, und nähert ihnen von unten her die Flüssigkeit, wobei man es denn ganz in seiner Gewalt hat, die Funken entweder aus beiden Drähten zugleich auf die Flüssigkeit schlagen zu lassen, oder nur aus einem von ihnen während der andere eingetaucht gehalten wird.

Im Allgemeinen zeigt sich hiebei, daſs der Funkenstrom des positiven Pols oben an der Spitze des Drahts eine gelbe oder rothgelbe Farbe besitzt, und unten auf der Oberfläche der Flüssigkeit eine blaue Scheibe bildet; — daſs umgekehrt der Funkenstrom des negativen Pols oben blau ist, und mit diesem Lichte noch einen Theil des Drahts von der Spitze ab umhüllt, während auf der Flüssigkeit ein gelblicher Schimmer ruht.

Bringt man die Flüssigkeit näher an die Drähte, etwa bis auf $\frac{1}{4}$ Linie, so reducirt sich das Phänomen auf einen blauen Funken am negativen Pol, und einen gelben am positiven.

Das Phänomen ist ferner nach der Natur der Flüssigkeit etwas verschieden. Nicht-leitende, wie Terpenthinöl, zeigen es natürlich gar nicht. Bei destillirtem Wasser ist es schwach, weil die Funken klein sind und wenig Lichtstärke haben. — Ausgebildeter erscheint er bei verdünnter Schwefelsäure, Salzsäure, Salpetersäure; bei Lösungen von Kalihydrat, kohlensaurem Natron u. s. w.; bei diesen alkalischen Flüssigkeiten ist der mittlere Theil des Funkenstroms schön gelb, am positiven Pol sogar goldgelb.

Am ausgezeichnetsten tritt jedoch das Phänomen bei der concentrirten Schwefelsäure auf; keine andere der untersuchten Flüssigkeiten zeigte die blaue Scheibe auf ihrer Oberfläche unter dem positiven Pol so groſs und deutlich und schön gefärbt wie diese.

Von einer chemischen Zersetzung ist in allen diesen Fällen, wo beide Pole Funken auf die Flüssigkeit senden, nichts zu sehen.

Läfst man aber nur den einen Draht Funken ausströmen,
und hält den anderen eingetaucht, so wird an diesen sogleich
eine Zersetzung durch Gasentwicklung sichtbar, und es ist dabei
ganz gleichgültig, welcher der Pole der eingetauchte, und welcher der funkengebende ist. Diese merkwürdige Zersetzung
an einer einzigen eigentlichen Elektrode ist zwar nur schwach,
aber der Verf. hat sie doch bei den verdünnten Säuren deutlich
beobachtet; noch deutlicher ist sie bei der concentrirten Schwefelsäure.

Anders verhält es sich mit der Jodkalium-Lösung; diese wird
schon zersetzt, wenn auch aus beiden Polen Funken auf sie her-
abschlagen, also ganz ohne eigentliche Elektroden, — ob durch
Bildung von Salpetersäure oder Ozon, mag dahingestellt bleiben.

Befeuchtet man mit dieser Lösung ein Stück Fliefspapier,
setzt es mit dem negativen Pol in Berührung und nähert es
dem positiven hinreichend, so erscheint unter letzterem sogleich ein brauner Fleck, und der positive Funkenstrom selbst
nimmt eine bräunliche Farbe an, nicht die violette des Jod-
dampfs. Unter dem negativen Pol tritt keine Färbung auf.
Berührt dagegen das Papier den positiven Pol, und empfängt
Funken vom negativen, so wird es unter beiden gebräunt, unter letzterem aber viel schwächer.

Ähnliches beobachtet man, wenn der negative Pol zur
Erde abgeleitet, und blofs dem positiven ein Stück feuchtes Jodkaliumpapier gegenüber gehalten wird. — Papier und Funken
färben sich bräunlich.

Auch ein mit salpetersaurem Silberoxyd, Gold- oder Platinchlorid getränktes Papier färbt sich unter dem positiven
Funkenstrom braun. Beim Gold- und Platinchlorid nehmen
die Funken selbst eine braune Farbe an. Unter ihnen beginnt
das Papier zu rauchen, bald wird es trocken, und nun brennt
ein Loch ein, das am Rande zunderartig glimmend sich rasch
vergröfsert. Dabei erheben sich braune Fasern von Papier, die
sich an den Draht setzen, und einen förmlichen Bart um denselben bilden.

Unter dem negativen Funkenstrom zeigen sich diese Erscheinungen nicht; aber es entsteht unter ihm ein dunckler
Fleck, der offenbar reducirtes Metall ist.

So viel von den Wirkungen des durch Luft unterbrochenen Inductionsstroms. — Was den Grund betrifft, daſs hiebei
nur derjenige Strom zur Thätigkeit gelangt, welcher durch das
Oeffnen der galvanischen Kette entsteht, der andere, beim
Schlieſsen erzeugte, dagegen keine Wirkung äussert und nicht die
erforderliche Spannung besitzt, um eine auch noch so dünne Luftschicht zu durchbrechen, — so liegt er einfach darin, daſs eben
durch das Schlieſsen der Kette ein geschlossener leitender Kreis
gebildet wird, der, wie alle metallischen Continua, welche die
Inductionsrolle innerhalb oder auſserhalb umgeben, die Entwicklung oder den Verlauf des darin inducirten Stroms ver-
zögert.

Gut leitende Flüssigkeiten, wie die der galvanischen Kette,
unterscheiden sich in dieser Beziehung von den Metallen nicht.
Davon kann man sich, wenn die Hauptrolle zwei Drähte besitzt, leicht überzeugen. Leitet man nämlich den galvanischen
Strom nur durch den einen dieser Drähte, und verbindet den
andern mit einem Paar Metallplatten, so hört die Funkenwirkung augenblicklich auf, so wie man diese Platten in verdünnte
Schwefelsäure taucht.

Beim Öffnen der Kette, unter den gewöhnlichen Umständen, wird eben durch daſs Zerreiſsen der geschlossenen Strombahn dieses Hemmniſs beseitigt, und es steht der vollen Entwicklung des durch diesen Act in der Inductionsrolle erregten
Stromes nichts weiter im Wege als eine Art von Aufstauung
der Elektricität an den Enden der gerissenen Bahn des galvanischen Stroms und eine ähnliche Aufstauung an den Enden
des Inductionsdrahts, beide hervorgebracht durch den Widerstand, welchen die Luft dem Übergange der Elektricität ent-
gegensetzt.

Die erstere Aufstauung ist nun durch Fizeau's glückliche
Idee der Anwendung eines Condensators fortgeschafft, indem
dadurch den angehäuften Elektricitäten, ohne Bildung einer
geschlossenen Bahn, ein rascher Abfluſs aus dem inducirenden
Draht verstattet wird.

Durch den Condensator wird die in dem Inductionsdraht
erregte Elektricitätsmenge nicht vermehrt. Das zeigt sich zunächst, wenn man diesen Draht metallisch schlieſst und einen

Magnetometer einschaltet. Die Ablenkungen, die man dann am letzteren Instrumente durch einzelne Schliefsungen und Öffnungen des inducirenden Stroms erhält, sind unter sich gleich und mit dem Condensator nicht gröfser als ohne denselben.

Aber die Elektricitätserregung im Inductionsdraht beim Öffnen des inducirenden Stroms wird durch den Condensator beschleunigt und dadurch die Spannung der entwickelten Elektricität erhöbt. Darum wirkt ein Pol der ungeschlossenen Inductionsrolle aus viel gröfserer Entfernung auf das Elektrometer, wenn ein Condensator angewandt wird, als wenn nicht. Deshalb geschieht es auch, dafs wenn die Enden oder Pole des Inductionsdrahts durch eine mäfsige Luftschicht getrennt sind, die Funken bei Anwendung des Condensators reichlicher überspringen, ja noch bei Abständen der Pole in Menge erscheinen, wo ohne den Condensator nicht ein einziger zum Vorschein gekommen wäre.

Derjenige Theil der Elektricitäten also, der sich in dem durch Luft unterbrochenen Inductionsdraht an den Polen ausgleicht oder zur Circulation kommt, wird wirklich durch den Condensator vergröfsert.

Das geht auch aus der galvanometrischen Ablenkung hervor, die unter diesen Umständen gesteigert wird, während sie, wie oben erwähnt, in dem metallisch geschlossenen Draht · durch ihn keine Veränderung erleidet. Das beweist ferner die Wasserzersetzung des durch Luft unterbrochenen Inductionsstroms, die gleichfalls durch den Condensator verstärkt wird.

Was so eben von den Spannungen, Funken, Ablenkungen und Zersetzungen gesagt ist, gilt auch von den physiologischen Wirkungen, von den Erschütterungen die man bekommt, wenn man Theile seines Körpers in den Kreis bringt. Auch sie werden durch den Condensator verstärkt. Es ist nicht allein der äufsere, eigentliche Inductionsstrom, der somit intensiver wirkt, sondern auch der innere, der s. g. Extrastrom. Der Verfasser hat sich davon auf mehrfache Weise überzeugt.

Überhaupt wirkt der Condensator nur dann verstärkend, wenn zwischen den Polen des Inductionsdrahts ein Widerstand ist. Je mehr dieser Widerstand verringert wird, desto mehr nimmt auch die Verstärkung ab. Deshalb äufsert sich die Wir-

kung des Condensators viel kräftiger bei den Funken in freier
Luft als bei den Lichterscheinungen im s. g. elektrischen Ei.
Je mehr man dieses auspumpt, desto mehr tritt die Wirkung
des Condensators zurück, und sie verschwindet ganz (wie bei
der metallischen Schliefsung) wenn man die Verdünnung bis
zu einer Linie Quecksilberdruck und weniger treibt, vorausgesetzt nur, dafs der Inductionsstrom an sich eine hinlängliche
Intensität habe. Aus gleichem Grunde giebt eine aus langem
Draht gebildete Inductionsrolle zwar viel stärkere Funken in
freier Luft als eine aus kürzerem Draht, zeigt aber die Licht-
Erscheinungen im gut ausgepumten Ei wenig ausgebildeter
als letztere.

Hr. Fizeau scheint die Wirkung des Condensators nicht
vollständig aufgefafst zu haben. So unter Anderem betrachtet
er, um die Wirkungen des Instruments zu erklären, nur eine
einmalige Unterbrechung des inducirenden Stroms, folglich
auch nur eine einmalige Ladung des Condensators, und er sagt
nicht, was ferner geschieht. Offenbar mufs aber der Condensator, wenn er seinen Dienst anhaltend verrichten soll, vor
jeder Unterbrechung des Stroms wieder entladen werden, und
das geschieht auch wirklich bei jeder der Schliefsungen, die
mit den Unterbrechungen abwechseln.

Beide Acte sind von Funken begleitet, und somit bietet
der Neef'sche Hammer, bei Anwendung eines Condensators,
immer eine doppelte Reihe von Funken dar, die das Auge, wegen ihrer schnellen Folge zwar nicht von einander s o n d e r n,
wohl aber an ihrem Character u n t e r s c h e i d e n kann.

Der Unterbrechungsfunke wird durch den Condensator
immer geschwächt, und der Grad der Schwächung dürfte wohl
als ein Maafsstab seiner Wirkung zu betrachten sein; — aber
der durch ihn veranlafste Entladungsfunke steht in einem umgekehrten Verhältnifs.

So kommt es denn, dafs das L i c h t p h ä n o m e n beim
Neef'schen Hammer durch die Hinzufügung des Condensators,
je nach Umständen, scheinbar n i c h t v e r ä n d e r t w i r d, oder
sich zu v e r g r ö f s e r n oder zu v e r r i n g e r n scheint.

Als der Verf. z. B. bei Anwendung des Doppeldrahts der
Hauptrolle, eines Eisenbündels und einer Batterie aus zwei

Grove'schen Elementen, den 8füfsigen Condensator einschaltete, nahm das Lichtphänomen am Hammer ab; mit dem 2füfsigen dagegen vergröfserte es sich, ohne dafs in beiden Fällen eine sonderliche Verschiedenheit an den Funken der Inductionsrolle wahrzunehmen gewesen wäre.

Verringert werden übrigens die Funken am Hammer stets und sehr bedeutend, wenn man den Inductionsdraht metallisch schliefst. — Selbst bei Unterbrechung desselben durch eine so kurze Luftstrecke, dafs die Inductionsfunken eine continuirliche Linie bilden, übt er noch eine Schwächung aus.

Bei Anwendung eines Grove'schen Elementes, bei welcher die Funken-Erscheinung am Hammer überhaupt schwach ist, und durch den Condensator noch mehr geschwächt wird, ist von den Entladungsfunken kaum etwas zu sehen, aber man hört sie, durch ein unregelmäfsiges, etwas sonores Schlagen, welches von dem regelmäfsigen Klappern des Hammers wohl zu unterscheiden ist.

Bei Anwendung eines stärkeren galvanischen Stroms sind sie dagegen leicht durch das Auge zu erkennen; sie sind massiger als die Unterbrechungsfunken, verbreiten ein sehr helles Licht, sprühen umher, und nehmen bei Condensatoren von geringen Dimensionen förmlich die Gestalt einer kleinen Flamme, an, die unter dem Hammer hervorbricht.

Es ist dies Folge ihrer grofsen Intensität, die sich auch dadurch documentirt, dafs sie den Platinstift des Hammers, auch wenn er reichlich 1 Millm. dick ist, an seinem Ende schmelzen, und mit dem Ambofs verlöthen, so dafs ein Stillstand des Instruments erfolgt, wenn der kleine Elektromagnet nicht Kraft genug hat, die Löthung zu zerreifsen. Letzteres ist bei dem Verf. regelmäfsig der Fall, wenn er den Strom eines einzelnen Grove'schen Elements durch den 400 Fufs langen Draht von $\frac{4}{5}$ Millm. Dicke leitet.

Dieses Anschmelzen wird, wie Hr. Riefs gefunden, verhindert, wenn man zur Verbindung des Condensators einen dünnen, langen Neusilberdraht, also einen Körper von grofsem Widerstand anwendet. Indefs werden dadurch die Entladungsfunken nur geschwächt; — man beobachtet sie noch, bei Anwendung des Stroms einer Batterie aus 2 Grove'schen Ketten,

[1855.]   3

selbst wenn mittelst des Rheochords 120 bis 150 Zoll eines
Neusilberdrahts von 0,45 Millm. Dicke zwischen Condensator
und Hammer eingeschaltet sind, es mag dabei der Batterie-
strom die Drähte der Hauptrolle neben- oder h i n t e r e i n a n -
d e r durchlaufen.

Bei so grofser Länge des Neusilberdrahts findet auch eine
Schwächung der Wirkung des Condensators auf den Inductionsstrom statt, wie man dies am besten aus den Licht-Erscheinungen im elektrischen Ei ersieht. Dies macht sich am
bemerklichsten, wenn die Drähte der Hauptrolle n e b e n e i n -
a n d e r verknüpft sind; hat man sie h i n t e r e i n a n d e r gereiht,
so ist selbst mit den 150 Zoll Neusilberdraht noch keine Abnahme der Wirkung zu spüren. — Indefs ist im letzteren Fall,
wo der Unterbrechungsstrom am Hammer kaum wahrnehmbar
ist, das Lichtphänomen im Ei, ohne C o n d e n s a t o r, von etwas anderem Character als im ersten, compacter, und schon
mehr demjenigen ähnlich, welches der Zusatz des Condensators hervorruft.

Sowohl die Unterbrechungs- als die Entladungsfunken
greifen den Hammer stark an, und zerstäuben die gegeneinander schlagenden Platintheile desselben zu einem schwarzen
Pulver. — Merkwürdig, und mit den Vorgängen in dem reinen Volta'schen Strom noch nicht in gehöriger Übereinstimmung gebracht, ist die Erscheinung, dafs hier, wo ein Inductionsstrom (Extrastrom) mitwirkt, die Hitze hauptsächlich am
negativen Pol auftritt und dadurch eine Art von Überfüh-
rung des Platins von diesem Pol zum positiven stattfindet. Ist
der P l a t i n s t i f t des Hammers mit dem n e g a t i v e n Pol der
Kette, d. h. dem Z i n k derselben, verbunden, die Z u n g e mit
dem p o s i t i v e n oder dem P l a t i n, so nutzt blofs der erstere
ab, und auf der Platte der Zunge bildet sich eine Erhöhung
von angeschmolzenem Platin, so dafs mit der Zeit der Stift
förmlich zu der Z u n g e überwandert.

Der Verf. wählte immer die eben genannte Verbindungs-
weise, weil es viel leichter ist den Stift zu ersetzen und die
Erhöhung abzufeilen, als die Löcher fortzuschaffen, welche im
umgekehrten Fall in die Platte eingebrannt werden.

Schon Fizeau bemerkt, daſs man den Condensator einigermaſsen ersetzen könne durch einen Draht von gehörigem Widerstand, der die vibrirenden Theile des Hammers verbindet. Der Verf. hat dies Ersatzmittel geprüft, aber gefunden, daſs es doch nur ein unvollkommenes ist, wohl deshalb, weil dabei die Kette immer geschlossen bleibt. Er ist dadurch auf die Construction des vorhin erwähnten Hammers geführt worden, bei welchem die Unterbrechungen des Stroms innerhalb einer Flüssigkeit geschehen.

Um die Wirkungen dieses Instrumentes kennen zu lernen, wurden successive Flüssigkeiten von sehr verschiedener Leitungsfähigkeit angewandt: Verdünnte Schwefelsäure, Brunnenwasser, destillirtes Wasser, 80gradiger Alkohol, und Terpenthinöl.

Mit der Schwefelsäure hatte das Instrument gar keinen verstärkenden Einfluſs auf den Inductionsstrom, offenbar wegen ihrer groſsen Leitungsfähigkeit, die sich auch dadurch documentirte, daſs, selbst bei Anwendung einer einzelnen Grove'schen Kette, eine reichliche Wasserzersetzung stattfand, wobei der Wasserstoff, übereinstimmend mit der Richtung des galvanischen Stroms, an dem mit dem Zink verbundenen Stift entwickelt wurde.

Mit dem Terpentinöl wirkte es ebenfalls nicht, offenbar aus dem umgekehrten Grunde des gänzlichen Mangels an Leitungsfähigkeit.

Der Weingeist, das Brunnenwasser und besonders das destillirte Wasser dagegen gaben eine starke Wirkung, obwohl dieselbe der des groſsen Condensators doch nicht gleich kam. Interessant war es zu sehen, wie ein einziger Tropfen destillirten Wassers, zwischen die vibrirenden Theile des Unterbrechers gebracht, sogleich einen lebhaften Funkenstrom zwischen den Spitzen des Ausladers hervorbrachte, bei Abständen, wo ohne denselben nicht ein einziger Funke erschien.

Wasser, Weingeist und Terpentinöl erleiden übrigens zwischen dem Unterbrecher ebenfalls eine Zersetzung. Bei dem Wasser ist diese Zersetzung eine elektrolytische, bei dem eine elektro-thermische, wie der Verf. sie in einer

i. J. 1847 gelesenen Abhandlung genannt hat*), hervorgebracht
durch die Hitze der Unterbrechungsfunken, und bei dem Weingeist endlich eine Mischung beider.

Die Überlegenheit des Condensators vor den genannten
Flüssigkeiten geht am augenfälligsten daraus hervor, daß er
selbst unter denselben seinen Einfluß nicht verläugnet. Ver-
bindet man ihn mit dem Unterbrecher, während sich Wasser,
Weingeist oder Terpentinöl in demselben befindet, so tritt
sogleich zwischen den Polen des Inductionsdraht eine starke
Funkenwirkung auf, anscheinend eben so stark, wie wenn der
Unterbrecher in Luft fungirte.

Interessant ist diese Verbindung noch darum, weil man
dabei Gelegenheit hat, die Entladungsfunken recht deutlich zu
beobachten. Sie sind hier sehr stark und glänzend, sprühen
und zischen, besonders im Alkohol und Terpentinöl, zerstäuben auch das Platin zu einem schwarzen Pulver, so daß das
Wasser in wenig Augenblicken wie Dinte aussieht. Letzteres
erfolgt zwar auch ohne Condensator, aber viel schwächer und
langsamer.

Dritter Fall.
Unterbrechung des Inductionsstroms durch Isolatoren.

Wenn man in den Funkenstrom, der zwischen den Polen
des Apparats übergeht, eine Glasplatte einschiebt, so wird derselbe der Hauptsache nach so gutwie vollständig unterbrochen, —
vorausgesetzt, daß die Pole aus mehr oder weniger zugespitzten Drähten bestehen.

Anders verhält sich die Sache, wenn die Pole in Platten
auslaufen. Legt man z. B. eine quadratische Kupferplatte, die
mit dem einen Pol verbunden ist, auf den Tisch, bedeckt sie
mit einer Glasplatte, und legt auf diese eine zweite, kleinere,
runde Kupferplatte, die mit dem andern Pol in Verbindung
steht, so hört man, wenn der Apparat in Thätigkeit gesetzt
wird, ein fortdauerndes lautes Knistern; und wenn man den
Versuch im Dunkeln anstellt, sieht man die kleine runde
Scheibe umgeben von einer Aureole von elektrischem Licht,

---

*) Monatsberichte v. J. 1847. S. 119.

bestehend aus einer Unzahl kleiner Funken, die in unaufhör-
licher Bewegung begriffen sind.

Je kleiner die runde Platte genommen wird, desto breiter
ist die Aureole. An der unteren grofsen Platte, die beim Verf.
3 Zoll in Seite hielt, gewahrt man dagegen keine Lichtaus-
strahlung, obwohl sie von der Glasplatte um mehr als einen
halben Zoll auf jeder Seite überragt wird. Gleichgültig ist
es, mit welchem der Pole man die eine oder die andere Platte
verbunden hat; immer ist es die kleinere von beiden, welche
von ihren Rändern die Aureole aussendet.

Verschiebt man diese letztere auf der Glasscheibe, so dafs
sie nur mit einem Theile senkrecht über der unteren Metall-
platte bleibt, so ist auch nur dieser Theil mit dem Funkenkranz umgeben.

Sind beide Metallplatten von gleicher Gröfse und liegen
sie genau übereinander, so kommt keine Aureole zum Vorschein. — Blickt man aber von der Seite her, so erkennt man
an dem Leuchten der Stellen, wo das Metall zufällig nicht genau anschliefst, dafs von beiden Platten unzählige Fünkchen
senkrecht zum Glase überspringen.

Statt e i n e r Glasplatte kann man mehrere zwischen die
Metalle einschieben. Der Verf. nahm deren f ü n f, die zusammen einen halben par. Zoll in Dicke hielten, und immer noch
zeigte die obere runde Kupferplatte ihren Funkenkranz.

Freilich zeigte sich nun dieser Kranz nicht mehr so intensiv wie bei einer einzigen Glasplatte, aber andererseits war
mit den fünf Platten offenbar noch lange nicht die Gränze erreicht, bei welcher er vollständig verschwunden sein würde.

Der Verf. glaubte indefs mit der Vermehrung der Glasplatten um so füglicher inne halten zu können, als der Abstand
von einem halben par. Zoll schon bedeutend gröfser war als
derjenige, bei welchem die Metallplatten für sich in der Luft,
ohne Einschiebung von Glas, Funken auf einander ausgesandt
haben würden.

Der Einflufs des Glases in Fortpflanzung der Wirkung
der Inductions-Elektricität war also deutlich erwiesen. Nach-
stehende Versuche werden fernere Belege dazu liefern.

Der Verf. liefs die obere runde Kupferplatte von einem isolirenden Ständer halten und gab ihr auf diese Weise einen Abstand von 7 Millm. von der unteren auf dem Tisch liegenden Platte.

Es sprangen dann und wann einzelne breite, kurze Funken zwischen beiden über, und zwar, da die obere Platte ohne künstliche Vorrichtung der unteren nicht genau parallel gestellt werden konnte, von ihrem nächsten Rande aus. Jetzt wurde eine 4 Millm. dicke Glasscheibe auf das untere Metall gelegt. Sogleich schofs ein förmlicher Regen kleiner Funken von der oberen Platte auf das Glas herab.

Diese Veränderung in der Beschaffenheit der Funken entsprang nicht etwa daraus, dafs jetzt die Schlagweite nur 3 Millm. betrug: denn als nun das untere System umgekehrt d. h. die Glasscheibe auf den Tisch gelegt und mit der Kupferplatte bedeckt wurde, erschienen zwischen dieser und der oberen Platte die Funken wieder in der früheren Gestalt, obwohl natürlich häufiger und kleiner als bei der anfänglichen Schlagweite von 7 Millm.

Die erwähnte Veränderung ist also eine Wirkung des Glases und diese zeigt sich auch, wenn das Glas die Metalle gar nicht berührt, sondern zwischen denselben frei in der Luft gehalten wird. Es springen dann von beiden Metallplatten Fünkchen gegen das Glas, bei Abständen, wo ohne dasselbe keine erschienen wären.

Statt des Glases können mit gleichem Erfolge auch andere Isolatoren genommen werden, Platten von Marmor, Kautschuck oder Guttapercha, breite Säulen von Flüfsigkeiten, wie destillirtes Wasser, Alkohol oder Terpenthinöl, die zwischen Glasplatten eingeschlossen sind. In allen diesen Fällen nimmt die isolirende Substanz, wie sich bei Prüfung mit einem Elektrometer zeigt, keine oder nur eine schwache und unbestimmte Ladung bleibend an.

Es wurde nun die kleine runde Kupferplatte vertauscht gegen einen zugespitzten Kupferdraht, der, wie sie, mit dem einen Pol der Inductionsrolle verbunden ward.

In einiger Entfernung über der gröfseren Platte gehalten, zeigte sich die Spitze dieses Drahts im Finstern leuchtend,

desto schwächer natürlich, je gröfser die Entfernung. Bei den
vom Verf. zu allen diesen Versuchen ins Spiel gesetzten Kräften, nämlich der Anwendung zweier Grove's und des kürzeren
seiner Inductionsdrähte, war das Leuchten in einem Abstand
von 2 par. Zoll so schwach, dafs man es kaum noch zu erkennen vermochte.

Hält man nun den Draht in diesem Gränz-Abstand und
legt auf die Platte das vorhin erwähnte Glasscheiben-System
von $\frac{1}{2}$ Zoll Dicke, so wird das Leuchten der Spitze sogleich
wieder deutlich wahrnehmbar. Es nimmt zu, so wie man die
Spitze herunterschiebt, und wenn man dem Glase bis auf einige
Linien nabe gekommen ist, geht ein ununterbrochener Strom
schwach leuchtender Funken auf dasselbe herab.

Nähert man die Spitze noch mehr, etwa bis zur Viertel-
Linie, so werden die Funken nicht nur heller, sondern zerstieben auch auf dem Glase nach allen Richtungen, dabei eine
fein geäderte Figur bildend, ähnlich der Lichtenberg'schen von
positiver Elektricität.

Es liefs sich in der Gestalt dieser Figur kein Unterschied
beobachten, die Spitze mochte positiv oder negativ sein. Nur
schien bei Positivität der Spitze die Figur eine gröfsere Ausdehnung zu besitzen. Sie ist übrigens, wie natürlich, schöner
und ausgebildeter, wenn man die Kupferplatte, statt mit 5,
nur mit e i n e r und zwar dünnen Glasscheibe bedeckt.

Auch mag noch hinzugesetzt sein, dafs selbst wenn beide
Pole der Inductionsrolle in Spitzen auslaufen, die Wirkung
durch eine eingeschobene Glasplatte nicht ganz unterbrochen
wird, sondern dafs die Spitzen im Dunkeln leuchtend erscheinen und phosphorische Funken aussenden.

Interessant und lehrreich sind diese Erscheinungen, wenn
man sie in ihrer Rückwirkung auf den Inductionsstrom untersucht.

Werden zwei auf der einen Seite mit Stanniol belegte
Glastafeln (etwa von Quadratfufs Gröfse) mit den unbelegten Seiten aneinander gebracht und die Belege hierauf mit den Polen
der Inductionsrolle in Verbindung gesetzt, so hört man, so lange
der Apparat in Thätigkeit ist, ein unaufhörliches Knacken, und
im Dunkeln sieht man den ganzen Zwischenraum der Tafeln,

so weit er den Belegen entspricht, erfüllt von einer Unzahl
mikroskopischer Funken. Ein zwischen die Tafeln eingescho-
benes Jodkaliumpapier wird gebräunt und zwar auf beiden Seiten gleich stark.

Entzieht man das System dem Apparat, noch während
derselbe in Thätigkeit ist, und prüft es alsdann durch einen
die Belege verbindenden Draht auf eine etwaige Ladung, so
findet man zwar bisweilen eine solche, doch immer eine sehr
schwache, in der Regel aber gar keine. Und dies ist in gleichem Grade der Fall, es mögen die Pole die Belege wirklich
berührt haben, oder noch durch eine kleine Luftstrecke von
ihnen getrennt gewesen seyn, so daß sie Funken auf dieselben
aussandten.

Ganz ebenso verhält sich eine Leidner Flasche; auch sie
erhält in beiden Fällen entweder keine oder eine äufserst geringe Ladung, wie lange man sie auch dem Strome ausgesetzt
haben mag. Selbst wenn man nur von dem einen Pol Funken
auf ihren Knopf überspringen läßt, während ihr äufserer Beleg und der andere Pol zur Erde abgeleitet sind, nimmt sie
so gut wie keine Ladung an.

Wenn man aber noch während der Apparat in Thätigkeit
ist und seine Pole die Flasche berühren oder Funken auf sie
aussenden, einen Draht mit der einen Belegung verbindet und
der anderen hinreichend nähert, so erhält man breite geräusch-
volle Funken, die an Glanz und Kräftigkeit die dünnen Inductionsfunken bedeutend übertreffen, obwohl sie ihnen an Schlagweite nachstehen. Diese Verschiedenheit der Funken ergiebt
sich am augenscheinlichsten, wenn man die Pole den Belegen
nur bis zur Schlagweite genähert hat; man erhält dann drei
Funkenströme, von denen zwei die Flasche laden und einer sie
wieder entladet. Ladungen und Entladungen erfolgen hier offenbar nur scheinbar gleichzeitig, in Wahrheit wechseln sie
in sehr kleinen für das Auge unmefsbaren Zeiträumen mit
einander ab.*)

---

*) Diese Beobachtung namentlich wurde vom Verf. der Akademie in
der Sitzung vom 7. December mitgetheilt, nachdem er sie schon mehrere
Wochen früher einigen seiner Freunde gezeigt hatte. Seitdem ist die Er-

Man kann dem Versuch eine auffallendere Form geben, wenn man den Entladungsdraht nicht unmittelbar an die Belege der Flasche setzt, sondern an irgend welche Punkte der Drähte, die die Flasche mit den Polen verbinden. Seien

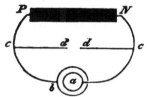

in nebenstehender Figur P und N die Pole der Inductionsrolle PN, ferner a und b die Belege der Flasche, Pb und Na die dieselben mit den Polen verbindenden Drähte; so kann man die Nebenleitung von irgend welchen Puncten cc dieser letzteren Drähte, sogar von den Polen P, N selbst ausgehen lassen und man erhält an der Unterbrechungsstelle dd die intensiven Entladungsfunken. Natürlich aber sind diese Funken desto schwächer, je länger die Wege acd und bcd, oder richtiger, je mehr Widerstand sie darbieten. Schaltet man hier Drähte ein, die dem Inductionsdraht an Länge oder Widerstand gleich sind, so ist auch aller Unterschied zwischen den Entladungs- und Inductionsfunken verschwunden.

Anfänglich neigte der Verf. zu der Ansicht, den Grund, weshalb der Inductionsstrom die Leidner Flasche nicht bleibend ladet, selbst wenn er nur durch Funken vermittelt auf sie einwirkt, darin zu suchen, daſs vermöge einer vertheilenden Wirkung durch das Glas hin eine Entladung stattfinde; die Erscheinungen bei den einseitig belegten Glastafeln schienen ihm dieser Ansicht günstig zu sein. Allein er hat sich späterhin überzeugt, daſs dieselbe nicht haltbar ist, die Erscheinung vielmehr darin ihren Grund hat, daſs unter allen Umständen, auch wenn keine Nebenleitung da ist, die Flasche durch den Inductionsdraht selbst entladen wird.

Die Beweise dafür liegen in der Thatsache, daſs der Strom des Inductionsdrahts, selbst wenn die Pole desselben die Belege der Flasche nicht berühren, sondern durch Luft von ihnen getrennt Funken auf sie aussenden, immer ein hin- und hergehender ist.

---

scheinung auch von Hrn. Grove im Januarheft des Philosoph Magazins beschrieben worden. Während des Druckes dieses Berichts hat er auch erfahren, daſs sie einigen Personen hier schon im letzten Sommer bekannt war.

Schaltet man nämlich ein Galvanometer ein, so erhält man keine Ablenkung, während diese sonst nie fehlt, wenn die Inductionskette von einer von Funken durchsprungenen Luftschicht unterbrochen ist.

Noch augenfälliger und schöner zeigt dies das s. g. elektrische Ei. So lange es allein in der Kette ist, sieht man immer nur die eine, mit dem negativen Pol verbundene Kugel von dem bekannten schön blauen Lichte eingehüllt, so wie man aber noch dazu die Leidner Flasche oder die belegten Glastafeln in die Kette bringt, erscheinen beide Kugeln blau, — nicht weil jetzt entgegengesetzt gerichtete Ströme gleichzeitig durch das Vaccuum gingen, sondern weil sie in so schneller Folge abwechseln, daß das Auge den Wechsel nicht mehr erkennen kann. Isolirende Flüssigkeiten, wie Terpenthinöl, zwischen Platinplatten in die Kette eingeschaltet, wirken ganz eben so wie die Leidner Flasche.

Lehrreich sind die Versuche mit dem Ei besonders, wenn eine Nebenleitung angebracht ist. In die Hauptbahn Pc oder Nc (der früheren Figur) oder in den Zweig cc oder bei dd eingeschaltet, erweist sich nur die eine Kugel desselben blau. Bringt man es aber in ca oder cb an, so sind beide Kugeln mit blauem Lichte umhüllt.

Die Abhandlung des Verf. enthält noch anderweitige Thatsachen, die aber hier in diesem Auszuge übergangen sein mögen.

––––––

Hr. Jacob Grimm erstattete Bericht über die von Dr. Georg Landau zu Kassel der Akademie eingereichte Schrift: Beschreibung des Gaues Wettereiba. Kassel 1855. Es sei eine wohl gerathene, aus sorgfältigem Studium der Urkunden und vollständiger Lokalkenntnifs hervorgegangene Arbeit, die man freudig begrüfsen dürfe. Noch fehle es an einer dem gegenwärtigen Stand der Wissenschaft angemessenen Darstellung der alten Topographie und Geographie Deutschlands, vorliegende Schrift könne Muster werden für die Beschreibung aller übrigen deutschen Gaue, und nicht nur seien solche aus der Hand des Verfassers, sondern hoffentlich auch von andern zu erwarten, die in seine Fufsstapfen zu treten vermögen. Ganz neu sei hier im Gau Wetterau eine trilogische Eintheilung ermittelt und vor Augen gelegt worden, die ohne Zweifel noch viel weiter um sich greife. Das Buch verdiene Allen, die sich unserer älteren und neueren Geschichte befleifsen, empfohlen zu werden.

An eingegangenen Schriften wurden vorgelegt:

Riedl von Leuenstern, *Über die sogenannten figurirten Zahlen.* (Wien 1854.) 4. (20 Exemplare.) Mit Begleitschreiben des Verfassers d. d. Wien 8. Januar 1855.

Manuel J. Johnson, *Astronomical Observations made at the Radcliffe Observatory in the year* 1852. Vol. XIII. Oxford 1854. 8.

E. Plantamour, *Résumé météorologique de l'année* 1851—1853 *pour Genève et le Grand St. Bernard.* Genève 1852—1854. 8.

Low, *On the chemical equivalents of certain bodies.* (Edinburgh 1854.) 8.

Astronomische Nachrichten. no. 932. Altona 1855. 4.

Remak, *Untersuchungen über die Entwicklung der Wirbelthiere.* 3. Lieferung. (Schlufs) Berlin 1855. folio. (Mit Begleitschreiben des Verfassers d. d. Berlin 16. Januar 1855.)

Bibliothek des litterarischen Vereins in Stuttgart. XXXII. Stuttgart 1854. 8.

----

22. Januar. Sitzung der philosophisch-historischen Klasse.

Hr. Wilhelm Grimm hielt einen Vortrag, in dem er Thierfabeln bei den Meistersängern mittheilte, als Fortsetzung seines Vortrags in vorletzter Plenarsitzung.

25. Januar. Öffentliche Sitzung zur Feier des Jahrestages Friedrichs II.

Der vorsitzende Sekretar Hr. Trendelenburg eröffnete die Sitzung mit einem Vortrag zum Gedächtnifs Friederichs des Grofsen: Machiavell und Antimachiavell. An diese Festbetrachtung, welche unten abgedruckt ist, reihte er den Statuten gemäfs über die Personalveränderungen, welche im Laufe des verflossenen Jahres in der Akademie Statt gefunden, eine kurze Nachricht, indem er bei dem Verluste des K. Generals der Infanterie von Scharnhorst, Ehrenmitgliedes, verweilte und der Erinnerung an Schelling einige Worte widmete, worin er seine Bedeutung für den Gang der deutschen Philosophie und die klassische Form und Schönheit seiner Darstellung hervorhob.

Seit der letzten Feier des Jahrestages Königs Friederichs II. verlor die Akademie durch den Tod das ordentliche Mitglied Hrn. von Schelling (st. zu Ragaz 20. Aug. 1854), das auswärtige Mitglied Hrn. K. F. Eichhorn (st. zu Köln 4. Juli 1854), die Ehrenmitglieder Freiherrn von Lindenau (st. in Altenburg 21. Mai 1854), Hrn. von Scharnhorst (st. zu Ems 13. Juni 1854), Hrn. Angelo Mai in Rom (st. 9. Sept. 1854), der seit dem 28. Februar 1822 correspondirendes Mitglied, seit dem 22. Juli 1854 Ehrenmitglied der Akademie gewesen; unter den Correspondenten der physikalisch-mathematischen Klasse die Hrn. Gaudichaud in Paris (st. 25. Januar 1854), Jameson in Edinburg (st. 19. Apr. 1854), Wallich in London (st. 28. Apr. 1854), von Fischer in Petersburg (st. 17. Juni 1854), Ohm in München (st. 6. Juli 1854), Melloni in Neapel (st. 11. Aug. 1854); unter den Correspondenten der philosophisch-historischen Klasse die Hrn. Guérard in Paris (st. 12. März 1854), Raoul Rochette in Paris (st. 5. Juli 1854). Dagegen erwarb die Akademie durch die von Sr. Majestät dem König Allerhöchst bestätigten Wahlen als auswärtiges Mitglied Hrn. Tiedemann in Frankfurt a. M., schon seit 1812 correspondirendes Mitglied, als Ehrenmitglieder Hrn. Johannes Schulze in Berlin, Hrn. Rudolf Freiherrn von Stillfried-Rattonitz in Berlin; als correspondirende Mit-

glieder in der physikalisch-mathematischen Klasse die Hrn.
Theodor Bischoff in Gießen, Brücke in Wien, Duvernoy
in Paris, Fries in Upsala, Joseph Dalton Hooker in Kew,
Schwann in Lüttich; als correspondirende Mitglieder in der
philosophisch-historischen Klasse die Hrn. Vicomte de Rougé
in Paris, Gislason in Kopenhagen, Alfred von Reumont
in Florenz, von Maurer in München.

Die Sitzung schloß mit dem Vortrag einer Abhandlung
von Hrn. Wilhelm Grimm über Thierfabeln bei den
Meistersängern.

Machiavell und Antimachiavell.

Nach der harten Schule, welche König Friederich der
Zweite in seiner Jugend bestanden hatte, war der Aufenthalt im
Schlosse zu Rheinsberg die erste schöne Zeit, in welcher sich
sein reicher Geist, wie in Frühlingsblüten, frei entfaltete. Seine
Kraft war durch die Hemmungen, die sie erfahren hatte, gespannt
worden und ihr erster eigener Schwung war desto anmuthiger.
Jener Aufenthalt war die Zeit der Sammlung und Betrachtung,
der Kunst und des gebildeten Verkehrs in dem erlesensten Kreise.
Dort haben die Beschäftigungen des jugendlichen Fürsten einen
weiten Umfang, vom ernsten Studium der Kriegskunst bis zum
geistreichen Spiel seiner Flöte, von der eindringenden Ergrün-
dung der Geschichte und der Staaten bis zu dem leichten, lebhaften Briefwechsel mit Vertrauten, von den Problemen der wolfi-
schen Metaphysik bis zur tändelnden Poesie.

In die Zeit dieses Aufenthalts fallen zwei Schriften, welche
für die Vorbereitung zu seinem königlichen Beruf denkwürdig
bleiben. Die erste, „Betrachtungen über den gegenwärtigen Zustand des Staatenkörpers von Europa", zeigt den die wirklichen
Verhältnisse beherrschenden politischen Blick; die zweite, wie eine
ideale Ergänzung, „Widerlegung des Fürsten von Machiavell",
offenbart die Gesinnungen und Maximen, mit welchen er selbst-
bewußt dem Werke seiner Zukunft entgegenging. Man muß beide
Schriften nebeneinander stellen, um den ganzen Ernst zu ermes-
sen, mit welchem Friederich, wachsam für die gegenwärtigen Verhältnisse und begeistert für das Edele in der Bestimmung des
Fürsten, sich auf die Höhe des Lebens stellte, um die nächste
Lage scharf zu sehen und das Ganze seines Berufs zu überblicken.
Es ist dabei für die philosophische Richtung seines Geistes bezeich-

nend, dafs er in der Kritik des Machiavell sich der Principien be-
wufst zu werden strebte, welche den Fürsten zum Fürsten machen.
Nach Briefen an Voltaire arbeitete er in den beiden letzten Jahren vor seiner Thronbesteigung an dem Buche. Durch die Krankheit seines königlichen Vaters in die Nähe der Staatsgeschäfte gerufen,
war er aufser Stande die letzte Hand anzulegen und überliefs Voltaire die etwa noch nöthigen Veränderungen. So gelangte Friederich unmittelbar aus den theoretischen Betrachtungen über das
Wesen der Fürsten zu der Ausübung ihrer Pflichten.

Es scheint hiernach, dafs es der Mühe werth sei, zum Gedächtnifs des grofsen Königs, welchem die heutige Versammlung bestimmt ist, das Andenken seines Antimachiavell zu erneuern.
Dieser Gegenstand möge dem heutigen Vortrage um so lieber gestattet werden, da es der Akademie der Wissenschaften nahe liegen mufs, in Friederichs vielseitigem Geiste besonders die litterari-
sche Richtung zu beachten und zu beleuchten.

In der neuen Ausgabe von Friederichs des Grofsen Werken,
welche auf Befehl Sr. Maj. des Königs durch einen Ausschufs der
Akademie geleitet und von Prof. P r e u f s, dem verdienten Forscher
und Kenner auf diesem Gebiete, besorgt wird, findet sich im 8.
Bande der Antimachiavell, zunächst in der Gestalt, in welcher die
Schrift, von Voltaire durchgesehen und hie und da verändert, Ende
Sept. 1740 unter dem Titel erschien: L'Antimachiavel ou examen
du prince de Machiavel avec des notes historiques et politiques. Haag
bei Johann van Duren, mit der Jahreszahl 1741. Als der Druck
dieser Ausgabe in Holland bereits begonnen hatte, wünschte der
König, der inzwischen auf den Thron gelangt war, das Buch zurück-
zuziehen, offenbar aus demselben Grunde, aus welchem er als Kron-
prinz verfügt hatte, dafs der Antimachiavell anonym erscheine.
„Ich spreche im Antimachiavell von allen Fürsten zu frei", hatte er
an Voltaire unter dem 3. Febr. 1740 geschrieben, „um zu erlauben,
dafs das Buch unter meinem Namen hervortrete". Voltaire, der den
Auftrag hatte, die ganze Ausgabe zu kaufen, unterhandelte mit van
Duren, aber der Verleger hielt zähe an seinem Rechte und die
Schrift trat ans Licht. Voltaire milderte nun einige Stellen und
gab eine andere Ausgabe daneben heraus. Dessenungeachtet war
der König nicht befriedigt; insbesondere waren nach seiner Ansicht
das 15. und 16. Kapitel nicht das, was sie sein sollten; er beabsich-

ûgte, wie er an Voltaire im Oktober schrieb, für die Zeitungen einen Artikel, in welchem der Verfasser des Versuchs die beiden erschienenen Abdrücke verleugnen sollte, und er ging damit um, das Buch zu überarbeiten und in Berlin eine eigene Ausgabe zu veranstalten, da in der von Voltaire besorgten zu viel Fremdes sei, um sie als s e i n Werk anzuerkennen. Den König scheint die Öffentlichkeit zu verdriefsen, wie man daraus sieht, dafs er Voltaire an die von ihm verlangte Geheimhaltung seines Namens erinnert und ihn bittet, den Verfasser nicht allzusehr an die Strafsenecken anzuschlagen. Er thut in der Sache nichts weiter und seine Erklärung, so wie die eigene Ausgabe, unterbleibt. Die erste bei van Duren erschienene galt nun für die echte und es folgte von derselben Auflage auf Auflage, Übersetzung auf Übersetzung, ins Englische, Italienische, Lateinische, Deutsche. Sie ging durch die Welt. Es liefs sogar der Sultan Mustapha III. sammt dem Fürsten des Machiavell, der in der französischen Übersetzung des Amelot de la Houssaye von 1683 jener Ausgabe hinzugefügt war, Friederichs des Grofsen Antimachiavell ins Türkische übersetzen, damit das Werk ihm und seinen Söhnen zum Unterricht diene.

Indessen ist es für die geschichtliche Anschauung Friederichs des Grofsen wichtig, dafs es gelungen ist, als Seitenstück zu dieser voltairischen, meistens kürzenden, bisweilen auch zusetzenden Überarbeitung, nach der theils im Königlichen Archiv, theils im Privatbesitz erhaltenen Handschrift Friederichs des Grofsen die ursprüngliche Schrift so weit herzustellen, dafs nur das zweite Kapittel in dieser Gestalt fehlt. Die neue Ausgabe hat daher neben jenem Antimachiavell diese ursprüngliche Schrift unter dem ursprünglichen Titel: „réfutation du prince de Machiavel" aufgenommen. Wir folgen derselben in unsern Bemerkungen.

Zunächst mag es erlaubt sein, einige Augenblicke bei dem Fürsten des Machiavell zu verweilen, damit wir zuerst den Gegenstand auffassen, vor dem Friederich der Grofse betrachtend, zergliedernd, widerlegend dasteht.

In jene merkwürdige Zeit, da so viele bewegende Elemente zusammentrafen, um eine neue Epoche zu erzeugen, da das klassische Alterthum mit seiner bildenden Macht neu in das Leben der Gegenwart eingetreten, da die Erde durch einen neu entdeckten Welttheil erweitert war, da schon Copernicus darauf sann, den

Himmel in seinen Bewegungen umzulenken, da die menschliche Kraft durch neue Erfindungen getragen war, da die Physik zu experimentiren und zu beobachten sich anschickte, da die Geschichte, wie in Laurentius Valla, kritisch geworden war, da in Deutschland die Reform der Kirche es unternahm, durch morsche Zustände mitten durchzuschneiden, da namentlich die Politik der Völker in ihrer Wechselwirkung einen allgemeineren Gesichtskreis gewann, in diese Zeit der Bewegung fällt die Erscheinung des Fürsten von Machiavell, eines Buchs, welches zwar zunächst an dem Boden und der Geschichte Italiens haftet, aber durch seine allgemeine, dem Idealen und Christlichen abgewandte, in den Mitteln politischer Zwecke kalt entschlossene Denkungsweise, in die sittlichen Begriffe vom Staate eine dauernde Aufregung brachte. Der Florentiner Nicolo Machiavelli, in seiner Gesinnung ein alter Römer, durch das Studium römischer Historiker, namentlich des Livius und Tacitus gebildet, in den Geschäften von Gesandtschaften erfahren und gerieben und durch dieselben zu einer nüchternen und scharfen Betrachtung der in dem Getriebe der Begebenheiten spielenden menschlichen Kräfte und Leidenschaften hingeführt, durch die zerrissenen und verworrenen Zustände Italiens bewegt, schrieb im Jahre 1515 seinen Fürsten, einen Tyrannen zum Guten im griechischen Sinne, und eignete das Buch dem Lorenzo von Medici, dem Neffen Leo's X., dem Vater der Katharina von Medici zu, mit der unverhohlenen Absicht, welche namentlich im letzten Kapitel hervortritt, daß alle Mittel, in diesem Fürsten vereinigt, dazu dienen sollen, Italien von den Fremden zu befreien und zu neuer Macht und Herrlichkeit zu einigen.

Machiavell's Fürst gehört zu den Büchern, welche die verschiedensten Beurtheilungen erfahren haben Er bekundete dadurch seine bedeutende Natur, daß er die Einen heftig abstieß, die andern kräftig anzog, ja nicht selten selbst diejenigen anzog, welche er abstieß. Er wurde von denen verworfen, welche entweder kirchliche Gesinnung oder sittliche Wärme suchten und das Gegentheil fanden. Die katholische Kirche verurtheilte und verbot das Buch in der zweiten Hälfte des 16. Jahrhunderts. In der öffentlichen Meinung wurde eine verschlagene und hinterlistige, des Offenen und Edelen entbehrende Politik mit dem Namen des Machiavellismus gebrandmarkt. •

Anders urtheilten diejenigen Forscher, welche den Machiavell als eine historische Erscheinung nicht blos aus seinem Fürsten, sondern auch aus seinen Betrachtungen über die erste Decade des Livius und aus seiner florentinischen Geschichte auffaßten, oder diejenigen, welche in den kräftigen Kern des consequenten Mannes hineinblickten und um der Consequenz willen das Kecke nachsahen und in sonst unheilbaren Krankheiten des Staats auch sittliches · Gift nicht verschmähen wollten, oder diejenigen, welche den Scharfblick der Menschenkenntniß und Klugheit bewunderten, und, wie Baco, ihm Dank wußten, daß er sage, was die Menschen zu thun pflegen, nicht was sie thun sollen *).

Machiavell führt seine Betrachtungen in 26 Kapiteln zerstreuten Inhalts aus. Nirgends giebt er seine sittliche Ansicht als ein Ganzes, sondern er zergliedert die Begebenheiten der Geschichte, um daran das Zweckmäßige oder Zweckwidrige des Verfahrens, die Klugheit oder die Thorheit der Handelnden zu offenbaren, — und nur nebenbei erscheinen die Gesichtspunkte des Sittlichen, welche doch eigentlich die Zergliederung geleitet haben.

Die Selbsterhaltung des Fürsten, insbesondere des neuen Fürsten welcher zur Herrschaft gekommen, ist ihm dabei das letzte Maß; alles andere wird darnach geschätzt. Was diesem Zwecke widerspricht, ist schlecht; was ihm dient, gut. Weder Personen noch Sachen, weder Gemeinwesen noch Einzelne, weder Feind noch Freund haben neben diesem Zweck eine Bedeutung; sie sind seine Werkzeuge und werden für ihn, wenn es taugt, erhalten und geschont, und wieder wenn es taugt, schonungslos aufgegeben und weggeworfen.

In dieser Anschauung ist seine Tugend die Kraft; und Edelmuth und Freigebigkeit sind um der Schwächung willen, welche daraus fließen kann, in der Regel Fehler und nur nach dem Nutzen zu messen. Aus der Kraft stammt entschlossener Muth und großartiger Unternehmungsgeist. In diesem Sinne ist ihm im Staate die Sorge für die Wehrverfassung das Erste; der Fürst soll auch im Frieden für die Waffen leben. Machiavell eifert gegen den Schlendrian der Söldlingsheere und sieht die Freiheit des Staates in der eigenen Bewaffnung. Nur durch solche Macht ist die Zucht des Gehorsams

---

*) Vergl. Machiavells Äußerung Kap. 15.

4 *

möglich, welche die Menschen bändigt. „Caesar Borgia galt für grausam", sagt Machiavell zu Anfang des 17. Kapittels; „nichts desto weniger hatte diese seine Grausamkeit" (Machiavell sieht darin die durchgreifende Kraft) „die Romagna ausgesöhnt, ihr die Eintracht hergestellt und Friede und Treue und Glauben wiedergegeben." Eine Folge der Kraft ist die Consequenz, der Ernst und Nachdruck der Handlung.

Mit der Kraft geht für die Selbsterhaltung des Fürsten die Klugheit Hand in Hand, welche die Menschen nach der Wirkung auf das Naturgesetz ihres Wesens berechnet. Es gilt ihm dabei, wie er in den Discorsi sagt[1]), als Voraussetzung aller Staatskunst, aller Gesetzgebung, daß alle Menschen böse sind und daß sie ihre innere Bösartigkeit auslassen, so oft sie eine ungehinderte Gelegenheit haben. Die Menschen thun nie anders als aus Noth Gutes und wo ihre Wahl Spielraum hat und sie willkührlich handeln können, erfüllt sich plötzlich alles mit Verwirrung und Unordnung. Daher stellt er die Wandelbarkeit des menschlichen Willens der Unbeständigkeit des Glückes gleich; und er vertrauet nicht dem Willen, der eigentlichen sittlichen Macht, aber dem Naturgesetz der Furcht. Es ist ihm die Furcht das Sicherste und Zuverlässigste und er verfolgt ihre Gänge und erstrebt sie in anderen, um daran den Menschen zu haben und zu halten. Der Fürst hat es in seiner Hand gefürchtet zu werden, und daher ist Furcht einflößen ein bleibenderes Mittel der Selbsterhaltung, als das Streben sich Liebe zu erwerben, die niemand in seiner Gewalt hat. Der Furcht thut der Haß und das Rachegefühl, welche kühn machen, Eintrag. Daher soll der Fürst, der zwar Liebe entbehren kann, doch den Anlaß zum Haß klug meiden. Großartige Unternehmungen erwerben dem Fürsten Achtung und tragen zu seiner Selbsterhaltung bei. Machiavell scheint dabei so zu rechnen, daß der Affect der Bewunderung ähnlich wie die Furcht wirke, da er die Hoffnungen und Anschläge auf des Fürsten Schwäche niederhält[2]). Wer glaubt, daß bei bedeutenden Persönlichkeiten neue Wohlthaten alte Beleidigungen vergessen machen, der täuscht sich[3]). Wer nicht gefürchtet ist, wird verachtet. Daher muß sich der Fürst wie vor einer Klippe hüten, für veränderlich, leichtsinnig, weibisch, kleinmüthig, unschlüssig zu gelten; er

---

[1]) I. 3. [2]) Der Fürst K. 21. [3]) K. 7.

muſs sich bemühen, daſs man in seinen Handlungen Gröſse, Muth, Ernst und Nachdruck erkenne; er muſs die Meinung zu erregen suchen, daſs sein Beschluſs unwiderruflich sei, und in dieser Meinung sich behaupten, damit keiner daran denke, ihn zu betrügen oder zu berücken[1]). In ähnlichem Sinne berechnet Machiavell den Ehrgeiz der Groſsen, die Noth des Volkes, die Bestrebungen und die Eifersucht der Parteien, damit sie der Selbsterhaltung des Fürsten dienen.

In die Berechnung der menschlichen Affecte zieht Machiavell auch die Tugenden. Der Schein der Tugend ist meistens nützlicher, als die Tugend selbst. Jeder sieht, was du zu sein scheinst; wenige bedenken was du bist. Einem Fürsten ist es nicht nothwendig alle jene guten Eigenschaften zu besitzen, aber er muſs nothwendig scheinen sie zu besitzen. Ja, ich wage zu behaupten, sagt Machiavell[2]), daſs wenn er sie besitzt und immer übt, sie ihm schädlich, wenn er scheint sie zu besitzen, sie ihm nützlich werden; du sollst daher mitleidig, treu, menschlich, gläubig, redlich erscheinen und es sein; aber zugleich so in deinem Gemüthe angelegt sein, daſs du, wenn es nöthig ist, in das Gegentheil überzugehen weiſst. In diesem Schein wird der menschliche Glaube an das Sittliche nicht anders als menschliche Schwächen, menschliche Leidenschaften berechnet, behandelt, benutzt.

Wie Machiavell auf diese Weise die Affecte der Andern beobachtet, damit ihre Schwäche zur Stärke des Fürsten werde: so behütet er auch die eigenen Affecte desselben als seine innere Schwäche, wie in dem vor den Schmeichlern warnenden Kapittel und sucht seine Stärke in der Wahrheit[3]).

So soll der Fürst des Machiavell Fuchs sein, um die Schlingen zu sehen und Schlingen zu legen, und Löwe, um die Wölfe zu schrecken. Dem Wechsel des Glücks muſs er vorbauen und wenn er eintritt, sich ihm mit seiner Natur anpassen. Aber Fortuna ist ein Weib und sie begünstigt in der Regel Ungestüm und Jugend mehr als die Vorsicht.

Machiavell entwirft diese Lehre nicht wie eine zusammenhängende Theorie, sondern sie ergiebt sich ihm in einzelnen Wahrnehmungen an der Erfahrung der Geschichte; und er deckt die einzel-

---

[1]) K. 19.   [2]) K. 18.   [3]) K. 23.

nen Züge des eben versuchten Bildes bald an dem Beispiel des Königs Philipp von Macedonien oder an der römischen Staatskunst auf, bald in den Begebenheiten, welche das Mifsgeschick und den verzweifelten Zustand seines Vaterlandes herbeiführten. Der Grundtrieb der zu einem Ganzen zusammengefafsten Ansicht ist Selbsterhaltung und Machterweiterung des Fürsten, und was aus dieser Wurzel sprofst, ist Kraft und Consequenz des Fürsten, nüchterne Kenntnifs der Menschen, kluge Verwendung ihrer Schwächen, insbesondere ihrer Furcht, scharfblickende Berechnung der Umstände, rücksichtsloser Entschlufs zu jeglichem Mittel, falls es entscheidet, die Benutzung des Sittlichen, so lange und nur so lange es nützt.

So einigt sich in dieser Ansicht Tiefes und Keckes, Kluges und Gemeines, das Ergebnifs der in ihre menschlichen Kräfte und Triebfedern zerlegten und aus ihnen berechneten Geschichte.

Es ist hier nicht der Ort darzustellen, wie das Allgemeine einer solchen Ansicht folgerecht mit einer dem idealen Gedanken abgeneigten, den Menschen atomistisch und darum egoistisch vereinzelnden mechanischen Weltbetrachtung zusammenhängt. Wir würden sonst den Machiavell mit andern Richtungen Italiens zu seiner Zeit, in welchen sich negative Aufklärung und epicurische Philosophie begegneten, zusammenzustellen haben. Machiavell war, wie es scheint, gegen den zur Zeit seiner Jugend in Florenz aufblühenden Platonismus mindestens gleichgültig.

Machiavell gährte in der Geschichte fort. Fürsten lasen ihn; und wir sehen bis in unsere Tage hinein die bedeutenden Historiker und Politiker, ähnlich wie die Philosophen mit Spinoza, einmal in ihrer Entwicklung mit ihm abrechnen oder mit ihm sich verständigen. So schlagend ist der Eindruck seiner Schrift, so kurz und reif seine Darstellung.

Machiavell erfafst auch Friederich den Grofsen in jenen Jahren der Selbstbesinnung und der Vorbereitung auf das ihn erwartende königliche Amt. Wir fragen, wie Machiavell auf ihn wirkte und wie Friederich rückwirkte.

Friederich folgte dem Zuge des ersten sittlichen Eindrucks. Ihm ist das Buch ein Gift und er verhält seinen Zorn gegen den Verfasser nicht. *) Voltaire sah in solchen Ergüssen des persönli-

---

*) vgl. z. B. K. 6. K. 13. K. 17. K. 18. K. 19.

eben Gefühls eine Schwäche und nicht eine starke Seite der Widerlegung; er beschränkte und beschnitt solche Stellen oder ermäfsigte
den Ausdruck zu wiederholten Malen. Stillschweigend geht ein
bewegender Affect, der Affect eines Königssohnes, durch Friederichs
Schrift hindurch. Es ist die Entrüstung, dafs Machiavell die reine
Ehre und den ritterlichen Adel des Fürsten durch niedere Zumu-
thungen und selbstsüchtige Rathschläge beflecke und die Würde des
Fürsten herabziehe. Voltaire mochte fühlen, dafs gegen einen
Schriftsteller, wie Machiavell, welcher in der kalten Ruhe und dem
stillen Ernste der Betrachtung die gröfste Wirkung übt, auch der
edelste Affect aufser dem Vortheile, ja fast aufser dem Rechte sei.

Von dieser Empfindung ist Friederich bei seiner Arbeit beherrscht worden. Historische Untersuchungen oder Berücksichtigung der andern Schriften Machiavells, um ihn vielseitiger, tiefer
und daher billiger aufzufassen, liegen von seinem Wege ab. Es ist,
als ob er nur jenen Makel tilgen und den sittlich verzerrenden Eindruck, der durch Machiavells Fürsten in die Welt gekommen, aus
der Menschheit auslöschen möchte. Kapittel für Kapittel, Schritt
für Schritt folgt er dem Machiavell und widerlegt ihn bald durch
allgemeine Betrachtungen, bald durch andere Auffassung der historischen Thatsachen, bald durch entgegengesetzte Beispiele aus der
Geschichte. Eine solche Widerlegung Blatt für Blatt ist von Einer Seite gründlich. Aber indem sie dem Einzelnen nachgeht, ver-
säumt sie das Allgemeine, um in dem Ganzen das Richtige und Unrichtige zu unterscheiden. Indem sich die Schrift an die Fersen des
Gegners heftet, entbehrt sie der gröfseren eigenen Bewegungen,
allzu sehr durch die Gänge des Gegners bestimmt.

Indem Friederich sich von Machiavell lossagen und nichts mit
ihm theilen will, treten diejenigen Punkte in den Schatten, in welchen er ungeachtet des sittlichen Gegensatzes mit ihm eine Gemeinschaft hat. Es sind, wenn man auf den Grund und nicht auf
Nebensachen sieht, ganze Kapittel einer wesentlichen Übereinstimmung da.

Es hat das 25. Kapittel, in welchem Machiavell vom Glück in
den menschlichen Dingen und von dem Widerstand handelt, welchen man ihm leisten könne, früh für gottlos gegolten, da es die
Vorsehung in der Geschichte verkenne und wie heidnisch von der
Fortuna spreche. Friederich tadelt zwar den Begriff des Glückes

und spricht im Sinne wolfischer Metaphysik über die leere Vorstel_
lung des Zufalls und legt die menschliche Vernunft und die mensch.
lichen Leidenschaften, die in der Geschichte spielen, zuletzt wie
eine unsichtbare Kette in die Hand der ewigen Weisheit; aber wenn
man von der muthwilligen Laune absieht, mit welcher Machiavell
das Glück behandelt, so stimmen praktisch beide überein, und Frie_
derich giebt keine andern Mittel an, um d e s s e n Meister zu werden,
was dem Handelnden von aufsen kommt und ihm von aufsen begeg.
net. Sie sind ihm, ähnlich wie dem Machiavell, Kühnheit und Vor_
sicht, und zwar die eine wie die andere zu i h r e r Zeit.

Wenn Machiavell im 11. Kapittel nicht ohne Ironie von den
geistlichen Fürstenthümern spricht, welche sich durch die Religion
wie von selbst erhalten, und wenn Machiavell den Ehrgeiz und die
Künste der Päpste seiner Zeit aufdeckt, so folgt ihm Friederich und
lobt sein Urtheil

Ebenso ist Friederich mit dem 9. Kapittel einverstanden, in
welchem Machiavell die Erhaltung der vom Volke übertragenen
Herrschaft, des bürgerlichen Fürstenthums, erörtert, und er empfielt
die darin enthaltenen Vorschriften, welche darauf gehen, dafs in
einem solchen Falle der Fürst das Volk befriedige und belebe, aber
zu befehlen verstehe und ein Herz habe, das im Unglück nicht
weiche. Das Kapittel giebt dem Widerlegenden nur zu einer Ab_
schweifung Anlafs, in welcher er ausführt, warum man nach der Er_
fahrung der Geschichte keinen Glauben an den Bestand von Freistaaten haben könne.

Was Machiavell im 12. 13. und 14. Kapittel gegen die Söldlinge,
was er über die eigenen Waffen als die erste Bedingung für den
Bestand eines Staates sagt, so dafs keine Herrschaft fest stehe ohne
eigene Waffen, weil, wer keine Kraft habe, die ihn bei widrigen
Ereignissen schütze, vom Glücke abhänge, was Machiavell von der
Nothwendigkeit sagt, dafs der Fürst Feldherr sei, da ein Fürst, der
den Krieg nicht verstehe, neben andern Übeln von seinen Leuten
nicht geachtet werde und sich auf sie nicht verlassen könne: das
alles ist wie aus des Königs Seele gesprochen. Seine Gegenbemer_
kungen betreffen nur Einschränkungen oder Nebensachen.

Wenn wir endlich im 22. Kapittel, das von den Geheimschrei-
bern der Fürsten handelt, die Schrift und die Gegenschrift vergleichen, so ist die letzte eigentlich nur eine edlere Ausführung dessen,

was die erste in der Kürze von der Bedeutung und der Schwierigkeit ihrer Wahl sagt. Machiavell's männlich gedachtes Kapittel über
die Schmeichler [1]) klingt in Friederich wieder; indem er das Gift
der Schmeichelei bezeichnet, welchem nur der feste Fürst wider-
stehe, erweitert er diese Betrachtungen in kluger Menschenkenntniſs.

In solchen Stellen, in welchen in der Sache mehr Übereinstimmung als Widerspruch herrscht, führt der Geist des Widerlegens
den Verfasser bisweilen ins Kleine oder Unrichtige, wie z B. da,
wo Machiavell für den kriegerischen Geist des Fürsten im Frieden
die Jagd empfohlen hat [2]), Friederich hingegen mit demselben bezeichnenden Widerwillen, der einst seinem Vater miſsfällig gewesen, gegen die Jagd als ein geistloses, leeres Vergnügen einen weit-
läuftigen Ausfall thut, oder da, wo Friederich dem Machiavell vor-
wirft, daſs er nur für kleine Staaten und kleine Fürsten schreibe [3]),
oder da, wo Friederich gar die ausschweifende Liebe des Fürsten
zu den Frauen, vor welcher Machiavell als vor einem Anlaſs zur
Unzufriedenheit im Volke warnt, in d i e s e r Beziehung nach dem
Beispiel Ludewigs XIV. u. a. für gleichgültig oder unschädlich erklärt [4]), oder da, wo Friederich die Staaten der Gegenwart vor Re-
volutionen für sicher hält [5]), eine Sache, worüber er 30 Jahre später, da er in der Kritik des système de la nature den auflösenden
Geist des Buches bekämpfte, vielleicht schon anders dachte.

Für das Groſse, das auch im Machiavell liegt, ist es ein bedeutendes Zeichen, daſs Friederich in den angegebenen Richtungen
seine Übereinstimmung zugesteht. Vielleicht geht die stille und un-
ausgesprochene Übereinstimmung noch weiter, wenn auch der Gegensatz im letzten sittlichen Princip bleibt.

Machiavell ist ein gerader und derber Charakter; selbst seine
List ist offen; sein Auge, von keiner Sehnsucht nach oben gelenkt,
sieht dem Wirklichen, wie es ist, scharf und kühn ins Angesicht.
Er ist ein Mann, der dem Schicksal gegenüber fest auf sich selbst
beruht, auf eigenem Rath und eigenem Entschluſs, wie der granitene
Kubus auf seiner quadratischen Basis. Man hat diese prometheische
Gesinnung sein heidnisches Wesen genannt, und er ist darin ohne
Frage den groſsen Griechen und den alten Römern ähnlich. Nie-

---

[1]) K. 23.   [2]) K. 14.   [3]) K. 13.   [4]) K. 19.   [5]) K. 17 u. 20.

mand verkennt in Friederich dem Grofsen Züge eines verwandten, fest auf sich selbst beruhenden Geistes.

Machiavell kennt die Menschen und Friederich kennt sie auch. Ihre Klugheit entspringt aus einer und derselben Grundansicht vom Menschen. In dem jugendlichen Verfasser der Widerlegung tritt diese Übereinstimmung noch nicht hervor, aber sie liegt dem strengen Wesen und dem durchdringenden Blicke des Königs zum Grunde. Machiavell bekennt, dafs alle Menschen böse sind und nur aus Noth Gutes thun, aber, sobald sie freie Gelegenheit haben, ihrer bösen Gemüthsart folgen. Auf die Frage Friederichs des Zweiten, wie es mit den Schulen in Schlesien gehe, antwortete einmal Sulzer, wie Kant in der Anthropologie erzählt: „seitdem dafs man auf dem Grundsatz (des Rousseau), dafs der Mensch von Natur gut sei, fortgebauet habe, fange es an besser zu gehen". Aber der König erwiederte: „Ach, Ihr kennt nicht genug diese verwünschte Race, welcher wir angehören".

Wer eine solche Ansicht nach der politischen Seite folgerecht ausbildet, der wird für das so geartete menschliche Geschlecht die Strenge und die Zucht der monarchischen Verfassungen suchen und, wie Friederich der Grofse, den Republiken mifstrauen. Machiavell ist zwar Republikaner*), aber man kann behaupten, dafs er in seinem Fürsten die Consequenzen jenes radicalen Bösen über das Ziel hinaus bis zum Entwurf eines Tyrannen zieht.

Jene argwöhnende Klugheit, jene wachsame Vorsicht, jenen durchdringenden Scharfblick für die geheimen Schwächen der Menschen und den verborgenen, aber unfehlbaren Gang ihrer Leidenschaften, welche dem denkenden Kopf, dem einen wie dem andern, aus einer solchen gemeinschaftlichen Grundansicht der menschlichen Natur fliefsen mufsten, finden wir in Friederichs des Grofsen Benehmen, wie in Machiavell's Schriften.

Was Machiavell im E i n z e l n e n auf der Grundlage der Kraft und Consequenz, welche der Nerv seines Wesens sind, Grofses uud Gutes lehrt und oft mit schlagender Kürze und schneidender Schärfe ausdrückt, hat Friederich der Grofse — was mehr ist als lehren oder widerlegen — an sich durch die That erfüllt. Es wird nicht schwer sein, im Machiavell solche e i n z e l n e n Züge eines gro-

---

*) Vergl. die Discorsi I, 10.

fsen Fürsten bezeichnet zu finden, wie die Welt sie gerade in Friederich dem Zweiten bewundert.

Es ist z. B. als ob Machiavell den in sich und in keinem andern gegründeten König vor Augen hätte, wenn er sagt: „die guten Rathschläge, sie mögen kommen, von wem sie wollen, müssen nothwendig ihren Ursprung in der Klugheit des Fürsten haben und nicht die Klugheit des Fürsten in guten Rathschlägen" [1]).

Es ist des Königs Weise so zu handeln, wie Machiavell weiter sagt: „Ein Fürst muß immer sich rathen lassen, aber wenn er will, nicht wenn andere wollen; er muß ein reichlicher, eifriger Frager sein und dann über die gefragten Dinge ein geduldiger Hörer der Wahrheit".

„Es giebt kein anderes Mittel", sagt Machiavell [2]), „sich vor Schmeichlern zu hüten, als das, daß die Menschen erfahren, sie stoßen bei dir nicht an, wenn sie dir die Wahrheit sagen" — und Schmeichler haben Friederichs überlegenen Geist nicht bestochen.

Der König weiß, daß ein weiser Fürst, wie Machiavell sagt [3]), sich darauf stellen soll, was das Seine ist, und nicht darauf, was des Andern ist.

Der König übt, was an einem andern Orte [4]) Machiavell lehrt, die ersten Grundlagen aller Staaten seien gute Gesetze und gute Waffen und es könne keine guten Gesetze geben, wo keine guten Waffen.

Der König hat nicht den von Machiavell gerügten „Fehler der gewöhnlichen Menschen, im Sonnenschein nicht an den Sturm zu denken" [5]). Er thut, was Machiavell räth [6]). Ein kluger Fürst solle niemals in friedlichen Tagen müßig dastehen, sondern mit Fleiß darauf Bedacht nehmen, in widrigen Zeiten stark zu sein, auf daß wenn das Glück sich wende, es ihn bereit finde, seinen Schlägen zu widerstehen. Der König denkt dann, wie Machiavell [7]): Man darf nie eine Unordnung gewähren lassen, um einem Kriege auszuweichen; denn der Krieg weicht nie aus, er wird nur zu deinem Schaden verschoben.

Was Machiavell von seinem Fürsten an Kraft und Consequenz, an Voraussicht und Thätigkeit, Großes verlangt, das hat der König

---

[1]) K. 23. [2]) K. 23. [3]) K. 17. [4]) K. 12. [5]) K. 24. [6]) K. 14. [7]) K. 3.

in den guten und bösen Tagen seiner Regierung geleistet. Hat der
König es etwa aus Machiavell gelernt? Es lernt wol niemand solche Dinge, der sie nicht schon in der Anlage seines Wesens hat.
Es ist der ureigene Geist des Königs, des Staatsmannes und Helden,
der aus sich handelnd bestätigt, was Machiavell betrachtend fand.

Bei solcher Übereinstimmung erhellt vielleicht der innere Be-
weggrund des Gegensatzes und der Trieb des Widerspruchs gegen
Machiavell desto deutlicher.

Kraft und Consequenz, Voraussicht und Thätigkeit sind eine
Macht des Fürsten, aber sie haben nur dann innern Werth, wenn
sie einem Höhern dienen; sie sind nur dann Tugenden, wenn ein
sittlicher Geist sie beseelt, oder, wie Friederich sich ausdrückt,
wenn nichts anderes als die Gerechtigkeit und das Streben für
die Wohlfahrt seines Volks den Fürsten bestimmt. Von solchen
Motiven sieht Friederich in dem Fürsten des Machiavell keine Spur.
In dem neuen Fürsten sieht er nur Ehrgeiz[1]); in dem Machtstreben
nur Selbstsucht und darum in der Kraft nur die Consequenz der
Bosheit, in der Klugheit nur die verschmitzte List und in der
Entschlossenheit nur die kalte Eigensucht. Der ausschließlich durchgehende Gesichtspunkt der Selbsterhaltung, das Lob des treulosen
grausamen Caesar Borgia für den Zweck der Selbsterhaltung[2]), die
Empfehlung des Scheins der Tugenden anstatt der wirklichen, zu
mehrerem Nutzen des Fürsten[3]), die Gleichgültigkeit gegen jedes
Laster, wenn es nur nicht der Herrschaft schadet[4]), die Zergliederung der Charaktere und der Handlungsweisen in der Geschichte
ohne Adel der Gesinnung und für den nackten Nutzen des Fürsten,
sind ihm ohne Zweifel für ein solches Urtheil der Grund und
Grund genug.

Verwundert mag man fragen: kann denn ein Mann, wie Machiavell, ein Mann von solcher Einsicht, von solcher Consequenz
und Thatkraft unsittlich im Grund und in der Wurzel sein?

Sieht man auf das Buch vom Fürsten, so erhellt aus der Andeutung einiger weniger Stellen, daß die Wirkung der Machterhaltung ein sittlicher Zustand des Volkes sein soll. Es ist selbst die
Wirkung der Tücke und Grausamkeit in Caesar Borgia, daß durch

---

[1]) Widerlegung K. 6. K. 24.   [2]) Der Fürst K. 7.   [3]) K. 15.   [4]) K. 15
[5]) K. 7.   [6]) K. 17.

seine Macht in die Romagna Friede und Einigkeit[5]) und Treue und Glauben[6]) zurückkehrt und Zucht und Ordnung in einem Lande hergestellt wird, welches früher von Diebereien, Raubanfällen und Ausschweifungen aller Art voll war[1]). Machiavell will durch die Waffen gute Gesetze möglich machen[2]) und durch den Fürsten jede menschliche Thätigkeit beleben[3])

Sieht man auf die andern Schriften des Machiavell, so überzeugt man sich, daß er diese Wirkung nicht blos als ein schlaues Mittel gedacht hat, um den Fürsten in dem zufriedenen Lande desto fester zu setzen, desto mehr zu sichern. In den Discorsi[4]) zieht er in demselben Maße gegen den Tyrannen zu Felde, wie er ihm im Fürsten den Weg zu zeigen scheint. „Alle diejenigen", sagt er, „sind schändlich und abscheulich, welche Religionen vernichten, Königreiche und Freistaaten zerstören, und Tugend und Wissenschaft und alle andern Künste befeinden, die doch dem menschlichen Geschlecht Nutzen und Ehre bringen. Dergleichen thun die Ruchlosen und Gewaltthätigen, die Unwissenden, die Müßiggänger, die Niederträchtigen und Nichtswürdigen". Oder man lese den Schluß von Machiavell's florentinischer Geschichte, in welchem er dem Lorenzo von Medici, des Kosmus Enkel, ein Ehrendenkmal setzt. Machiavell will Religion und Recht, Wissenschaft und Kunst als Wirkung der Macht.

Aber um den Weg zur Macht ist er unbekümmert, der Weg sei, welcher er sei, wenn er nur sicher führt. Sein Fürst ist ihm nur Mittel.

Zu Machiavells Zeit ist Italien ohnmächtig und verwüstet, zerrissen und zuchtlos. Fremde, vom Volke glühend gehaßt, Franzosen, Spanier, Deutsche kämpfen um seinen Besitz. Unter kleinen Zwingherrn, zwieträchtigen Republiken, selbstsüchtigen Päpsten, eindringenden Fremden ist sein Zustand rettungslos. Da faßt Machiavell, der sonst, wie in der florentinischen Geschichte, für die „Süßigkeit des freien Lebens" begeistert ist, ein Republikaner in seinem Dichten und Trachten, den verzweifelten Gedanken eines Tyrannen, eines „neuen Fürsten", der, wenn auch mit Trug und Grausamkeit, die Macht in seine Hand nehme, die Fremden verjage und das verdorbene Italien zu neuer Herrlichkeit verjünge. In

---

[1]) K. 17.   [2]) K. 12.   [3]) K. 21.   [4]) I. 10.

diesem Sinne ist das letzte Kapittel seiner Schrift ein Aufruf Italien
von den Barbaren zu befreien. „Italien", sagt er, „ist ohne Haupt
und ohne Ordnung; zerschlagen, beraubt; zerrissen, zerstört; halb
entseelt. Es harret, wer es heile". Für diesen Zweck entwirft er
die Mittel, wie der neue Fürst seine Macht erhalte und mehre. Für
den Fürsten, als die Grundlage zur Einheit und Befreiung Italiens,
ist ihm jedes entschlossene Mittel, sei es Gewalt, sei es List, gut
und recht. „Er suchte die Heilung Italiens; doch der Zustand desselben schien ihm so verzweifelt, daß er kühn genug war, ihm Gift
zu verschreiben"[1]).

In dieser Ansicht übt der forschende Historiker gegen Machiavell's Absicht Gerechtigkeit. Seine Schrift ist kein Lehrbuch,
sondern die der eigenthümlichen Krankheit angepaßte Vorschrift
eines Arztes.

Indessen Absicht und Wirkung sind in der Geschichte sehr
verschieden, und die historische Gerechtigkeit gegen die Absicht
des Verfassers ist keineswegs die politische Gerechtigkeit gegen die
Wirkung des Buches. Die Schrift hat selbst Schuld daran, wenn
sie mit ihren allgemein gehaltenen Betrachtungen als ein Lehrbuch
der Fürsten gegolten, wenn sie in der politischen Welt als ein
Lehrbuch gewirkt hat, wie z. B. in den Staatskünsten jener Katharina von Medici, der Tochter des von Machiavell zum neuen Fürsten ersehenen Lorenzo, deren machiavellistische Politik sich unter
Anderm durch die Pariser Bluthochzeit bezeichnet hat. Keine Art
von Büchern wirkt schlimmer, als solche, welche einseitige Bestrebungen scharfsinnig zur Theorie ausbilden und dadurch die Selbstsucht mit dem Stempel des Nothwendigen ausprägen. Friederich der
Große geht nicht auf die Absicht; er geht auf die Wirkung des
Buchs, die er kennt. Über jenen Aufruf, Italien zu befreien, am
Schlusse der Schrift, schweigt er ganz; er geht nicht auf das Ver-
gangene; er geht auf den gegenwärtigen, fortwirkenden Eindruck
eines Buchs, welches unverhohlen und allgemein, ohne Ausnahme
und ohne Gegengewicht die politische Klugheit vorträgt[2]): wenn
der Fürst zwischen Freigebigkeit und Geiz, zwischen Grausamkeit
und Güte, zwischen Treue und Hinterlist zu wählen habe, so müsse

---

[1]) Ranke zur Kritik neuerer Geschichtschreiber. 1824. S. 201. f.

[2]) K. 16. K. 18.

er geizig, grausam, treulos sein; er müsse thun was ihm nütze; nur müsse er nichts an sich spüren lassen als Güte, Unbescholtenheit und Religion.

Wo ein Krieg Aller gegen Alle herrscht, da gilt die Selbsterhaltung als letztes Gesetz, da gilt unvermeidlich Gewalt und List. Soll aber der Krieg Aller gegen Alle enden, so bedarf es für den, der ihn beizulegen berufen sein soll, aufser der Kraft und Consequenz, einer innern Erhebung über Gewalt und List; es bedarf, um einen Ausdruck Plato's anzuwenden, einer königlichen Natur, die den Keim der Tugend, welche sie um sich herum schaffen will, schon in sich selbst trägt. Wäre in Italien selbst ein Zustand gewesen, wie ein Krieg Aller gegen Alle, so hätte es gerade da anderer Vorschriften bedurft, als solcher, welche an dem Beispiel eines Caesar Borgia gefunden werden. Insofern reicht auch jene historische Gerechtigkeit nicht aus.

Machiavell hat in seiner Schrift fast keinen andern Zustand vor Augen, als einen solchen, in welchem zwischen Fürst und Volk noch kein Friede, sondern Krieg ist und daher statt der Macht des Gesetzes nur die Mittel der Gewalt und der List erscheinen. In dem neuen Fürsten steht die persönliche Selbsterhaltung und die Machtvermehrung mit dem Volke in vielfachem Widerspruch. Selbstsüchtig für sich fühlt sich der neue Fürst feindlich gegen das Volk und gegen den Staat. Machiavell's Fürst sucht selbst da, wo er sich zum Volke hält, zunächst nur s e i n e Erhaltung, s e i n e Herrschaft.

Friederich dem Grofsen ist der Gedanke eines solchen Zwiespalts unerträglich und er nimmt von vorn herein den entgegengesetzten Standpunkt ein. Daher erklärt er gleich im ersten Kapittel, dafs der Fürst, des Volkes Haupt, nur sein vornehmstes dienendes Glied sei. Es ist dieselbe Anschauung, welche er fast 40 Jahre später in der Abhandlung über die Regierungsformen und die Pflichten der Monarchen so ausdrückt: „Der Fürst und das Volk bilden nur Einen Leib, der nur glücklich sein kann, so lange die Eintracht sie einigt". Wo eine solche Einheit wahrhaft ist, da ist das Streben des Fürsten, selbst wenn er nur sich zu wollen scheint, ein Streben für das Ganze. Von vorn herein erklärt Friederich die Gerechtigkeit für des Fürsten erste und letzte Pflicht, und die Wohlfahrt des Landes für seine erste und letzte Sorge. Die Gerechtigkeit, welche im Gegensatz gegen Eigenliebe und Parteisucht die

Glieder nach dem Maſs des Ganzen miſst und fügt und scheidet, leuchtet dem Könige auch in der Gegenschrift vor und er besteht auf ihr auch in der Beurtheilung einzelner Handlungen in der Geschichte[1]).

In Machiavell's Fürsten ist die Triebfeder des Handelns eine den begehrlichen leidenschaftlichen Menschen berechnende Klugheit und entschlossene Kühnheit in der Ausführung des kalt Berechneten. Friederich der Groſse kennt, wie Machiavell, den Menschen, und er hat, wie Machiavell, Entschluſs und Consequenz. Aber die Gesinnung seiner Staatskunst hat einen tiefern Grund.

Friederich der Groſse hat in einer spätern Schrift die Eigenliebe als das Princip der Moral betrachtet und schon in der Widerlegung des Fürsten macht er eine ähnliche Bemerkung[2]). Während er es rügt, daſs in Machiavell der Eigennutz, das Interesse, das sei, was bei Newton die Anziehungskraft ist, die Weltseele, durch welche alle Dinge in der Welt geschehen[3]), steckt er, kann es scheinen, in derselben Denkungsart.

Aber es ist doch ein wesentlicher Unterschied zwischen beiden.

Allerdings ist auch dem Könige das Interesse die reale Kraft in der Moral; denn der Mensch ist ein selbstsüchtiges Wesen. Aber indem es darauf ankommt, den besondern Interessen zu genügen, findet er als ethisches Princip ein Allgemeines, oder, wie er sich ausdrückt, die Ausgleichung, um alle zu befriedigen. Dahin gehören ihm die Begriffe des Rechts und des Staates, Eigenthum, Sicherheit, Gemeinwohl. In dieser Ausgleichung und Mäſsigung (er nennt sie tempérament[4]) ist freilich noch kein von innen gestaltendes Gesetz bezeichnet; und es bleibt dahin gestellt, ob man sie als ein äuſseres Abkommen der Interessen unter einander oder als eine höhere nothwendige Ordnung denken soll. Auf jeden Fall muſs die Selbstsucht sich diesem Allgemeinen fügen.

Aber Friederich dachte damals das Allgemeine in einem höhern Zusammenhang. Für Christian Wolf, den philosophischen Spröſsling Leibnizens, begeistert, ging er von der Betrachtung des Weltganzen und der Weisheit, die sich darin offenbart, aus und vertiefte sich gern in den unerschöpflichen Gedanken Gottes. Aus dieser

---

[1]) K. 7. K. 21.   [2]) K. 23.   [3]) K 15. vgl. K. 9.
[4]) Oeuvres de Frédéric le grand. 1846. 8. XXI. S. 181 in einem Brief an Voltaire 26 Dec. 1737.

Zeit (1738) stammt die Ode Liebe zu Gott, die mitten im elegischen Ton skeptischer Gedanken Empfindungen des Erhabenen und Hingebung an das Göttliche ausspricht. Nach dieser Seite hat seine sittliche Ansicht eine ideale Tiefe.

Es ist dabei nicht auf gleiche Weise deutlich, wie Friederich jenes Reale, das Interesse, und dieses Ideale, Liebe zu Gott, in den nothwendigen Zusammenhang Eines Gedankens brachte oder sie gar zur gegenseitigen Durchdringung verschmolz. Aber es ist ihm tiefer Ernst, wenn er der Selbstsucht in Machiavell's Fürsten die Liebe zu Gott, dem unendlichen Wesen, entgegenstellt[1]).

Daher ist auch die Stellung beider zur Religion verschieden. Machiavell kennt die Macht der Gottesfurcht über die Gemüther, und bezeichnet sie in den Betrachtungen über die erste Decade des Livius[2]) als eine zur Aufrechthaltung der Staaten unentbehrliche Sache, indem Gottesfurcht durch die Furcht vor dem Fürsten nicht ersetzt werde. Daher räth er seinem Fürsten[3]) gottesfürchtig zu scheinen, aber erforderlichen Falls das Gegentheil zu sein. Friederich der Große dagegen beklagt das Unheil, welches in der Geschichte daher stamme, daß man die Religion wie eine alte, aber nie absenutzende Maschine verwende, um sich des Volkes zu versichern und der ungelehrigen Vernunft einen Zügel anzulegen[4]). Die kirchlichen Dogmen hat er zu jener Zeit schon aufgegeben[5]), aber er entsagt nicht der Religion, wenn er ihr auch, wie dem Unendlichen, dem sie sich hingiebt, die besondere Gestalt nimmt, deren sie bedarf, um zu leben und zu wirken. Die wahre Religion, äußert er in der Gegenschrift[6]), ist die reinste Quelle unserer Güter.

Wenn nun auf solche Weise die sittliche Weltanschauung der Gegenschrift tiefer ist, so erscheint sie auch weiter und reicher.

Es ist eine für Machiavell bezeichnende Stelle, wenn er seine Betrachtungen über die Wehrverfassung so einleitet[7]): „Die vornehmsten Grundlagen aller Staaten sind gute Gesetze und gute Waffen; und da es keine gute Gesetze geben kann, wo keine gute Waffen und da es, wo gute Waffen, auch nothwendig gute Gesetze geben muß, so unterlasse ich das Wesen der Gesetze zu beleuchten und beschränke mich auf die Waffen". In Machiavell's

---

[1]) Widerlegung K. 9.   [2]) I. 11.   [3]) K. 18.   [4]) Widerlegung K. 11.
[5]) Oeuvres 1846 II. S. XXI. S. 200 ff. Brief an Voltaire Mai 1738.
[6]) K. 11.   [7]) Der Fürst K. 12.

[1855]

Sinne geht der Staat dergestalt in gute Waffen auf, daß sie, wie in Sparta, auch die guten Gesetze nach sich ziehen. Ohne Gehorsam und Zucht giebt es keine gute Waffen. Der Satz beruht ihm auf demselben persönlichen Muthe, auf welchen er seine Schrift von der Kriegskunst gründete, eine Schrift, welche der König gekannt und geschätzt haben soll. Friederich, obwol dem Muth und der Thatkraft nichts vergebend, durchschauet das Einseitige einer solchen Richtung und erklärt, daß der Fürst nur die Hälfte seines Berufes erfülle, welcher, wie Machiavell will, im Krieg und Frieden nur den Waffen lebe[1]).

Im Sinne der kriegerischen Tugend, im Sinne des alten Roms mißtrauet Machiavell der Geistesbildung. In einer merkwürdigen Stelle der florentinischen Geschichte im Eingang des fünften Buches äußert er sich in folgender Weise: „Einsichtige haben bemerkt, daß die Wissenschaften nach den Waffen kommen und in den Ländern und Staaten eher Feldherrn als Philosophen erstehen. Denn nachdem gute und geordnete Waffen Siege erzeugt haben und die Siege Ruhe, so kann die Rüstigkeit des bewaffneten Muthes in keiner ehrbarern Muße verderben, als in der Muße der Wissenschaften, und mit keiner größern und gefahrvolleren Täuschung kann die Muße in wohlgeordnete Staaten eindringen. Das erkannte Cato am besten, als die Philosophen Diogenes und Carneades, Gesandte Athen's an den Senat, nach Rom kamen; und da er gewahrte, daß die römische Jugend anfing ihnen mit Bewunderung zu folgen, und das Uebel voraussah, das seinem Vaterlande aus dieser ehrbaren Muße erwachsen könne, traf er Vorkehrung, daß keine Philosophen in Rom aufgenommen würden. Auf diesem Wege der Muße gelangen die Staaten zur Zerrüttung". Friederich der Große denkt anders und betont auch diesen Gegensatz gelegentlich in der Widerlegung des Fürsten[2]). Er besorgt nicht, daß die eine nothwendige Seite des menschlichen Wesens der andern schade und hohen Geistes will er die eine durch die andere ergänzen.

Wenn zwar unser menschliches Wesen, wie die Menschenkenner alle, Machiavell und Friederich der Große an der Spitze, behaupten, Selbstsucht ist und aus Selbstsucht bald Begierde und Leidenschaft, bald Schwäche und Hinterlist, aber dennoch weder der weltliche Staat, wie Machiavell weiß, noch das Reich Gottes,

---

[1]) Widerlegung K. 14. [2]) K. 21.

wie Friederich fühlt; mit diesem Wesen bestehen kann: so ist es die Aufgabe des bildenden Staatsmannes, der, gleich wie Haus, Schule und Kirche den Einzelnen, das Volk erzieht, den Menschen mit dem bösen Grunde seines Eigenwillens so zu behandeln, daſs er über sich hinausgehoben werde und der bessere Mensch, das Wesen, wozu jeder berufen ist, erstehe. Daher drückt jeder Staatsmann, jeder Fürst seine edlere oder gemeinere Natur, seine höhere oder niederere Begabung in der Weise aus, wie er diese Begierden und Leidenschaften, diese blinden Triebe der Furcht und Hoffnung behandelt; denn sie sind der Stoff, an welchem er arbeitet und gestaltet. Machiavell berechnet die leidenden Zustände der menschlichen Seele, welche aus der Selbstsucht entspringen, mit ihren Bestrebungen wie Kräfte; bald regt er sie auf, um ihre Triebkraft für sich zu benutzen, bald stellt er sie gegen einander, um sie zu beherrschen. Aber der Mittelpunkt der Berechnung ist nur die Selbsterhaltung des Fürsten, die nur wie eine andere Selbstsucht den selbstsüchtigen Vielen gegenübersteht. Der natürliche Mensch wird so weit befriedigt oder so weit aufgerieben, als es der Machterhaltung oder Machtvermehrung des Fürsten nützt; aber der geistige Mensch, das bessere Wesen, das in der Gemeinschaft aus dem bösen Grunde herauskommen soll, bleibt unbeachtet und kommt höchstens nur hinterher und nebenbei heraus.

Anders Friederich der Große. Der König geht von einer ähnlichen Anschauung aus. Er hat Menschenkenntniſs, ja auch wol Menschenverachtung, wie Machiavell, aber er scheidet sich von ihm durch das Ziel; er geht mit derselben Lebensansicht bildend, siegend ins Hohe und Große; er behandelt die Menschen so, daſs etwas Besseres aus ihnen wird, als sie waren. „Ueberhaupt", sagt der König in dem Briefe über die Erziehung, „bin ich überzeugt, daſs man aus den Menschen macht, was man will"[1]) — und er macht etwas aus ihnen, bald durch die Strenge, durch welche er die Furcht der Menschen für die Gewöhnung zum Guten verwendet, bald durch Hohn und Spott, mit welchen er den Schwächen begegnet, bald durch die Auszeichnung der Ehre, durch welche er das Selbstgefühl des Muthes und der Thatkraft erhöht, — vor allem aber durch weise Gesetze und Gerechtigkeit, durch Fürsorge

---

[1]) Oeuvres 1846 ff. 8. IX. S. 123.

für die Wohlfahrt — und endlich und zumeist durch sein Beispiel, durch welches er, wie im siebenjährigen Kriege, Helden um sich erstehen sah. Kurz, Machiavell berechnete den Menschen nach einem äußern Zweck, Friederich bildete ihn.

Den Leidenschaften der Menschen gegenüber, welche die Selbsterhaltung des Fürsten gefährden, ist es ein bezeichnender Rath des Machiavell, Verachtung und Haß zu meiden, Verachtung zu meiden, indem der Fürst Furcht einjage, Haß zu meiden, indem er sich mit den eigenen Leidenschaften und Lastern in Acht nehme[1]). Es ist ihm genug, daß der Fürst den Haß meide; es ist ihm schon zu viel, daß er Liebe erzeuge; denn offenbar ist er besorgt, daß der Fürst die Liebe, wie im Edelmuth und in der Freigebigkeit[2]), durch Schwäche und durch Verlust an Macht und Mitteln erkaufe. Ja, Machiavell wirft die Frage auf, ob es besser sei, geliebt oder gefürchtet zu werden[3]). In dem ausschließenden: entweder das Eine oder das Andere, liegt die Ansicht, daß sie beide mit einander unverträglich seien. Es ist besser, gefürchtet zu werden, lautet die entschiedene Antwort des Machiavell; nur meide dabei den Haß. So kennt Machiavell, der Kenner der Affecte, den höchsten sittlichen Affect nicht, die Bewegung des Gemüthes von dem gebundenen und dauernden Grunde der Furcht zu der auf diesem Boden wurzelnden freien Liebe, welche die Sprache durch Ehrfurcht ausdrückt. Friederich der Große erfüllte sein Volk mit dieser Ehrfurcht, — indem er es in der strengen Furcht des Gehorsams hielt und es dennoch, da es unter ihm wuchs und gedieh und in ihm, seinem König, sich selbst größer fühlte, zur Liebe, ja zur Bewunderung hinzog. Diese Ehrfurcht wird nimmer dem nur berechnenden, sondern allein dem hochherzigen Fürsten zu Theil.

Machiavell's Vorschriften haben es zunächst auf ein Land und auf einen Zustand abgesehen, in welchem noch innerer Krieg ist und noch kein Friede zwischen dem Fürsten und dem Volke, so daß es zunächst und allein darauf ankommt, durch die Macht des Fürsten das Volk unter das Gesetz zu beugen. Die Gegenschrift beachtet es wenig oder gar nicht, daß sie eigentlich die Maximen des Fürsten für den innern und äußern Krieg sein wollen. Aber indem sie ein Kapittel über die äußere Politik hinzufügt[4]), scheint sie zu fühlen,

---

[1]) K. 19.   [2]) K. 15. K. 16.   [3]) K. 17.   [4]) K. 26.

daß auf ihrem Gebiete die Moral der Selbsterhaltung, die Wach-
samkeit des Mißtrauens, der ausschließliche Verlaß auf die Berechnung des Eigennutzes, ja selbst Verstellung und List unvermeidlich
seien. Man hat später in den Weltereignissen, den Antimachiavell
in der Hand, Friederich den Großen einer machiavellistischen Politik zeihen wollen. Es ist hier nicht der Ort diese Fälle zu untersuchen, in welchen Friederichs Klugheit den verborgenen Absichten
seiner Nachbarn zuvorkam. Es ist ihm nie in den Sinn gekommen,
um der Theorie willen der Betrogene und Überlistete zu sein. Aber
er ist in seinem Wesen jene hochherzige königliche Natur, welcher
nicht Gewalt und List, wenn er sie üben muß, das Höchste ist, sondern Gerechtigkeit nach innen und Stärke nach außen.

Das Bild eines Fürsten, welches Friederich im Gegensatz gegen
Machiavell in seinem Geiste trägt, drückt sich am schönsten in dem
Worte aus, das einst König Johann der Gute von Frankreich in der
mißlichsten Lage gesprochen und Friederich wenig verändert wiederholt:*)„wenn es in der Welt keine Ehre und Tugend mehr gäbe,
müsste man ihre Spur bei den Fürsten wiederfinden". Es hat dies Wort
einen tiefern Sinn, als zunächst darin liegt. Im Gegensatz gegen
die Selbstsucht des Theils, welche das Böse ist, stammen alle sittlichen Begriffe aus dem Ganzen, das sich in den Theilen und die
Theile in sich weiß, sei es aus dem Ganzen der menschlichen Gemeinschaft, sei es, daß sich der einzelne Mensch in seinen mannigfaltigen Strebungen als ein einiges Ganze denkt. Der Fürst vertritt
nun unter allen Menschen allein das Ganze der Gemeinschaft; er
trägt es in seinen Sorgen, seinen Gedanken, seinen Handlungen.
Daher müssen die sittlichen Begriffe, aus dem Ganzen stammend,
in ihm ihren vornehmsten Ursprung und gleichsam ihren ritterlichen Vorkämpfer haben; ihm ziemt es, mit sich selbst übereinzu-
stimmen, sich selbst treu, seiner selbst Herr, um diese Treue und
diese Mäßigung nach außen zu gründen. Machiavell will Kraft
und Consequenz, aber er erhebt sich nicht zu der Geistes-
stärke, welche die sittlichen Begriffe durchsetzt und in ihre Macht
einsetzt und welche ohne Zweifel gemeint ist, wenn Friederich auf
dem Wort besteht, daß die letzte und erste Spur der Tugend und
Ehre oder der Treue und Wahrheit, wie König Johann sagte, bei

_____

*) K. 18.

den Fürsten müsse gefunden werden. Dieß Wort reicht in die machiavellistischen Gänge der Welthändel hinaus. Friederich erinnert
in seiner Geschichte des siebenjährigen Krieges[1]) an denselben
Ausspruch, da die Kaiserin und der König von Frankreich sächsische
Offiziere, welche den Preußen das Ehrenwort gegeben hatten, nicht
gegen sie zu fechten, von diesem Ehrenwort entbanden und, indem
sie Offiziere zum Ehrenbruch verleiteten, die Treue und den Glauben, welche in den Fürsten ihren Halt haben sollen, im Volke ver-
darben.

In den Beispielen, welche Friederich dem Machiavell entgegen
stellt, tritt mehrere mal die Erinnerung an den Kaiser Marc Aurel
bedeutsam hervor. Nicht ohne Bewunderung nennt er ihn den glücklichen Krieger und weisen Philosophen, der mit der Lehre die
strenge Übung der Weisheit verbinde, und bezeichnend für die
eigene ethische, in eine allgemeine Religion zurückgehende Gesinnung, schließt er ein Kapittel[2]) mit einem Worte, das er dem Marc
Aurel beilegt: „Ein König, den die Gerechtigkeit leitet, hat das Welt-
ganze zu seinem Tempel und die guten Menschen sind darin die
Priester und Opferer". Noch am Abend seines Lebens (1777), da
er in seiner Abhandlung über die Regierungsformen die Pflichten
eines Monarchen hinzeichnet, nennt er die Skizze ein stoisches
Urbild, dem sich allein Marc Aurel nähere. So hielt Friederich
der Große an dem Entwurf seiner Jugend fest.

Es sagt viel, wenn Friederich der Große sich selbst den Marc
Aurel, den denkenden und täglich zum Bessern strebenden, den
tapfern und gerechten Kaiser, zum Vorbilde setzt.

Aber es sagt wenig, wenn Zeitgenossen es nachsprachen und
ihn den deutschen Marc Aurel nannten. Denn Marc Aurel, der
edele und strenge, der aber in der Gegenwart sich abmühte, um
mit seiner Arbeit keine Zukunft zu haben, Marc Aurel, der sittlich
reine, der aber im eigenen Hause mit den Lastern seiner Gemahlin
und seines Sohnes zusammenwohnte, Marc Aurel, der, seiner Leidenschaften und Begierden Herr, nach einem makellosen Namen strebte,
und ihn doch mit Christenblut befleckt sah, der tapfere ausharrende
Feldherr, der aber doch auf die Dauer weder den äußern noch den
innern Krieg zurückschlug, Marc Aurel, der gute Gesetze gab und

---

[1]) Oeuvres. 1846 ff. 8. IV. S. 120. [2]) K. 21.

das Reich wohl verwaltete, aber doch ohne das moderne Römer-
thum in seiner Fäulniſs aufzuhalten, dieser Marc Aurel war eine
erhabene, aber elegische, Friederich hingegen war eine groſse Erscheinung, voll Erfolges; denn Friederich arbeitete und drang durch,
er stritt und siegte, er gründete und sah den Bau steigen; er war
das mächtige Glied in der lebendigen Entwicklung einer Vergan-
genheit zur Zukunft.

So lesen wir in den geschichtlichen Beispielen der Gegenschrift Friederichs Liebe zum Edeln und seinen Haſs des Schlechten,
so wie eine sein inneres Wesen bezeichnende Bewunderung und
Verachtung.

Mag die Widerlegung des Machiavell besonders an dem Mangel
leiden, daſs sie des Gegners Betrachtungen aus dem gegebenen Zustande, auf welchen sie gehen, heraushebt und daher nicht selten
mit den Schlägen, die sie führt, vorbeiführt; mögen die historischen
Beispiele, die sie entgegenhält, der nackten Zeichnung und der
scharfen, psychologischen und politischen Zergliederung entbehren,
durch welche die Beispiele Machiavell's belehrend werden; mag die
jugendliche Rhetorik der Gegenschrift gegen die schmucklose
Klarheit und reife Kraft im Stil des Machiavell abstechen: es
bleibt die Schrift, von der Voltaire, auf Marc Aurel's Selbstbe-
trachtungen anspielend, zu sagen wagte, daſs sie seit fünfzehnhundert
Jahren das einzige Buch sei eines Königs würdig, ein nicht un-
wichtiges Ereigniſs in der Geschichte der politischen Meinungen,
da sie dazu beitrug, in den höhern Kreisen das Ansehn des verstan-
denen und miſsverstandenen Machiavell zu mäſsigen, und sie bleibt
ein noch wichtigeres Denkmal in der Entwicklung des Königs, der,
wie er einmal sagt, dazu schrieb, um sich selbst schreibend über die
Dinge aufzuklären. Es sind nicht, wie Marc Aurel's Schrift an ihn
selbst, Betrachtungen am Schlusse des Lebens, Sinnsprüche in
das eigene Wesen zurückgewandt, sondern es sind Selbstbe-
trachtungen der Jugend, Anschauungen der Dinge in dem Geiste
des über seine Zukunft nachsinnenden Königssohnes, Betrachtungen
vor der That des groſsen Lebens — und insofern wichtig.

Wir preisen dankbar den König, welcher das in lebhafter Jugend entworfene Bild des Fürsten, so weit menschliche Kraft es
gestattete, im harten Kampf mit dem Widerstand der Dinge und
der Menschen behauptete und erfüllte.

Bericht

über die

zur Bekanntmachung geeigneten Verhandlungen der Königl. Preuſs. Akademie der Wissenschaften zu Berlin

im Monat Februar 1855.

Vorsitzender Sekretar: Hr. Ehrenberg.

1. Februar. Gesammtsitzung der Akademie.

Hr. Dirksen las: Von der Unentbehrlichkeit methodischer Sprachforschung in Beziehung auf die Textes-Kritik und Auslegung römischer Rechtsquellen.

Hr. Dove legte im Auftrage des Hrn. von Humboldt die aus Bombay von den Drn. Schlagintweit eingegangenen Beobachtungen der Dichtigkeit und Temperatur des Meerwassers auf ihrer Reise von England nach Bombay vor. Es ergibt sich aus denselben:

Atlant. Ocean Lissabon bis Cap St. Vincent T. 20°—21°C.

Mittelländisches Meer Gibraltar bis Malta T. 21°—22°C.
    sp. Gew. 1.0287 bei 17°.5

„   Malta bis Alexandrien T. 23°—24°C.
    sp. Gew. 1.0298

Rothes Meer Golf von Suez   „   „   1.0393

„   „   27°—23°N.B. T. 24°—28°C. „   „   1.0315

„   „   22°—14°N.B. T. 30°—31°C. „   „   1.0306

„   „   Golf von Aden T. 28.8   „   „   1.0275

Arabisches Meer Cap Guardafar bis Bombay T. 27°—28°C.
    sp. Gew. 1.0278

Von der Landenge von Suez nimmt also die Dichtigkeit
und Temperatur des Meerwassers sowohl im mittelländischen
als rothen Meer nach den Ausgängen derselben hin ab.

An eingegangenen Schriften und dazu gehörigen Schreiben
wurden vorgelegt:

Astronomische Nachrichten. Altona 1855. 4. no. 933. 934. (und Circular.)

Filippo Pacini, *Osservazioni sul Cholera asiatico.* Firenze 1854. 8.

Zeitschrift des Ferdinandeums. III. Folge, Heft 4. Insbruck 1854. 8.

Corrispondenza scientifica in Roma. Anno III. no. 42. 43. Roma 1855. 4.

Zeitschrift für Stenographie von G. Michaelis. Jahrgang 1. 2. 3. no. 1.
Berlin 1853—1855. 8.

G. Michaelis, *die Vereinfachungen der deutschen Rechtschreibung.*
Berlin 1854. 8. Mit Begleitschreiben des Verfassers d. d. Berlin
25. Jan 1855.

P. de Tschihatschef, *lettre sur les antiquités de l'Asie mineure.* Paris
1854. 8. Durch Hrn. G. Rose überreicht.

A. L. Busch, *Astronomische Beobachtungen auf der Königl. Universitäts-
Sternwarte in Königsberg.* Abtheilung 26. Königsberg 1854. fol.
Mit Begleitschreiben des Herausgebers d. d. Königsberg 19. Januar
1855.

Memorial de ingenieros. Madrid, November 1854. 8.

Verhandlungen des naturhistorischen Vereines der preussischen Rheinlande.
11. Jahrgang. Heft 4. Bonn 1854. 8.

Annuaire de l'université catholique de Louvain. Année XIX. Louvain
1855. 8.

*Mittheilungen der Geschichts- und Alterthumsforschenden Gesellschaft des
Osterlandes.* 4. Band. Heft 1. Altenburg 1854. 8.

Revue archéologique. 11me année. Livr. 10. Paris 1855. 8.

Annales de chimie et de physique. Tome 43. Janvier. Paris 1855. 8.

Verhandlungen der physikalisch-medicinischen Gesellschaft in Würzburg.
5. Band. Heft 1. 2. Würzburg 1854. 8.

Archives de physiologie, par Bouchardat. no. 2. Octobre 1854. Paris
1854. 8. (2 Exemplare.)

Durch Hr. Bopp, im Auftrage des Hrn. von Humboldt,
empfing hierauf die Akademie theilnehmend die schmerzliche
Nachricht von dem in Petersburg am 22. Januar A. St. erfolgten Tode des beständigen Sekretars der Kaiserl. Akademie der
Wissenschaften Hrn. Staatsraths Fuss.

Hr. Bopp machte hierauf von seinem Recht Gebrauch sich zum Veteranen der Akademie zu erklären.

Alsdann kam ein Schreiben Sr. Excellenz des Hrn. Ministers von Raumer vom 27. Januar zum Vortrag, worin derselbe für die Einladung zur Feier des Jahrestages König Friedrichs dankt.

---

5. Februar. Sitzung der physikalisch-mathematischen Klasse.

Hr. Peters las über die Myriapoden im Allgemeinen und insbesondere über die in Mossambique beobachteten Arten dieser Familie, deren Übersicht hier mitgetheilt wird.

CHILOGNATHA.

Spirostreptus, Brandt. (*Julus*, Linné.)

1. *Sp. gigas* n. sp. (*Spirostreptus* Br. Div. I. Subdiv. 2.); corpus crassum, cylindricum, collo attenuatum, medio subtumidum, postice subcompressum conicum. Annuli corporis 64 ad 69. Pedum paria 121—131. Facies rugoso-impressa, sulco frontali longitudinali, angulis marginis labialis arcuatis. Marge labialis duplici punctorum serie, superiore e punctis 4 ad 6 tantum composita, distinctis. Tentacula longitudine cinguli corporis sexti latitudinem aequant, articulo primo brevi, septimo brevissimo, reliquis plus minusve pilosis a secundo ad sextum longitudine decrescentibus. Oculi transversi, oblongo-semilunares, angulo interno acuminato, ocellis per series longitudinales arcuatas sex dispositis. Cingulus dorsalis primus antice emarginatus, processu laterali rotundato-tetragono, angulo anteriore in junioribus magis protrudente, plicis elevatis angulo anteriori subparallelis 3 ad 6. Cingulorum reliquorum pars anterior carinis circularibus parallelis distinctis; pars posterior in dorso subglabra, in lateribus versus abdomen plicis parallelis plus minusve curvatis transversalibus insignis. Squamae anales mediocres, margine posteriore in carinam arcuatam obtusam evolutae. Cingulus penultimus margine posteriore angulato

trigono, depresso, impressione lineari transversali plus minusve
distincta. Cingulus abdominalis pedigerus primus in femina
inermis, in mare aculeis duobus anterioribus armatus. Squama
analis abdominalis brevis, angulis lateralibus acutis, margine anteriore vix arcuato, posteriore medio plus minusve angulato.
Pedes robusti, subtus sparsim pilosi, articulis tarsi longitudine
fere aequalibus, primo et secundo in maribus pulvillo molli
munitis. — Color faciei rufo-fuscus, margine labiali atro. Pars
posterior cingulorum atra vel nigro-olivacea, fusco-rufo marginata, anterior rufo-aurantiaca vel flavida linea longitudinali
media plus minusve distincta nigra. Pedes fusco-rufi vel rufo-
fusci vel viridifusci, in articulis dilutiores.

Long. tota ♀ (ann. 66) 260ᵐᵐ· Lat. cing. I. 14¼, c. VI. 13½,
   „   „   („ 66) 260ᵐᵐ· „   „   14½,   13½,
   „   „ ♀ („; 68) 240ᵐᵐ· „   „   14⅕,   13⅓,
   „   „ ♂ („ 66) 240ᵐᵐ· „   „   14⅓,   13⅓,
med. corp. 19 annuli penult. 10¼.
   „   „ 19 „   „   10½.
   „   „ 18 „   „   9¼.
   „   „ 18 „   „   9½.

Habitatio: T e t t e , R i o s d e S e n a.

2. *Sp. semilunaris* n. sp. (*Spirostreptus* Br. div. I., subd.
II. d.); corpus cylindricum, collo tenuius, medio crassius, postice compresso-conicum. Annuli corporis 65. Pedum paria
119 (ann. genit. et ann. ult. apodi, annuli 1. — 7. pari uno).
Facies convexa, fere glabra, impressione frontali longitudinali
obsoleta; margo labialis parum excisus, punctis mediis quatuor,
serie punctorum in ipso margine sita. Oculi rotundato-trigoni,
angulo interno acuto, ocellis c. 95 per series long. arcuatas
decem dispositis. Tentacula (7½ mm. long.) 7-articulata, articulo
septimo brevissimo, reliqui a secundo ad sextum longitudine
decrescentes, subcompressi infundibuliformes. Maxillae tuberculo crasso sub margine anteriore insignes. Annuli primi pedi-
geri processus duo anteriores sursum, postici duo obtusi retrorsum directi. Cingulus dorsalis primus capite longior (in
medio 5¾ mm. long.) semilunaris, processus ejus externus triangularis apice elongata tumida procurva. Annulorum reliquorum
pars anterior lineis concentricis subtilissimis, posterior versus

abdomen pliculis transversis plus minusve curvatis, in posteriore corporis parte obsoletis. Annulus penultimus margine
posteriore angulato trigono, depresso. Squamae anales mediocres, margine posteriore obtuse carinato. Squama analis
abdominalis parva, margine posteriore recto. Pedes mediocres
compressi, articulis tarsi subaequalibus, subtus setis brevibus
biserialibus distinctis. — Color faciei fusro-niger, versus marginem labialem fuscus, marginis ipsius niger. Annulorum pars
anterior rufofusca, reliqua atra. Antennae rufoflavidae. Pedes
rufoflavidi, apice nigri.

♂ Long. tota 160ᵐᵐ·; lat. cing. I. 8½; c. VII. 8; med. corp.
8½; ann. penult. 5.

Habitatio: R i o s d e S e n a, T e t t e.

3. *Sp. flavifilis* n. sp. (*Spirostreptus* Br. div. I. subd. 2. c.);
annuli corporis 60 ad 63. Pedum paria 113 ad 115. Priori
similis. Oculi ocellis c. 75, per series octo dispositis; annuli pediferi primi aculei anteriores longiores (in mare) antrorsum directi; cinguli primi processus lateralis tetragonus,
margine triplicato, angulo anteriore acuto vel apice antrorsum
et extrorsum directa; squamae analis margo posterior obtuse
angulatus.

♂ Long. 150; Lat. ann. I. 9¾; VII. 9; m. c. 9¾; penult. 5¼;
♀ Long. 130.

Habitatio: M o s s a m b i q u e, C a b a c e i r a.

4. *Sp. stylifer* n. sp. (*Spirostreptus* Br. *Nodopyga.* subd. 2. d.);
corpus teres, versus caput tumidum, postice attenuatum,
compresso-conicum. Annuli 62. Pedum paria in mare 115.
Annulus primus, secundus, octavus et ultimus apodes, ter-
tius, quartus et quintus uno pari. Facies fere glabra, impressione lineari longitudinali frontali, fovea uvali utrinque
sub interno oculi angulo; margo labialis parum excisus,
punctis mediis duobus, serie punctorum in ipso margine.
Oculi transversi, oblongo-semilunares, angulo interno acuto,
ocellis c. 62 per series octo dispositis. Antennae ad posteriorem secundi cinguli marginem extensae, articulis 7, ultimo
brevissimo, a secundo ad sextum infundibuliformem longitudine
decrescentibus. Mandibula processu triangulari inferiore anteriore
armata. Maxillae antice intumescentia rotunda, in parte basali

crista externa distinctae. Labium inferius in mare multo brevius
quam maxillae, ob gnathochilarii excisuram posticam profundam,
ad processus spinosos longos cinguli abdominalis tertii recipien-
das destinatam. Cinguli dorsalis primi processus lateralis tri-
gono-rotundatus, margine biplicato, spina longa styliformi antrorsum directa armatus. Cingula reliqua in dorso glabra, parte
anteriore striis concentricis obsoletis, parte posteriore et inferiore transversim striatis. Annulus penultimus inermis, margine
posteriore medio rotundato. Squamae anales laterales margine
posteriore prominente subtumido. Squama analis inferior parva
semilunaris, margine posteriore fere recto. Pedes mediocres
compressi, articulis tarsi longitudine subaequalibus, primo et
secundo (in mare) pulvillo inferiore instructis. — Color faciei,
regione interoculari margineque labiali nigricantibus exceptis, antennarum pedumque pallide flavus. Cingula dorsalia parte anteriore fusco-olivacea, parte posteriore olivaceo-nigra, cingulum
ultimum et squamae anales rufo-olivacea.

Long. tota 120; lat. cing. I. 9; VI. 8; X. 7$\frac{1}{2}$; corp. med.
8; c. penult. 4$\frac{1}{4}$.

Habitatio: Rios de Sena, Matondo.

5. Sp. ornatus n. sp. (Spirostreptus Div. II. Odontopyge
Br.); annuli 66. Pedum paria 123. Annulus primus, septimus, penultimus et ultimus (analis) apodes, 2. 3. et 4. uno pari, reliqui pari-
bus duobus. Facies convexa glabra, impressione longitudinali frontali obsoleta, margine labiali serie punctorum eminentium duplici distincto. Oculi trigonosemilunares, angulo interno brevi
acuto, ocellis circa 52 per series 7 dispositis. Antennae ultra
cingulum dorsale secundum extensae, articulis 7, septimo brevi,
4. 5. et 6. longitudine fere aequalibus, paulo brevioribus quam
tertio, multo brevioribus quam secundo. Cinguli primi processus
lateralis tetragonus, angulo anteriore rotundato, margine bipli-
catus. Annulus penultimus postice carinatus, carina in apiculum
brevem transiente. Squamae anales laterales margine posteriore
carinato in apiculum acutum superiorem transiente, lateribus
impressis. Squama analis abdominalis semilunari-trigona. Cingulorum pars anterior subtilissime concentrice, pars posterior
in abdomine transversim striata. Pedes mediocres, articulis
tarsi subaequalibus, articulo 1. et 2. in maribus pulvillo instructis.

— Color faciei et anterioris corporis partis ater; cingula reliqua cinereo-cyanea, margine posteriore ferrugineo, medio partis anterioris macula quadrangulari (in junioribus ad partem posteriorem extensa) flava. Margo labialis antennae pedesque rufoferruginea.

Long. tota 70; lat. cing. I. 4; VII. 4$\frac{1}{2}$; m. corp. 4; cing. penult. 2$\frac{1}{2}$; long. cing. I. in medio 2$\frac{1}{4}$.

Habitatio: Insula Mossambique.

6. *Sp. dimidiatus* n. sp. (*Spirostreptus* div. II. *Odontopyga* Br.); annuli 62 (pulli femin. 65). Pedum paria 115. (Annulus 1., genitalis et antepenultimus apodes, 2. 3. 4. pari uno.) Facies glabra convexa, margine labiali duplice serie punctorum eminentium (superiore e 6 vel 7 tantum composita) distincto. Oculi trigono-semilunares, angulo interno brevi acuto, ocellis circa 50 per series 7—8 dispositis. Antennae ultra cingulum dorsale quartum extensae, articulis 7, septimo brevissimo, 4. 5. et 6. longitudine fere aequalibus, paulo quam tertio, dimidio fere quam 2. brevioribus. Mandibulae processu quadrangulari acuto armatae. Cinguli dorsalis primi ($\frac{2}{3}$ longitudinis capitis aequantis) processus lateralis tetragonus subangustus, triplicatus, plica marginali arcuata et plicis duabus superioribus obliquis. Striae transversae in cingulorum parte posteriore abdominali tantum distinctae; anterior pars subtilissime concentrice striata. Annulus penultimus postice obsolete carinatus et apice acuta brevi armatus. Squamae anales laterales margine posteriore tumido, in basi marginis compressae, apice superiore acuta. Squama analis inferior semilunari-triangularis. Pedes modici; articuli tarsi subaequales, 2. et 3. pulvillo molli instructi. — Color faciei supra et inter oculos nigro-olivaceus, subtus ferrugineo-olivaceus, ipsius marginis labialis nigrofuscus. Annuli ferrugineo-olivacei, in medio nigro-olivacei. Antennae annulis fuscis. Pedes pallide ferruginei.

Long. tota c. 65—70; lat. cing. I. 5$\frac{4}{10}$; VII. 5$\frac{1}{2}$; corp. m. 5; cing. penult. 2$\frac{1}{4}$; long. I. in medio 2$\frac{1}{4}$; long. antenn. 6mm.

Habitatio: Inhambane, Mossambique.

SPIROBOLUS Brandt.

7. *Sp. crassicollis* n. sp. (*Spirobolus* Br. Div. I. Subdiv. I. a.); corpus cylindricum, inter annulum sextum et septimum (in

maribus) latius. Annuli 57, parte laterali et inferiore transversim subtenere striatae. Pedes utrinque 105, robusti, setis sparsis obsiti, articulo tarsi tertio triplo longiore quam secundo, pulvillo molli infra (in maribus) munito. Facies convexa, sulco longitudinali medio distincto, angulis marginis labialis arcuatis. Oculi subtrigono-rotundi, ocellis per series longitudinales fere 45 dispositis. Antennae breves, articulis septem, secundo dimidio longiore quam primo vel tertio. Cingulus primus angustus, angulis lateralibus subacutis, limbo anteriore marginato. Squamae anales laterales margine posteriore prominente. Squama analis abdominalis transversim angusto-lanceolata, margine posteriore medio exciso. — Color faciei rufus, versus partem superiorem in nigrofuscum transiens. Cingulorum pars posterior nigra, anterior aurantiaca. Pedes supra rubri, subtus aurantiaci. Margo prominens squamarum analium lateralium ruber.

Long. 130—140; lat. in medio $12\frac{1}{3}$; cinguli primi 11; sexti $13\frac{1}{2}$; penultimi 7.

Specimina duo.

Sp. pulvillatus a Newport breviter descriptus (Ann. et Mag. nat. hist. XIII. 1844. p. 268) speciei nostrae similis est, sed differt cingulis glabris et angulis marginis labialis acutis.

8. *Sp. luctuosus* n. sp. (*Spirobolus* Br. div. I. subdiv. I. a); ♂ annuli corporis 44. Pedum paria 79. (Annuli primores 5 pari uno, ann. genit. et penultimus apodes). Annuli glabri, in parte abdominali ante pedes longitudinaliter, parte laterali inferiore subtiliter transversim striati. Pedes mediocres, compressi, articulo tarsi secundo dimidio longiore quam primo et duplo breviore quam tertio pulvillato. Facies glabra; margo labialis emarginatus angulis rotundatis, sulco longitudinali, punctis quatuor. Oculi trigono-rotundi, ocellis 48 per series octo dispositis. Antennae breves, articulo septimo brevissimo, quarto, quinto et sexto longitudine fere aequalibus. Cinguli primi processus lateralis abbreviatus, triangularis, subacutus, margine tumido. Annulus penultimus haud depressus, margine posteriore medio in angulum acutum squamas anales haud superans extenso. Squamae

anales laterales mediocres, margine posteriore tumido. Squama analis abdominalis semilunaris. — Color ater, cingulorum mediorum nigrofuscus; margo labialis rufofuscus; pedes apicibus rufoflavidis.

Long. tota 100; lat. c. I. et VI. 6; corp. med. 6; c. penult. $3\frac{1}{3}$. Specimen masculum. — Inhambane.

POLYDESMUS Latreille.

9. *P. Mossambicus* n. sp.; corpus convexum, glabrum. Antennae ad annulum tertium extensae, articulis 3. 4. et 5. aequalibus, secundo paulo brevioribus, sexto paulo longioribus, septimo brevissimo. Facies glabra, linea longitudinali frontali distincta. Cingulum dorsale primum coarctatum, angulo laterali rotundato triangulari, margine incrassato. Carinae quadrangulares, margine incrassato, angulo anteriore rotundato, posteriore acuto. Cingulum ultimum triangulare, apice rotundata, supra eminentiis 4 verruciformibus instructum. Squama analis inferior triangularis, apice postica tridentata.

Long. adulti 85; lat. 16.

„ jun. 25; „ 4.

Habitatio: Insula Mossambique, Cabaceira, Rios de Sena, Querimba.

STRONGYLOSOMA Brandt.

10. *St. aculeatum* n. sp.; caput, antennae et notaeum vinaceo-fusca, pedes gastraeum carinarumque apices pallide flava. Carinae triangulares, reflexae, apice posteriore acuta. Antennae pedesque longa. Articulus tibialis duplo fere longior quam primus cum secundo. Segmenta corporis 20, ultimo rostriformi. Pedum paria 31, (annuli primores tres pari uno).

♀ Long. tota 25; antennae $4\frac{1}{4}$; ped. postremi $6\frac{3}{10}$; lat. cap. $2\frac{5}{10}$; lat. corp. $2\frac{7}{10}$.

Habitatio: Terra Boror, 18° lat. austr.

CHILOPODA.

SCOLOPENDRA Linné, Newport.

11. *Sc. Mossambica* n. sp. (*Scolopendra* Newport. Div. I. sect. A.); olivaceo-viridis vel flavo-viridis; caput, articuli corporis pedesque ultimi viridi-rufa vel rufo-flavida, pedes antennaeque rufo-viridia vel flavida. Dentes 8 vel 10. Antennae 20-articulatae. Segmenta impressionibus longitudinalibus linearibus

binis, dorsalibus postice extrorsum arcuatis distincta. Pedes crassi, sexta parte corporis latitudine longiores. Pedes posteriores mediocres, articulis duobus basalibus subaequalibus, supra planis, margine externo et interno incrassatis. Margo articuli basalis superior internus dentibus 4 — 6, biserialibus, apicibus nigris, postremo majori apice quadrifida. Superficies ejusdem articuli inferior convexa, dentibus 7 ad 9. Spina in superficie interna nulla. Squama analis inferior subcordata margine posteriore rotundato, impressione longitudinali nulla. Squamae anales laterales margine posteriore acuto, apice inferiore 4-vel quinquefida nigra, dente superiore minuto apice nigra.

Habitatio: Mossambique, 11 ad 23° lat. austr.

Sc. angulipes Newport ex insula Madagascar species affinis dente femorali interno distincta est.

HETEROSTOMA Newport.

12. *H. trigonopoda* Leach, Newport.

Habitatio: Mossambique, Rios de Sena, Tette.

PTYCHOTREMA*) (*Branchiostoma* Newport.)

13. *P. afrum* n. sp.; viridi-aeneum; pedes postremi reliquis similes paulo longiores, articulo basali spinula interna unica, spinulis inferioribus basalibus duabus; processus anales laterales spinulis tribus, 2 apicalibus, 1 in margine posteriore; squama analis inferior subquadrangularis, glabra, margine postico exciso. Tentacula tantum 18-articulata.

Long. 55; lat. corp. 5.

Habitatio: Inhambane, 23½° lat. austr.

Ob diese Art wirklich mit den von Newport beschriebenen in dieselbe Gattung gehört, kann ich nicht gewiſs sagen, da mir jene aus eigener Anschauung nicht bekannt sind. In der Zahl der Athemlöcher, zehn an jeder Seite (von denen das erste ∿ förmig, die übrigen eine abgerundete dreieckige Form haben), der Form des Kopfes, der seitlichen Analfortsätze und des letzten Fuſspaares stimmt sie jedenfalls mit ihr überein, obgleich ich an zwei Exemplaren nicht mehr als 18 Glieder an den Fühlern finden kann.

---

*) πτύξ, plica, τρῆμα, foramen. Nomen *Branchiostoma* generi piscium a Costa antea datum.

GEOPHILUS Latr. Newport.

14. *G. bilineatus* n. sp.; rufo-ferrugineus, lineis dorsalibus medianis nigris duabus, subtus pallidior. Annuli 86. Pedum paria 83.

Long. tota 65; antennae 2, lat. corp. max. 2.

Habitatio: Inhambane, 23½ lat. austr.

Derselbe gab Diagnosen der in Mossambique gesammelten und von Hrn. Dr. Gerstäcker bearbeiteten Käfer aus der Familie der Curculiones.

Im Ganzen wurden aus dieser Familie 23 Arten gesammelt, von denen 15 neu sind und zwei zugleich neue Gattungen bilden. Die neuen Arten sind:

1. *Apoderus nigripes* n. sp.; ferrugineus, glaber, nitidus, antennis, ore, genubus, tibiis tarsisque nigris: elytris oblongiusculis, punctato-striatis, interstitiis sublaevibus. — Long. 4 lin.

2. *Ceocephalus latirostris* n. sp.; niger, opacus, rostri apice, antennis pedibusque rufo-piceis: thorace profunde canaliculato, elytris sulcatis et in sulcis externis punctatis: rostro crasso, depresso, apicem versus dilatato. — Long 6½ lin.

3. *Brachycerus annulatus* n. sp.; oblongo-ovatus, niger, fulvo-squamulosus, thorace transverso, lateribus mucronato, supra verrucoso, antrorsum canaliculato, elytris irregulariter granulatis, tuberculorum magnorum seriebus duabus ornatis: femoribus apicem versus fulvo-annulatis. — Long. 11—12 lin.

4. *Brachycerus congestus* n. sp.; ovatus, niger, opacus, thorace inaequali, lateribus mucronato, maculis duabus basalibus ochraceo-squamosis: elytris subglobosis, confertim granulatis: corpore subtus pedibusque ochraceo-maculatis. — Long. 6½ — 9 lineae.

5. *Brachycerus erosus* n. sp.; ovatus, niger, fusco-squamulosus, thorace transverso, acute angulato, supra integro: elytris subglobosis, subseriatim foveolatis, interstitiis tuberculis alternantibus, retrorsum fulvo-setosis obsitis. — Long. 5—5½ lin.

6. *Microcerus spiniger* n. sp; niger, dense griseo-squamosus, rostro elongato, longitudinaliter impresso, thorace fortiter tuberculato, spina laterali media instructo: elytris fortiter punc-

tato-striatis et in interstitiis tuberculatis, macula ante medium fusca notatis. — Long. 9$\frac{1}{2}$ lin.

7. *Microcerus subcaudatus* n. sp.; niger, indumento griseo dense vestitus, capite rostroque canaliculatis, thorace inaequaliter rugoso, pone medium subampliato, elytris punctato-striatis, crista obliqua posteriore trituberculata instructis, apice mucronatis. — Long. 7 lin.

8. *Microcerus albiventer* n. sp.; niger, subtus niveo-, supra griseo-squamosus, elytris macula discoidali alteraque in parte declivi fusca: capite rostroque canaliculatis, thorace fovea basali oblonga impressa. — Long. 5$\frac{1}{2}$ lin.

9. *Spartecerus quadratus* n. sp.; subdepressus, niger, dense pallide squamosus, capite profunde quadrifoveolato: thorace inaequali, ante apicem constricto, lateribus non tuberculato: elytris subquadratis, profunde punctato-striatis, sutura cristisque duabus longitudinalibus fulvo-squamosis. — Long. 4—4$\frac{1}{2}$ lin.

10. *Spartecerus capucinus* n. sp.; oblongo-ovatus, niger, dense fusco-squamulosus, thorace inaequali, antrorsum constricto, apice bilobo, lateribus mucronato, elytris reticulato-rugosis, tuberculorum conicorum seriebus tribus ornatis. — Long. 5 lin.

11. *Siderodactylus flavescens* n. sp.; oblongus, niger, squamulis albidis dense tectus, rostro, corporis lateribus vittisque duabus thoracis dorsalibus sulphureo-pulverulentis: femoribus anticis modice incrassatis. — Long. 3$\frac{1}{2}$ lin.

MITOPHORUS nov. gen. (*Tribus Brachyderides*); generi *Eusomo* affine. Rostrum capitis fere longitudine. Scrobiculus antennalis oculum versus admodum dilatatus. Antennae tenuissimae, valde elongatae, scapo thoracis basin fere attingente, apice clavato: funiculi articulis ad sextum usque sensim brevioribus, septimo sexto paullo longiore, clava angusta, gracili, triarticulata. Frons sulco transverso a rostro distincta. Thorax subcylindricus, latitudine vix longior. Elytra in ♂ oblongo-ovata, in ♀ ovata. Femora antica sat fortiter clavata: tibiae curvatae. — Mas a femina differt femoribus posticis elongatis.

12. *Mitophorus pruinosus* n. sp.; niger, opacus, subtus densius, supra parcius albido-pubescens: thorace linea media albida: elytris punctato-striatis, interstitiis subtiliter alutaceis: femoribus posticis pone medium apiceque denudatis. — Long. 3—3$\frac{1}{3}$ lin.

13. *Alcides olivaceus* n. sp.; oblongo-ovatus, gibbus, dense olivaceo-squamosus, rostro, capite, thoracis lateribus lineaque media, nec non abdomine flavescentibus: elytris pone humeros in angulum acutum productis, macula laterali nec non signatura communi dorsi × aemulante fuscis. — Long. 5½— 6 lin.

TETRAGONOPS nov. gen. (*Trib. Cryptorhynchides*); genus *Zygopi* et *Sphadasmo* affine. Rostrum thoracis fere longitudine, deplanatum. Oculi frontales, subquadrati, plani, prope basin rostri fere contigui. Antennae inter medium et basin rostri insertae, scapo breviusculo, caput non attingente, funiculo elongato, 7-articulato: articulis 5 primis oblongis (primo ceteris multo latiore), 6. et 7. brevibus, clava ovata, subacuminata. Thorax transversus, antrorsum attenuatus. Scutellum distinctum. Elytra subtrigona. Pectus ad rostrum recipiendum distincte canaliculatum. Tibiae basi subdentatae.

14. *Tetragonops fascicularis* n. sp.; ovatus, niger, dense squamosus, rostro punctato, glabro, nitido: capite thoraceque fulvo albidoque variegatis, hoc fasciculis duobus dorsalibus, altero apicali, altero medio fuscis vittaque basali media testacea: elytris dorso fulvo-squamosis, fascia posteriore obliqua punctoque apicali testaceis, nec non fasciculis duobus prope scutellum fuscis. — Long. 1⅖ lin.

15. *Rhina amplicollis* n. sp.; minus elongata, nigra, rostro medio utrinque dentato, apice tuberculato. thorace amplo, subdepresso, confertim varioloso: elytris hoc vix duplo longioribus, excavato-punctato-striatis, interstitiis subelevatis, sparsim punctatis. Long. (rostr. excl.) 14 lin.

———

Hr. H. Rose sprach über die weiße Farbe der Eisenoxyd-Alaune und über die braune ihrer wässrigen Lösungen.

Der Verfasser zeigt, daß bei der Lösung des weißen Eisenoxyd-Alauns das Wasser Säure dem Eisenoxyd entzieht, und ein basisches Eisenoxydsalz bildet, das in vielem Wasser von der gewöhnlichen Temperatur und in wenigem Wasser auch bei erhöhter Temperatur auflöslich sein kann; aus der

verdünnten Lösung wird aber das Oxyd als basisches Salz durchs
Erhitzen gefällt. Alle basischen Eisenoxydsalze sind aber, sowohl in fester Form als auch in ihren Lösungen gefärbt, von
gelb bis braunroth und blutroth; daher die Färbung der wässrigen Lösung des weifsen Salzes. Wird der Eisenoxyd-Alaun
in verdünnter Schwefelsäure aufgelöst, so kann sich kein basisches Eisenoxydsalz bilden, und die Lösung ist daher farblos.

––––––––––

Hr. **Ehrenberg** gab Erläuterungen über den Grünsand im Zeuglodon-Kalke Alabama's in Nord-Amerika,
als besonders wohl erhaltene Polythalamien-Formen und seine Wichtigkeit für deren weitere
Structur-Kenntnifs.

Dafs der Grünsand in all den zahlreichen Verhältnissen, in
welchen er bisher von mir untersucht worden, sich als eine
Ausfüllung organischer Zellen, als eine Steinkernbildung, meist
von Polythalamien zu erkennen gegeben hat, wurde bereits in
früheren Mittheilungen, im Juli vorigen Jahres, angezeigt und
hat sich seitdem noch weiter in gleicher Art entwickeln lassen.

Bisher hatte sich besonders der Nummuliten-Kalk von
Traunstein in Baiern (nicht in Österreich) als reich an grünen
Opalsteinkernen wohlerhaltener Polythalamien-Formen ge-
zeigt, während dergleichen zwar auch in den neuen tertiären
Glauconie-Kalken Frankreichs, aber doch seltener so schön er-
halten erkennbar wurden.

Die im Juli vorigen Jahres gegebene Analyse eines unter
dem Zeuglodon-Kalke Alabama's liegenden Grünsandes, nach
Dr. Koch's Materialien, hat mich von neuem angeregt auch den
Kalkstein des Zeuglodon selbst auf die darin vorkommenden
Formen zu prüfen. Zwar habe ich schon 1847 (Monatsberichte
p. 59 Note) den eigentlichen Zeuglodon-Kalk mannigfach untersucht und seine Polythalamien verzeichnet, allein die mir von
Dr. Koch gegebenen Proben des Gesteins waren entweder
nicht reich an Grünsand, oder sie enthielten gar keinen. Der
angeblich darunter liegende, 1847 untersuchte Grünsand von
Alabama bot damals, wie neuerlich im Juli (s. Monatsberichte
1854. p. 405), aufser Bruchstücken keine deutliche Ansicht

von bestimmbaren in Grünsand umgewandelten Polythalamien-Formen, und erregte weit mehr Interesse durch die zahlreich beigemischten Polygastern. Als ich mir jedoch neuerlich von Hrn. Joh. Müller Gestein aus den Wirbeln und Anhängen an den Knochen des Riesen-Zeuglodon, welche für das anatomische Museum zu Berlin angekauft sind, erbat und in grofser Menge erhielt, fand sich sogleich, dafs dieser ganze Kalkstein ein Chloritkalk von oft prächtig erhaltenen, braunen, grünen und weifslichen Steinkernen von bestimmbaren Polythalamien sei. Es scheint aus diesen verschiedenen Zuständen des Kalkes, welche die Zeuglodonten einschliefsen, einmal ohne Grünsand, einmal mit Grünsand, sich hie und da ein Fingerzeig über die eigentliche Lagerstätte der einzelnen in Cabineten befindlichen Knochen entnehmen zu lassen, die nicht stets beisammen gefunden worden sind.

Da ich den Gegenstand weiter zu verfolgen beabsichtige, so erlaube ich mir vorläufig über den, nun an schön erhaltenen Polythalamien reichsten, Zeuglodon-Kalkstein von Alabama nur einige kürzere Andeutungen zu machen.

Zunächst lege ich den Kalkstein selbst mit Zahn und Knochen-Resten des Zeuglodon vor. Er ist gelblich und unter der Loupe sehr fein und dicht grünlich punktirt. Diese feinen Pünktchen sind die als Chlorit-Körner erscheinenden Polythalamien und man erkennt alsbald, dafs sie oft ziemlich $\frac{1}{3}$ des ganzens Volumens der Masse bilden. Durch Auflösen der Masse mit schwacher Salzsäure erhält man eine doppelte Art von Rückstand. Am Grunde sammeln sich die Chloritkörner mit etwas quarzigem Sand und darüber schwebt eine lockere und feinflockige, gelbliche Masse, welche einem thonigen Mulm gleicht.

Die Chloritkörner bringe ich unter den zwei Mikroskopen bei 300maliger Vergröfserung zur Ansicht und zwar in einigen der schön erhaltenen Formen, welche in den gleichzeitig vorgelegten Zeichnungen abgebildet sind.

In Zeichnungen und den betreffenden Präparaten lege ich überdiefs 30 verschiedene Formen vor, deren Mehrzahl überraschend schön erhalten ist, so dafs nicht blofs das Genus, sondern öfter auch die Species in den Steinkernen erkennbar ist, ja leztere wohl bei der Mehrzahl der Formen allmählich wird festgestellt werden können. Die Gattungen *Vaginulina*, *Textilaria*, *Grammostomum*, *Polymorphina*, *Rotalia*, *Planulina*, *Globigerina*, *Geoponus?* *Quinqueloculina* und *Spiroloculina* sind leicht, fast überall sicher erkennbar. Sehr häufig sind kleine pfropfenzieherartige Körper dazwischen, deren letzte Spitzen, oder erste Anfänge einer *Spirillina* ähnlich sind. Diese halte ich für Steinkerne junger Molluskenschalen, aus der in brakischen Verhältnissen oft ganze Sandlagen bildenden Gruppe der Siphonobranchen-Mollusken (Cerithien).

Diese so überaus zierlichen und durch ihre lebhafte grüne, zuweilen röthliche und bräunliche und auch schwarze Farbe überdiefs das Auge sehr angenehm berührenden Steinkerne von mikroskopischen Organismen, haben aber noch ein weit tiefer gehendes physiologisches Interesse.

Obwohl ich nämlich schon im Jahre 1838 sehr ausführliche Übersichten der Structurverhältnisse der Polythalamien-Thiere der Akademie mitgetheilt und durch Abbildungen, welche in den Abhandlungen publicirt sind, erläutert habe, so haben doch diese, sogar an todten, getrockneten Thieren leicht zu wiederholenden und fortzusetzenden Structur-Erläuterungen, auf die allein eine Systematik sich gründen läfst, die gewünschte Frucht nicht getragen. Ja es ist sogar ein neues grofses Werk in Aussicht gestellt und in Probe vorgelegt, worin als erster Grundsatz auch vor dieser Akademie ausgesprochen worden ist, dafs man die Structur zu kennen weit entfernt sei, und dafs auf ganz anderer Basis eine neue Systematik erst einzuleiten sei. Diese Basis ist, der Probe zufolge, Einfachheit der Structur, dennes ist weniger als zuvor angedeutet. So ist es denn erfreulich, dafs die Natur immer selbst wieder zu Hülfe kommt, wenn Widerspruch in grofsem Mafsstab gegenüber tritt.

Es erscheint freilich wenig glaublich, dafs es der Naturforschung gelingen könne, in unsichtbar kleinen Organismen die noch weit unsichtbareren organischen Canäle jemals zur festen Geltung zu bringen. Allein es hat sich doch gefunden, dafs die Organismen selbst im Stande sind dergleichen anschaulich zu machen. Durch eine solche einfache Benutzung der inneren organischen Lebensthätigkeit gelang es 1830 und 1834 die Ernährungscanäle der Infu-

sorien und Medusen zu injiciren. Es war die Indigo-Füt-
terung, welche diese Anschauungen und Erläuterungen gab.
Das Leben selbt injicirt freiwillig das Ernährungs-System der
für eine structurlose Ursubstanz gehaltenen gröfseren und auch
der unsichtbar kleinen Organismen unwiderleglich. Auf ähnliche, ja wie es scheint, noch mannigfachere Weise kommt nun
die Grünsandbildung der Physiologie des kleinen Lebens zu
Hülfe.

Die Bildung des Grünsandes besteht nämlich in einer allmäligen Erfüllung der inneren Räume der kleinen Körper mit
grünfarbiger Opalmasse, die sich darin als Steinkern sammelt. Es
ist eine besondere Art natürlicher Injection und sie erscheint,
den neuesten Resultaten der Prüfung nach, so vollständig und
so fein sich zu gestalten, dafs sich nicht blofs die gröfseren
und gröberen Zellen, sondern oft auch die allerfeinsten Canäle
der Zellwände und all ihre Verbindungsröhren versteinert und
isolirbar darstellen. Nimmermehr würde es gelingen auf künstlichem Wege so feine Injectionen je zu machen, als sie die
Natur durch diese Steinkernbildung selbst darstellt. Ich halte
diesen neuen, den physiologischen, Gesichtspunkt der Grünsandbildung für einen sehr folgenreichen und entwickelnden.

Vorläufig erlaube ich mir nur zunächst auf einige wirkliche Zusätze zu den bisherigen Structur-Kenntnissen der
Polythalamien aufmerksam zu machen, welche darin bestehen,
dafs bei Formen der Rotalinen und Helicotrochinen nicht
blofs stets Röhren-Verbindungen der nach vorn und hinten benachbarten Zellen, wie bei Nodosarinen, Textilarinen, Uvigerinen,
sondern auch Röhrenverbindungen der oberen und unteren Zellen in den verschiedenen Spiral-Windungen erkennbar geworden sind. Ja es haben sich sogar bei sehr grofsen Formen auch
netzartige innere Canäle der Schalen-Wände versteinert erkennen lassen, welche die von den englischen Naturforschern Carter und Williamson bereits wahrscheinlich gemachten Höhlungen der Schaalen gelegentlich prüfen, fester begründen und
begrenzen lassen werden. Der unter dem Mikroskop vorgelegte
sehr schön erhaltene Steinkern eines *Geoponus*, den ich *G.*
Zeuglodontis nenne, zeigt deutlich, dafs je 2 Canäle von den
Zellen der oberen Spirale zur unteren gehen. Auch bei den

Helicosorinen sind neuerlich durch die Steinkerne völlig deutlich 1, 2, 3 — 5 Canal-Verbindungen der Zellen anschaulich und
unwiderleglich geworden.

So war also die Structur der Polythalamien in meinen
früheren Mittheilungen nicht zu grofs, sondern noch viel zu
gering angegeben und die neueren Naturforscher werden vielmehr Sorge zu tragen haben, nicht der bequemen Einfachheit
der Sarcode, sondern der mühsam festzustellenden Zusammensetzung der kleinen Organismen weitere Rechnung zu tragen.

Hr. Dove fügte den früheren Mittheilungen über die Darstellung der Wärmeerscheinungen durch fünftägige Mittel die
des Jahres 1854 hinzu. Mitte Februar und der Zeitraum vom
5—9 Juni zeichnete sich auf den preussischen Stationen durch
eine auffallende Temperaturerniedrigung aus. Im September
war die Wärme vom 13—17. bedeutend erhöht, der November
relativ kalt im Gegensatz zu einem sehr milden December.

Hr. Weifs theilte eine Fortsetzung der krystallo-
graphischen Bemerkungen der vorigen Klassensitzung
mit (vergl. den Bericht vom 8. Januar d. J).

In einer Kantenzone eines Rhomboëders gilt ganz allgemein das Gesetz: die Fläche eines Dreiunddreikantners

$$\frac{\dfrac{a}{1} : \dfrac{a}{n} : \dfrac{a}{n-1}}{\dfrac{2s}{n+1} : \dfrac{2s}{2n-1} : \dfrac{2s}{n-2}} \quad \gamma c.$$

, welche in der Kantenzone liegt,

hat, wenn sie erste Abtheilung in derselben ist, (vergl. die
Abb. d. Akad. von 1823, p. 255.) verglichen mit der Neigung
der Rhomboëderfläche selbst in der Kantenzone, (d. i. ihrer
Neigung gegen die halbirende Ebene der Neigung der
Flächen gegen einander in der Endkante), jedesmal die $\dfrac{n-2}{n}$
fache Neigung (d. i. den $\dfrac{n-2}{n}$ fachen Sinus der Neigung bei

gleichem Cosinus), folglich die $\frac{n}{n-2}$ fach schärfere (mit $\frac{n}{n-2}$ fachem Cosinus bei gleichem Sinus); ist sie zweiter Abtheilung, die $\frac{n+1}{n-1}$ fach-, ist sie dritter Abtheilung, die $\frac{2n-1}{1}$, d. i. $(2n-1)$ fach-stumpfere. Hievon ist auch der Beweis so leicht, daſs man ihn ohne besondere Figur einsehen kann. Es bedarf nur der Vergleichung mit dem entsprechenden Ausdruck der Rhomboëderfläche $\boxed{\begin{array}{c}\overset{\gamma c}{a : a : \infty a} \\ 2s : s : 2s\end{array}}$. Ist die Fläche des Drei-

unddreikantners erster Abtheilung, d. i. hat sie die Richtung seiner Lateralkanten mit dem Rhomboëder gemein, welche jederzeit von $\frac{2s}{n-2}$ nach γc geht, so würde das Rhomboëder, in denselben absoluten Werthen dieser Gröſsen geschrieben,

$$\boxed{\begin{array}{c}\overset{\gamma c}{} \\ \dfrac{a}{n-2} : \dfrac{a}{n-2} : \infty a \\ \dfrac{2s}{n-2} : \dfrac{s}{n-2} : \dfrac{2s}{n-2}\end{array}}$$ sein. Die halbirende Ebene

seiner Endkanten geht durch $\frac{2s}{n-2}$ und γc. Die auf beiden rechtwinkliche Linie ist $\frac{a}{n-2}$; diese ist der Sinus der Neigung der Rhomboëderfläche gegen die halbirende Ebene, wenn der Cosinus das Perpendikel ist in dem rechtwinklichen Dreieck, dessen Katheten $\frac{2s}{n-2}$ und γc sind, aus dem rechten Winkel auf die Hypothenuse gefällt. Bei dem nemlichen Cosinus aber hat die Dreiunddreikantnerfläche für ihre Neigung gegen die halbirende Ebene, die ihr zukommende auf $\frac{2s}{n-2}$ und γc rechtwinkliche Gröſse $\frac{a}{n} = \frac{n-2}{n} \times \frac{a}{n-2}$; dies ist's, was wir die $\frac{n-2}{n}$ fache Neigung nannten; und, da $\frac{n-2}{n}$ kleiner

7 *

als 1, mit dem umgekehrten Bruch ausdrückten: die $\dfrac{n}{n-2}$ fach schärfere.

Ist die Dreiunddreikantnerfläche z w e i t e r Abtheilung, so ist die Richtung ihrer s c h ä r f e r e n Endkante, d. i. die Richtung von $\dfrac{2s}{n+1}$ nach γc gleich der der Endkante des betreffenden Rhomboëders; und dieses würde, in den analogen Werthen der Dreiunddreikantnerfläche ausgedrückt,

$$\begin{array}{c} \overline{\gamma c} \\ \dfrac{a}{n+1} \ : \ \dfrac{a}{n+1} \ : \ \infty\, a \\ \dfrac{2s}{n+1} \ : \ \dfrac{s}{n+1} \ : \ \dfrac{2s}{n+1} \end{array}$$

sein; es würde $\dfrac{a}{n+1}$ (als das

gemeinschaftlich auf γc und einem $\dfrac{2s}{n+1}$ rechtwinkliche Glied des Zeichens), zum Sinus der Neigung gegen die durch $\dfrac{2s}{n+1}$ und γc gelegte halbirende Ebene seiner Endkante haben, während der Cosinus wiederum das Perpendikel wäre in dem rechtwinklichen Dreieck, dessen Katheten $\dfrac{2s}{n+1}$ und γc. Das Zeichen der Dreiunddreikantnerfläche aber ergiebt als die gemeinschaftlich auf $\dfrac{2s}{n+1}$ und γc rechtwinkliche Größe $\dfrac{a}{n-1}$; das ist ihr Sinus bei gleichem Cosinus mit der Rhomboëderfläche; er verhält sich also zu dem Sinus der Rhomboëderfläche, wie $\dfrac{a}{n-1}$ zu $\dfrac{a}{n+1}$, ist also $= \dfrac{n+1}{n-1} \times \dfrac{a}{n+1}$, d. i. der $\dfrac{n+1}{n-1}$ fache desselben.

Ebenso ist es mit der d r i t t e n Abtheilung, in welchem Fall die s t u m p f e r e Endkante des Dreiunddreikantners der Endkante des Rhomboëders, in dessen Kantenzone er liegt, parallel geht, also die Linie von $\dfrac{2s}{2n-1}$ nach γc. Auf der durch $\dfrac{2s}{2n-1}$ und γc gelegten Ebene ist senkrecht unser $\dfrac{a}{1} = a$; die

Rhomboëderfläche, in den entsprechenden Werthen ausgedrückt,

ist
$$\left| \begin{array}{c} \overline{\gamma\,c} \\ \dfrac{a}{2\,n-1} : \dfrac{a}{2\,n-1} : \infty\,a \\ \dfrac{2\,s}{2\,n-1} : \dfrac{s}{2\,n-1} : \dfrac{2\,s}{2\,n-1} \end{array} \right|$$
. Wiederum das Perpen-

dikel in dem rechtwinklichen Dreieck, dessen Katheten $\dfrac{2\,s}{2\,n-1}$ und $\gamma\,c$, als Cosinus beider verglichenen Neigungen genommen, geben als Sinus für die Rhomboëderfläche $\dfrac{a}{2\,n-1}$, für die Drei-unddreikantnerfläche a, d. i. die $(2\,n-1)$ fache von $\dfrac{a}{2\,n-1}$; nach unserm Ausdruck die $(2\,n-1)$ fach - s t u m p f e r e Neigung.

Wenden wir uns jetzt zu den neulich erörterten Functio-nen zurück, welche wir in der Kantenzone des rhomboëdri-schen H ä l f t f l ä c h n e r s eines gegebenen Dreiunddreikantners

$$\left| \begin{array}{c} \overline{\gamma\,c} \\ a : \dfrac{1}{n}\,a : \ldots \end{array} \right|$$
für die Neigungen der dreierlei durch das

Fallen in je zwei solche Zonen bestimmten Rhomboëder

$$\left| \begin{array}{c} n^2-n+1 \\ \overline{\dfrac{2\,n-1}}\gamma\,c \\ a' : a' : \infty\,a \end{array} \right|, \quad \left| \begin{array}{c} n^2-n+1 \\ \overline{\dfrac{n+1}}\gamma\,c \\ a : a : \infty\,a \end{array} \right|, \text{ und } \left| \begin{array}{c} n^2-n+1 \\ \overline{\dfrac{n-2}}\gamma\,c \\ a : a : \infty\,a \end{array} \right|$$

gefunden haben, so bemerken wir, dafs die Ausdrücke der Ge-setze genau die nemlichen sind, wie die für die drei Abthei-lungen der Dreiunddreikantner in einer Kantenzone des Rhom-boëders. Von den drei eben geschriebenen Rhomboëderflächen ist die erste d r i t t e r Abtheilung in der Kantenzone des rhom-boëdrischen Hälftflächners, und hatte in ihr die $(2\,n-1)$ fach stumpfere Neigung von der zur Fläche des rhomboëdrischen Hälftflächners gewordenen Dreiunddreikantnerfläche; die zweite der geschriebenen war z w e i t e r Abtheilung und hatte die $\dfrac{n+1}{n-1}$ fach stumpfere Neigung; die letzte endlich war e r s t e r

Abtheilung, und ihre Neigung die $\dfrac{n-2}{n}$ fache oder die $\dfrac{n}{n-2}$

fach schärfere. Alle Vergleichungen über die Zusammensetzung

dieser Werthe aus den im Zeichen $\boxed{a:\overset{\gamma}{\underset{n}{}}a:\,.\,.}$ enthaltenen

gelten wie dort.

Allerdings, wenn wir bewiesen haben, daſs die drei Rhom

boëderflächen $\boxed{\overset{n^2-n+1}{\underset{a':a':\infty\,a}{2\,n-1}}\gamma\,c}$ u. s. f. als Flächen eines Drei-

unddreikantners in der Kantenzone des rhomboëdrischen Hälft-

flächners von $\boxed{a:\overset{\gamma\,c}{\underset{n}{\tfrac{1}{}}}a:\,.\,.\,.\,.}$ dritter, (zweiter, erster) Ab-

theilung sind, so ist dadurch schon die Anwendbarkeit des allgemeinen Gesetzes auf sie gegeben, welches für die Neigungen
in der Kantenzone eines Rhomboëders überhaupt gilt; aber für
den rhomboëdrischen Hälftflächner, als Rhomboëder für sich
betrachtet, sind die Richtungen der *a* und *s*, folglich auch der
Sinn von *n*, verändert gegen die Lage in den Zeichen

$\boxed{a:\overset{\gamma\,c}{\underset{n}{\tfrac{1}{}}}a:\,.\,.\,.\,.}$, $\boxed{\overset{n^2-n+1}{\underset{.\,.\,.\,.\,.\,.\,.}{.\,.\,.\,.}}\gamma\,c}$ u. s. w. Darin also liegt

das Überraschende, daſs die Bedeutung von *n* dieselbe bleibt in
den beiden Beziehungen, wo man eine ganz verschiedene zu vermuthen hatte. Den Grund dieser überraschenden Eigenschaft findet
man aber darin, daſs die neue Dimension *s* des Hälftflächners r e c h t-

winklich ist auf der Linie $a:\dfrac{1}{n}a:\,.\,.\,.$, dem Perpendikel

aus dem Mittelpunkt der Construction auf diese Linie entspre-

chend, dessen Werth im alten Sinn der *a* und *s*, $=\dfrac{s}{\sqrt{n^2-n+1}}$;

wo, wie man bemerken wird, die den Divisor bildende Wur-
zelgröſse eben diejenige ist, welche, ins Quadrat erhoben, in
den Ausdrücken der 3 Rhomboëder die gemeinschaftliche ist,

und, wenn man $\gamma\,c$ einfach, wie in $\boxed{a:\overset{\gamma\,c}{\underset{n}{\tfrac{1}{}}}a:\,.\,.\,.\,.}$, in dem

Ausdruck der Rhomboëderflächen selbst beibehält, als **Divisor** in den **Werthen** der a und s erscheint, in der Form des Ausdrucks

$$\left[\begin{array}{c} \overline{\quad \gamma\, c \quad} \\ \dfrac{2n-1}{n^2-n+1} \\ a' : \ldots : \ldots \end{array} \right] \quad \text{u. s. f.}$$

Die Flächen dieser 3 Rhomboëder sind, in der Kantenzone

des rhomboëdrischen Hälftflächners von $\left[\begin{array}{c} \overline{\quad \gamma\, c \quad} \\ a : \dfrac{1}{n}\; a : \ldots \end{array} \right]$ be-

trachtet, wie aus allem klar ist, Flächen eines **Dreiunddrei-kantners**. Die Frage liegt ganz nahe: welches sind die Flä-chen der zweiten Hälfte desselben Dreiunddreikantners? oder die ergänzenden zu jenen, um diesen Dreiunddreikantner voll-ständig zu machen?

Man findet bei der Lösung dieser Aufgabe neben manchen bemerkenswerthen einzelnen Verhältnissen ein Resultat, wel-ches wiederum in den oftgenannten Werthen des allgemeinen

Schema's der Fläche $a : \dfrac{1}{n}\, a : \ldots$ den Ausdruck der gesuchten

Flächen einfach an den Tag legt. Schreibt man fürs erste die

gesuchte Fläche $a : \dfrac{1}{m}\, a : \ldots$, so findet sich in allen 3 Fäl-

len der Werth von m als der nemliche, $m = \dfrac{n\,(n-2)}{(n-1)\,(n+1)}$;

und es werden die Gegenstücke der 3 Flächen

$$\left[\begin{array}{c} n^2-n+1 \\ \overline{2n-1}\; \gamma\, c \\ a' : a' : \infty\, a \end{array} \right], \quad \left[\begin{array}{c} n^2-n+1 \\ \overline{n+1}\; \gamma\, c \\ a : a : \infty\, a \end{array} \right], \quad \text{und} \quad \left[\begin{array}{c} n^2-n+1 \\ \overline{n-2}\; \gamma\, c \\ a : a : \infty\, a \end{array} \right]$$

in der einfachsten Form ausgedrückt, folgende:

$$\left[\begin{array}{c} \overline{\quad \gamma\, c \quad} \\ \dfrac{2n-1}{} \\ \dfrac{a}{n\,(n-2)} : \dfrac{a}{n^2-1} : \dfrac{a}{2n-1} \end{array} \right], \quad \left[\begin{array}{c} \overline{\quad \gamma\, c \quad} \\ \dfrac{n+1}{} \\ \dfrac{a'}{n\,(n-2)} : \dfrac{a'}{n^2-1} : \dfrac{a'}{2n-1} \end{array} \right]$$

und $\left[\begin{array}{c} \overline{\quad \gamma\, c \quad} \\ \dfrac{n-2}{} \\ \dfrac{a'}{n\,(n-2)} : \dfrac{a'}{n^2-1} : \dfrac{a'}{2n-1} \end{array} \right]$, oder, indem man dem

Werthe (n^2-1) den gleichgeltenden $(n-1)(n+1)$ substituirt,

$$\text{hat man in den Ausdrücken} \quad \boxed{\begin{array}{ccc} & \dfrac{\gamma c}{2n-1} & \\ \dfrac{a}{n(n-2)} : & \dfrac{a}{(n-1)(n+1)} : & \dfrac{a}{1.(2n-1)} \end{array}}$$

u. s. f. direct am Tage liegend, wie die Divisoren der *a* die dreierlei Producte je zweier Divisoren von auf einander rechtwinklichen Dimensionen *a* und *s* im allgemeinen Schema der Fläche $a : \frac{1}{n} a : \ldots$ sind, während der Divisor des γc, dem Ausdruck der Flächen, deren Gegenstück jedesmal das gemeinte ist, folgend, der nemliche Divisor ist, wie der des $(n^2-n+1)\gamma c$ in jenem Ausdruck.

Das Gegenstück ist aber jederzeit **entgegengesetzter Klasse** (oder Ordnung) von derjenigen Ordnung, welcher das **Rhomboëder** angehört, dessen Gegenstück es ist; daher die Accente der *a* in den beiden letzteren Fällen, das Accentlose im ersteren.

Auch das verräth sich leicht durch den blofsen Anblick der Formeln, dafs jede der 3 gefundenen Flächen in **eine der** 3 dihexaëdrischen Kantenzonen fällt, welche der **Fläche**

$$\boxed{\begin{array}{c} \dfrac{\gamma c}{} \\ a : \dfrac{1}{n} a : \ldots \end{array}}$$ angehören, und deren Axen die Linien sind,

bei der ersten von γc nach *a*, bei der zweiten von γc nach $\dfrac{a}{n-1}$, bei der dritten von γc nach $\dfrac{a}{n}$ gezogen. Diese Zonen sind aber nichts andres als die Zonen von einer **gegebenen**

$$\text{Fläche} \quad \boxed{\begin{array}{c} \dfrac{\gamma c}{} \\ a : \dfrac{1}{n} a : \ldots \end{array}} \quad \text{nach einer der Seitenflächen} \quad \boxed{\begin{array}{c} \infty s \\ a : a : \infty a \end{array}}$$

der sechsseitigen Säule; jedes der obigen Gegenstücke ist also völlig bestimmt durch das Fallen in die Kantenzone des rhomboëdrischen Hälftflächners und gleichzeitig in eine dieser 3 wohlbekannten Zonen von den Flächen des Dreiunddreikantners nach den verschiedenen Seitenflächen der (ersten) seitigen Säule. Für das gesuchte **Gegenstück wurde** das obige a zu dem $\dfrac{a}{}$, das $\dfrac{a}{}$ zu $\dfrac{a}{n}$, und den zu *a*.

Einige andere, wohl noch der Erwähnung werthe Eigenschaften, welche bei der Lösung der hier uns gestellten Aufgaben zum Vorschein kommen, möchten ohne ausführlichere Rechnung mit beigefügten Zeichnungen sich nicht erörtern lassen; daher dies einer andern Stelle vorbehalten bleibt.

---

8. Februar. Gesammtsitzung der Akademie.

Hr. Hagen las über die Ausdehnung des destillirten Wassers bei verschiedenen Temperaturen.

An eingegangenen Schriften und Begleitschreiben derselben wurden vorgelegt:

Catalogue of stars near the ecliptic, observed at Markree during the years 1852—54. Vol. III. Dublin 1854. 8.

Astronomische Nachrichten. no. 935. Altona 1855. 4.

Z a n t e d e s c h i, *Telegrafo elettro-magnetico.* Padova 1855. 4.

————, *Risposta ai Cenni della Relazione del D. Gintl.* Padova 1855. 4.

Nachrichten von der Universität Göttingen. 1855. no. 1. 2.

Ch. L e n o r m a n t, *Découverte d'un cimetière mérovingien, à la Chapelle-Saint-Clot (Eure).* Paris 1854. 8.

Comptes rendus hebdomaires des séances de l'académie des sciences. Tome 39 no. 14—26. Tome 40. no. 1—2. Paris 1854—1855. 4.

N a u d e t, *Notice historique sur M. M Burnouf, père et fils.* Paris 1854. 4.

Mémoires de l'académie impériale de médecine. Tome 18. Paris 1854. 4. Mit Begleitschreiben des Bibliothekars Dr. Ozanam, vom 29. April 1854.

Transactions of the Linnean Society of London, Vol. XXI. Part 3. London 1854. 4.

The quaterly Journal of the Geological Society. Vol. X. Part 4. London 1854. 8.

N. v o n K o k s c h a r o w, *Materialien zur Mineralogie Rufslands.* Lief. 9—12, und Atlas: Tafel 17—25. Petersburg 1854. 8. und 4.

————, *Über Klinochlor von Uchmatowsk am Ural.* (Petersburg 1854.) 8.

A. W e b e r, *Über den Zusammenhang indischer Fabeln mit griechischen.* Berlin 1855. 8. Mit Begleitschreiben vom 7. Febr.

Hierauf kam eine Ministerial-Verfügung vom 31. Januar zum Vortrag, welche die auch für das laufende Jahr genehmigte Remuneration der Hrn. Prof. Henzen und Mommsen für die Redaction des Corpus inscriptionum. latinarum betrifft.

---

15. Februar. Gesammtsitzung der Akademie.

Hr. H. Rose las über die Zersetzung der schwefelsauren Baryterde vermittelst kohlensaurer Alkalien.

Der Verfasser zeigt, dafs bei der gewöhnlichen Temperatur die schwefelsaure Baryterde fast gar nicht durch die Lösungen kohlensaurer Alkalien zerlegt werde, und nur durch sehr langes Stehen, besonders während des Sommers, eine ausserordentlich geringe Zersetzung statt finde. Lösungen zweifach-kohlensaurer Alkalien verhalten sich ebenso. Durch's Kochen findet bekanntlich eine Zersetzung statt. Der Verfasser widerlegt die allgemein angenommene Meinung, dafs durch keine Menge von angewandtem kohlensauren Alkali die schwefelsaure Baryterde auf nassem Wege vollständig zerlegt werden könne, zeigt aber, dafs allerdings die Menge des kohlensauren Alkali's sehr bedeutend sein mufs, um auf nassem Wege eine vollständige Zersetzung zu bewirken, denn es gehören nicht weniger als 15 Atome von beiden kohlensauren Alkalien dazu, um ein Atom von schwefelsaurer Baryterde zu zerlegen. Wird 1 Atomgewicht der schwefelsauren Baryterde mit einem Atomgewicht einer Lösung von kohlensaurem Alkali gekocht, so werden durch kohlensaures Kali ungefähr von 9 Atomgewichten der schwefelsauren Baryterde, und durch kohlensaures Natron von 11 Atomgewichten derselben nur eins zersetzt.

Es ist die Anwesenheit des erzeugten schwefelsauren Alkali's, wodurch die Zersetzung der schwefelsauren Baryterde durch kohlensaures Alkali erschwert und verhindert wird.

Hat man schwefelsaure Baryterde mit der Lösung von kohlensaurem Alkali gekocht, die Flüssigkeit vom Rückstand abgegossen, und letzteren von neuem mit einer Lösung des kohlensauren Alkali's behandelt, so findet, besonders wenn man dies noch einmal wiederholt, eine vollständige Zersetzung statt. Wenn man ferner schwefelsaure Baryterde mit einer Lösung von koblensaurem und von schwefelsaurem Alkali kocht, welche gleiche Gewichtstheile beider Salze enthält, so bleibt sie unverändert.

Der Verfasser zeigt in der Abhandlung durch Versuche, daſs hierbei noch andere Verwandtschaften auſser der der schwefelsauren Baryterde zum schwefelsauren Alkali zugleich thätig sind, namentlich die des schwefelsauren Alkali's zum koblensauren, die der kohlensauren Baryterde zum koblensauren Alkali, und selbst zur schwefelsauren Baryterde, und endlich der Einfluſs des Wassers, das auf die entsprechenden Doppelverbindungen zersetzend einwirkt.

Umgekehrt wird kohlensaure Baryterde durch eine Lösung von schwefelsaurem Alkali schon bei gewöhnlicher Temperatur in schwefelsaure Baryterde verwandelt, und es wird in der Abhandlung nachgewiesen, auf welche Weise und unter welchen Verhältnissen die Umwandlung der schwefelsauren Baryterde durch kohlensaure Alkalien in kohlensaure Baryterde, und die der kohlensauren Baryterde durch schwefelsaure Alkalien in schwefelsaure vollständig vor sich geht.

Wird schwefelsaure Baryterde mit kohlensaurem Alkali geschmolzen und die geschmolzene Masse mit Wasser behandelt, so kann schon durch weniger vom kohlensauren Alkali eine vollständige Zersetzung der schwefelsauren Baryterde bewirkt werden als auf nassem Wege. Es gehören dann nur 6 bis 7 Atomgewichte vom kohlensauren Kali dazu und 8 bis 9 Atomgewichte vom kohlensauren Natron. Der Verfasser zeigt nun ausführlich in der Abhandlung nach, welche merkwürdige einfache Zersetzungsverhältnisse entstehen, wenn gleiche Atomgewichte von schwefelsaurer Baryterde und von kohlensaurem Alkali durch Zusammenschmelzen sich zersetzen.

Durch eine Lösung von kohlensaurem Ammoniak wird die schwefelsaure Baryterde weder bei gewöhnlicher, noch bei erhöhter Temperatur zersetzt. Kohlensaure Baryterde verwandelt sich nicht in schwefelsaure Baryterde, wenn sie mit einer Lösung von schwefelsaurem Ammoniak bei gewöhnlicher Temperatur behandelt wird; durchs Kochen aber geschieht diese Zersetzung sehr leicht.

Es wird ferner das Verhalten der schwefelsauren Baryt—erde gegen Kalihydrat besprochen; und endlich das Verhalten derselben gegen Säuren erwähnt. Der Verf. zeigt, dafs die schwefelsaure Baryterde nicht unter allen Verhältnissen die vollkommene Unlöslichkeit in verdünnten Säuren zeigt, wie allgemein angenommen wird.

———

Hr. Lepsius machte der Akademie eine Mittheilung in Bezug auf das von ihm aufgestellte Allgemeine Linguistische Alphabet, dessen Typen, nach dem Beschlusse vom 23. Jan. 1854 für die Akademische Druckerei angefertigt werden sollten.

Der Schnitt ist für die Corpus Schrift auf den Akademischen Kegel so weit vollendet, dafs die zum Behuf der praktischen Einführung des Alphabets von Hrn. Lepsius abgefafste Schrift, in welcher zugleich die Umschriften von 51 Alphabeten der verschiedensten Sprachen gegeben werden, vollständig gedruckt werden konnte. Ein vorläufig abgezogenes Exemplar dieser Schrift wurde vorgelegt.

Die Englische Uebersetzung derselben, welche von der Missionsgesellschaft der Englischen Kirche, zur Vertheilung unter die in allen Ländern zerstreuten Missionare veranlafst worden ist, wurde gleichfalls in einem Korrektur-Exemplare vorgelegt. Sie ist mit einem von den vier Sekretären jener Gesellschaft unterzeichneten Vorworte versehen, in welchem die allgemeine Einführung dieses von ihr ausdrücklich adoptirten und durch die Anschaffung mehrerer Typenabgüsse noch zugänglicher gemachten Alphabetes empfohlen wird.

Endlich wurden der Akademie zwei Werke des um die Afrikanische Linguistik sehr verdienten Herrn S. W. Koelle als Geschenk des Verfassers überreicht, welche theils in London, theils in Berlin gedruckt sind, und zum erstenmale die neuen Typen in gröfserem Umfange zur Anwendung gebracht zeigen. Es sind folgende: 1. *Grammar of the Bornu or Kánuri*

language. **London.** *Church Missionary House.* 1854. 8. und 2.
*African Native Literature, or Proverbs, Tales, Fables and Historical
Fragments in the Kánuri or Bornu language, to which are added
a translation of the above and a Kánuri-English vocabulary.*
Ibid. 1854.

Ausführlicheren Bericht über den ganzen Gegenstand behielt sich Hr. Lepsius für die Zeit vor, wann die Typen und
die Schrift über das Alphabet vollständig vorgelegt werden
können.

————

Hr. Curtius legte eine griechische Inschrift vor.

Das Original, eine durch Capt. Spratt aus dem Archipelagus nach England gebrachte Marmortafel befindet sich in Cambridge, von wo durch Güte des Herrn Babington ein vom Stein
genommer Abdruck an Hrn. Gerhard eingesandt worden ist.
Die Inschrift enthält ein mit 18 Lorbeerkränzen geschmücktes
Verzeichnifs der einem gewissen Kassandros, dem Sohne des
Menestheus, erwiesenen Ehren. Die Herkunft des Kassandros
ist nicht genannt, der Stein mufs an seinem Wohnorte aufgestellt gewesen sein. Die Zeit der Errichtung fällt in die
spätere Blüthe des Achäerbundes. Unter den ehrenspenden-
den Staaten werden angeführt: τὸ κοινὸν τῶν Δωριέων, τὸ κοινὸν τῶν Ἠπειρωτῶν τῶν περὶ Φοινίκην, τὸ κοινὸν τῶν Λοκρῶν τῶν
ῳοίων, τὸ κοινὸν τῶν Οἰταιέων, ἡ πόλις ἡ Δελφῶν ἡ τοῦ Θεοῦ, ἡ
πόλις ἡ Κορωναιέων τῶν ἐν Ἀχαΐᾳ u. s. w. Unter den Ehrenbe-
zeugungen ist die von der Stadt Argos bewilligte Θεωροδοκία
τοῦ Διὸς τοῦ Νεμείου καὶ τῆς Ἥρας τῆς Ἀργείας so wie der von
Megara gegebene δάφνης στέφανος παρὰ τοῦ Ἀπόλλωνος τοῦ τῆς
πόλεως ἀρχηγέτου hervorzuheben.

————

An eingegangenen Schriften wurden vorgelegt:

Astronomische Nachrichten no. 936.
Göttinger Nachrichten. 1855 no. 3.
Schriften der naturforschenden Gesellschaft zu Danzig. Band 5. Heft 2.
Danzig 1855. 4.

S. W. Koelle, *Grammar of the Bórnu or Kānurī Language.* London
1854. 8.

—————, *African native Literature.* London 1854. 8. (Beide
durch Hrn. Lepsius im Auftrage des Verfassers überreicht.)

Hierauf kam ein Empfangschreiben für die Monatsberichte
vom Jahre 1854 von Seiten der K. Hannov. Gesellschaft der
Wissenschaften in Göttingen d. d. 8. Febr. 1855 zum Vortrag.

---

19. Februar. Sitzung der philosophisch-historischen Klasse.

Hr. Meineke las über den tragischen Dichter
Moschion.

Bei Stobaeus im Floril. cxxv, 3. lesen wir unter dem
Lemma Μοσχίωνος ἐκ Φεραιῶν folgendes Bruchstück:

Κενὸν Θανόντος ἀνδρὸς αἰκίζειν σκιάν,

und gleich darauf:

Ζῶντας κολάζειν, οὐ Θανόντας εὐσεβές.

Hr. Welcker in seinem verdienstvollen Werke über die
tragischen Dichter der Griechen, Theil III. p. 1049. nimmt
als unzweifelhaft an, daſs der Inhalt der Φεραῖαι*) sich auf die
Alcestis bezogen habe; der Chor dieses Stückes, meint er,
habe aus Pheräischen Frauen, wie der des Euripideischen
Dramas aus Pheräischen Männern bestanden. Dieser Auffassung sind die aus Stobaeus angegebenen Fragmente nicht günstig; vielmehr zeigen diese mit unumstöſslicher Gewiſsheit,
daſs in den Pheräern irgend wem das Begräbniſs versagt worden war, worauf die Person, welcher die angeführten Verse
in den Mund gelegt waren, mit der Bemerkung entgegnete,
es sei ein thörichtes Unternehmen, den Schatten eines Mannes
zu beschimpfen. Wie dies in ein Drama passe, welches das

---

*) Denn so deutet Welcker den wahrscheinlich nur durch einen Irrthum
falsch accentuirten Genitiv Φεραιῶν statt Φεραίων.

Schicksal der Alcestis behandelte, ist nicht wohl einzusehen. Ehe ich meine Ansicht vortrage, muſs ich folgendes vorausschicken. Den Tragiker Moschion kennen wir fast nur aus den Excerpten bei Stobaeus, der auſser den Pheräern noch zwei andere Stücke von ihm anführt, den Themistocles Flor. LI, 21. und den Thelephus Ecl. phys. I, 5. Auſserdem aber hat Stobaeus noch fünf Fragmente aufbewahrt, jedoch ohne Angabe der Dramen, aus welchen er sie entnommen hat. Von diesen bezieht sich eins bei Stobaeus Flor. CXXV, 14. gleichfalls auf die Versagung des Begräbnisses eines Todten:

$$\text{Τί κέρδος οὐκ ἔτ' ὄντας αἰκίζειν νεκρούς ;}$$
$$\text{τί τὴν ἄναυδον γαῖαν ὑβρίζειν πλέον ;}$$
$$5\ \text{ἐπὴν γὰρ ἡ κρίνουσα καὶ τὰς ἡδονάς}$$
$$\text{καὶ τἀνιαρὰ φροῦδος αἴσθησις φθαρῇ,}$$
$$\text{τὸ σῶμα κωφοῦ τάξιν εἴληφεν πέτρου.}$$

und da auch ein in den Eclogis phys. I, 8, 38. erhaltenes Bruchstück, obgleich auf einem Umwege, darauf hinausläuft, das Gottlose zu zeigen, welches mit der Weigerung einen Todten zu begraben verbunden ist; so hat man ein vollkommenes Recht, alle diese Stellen zu demselben Stücke zu ziehen, also zu den Pheräern. In allen wird nachdrucksvoll vor einem solchen Frevel gewarnt. Auch wäre es höchst befremdend, wenn Moschion, der doch nur wenige Stücke geschrieben hat, dasselbe Motiv mehrern seiner Dramen zu Grunde gelegt hätte, was eine Armuth verrathen würde, zu deren Annahme uns nichts berechtigt. Wenn wir nun ferner bei Stobaeus folgendes Fragment erwägen, welches ich aus zweien an verschiedenen Stellen (nämlich Flor. XIII, 14. und XLVI, 14.) erhaltenen Stücken zu einem verbunden habe,

$$\text{Ὅμως τό γ' ὀρθὸν καὶ δίκαιον οὔποτε}$$
$$\text{σιγῇ παρήσω· τὴν γὰρ ἐντεθραμμένην}$$
$$10.\ \text{ἀστοῖς Ἀθάνας τῇ τε Θησέως πόλει}$$
$$\text{καλὸν φυλάξαι γνησίως παρρησίαν·}$$
$$\text{μόνον σὺ θυμοῦ χωρὶς ἔνδεξαι λόγους,}$$
$$\text{οὕς σοι κομίζω· τὸν κλύοντα γὰρ λαβών}$$
$$\text{ὁ μῦθος εὔνουν οὐ μάτην λεχθήσεται.}$$

---

5. So Porson statt τὰ ἡδίονα.   7. εἴληχιν Valckenaer; allein λαγχάνειν wäre hier schwerlich der richtige Ausdruck.   12. Vielleicht ἐκδεξαι.

so bilden diese Verse eine würdige Vorbereitung zu der Bitte, das Begräbniſs nicht zu verweigern. Zugleich sehen wir daſs es ein Athenienser ist der die Bestattung vermittelt. Er richtet seine Worte an einen Herrscher; ὅμως im ersten Verse läſst darauf schlieſsen daſs von der Machtvollkommenheit dieses Herrschers etwas ausgesagt war. Obgleich, so wird es etwa gelautet haben, obgleich du das unbestrittene Recht hast zu thun und zu lassen was du willst; so will ich doch als Sprecher Athens mit angeborener Freimüthigkeit was recht und gut ist geltend machen: höre du nur meine Worte ruhig an, und ich hoffe dich von der Wahrheit und Gerechtigkeit meiner Gründe zu überzeugen. Hieran schlieſst sich nun wahrscheinlich unmittelbar und ohne daſs auch nur ein einziger Vers dazwischen fehlt, das groſse Stück an, welches in den Eclogis phys. I, 8, 38. ohne Angabe des Dramas erhalten ist:

15 Πρῶτον δ' ἄνειμι καὶ διαπτύξω λόγω
ἀρχὴν βροτείου καὶ κατάστασιν βίου.
ἦν γάρ ποτ' αἰὼν κεῖνος, ἣν ὁπηνίνα
θηρσὶν διαίτας εἶχον ἐμφερεῖς βροτοί,
ὀρειγενῆ σπήλαια καὶ δυσηλίους
20 φάραγγας ἐνναίοντες· οὐδέ πω γὰρ ἦν
οὔτε στεγήρης οἶκος οὔτε λαΐνοις
εὐρεῖα πύργοις ὠχυρωμένη πόλις.
οὐ μὴν ἀρότροις ἀγκύλοις ἐτέμνετο
μέλαινα καρποῦ βῶλος ὀμπνίου τροφός,
25 οὐδ' ἐργάτης σίδηρος εὐιώτιδος
θάλλοντας οἴνης ὀρχάτους ἐτημέλει,
ἀλλ' ἦν ἀκύμων κωφὰ χηρεύουσα γῆ.
βοραὶ δὲ σαρκοβρῶτες ἀλληλοκτόνους
παρεῖχον αὐτοῖς δαῖτας, ἦν δ' ὁ μὲν νόμος
30 ταπεινός, ἡ βία δὲ σύνθρονος δίκη,
ὁ δ' ἀσθενὴς ἦν τῶν ἀμεινόνων βορά.
ἐπεὶ δ' ὁ τίκτων πάντα καὶ τρέφων χρόνος
τὸν θνητὸν ἠλλοίωσεν ἔμπαλιν βίον,

---

27. κωφὰ χηρεύουσα i. e. inerti torpens viduatu; die Handschriften κωφεύουσα ἱμείουσα, Grotius κοὐδὲν ἐκφυουσα, Heeren κωφά τ' ἐκφύουσα oder ἐκφέρουσα.   30. δίκη Canter statt πῆ der Handschriften, Grotius Δἱ.
31. ἀμεινόνων] Vielleicht ἀρειόνων mit Nauck.

εἴτ' οὖν μέριμναν τοῦ Προμηθέως σπάσας,
εἴτ' οὖν ἀνάγκην, εἴτε τῇ μακρᾷ τριβῇ
αὐτὴν παρασχὼν τὴν φύσιν διδάσκαλον.
35 τόθ' ηὑρέθη μὲν καρπὸς ἡμέρου τροφῆς
Δήμητρος ἁγνῆς, ηὑρέθη δὲ Βακχίου
γλυκεῖα πηγή, γαῖα δ' ἡ πρὶν ἄσπορος
ἤδη ζυγουλκοῖς βουσὶν ηροτρεύετο,
ἄστη δ' ἐπυργώσαντο, καὶ περισκεπεῖς
40 ἔτευξαν οἴκους, καὶ τὸν ἠγριωμένον
εἰς ἥμερον δίαιταν ἤγαγον βίον·
κἀκ τοῦδε τοὺς θανόντας ὥρισεν νόμος
τύμβοις καλύπτειν κἀπιμοιρᾶσθαι κόνιν,
νεκρούς τ' ἀθάπτους μηδ' ἐν ὀφθαλμοῖς ἐᾶν,
45 τῆς πρόσθε θοίνης μνημόνευμα δυσσεβές.

Mit dieser allgemeinen Beweisführung von der Unzulässig-
keit verweigerter Beerdigung konnte jedoch die Rede des
Sprechenden nicht abschliefsen; es mufste eine Anwendung auf
den vorliegenden Fall kommen, es mufste die Wendung folgen: darum mache du dich dieses Frevels nicht schuldig, und
überdiefs

τί κέρδος οὐκέτ' ὄντας αἰκίζειν νεκρούς;
τί τὴν ἄναυδον γαῖαν ὑβρίζειν πλέον;

so dafs also auch dies Fragment noch zu derselben Rede gehört haben wird. Dagegen scheinen die im Anfange erwähnten und ausdrücklich aus den Pheraeern angeführten Verse:

κενὸν θανόντος ἀνδρὸς αἰκίζειν σκιάν,

und

ζῶντας κολάζειν, οὐ θανόντας εὐσεβές,

aus einem entweder unmittelbar vor oder gleich nach der berührten Scene folgenden Dialog zwischen dem Athenienser und
dem Tyrannen entlehnt zu sein; zwischen beiden fehlt ein
Vers, den der Machthaber bei dem Dichter sprach.

---

39. αὐτὴ die Hdschrift; ἄστη wurde Fragm. Com. III. p. 240. hergestellt
lange bevor Gaisford aus Valckenaers Papieren dasselbe publicirte. Auch
bei Christodorus Ecphr. stat. 375. Σπάρτης πικρὸν ἄρηα καὶ αὐτῶν Κεκροπιδάων,
ist ἀστῶν herzustellen. 45. δυσσεβοῦς Valckenaer, was grammatisch unmöglich ist.

[1855.]

Est entsteht nun die Frage, von welches Pheräers Begräbnifs die Rede gewesen sein könne. Die mytbische Geschichte
von Pherae bietet nichts hierher gehöriges dar; dagegen ist
die Geschichte der historischen Zeit reich an tragischen Momenten. Jedermann kennt die Schicksale der Pheraeer unter
und vor der Tyrannis Alexanders. Nach Jasons Tode werden
Polydorus und Polyphron Tagoi. Polydorus wird von Polyphron im Schlaf ermordet, den Polyphron tödtet Alexander,
und diesen erdolcht wieder sein Weib Thebe im Bunde mit
ihren Brüdern; sein Leichnam wird in das Meer geworfen.
S. Xenophon Hell. Gesch. VI, 4, 33. sqq. Alexander, so scheint
es, versagte dem Polyphron das Begräbnifs. Die Athenienser,
mit welchen Alexander im Anfange seiner Herrschaft in gutem
Einvernehmen stand (Demosthenes c. Aristocr. p. 660), suchen
ihn zu bewegen, den Getödteten zu bestatten. Was die Athenienser bestimmen konnte, sich für den Polyphron in dieser
Art zu interessiren, kann ich freilich nicht nachweisen; indessen lassen sich verschiedene Möglichkeiten denken, deren Darlegung ich aber unterlasse, da sie doch nur an unsichere Combinationen sich anlehnen würde. Ist aber die aufgestellte
Vermuthung von dem Inhalte der Pheraeer begründet, so hätten wir in diesem Stücke ein neues Beispiel rein historischer
Dramen: und dafs Moschion auch sonst geschichtliche Stoffe
behandelt hat, beweist sein Themistocles, aus welchem Stobaeus
Flor. LI, 21. ein Bruchstück erhalten hat, welches offenbar,
wie ich schon anderwärts bemerkt habe, aus der Rede des
Boten genommen ist, welcher die Schlacht bei Salamis meldete:

$$\text{καὶ γὰρ ἐν νάπαις βραχεῖ}$$
$$\text{πολὺς σιδήρῳ κείρεται πεύκης κλάδος,}$$
$$50 \ \text{καὶ βαιὸς ὄχλος μυρίας λόγχης κρατεῖ.}$$

Überhaupt scheinen die spätern Tragiker sich dergleichen
Stoffe mit Vorliebe bemächtigt zu haben. Aufser Moschion
hatte auch Philiscus einen Themistocles gedichtet. S. Histor.
crit. com. gr. p. 424. Und dafs die Κασανδρεῖς des Lycophron
von Chalcis die Schicksale der Bürger von Casandrea unter der
Tyrannis des Apollodorus behandelt haben, ist eine sehr wahrscheinliche Vermuthung von Niebuhr Rhein. Mus. I. p. 117.
Vielleicht gelingt es jedoch belesenern und des griechischen

Mythus kundigern in der Sagengeschichte von Pherae Momente zu entdecken, welche eine mehr gesicherte Grundlage zu der Untersuchung über den Inhalt der Pheraeer darbieten. Denn daſs Moschion seinen Tragödien wenig bekannte, ich mögte sagen verschollene Mythen zu Grunde legte, scheint sich noch aus dem Fragment eines andern Stückes zu ergeben, dessen Titel uns nicht überliefert ist. Es steht bei Stobaeus Tit. CV, 22. und lautet also:

> Συνίτει δόξη πρόσϑε καὶ γένει μέγας
> Ἄργους δυνάστης, λιτὸς ἐκ τυραννικῶν
> ϑρόνων, προσίκτην ϑαλλὸν ἠγκαλισμένος
> ἔστειχεν εἰς γῆν ὅμμα συμπαϑὲς φέρων,
> 55 καὶ πᾶσι δεικνὺς ὡς τὰ λαμπρὰ τῆς τύχης
> τὴν κτῆσιν οὐ βέβαιον ἀνϑρώποις νέμει,
> ὃν πᾶς μὲν ἀστῶν ἠλέησεν εἰσιδών,
> ἅπας δὲ χεῖρα καὶ προσήγορον φάτιν
> ὤρεξε, κἄνϑους τ᾽ ἐξέτηξε δακρύοις
> 60 τύχαις συναλγῶν· τἀξίωμα γὰρ νοσοῦν
> τὸ πρόσϑε πολλοῖς οἶκτον εὐπορεῖ βροτῶν.

Welcker findet in diesen Worten die Schilderung eines aus Argos vertriebenen, von seinen Unterthanen beweinten, also durch häusliche Verwicklungen gestürzten Königs, der nun in der Fremde eine Zuflucht suchen muſs. Von Vertreibung sehe ich in jenen Versen nichts; Welcker ließ sich zu dieser Annahme durch den vierten Vers bestimmen ἔστειχεν εἰς γῆν ὅμμα συμπαϑὲς φέρων, worin er die Worte εἰς γῆν mit ἔστειχεν verband, während sie von φέρων abhängig sind, b u m i d e i i-

---

[1]) ϑρόνων habe ich aus den Handschriften hergestellt statt δόμων. Für προσίκτην wünschte Valckenaer προῖκτην, ein ionisches, der attischen Sprache fremdes Wort. Überdieſs lassen die Tragiker im Trimeter πρό mit einem Worte, welches mit einem Iota anfängt, nie zusammenstoſsen. In dem Sophocleischen Fragment bei Stob LXIV, 13.

> οὕτως γε (leg δὲ) τοὺς ἐρῶντας αὐτὸς ἵμερος
> δρᾶν καὶ το (leg. καί τι) μὴ δρᾶν πολλάκις προῖεται,

ist προσίεται zu lesen. Auch ist ja προσίκτωρ für ἱκέσιος hinreichend bekannt; ἱκτῆρες κλάδοι hat Sophocles, ἱκτῆρια ϑαλλὸν Euripides, und λιτῆρα ϑαλλὸν in demselben Sinne ein anonymer Tragiker bei Hesychius v. λιτῆρα.

[2]) Scaliger συμπαγές, wofür συμπιφὲς passender sein würde.

ciens oculos. Auch würde bei der Welckerschen Auffassung
das Imperfectum unerklärbar sein. Die Scene des Dramas ist
also Argos selbst; richtig dagegen bemerkt Welcker, daſs die
Verse aus einer ῥῆσις ἀγγελική genommen sind. Wer aber der
enttbronte König von Argos sei, ist mir wenigstens zu ermitteln nicht gelungen, da die ganze mythische Geschichte dieses
Landes, so weit ich sie kenne, nichts an die Hand giebt, was
auf eine Situation dieser Art passte. Der erste Vers des Fragments kann natürlich so wie er hier steht von dem Dichter
nicht geschrieben sein:

συνέσει δόξῃ πρόσθε καὶ γένει μέγας.

Um das Metrum zu stützen, hat man nach συνέσει ein ganz un-
passendes γέ einschalten wollen:

συνέσει γε δόξῃ πρόσθε καὶ γένει μέγας.

Allein der Anapaest, selbst im ersten Versfuſse, ist, wie sich
gleich ergeben wird, höchst bedenklich, und da συνέσει in dem
Pariser Cod. A. erst von zweiter Hand herrührt, vielleicht in
Erinnerung an Eurip. Troad. 691. συνέσει γένει πλούτῳ τε κἀν-
δρείᾳ μέγας, während ursprünglich σὺν αἴσῃ stand, so dürfte
dies mit leichter Änderung als das richtige anzunehmen sein.
Das Fragment ist unvollständig überliefert, und wahrscheinlich ging in den schwerlich von Stobaeus selbst ausgelassenen
Versen ein Gedanke wie dieser voraus: οὐδὲν ὁμοίως γενναίου
ἀνδρὸς ψυχὴν δάκνει ὡς ἀτιμίαι, woran sich nun richtig anschlieſsen würde:

σὺν αἴσῃ δόξῃ πρόσθε καὶ γένει μέγας
Ἄργους δυνάστης u. s. w.

nach einem bekannten Gebrauche von σύν, mit welchen ἀτιμίαις
behaftet der Argiverfürst u. s. w.

Wenn ich jetzt eben die Bemerkung machte daſs der
Anapäst, selbst im ersten Versfuſse des Trimeters, bei unserm
Dichter bedenklich sei, so gründet sich dies auf die Thatsache,
daſs in den zahlreichen Versen, die wir von dem Moschion
noch besitzen, sich in keinem Verstheile weder ein Anapäst,
noch Tribrachys, noch überhaupt ein dreisilbiger Versfuſs
nachweisen läſst, in der That eine für die Geschichte des tragischen Trimeters nicht uninteressante Erscheinung. Nachdem
die bewunderungswürdige Kunst, mit welcher die Dichter der

alten Zeit bei dem Bau des Trimeters verfuhren, allmählich und besonders seit der 90. Olympiade einer Nachlässigkeit und Schlaffheit gewichen war, wie wir sie in den späteren Stücken des Euripides und in den Fragmenten anderer in diese Zeit gehörenden Tragiker wahrnehmen, scheint Moschion zuerst, oder doch hauptsächlich es unternommen zu haben, die metrische Kunst auf ihre frühere Würde zurückzuführen und dem Trimeter von neuem jene Feierlichkeit wieder zu verleihen, welche die alte Tragödie und später wieder die Dichter der Alexandrinischen Periode auszeichnete. Die Belege zu diesem Urtheil geben die bereits mitgetheilten Fragmente; ich füge noch die Stelle aus dem Telephus hinzu bei Stobaeus Ecl. phys. I, 4, 1.

Ὦ καὶ θεῶν κρατοῦσα καὶ θνητῶν μόνη,
65 μοῖρ', ὦ λιταῖς ἄτρωτε δυστήνων βροτῶν,
πάντολμ' ἀνάγκη, στυγνὸν ἦ κατ' αὐχένων
ἡμῶν ἐρείδεις τῆσδε λατρείας ζυγόν.

und eine andere aus einem nicht genannten Stücke bei Stobaeus Flor. CXIV, 9.

Ἦν ἄρα τρανὸς αἶνος ἀνθρώπων ὅδε,
ὡς τὸν πέλας μὲν νουθετεῖν βραχὺς πόνος,
70 αὐτὸν δ' ἐνεγκεῖν ὕβριν ἠδικημένον
πάντων μέγιστον τῶν ἐν ἀνθρώποις βάρος.

Um so mehr muß es befremden, wenn wir unter den Überresten der Moschionischen Poesie zwei Trimeter finden, welche mit dem, was wir soeben als characterische Eigenschaften des Versbaus des Moschion erkannt haben, im auffallendsten Widerspruch stehen. Dies sind die Verse:

Κεῖνος δ' ἁπάντων ἐστὶ μακαριώτατος,
ὃς διὰ τέλους ζῶν ὁμαλὸν ἤσκησεν βίον.

Allein wer hat dieses Bruchstück überliefert? Clemens aus Alexandria, ein Schriftsteller, von dem es bekannt ist daß er häufig aus dem Gedächtniß citirt, und bei dem nichts häufiger sich findet als Corruptelen der Eigennamen. Und wo hat Clemens das Fragment aufbewahrt? In jenem berühmten Excurs über die Plagiate, deren sich die griechischen Philosophen, Redner und Dichter unter einander schuldig gemacht und einer den andern ausgeplündert haben sollen. Nun ist aber kein Theil in den Werken des Clemens fehlerhafter über-

liefert als jener umfangreiche, nicht einmal vom Clemens selbst
zusammengestellte, sondern durch das schamloseste Plagiat
aus einem der vielen Schriftsteller περὶ κλοπῶν abgeschriebene
Excurs; nirgends finden wir so arge Verderbnisse aller Art als
gerade hier. Die Stelle, auf die es hier ankommt, lautet so
Strom. VI. p. 745. Βακχυλίδου εἰρηκότος, παύροισι δὲ ϑνατῶν
τὸν ἅπαντα χρόνον τῷ δαίμονι δῶκεν πράσσοντας ἐν καιρῷ πολιο-
κρόταφον γῆρας ἱκνεῖσϑαι πρὶν ἐγκύρσαι δύα, Μοσχίων ὁ κωμικὸς
γράφει, κεῖνος δ' ἀπάντων ἐστὶ μακαριώτατος ὃς διὰ τέλους ζῶν
ὁμαλὸν ἤσκησεν βίον. Ich will kein Gewicht darauf legen daß
Clemens hier den Moschion als komischen Dichter bezeichnet;
es ist bekannt wie häufig in den griechischen Texten das Wort
κωμικός in τραγικός und wiederum κωμικός in τραγικός übergegangen ist[1]). Daſs aber Moschion, der strenge Verskünstler,
in zwei aufeinander folgenden Trimetern dreimal ein Gesetz
überschritten haben sollte, welches er in den übrigen verhältniſsmäſsig zahlreichen Überresten seiner Poesie nicht ein ein-
zigesmal verletzt hat, ist unglaublich, und die Annahme eines
Verderbnisses oder vielmehr einer Lücke im Text des Clemens
vollkommen gerechtfertigt.

Mit dem Versbau geht die Diction Hand in Hand, und
wie jener sich mit stolzer Würde bewegt, so auch die Sprache
unsres Dichters, die bei aller Einfachheit in hohem Grade gewählt, körnig und bilderreich erscheint. Nirgends ein Spiel in
sophistischen Gegensätzen, die etwa an eine Nachahmung des
Euripides erinnern könnten. Diction und Gedanke trägt überall
das Gepräge aeschyleischer Hoheit; und wenn unser Dichter
ein Vorbild gehabt hat, so ist dies eben Aeschylus, aus dem
er sichtbar die Farben zu mehrern der oben angeführten Stellen gewählt hat. Nur hier und da trägt der Ausdruck Spuren
ich will nicht sagen von Incorrectheit, wohl aber von dem in
leisen Symptomen sich ankündigenden Verfall der attischen
Sprache. Hierher gehört z. B. der Gebrauch des Wortes
κάνϑος für Auge in dem angeführten Fragment bei Stobaeus
Flor. LV, 22 κάνϑους ἐξίτηξε δακρύοις, was sich, so viel wir
wissen, kein anderer Dichter vor den Alexandrinern erlaubt

---

*) Historia com. graec. p. 522.

hat, bei welchen dieser Gebrauch sich häufig nachweisen läfst. Eben dahin gehört in den Worten desselben Fragments τάξι-μα γὰρ νοσοῦν τὸ πρόσϑε πολλοῖς οἶκτον εὐπορεῖ βροτῶν, die dem altattischen Gebrauch unbekannte Bedeutung von εὐπορεῖν sup-peditare, wofür die älteren Tragiker ohnfehlbar ein Verbum wie ἐμβάλλειν gewählt haben würden. Auch das Verbum ἀροτρεύειν in dem Verse ἤδη ζυγουλκοῖς βουσὶν ἠροτρεύετο bei Stobaeus Ecl. phys. I, 8. gehört sammt seiner ganzen Ver-wandtschaft, ἀροτρεύς ἀροτριᾶν ἀροτριάζειν u. s. w. der spätern Zeit an, während die correcte Rede nur ἀροῦν ἀρότης ἄροτος ἄροσις u. s. w. kannte.

Mit welchem Erfolg Moschion den übrigen Foderungen an einen tragischen Dichter entsprochen haben mag, nament-lich wie er den gewählten Stoff dramatisch zu behandeln ge-wufst hat, darüber steht uns natürlich kein Urtheil zu. Dafs er aber den Beifall seiner Zeit besafs, dafs er für einen bedeu-tenden Dichter galt, dafür spricht der Umstand, dafs ihm eine Ehrenstatue errichtet war. Diese Statue besitzen wir noch jetzt, ein lebensgrofses, sitzendes Marmorbild mit epheuge-kränztem Haupte und eine Rolle in der Rechten, ein Werk von vorzüglicher Arbeit; dasselbe befindet sich in den Studi zu Neapel und ist nachdem zuerst Fulvius Ursinus Inmag. tab. 69. und dann Jacob Gronau im Thesaurus Ant. graec. II tab. 73 dasselbe bekannt gemacht, von Visconti in der Iconogr. vol. I. p. 31.·(Planche 7.) ausführlich beschrieben und gewür-digt worden.

Über die Zeit, wann Moschion seine Dramen zur Auffüh-rung gebracht, fehlt es an genauern Angaben. Dafs er lange vor Alexander, dem Sohne Philipps, geblüht ist nicht zu be-zweifeln. Wäre die oben vorgetragene Vermuthung von dem In-halt der Pheräer gegründet, so würde seine Blüthe etwa der 102. Olympiade anzuweisen sein. Ob der von den Dichtern der mittlern Komoedie wiederholt als Feinschmecker angegriffene Moschion, über den ich in der Historia crit. Comic. graec. p. 417. gehandelt habe, von dem Tragiker Moschion nicht ver-schieden sei, läfst sich mit Gewifsheit nicht bestimmen. Gleich-wohl hat man neuerdings an der Identität beider nicht gezwei-felt und diese Annahme durch unhaltbare Gründe zu stützen

versucht. Der Name Moschion war in Athen nicht selten, und
es ist sehr bedenklich auf die Gleichheit der Namen eine Behauptung zu bauen, die sich doch nur innerhalb der Grenzen
der Möglichkeit hält. Die Gleichheit der Namen hat aber noch
einen andern Irrthum herbeigeführt, zu dem Welcker den Anlaß gegeben hat. Nachdem dieser Gelehrte die oben angeführt-
ten Verse bei Clemens:

Κεῖνος δ᾽ ἁπάντων ἐστὶ μακαριώτατος,
ὃς διὰ τέλους ζῶν ὁμαλὸν ἤσκησεν βίον,

beigebracht hat, fügt er die Bemerkung hinzu, daß diese Sen-
tenz nur dem Sinne nach in der Appendix Florentina zum
Stobaeus p. 74=434. angeführt werde. Hier steht mit dem
Lemma Μοσχίωνος folgendes: Βέλτιόν ἐστιν ἐν μικρᾷ περιουσίᾳ
συστελλόμενον εὐθυμεῖν, ἢ μεγάλης τυγχάνοντα δυστυχεῖν. Welcker war also der Meinung, daß der Verfasser jenes Flori-
legiums die Stelle des Moschion vor Augen gehabt, aber in
Prosa aufgelöst habe. Dies hat man nun neuerdings auf-
gegriffen und noch zwölf andere Gnomen, welche sämmtlich
bei Antonius Melissa und Maximus unter dem Namen Μοσχίωνος
stehen, auf den Tragiker Moschion zurückgeführt, ja bei einigen sogar den Versuch gemacht die ursprüngliche Fassung
wiederzufinden; mit welchem Erfolg, mögen zwei Beispiele
zeigen. Unter num. X. in der Didot'schen Fragmentensamm-
lung der griechischen Tragiker p. 142 heißt es aus Antonius
Melissa XXIV. p. 55. ἀπαλλαγεὶς ἕνεκα ὀχλήσεως· κέρδος ἡγεῖται
ὁ ἄθρωπος τὴν ζημίαν. Dies wird so hergestellt:

ὀχλήσεως γὰρ ἕνεκ᾽ ἀπαλλαγεὶς τις ἂν
τὴν ζημίαν ἡγεῖτο κέρδος.

Nicht minder unglücklich ist der Versuch unter num. XVI.
aus den Worten ἕπεσθαι τοῖς τερπνοῖς εἴωθε τὰ λυπηρά folgenden Trimeter herzustellen:

τὸ λυπρὸν ἀεὶ τοῖσι τερπνοῖς εἵπετο,

ein Vers, wie er auf der tragischen Bühne nie gehört worden
ist. Und was hätte jemals einen Sammler von Sentenzen
bewegen können, statt die Worte des Dichters selbst mitzutheilen, eine solche Zersetzung in Prosa vorzunehmen? wo
giebt es ein Beispiel ähnlichen Verfahrens? oder sollen wir
annehmen daß es von den Dramen des Moschion eine prosai-

sche Paraphrase gegeben habe, aus welcher jene Anthologisten
geschöpft, etwa wie von den Gedichten des Oppian und anderer? Aber wie wären diese trivialen und gehaltlosen Sprüche,
die meistentheils in schwächlichen Antithesen spielen, mit dem
Character der Poesie des Moschion zu vereinigen? Wie ist es
möglich zu glauben, daß ein Gedanke wie dieser unter no.
XVII. ὃν ἡ τύχη προπηλακίζει, καὶ παρὰ τῶν πρᾴων οὗτος μάστι-
γας εὑρίσκει, oder wie dieser unter no. IX. ἐν οἷς πλήττειν ἄλ-
λους ἐθέλεις, ἐν τοῖς (τούτοις) βλάβην ἔλπιζε τὴν μείζονα, oder
unter no. XVIII. ταῖς νόσοις ὁ θάνατος ἀλλήλαις (ἀλλήλας) ἐπι-
λαμβανούσαις οὐδ' αὐτὸς παρεῖναι ἀναβάλλεται, jemals einem
attischen Dichter, oder überhaupt nur einem gebildeten Menschen in den Sinn gekommen? Und die übrigen Sentenzen
sind nicht besser. Aus alle dem geht deutlich hervor, daß
dieser Moschion von dem attischen Tragiker himmelweit verschieden ist. Es muß ein Scribent sehr später Zeit gewesen
sein, und den weder der Compilator der Appendix Florentina,
noch die Sammler Antonius und Maximus aus dem Stobaeus gekannt haben, wenn wir auch annehmen wollen, daß diese einen
bei weitem reicheren Stobaeus vor sich gehabt haben, als wir
heutiges Tags besitzen.

Zum Schluß mag hier noch die Bemerkung Platz finden,
daß bei Stobaeus Flor. CXXIII, 3. dem Tragiker Moschion
noch folgende Verse zugeschrieben werden:

ἐᾶσαί ἤδη γῇ καλυφθῆναι νεκρούς,
ὅθεν δ' ἕκαστον ἐς τὸ σῶμ' ἀφίκετο
ἐνταῦθ' ἀπελθεῖν, πνεῦμα μὲν πρὸς αἰθέρα
τὸ σῶμα δ' ἐς γῆν· οὔ τι γὰρ κεκτήμεθα
ἡμέτερον αὐτὸ πλὴν ἐνοικῆσαι βίον,
κἄπειτα τὴν θρέψασαν αὐτὸ δεῖ λαβεῖν.

Allein dies sind nicht Verse des Moschion, sondern des Euripides in den Suppl. 533 sqq. wo Theseus auf die Bestattung
der Leichname der Argivischen Heerführer dringt. Wir werden
also, da der Name Moschion unmöglich durch einen Irrthum
aus dem des Euripides entstanden sein kann, annehmen müssen,
daß die Stelle des Moschion ausgefallen ist; und da das Capitel des Stobaeus περὶ ταφῆς handelt, so ist es sehr wahrschein-

lich daſs hier dieselben Verse des Moschion gestanden haben, welche wir im Obigen den Pheräern vindicirt haben:

τοὺς θανόντας ὥρισεν νόμος
τύμβοις καλύπτειν κἀπιμοιρᾶσθαι κόνιν,
νεκροὺς τ᾽ ἀθάπτους μηδ᾽ ἐν ὀφθαλμοῖς ἐᾶν.

Die Ansicht eines achtbaren Bearbeiters des Euripides, daſs jene Verse wirklich dem Moschion angehören und erst durch Interpolation in die Supplices des Euripides eingeschoben seien, hat für mich wenig Überzeugendes, und das um so weniger, da die Diction echt euripideisch ist, und ein Vers wie der vorletzte,

ἡμέτερον αὐτὸ πλὴν ἐνοικῆσαι βίον,

nach dem, was im Obigen bemerkt worden, von Moschion schwerlich gemacht sein kann.

Hr. **Pertz** legte eine dritte Sendung von **Abschriften der Urkunden aus dem Archiv des Tower zu London** von Hrn. Dr. **Pauli** vor, welche die deutsche Geschichte betreffen und begleitete sie mit einigen Bemerkungen über ihre Bedeutung.

Diese Sendung enthält zunächst acht Nachträge zu den Regierungen der Englischen Könige Heinrichs III., Eduards I. und II. Die Hauptmasse aber bilden die Abschriften von Urkunden König Eduards III. aus den Jahren 1331 bis 1377. Nach der Bemerkung des Hrn. Dr. Pauli scheint auch dieser König die ihm aus dem Lande zugegangenen Originalurkunden und Briefe weit weniger sorgfältig bewahrt zu haben, als sein Groſsvater Eduard I., doch fanden sich dergleichen aus Cöln, Lübeck, Greifswalde, Stralsund, Rostock, Wismar, vom Erzbischofe von Bremen, dem Markgrafen von Jülich vor, zuweilen von Documenten aus der Englischen Kanzlei erläutert. Der König unterhält sehr ausgedehnte finanzielle Beziehungen zu den groſsen deutschen Handelshäusern, denen er seine Schulden durch Übertragung der Ausfuhrzölle auf Wolle abzutragen pflegt. Korn und Wolle bildeten damals zwei bedeutende Ausfuhrartikel Englands nach Deutschland, wogegen dieses letztere Rheinweine und Stockfisch einführte. Die langen Reihen Eigennamen dieser deutschen Kaufleute und ihrer Heimatsorte in Niederdeutschland, gestatten einen Blick auf den emsigen Verkehr bis tief in das Innere unseres Landes. Hr. Dr. Pauli übersendet aufser 91 Abschriften der ihm vorgekommenen Urkunden, Auszüge aus den offenen Rollen Eduards III. so wie aus dessen verschlossenen Rollen, und schliefst mit Auszügen aus einem Haushaltsbuche des Königs aus den Jahren 1338 bis 1342. Dieses letztere ist eine bisher ganz unbekannte reiche Quelle zur Geschichte des Reichsvicariats dieses Königs. Man findet darin das Verzeichnifs der Summen die er an das halbe Reich gezahlt, seine Verbindungen mit ganz entfernten Fürsten, wie Würtenberg, Bayern und Oestreich, die Namen vieler Reichs- und Hofbeamten, die mit Geschenken bedacht wurden, und Eduards ganze Reise von England über Antwerpen nach Coblenz und zurück. Ort, Tag, die besuchenden und bedienenden Männer sind ausführlich verzeichnet. In Cöln besucht der König sämmtliche Kirchen, und macht der Dombaucasse ein Geschenk von 65 Pfund Sterling; in Bonn wird er vom Erzbischof bewirthet, nimmt auf der Insel Nonnenwerth ein grofses von den benachbarten Fürsten mit ihren Minstrels veranstaltetes Fest an, und empfängt nahe an Coblenz den Kaiserlichen Falkonier, der ihm in Ludwigs Namen einen lebendigen Adler überbringt. Über den Aufenthalt in Coblenz ist nichts berichtet, da der König dort als Ludwigs Gast gelebt haben mag. Die Urkunde über die Verleihung des Reichsvicariats ist leider nicht vorhanden.

Unter den Urkundenabschriften bezeichnen zwei recht anschaulich den Unterschied des Ehemals und Jetzt. Im Jahre 1343 war die grofse Reichskrone von England bei zwei deutschen Kaufleuten Tidemann von Limberg und Johann Wolde für 45,000 goldene Reichsthaler oder 8062 Pfund 10 Schilling Sterling versetzt, und im Jahr 1342 ermahnt der Rath von Cöln den König von England die bei dortigen Bürgern versetzten englischen Kronjuwelen einzulösen, da der Verfalltag längst vorüber und der Rath nur aus Ehrerbietung vor dem König die Pfandinhaber vom Verkauf derselben abgehalten habe.

Auf den Antrag des Hrn. Pertz und nach Beschluß der Klasse geht auch diese Sendung, wie die früheren des Dr. Pauli unter denselben Bedingungen an die Königl. Bibliothek zur Aufbewahrung. (Vergl. die Monatsberichte 1854 p. 337. 630.)

---

22. Februar. Gesammtsitzung der Akademie.

Hr. Pertz las über eine rheinische Chronik des 13ten Jahrhunderts.

An eingegangenen Schriften wurden vorgelegt:

Corrispondenza scientifica in Roma. Anno III. no. 44.

Astronomische Nachrichten. Altona 1855. 4. Band 40. no. 937—945.

Zeitschrift für Berg- Hütten- und Salinenwesen, von v. Carnall. II. Band. Lief. 4. Berlin 1854. 4.

Journal of the Asiatic Society of Bengal. no. 242. 243. Calcutta 1854. 8.

Zeitschrift der deutschen morgenländischen Gesellschaft. 9. Band. Heft 1. 2. Leipzig 1855. 8.

Quetelet, *De l'influence des températures sur le développement de la végétation.* (Bruxelles 1855.) 8.

Sandberger, *Zwei naturwissenschaftliche Mittheilungen.* Wiesbaden 1855. 8.

L. de Koninck, *Recherches sur les Crinoïdes du terrain carbonifère de la Belgique.* (Bruxelles 1853.) 4. Von Hrn. Beyrich im Auftrag des Hrn. Verfassers übergeben.

Hierauf kam ein Schreiben des Königl. Försters Hrn. G. Hauenstein d. d. Bischofrode bei Eisleben 15. Febr. a. c. zum Vortrag, welcher der Akademie die ihm gelungene Auflösung eines mathematischen Problems anzeigt. Der Gegenstand wird der physikalisch-mathematischen Klasse zur Kenntnißnahme überwiesen.

Bericht

über die

zur Bekanntmachung geeigneten Verhandlungen der Königl. Preuß. Akademie der Wissenschaften zu Berlin

im Monat März 1855.

Vorsitzender Sekretar: Hr. Ehrenberg.

1. März. Gesammtsitzung der Akademie.

Hr. Trendelenburg las über den Streit der Begriffe Nothwendigkeit und Freiheit in der griechischen Philosophie. Fortsetzung einer früheren Abhandlung.

Hr. Magnus legte den zweiten Theil seiner Untersuchung über den flüssigen Strahl vor, von welcher der erste bereits in der Sitzung am 14. Decemb. v. J. gelesen worden.

Eine große Menge von Untersuchungen sind ausgeführt worden um die Quantität des Wassers zu bestimmen, das aus Öffnungen von verschiedener Form und Größe und unter verschiedenem Drucke ausströmt. Aber nur wenige haben sich mit den physicalischen Bedingungen beschäftigt auf denen die merkwürdigen Formen beruhen, welche die aus verschiedenen Öffnungen hervorgehenden Strahlen zeigen. Diese zu ermitteln ist der eigentliche Zweck dieser Untersuchung. In dem ersten Theile derselben wird die Einwirkung von zwei kreisförmigen Strahlen behandelt, die sich unter einem Winkel gegeneinander bewegen. Die Erscheinungen welche diese darbieten sind besonders geeignet die verwickelten Formen zu erklären, welche die aus eckigen Öffnungen hervorgehenden Strahlen darbieten. Für die Versuche mit zwei solchen Strah-

len wurde ein eigner Apparat angewandt, der gestattete die
Strahlen von gleichen oder verschiedenen Durchmessern, nicht
nur unter jedem beliebigen Winkel sich gegeneinander bewegen
zu lassen, sondern auch einen oder den andern parallel mit sich zu
verrücken, um sie entweder central zusammentreffen zu lassen,
d. i. so dafs ihre Achsen sich schneiden, oder nicht central und
dann wieder so, dafs sie sich entweder nur an ihren Rändern
berührten, oder einen mehr oder weniger grofsen Querschnitt
gemein hatten. Von der grofsen Anzahl von Fällen, welche
sich auf diese Weise erhalten lassen, sind in der Arbeit nur
diejenigen in Betracht gezogen, die zur Erläuterung der aus
eckigen Öffnungen hervorgehenden Strahlen geeignet sind. Die
Zahl derselben ist jedoch so grofs, dafs sie hier nicht alle aufgeführt werden können; es mag genügen nur die folgenden zu
erwähnen.

Treffen zwei Strahlen von gleichen Querschnitten mit gleicher Geschwindigkeit einander central, so entsteht eine dünne
Wasserfläche senkrecht gegen die durch die Achse der Strahlen
gehende Ebene. Diese Fläche nimmt in Folge der anziehen-
den Kraft, welche zwischen den einzelnen Theilen des Wassers
stattfindet, dicke Ränder an, die wie zwei Strahlen sich gegeneinander bewegen, und dadurch eine neue Fläche bilden, die
senkrecht gegen die erste ist. Aus den Rändern dieser entsteht eine dritte Fläche, die wieder senkrecht gegen die zweite
ist, und so wiederholt sich der Vorgang mehrere Male.

Treffen die Strahlen einander nicht central so ist die Erscheinung verschieden, je nachdem die Achsen mehr oder weniger von einander entfernt sind. Treffen nur die Ränder der
Strahlen zusammen, und ist der Winkel den sie bilden nicht
gröfser als 60°—70°, so setzt jeder von beiden Strahlen seinen Weg nach dem Zusammentreffen fort. Es bleibt indefs
zwischen ihnen eine Wassermasse wie eine dünne Membran
ausgespannt, die bewirkt dafs die Strahlen bald nachdem sie
sich getroffen haben, fast parallel mit einander fortgehn.

Bleibt der Winkel den die Strahlen machen ungeändert,
werden aber ihre Achsen einander näher gebracht, so bleiben
die Strahlen nicht parallel. Sie entfernen sich zwar nach
dem Zusammentreffen von einander, indem jeder seinen Weg

fortsetzt, nähern sich dann aber wieder, und gehen sogar über einander fort. Jedoch so dafs der Strahl, welcher bei dem ersten Zusammentreffen der obere gewesen, da wo beide wieder übereinander fortgehn, der untere ist. Auch dieser Vorgang findet dadurch statt, dafs die zwischen den Strahlen als eine dünne Schicht ausgebreitete Wassermasse sich zusammenzieht und einen kreisförmigen Querschnitt anzunehmen strebt. Ist der Winkel unter dem die Strahlen zusammentreffen nur 30° so gehn dieselben noch ein zweites, und zuweilen noch ein drittes Mal über einander fort. Jeder von beiden bildet dabei eine spiralförmige Linie, und zwischen diesen Spirallinien ist das Wasser in einer dünnen Fläche wie eine Membran ausgespannt.

Die Gründe wefshalb in dem einen Falle die Strahlen parallel oder fast parallel bleiben, in dem andern aber übereinander fortgehn und Spirallinien bilden, sind in der Abhandlung ausführlich erörtert, zugleich finden sich dort die Bedingungen erwähnt, unter welchen die Strahlen mehr oder weniger stark spiralförmig gewunden erscheinen.

Der zweite Theil der Abhandlung beschäftigt sich mit den Strahlen aus eckigen und kreisförmigen Öffnungen. Für dieselben fand der Ausflufs aus dem Boden eines Gefäfses von starkem Zinkblech statt, das 0,8 Metres im Durchmesser und 0,4 Metres Höhe hatte. Dasselbe stand auf einem festen Gestell von starkem Holz das 1,75 Metres hoch war. Um verschiedene Öffnungen anwenden zu können, war der Boden des Gefäfses so eingerichtet, dafs man ganz ebene Platten aus Blech einlegen konnte, die 0,2 Metres Durchmesser hatten und 1 Millimetre stark waren, und in denen sich die sorgfältig gearbeiteten Öffnungen befanden.

Der Ausflufs aus dem Boden des Gefäfses wurde dem aus der Seitenwand vorgezogen, weil die Gestalt der Strahlen regelmäfsiger ausfällt. Es ist nämlich für die Regelmäfsigkeit unerläfslich, dafs das Wasser von allen Seiten mit ganz gleicher Geschwindigkeit zur Öffnung ströme. Dies ist bei Öff-
in der Seitenwand des Gefäfses befinden,
. Man kann die Ungleichheit des Druckes
obern und am untern Rande einer vertikalen Öffnung zwar

dadurch möglichst klein machen, dafs man sehr grofse Druck-
höhen während des Ausfliefsens anwendet, so vollständig wie
bei Öffnungen im Boden kann man indefs die Gleichheit der
Geschwindigkeit für alle am Rande der Öffnung befindlichen
Theile nicht erreichen. Aufserdem ist eine regelmäfsige Bewegung der Flüfsigkeit in dem Gefäfse selbst nothwendig, und um
diese zu erhalten genügt es nicht die Öffnung im Boden anzubringen, es ist aufserdem noch erforderlich, dafs der Boden ganz
eben und horizontal sei, ferner dafs das Gefäfs regelmäfsig und
von so grofsen Dimensionen sei, dafs die Seitenwände keinen
Einflufs auf die Bewegung des Wassers üben können. Endlich
dafs keine äufsern Einflüsse störend einwirken.

Selbst wenn alle diese Bedingungen erfüllt sind, wird doch
die Bewegung kurze Zeit nachdem der Ausflufs begonnen, unregelmäfsig. Es entsteht dann nämlich eine rotirende Bewegung in der Flüssigkeit, die wenn sie längere Zeit anhält, sich
nicht nur über einen grofsen Theil des Bodens ausbreitet, sondern auch die höheren Schichten der Flüssigkeit erfafst. Gewöhnlich bildet sich dann eine trichterförmige Vertiefung, die
sich oft bis zur Ausflufsöffnung und bisweilen sogar bis in den
Strahl hinabzieht. Diese rotirende Bewegung tritt ein sobald
die sämmtlichen in einer Ebene vorhandenen Bewegungen, keine
gemeinsame Resultante haben. Denkt man sich z. B. eine kreisrunde Öffnung, so findet keine Rotation statt, so lange die
Richtungen sämmtlicher Bewegungen durch einen Punkt, den
Mittelpunkt der Öffnung gehn; sollten aber durch irgend einen
störenden Einflufs, etwa durch ein Hindernifs am Boden, oder
durch eine Bewegung die dem Wasser durch äufsere Einflüsse
mitgetheilt worden, die Richtung einzelner Theile sich ändern,
so gehn nicht mehr alle Richtungen durch denselben Punkt,
und dann mufs eine rotirende Bewegung der Flüssigkeit eintreten. Solche störende Einflüsse sind aber ganz unvermeidlich, und daher kommt es, dafs die Flüssigkeit nach einiger Zeit
stets in Rotation geräth, die in der untersten Schicht beginnt,
sich aber bald der ganzen Masse mittheilt. Dadurch entsteht
nach einiger Zeit eine trichterförmige Vertiefung, anfangs nur
auf der Oberfläche, bald aber zieht sie sich spiralförmig bis

zur Ausflußöffnung und, wie schon bemerkt, sogar durch dieselbe bis in den Strahl hinab.

Um solche trichterförmige Vertiefungen, so wie überhaupt die ganze Drehung zu vermeiden, wurde folgende Vorrichtung benutzt. Vier dünne Blechplatten, jede 0,25 Mêtres hoch und 0,12 Mêtres breit werden nämlich senkrecht auf den Boden des Gefäßes, ganz nah bei der Ausflußöffnung etwa 5 Millim. von ihrem Rande entfernt, so aufgestellt, daß die Verlängerungen ihrer Ebenen durch den Mittelpunkt der Oeffnung gehen. Diese Platten bilden rechte Winkel mit einander und sind in dieser Stellung mittelst dünner Drähte unter sich befestigt. In dem folgenden wird diese Vorrichtung als Beruhiger bezeichnet. Derselbe hemmt den Zufluß zur Oeffnung nicht, hindert dagegen die Rotation, so daß die Bewegung ganz regelmäßig stattfindet. Läßt man das ausfließende Wasser in ein untergesetztes Gefäß fallen, so wird dies und dadurch zunächst der Fußboden in Bewegung gesetzt. Durch diesen wird sodann das Gestell, auf dem sich das Gefäß befindet aus dem das Wasser ausfließt, und dadurch dieses Gefäß selbst bewegt. Der nachtheilige Einfluß solcher Bewegungen läßt sich durch den Beruhiger nicht verhindern. Um dieselben zu vermindern war in dem zur Aufnahme des Wassers bestimmten Gefäß ein Brett so angebracht, daß das Wasser unter einem sehr kleinen Winkel auf dasselbe fiel, und ohne Geräusch an demselben abfloß.

Das Ausfließen aus der Oeffnung geschah mit veränderlicher Geschwindigkeit. Diese wurde dem constanten Drucke vorgezogen weil es nicht möglich ist das Niveau einer Flüssigkeit unveränderlich zu erhalten, ohne die Regelmäßigkeit der Bewegung des Wassers zu stören. Damit aber während der Beobachtung die Aenderungen des Drucks nicht zu schnell erfolgten, hatte das Gefäß, aus welchem das Wasser ausfloß, solche Dimensionen, daß mehr als eine halbe Stunde verging bis das Wasser aus einer von den gewöhnlich benutzten Oeffnungen abgeflossen war. Bei Anwendung der größten Ausflußöffnung verging noch mehr als eine Viertelstunde.

Von den verschiedenen Strahlen welche unter den erwähnten Vorsichtsmaßregeln erhalten worden sind, werden in der

Abhandlung zunächst die betrachtet, welche aus einer schmalen länglich viereckigen Öffnung hervorgehn. Die dünne Wassermasse derselben zieht sich sobald sie aus der Oeffnung hervorkommt zusammen; dabei wird sie zunächst an ihren Rändern dicker, und die dicken Ränder bewegen sich wie zwei Strahlen gegen einander und bringen dadurch ganz dieselben Erscheinungen hervor, wie zwei central zusammentreffende Strahlen. Es entsteht nämlich da wo sie sich treffen eine neue Fläche, die rechtwinklig gegen die vorhergehende ist. Dieser Vorgang wiederholt sich, und so folgt eine ganze Reihe solcher Flächen unter einander, von denen die erste rechtwinklig gegen die lange Seite der Oeffnung ist und jede folgende Fläche rechtwinklig gegen die vorhergehende. Die Dimensionen dieser Flächen ändern sich mit dem Druck unter welchem das Wasser ausfließt. Je größer dieser ist, um so länger sind die Flächen.

Macht man während die Ausflußöffnung unverändert bleibt den Zufluß des Wassers von zwei einander gegenüberliegenden Seiten ungleich, etwa dadurch daß man ein Stückchen Blech flach auf den Boden des Gefäßes nahe an die Ausflußöffnung legt, so hört die so eben beschriebene regelmäßige Gestalt des Strahls auf. Er nimmt neue Formen an die verschieden sind, je nachdem das Blech sich neben der kurzen oder neben der langen Seite der Oeffnung befindet.

Liegt dasselbe neben einer der langen Seiten, jedoch so daß der Zufluß des Wassers durch dasselbe nur auf der Hälfte der Länge dieser Seite gehemmt wird, so nimmt der Strahl eine spiralförmig gewundene Gestalt an, ganz ähnlich wie die, welche entsteht wenn zwei kreisrunde Strahlen deren Achsen nicht in einer Ebene liegen, unter einem Winkel zusammentreffen.

Statt das Blech auf dem Boden anzubringen, kann man den Strahl auch spiralförmig gewunden erhalten, wenn man auf irgend eine andre Weise den Zufluß in den beiden Hälften einer langen Seite ungleich macht; indem man z. B. die Oeffnung an dem einen Ende breiter macht als an dem andern. Ebenso erhält man bei ungeänderter Breite der Oeffnung die spiralförmige Gestalt, wenn man den Beruhiger entfernt. Die

Leichtigkeit mit der alsdann die Flüssigkeit in dem Gefäße anfängt zu rotiren, oder vielmehr die Schwierigkeit die Rotation zu vermeiden, ist die Ursache, wefshalb man bis jetzt nur selten den Strahl in seiner regelmäfsigen Form beobachtet hat.

Die verschiedenen Gestalten, welche der aus der länglichen Öffnung hervorgehende Strahl unter den erwähnten Umständen annimmt, bilden den Anhaltspunkt für die eigenthümlichen Gestalten der aus andern Öffnungen hervorgehenden Strahlen.

Zunächst betrachtet nun der Verf. die verschiedenen Gestalten, welche der Strahl annimmt der aus einer kreuzförmigen Öffnung hervorgeht die man sich aus zwei in ihrer Mitte sich rechtwinklich schneidenden, länglich viereckigen, schmalen Öffnungen gebildet vorstellen kann. Sodann wendet er sich zu der quadratischen und den übrigen ein regelmäfsiges Viereck bildenden Öffnungen. Es werden die Formen dieser Strahlen sowohl für den Fall betrachtet, wo der Ausfluss ganz regelmäfsig statt findet, als auch wenn dies nicht der Fall ist, und namentlich werden die Bedingungen erörtert, unter denen der Strahl eine gewundene Gestalt zeigt.

Die regelmäfsige Gestalt dieser Strahlen ist im Allgemeinen bekannt. Sie ziehen sich unmittelbar unter der Öffnung stark zusammen und bilden zunächst unter dieser Zusammenziehung mehrere dünne Wasserflächen, die sich sämmtlich in der Achse des Strahls schneiden. Ihre Zahl ist gleich der der Ecken der Öffnung, und sie sind rechtwinklich gegen die Seiten derselben. Unter diesem System von Flächen entsteht ein zweites. Die Flächen desselben halbiren die Winkel, welche die des ersten Systems mit einander machen, sie liegen daher entsprechend den Ecken der Öffnung Darunter zeigt sich wieder ein drittes System, dessen Flächen gleich liegen mit denen des ersten, und dann ein viertes, in welchem die Flächen wieder dem zweiten entsprechen, und so bisweilen noch eine gröfsere Anzahl von Systemen. Wie aus dem ersten das zweite und aus diesem das folgende System von Flächen entstehn, bedarf nach dem was vorher über das Entstehn der Flächen bei dem Strahle aus der länglich schmalen Öffnung gesagt worden, keiner weitern Erörterung, aber die Gestalt des Strahls von der Öffnung bis zu der Stelle wo das erste System entsteht, und die Art wie diese sich bildet, sind bisher nicht erklärt. Denn die Erklärung welche Bidone[1]) zu geben versucht hat, ist wie Poncelet und Lesbros[2]) schon gezeigt haben, nicht richtig. Der Verf. beschäftigt sich mit dieser eigenthümlichen Gestalt des oberen Theils des Strahls. Aus der von ihm gegebenen Erklärung läfst sich dieselbe vollständig ableiten und ebenso erklären sich aus derselben die convergirenden und divergirenden Bewegungen der Theilchen an der äufseren Fläche des Strahls, auf die auch schon Poncelet und Lesbros aufmerksam gemacht haben.

Erst nachdem diese Strahlen betrachtet worden sind, wendet sich der Verf. zu den kreisförmigen. Ein solcher Strahl zeigt, wenn er aus vollkommen kreisförmiger Öffnung kommt, und wenn alle Hindernisse im Innern des Gefäfses vermieden sind, und auch durchaus keine Bewegungen dieses Gefäfses statt finden, keine, oder kaum wahrnehmbare Anschwellungen; und bildet bis zu der Stelle wo die einzelnen Wassermassen getrennt herab fallen, eine glatte, zusammenhängende Masse, die sehr schön anzusehn ist, da sie wie eine vollkommen abgedrehte und polirte Masse des weifsesten Glases erscheint, in der gar keine Bewegung wahrzunehmen ist.

Es ergiebt sich als eine unmittelbare Folge aus der Erklärung von der Gestalt der aus quadratischer oder vieleckiger Öffnung kommenden Strahlen, dafs bei einem kreisförmigen Strahl so lange er zusammenhängend ist, keine Anschwellungen vorhanden sein können, wenn keiner der oben erwähnten störenden Einflüsse stattfindet; dafs aber dergleichen Anschwellungen sich zeigen können und müssen, sobald das Zuströmen der Flüssigkeit in dem Gefäfse nicht von allen Seiten mit gleicher Geschwindigkeit erfolgt. Ist daher entweder der Rand der Öffnung nicht ganz glatt, oder befindet sich die Öffnung zu nahe an einer Wand des Gefäfses, oder ist sie in der verticalen Wand angebracht und ist ihr Durchmesser so grofs, dafs

---

[1]) Expériences sur la forme et sur la direction des veines et des courans d'eau. In den Memorie dell' Academie di Torino XXXIV. 229.

[2]) Expériences hydrauliques p. 151.

an ihrem untern Rande die Flüssigkeit mit einer größeren Geschwindigkeit ausfließt als am obern, oder ist irgend welcher andere Grund vorhanden, weßhalb das Wasser nicht von allen Seiten mit gleicher Geschwindigkeit zuströmt, so entstehn auch bei dem kreisförmigen Strahl Anschwellungen. Man braucht nur auf den Boden des Gefäßes in der Nähe der Öffnung ein Stückchen Blech zu legen, so erblickt man schon dergleichen.

Diese Anschwellungen oder Bäuche sind aber nicht zu verwechseln mit denen welche Savart[1]) beschrieben hat, und die nur entstehn, wenn der Strahl aufhört zusammenhängend zu sein, während die Anschwellungen von denen hier die Rede ist, sich in ganz geringer Entfernung von der Öffnung bilden, wo der Strahl noch vollkommen zusammenhängend erscheint. Auch sind diese Bäuche noch in sofern verschieden von den Savart'schen, daß diese Rotationsoberflächen bilden, wogegen die Bäuche von denen hier die Rede ist, keine kreisförmigen Querschnitte haben.

Bei den vollkommen regelmäßigen kreisförmigen Strahlen ist kein Maximum der Contraction vorhanden. Ihr Durchmesser nimmt zwar zunächst der Öffnung am stärksten ab, doch wird er fortwährend kleiner, bis der Strahl aufhört zusammenhängend zu sein.

Newton[2]) hat zuerst behauptet, daß die Menge des ausfließenden Wassers bedingt werde durch die Zusammenziehung des Strahls und hat diese Zusammenziehung gemessen. Aber weder bei ihm noch bei einem von den vielen Schriftstellern, welche sich nach ihm mit diesem Gegenstande beschäftigt haben, ist eine bestimmte Erklärung über das zu finden was man die Zusammenziehung des Strahls — Contractio venae — nennt. Wird hierunter ein Querschnitt des Strahles verstanden der ein Minimum ist, so daß der Strahl, nachdem er sich bis zu diesem Minimum zusammen gezogen hat, entweder wieder größere Querschnitte annimmt, oder sich wenigstens nicht ferner zusammenzieht, so ist ein solches zwar bei allen Strahlen vorhanden, welche in ihrem zusammenhängenden Theile Anschwel-

---

[1]) Annales de Chimie et de Physique, 2me serie, LIII. 337.

[2]) Principia Philos. natur. propos. XXXVI.

lungen zeigen, also bei allen welche nicht aus kreisförmigen
Öffnungen kommen und selbst bei solchen, wenn der Zufluß
zur Öffnung in dem Gefäß nicht mit gleicher Geschwindigkeit
von allen Seiten statt findet; aber bei ganz regelmäßigem Ausfluß aus kreisrunder horizontaler Öffnung ist kein Maximum
der Contraction wahrzunehmen. Der Durchmesser des Strahls
wird beständig kleiner, bis dieser aufhört ein Continuum zu
bilden. Auffallend aber ist es daß nicht nur von Newton,
sondern auch von der größten Zahl derer, die später die Zusammenziehung des Strahls gemessen haben, die Messungen
vorzugsweise an kreisförmigen Strahlen vorgenommen sind.
Vielleicht haben diese niemals ganz regelmäßige Strahlen gehabt. Vielleicht haben sie nur die erste stärkere Zusammenziehung berücksichtigt, indem sie den übrigen Theil des Strahls
als cylindrisch angesehn haben. Daß aber unter solchen Verhältnissen keine genaue Messung der Contraction möglich ist,
versteht sich von selbst.

Bringt man während ein Strahl aus kreisförmiger Öffnung
ganz ruhig und ohne alle Anschwellungen ausfließt, in der
Nähe eine nur kurze Zeit dauernde Erschütterung hervor, indem man z. B. mit dem Fuß auf den Boden tritt, so trennt
sich der Strahl dicht an der Ausflußöffnung und führt dann
eine Luftblase mit hinab. Bei dünnen Strahlen beobachtet man
diese Trennung nicht immer. Wenn aber der Durchmesser
12 mm. oder darüber beträgt, so zeigt sie sich sehr deutlich.

Von dieser Erscheinung ausgehend, wendet sich der Verf. zu
den von Savart beschriebenen Anschwellungen oder Bäuchen.
Diese entstehn bekanntlich nur da, wo der Strahl aufhört eine
zusammenhängende Masse zu bilden. Sie werden besonders
deutlich wenn in der Nähe des Strahls ein Ton hervorgebracht
wird, der hinreichend stark ist, und während einiger Zeit dauert.
Trifft der Strahl den Boden, oder fällt er in ein Gefäß, so
entsteht, wenn nicht, wie oben bemerkt, besondere Vorsichts-
maaßregeln angewandt werden, auch ein Ton. Durch diesen
entstehn die Bäuche noch leichter als durch einen auf einem
besondern Instrument hervorgebrachten. Werden aber alle
Töne vermieden, wird auch keine andere Art der Bewegung
dem Gefäß aus welchem der Strahl ausfließt mitgetheilt, so

zeigen sich, so lange die Rotation der Flüssigkeit durch den oben erwähnten Beruhiger vermieden ist, die Savart'schen Bäuche nicht, oder wenigstens sind sie so undeutlich, daß man zweifelhaft sein muß, ob sie vorhanden sind. Entfernt man aber den Beruhiger, so nimmt der Strahl nach kurzer Zeit eine gewundene Gestalt an. Gewöhnlich zeigt sich diese zuerst in großer Entfernung von der Ausflußöffnung, aber gleich darauf erscheinen dann auch die Savart'schen Bäuche.

Hr. Poggendorff las über die Wärmewirkung de Inductionsfunken.

In seiner letzten Abhandlung erwähnte der Verf. beiläufig, daß in dem Funkenstrom an der Unterbrechungsstelle des Inductionsdrahts offenbar eine größere Wärmewirkung stattfinde, als in dem Drahte selbst[*]). Er stützte sich dabei, außer der dort angeführten Thatsache, namentlich auf die wohl allgemein gehegte Ansicht, daß die elektrischen Funken stets glühende Körpertheilchen enthalten, ja ohne dieselben im Grunde gar nicht gedacht werden können, eine Ansicht, welcher auch einige der von ihm beobachteten Erscheinungen günstig sind. Nichtsdestoweniger konnte es wünschenswerth erscheinen, einen directen Beweis von jener Behauptung beigebracht zu sehen, besonders da frühere Beobachtungen, an den Funken der Reibungs-Elektricität angestellt, entweder keine oder keine einwurfsfreien Resultate geliefert hatten.

Für die Inductionsfunken, die man ohne Mühe in einem unausgesetzten Strom erhält, hat nun ein solcher Beweis nicht die geringste Schwierigkeit. Er wird in der augenfälligsten Weise schon von einem guten Quecksilberthermometer an die Hand gegeben. Zwar kann dabei von wirklichen Messungen nicht die Rede sein, allein es lassen sich doch vergleichbare Resultate erhalten, sobald man nur durch einen mög-

---

[*]) Monatsbericht, Januar, S. 27.

lichst gleichmäfsigen Gang und Zustand des Neeff'schen Hammers für eine stets gleiche Entwicklung der Funken sorgt und auch einige andere leicht als nothwendig zu erkennende Vorsichtsmaafsregeln nicht verabsäumt.

Unter Beobachtung dieser Vorsichtsmaafsregeln haben dem Verf. seine Versuche folgende Resultate geliefert:

1. Bringt man ein empfindliches Thermometer in oder an den Funkenstrom des Inductionsapparates, so findet sogleich ein bedeutendes Steigen desselben statt, das zu der geringen Wärmeentwicklung im Drahte selbst im schneidendsten Gegensatz steht, und um so mehr auffallen kann, als dem Joule'schen Gesetz zufolge die in der ganzen Bahn des Inductionsstroms in gleicher Zeit erregte Wärmemenge bei Unterbrechung des Drahts durch Luft kleiner sein würde, als bei Continuität desselben.

2. Dies Steigen ist, bei Gleichheit aller übrigen Umstände, verschieden nach der Natur der Metalle oder Stoffe, von welchen die Funken ausströmen.

Platin, Kupfer, Eisen und Silber weichen zwar in dieser Beziehung wenig von einander ab, obwohl es scheint, dafs unter ihnen Silber am stärksten, und Platin am schwächsten wirke[*]. Aber von diesen Metallen zu denen, die wenig cohärent, leicht schmelz- und verdampfbar sind, ist ein grofser Sprung vorhanden. Sie geben durchschnittlich etwa die doppelte Wirkung.

Bei einer Versuchsreihe, bei welcher das Thermometer mit der Axe seines cylindrischen Behälters, der, bei 11,0^{mm} Länge, 3,5^{mm} im Durchmesser hielt, zwischen den funkengebenden Spitzen stand, und zwar auf jeder Seite um 0,5^{mm} von ihnen entfernt, betrug das Steigen innerhalb einer Minute, als die Spitzen bestanden aus:

$$
\begin{array}{llll}
\text{Platin} & . & . & . & 18\tfrac{1}{2}^{\circ} \text{ C.}\\
\text{Blei} & . & . & . & 30\tfrac{1}{2}^{\circ} \text{ ,,}\\
\text{Zinn} & . & . & . & 33 \quad \text{ ,,}\\
\text{Antimon} & & . & . & 34\tfrac{1}{4}^{\circ} \text{ ,,}\\
\text{Zink} & . & . & . & 35^{\circ} \quad \text{ ,,}\\
\text{Wismuth} & & . & . & 37^{\circ} \quad \text{ ,,}
\end{array}
$$

---

[*] Nur Graphit gab eine noch geringere Erwärmung.

Stärker noch war der Unterschied als der Abstand der Spitzen nur 1¼ Millm. betrug und sie beide vom Thermometer berührt wurden. Dann stieg dieses innerhalb einer Minute beim

Platin . . . . 23° C.

Kupfer
Eisen } . . . 25 bis 26° C.

Silber . . . 27° C.

Zinn . . . . 51° „

Neben den Funkenstrom gestellt, kaum in Berührung mit ihm gebracht, erhob sich das Thermometer, bei Zinnspitzen, um 28° C.

3. Auch die Ungleichheit in der Temperatur der beiden Pole des Inductionsdrahts läfst sich deutlich durch das Thermometer nachweisen. Bei einem gegenseitigen Abstand der Polspitzen von 4,5ᵐᵐ, stieg es an der negativen stets 6 bis 7 Grad höher in einer Minute als an der positiven, wenn die Poldrähte beide aus Zink oder Zinn bestanden und etwa 1 Millm. dick waren.

4. Werden zu den Poldrähten zwei verschiedene Metalle genommen, so steigt das mitten im Funkenstrom aufgehängte Thermometer am meisten, wenn das leicht schmelz- und verdampfbare Metall sich am negativen Pol befindet. So stieg es, bei 4,5ᵐᵐ Abstand der Spitzen, innerhalb einer Minute

— Pol	+ Pol	
Platin	Platin	. . 18½° C.
Platin	Zinn	. . 23½° „
Zinn	Platin	. . 31° „
Platin	Wismuth	. 18½° „
Wismuth	Platin	. . 30° „

5. Die höhere Temperatur der Funken bei den leicht schmelz- und verdampfbaren Metallen scheint Folge der Verflüchtigung von Theilchen derselben zu sein, welche man an dem im Funkenstrom hängenden Thermometer auch unzweideutig erkennt, indem es, bei Anwendung von Zink, Zinn, Wismuth und Blei, an der positiven Seite weifs, und an der negativen (wenigstens bei Wismuth und Blei), braun beschlägt.

6. Diese Verflüchtigung scheint auch, indem sie eine bessere Leitung zwischen den Polen herstellt, einen reichlicheren Übergang der Funken und damit eine größere Stromstärke hervorzubringen. Die galvanometrische Ablenkung, welche der funkengebende Inductionsdraht hervorbringt, ist zwar sehr unregelmäßig, so daß es ungemein schwer hält, sie ihrer Größe nach sicher zu bestimmen; allein der Verf. glaubt doch nicht zu irren, wenn er sie namentlich bei Anwendung von Poldrähten aus Zinn für größer hält als bei Platindrähten.

7. Dieß veranlaßte die Frage, ob die Funken je nach der Natur der Poldrähte mit verschiedener Leichtigkeit übergehen, in der Weise einer Prüfung zu unterwerfen, daß der Strom zwischen zwei Spitzenpaaren aus verschiedenen Metallen getheilt wurde. Diese Versuche (wie die ähnlichen von Faraday mit verschiedenen Gasen) haben ihre Schwierigkeit und müssen vorsichtig beurtheilt werden, weil, wenn einmal der Funkenstrom aus dem einen Spitzenpaar durch Zufall besser eingeleitet ist als der aus dem andern, der erstere durch die Erwärmung der Luft und durch die Verflüchtigung von Metalltheilchen ein Übergewicht über den letzteren erlangen kann, welches ihm an sich nicht gebührt. Im Allgemeinen erhält man, bei Gleichheit der Abstände, gleichzeitig aus beiden Spitzenpaaren Funken, verschieden an Farbe und Helligkeit, je nach der Natur der Metalle, aber anscheinend nicht verschieden an Schlagweite. Manchmal setzt der eine oder der andere Funkenstrom einige Zeit aus, ohne daß dafür genau ein Grund anzugeben wäre; aber andererseits zeigt sich beim Zink, und noch besser beim Zinn, verglichen mit Platin, constant die Erscheinung, daß bei kleinen Abständen (etwa von 1 bis 2 Millm.) die Funken nur zwischen den ersteren Metallen, bei größeren Abständen (3 bis 5 Millm.) nur zwischen dem Platin überspringen. Ohne Zweifel bilden bei den kleinen Abständen die verflüchtigten Zink- oder Zinntheilchen eine so gute Leitung, daß sie dadurch den Strom ganz zu sich herüberziehen.

8. Ähnlich wie mit den Funken in freier Luft, verhält es sich mit den leuchtenden Entladungen im partiellen Vacuo. Die

Temperatur-Erhöhung dabei ist sehr merklich, obwohl nicht
so grofs wie bei den Funken. Mit zunehmender Luftverdünnung nimmt sie, trotz des Wachsens der Stromstärke, ab, weil
der Widerstand verringert wird.

9. Auch im partiellen Vacuo erhält sich die Temperatur-
Ungleichheit der Pole, obwohl sie nicht so grofs zu sein
scheint wie in freier Luft.

Bei einer Luftverdünnung von etwa 12‴ Quecksilberdruck,
bei welcher das elektrische Licht zwar noch in einem zusammenhängenden Faden übergeht, aber schon ein klimperndes
Geräusch verursacht, welches den Anfang des Knatterns der
Funken in freier Luft bildet, — stieg von zwei Thermometern,
die um 1 Lin. von den Kugeln abstanden, das am negativen
Pol stets $2\frac{1}{4}$ bis 3° höher als das am positiven Pol, nämlich
das erstere im Ganzen 15 bis 15,5°, das letztere 12 bis 13° in
einer Minute. Die Kugeln, zwischen welchen die Entladung
stattfand, waren von Messing und $1\frac{1}{4}$ Zoll von einander entfernt.

Alle hier erwähnten Resultate wurden übrigens vom Verf.
mit den dickeren, kürzeren seiner Inductionsdrähte unter Anwendung einer Batterie von zwei Grove'schen Elementen und
des Condensators erhalten.

Hierauf wurde zunächst aus einem Schreiben des Sekre-
tärs der Königl. Gesellschaft der Wissenschaften zu Göttingen,
Hrn. Hausmann, die schmerzliche Mittheilung vorgetragen, dafs
das hochverdiente auswärtige Mitglied der Akademie, der grofse
Mathematiker Hr. Carl Friedrich Gaufs, in Göttingen am 23.
Febr. im 78sten Lebensjahre verschieden ist.

An eingegangenen Schriften wurden vorgelegt:

Abhandlungen der Kgl. Bayrischen Akademie der Wissenschaften. 7. Band,
zweite Abtheilung. München 1854. 4.

Münchener Gelehrte Anzeigen. Band 38. 39. München 1854. 4.

Karl von Spruner, *Pfalzgraf Rupert, der Cavalier.* München 1854. 4.

Fr. von Thiersch, *Rede am Geburtsfest König Maximilian II.* München 1855. 4.

Lamont, *Magnetische Karten von Deutschland und Bayern.* München 1854. folio.

Astronomische Nachrichten. Band 40. no. 946. 947. Altona 1855. 4.

Sémon, *Avant-Garde de la loi universelle.* Marseille 1855. 8.

Heidler, *Die Schutzmittel gegen die Cholera.* Prag 1854. 8.

Heidler, *Versuch einer neuen empirischen Begründung der Cholerawissenschaft.* Prag 1854. 8.

Müllenhoff, *Zur Geschichte der Nibelungen Not.* Braunschweig 1855. 4. (Geschenk des Verfassers überreicht durch Herrn Haupt.)

Faraday, *On some points of magnetic philosophy.* (From the Philophical Magazine, Febr. 1855.) 8.

Bulletino archeologico napolitano. Nuova serie. Anno III. no. 53—58. Napoli 1854. 4. (die Nummern 37. 41. 42. 45—52 fehlen.)

Krönig und Beetz, *Die Fortschritte der Physik in den Jahren 1850 und 1851.* Jahrgang 6. und 7. (Zweite Hälfte.) Berlin 1855. 8.

Demnächst wurden drei Rescripte des vorgeordneten K. Ministeriums vom 22., 26. und 27. Februar vorgetragen.

---

5. März. Sitzung der physikalisch-mathematischen Klasse.

Hr. Mitscherlich las über die Krystallformen und isomeren Zustände des Selens und über die Krystallform des Jods.

Hr. Braun trug eine Abhandlung des Hrn. Pringsheim über die Befruchtung der Algen vor.

Die Überzeugung von der Sexualität der Pflanzen hat in der Wissenschaft nur langsam Platz gegriffen. Denn wenn auch die vorausgesetzte Analogie der Geschlechtsbeziehungen zwischen Thieren und Pflanzen die Geschlechtlichkeit der Pflanzen schon vermuthen liefs, noch bevor durch Beobachtung und Experiment eine sichere Spur geschlechtlicher Function oder Differenz bei ihnen aufgefunden war, so konnte doch der strengen Wissenschaft unmöglich eine Muthmafsung genügen, deren Stütze nur in einer unbewiesenen Voraussetzung lag, und der heftige literarische Streit, der in verschiedenen Zeiten zwischen den Anhängern und Gegnern des Pflanzengeschlechts entbrannte und in die neueste Zeit hineinreichte, hat zur Genüge dargethan, wie nothwendig es sei, das Geschlecht der Pflanzen durch bessere Gründe als durch die vorausgesetzte Analogie mit den Thieren sicher zu stellen.

Da aber die grofsen morphologischen Unterschiede, welche Pflanzen aus verschiedenen Abtheilungen des Gewächsreiches in ihrem Baue und ihrem Wachsthume zeigen, sogar den Gedanken aufkommen liefsen, es könne die Grenze zwischen geschlechtlichen und geschlechtlosen Organismen mitten durch das Pflanzenreich gehen, so mufste, wenn der Zweifel an das Geschlecht der Pflanzen gänzlich schwinden sollte, die Aufgabe das Geschlecht nachzuweisen für jede Classe des Gewächsreiches besonders gelöst werden.

Das Geschlecht der Phanerogamen, die Nothwendigkeit des Zusammenwirkens des Pollenschlauches und des Pflanzeneies zur Bildung des Embryo kann freilich von keiner Seite mehr geläugnet werden; dafür sprechen unzweifelhafte Beobachtungen und Versuche, wenn auch die Ansichten über das Wesen des Befruchtungsactes noch immer auseinandergehen.

Auch die Geschlechtsorgane der höheren Kryptogamen sind, Dank der unermüdlichen Ausdauer noch lebender Physiologen, bereits bekannt, aber wir besitzen über die Weise ihrer materiellen Betheiligung am Zeugungsacte und selbst über die Nothwendigkeit ihres Zusammenwirkens kaum mehr als blofse Vermuthungen.

Bei den Florideen, Fucoideen, Flechten und Pilzen haben ältere und neue Untersuchungen jetzt doch wenigstens Organe kennen gelehrt, denen möglicher Weise geschlechtliche Funktionen zukommen.

Die neuesten Bemühungen endlich, die Antheridien an den Süfswasseralgen nachzuweisen, sind mit Ausnahme gewisser glücklicher Andeutungen, auf welche ich noch zurückkommen werde, als gänzlich verfehlt zu bezeichnen.

Dieser Zustand unserer Kenntnifs des Pflanzengeschlechts ist aber noch wenig befriedigend, denn wenn man von der Überzeugung ausgeht, dafs es zur Begründung der Geschlechtlichkeit nicht blofs genügt, die Existenz differenter Organe, denen möglicher Weise geschlechtliche Functionen zukommen können, nachzuweisen, sondern wenn man, wie es doch geschehen mufs, verlangt, dafs auch der Nachweis des Zusammenwirkens jener Organe zur Bildung des Samens oder der jungen Pflanze geführt werde, dann erscheint das Pflanzengeschlecht auch in den Abtheilungen des Gewächsreiches, in welchen bereits die Organe, die als Geschlechtsorgane betrachtet werden, bekannt sind, noch nicht mit derjenigen Bestimmtheit erwiesen, welche jeden Zweifel schwinden macht. Die Gründe für die Annahme des Geschlechtes liegen bei den Kryptogamen eigentlich nur in der Analogie der Bildungen, welche den Inhalt der Antheridien ausmachen mit den Samenfäden der Thiere; ferner in einigen vereinzelten Beobachtungen über Unfruchtbarkeit weiblicher Moose und Rhizocarpeen, wenn die männlichen Pflanzen oder Organe fehlen, endlich in dem Auftreten von Bastardformen unter den Farrnkräutern. Alle diese Erscheinungen lassen nun zwar mit grofser Wahrscheinlichkeit die Bedeutung der Antheridien voraussetzen, sie genügen aber nicht zu einem wissenschaftlichen Beweise.

Was zu einem klaren und überzeugenden Beweise noch mangelt, ist der Nachweis mindestens eines einzigen Falles, in welchem das Eintreten der pflanzlichen Spermatozoiden in das weibliche Organ und ihre Einwirkung auf dasselbe vollkommen deutlich und in einer leicht von jedem Beobachter zu constatirenden Weise gesehen werden kann. Dieser Anforderung entsprechen aber unsere Erfahrungen über den Vorgang in den Geschlechtsorganen weder bei niederen noch bei höheren Kryptogamen.

Zwar verkenne ich nicht den Werth der Versuche Thuret's, die auf experimentellem Wege die Geschlechtlichkeit der Fucaceen nachweisen und ich werde meine eigenen die Angaben Thurets völlig bestätigenden Versuche noch ausführlicher darlegen; allein bei morphologischen Vorgängen hat die directe Beobachtung des sichtbaren Vorganges unbedingt eine größere Beweiskraft als Versuche, die immerhin noch Zweifel übrig lassen, besonders da Thuret nur das Resultat seiner Versuche, und nicht die genaueren Bedingungen, unter welchen sie angestellt worden sind, mitgetheilt hat. Zudem können derartige Versuche zwar die Nothwendigkeit zweier Organe zur Bildung der jungen Pflanze erweisen, aber nicht über das W e s e n d e s B e f r u c h t u n g s a c t e s aufklären.

Ebenso verkenne ich weder den Werth der Aussage S u m i n s k i's, der das Eintreten der Spermatozoiden in das Archegonium der Farnkräuter bei *Pteris serrulata* gesehen haben will, noch die Bedeutung der Beobachtung H o f m e i s t e r s, welcher den gleichen Vorgang bei *Aspidium filix* beobachtet hat; allein in beiden Fällen setzt das Gewebe, welches das Archegonium umgiebt, der genauen Beobachtung so viele Schwierigkeiten entgegen, und der Beobachter hat das Phänomen so wenig in seiner Gewalt, daß es nur als ein kleines Glück eines einzelnen Beobachters betrachtet werden darf, diesen Vorgang dort zu sehen. Gewiß sind solche Fälle völlig ungeeignet die Grundlage der allgemeinen wissenschaftlichen Überzeugung zu bilden, ganz abgesehen selbst davon, daß die Beobachtungen Suminski's vielfachen Widerspruch erfahren haben und er jedenfalls über die Rolle, die der Samenfaden im Archegonium spielt, sich getäuscht hat.

Es muß daher als ein besonders glücklicher Umstand angesehen werden, daß es mir gelungen ist, den Vorgang an einer Pflanze zu sehen, welche es gestattet, das Eindringen der Spermatozoiden in das weibliche Organ mit völliger Schärfe und Klarheit bis in seine einzelnsten Details zu verfolgen, die nämlich so glücklich organisirt ist, daß die Organe der Zeugung unmittelbar ohne Verletzung der Pflanze in ihrem natürlichen Zustande beobachtet werden können, bei welcher endlich das weibliche Organ in Folge seiner Durchsichtigkeit der Beobachtung so wenig Hindernisse entgegen setzt, daß es möglich ist, die Thätigkeit der Spermatozoiden in dem weiblichen Organe fast stundenlang, so lange sie anhält, genau zu verfolgen. Ich habe die stufenweise Ausbildung der beiden Ge-

schlechtsorgane so weit verfolgt, um diejenigen Zustände derselben,
welche dem Eintreten des Zeugungsactes unmittelbar vorausgehen,
bezeichnen zu können. Hierdurch hat der Beobachter das Phänomen so sehr in seiner Gewalt, daſs er die Zeit des Eintritts der Erscheinung im Voraus zu bestimmen vermag, und den ganzen Befruchtungsact leicht auch vor andern zu demonstriren im Stande ist.
Da ich endlich diese Beobachtung an Vaucheria sessilis, einer der
niedrigsten Süſswasseralgen, gemacht habe, so erscheint der Zeu-
gungsact jetzt innerhalb einer der niedrigsten Abtheilungen des
Gewächsreiches genauer bekannt, als bei irgend einer andern höhern Pflanze oder einem Thiere, und es wird ferner kaum bezwei-
felt werden können, daſs das Geschlecht eine durchgreifende Eigenthümlichkeit aller Organismen ist, welche
bei den am höchsten organisirten Thieren wie bei den
einfachsten Zellenpflanzen in wunderbarer Analogie
sich offenbart.

1. Die Vaucheria besitzt auſser der ungeschlechtlichen Vermehrung durch Zoosporen noch eine wahrhaft geschlechtliche Fortpflanzung vermittelst der beiden Organe, welche als das Hörnchen und die Spore der Vaucherien bekannt sind. Schon Vaucher,
der zuerst jene Organe sah, hatte eine Abnung von der Bedeutung
der Hörnchen, die er für die Antheren der Pflanze erklärte, indem er
annahm, daſs der befruchtende Staub, der nach seiner Ansicht den
ganzen Schlauch erfüllen sollte, sich durch jene Hörnchen entleere.
Dieser Naturforscher, der vor 50 Jahren beobachtet hat, konnte mit
den damaligen Mitteln der Beobachtung und bei den damaligen Kennt-
nissen von dem Leben der Gewächse, kaum weiter in den wahren
Vorgang der Erscheinung eindringen, und es war gewiſs zu jener
Zeit nur einem so scharfsinnigen und unermüdlichen Beobachter
der Süſswasseralgen möglich, so weit in der Aufdeckung und Erklärung der Erscheinungen zu kommen, als es Vaucher gelungen ist.

Die Ansicht Vauchers von der Bedeutung der Hörnchen steht
der Wahrheit ungemein viel näher, als die Behauptungen neuerer
Algologen von einer Copulation des Hörnchens und der nebenstehende Spore, eine Behauptung, die schon durch die genauere Berücksichtigung der relativen Lage der Mündung der Spore und des
Hörnchens vor und nach geschehener Befruchtung sich widerlegt.
Diese Ansicht entstand durch die Herbeiziehung einer verfehlten

Analogie der Fructificationserscheinungen der Vaucherien mit der Sporenbildung der Spirogyren. Sie findet ebenso, wie die neueste, von Karsten gegebene, misglückte Darstellung der Vorgänge, die im Hörnchen und der Sporenfrucht von Vaucheria stattfinden sollen, ihre Widerlegung in der nachfolgenden Beschreibung des Befruchtungsactes dieser Pflanze. Eine eingehendere Beurtheilung der angeführten abweichenden Ansichten muss einem anderen Orte vorbehalten bleiben.

Der wahre Vorgang der Befruchtung bei den Vaucherien und die Entwicklung ihrer beiden Gesclechtsorgane, des Hörnchens und des nebenstehenden gekrümmten Organes, welches richtiger als Sporenfrucht, denn als Spore zu bezeichnen ist, geschieht aber in folgender Weise. Beide Organe erheben sich papillenartig wie Äste nicht weit von einander aus dem Schlauche, und zwar gewöhnlich in der Folge, dass die Papille die zum Hörnchen wird, früher sich bildet als diejenige, aus welcher die Spore entsteht (fig. 1.). Beide Papillen unterscheiden sich gleich von Anfang an durch ihre Dimensionen so sehr, dass sie kaum mit einander verwechselt werden können. Die Papille, die zum Hörnchen wird, verlängert sich bald in einen kurzen, cylindrischen, dünnen Ast, der zuerst senkrecht vom Schlauche in die Höhe wächst, dann sich umbiegt, dem Schlauche wieder entgegenwächst, sich oft noch ein zweites, ein drittes Mal umbiegt, und so stets einen mehr oder weniger gekrümmten Ast darstellt, der oft schneckenartig mehrere Windungen bildet. — Zur Zeit wenn die erste Krümmung des Hörnchens beginnt, entsteht gewöhnlich erst die Papille für die nebenstehende Sporenfrucht; doch ist dies sehr unbestimmt, indem diese bald viel früher, noch während das Hörnchen ganz gerade ist, bald viel später, nachdem das Hörnchen sich schon gekrümmt hat und fast zwei gleich lange Schenkel bildet, aus dem Schlauche hervorwächst.

Die zur Sporenfrucht bestimmte Papille schwillt nach und nach zu einem grösseren, seitlichen Auswuchs des Schlauches an, welcher die Breite des Hörnchens weit übertrifft, dagegen nur ungefähr die Länge des geraden Schenkels des Hörnchens besitzt (fig. 2.); dieser anfangs nach allen Seiten symmetrische Auswuchs treibt zuletzt eine dem Hörnchen zugekehrte schnabelartige Verlängerung, den Schnabeltheil der Sporenfrucht, wodurch diese die ihr eigenthümliche an die Form eines halb umgewendeten Pflanzeneies erinnernde Gestalt erhält (fig. 3). Bis zu dieser Zeit ist sowohl das Hörnchen als die Sporenfrucht noch nicht durch eine Wand von dem Schlauche, der sie trägt, abgeschlossen, die Höhlung des Hörnchens und die Höhlung der Sporenfrucht stehen also noch in vollkommener, ununterbrochener Continuität mit der Höhlung des Schlauches. Hörnchen und Sporenfrucht führen auch denselben Inhalt wie der Schlauch. Eine große Anzahl länglicher Chlorophyllkörnchen, deren Grundlage ein eiweißartiges Plasma — hier niemals Stärke — ist, und rundliche größere und kleinere Oeltropfen bilden einen dichten, innern Wandüberzug des Schlauches, der Sporenfrucht und des Hörnchens. Zwischen diesem körnigen Wandüberzug und der eigentlichen dicken Zellstoffhaut liegt eine sehr dünne Schicht von farbloser Substanz, die ich als Hautschicht des Zellinhaltes bezeichnet habe *). Die Sporenfrucht zeichnet sich noch besonders dadurch aus, daß in ihr die Oeltropfen in der größten Menge sich sammeln und scheinbar ihre eigentliche innere Höhlung ganz erfüllen.

Auf dieser Entwicklungsstufe entsteht plötzlich an der Basis der Sporenfrucht eine Scheidewand, und von nun an ist die Sporenfrucht eine selbstständige von dem Schlauche völlig getrennte Zelle geworden (fig. 4.). Noch bevor die Sporenfrucht sich durch die Scheidewand vom Schlauche abgetrennt hat, bemerkt man an ihrer, dem Hörnchen zugekehrten schnabelartigen Verlängerung die langsame Ansammlung einer farblosen, sehr feinkörnigen Masse; es ist dies dieselbe Masse, welche die Wand des Schlauches und der Sporenfrucht an ihrer innern Seite bekleidet, und die ich, wie bereits bemerkt, die Hautschicht nenne. Diese Ansammlung der Hautschicht vor dem Schnabelfortsatze nimmt nach der Bildung der Scheidewand zwischen Sporenfrucht und Schlauch immer mehr zu, und durch sie wird nach und nach der übrige Inhalt der Sporenfrucht, die Oeltropfen, das Chlorophyll und das Plasma immer mehr nach der Rückseite und der Basis der Sporenfrucht gedrängt (fig. 4.). Während diese Erscheinungen in der Sporenfrucht stattfinden, hat sich das Hörnchen ebenfalls in sehr bemerkenswerther Weise umgebildet. In seiner Spitze, die so lange das Hörnchen wächst, sich nicht anders verhält, als die Spitze wachsender vegetativer Aeste

---

*) Man vergleiche meine „Untersuchungen über den Bau und die Bildung der Pflanzenzelle" Berlin 1854.

der Vaucheria, hat sich nach und nach der Inhalt durch Verschwinden des Chlorophylls fast vollständig entfärbt, nur hier und da bleiben noch einige Chlorophyllkörner bald mehrere bald wenigere zurück. So erscheint das Hörnchen an seiner Spitze nun ebenfalls, wie die Sporenfrucht, mit einer farblosen Substanz erfüllt, die jedoch nicht durch eine Ansammlung der Hautschicht an dieser Stelle, sondern offenbar durch eine stoffliche mit Form- und Farbänderung verbundene Umwandelung des an der Spitze früher befindlichen Inhaltes gebildet wird. Dieser Unterschied der Bildungsweise der farblosen Substanz, die sich an der Spitze des Hörnchens und an der Spitze der Sporenfrucht vorfindet, verdient wohl im Auge behalten zu werden, sie steht mit der verschiedenen morphologischen Bestimmung dieser beiden Substanzen in wesentlichem Zusammenhange. Sobald der Inhalt der Spitze des Hörnchens auf die beschriebene Weise farblos geworden ist, erscheint er von einer sehr feinkörnigen, granulösen, schleimigen Substanz gebildet, die noch keine deutliche Einsicht in ihre Gestaltung gestattet. Nun nachdem die Umwandlung des Inhaltes erfolgt ist, scheidet sich plötzlich die Spitze des Hörnchens, soweit sie farblos geworden ist, von dem unteren noch grünen Theile durch eine Scheidewand ab, und gestaltet sich so zu einer besondern vom Schlauche und dem mit diesem in Verbindung stehenden Basal-Theile des Hörnchens getrennten Zelle. Hier entsteht also die Scheidewand nicht an der Basis, wie bei der Sporenfrucht, sondern in der Mitte des Hörnchens selbst. Die Stelle, wo die Scheidewand im Hörnchen entsteht, ist aber ziemlich unbestimmt; bald wird ein etwas größerer, bald ein kleinerer, vorderer Theil des Hörnchens durch sie abgeschnitten.

Nach der Bildung der Scheidewand im Hörnchen nimmt allmälig der farblose Schleim in seiner Spitze eine bestimmtere Gestalt an, und man erkennt nun leicht eine große Anzahl in verschiedener Stellung neben und über einanderliegender ganz farbloser kleiner Stäbchen, die noch hier und da von gestaltlosem Schleim umgeben, gleichsam in ihm eingebettet sind. Dem aufmerksamen Beobachter wird auch die undeutliche Bewegung nicht entgehen, welche einzelne dieser Stäbchen schon jetzt zeigen und die ihre Bestimmung im voraus ahnen läßt.

Diese Ausbildung des Hörnchens fällt der Zeit nach zusammen mit derjenigen Entwickelungsstufe der Sporenfrucht, auf

welcher die Ansammlung der Hautschicht vor dem Schnabelfortsatz
bereits den höchsten Grad erreicht hat und dieser Zustand der
Sporenfrucht und des Hörnchens geht unmittelbar dem Befruchtungsacte vorher. Indem nämlich durch die vor dem Schnabelfortsatz sich fortwährend vermehrende Hautschicht der Druck innerhalb der Sporenfrucht auf die Wände und namentlich in der Richtung des Schnabels immer stärker wird, wird endlich die Membran
gerade am Schnabelfortsatze durchrissen, und die Hautschicht fliefst
zum Theil aus dem geöffneten Fortsatze hervor (fig. 6.). Der nach
aufsen gedrungene Theil der Hautschicht reifst sich unter all den
Erscheinungen, welche die langsame Trennung einer schleimigen
Masse in zwei Theile begleiten, und die hier mit der gröfsten Evidenz den Mangel einer den herausfliefsenden Inhalt umgebenden
Membran nachweisen, von dem im Innern der Sporenfrucht zurückbleibenden Theile der Hautschicht ab, und gestaltet sich zu einem
schleimigen Tropfen, der in der Nähe der Öffnung der Sporenfrucht liegen bleibt und ohne sich irgendwie zu organisiren, unter
mannigfachen Erscheinungen der Wasseraufnahme und der Zersetzung zu Grunde geht (fig. 7 u. 8.). Die Ansammlung der Hautschicht im Inneren der Sporenfrucht vor dem Schnabelfortsatz und
das Hervortreten eines Theiles derselben ist nur der Mechanismus,
durch welchen die für den Eintritt der Spermatozoiden bestimmte
Öffnung der Sporenfrucht gebildet wird. Denn stets unmittelbar
nachdem die Öffnung der Sporenfrucht entstanden ist, in wunderbarer Coincidenz mit dem Durchbrechen der Hautschicht durch
den Schnabelfortsatz, öffnet sich das Hörnchen an seiner Spitze
und ergiefst seinen Inhalt nach aufsen (fig. 5.). Unzählige äufserst
kleine, stabförmige Körperchen, meist schon völlig isolirt, viele im
Augenblicke der Öffnung des Hörnchens noch in dem Schleime, in
dem sie entstanden, eingebettet, treten auf einmal durch die Öffnung des Hörnchens hervor. Die bereits isolirten entschlüpfen mit
ungemein rascher Bewegung nach allen Richtungen, die im Schleime
eingebetteten machen sich erst später nach und nach los und folgen mit gleicher Schnelligkeit den ersten. Bald ist das Gesichtsfeld
mit den beweglichen Stäbchen bedeckt. In grofser Anzahl, 20, 30
und mehr, dringen sie in die nahe Öffnung der Sporenfrucht hinein, die sie fast völlig erfüllen (fig. 9.). Sie treten an die im Inneren der Sporenfrucht zurückgebliebene Hautschicht heran; diese

noch sichtbar ohne jede feste membranartige Begrenzung setzt in Folge ihrer zäh-schleimigen Consistenz ihrem weitern Eindringen in die Sporenfrucht ein solides Hinderniß entgegen. Länger als eine halbe Stunde dauert nun ununterbrochen das Herandrängen jener beweglichen stabförmigen Körper an die Hautschicht; an ihrer äußeren Begränzung anprallend weichen sie zurück, drängen sich wieder heran, weichen wieder zurück, und so wiederholt sich in ununterbrochener Aufeinanderfolge ihr Herandrängen und Zurückweichen: ein wundervolles Schauspiel für den Beobachter. Nachdem dies Spiel einige Zeit gewährt hat, entsteht plötzlich eine scharfe Umgrenzungslinie an der äußeren Begrenzung der Hautschicht (fig. 10.), die erste Andeutung einer sich bildenden Haut um den vorher noch membranlosen Inhalt der Sporenfrucht. Von diesem Augenblicke an sind die beweglichen Körperchen von der Hautschicht durch eine ihre weitere Einwirkung auf den Inhalt hindernde Membran getrennt. Sie fahren zwar noch fort, sich in dem Schnabelfortsatz hin und her zu bewegen, und diese Bewegung dauert oft noch stundenlang, allein sie gehen endlich in dem Schnabelfortsatz selbst zu Grunde, indem ihre Bewegung immer langsamer wird und zuletzt ganz aufhört. Noch mehrere Stunden, nachdem der Befruchtungsact längst vorüber ist, findet man die zur Ruhe gekommenen, erstorbenen Körperchen in dem Schnabelfortsatz vor der im Inneren der Sporenfrucht gebildeten Spore liegen, bis endlich nach ihrer völligen Auflösung jede Spur von ihnen verschwunden ist. — Da der vor dem grünen Inhalte der Sporenfrucht liegende zurückgebliebene Theil der Hautschicht eine dicke Lage einer farblosen und durchsichtigen Substanz unmittelbar hinter der Eintrittsöffnung in die Sporenfrucht bildet; so ist man im Stande mit der größten Schärfe das Eindringen jener beweglichen Stäbchen, der Spermatozoiden der Vaucheria, in die Öffnung des Schnabelfortsatzes, sowie ihre fortwährenden Bemühungen an die Hautschicht sich heranzudrängen, die völlig den Anschein gewähren, als wollten sie in dieselbe hineindringen, genau zu verfolgen. Einige Male sah ich auch, nachdem die Spermatozoiden schon einige Zeit in die Sporenfrucht eingedrungen waren, mit voller Bestimmtheit das plötzliche Auftreten eines größeren farblosen Körperchens unmittelbar an der Grenze aber schon innerhalb der Hautschicht; (fig. 10.) Von diesem Körperchen ist früher niemals eine Spur in der Hautschicht.

bemerkbar. Sein plötzliches Auftreten n a c h der Befruchtung, seine peripherische Lage in der Hautschicht, seine Consistenz und sein Aussehen lassen kaum noch einen Zweifel darüber, daß d i e s e s K ö r-p e r c h e n v o n e i n e m e i n g e d r u n g e n e n S p e r m a t o z o i d b e r r ü h r t. Ich werde ganz etwas Ähnliches später beim Befruchtungsacte der Fucaceen beschreiben, und will hier nur vorerst auf den bemerkenswerthen Umstand aufmerksam machen, daß der Befruchtungsact nicht zwischen einer fertigen Zelle und einem oder mehreren Spermatozoiden stattfindet; sondern daß die Einwirkung der Spermatozoiden auf eine noch unorganisirte Inhaltsmasse der Sporenfrucht erfolgt, die erst nach dem Befruchtungsact zu einer von einer Membran umgebenen Zelle, der wahren Embryonal-Zelle der Pflanze, wird. —

Über die S t r u c t u r d e r S p e r m a t o z o i d e n[1]) der Vaucheria will ich hier nur noch erwähnen, daß sie während der Bewegung wie längliche, schmale Stäbchen von der Größe von $\frac{1}{180}'''$ erscheinen; durch Jod während der Bewegung getödtet, zeigten sie mir ebenfalls keine weitere Structur; dagegen erschienen diejenigen Spermatozoiden, welche ohne in die Sporenöffnung eingedrungen zu sein, nach langem Herumschwimmen endlich zu Grunde gingen, ganz deutlich wie kleine helle Bläschen ebenfalls $\frac{1}{180}'''$ groß, zeigten einen deutlichen dunkeln, nicht braunen Punkt, und — wie ich mit der größten Bestimmtheit sah — zwei Cilien, eine lange und eine kurze. Ihre Bewegung gleicht offenbar mehr der Bewegung der Körper, welche den Inhalt der Antheridien bei Fucus ausmachen, als der der Zoosporen. —

Ich habe erwähnt, daß der im Innern der Sporenfrucht bei ihrem Aufbrechen zurückgebliebene Theil der Hautschicht erst nach dem Befruchtungsacte, nämlich nach dem erfolgten Eintreten der Spermatozoiden sich sammt dem übrigen Inhalte der Sporenfrucht mit einer Membran umgiebt und zu einer die Sporen-

---

[1]) Ich halte es nicht nur für gerechtfertigt, sondern sogar für nothwendig den Namen „Spermatozoiden" für die beweglichen Bildungen in den Antheridien der Pflanzen beizubehalten, um die gar nicht zu verkennende Analogie jener Bildungen mit den Spermatozoen der Thiere auszudrücken. Analogien die vorhanden sind, zu läugnen, ist gewiß ein eben so großer Fehlgriff, als sie an unrichtiger Stelle zu suchen.

nicht völlig erfüllenden Zelle, der Embryonalzelle der Pflanze, bildet.

Die Bildung der Membran dieser Embryonalzelle der Vaucherien ist einer der beweisendsten Fälle für meine in der bereits angeführten Schrift über die Pflanzenzelle aufgestellte Ansicht der Entstehung der Zellwand durch unmittelbare Umbildung der Hautschicht (des sg. Primordialschlauches). Daß der Inhalt der Sporenfrucht beim Öffnen des Schnabelfortsatzes und dem Heraustreten eines Theiles der Hautschicht noch nicht von einer eigenen Membran umgeben ist, machen die früher angeführten Erscheinungen der Ablösung eines Theiles der Hautschicht gewiß. Es fällt aber für sogleich in die Augen, daß die Hautschicht, die auch nach dem Heraustreten eines Theiles aus der Öffnung noch ringsherum den grünen Inhalt der Sporenfrucht umgab, und in einer besonders dicken Lage an der vorderen der Öffnung zugekehrten Seite des Inhaltes angesammelt war, bei der nach der Befruchtung erfolgenden Entstehung der ganzen Membran zusehends an Masse abnimmt, und immer mehr in dem Maße verschwindet, als die gebildete Membran dicker wird (fig. 10, 11, 12, 13.). Hier kann man fast sichtbar die Verwandlung der Hautschicht in die Membran verfolgen. Diese Membran nimmt nach und nach an Dicke stark zu; sie erscheint später von vielen dünnen Schichten gebildet, und legt sich überall an die vorn offene Haut der Sporenfrucht an (fig. 14.). Von der früher so stark ausgebildeten Hautschicht ist später, nachdem die Membran der eigentlichen Spore gebildet ist, fast keine Spur; nur noch ein äußerst dünner Wandüberzug ist von ihr übrig geblieben. Der grüne Inhalt der in der Sporenfrucht durch die Ansammlung der Hautschicht nach hinten zurückgedrängt worden war, hat sich unterdeß wieder gleichmäßig in der gebildeten Spore ausgebreitet, und bildet, wie in allen Zellen, einen dicken inneren Wandbeleg.

Die durch Befruchtung gebildete wahre Spore stellt demnach eine große die Sporenfrucht ganz erfüllende Zelle dar, deren dicke vielleicht in Folge, gewiß nach der Befruchtung gebildete Membran schichtenweise verdickt erscheint. Sie wird allseitig von der noch vorhandenen, vorn geöffneten und in den Schnabelfortsatz verlängerten Haut der Sporenfrucht umgeben.

In diesem Zustande verharrt die Spore noch längere Zeit, ohne von dem Schlauche, an welchem sie entstand, abzufallen. Die bei

ihrer Entstehung schön grüne Farbe ihres Inhaltes erblafst aber allmälig immer mehr; die Spore wird endlich ganz farblos und zeigt
nur in ihrem Inneren einen oder mehrere gröfsere dunkelbraune
Körper (fig. 14 u. 16.). Nachdem sie völlig erblafst ist, fällt sie in
Folge der beginnenden Zersetzung der Sporenfruchtmembran vom
Schlauche ab (fig. 17.). Nach längerer Zeit, bei meinen Versuchen
nach etwa 3 Monaten, fängt die an den rothbraunen Kernen in ihrem
Inneren leicht kenntliche Spore plötzlich an wieder grün zu werden (fig. 18.) und bald darauf wächst sie in einen jungen, der Mutterpflanze völlig gleichen Vaucherien-Schlauch aus (fig. 19. 20.).
Wie die genauere Beobachtung lehrt, ist es die innerste Schicht
ihrer dicken Membran, welche sich verlängernd die äufseren Schichten durchbricht und zu dem jungen Schlauche auswächst, in ganz
ähnlicher Weise, wie ich es bereits früher von der keimenden Spore
der Spirogyren beschrieb.

Durch die Beobachtung der Keimung dieser Spore ist aber
der vollständige Beweis geliefert, dafs diese in Folge der Einwirkung der Spermatozoiden gebildete Zelle, die wirkliche durch einen geschlechtlichen Act entstandene Fortpflanzungszelle der Vaucheria ist. —

II. Ganz analog dem Befruchtungsacte der Vaucheria findet die
Befruchtung der Fucaceen statt. In den Memoiren der Naturforschenden Gesellschaft zu Cherbourg hat Thuret etwa vor einem
Jahre höchst bemerkenswerthe Experimente mitgetheilt, die er mit
der Spore und den Antheridien der Fucaceen angestellt hat. Er
fand, dafs die Sporen der Fucaceen nur beim Contact mit den beweglichen Inhaltskörpern der Antheridien keimten; wurden die
Sporen isolirt, was bei den diöcischen Fucaceen leicht zu bewerkstelligen ist, so gingen sie regelmäfsig zu Grunde ohne Keimungserscheinungen zu zeigen. Diese Versuche, die offenbar auf ein Geschlecht der Fucaceen hinwiesen, erregten in so hohem Grade mein
Interresse, dafs ich beschlofs, sie zu wiederholen. Im vergangenen
Sommer habe ich in Helgoland dieselben Versuche an *Fucus vesiculosus*, der dort diöcisch auftritt, mit der gröfsten Sorgfalt angestellt. Ich werde die genauern Details dieser Versuche an einem andern Orte ausführlicher mittheilen. Hier mag es genügen, das Resultat derselben anzugeben.

In einer ziemlich grofsen Reihe gleichlaufender Doppel-Untersuchungen, in welchen stets die Sporen von derselben Pflanze in dem einen Falle isolirt, in dem andern Falle mit den Antheridien der männlichen Pflanzen vermischt wurden, fand ich, dafs die isolirten Sporen ohne Ausnahme jedesmal ohne Keimungserscheinungen zu Grunde gingen, dafs aber die mit den Antheridien vermengten Sporen in der gröfsten Mehrzahl der Fälle kurze Zeit — 1 bis 2 Tage — nach dem Zusammenbringen mit den Antheridien zu keimen begannen. Ich habe die Keimung dieser Sporen bis zu einer solch vorgeschrittenen Entwickelungsstufe verfolgt, die keinen Zweifel mehr übrig liefs, dafs die aus der Spore entstandenen Keimlinge die jungen der Mutterpflanze gleichen Gewächse seien.

Da diese Versuche die von T h u r e t aufgestellte Vermuthung über die geschlechtliche Function der Spermatozoiden zu bestätigen schienen, bemühte ich mich, den etwaigen m a t e r i e l l e n E i n f l u f s derselben auf die Sporen mikroskopisch zu beobachten.

Obgleich die dicht mit körnigem und dunklem Inhalte erfüllten Sporen der Fucaceen durchaus nicht so günstig für die Beobachtung der Vorgänge sind, die in ihrem Inneren stattfinden, als die Sporenfrucht der Vaucherien, waren meine Bemühungen dennoch nicht erfolglos.

Auch bei *Fucus vesiculosus* ist es nicht die Spore, welche befruchtet wird. Die sogenannte Spore dieser Pflanze ist eine grofse, dickwandige, von einem einzelligen kurzen Stiele getragene und dicht mit körnigem Inhalte erfüllte Zelle. Zur Zeit der Reife zerfällt der Inhalt dieser Spore in 8 Theile, welche ich als Theilsporen bezeichnen will. In diesem Zustande wird der Sporeninhalt aus der glasartig-hellen, dicken Membran der Spore herausgestofsen und durch die Öffnung der Hüllenfrucht hindurch nach aussen entfernt (Fig. 21.). Dies geschieht gewöhnlich dann, wenn die nahe am Strande wachsenden Pflanzen durch die Ebbe trocken gelegt werden. Unter denselben Umständen werden auch die Antheridien-Säcke durch die Öffnung der Hüllenfrucht der männlichen Pflanzen hindurch herausgeworfen. Wenn dann die Fluth wieder eintritt, und das Wasser die Pflanzen wieder bedeckt, platzen die Antheridien-Säcke ganz in der durch T h u r e t und D e c a i s n e bekannten Weise und entlassen die beweglichen Spermatozoiden, die nun nach allen Richtungen entweichen und zu den Theil-Sporen, die sich vor den Mündungen der Hüllfrüchte der weiblichen

Pflanzen angesammelt haben, gelangen. Diese je 8 zusammengehörigen in einer Spore entstandenen Theilsporen, welche bei ihrem Hervortreten noch in einer gemeinschaftlichen Gallerte eingebettet lagen (Fig. 21.) haben sich unterdefs unter Verschwinden der verbundenen Gallerte isolirt. Man sieht nun deutlich, dafs jeder Theil für sich ebenfalls von einer sehr dünnen farblosen Gallertschicht umgeben ist (Fig. 22.), und erkennt mit Bestimmtheit, dafs diese 8 Inhaltspartien der ursprünglichen Zelle jetzt noch keine eigne Zellstoffmembran besitzen. Wenn hierüber noch ein Zweifel übrig bleiben könnte, so verschwindet er vollständig bei der genaueren Betrachtung der beiden in natürlicher Lage untersten Theilsporen, die beim Hervortreten des Inhalts zuletzt aus der Spore hervorkommen (Fig. 21 a.). Diese laufen nämlich regelmäfsig an ihrem einen Ende in eine Spitze aus, die den Mangel einer Membran um so sicherer anzeigt, als die bei der Isolirung dieser beiden Sporen eintretenden Gestaltveränderungen, die durch die spätere Abrundung dieser Sporen zur Kugel bedingt sind, unmöglich beim Vorhandensein einer Membran eintreten könnten. An diese membranlosen, nur von einer dünnen Gallertschicht bekleideten Massen treten die Spermatozoiden heran. Diese Massen — die Theilsporen von Fucus — sind es, welche nach erfolgter Befruchtung zu den jungen Fucuspflanzen heranwachsen. Die erste Erscheinung der beginnenden Keimung an ihnen ist das Auftreten einer sichtbaren, derben Membran (Fig. 23.) an ihrer Umgrenzung, offenbar auch hier ein Umwandlungsproduct der Gallerte, die sie umgab. Etwa 24 Stunden nach dem Zusammenbringen dieser Massen mit den Spermatozoiden tritt die Membran an ihnen auf.

Es war mir schon bei den ersten befruchteten Sporen aufgefallen, dafs sobald die derbe Membran um die Theilsporen sich gebildet hatte, eine Anzahl kleiner r o t h b r a u n e r K e r n e, die vorher sicher nicht vorhanden waren, an der Peripherie der Theilsporen sichtbar wurden, und v o n d e r n e u g e b i l d e t e n M e m b r a n, deren i n n e r e S e i t e sie b e r ü h r t e n, zugleich mit der M a s s e der T h e i l s p o r e n u m s c h l o s s e n waren. Ich suchte später diese kleinen rothbraunen Kerne (Fig. 23.) an befruchteten Theilsporen, die nachher zu jungen Pflanzen auswuchsen, niemals vergeblich; sie traten fast gleichzeitig mit der Bildung der Membran an der Grenze der Theilspore auf, und verschwanden erst später bei der weiteren Entwickelung der befruchteten Theilspore (Fig. 24.). Ich wagte damals noch nicht jene rothbraunen Kerne für die eingedrungenen Spermatozoiden, die bei Fucus durch ihren rothen Kern so kenntlich sind, zu erklären. Jetzt, nachdem ich auch bei Vaucheria den farblosen Kern innerhalb der Hautschicht unmittelbar nach Bildung der starren Membran aufgefunden habe, ist es für mich keinem Zweifel mehr unterworfen, daſs jene Kerne, die in die zu befruchtende Masse eingedrungenen Spermatozoiden sind. Entsprechend den mit rothem Kerne versehenen Spermatozoiden von Fucus erscheinen die eingedrungenen Kerne bei dieser Pflanze rothbraun gefärbt, während sie bei der farblose Spermatozoiden besitzenden Vaucheria ebenfalls farblos sind.

Wir finden demnach hier dieselbe Erscheinung wieder, die ich bei Vaucheria hervorhob, daſs nämlich der Befruchtungsact nicht in der Einwirkung der Spermatozoiden auf eine bereits fertige mit einer Membran versehenen Zelle, ein Embryonalbläschen, welches durch seine Membran hindurch befruchtet würde, besteht; sondern vielmehr darin, daſs ein oder mehrere Spermatozoiden in eine noch membranlose, körnige Masse hineindringen, worauf erst diese sich mit einer die eingedrungenen Spermatozoiden gleichfalls einschlieſsenden Membran bekleidet und so die der unmittelbaren Entwicklung fähige Embryonalzelle der Pflanze darstellt.

Offenbar wird hierdurch das Wesen des Befruchtungsactes der Organismen, der bei Fucus und noch mehr bei Vaucheria völlig nackt vor unsere Augen tritt, klarer und naturwahrer ausgedrückt, als durch die bisher gangbaren Vorstellungen.

Die Mutterspore bei Fucus und die Sporenfrucht bei Vaucheria sind morphologisch gleichwerthig der Centralzelle des Archegonium bei Farrnkräutern und Moosen, auf welche der Canal desselben hinführt und dem Embryosacke phanerogamer Gewächse. Ich habe mich bisher vergeblich bemüht, in der Centralzelle der Archegonien eine schon vor der Befruchtung vorhandene Embryonalzelle aufzufinden. Vielmehr halte ich mich überzeugt, daſs auch hier die wahre Embryonalzelle erst nach erfolgtem Eintritt der Spermatozoiden um einen Theil des Inhalts der Centralzelle sich bildet und die eingedrungenen Spermatozoiden mit einschlieſst. Sollte derselbe Vorgang nicht auch bei den Phanerogamen stattfin-

den? Sollte die in den Embryosack eindringende Spitze des Pollenschlauches nicht die Spermatozoiden beherbergen, welche gemeinschaftlich mit dem Inhalte des Embryosackes zur ersten n a c h der
Befruchtung sich bildenden Zelle des Embryo würden?

Meine auf diesen Punkt bezüglichen Untersuchungen hoffe
ich binnen Kurzem veröffentlichen zu können.

Deuten die neueren Untersuchungen über den Eintritt der Sa-
menthiere in das thierische Ei endlich nicht gleichfalls eine m a t e -
r i e l l e Betheiligung derselben bei der Bildung der e r s t e n Zelle
des Embryo aus dem Dotter an? Sollte nicht auch hier die e r s t e
Zelle des Embryo aus der Dottermasse erst n a c h der Befruchtung,
das heißt nach dem Hinzutreten der Spermatozoen zu der zur Embryonalzelle bestimmten Masse entstehen?

Wer die durch sämmtliche Classen thierischer wie pflanzlicher
Organismen durchgehende Analogie des Befruchtungsactes nicht
verkennt, die sich in der wesentlichen Gleichartigkeit der beweglichen Bildungen des männlichen Befruchtungsstoffes, wie in der
ähnlichen Weise des Zutritts dieser Bildungen zum weiblichen
Zeugungsorgane so deutlich ausspricht, muß der nicht von dem
nackten Zeugungsacte bei Vaurheria und Fucus auf den verborgenen der complicirter gebauten Organismen schließen?

Doch ich will an dieser Stelle jene so nahe liegenden Vermuthungen zurückdrängen um mich der Untersuchung zuzuwenden, in wie
weit auch bei a n d e r e n A l g e n, außer bei Vaucheria und Fucus, die
Geschlechtsorgane etwa schon bekannt sind, und was über den Ort,
wo und die Art, wie die Befruchtung bei ihnen vorgeht sich schon
jetzt theils nach bereits bekannten Thatsachen, theils nach meinen eigenen neuesten Untersuchungen mit größerer oder geringerer Wahrscheinlichkeit wenigstens vermuthungsweise aussprechen lässt. —

III. Zunächst zu den F l o r i d e e n übergehend, ist es bekannt, daß
bei ihnen schon vor langer Zeit Organe aufgefunden worden sind,
welche bereits von den ersten Beobachtern für Antheridien erklärt
wurden, freilich ohne daß diese ihre Ansicht durch stichhaltige
Gründe beweisen konnten.

Nachdem die sogenannten Spiralfadenorgane durch U n g e r [1])
bei den Moosen und durch N ä g e l i [2]) bei den Farrnkräutern bekannt

---

[1]) Nova Act. etc. Car. Leop. Vol. XVIII. P. II.

[2]) Zeitschrift f. w. Bot. Heft 1. p. 168.

wurden, fand man in der Existenz der Spiralfäden einen hinreichenden Grund dafür, ein Organ, welches sie enthielt, als einen den männlichen Zeugungsorganen analogen Geschlechtsapparat zu betrachten, und man bemühte sich die Spiralfäden in allen denjenigen Organen nachzuweisen, welche als Antheridien angesehen wurden. So behauptete Naegeli auch in den Zellen der Antheridien der Florideen die Spiralfäden gesehen zu haben und obgleich damals der Werth der Spiralfäden durch die directe Beobachtung auch durchdurchaus noch nicht erwiesen war, so wurde ihre geschlechtliche Function doch schon vorausgesetzt, und Naegeli hielt sich in Folge seiner vermeintlichen Entdeckung der Spiralfäden für berechtigt, die sogenannten Antheridien der Florideen für Geschlechtsorgane zu erklären.[1]) Es ist nun zwar jetzt gewiß, daß Naegeli sich geirrt hat, und daß jene Zellen der Florideen-Antheridien keine Spiralfäden enthalten — die in diesem Punkte übereinstimmenden Beobachtungen von Thuret, Mettenius, Derbès und Solier und meine eigenen Untersuchungen an den Antheridien von *Polysiphonia* und *Ceramium* lassen hierüber gar keinen Zweifel mehr — nichts desto weniger sind jene Organe dennoch die wahren Antheridien der Florideen.

Jetzt, nun die Befruchtung bei Fucus und Vaucheria durch bewegliche Körper, die im Baue sich von den Spiralfäden nicht unwesentlich unterscheiden, keine bloße Vermuthung mehr ist, und die geschlechtliche Function der Spermatozoiden von Vaucheria und Fucus sogar sicherer gestellt ist, als je die geschlechtliche Function der Spiralfäden der Farrnkräuter und Moose, kann die Existenz von Spiralfäden nicht mehr als der einzige morphologische Beweis der männlichen Geschlechtsfunction eines Organes angesehen werden, und es muß zugegeben werden, d a ſ s e s m e h r e r e F o r m e n s e l b s t b e w e g l i c h e r K ö r p e r g i e b t , w e l c h e b e i d e n P f l a n z e n d i e F u n c t i o n d e r S a m e n t h i e r e a u s ü b e n.

Außer den den thierischen Samenthieren in der Structur sich anschließenden Spermatozoiden der Farrnkräuter, Moose, Characeen u. s. w. kennen wir jetzt noch die mehr den Zoosporen sich nähernde Form, wie sie bei den Fucaceen auftritt, und endlich die

---

[1]) Die neueren Algensysteme. Zürich 1847. pg. 187 u. f.

von beiden verschiedene den Vaucheria-Spermatozoiden eigenthümliche, die ihre nächst verwandten Bildungen wohl bei den
Flechten finden dürfte. Die Zellen der sogenannten Antheridien
der Florideen gleichen aber offenbar in der Gestalt ausnehmend den
Spermatozoiden der Fucaceen und noch mehr den von mir an
Sphacelaria aufgefundenen, noch unbekannten Spermatozoiden,
die in ihrem Baue eine Mittelform zwischen beiden zu bilden scheinen. Diese Übereinstimmung im Bau, die jedem Beobachter dieser
Formen sogleich auffallen wird, macht es im höchsten Grade wahrscheinlich, daſs diese Organe die wahren männlichen Geschlechts-
apparate der Florideen sind, wenn auch die bei den übrigen Pflan-
zen-Spermatozoiden stets so bedeutende Beweglichkeit ihnen nur
in minderem Grade eigenthümlich scheint. Ich kann, was die Bewegung der Antheridien-Zellen an Polysiphonia betrifft, nur dasjenige bestätigen, was Thuret hierüber bekannt gemacht hat. Zwar
sah ich ein allmäliges Leerwerden der anfangs gefüllten Antheridien; aber ich fand die einzelnen Antheridien-Zellen neben dem
Antheridium, aus dem sie herausgetreten waren, wohl frei, jedoch
immer bewegungslos liegen. Cilien, die Derbès und Solier gesehen
haben, konnte ich an ihnen eben so wenig wie Thuret und Mettenius wahrnehmen.

Eben so wichtig wie die Auffindung der Antheridien, ist aber
der Nachweis, welches die Organe der Florideen sind,
die durch die gewiſs vorhandenen Antheridien befruchtet werden.

Bei einem zu kurzen Aufenthalte in Helgoland war es mir nicht
möglich, durch ähnliche Versuche, wie sie Thuret und ich bei
den Fucaceen angestellt haben, diese Frage für die Florideen zu
entscheiden. Ich fand die Individuen, welche Antheridien tragen,
sowohl von einer auf *Chorda filum* wachsenden dünnen Polysiphonia als von *Ceramium rubrum* — den beiden einzigen Florideen die
ich in Helgoland mit Antheridien sah — erst kurz, bevor ich Helgoland verlassen muſste. — Diese, mit den diöcischen Florideen so
leicht wie mit den Fucaceen anzustellenden Versuche verdienen von
denjenigen Botanikern aufgenommen zu werden, welche beständig
an der Meeresküste wohnen. Ich habe jedoch noch versucht, durch
die Beobachtung der Keimung der Vierlings- und Kapsel-

sporen von *Ceramium rubrum* der Entscheidung dieser Frage näher zu rücken.

Es sind nur wenige Keimungsbeobachtungen an Florideen bekannt und der wesentliche diesen wenigen Keimungsgeschichten anhängende Fehler besteht darin, dafs die Beobachter sich mit der Entwicklung einiger Zellen aus der Spore begnügten, und sich nicht davon zu überführen suchten, ob das aus der Spore hervorgehende Gebilde der Mutterpflanze gleiche oder nicht. Um dies zu entscheiden, sind diejenigen Pflanzen gewifs am günstigsten, deren Wachsthumsgesetze bekannt sind, und ich habe deshalb meine Versuche mit den Sporen der Ceramien angestellt, weil ich die Bildung des Stammes der Ceramien mit einer für diese Frage genügenden Genauigkeit erforscht hatte. Von der Bildungsweise der Ceramien genügt es für diesen Zweck zu wissen, dafs sie mit einer Terminalzelle wachsen, aus deren fortwährender horizontalen Theilung die einzelnen Glieder hervorgehen, und dafs die ersten Zellen der sogenannten Rindenschicht durch schiefe Wände, die sich in den Gliederzellen in der Richtung von oben und innen nach unten und aufsen bilden, entstehen; diese ersten Rindenzellen theilen sich alsdann wiederholt, und bilden so das Rindengewebe, welches die Centralzellreihe umgiebt.

Die Vierlingsspore von Ceramium befolgt nun bei ihrer Keimung von der ersten Theilung an das genannte Gesetz. Sie ist selbst die erste Spitzzelle der werdenden Pflanze. Man erkennt schon an einem zwei- oder dreizelligen, aus der Vierlingsspore entstandenen Keimlinge genau die Bildung der Glieder durch Theilung der obersten, der Terminal-Zelle, und die beginnende Rindenbildung durch die Entstehung der ersten Rindenzellen vermittelst schiefer Theilung der Gliederzellen, und so kann man schon bei einem erst 3—4 Zellen langen Keimlinge nicht mehr in Zweifel sein, dafs man ein junges Ceramium-Pflänzchen vor Augen hat.

Anders aber verhält sich die Kapselspore. Aus ihr entsteht ein höchst unregelmäfsiges zelliges Gebilde, welches in Form und Entstehung durchaus keine Ähnlichkeit mit dem Körper von *Ceramium* besitzt. Agardh*) der die Keimung von *Ceramium*, und zwar nach seinen Zeichnungen zu urtheilen, die Keimung der Kapselspo-

---

*) Ann. des sc. nat. 2me Série, Tome VI. und Linnaea 1835.

ren beobachtet und die Keimlinge, wenigstens dem Habitus nach, auch richtig gezeichnet hat, hat dies Verhältnifs nicht genügend beachtet.

Offenbar bildet sich aber hier aus der Kapselspore ein V o r - k e i m, und es fragt sich nur, ob dies Gebilde dem Vorkeime der Moose oder dem *Prothallium* der Farrnkräuter gleichwerthig ist. Da ich öfters noch in der g e s c h l o s s e n e n Kapselfrucht der Ceramien schon die beginnende Keimung sah, ohne einen Zugang in die Kapselfrucht zu bemerken, so scheint es mir nicht unwahrscheinlich, dafs die Befruchtung der Florideen auf dem Vorkeime, den die Spore der Kapselfrucht bildet, geschieht; wenn nicht etwa die Florideen mit geschlossenen Kapselfrüchten sich in dieser Beziehung noch anders verhalten wie diejenigen, deren Kapseln einen nach innen führenden Kanal besitzen. Leider mufste ich die Beobachtung der Vorkeime, ohne über diesen Punkt Gewifsheit erlangt zu haben, unterbrechen, und meine Versuche Ceramium - Sporen in künstlichem Seewasser zu cultiviren, sind mir mifslungen.

Soviel glaube ich jedoch aus diesen Beobachtungen schliefsen zu können, dafs die V i e r l i n g s - S p o r e n der Florideen nur wie Knospen der ungeschlechtlichen Vermehrung dienen, während die Kapsel-Sporen entweder die wahren weiblichen Geschlechtsorgane der Florideen sind, oder doch wenigstens, wie die Sporen der Farrnkräuter, ein Gebilde hervorbringen, welches die weibliche Geschlechtsfunktion in irgend einer Weise ausübt.

IV. Unter den F u c o i d e e n A g a r d h's steht die erwiesene Existenz der Antheridien bei den wahren Fucaceen (Angiospermeen Kützing's) schon nicht mehr isolirt da.

T h u r e t hat die Antherideen bei *Cutleria* aufgefunden [*]), und die Bedeutung der beweglichen Körper in denselben richtig erkannt, obgleich das Organ, in welchem bei *Cutleria* die beweglichen Spermatozoiden entstehen, wesentlich anders gebaut ist, als die Antheridien der Fucaceen, und obgleich das gleichzeitige Auftreten von Zoosporen und Antheridien an derselben Pflanze, wenn auch nicht an denselben Individuen, nothwendig sein Befremden erregen mufste, da er noch von der Ansicht ausging, dafs die mit Zoosporen versehenen Algen geschlechtslos seien.

---

[*]) Ann. des sc. nat. IIIme Série. Tome XVI.

Ein zweites Beispiel mit beweglichen Spermatozoiden erfüllter Antheridien, welche in ihrem Baue und ihrer Entwicklung sich überdies weit mehr den Antheridien von Fucus anschliefsen, als diejenigen, die Thuret bei Cutleria beobachtete, habe ich vor zwei Jahren in Triest an *Sphacelaria tribuloides* aufgefunden.

Die Terminalzelle der *Sphacelaria*, welche, so lange der Ast noch jung ist, als vegetatives Organ durch fortwährende horizontale Theilung die Glieder des Astes bildet, hört, sobald der Ast älter geworden ist, plötzlich auf sich zu theilen; sie vergröfsert sich bedeutend, und bildet nun das mit Inhalt stark erfüllte an der Spitze alter Äste befindliche Organ, welches die Algologen die Sphacela genannt haben. Diese stets terminale Sphacela ist in der That nichts anders, als die gröfser gewordene Terminalzelle des Astes. Ganz ebenso verhalten sich auch die Terminalzellen jener eigenthümlich metamorphosirten Seiten-Äste, die als Brutknospen der Sphacelaria bekannt sind, und durch unmittelbares Auswachsen neue Sphacelarien bilden können. Innerhalb dieser zur Sphacela gewordenen Terminalzelle der gewöhnlichen Äste, so wie der Brutknospen bilden sich später eine oder mehrere grofse Zellen, welche gewöhnlich nicht den ganzen Inhalt der Sphacela einschliefsen. Diese Zellen sind die Antheridien der Sphacelarien. Der Inhalt dieser Antheridien, früher braun, erblasst nach und nach vollständig und erscheint undeutlich organisirt, wie eine nicht scharf in einzelne, rundliche Körperchen zerfallene, farblose, feinkörnige Schleimmasse, dem Inhalte eines noch ungeöffneten Moos-Antheridiums sehr ähnlich.

Schon kurze Zeit, nachdem das Antheridium diese Stufe seiner Ausbildung erreicht hat, wächst plötzlich seine Membran einseitig in eine lange röhrenartige Verlängerung aus, die die Wand der Sphacela durchbricht (Fig. 25.) und sich an der Spitze öffnet. Sogleich beginnt unter den Augen des Beobachters eine starke drängende und wimmelnde Bewegung im Inhalte des Antheridiums. Man erkennt, dafs die undeutliche Organisation, die der Inhalt im ungeöffneten Antheridium zeigte in dem Vorhandensein neben- und übereinander liegender, kleiner farbloser Körper, die in dem engen Raume sich bedrängten, seine Ursache hatte.

Die meisten dieser Körper treten rasch und von einander völlig isolirt durch den röhrenartigen Fortsatz heraus und bewegen sich selbstständig und frei mit großer Schnelligkeit nach allen Richtungen. Die in dem Antheridium noch zurückgebliebenen haben nun an Raum gewonnen, und ihre Bewegung noch innerhalb desselben ist, wenn auch minder schnell als die der ausgetretenen, doch schon eine deutliche Ortsbewegung.

An den im Antheridium zurückbleibenden Spermatozoiden habe ich die Bewegung länger als eine Stunde beobachten können, dagegen gingen die ausgetretenen Spermatozoiden schon nach wenigen Minuten zu Grunde. Die Bewegung der Spermatozoiden, nachdem sie das Antherium verlassen haben, ist zwar ungemein rasch, sie durchlaufen bedeutende Strecken und zerstreuen sich nach allen Richtungen, und in sofern gleicht sie der bekannten Bewegung der Zoosporen, dagegen unterscheidet sie sich wieder von dieser durch gewisse Eigenthümlichkeiten, die ich ebenso bei der Bewegung der Spermatozoiden der Fucaceen und derer von Vaucheria beobachtet habe, und die mir einen durchgreifenden Unterschied zwischen der Bewegung der Zoosporen und Spermatozoiden zu begründen scheinen. Ich will diesen Unterschied kurz so fassen, daß die Bewegung der Zoosporen mehr eine ununterbrochen gleichlaufende, die der Spermatozoiden eine unterbrochene und springende ist.

Die Spermatozoiden von Sphacelaria stellen sehr kleine helle Bläschen vor ohne jeden dunklen oder gefärbten Kern, und in sofern haben sie die überraschendste Ähnlichkeit mit den Antheridien-Zellen der Florideen, anderseits aber besitzen sie zwei Cilien wie die Spermatozoiden der Fucaceen und bewegen sich gleich diesen lebhaft und in ähnlicher Weise. Sie scheinen daher eine Mittelbildung zwischen den Spermatozoiden der Fucaceen und Florideen darzustellen, wobei freilich nicht zu übersehen ist, daß sie den ersteren namentlich durch die Bildung der Antheridien innerhalb einer einzigen Zelle, und durch die Art, wie das Antheridium sich öffnet, offenbar viel näher stehen.

Daß die freigewordenen Spermatozoiden der *Sphacelaria tribuloides* bei meinen Beobachtungen so rasch zu Grunde gingen, mag in dem Mangel der weiblichen Individuen seinen Grund haben. Als solche zweifle ich keinen Augenblick diejenigen anzusehen, welche die seitlich aufsitzenden Sporen tragen. Bei Triest scheint sich jedoch die *Sphacelaria tribuloides* nur durch

Brutknospen fortzupflanzen, und es sind die Individuen, welche die Brutknospen tragen, die gleichzeitig die Antheridien bilden.

Ganz dieselben Antheridien, die sich in gleicher Weise durch einen röhrenartigen Fortsatz öffnen, fand ich endlich noch im vergangenen Sommer in Helgoland an *Cladostephus spongiosus*; dies war wegen der Verwandschaft zwischen Sphacelaria und Cladostephus von vorn herein zu erwarten. Hier ist es die Terminalzelle der im Verticill gestellten Seitenäste, welche zur Mutterzelle des Antheridiums, zur Sphacela, wird.

Bemerken will ich hier noch, daſs es mir sehr wahrscheinlich geworden ist, daſs *Sphacelaria tribuloides* noch Zoosporen bildet, die aus den Gliederzellen heraustreten; doch habe ich mich nicht mit Sicherheit davon überzeugen können, daſs die braunen Zoosporen, die ich jedesmal sah, wenn ich die Sphacelarien untersuchte, aus den Gliedern dieser Pflanze herausgetreten waren.

V. Fassen wir nun die Geschlechtsverhältnisse der den Vaucherien zunächst stehenden Süſswasseralgen näher ins Auge, so ist es nach meinen Beobachtungen an Vaucheria wohl zur Genüge bewiesen, daſs diese Gewächse auſser der ungeschlechtlichen knospenartigen Vermehrung durch die Zoosporen noch eine wahre geschlechtliche Fortpflanzung besitzen. Die Vermuthung liegt nahe, daſs die weiblichen Organe dieser Gewächse wie bei Vaucheria die ruhenden Sporen sind, die sich bereits in einigen Gattungen nachweisen lieſsen, und die ich auch schon bei andern Süſswasseralgen, wo sie bisher unbekannt waren, auffinden konnte. Zunächst bleibt jedoch die Aufgabe stehen, nicht nur die Antheridien dieser Gewächse aufzufinden, sondern auch den möglichen Zugang der Spermatozoiden in das Innere der ruhenden Sporen, durch eine Öffnung in der Sporenmembran nachzuweisen, durch welche die Spermatozoiden in die ruhende Spore hineintreten können, oder wenn etwa bei einigen dieser Gewächse die Befruchtung nach Art der Fucaceen auſserhalb des mütterlichen Körpers erfolgen sollte, zu zeigen, wo die Spermatozoiden mit der zu befruchtenden Sporenmasse zusammenkommen.

In diesen Beziehungen mögen die folgenden noch lückenhaften Beobachtungen nicht ungünstig aufgenommen werden.

Der Vaucheria in ihrem physiologischen Verhalten sehr nahe verwandt, wenn auch im Systeme sehr weit von ihr entfernt, ist die *Achlya prolifera (Saprolegnia ferax)*, eine Pflanze, die von Vielen zu den Wasserpilzen gerechnet wird. Ihre ungeschlechtliche Vermehrung durch die Zoosporen ist von vielen Seiten, namentlich von Unger[1]), Al. Braun[2]), Thuret[3]), zuletzt auch von mir und de Bary[4]), beschrieben worden.

Ausser den Zoosporen besitzt die Achlya jedoch noch in besonders gestalteten Sporangien kugelige, ruhende Sporen.

Die Bildung dieser Sporen innerhalb ihrer Sporangien, so wie ihre nach Monate langer Cultur gelungene Keimung habe ich ausführlich in dem dreiundzwanzigsten Bande der Acten der Kaiserlich Leopoldinischen Academie beschrieben.

Ich fand, daß die ruhenden Sporen der Achlya ganz in derselben Weise keimen, wie ich es in der vorliegenden Abhandlung von den ruhenden, befruchteten Sporen der Vaucheria beschrieb. Die innerste Zellwandschicht durchbricht die äußersten Schichten und wächst zu einem der Mutter gleichen, oder vielmehr zu einem Zoosporen bringenden Achlya-Schlauch aus. Außerdem fand ich, daß vor Bildung der ruhenden Sporen, etwa gleichzeitig mit der Trennung des Inhaltes in die Massen, die zu den ruhenden Sporen werden sollen, plötzlich durch Resorption der Zellwand der Sporangien an mehreren Stellen eine große Anzahl kleiner, ovaler, scharf umschriebener Löcher entstehen, die einen offenen Zugang in das Innere des Sporangium, noch während dessen Inhalt in der Bildung der ruhenden Spore begriffen ist, bilden. Der Zweck dieser mir damals unerklärlichen Erscheinung kann gewiß kein anderer sein, als durch diese Öffnungen den Spermatozoiden einen Eintritt zu den sich trennenden Sporenmassen zu gestatten. Auch hier muß die Einwirkung der Spermatozoiden noch auf die sich trennende Inhaltsmasse des Sporangium, nicht auf schon fertige Sporen erfolgen, denn noch lange nachdem die Öffnungen bereits gebildet sind, sind

---

[1]) Linnaea 1843.

[2]) Betrachtungen über die Erscheinung der Verjüngung in der Natur. Freiburg 1849—50.

[3]) Ann. des. sc. nat. 3me Série. tome XIV.

[4]) Bot. Zeitung von Mohl und Schlechtendal, Jahrgang 1852.

die Inhaltsportionen des Sporangium noch nicht einmal getrennt, geschweige denn, daß sie bereits fertige Zellen darstellten[1]).

Schon durch die genannten Entwicklungsverhältnisse ergiebt sich eine große Ähnlichkeit zwischen der *Vaucheria* und der *Achlya*. Während jedoch in der Spitze des Vaucheriaschlauches eine einzige große Zoospore gebildet wird, entstehen in der Spitze des Achlyaschlauches sehr viele kleinere Zoosporen und dasselbe wiederholt sich bei den ruhenden Sporen; während in der Sporenfrucht der *Vaucheria* nur eine einzige große ruhende Spore, die nur durch eine einzige Öffnung der Sporangium-Membran befruchtet wird, entsteht, entstehen in den Sporangien der Achlya viele kleinere, ruhende Sporen, und die vermuthliche Befruchtung erfolgt hier durch viele Löcher der Sporangium-Membran, die wahrscheinlich in derselben Anzahl wie die Sporen vorhanden sind. Machen diese Verhältnisse, so wie die Gleichartigkeit der Keimung der ruhenden Spore bei *Vaucheria* und Achlya es schon in hohem Grade wahrscheinlich, daß auch bei Achlya eine ähnliche Befruchtung stattfindet, wie bei Vaucheria, so wird diese Wahrscheinlichkeit noch erhöht durch die Existenz sehr dünner, sich verzweigender und neben dem Sporangium der ruhenden Sporen aus dem Schlauche hervorwachsender Zweige, die sich so eng an die Membran des Sporangium anlegen, daß sie scheinbar mit ihm verwachsen. Die Analogie dieser Äste mit den Hörnchen von Vaucheria ist nicht zu verkennen. Es war Al. Braun, der zuerst auf diese Äste aufmerksam machte. Ich habe sie später oft wiedergefunden, und es kam mir vor, als trieben diese Äste, da wo sie die Membran des Sporangium berühren, kurze, papillenartige Seiten-Auswüchse, die durch die Löcher der Sporangium-Membran in diese hineinwuchsen und das feste Anhaften dieser Äste an dem Sporangium verursachten.

Wenn es auch bis jetzt nur eine bloße Vermuthung ist, daß die Spermatozoiden der Achlya in jenen dem Sporangium der Pflanze sich anschmiegenden Ästen auftreten, so sind doch wenigstens die Öffnungen, durch welche die Spermatozoiden zu dem zu befruchtenden Inhalte des Sporangium gelangen — die Micropyle des Sporangium— aufgefunden und nachgewiesen, daß die ruhenden Sporen der Achlya in derselben Weise keimen, wie die der Vaucheria.

---

[1]) Man vergl. Nova Acta Vol. XXIII. p. 1. tab. 47. fg. 8 u. 16.

Unter den Süfswasseralgen will ich noch die Fructificationsverhältnisse der Gattungen *Oedogonium*, *Bulbochaete* und *Coleochaete* besprechen, bei denen allen aufser Zoosporen, welche die ungeschlechtliche Vermehrung vertreten, noch ruhende Sporen vorkommen, von denen man jetzt voraussetzen darf, dafs sie durch wahre Befruchtung entstehen.

Was zuerst den Z u g a n g zum Sporangium bei *Oedogonium* und *Bulbochaete*, die M i c r o p y l e ihrer Sporangien betrifft, so ist es mir gelungen, diese sowohl bei *Oedogonium* als bei *Bulbochaete* aufzufinden. Bei den O e d o g o n i e n tritt vor der Bildung der Spore in deren Mutterzelle eine ähnliche, starke Ansammlung des Inhaltes ein, wie bei Vaucheria. Ich habe namentlich bei *Oedogonium tumidulum* vielmals gesehen, wie durch diese Ansammlung des Inhaltes, die auch hier die Körnerschicht und die Hautschicht des Inhaltes gleichzeitig trifft, plötzlich die Membran des Sporangium an der Seite d u r c h r i s s e n wird; auch hier dringt die Hautschicht etwas heraus (fig. 26), es reifst aber nicht wie bei Vaucheria ein Theil von ihr ab, sondern sie zieht sich wieder zurück, und später bildet sich aus dem ganzen noch nicht von einer Membran umgebenen Inhalte die bekannte ruhende Spore der Oedogonien höchst wahrscheinlich unter Mitwirkung von Spermatozoiden, die durch die gebildete Sporangien-Öffnung eingedrungen sind. Die Ö f f n u n g ist bei diesem Oedogonium kleiner als bei Vaucheria, sie stellt einen ovalen, scharf begrenzten Rifs vor (fig. 27).

In anderer Weise entsteht der Z u g a n g für die Spermatozoiden an der Mutterzelle der ruhenden Spore von *Bulbochaete*; hier r e i f s t ebenfalls in Folge der starken Ansammlung des Inhalts in der Sporenfrucht, die Membran auf, aber in einem Q u e r r i s s mehr oder weniger oberhalb der Mitte (fig. 28. 29), so dafs die Membran hierdurch in zwei völlig getrennte Theile zerfällt, zwischen welchen der offene Zugang zu dem Inhalte der Sporenfrucht möglich ist. Sehr oft entstehen mehrere derartige Q u e r r i s s e, die dann parallel unter einander verlaufen. Bei den gröfseren Species dieser Gattung, namentlich bei *Bulboch. setigera* sind diese Risse leicht aufzufinden, schwieriger bei den kleineren Formen. Die durch den Querriss getrennten Stücke der Membran bleiben noch lange an der Spore in ihrer Lage hängen und fallen erst bei der Keimung der Sporen deckelartig ab.

Sind erst die Öffnungen der Sporangien von *Oedogonium* und die Querrisse der Sporangien von *Bulbochaete* bekannt, welche beide einen offenen Zugang in das Innere der Sporenfrucht gestatten, so muß im höchsten Grade ein Phänomen auffallen, welches in gleicher Weise bei Bulbochaete und Oedogonium eintritt.

Außer Zoosporen und ruhenden Sporen kommt bei diesen Pflanzen noch eine dritte Art sogenannter Sporen vor, die in besonderen, sich auffallend von den gewöhnlichen, vegetativen Zellen unterscheidenden, kleineren Zellen gebildet werden (fig. 30a). Auf diese Bildungen hat zuerst A L. Braun unter dem Namen der Microgonidien aufmerksam gemacht, und nachgewiesen, daß sie bei ihrer Keimung nur sehr kleine, meist zweizellige Pflänzchen hervorrufen. Diese Microgonidien, welche ganz den Bau der Zoosporen besitzen, setzen sich merkwürdiger Weise regelmäßig entweder auf dem Sporangium oder doch in seiner Nähe fest. Man findet sie bei *Oedogonium* bald der Membran des Sporangium, bald der Membran der dem Sporangium zunächst befindlichen Zelle aufsitzend, bei *Bulbochaete* sogar immer auf dem Sporangium (fig. 28. 29. 30). Hier öffnen sie sich entweder sogleich oder nachdem sie eine bis zwei kurze Zellen getrieben haben und entleeren ihren Inhalt nach außen. Wenn man in ihnen bis jetzt auch noch keine Spur von Spermatozoiden gefunden hat, so muß das merkwürdige Zusammentreffen der Entleerung dieser Microgonidien unmittelbar oder doch ganz in der Nähe der Sporangium-Öffnung bei *Oedogonium* und der Sporangium-Querrisse bei *Bulbochaete* doch nothwendig den Gedanken aufkommen lassen, daß der sich ergießende Inhalt der Microgonidien in die Sporangien eindringe, und ich zweifle nicht, daß es gelingen wird, die befruchtenden Formelemente von Oedogonium und Bulbochaete in jenen aus den Microgonidien erwachsenden Pflänzchen aufzufinden.

Dieser Befruchtungsact bei Bulbochaete und Oedogonium würde sich aber wesentlich von dem bei Vaucheria unterscheiden, indem hier nicht wie dort, beide Geschlechtsorgane auf der entwickelten Pflanze auftreten würden, sondern für den männlichen Zeugungsapparat ein besonderes Gebilde, gleichsam ein blos Antheridien tragender Vorkeim, entstände. Mit dieser muthmaßlichen Verschiedenheit des Befruchtungsactes hängt vielleicht die

Verschiedenheit des Keimungsactes zusammen. — Die Keimung der ruhenden Sporen bei Bulbochaete unterscheidet sich nämlich sehr wesentlich von der Keimung der ruhenden Vaucheria-Sporen.

Nachdem ich mehrere Jahre vergeblich die mit ruhenden Sporen versehenen Bulbochaete-Pflänzchen den ganzen Winter über cultivirt hatte, ist es mir endlich in diesem Winter gelungen, die sonderbare Entwicklung der ruhenden Sporen dieser Pflanze zu entdecken.

Die ersten Spuren einer beginnenden Entwicklung zeigten sich mir Anfangs Januar. Die dickwandige, völlig rothe Spore wurde an ihrem Rande grün, ihre innerste Zellwandschicht dehnte sich aus und durchbrach die äuſseren Schichten und die Membran des Sporangium. So trat die nur von ihrer innersten dünnen Zellwandschicht bekleidete Spore aus dem Sporangium heraus, indem die in scharfem Risse gesprengten Wände entweder deckelartig aufklappten (fig. 31), oder indem ihre obere Hälfte von der heraustretenden Spore abgehoben wurde (fig. 30). Diese freigewordene Zelle verlängerte sich in wenigen Stunden zu einem länglichen eiförmigen Körper (fig. 32. 33), dessen Inhalt kurz darauf durch succedane Theilung in 4 in einer Richtung hinter einander liegende Partien zerfiel (fig. 33).

Nun konnte man schon an einem oder dem andern dieser Inhaltstheile eine helle seitliche Stelle warnehmen (fig. 33); während darauf die Membran, welche die 4 gebildeten Körper umgab, immer mehr sich ausdehnte, an Consistenz verlor, und gallertartig aufquoll, wurde zugleich eine schwache Bewegung der 4 rothgrünen Körper bemerkbar, die mit dem Wachsthum der umhüllenden Blase an Stärke immer zunahm. Jetzt war die Structur dieser Körper nicht mehr zu verkennen, sie hatten jeder eine vordere helle Stelle, an welcher ringsherum ein Kranz von Cilien (fig. 34) saſs, sie bewegten sich, soweit es der Raum gestattete, äuſserst lebhaft unter fortwährendem Schwingen der Cilien und veränderten ununterbrochen durch Drehung ihre Lage.

So entstanden in dem Inneren der ruhenden Spore 4 Zoosporen, welche ganz denselben Bau und die gleiche Gröſse wie die gewöhnlichen Zoosporen von Bulbochaete besaſsen und sich von ihnen nur dadurch unterschieden, daſs sie noch zum Theil wenigstens jenes rothe Öl enthielten, welches die ruhenden Sporen anfüllt.

Diese Zoosporen setzen sich, nachdem sie aus der umhüllenden Blase frei werden, fest und keimen. Es erinnert diese Entstehung von 4 Zoosporen innerhalb der ruhenden Spore von Bulbochaete an den gleichen Vorgang bei *Chlamidococcus pluvialis*[*]) und zeigt, dafs die ruhenden Formen der Volvocinen nur als ruhende, durch geschlechtliche Befruchtung entstandene Algensporen aufgefafst werden dürfen. Die Ähnlichkeit zwischen der ruhenden Bulbochaete-Spore im Augenblicke ihres Hervortretens aus dem Sporangium und der ergrünenden Ruheform von *Chlamidococcus pluvialis* ist so grofs, dafs beide Bildungen fast verwechselt werden können, wenn man ihre Entstehung nicht kennt.

Bei Oedogonium ist es mir noch nicht gelungen, die Entwicklung der ruhenden Sporen, die hier gewifs in ähnlicher Weise, wie bei Bulbochaete stattfindet, aufzufinden; dagegen habe ich bei den berindeten ruhenden Sporen der Coleochaete-Arten die Bildung von Zoosporen aus dem Inhalte der ruhenden Spore in ähnlicher Weise wie bei Bulbochaete beobachten können.

Hier wird aber nicht wie bei Bulbochacte eine innere Zelle, in welcher erst aufserhalb des Sporangium die Theilung in Zoosporen erfolgt, aus dem Sporangium herausgeworfen, sondern die Zoosporen entstehen hier noch in dem Sporangium, auch bilden sie sich in viel grö fser er Anzahl, und unterscheiden sich gar nicht, w e - der im Baue noch in der Farbe von den gewöhnlichen Zoosporen der Pflanze.

Die Bildung von Zoosporen in den ruhenden Sporen bei *Bulbochaete* und *Coleochaete*, welche eigentlich die Keimung der ruhenden Sporen dieser Pflanze vertritt, eröffnet einen Blick in eine zweite Art der Entwicklung ruhender durch Befruchtung entstandener Algensporen. Während bei den einen — Vaucheria, Achlya — die ruhende Spore unmittelbar zu einer jungen Pflanze anwächst, ist sie bei den andern — Bulbochaete, Coleochaete, Oedogonium — nur die Mutterzelle schwärmender Zoosporen, und

---

[*]) Ich verweise auf die erschöpfende Darstellung der Entwicklungsverhältnisse des *Chlamidococcus* bei Al. Braun (Verjüngung); von Flotow (Nova Acta Vol. XX. P. II.) und F. Cohn (Nova Acta Vol. XXII. P. II.).

erst diese wachsen durch unmittelbare Keimung zu den jungen
Pflanzen aus.

Endlich scheinen die Fructificationsverhältnisse bei Bulbochaete
und Oedogonium auch Licht zu verbreiten über die w a h r e Be-
d e u t u n g d e r Microgonidien, deren Existenz in den verschiedensten Familien der Süßwasseralgen durch A L B r a u n nachgewiesen wurde, und deren Vorkommen bei den Meeresalgen aus
den Beobachtungen T h u r e t s an einigen Familien der Fucoideen
sehr wahrscheinlich wird.

Daß ähnliche Geschlechtsverhältnisse bei den P a l m e l l a c e e n
vorkommen, ist fast gewiß; wenigstens ist auch hier die Existenz rother, ruhender Sporen neben Zoosporen unzweifelhaft. So habe ich
an *Gloeocapsa ampla* außer den Individuen, deren Zellen zu Zoosporen wurden, auch noch andere gefunden, deren Zellen dickwandig
geworden waren und sich mit rothem Inhalte erfüllt hatten. Diese
Formen werden mit Unrecht für besondere Species gehalten. Es
sind in der That die w e i b l i c h e n Individuen der Pflanze.

Noch stören aber zwei Reihen von Süßwasseralgen die Klarheit
unserer Erfahrungen über die Geschlechtsbeziehungen der Algen.
Auf der einen Seite die S p i r o g y r e n und D e s m i d i a c e e n, deren Fortpflanzungskörper durch Copulation gebildet werden, auf
der andern Seite die den Oscillarien verwandten Bildungen, welche
Kützing als O s c i l l a r i n e n zusammenfaßt.

Die C o p u l a t i o n s k ö r p e r der S p i r o g y r e n — dies ist
jetzt gewiß — bringen durch unmittelbare Keimung junge Pflanzen hervor[*]. Die Entwicklung der Copulationskörper der D e s m i -
d i a c e e n ist dagegen noch immer nicht erforscht. Die Fortpflanzung der O s c i l l a r i n e n endlich ist noch ganz im Dunkeln; wo
aber in beiden Reihen die Antheridien zu suchen sind, dafür hat
sich bis jetzt noch nicht die geringste beachtungswerthe Andeutung
auffinden lassen. Zwar haben mir die Basilarzellen bei *Rivularia*
Erscheinungen gezeigt, die mit Sicherheit nachweisen, daß sie noch
eine ungeahnte Function erfüllen; ich sah sie sich vergrößern, sich
mit körnigem Inhalte erfüllen und ergrünen, ich bin aber noch nicht
im Stande, die wahre Bedeutung dieser Erscheinung aufzuklären, und
es muß daher späteren Untersuchungen überlassen bleiben, diese störende Lücke unserer Kenntniß des Algengeschlechtes auszufüllen. —

---

[*] Man sehe meine „Algologische Mittheilungen" in Flora 1854.

VI. Werfen wir nun einen Blick zurück auf die Ergebnisse meiner Untersuchungen über Befruchtung der Algen, so lassen sich schon jetzt trotz unserer noch sehr mangelhaften Kenntnisse einige durchgreifend verschiedene Bildungstypen unterscheiden, und zugleich ist auch die materielle Betheiligung der Spermatozoiden bei der Befruchtung durch die Erscheinungen, die Vaucheria und Fucus zeigen, sicher gestellt.

Es ergiebt sich

1) In Bezug auf das Wesen des Befruchtungsactes: dafs die Spermatozoiden nicht eine schon fertige Zelle befruchten; sondern dafs der Befruchtungsact darin besteht, dafs ein oder mehrere Spermatozoiden an den noch membranlosen Inhalt einer Zelle herantreten; dafs diese noch gestaltlose Masse sich erst nach dem Hinzutreten der Spermatozoiden mit einer Membran umgiebt, welche die herangetretenen Spermatozoiden gleichzeitig einschliefst. Das wahre Embryobläschen existirt daher nicht vor der Befruchtung, sondern bildet sich erst nach derselben. —

2) In Beziehung der Fructificationsverhältnisse der Algen: dafs eine geschlechtliche Zeugung bei ihnen stattfindet, neben welcher noch eine ungeschlechtliche, knospenartige Vermehrung vorhanden ist.

Der ungeschlechtlichen Vermehrung dienen die Vierlingssporen der Florideen, die Prolificationen und Brutknospen, die sich bei Fucaceen und den übrigen Fucoideen finden, und die Zoosporen, welche unter Meeres- und Süfswasseralgen weit verbreitet sind; die geschlechtliche Function wird bei den Florideen wahrscheinlich durch die Antheridien-Zellen und die Kapselsporen, bei den Fucaceen sicher durch die Spermatozoiden und den Inhalt der sogenannten Sporen; bei den Conferven durch Spermatozoiden und den Inhalt der ruhenden Sporen ausgeübt.

Die Sporen der Fucoideen und die ruhenden Sporen der Süfswasseralgen sind aber eigentlich Sporenfrüchte, deren Inhalt bald aufserhalb, bald innerhalb der Sporenfrucht befruchtet wird.

Die Algen sind ferner bald dioecisch — und dies ist die grössere Anzahl — bald monoecisch. Die Individuen endlich, wel-

che die ungeschlechtlichen Vermehrungsorgane bilden, sind
gewöhnlich geschlechtlich unfruchtbar, zugleich aber in
ihren vegetativen Theilen kräftiger ausgebildet, als die fruchtbaren; dies gilt sowohl von den Individuen mit Vierlingssporen bei
den Florideen, als von den Individuen der Süßwasseralgen, welche
Zoosporen bilden. Das letztere Verhältniß, welches noch gar
nicht beachtet worden ist, gewährt manchen Aufschluß für die richtige systematische Anreihung zusammengehöriger Formen.

Erklärung der Abbildungen.

Fig. 1—20.   VAUCHERIA SESSILIS. Vergr. = $\frac{250}{1}$.

Fig. 1—4.   Entwickelungszustände der Sexualorgane vor der Befruchtung.

Fig. 5.   Die Sexualorgane während der Befruchtung.

Fig. 6—8.   Die Art, wie das weibliche Geschlechtsorgan (die sg. Spore)
             sich öffnet, die Hautschicht hervorbricht und sich abschnürt.

Fig. 9.   Zutritt der Spermatozoiden zu dem weiblichen Organe vor Bil-
             dung der Membran der Embryonalzelle (der wahren Spore).

Fig. 10.   Die Spitze des weiblichen Geschlechtsorganes nach Bildung
             der Membran der wahren Spore.

Fig. 11 u. 12. Spätere Zustände der Spore nach der Befruchtung.

Fig. 13—16. Spätere Zustände der männlichen und weiblichen Geschlechts-
             organe nach der Befruchtung. Sie zeigen die nachfolgende
             langsame Auflösung der Membran des männlichen Ge-
             schlechtsorganes (des aus der Spitze des Hörnchens gebilde-
             ten Antheridium) und die allmälige Entfärbung des
             Inhaltes der im weiblichen Geschlechtsorgane (der Sporen-
             frucht) liegenden Spore.

Fig. 17.   Ganz entfärbte Spore nach ihrem Abfallen vom Schlauche.

Fig. 18.   Eine vom Schlauche abgefallene Spore, die nach langem Lie-
             gen — nach 3 Monaten — wieder grün geworden ist; ein Zei-
             chen ihrer erwachenden Entwickelung.

Fig. 19—20. Keimung wieder ergrünter Sporen.

Fig. 21—24.   FUCUS VESICULOSUS. Verg. = $\frac{200}{1}$.

Fig. 21.   Große Spore (Sporangium), die ihren Inhalt, die 8 noch zu-
             sammenhängenden Theilsporen, entlassen hat.

Fig. 22.   Theilspore isolirt vor der Befruchtung; die helle mittlere
             Stelle zeigt die wahre nur von Flüssigkeit erfüllte Zellhöh-
             lung an.

Fig. 23.   Theilspore nach der Befruchtung. Die hinzugetretenen Sper-
             matozoiden sind innerhalb der Membran erkennbar.

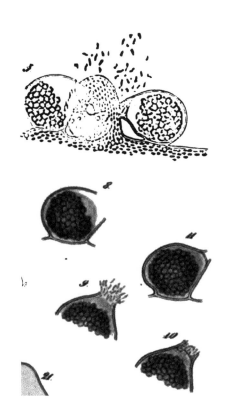

Fig. 24.   Früher Zustand der Keimung einer befruchteten Theilspore. —

Fig. 25.   SPHACELARIA TRIBULOIDES. Verg. = $\frac{200}{1}$.

Fig. 25.   Brutknospe, deren Terminalzelle zur Sphacela verwandelt, ein theils entleertes, theils noch mit Spermatozoiden erfülltes Antheridium enthält.

Fig. 26—27.   OEDOGONIUM TUMIDULUM. Verg. = $\frac{250}{1}$.

Fig. 26—27.   Sporangium während (fig. 26) und nach (fig. 27) der Bildung der Eintrittsöffnung für die Spermatozoiden.

Fig. 28—34.   BULBOCHAETE. Vergr. = $\frac{250}{1}$.

Fig. 28.   Sporangium von *Bulb. setigera;* der Zugang in das Innere des Sporangium ist durch den Querriſs der Membran bereits gebildet. Ein Microgonidium hat auf dem Sporangium gekeimt und seinen Inhalt entleert. —

Fig. 29.   Ein gleicher Zustand eines Sporangium von *Bulb. crassa* (nov. sp.)

Fig. 30—31.   Sporangien von *Bulb. intermedia,* durch die beginnende Entwickelung der Spore geborsten. Die nur von der innersten Zellwandschicht bekleidete Spore tritt aus dem Sporangium heraus. —

Fig. 32.   Die herausgetretene Spore hat sich etwas verlängert.

Fig. 33.   Ihr Inhalt hat sich in vier Theile getheilt.

Fig. 34.   Die Theilung ist vollendet; die vier rothgrünen Zoosporen, die aus dem Inhalte der ruhenden Spore entstehen, sind bereits völlig ausgebildet. —

Hr. Dirichlet theilte folgenden Auszug aus Untersuchungen mit, welche Hr. Dr. Borchardt über die Theorie der symmetrischen Funktionen angestellt hat.

Bestimmung der symmetrischen Verbindungen vermittelst ihrer erzeugenden Funktion.

Das von den Mathematikern des vorigen Jahrhunderts bis zur Zeit Waring's angewandte Verfahren, nach welchem die symmetrischen Funktionen der Wurzeln einer Gleichung zuerst durch die Potenzsummen der Wurzeln ausgedrückt wurden und dann diese durch die Coefficienten der Gleichung, ist in neuerer Zeit durch die von Waring, Gauſs und Cauchy gegebenen

Methoden verdrängt worden, und zwar defshalb, weil jenes ältere Verfahren nicht im Stande war, in allen Fällen nachzuweisen, dafs die ganzen Funktionen der Coefficienten, denen
die symmetrischen ganzen Verbindungen der Wurzeln gleich werden, auch ganzzahlige Funktionen sind, d. h. solche, welche
ganze Zahlen zu ihren Coefficienten haben.

Die neue Methode, welcher ich mich bediene, ist ebenso
wie die letztgenannten, geeignet, diesen Nachweis zu führen,
sie unterscheidet sich aber wesentlich dadurch von ihnen, dafs
sie nicht wie jene, eine bestimmte Ordnung unter den Wurzeln festsetzt, sondern dieselben ebenso symmetrisch in die
Rechnung eintreten läfst, wie das ältere unvollständige Verfahren. Das Prinzip dieser neuen Methode ist die Zurückführung der symmetrischen ganzen Verbindungen auf e i n e erzeugende Funktion, aus deren Entwicklung sie sämmtlich hervorgehen. Die Bestimmung der e r z e u g e n d e n F u n k t i o n durch
die Coefficienten der Gleichung ist daher das Problem, auf
welches die ganze Frage zurückkommt. Die Lösung dieses
Problems hängt nun, wie eine genauere Untersuchung zeigt,
von der Bestimmung einer bisher nicht betrachteten Determinante ab, in deren Werth jene erzeugende Funktion als Faktor
enthalten ist, ein Resultat, welches schon an sich von allgemeinerem Interesse für die Analysis zu sein scheint. Von dieser Determinante ausgehend gelangt man ohne Schwierigkeit
zur Bestimmung der erzeugenden Funktion, und die Form,
unter welcher sie erscheint, führt dann ferner auf eine Eigenschaft derselben, aus welcher durch einen einfachen Beweis
gefolgert werden kann, dafs die Ausdrücke der ganzen symmetrischen Funktionen der Wurzeln durch die Coefficienten nicht
nur g a n z sondern auch g a n z z a h l i g sind.

Bildet man den Ausdruck

$$(1) \qquad T = \sum \frac{1}{t - \alpha} \cdot \frac{1}{t_1 - \alpha_1} \ldots \ldots \frac{1}{t_n - \alpha_n}$$

welcher alle Glieder umfassen soll, die aus dem hingeschriebenen dadurch entstehen, dafs von den beiden Reihen $t, t_1 \ldots t_n$
und $\alpha, \alpha_1 \ldots \alpha_n$ die eine unverändert bleibt, die andere auf
alle Arten permutirt wird, einen Ausdruck, der in Bezug auf
jede der beiden Reihen von Gröfsen symmetrisch ist, so führt

die Entwicklung von T nach fallenden Potenzen von $t, t_1 \ldots t_n$ auf jene einfachsten Typen der ganzen symmetrischen Funktionen von $\alpha, \alpha_1 \ldots \alpha_n$, welche aus einem Produkt von Potenzen dieser Größen durch Permutation hervorgehen und aus welchen man bekanntlich alle ganzen symmetrischen Funktionen von $\alpha, \alpha_1 \ldots \alpha_n$ additiv zusammensetzen kann. T ist daher als die erzeugende Funktion der ganzen symmetrischen Verbindungen von $\alpha, \alpha_1 \ldots \alpha_n$ anzusehen, und die Bestimmung dieser Verbindungen ist auf das eine Problem zurückgeführt, den Ausdruck der erzeugenden Funktion T so zu transformiren, daß nicht mehr die einzelnen Größen $\alpha, \alpha_1 \ldots \alpha_n$ darin vorkommen, sondern anstatt dessen die Coefficienten derjenigen ganzen Funktion $n+1$ ten Grades fs, welche für $s = \alpha, \alpha_1 \ldots \alpha_n$ verschwindet und die Einheit zum Coefficienten der höchsten Potenz von s hat.

Die verlangte Transformation der erzeugenden Function T würde, direct angegriffen, eine ihrer Complication wegen schwer lösbare Aufgabe sein. Sie vereinfacht sich aber im höchsten Grade, wenn man sie von der Betrachtung der Determinante

$$D = \Sigma \pm \frac{1}{(t-\alpha)^2} \cdot \frac{1}{(t_1 - \alpha_1)^2} \cdots \cdots \frac{1}{(t_n - \alpha_n)^2}$$

abhängig macht. Diese Determinante D, welche schon in ihrer Bildung die größte Ähnlichkeit mit der in der Analysis durch ihre vielfache Anwendung so bekannten Determinante

$$\Delta = \Sigma \pm \frac{1}{t-\alpha} \cdot \frac{1}{t_1 - \alpha_1} \cdots \cdots \frac{1}{t_n - \alpha_n}$$

zeigt, steht mit derselben überdies in der merkwürdigen Beziehung, daß sie, durch jene dividirt, die erzeugende Funktion T als Quotienten giebt, sodaß

(2) $D = T \cdot \Delta$

ist. Der Ausdruck $(ft \, ft_1 \ldots \ldots ft_n)^2 D$ ist nämlich eine ganze Funktion von $t, t_1 \ldots \ldots t_n, \alpha, \alpha_1 \ldots \ldots \alpha_n$, welche ebensowohl durch das Produkt aller Differenzen zwischen $t, t_1 \ldots t_n$, als auch durch das Produkt aller Differenzen zwischen $\alpha, \alpha_1 \ldots \alpha_n$ theilbar ist. Es bleibt daher nach der Division durch beide Producte wiederum eine ganze Funktion als Quotient, und es hat keine Schwierigkeit, die Werthe zu bestimmen, welche dieser Quotient annimmt, wenn jede der Größen

$t, t_1 \ldots t_n$ mit irgend einer der Größen $\alpha, \alpha_1 \ldots \alpha_n$ zusammenfällt. Diese $(n+1)^{n+1}$ Werthe des Quotienten sind aber gerade hinreichend, seinen allgemeinen Ausdruck vermöge der auf mehrere Variablen ausgedehnten Lagrange'schen Interpolationsformel zu bilden, und das Ergebniß hiervon ist von der oben angeführten merkwürdigen Gleichung $D = T \cdot \Delta$ nur dadurch unterschieden, daß an der Stelle der Determinante Δ ihr bekannter Werth

$$(3) \qquad \Delta = (-1)^{\frac{n \cdot n + 1}{2}} \frac{\Pi(t, t_1 \ldots t_n) \, \Pi(\alpha, \alpha_1 \ldots \alpha_n)}{ft \, ft_1 \ldots ft_n}$$

steht, in welchem $\Pi(t, t_1 \ldots t_n)$ das Produkt aller aus $t, t_1 \ldots t_n$ gebildeten Differenzen bedeutet, jede so genommen, daß ein t mit kleinerem Index von einem t mit größerem Index abgezogen wird.

Indem man jetzt noch die Bemerkung hinzufügt, daß die Determinante D aus der Determinante Δ durch successive Differentiation nach sämmtlichen Variablen $t, t_1 \ldots t_n$ hervorgeht, leitet man aus den Gleichungen (2, 3) den folgenden Ausdruck für T her:

$$(4) \; (-1)^{n+1} \frac{ft \, ft_1 \ldots ft_n}{\Pi(t, t_1 \ldots t_n)} \cdot \frac{d}{dt} \frac{d}{dt_1} \ldots \frac{d}{dt_n} \left(\frac{\Pi(t, t_1 \ldots t_n)}{ft \, ft_1 \ldots ft_n} \right)$$

Der Ausdruck (4), in dem nicht mehr die einzelnen Größen $\alpha, \alpha_1 \ldots \alpha_n$, sondern anstatt dessen die Coefficienten von ft vorkommen, und der zur Unterscheidung von dem in Gleichung (1) gegebenen Ausdruck von T mit Θ bezeichnet werden möge, leistet die verlangte Transformation der erzeugenden Funktion. Diese Transformation kann als die symbolische Zusammenfassung der Rechnungsoperationen angesehen werden, welche das oben besprochene ältere Verfahren für die Bestimmung aller ganzen symmetrischen Funktionen vorschrieb.

Der in Θ vorkommende Differentialquotient $n + 1$ ter Ordnung enthält in seinem Zähler das aus den Differenzen von $t, t_1 \ldots t_n$ gebildete Produkt als Faktor. Indem man sich dies Produkt fortgehoben denkt, überzeugt man sich leicht, daß bei der Entwicklung von Θ nach fallenden Potenzen der Variablen $t, t_1 \ldots t_n$ die Entwicklungscoefficienten ganze und ganzzahlige Funktionen der in ft vorkommenden Coefficienten sind.

Aber hiermit ist die Aufgabe noch nicht vollständig gelöst. In der That, betrachtet man die symmetrische Funktion

$$(5) \qquad \Sigma \, \alpha^p \, \alpha_1^{p_1} \ldots \alpha_n^{p_n}$$

wo das Summenzeichen alle diejenigen durch Permutation von
$\alpha, \alpha_1 \ldots \alpha_n$ aus dem hingeschriebenen Gliede hervorgehenden
Glieder umfassen soll, welche für gegebene Werthe der Expo-
nenten und willkürliche Werthe von $\alpha, \alpha_1 \ldots \alpha_n$ von einander
verschieden sind, oder mit anderen Worten: betrachtet man
einen jener einfachsten Typen der ganzen symmetrischen Funktionen, von welchen oben die Rede war, so kommt derselbe
in der Entwicklung von T nur dann ohne weiteren numerischen
Faktor als Entwicklungscoefficient vor, wenn die Exponenten
$p, p_1 \ldots p_n$ sämmtlich von einander verschieden sind. Bedeuten dagegen $a, b, \ldots h$ ganze Zahlen, deren Summe $= n + 1$
ist, und finden sich unter den Exponenten a welche $= p$, b welche $= q$, etc. $\ldots \ldots h$ welche $= s$ sind, so kommt in der Entwicklung von T die symmetrische Funktion (5) mit dem Faktor

$$N = 1.2 \ldots a \times 1.2 \ldots b \times \ldots \times 1.2 \ldots h$$

behaftet als Entwicklungscoefficient vor. Unter der Voraussetzung, daß zwischen den Exponenten $p, p_1 \ldots p_n$ die soeben
angenommenen Coincidenzen stattfinden, ist daher die symmetrische Funktion (5) nur dann ein ganzzahliger Ausdruck der
Coefficienten von fz, wenn in der Entwicklung von Θ der sie
enthaltende Entwicklungscoefficient durch N theilbar ist. Diese
Theilbarkeit bleibt also zu beweisen übrig, d. h. es bleibt zu
zeigen, daß, wenn in einem Term der Entwicklung von Θ die
Variablen $t, t_1 \ldots t_n$ in irgend einer Ordnung genommen zu
den Exponenten $-(p+1), -(p_1+1) \ldots -(p_n+1)$ erhoben
sind, und diese Exponenten resp. zu a, zu b, $\ldots$ zu h coincidiren, daß dann der Coefficient dieses Terms durch N theilbar ist.

Der Beweis dieser Theilbarkeit beruht nun auf folgenden
beiden Punkten:

I. Anstatt die Exponenten $-(p+1), -(p_1+1), \ldots -(p_n+1)$
resp. zu a, zu b $\ldots$ zu h coincidiren zu lassen, setze man
fest, daß die Variablen $t, t_1 \ldots t_n$ in denselben Anzahlen coincidiren, sodaß a derselben $= x$, b derselben $= y$, etc. $\ldots$

endlich h derselben $= \varpi$ werden, und stelle sich die Aufgabe, den Werth von Θ unter dieser Hypothese zu bestimmen.

Θ unterscheidet sich von dem Quotienten $\frac{D}{\Delta}$ nur dadurch, dafs der constante Faktor $\Pi(\alpha, \alpha_1 \dots \alpha_n)$ im Zähler und Nenner fortgehoben worden ist. Jede der Determinanten D und Δ verschwindet, sobald Coincidenzen zwischen den Variablen eintreten. Θ erscheint daher in dem vorliegenden Fall unter der Form $\frac{0}{0}$. Aber während bei Funktionen von mehreren Variablen $\frac{0}{0}$ im Allgemeinen unbestimmt ist, hat es hier einen völlig bestimmten Werth, und dieser Werth kann nach denselben einfachen Regeln ermittelt werden, welche in der Differentialrechnung in Bezug auf Funktionen von einer Variablen angegeben zu werden pflegen. Durch gehörige Anwendung dieser Regeln gelangt man zu dem Resultat, dafs unter Annahme der festgesetzten Coincidenzen der Variablen die erzeugende Funktion Θ dem N fachen einer Funktion von $x, y \dots \varpi$ gleich wird, welche nach fallenden Potenzen dieser Variablen entwickelt, lauter ganze und ganzzahlige Ausdrücke der Coefficienten von fz zu Entwicklungscoefficienten hat. Dies kann man auch so ausdrücken: Läfst man in der Entwicklung von Θ nach fallenden Potenzen von $t, t_1 \dots t_n$ die Variablen resp. zu a, zu b, $\dots$ zu h in die Werthe $x, y \dots \varpi$ coincidiren, so werden in der so reducirten, nach fallenden Potenzen von $x, y \dots \varpi$ geordneten Entwicklung alle Coefficienten durch $N = 1 . 2 \dots a \times 1 . 2 \dots b \times \dots \times 1 . 2 \dots h$ theilbar.

II. Auf dieses Resultat sich stützend beweist man die oben ausgesprochene auf den Fall coincidirender Exponenten bezügliche Theilbarkeit der Entwicklungscoefficienten von Θ, und zwar folgendermafsen. Indem man die Anzahl der Zahlen $a, b, \dots h$ mit μ bezeichnet, nimmt man an, die behauptete Theilbarkeit finde statt, so lange μ einen der Werthe $n + 1$, $n, n - 1 \dots \nu + 1$ hat, und beweist, dafs unter dieser Annahme die Theilbarkeit auch für $\mu = \nu$ stattfinden mufs.

Es sei für einen bestimmten Entwicklungscoefficienten $\mu = \nu$. Man theile die Variablen $t, t_1 \dots t_n$ in ν Gruppen, von welchen die erste die ersten a Variablen, die zweite die folgenden b Variablen etc., die letzte die letzten h Variablen in sich begreife. Hierauf theile man die Glieder der

Entwicklung von Θ in zwei Klassen. Man setze in die erste
Klasse diejenigen Glieder, in welchen die Variablen je einer
Gruppe zu einem und demselben Exponenten erhoben sind, in
die zweite Klasse alle übrigen Glieder. Läfst man nun die
Variablen der ersten Gruppe in den Werth x, der zweiten in
y, etc. der letzten in ω coincidiren, so reducirt sich (in Folge
der für $\mu > \nu$ angenommenen Theilbarkeit) der in der zweiten
Klasse vereinigte Theil der Entwicklung von Θ auf lauter Glieder, deren Coefficienten durch N theilbar sind. Da aber dasselbe unter I. von der ganzen Entwicklung von Θ bewiesen
worden ist, so gilt es auch von dem in der ersten Klasse
vereinigten Theil für sich. Dies Resultat ist gleichbedeutend
damit, dafs die zu beweisende Theilbarkeit für $\mu = \nu$ stattfindet,
(vorausgesetzt, dafs sie für $\mu > \nu$ wahr ist). Für $\mu = n + 1$ ist
sie evident, weil dann $N = 1$ ist, folglich gilt sie auch für
$\mu = n$, folglich auch für $\mu = n - 1$, etc. folglich allgemein.

Schliefslich sei noch bemerkt, dafs für die speciellen symmetrischen Funktionen (5), in welchen eine gewisse Anzahl
von Exponenten, z. B. $p_n, p_{n-1}, \ldots p_{m+1}$ verschwinden, eine
specielle erzeugende Funktion aufgestellt werden kann, welche
nur $m + 1$ Variablen enthält. Ihr Ausdruck durch die Coefficienten von fz ist dem Ausdruck Θ ganz analog, nämlich:

$$(6) \qquad (-1)^{m+1} \frac{ft\, ft_1 \ldots ft_m}{\Pi(t, t_1 \ldots t_m)} \cdot \frac{d}{dt} \frac{d}{dt_1} \cdots \cdot \frac{d}{dt_m} \left(\frac{\Pi(t, t_1 \ldots t_m)}{ft\, ft_1 \ldots ft_m} \right)$$

Man erhält denselben als die Grenze, welcher sich für unend-
lich grofse Werthe von $t_{m+1}, t_{m+2} \ldots t_n$ der Ausdruck $t_{m+1} \cdot t_{m+2} \cdot$
$\ldots t_n \cdot \Theta$ nähert. Die Funktionen, welche in diesem Falle die
Determinanten D und Δ vertreten, sind weniger einfach als
jene Gröfsen, sie gehen aus denselben durch Anwendung des
sogenannten Laplace'schen Determinantensatzes hervor.

Für $m = o$ wird der Ausdruck (6) die bekannte erzeu-
gende Funktion der Potenzsummen von $\alpha, \alpha_1 \ldots \alpha_n$, nämlich

$$\frac{1}{ft} \frac{dft}{dt}.$$

8. März. Gesammtsitzung der Akademie.

Hr. Ehrenberg las über die weitere Entwicklung der Kenntniſs des Grünsandes als grüner Polythalamien-Steinkerne, über braunrothe und corallrothe Steinkerne der Polythalamien-Kreide in Nord-Amerika, und über den Meeresgrund aus 12,900 Fuſs Tiefe.

I. Grünsand.

In dem Vortrage wurde zuerst hervorgehoben, daſs die seit Anfang Juli vorigen Jahres der Akademie in 3 verschiedenen Mittheilungen vorgelegte Beobachtung, wonach der körnige Grünsand in allen bisher untersuchten zahlreichen, auch den tiefsten geologischen Perioden, ein Produkt einer opalartigen, eisenhaltigen Steinkernbildung in organischen Zellen, zumeist in Polythalamien sei, eine immer gröſsere und immer mehrseitig einfluſsreiche Beziehung erlange. Es wurde zusammenfassend dargelegt, daſs diese Art von Steinkernbildung nicht die organischen Spuren, dem Vorkommen von Muschelschaalen gleich, nur vereinzelt in den tiefen silurischen Erdschichten erkennen lasse, sondern daſs vermittelst derselben die deutliche Erkenntniſs eines massenhaften uralten fels-bildenden Lebens bis in die tiefsten, bisher sogenannten azoischen Gebirgsschichten erlangt worden sei.

Ebenso wichtig als dieses Massenverhältniſs und groſse Entwicklungsverhältniſs des anorganischen Erdfesten aus organischen Bestandtheilen, welches in der Mikrogeologie nur noch habe angedeutet, nicht speciell ausgeführt werden können, sei das neuerlich hinzugetretene physiologische Interesse, welches die Steinkerne gewähren.

Besonders der Zeuglodon-Kalk von Alabama gebe überaus reiche und überraschende Aufschlüsse über die ihn bildenden Polythalamien-Formen und über den feinen inneren Bau der Polythalamien selbst durch deren Steinkerne, so daſs das früher, im Februar, über diesen Gegenstand schon Mitgetheilte, durch neuere Beobachtungen sehr habe erweitert werden können. Hierbei sprach sich der Verfasser entschieden gegen die nun auch in Deutschland sich erhebende Verwechslung der Arcellinen und Amoebaeen der Polygastern mit Polythalamien aus, wie er es bereits 1838 gethan und mifsbilligte eine derartige Systematik von Neuem und mit neuen Gründen.

Eine Reihe von 125 Abzeichnungen von weit zahlreicheren, belehrenden Präparaten, welche ebenfalls vorgelegt waren, machte die Form- und Structur-Verhältnisse der Grünsande aller Perioden anschaulich.

II. **Braune und corallrothe Steinkerne der Kreide.**

Obwohl auch in früheren Mittheilungen von farblosen, bräunlichen und röthlichen Steinkernen bei den Tertiärbildungen bereits Meldung geschehen, so hob der Vortrag doch als ein ganz neues Element die neuere Beobachtung massenhafter farbiger Steinkerne bei einer Art von „Kreide" hervor, welche der nordamerikanische Geolog Hr. Tuomey, schon im Jahre 1842 an den Verfasser gesendet hat. Solche röthlich-hellbraune „Kreide" findet sich ebenfalls in Alabama. Die braune und röthliche Farbe entsteht durch die Erfüllung vieler Polythalamienzellen in ihrer Kalkschale mit einem bald gelblichen, bald bräunlichen oder corallrothen Eisensilicat, welches oft als in den Zellen zerstreute oder gehäufte braunrothe Kugeln beginnt, und zuletzt die Zellen dicht erfüllt. Solche Eisensilicat-Kugeln im Innern der Polythalamien-Zellen, welche in allem Meeresschlamme schwarz in todten Schaalen vorkommen, hat der neueste Beobachter der Polythalamien-Structur 1854 für **morphologische Übergänge des Polythalamienkörpers,** — für Entwicklungen des lebenden Körpers — gehalten und damit von Neuem dargethan, wie vorsichtig die Morphologie zu behandeln und wie weit rathsamer es ist, die Structur-Erkenntnifs vor Allem ins Auge zu fassen.

Auch von diesen Verhältnissen wurden viele Präparate und eine mit vielen Abzeichnungen erfüllte Tafel vorgelegt.

III. **Über den Meeresgrund aus 12,900 Fufs (2150 Fathoms) Tiefe.**

In einem Briefe des Königl. Preufsischen Gesandten in Washington Hrn. von Gerolt, vom 6. Februar, welcher am 27. Februar hier eintraf, erhielt ich ein von Hrn. Lieutenant Maury mir zugesendetes Pröbchen des Meeresgrundes aus 2150 Fathoms = 12,900 Fufs Tiefe. Die früheren tiefsten Grundproben, welche ich im vorigen Jahre der Akademie analysirt

vorlegen konnte, waren aus bis 12,000 Fuſs Tiefe, mithin sind
die mir jetzt zugekommenen fast 1000 Fuſs tiefer, als die bisher bekannten. Es wäre zu wünschen, daſs mit der kleinen zugekommenen Probe sogleich eine etwas umständlichere Lokal-
Angabe und die Nachricht gütigst gegeben wäre, ob noch weiteres
Material davon zu erwarten ist. Auf der sehr kleinen im Briefe
liegenden Papierhülle ist nur bemerkt: Specimen of Soundings
in the Coral Sea. 2150 Fath. By Passed Midshipman Brooke
U. S. Navy.

Der Name Coral Sea scheint auf den Süd-Ocean Austra-
liens hinzudeuten. In dem Werke des so verdienstvollen
Weltumseglers Hrn. Charles Darwin, welcher neuerlich die
Corallen-Inseln zu seinem besondern Studium gemacht hat,
wird unter dem Namen Corallian Sea nur das Meer zwischen
Neuholland und Neu-Caledonien bezeichnet. Bis auf weitern
Aufschluſs muſs dies denn wohl so verstanden werden.

Der See-Offizier Hr. Brooke aus der Nord-Amerikanischen
Marine, welcher jetzt aus der so groſsen Tiefe Grundproben
heraufgebracht hat, ist wahrscheinlich derselbe, welcher den
neuen Senk-Apparat erdacht hat, mit Hülfe dessen es leichter
möglich ist, das Senkloth ohne Abreiſsen wieder in die Höhe
zu bringen, indem ein 30—45 Pfund schweres Gewicht beim
Anstoſsen an den Boden sich von selbst ablöst und dadurch die
Schnur, anstatt sie mit Grundproben zu belasten, ansehnlich
erleichtert. Dieser Apparat heiſst Brookes lead.

Was die mir zugekommene Masse anlangt, so betrug sie
nur etwa das Volumen einer halben Linse, oder etwa $\frac{1}{4}$ Cubik-
linie, und davon war der gröſsere Theil Talg, mit dessen Hülfe
es am Senkblei heraufgezogen worden ist. Von Farbe war
diese geringe Substanz hell gelblich-grau oder bräunlich weiſs.

Ich habe, um nicht durch Reinigen der kleinen Menge vom
Talg für die mikroskopische Prüfung einen Substanzverlust zu
erleiden, den gröſseren Theil in einem Uhrglase unter Wasser
erwärmt. Dabei setzten sich erdige Theilchen zu Boden und
der Talg ging zur Oberfläche. Diese frei gewordenen Erd-
theilchen wurden sofort geprüft. Aber auch die Talgtheilchen
enthielten noch eine nicht geringe Menge fremder Stoffe. Mit
Schwefel-Äther und Terpentinöl habe ich das Fett auch von

diesen allmählich entfernt und einen Rückstand erhalten. Diese erdigen Theilchen habe ich denn auf 10 Glimmerblättchen sehr dünn ausgebreitet und mit Canada Balsam überzogen. So ist es gelungen eine scharfe Analyse der mechanischen Mischung der kleinen Bodensubstanz herbeizuführen.

Was diese Mischung anlangt, so besteht sie hauptsächlich aus einem feinen thonigen Mulm, in welchem Quarzsandtheilchen unterschieden werden, deren einige farbig, schwarz, röthlich und grün sind. Doppelte Lichtbrechung charakterisirt dieselben bei polarisirtem Lichte wie Quarz. Mit diesen unorganischen Stoffen haben sich in der so kleinen Menge doch bisher 24 verschiedene organische Stoffe und selbstständige Lebensformen feststellen lassen, und aufserdem 4 unorganische Formen. Es sind nämlich aus VII verschiedenen Klassen Körperspuren beobachtet worden:

Polygastern .	4	Geolithien	2
Phytolitharien	7	Weiche Pflanzentheile	4
Polythalamien	2	Anorganische Formen	4
Polycystinen	6		

Die Mischung schien besonders in drei Richtungen zu beachten, in der nämlich, welche Formenreihe die vorherrschende ist, wie viel Eigenthümliches und ob Lebensfähiges sich findet.

An Individuenzahl vorherrschend sind die Spongolithen-Fragmente, deren Mehrzahl sich auf *Spongol. acicularis* und *Fustis* reduciren läfst. Nächstdem kamen Polycystinen am meisten vor, doch sind auch diese in der kleinen Probe meist fragmentarisch. Rechnet man die Geolithien, als Bruchstücke unbekannter Formen, zu den Polycystinen, so bilden diese das am meisten vorherrschende Element. Polythalamien und Polygastern sind sehr vereinzelt, ebenso die weichen Pflanzentheile.

Es ergiebt sich hieraus das interessante Resultat, dafs auch hier wieder mit zunehmender Tiefe die Polycystinen herrschender erscheinen.

Was die Eigenthümlichkeit der Formen anlangt, so ist dieselbe auffallend gering. Zwar ist nur die Hälfte mit den aus den früheren Tiefgründen übereinstimmend, allein die andere Hälfte ist auch nicht characteristisch, sondern enthält unansehnliche Bruchstücke. Ausgezeichnet scheint aber doch die

Spiroplecta profundissima nov. sp., das einzige bestimmbare *Po-
lythalamium*, zu sein. Auch die *Cornutella profunda* und der
Coscinodiscus profundus sind vielleicht doch besondere Lokalformen der Polycystinen und Polygastern, da sie einige Abweichungen in den Characteren darbieten. Die Zellen der
Cornutella sind kleiner als bei den früheren und die Zellen des
Coscinodiscus nicht, wie bei jenem, kleiner am Rande als in
der Mitte. Auch ist bei letzteren der Rand fein gewimpert.

Was die Frage anlangt ob sich auch in diesem um 900
Fuß tiefer gelegenen Grunde, noch lebensfähige Formen finden, so ist freilich das meiste bisher beobachtete fragmentarisch, allein *Coscinodiscus* und *Cornutella* sind doch wohlerhaltene Formen, die ihrer leicht zerbrechlichen Natur ungeachtet
dort existiren.

Zu den bemerkenswerthen Characteren dieser neuesten
Tiefe gehört auch die Anwesenheit von, wie ich glaube, unzweifelhaften dicotylen Pflanzenresten, sowohl Bastfasern, als
Epidermal-Zellen und von langgestreckten Zellen mit Spuren
von Markstrahlen die dem Holzgewebe zukommen. Daß dergleichen Holzgewebe in den großen Tiefen vorkommt, hat an
sich nicht viel Auffälliges, da alle Küsten und Ströme des Fest-
landes dem Meere genug zersetztes Pflanzengewebe zuführen
und die Meeresströmungen leiten natürlich diese leichtern Theilchen auch wohl zahlreich in ihre großen Tiefen. Wenn zersetztes Pflanzengewebe nicht gefunden wäre, so würde man
das negative Resultat vielmehr für auffallend halten.

Nur darin liegt jetzt noch eine Besonderheit, daß gerade
sich Pflanzenstoffe der Oberflächenverhältnisse ablagern, wo
anscheinend stationäre Polycystinen so vorherrschen, während es
doch nicht gerade nothwendig erscheint, daß wo Thierwesen
leben sollen, auch Pflanzen als Nahrung wären. Viele Thiere
leben ja nur von thierischen Stoffen.

Da jetzt bei der lebendigen Theilnahme der Schiffahrenden
gebildeten Nationen an wissenschaftlich interessanten Fragen,
es nicht unwahrscheinlich ist, daß bald aus noch größeren
Tiefen und noch anderen oceanischen Gegenden Grundproben
zur Untersuchung kommen, so schließe ich diese Anzeige mit
der Bemerkung, daß auch in der Tiefe von 12,900 Fuß eine

Oberfläche welche der Kreidebildung sich anschliefst, nicht erreicht worden ist, ja dafs die in der zunehmenden Tiefe bemerkbare Abnahme der Polythalamien und die Zunahme der
Polycystinen und Spongolithen einen Character bieten, welcher
sich von der Kreidebildung weiter zu entfernen scheint.

Das aus der Tiefe gehobene Material ist wieder wie das
frühere ein Mergel, diefsmal ärmer an Kalktheilen, reicher an
Kiesel- und Thontheilchen mit verkohlbaren Stoffen.

Wäre das aus der grofsen Tiefe gehobene nur als solche
Theilchen und Trümmer anzusehn, die aus den oberen Was-
serschichten sich im Tode in die Tiefe gesenkt haben, so wird
es von Neuem und in gesteigertem Maafse auffallend, dafs vorherrschend Polycystinen Schalen gehoben werden, die in den
Oberflächen-Verhältnissen der Meere selten und in solchen
Formen noch gar nicht lebend gefunden sind. Durch mehrere
Hunderte von Meeresfiltrationen der Oberflächen aus allen Gegenden des Oceans, die ich bereits geprüft habe, ist meine
Überzeugung in diesem Punkte auf Thatsachen begründet und
aus Tertiärschichten abgespülte Polycystinen mancher Küsten-
striche würden als Beimischung mancher Oberflächen-Verhält-
nisse der Küste, meines Erachtens die Ansicht nicht wesentlich ändern.

Wohlerhaltene Schaalen in überschwenglicher Menge, Er-
fülltsein der Schaalen mit weichen Körpern, Farblosigkeit der
weichen Körper und Mangel häufiger, oft aller Erkenntnifs der
aus der Tiefe gehobenen Formen in den Oberflächen-Verhältnissen sind für jetzt die auch durch diese Probe befestigten
Gründe für Belebtsein der Tiefe.

Ein wunderbarer Reichthum an kleinen Lebensformen ist
jedenfalls wieder unverkennbar.

**Verzeichnifs der bisher beobachteten 28 Formen
des Meeresbodens in 12,900 Fufs Tiefe.**

Die Sternchen bezeichnen die schon früher aus 12,000 Fufs Meerestiefe
gleichartig gehobenen Formen.

I. Polygastern 4.
*_Coscinodiscus profundus?_
Mesocena? septenaria.

Mesocena? senaria.

*Navicula cristata.

II. Phytolitharien 7.

Amphidiscus.

Lithosphaeridium.

*Spongolithis acicularis.

*   *cenocephala.*

Fustis.

robusta.

Triceros.

III. Polythalamien 2.

*Globigerina? **Fragm.**

Spiroplecta profundissima n. sp.

IV. Polycystinen 5.

*Cornutella clathrata β profunda?

Eucyrtidium?

*Flustrella concentrica.

Haliomma?

*Spongodiscus.

V. Geolithien 2.

Cephalolithis.

*Dictyolithis micropora.

VI. Weiche Pflanzentheile 4.

*Bastfaser.

Epidermis.

*Parenchyma vasculosum.

         cellulosum.

VII. Anorganische Formen 4.

Stern-Crystal, 6-strahlig.

Grünsand.

*Quarzsand.

*Mulm.

Hr. **Encke** übergab die jetzt vollständig gedruckten **Flora-Tafeln** des Hrn. Dr. **Brünnow**, und fügte folgende Bemerkung hinzu:

Die Flora-Tafeln von Hrn. Dr. Brünnow wurden im Manuscripte am 31. Okt. 1853 der Akademie vorgelegt, welche bald darauf die Druckkosten gütigst bewilligte. Es ward damals die Hoffnung ausgesprochen die Tafeln theils noch genauer und vollständiger machen zu können, theils durch eine neue Form ihre Benutzung zu erleichtern. Unglücklicher Weise hinderte indessen die Berufung des Hrn. Dr. Brünnow zum Director der neuen amerikanischen Sternwarte zu Ann-Arbor in Michigan, ihn sich weiter mit diesen Tafeln zu beschäftigen, da er das halbe Jahr was er noch in Europa verlebte, verwenden mußte, um für sein neues Institut die Verfertigung eines großen Meridiankreises in der hiesigen vortrefflichen Werkstatt von Pistor und Martins zu besorgen. Die Tafeln sind deßhalb ganz in der ursprünglichen Gestalt geblieben, werden aber auch so noch ganz geeignet sein, den ziemlich genäherten Ort des Planeten für die nächsten Jahre zu geben, und damit den nächsten Zweck der bei der Entwerfung derselben beabsichtigt war, zu erfüllen.

Vor seiner Abreise aus Europa (Juni 1854) gab mir Hr. Dr. Brünnow die von ihm selbst nach den Tafeln berechnete Ephemeride der Flora für 1855. Bei der diesjährigen Opposition Febr. 20. 1855, fand sich indessen das auffallende, und die Genauigkeit der Tafeln in Zweifel stellende Resultat, daß die Unterschiede der Brünnow'schen Ephemeride von der Beobachtung über 2 Minuten betrugen. Hr. Bruhns beobachtete nämlich im Meridian die Flora in diesem Jahre

$$\text{Febr. 8.} \quad 13^h 24' 43{,}3 \text{ B Z.} \quad 10^h 38^m 53{,}''14 \quad + 15° 21' 27{,}''5$$
$$9. \quad 13 \; 19 \; 52{,}3 \quad ,, \quad 10 \; 37 \; 57{,}90 \quad + 15 \; 30 \; 7{,}2$$

für welche Zeiten die Ephemeride gab:

$$10^h 39^m 2{,}''79 \quad + 15° 20' 41{,}''4$$
$$10 \; 38 \; 7{,}44 \quad + 15 \; 29 \; 21{,}9$$

so daß die Unterschiede im Bogen betrugen

$$\Delta \alpha \qquad\qquad \Delta \delta$$
$$+ 2' 24{,}''7 \qquad - 46{,}''1$$
$$+ 2 \; 23{,}1 \qquad - 45{,}3$$

Da ich ebenfalls die Jupiterstörungen berechnet hatte, und deßhalb in diesen ein Fehler nicht vorhanden sein konnte, die

früheren Jahre seit 1848 aber eine befriedigende Übereinstimmung gegeben hatten, so vermuthete ich in der Berechnung
der Ephemeride aus den Tafeln einen Fehler, obgleich Hr. Dr.
Brünnow selbst sie ausgeführt hatte. Dieses hat sich glücklicher Weise auch bestätigt. Drei mit hinlänglicher Sorgfalt
aus den Tafeln berechnete Örter gaben für:

1855.

		α		δ		
Febr. 10.	12^h	$159°$	$23'$ $14,4''$	$+ 15°$	$34'$	$5,3''$
20.	12	156	52 36,9	+ 16	59	19,7
März 2	12	154	18 9,7	+ 18	13	52,3

wofür die Brünnow'sche Ephemeride hat:

$$159° \;\; 25' \;\; 25,5'' \qquad + 15° \;\; 33' \;\; 22,1''$$
$$156 \;\; 54 \;\; 56,4 \qquad + 16 \;\; 58 \;\; 37,6$$
$$154 \;\; 20 \;\; 31,6 \qquad + 18 \;\; 13 \;\; 13,5$$

Man muſs deſshalb um den Werth, den die Tafeln geben,
zu erhalten, an die Ephemeride algebraisch anbringen:

	$\Delta \alpha$	$\Delta \delta$
Febr. 10.	$- 2'$ $11,1''$	$+ 43,2''$
„ 20.	$- 2$ $19,5$	$+ 42,1$
März 2.	$- 2$ $21,9$	$+ 38,8$

womit, wenn man von diesen Correctionen auf die für Febr.
8. und Febr. 9. gültigen schlieſst, die Abweichung der Beobachtung von den Tafeln sich veringert auf

	$\Delta \alpha$	$\Delta \delta$
Febr. 8.	$+ 14,6''$	$- 2,5''$
„ 9.	$+ 12,5$	$- 1,9$

und folglich in solchen Grenzen bleibt, welche hoffen lassen,
daſs der nächste Zweck der Tafeln erreicht sein wird.

An eingegangenen Schriften wurden vorgelegt:

Gerhard, *Denkmäler, Forschungen und Berichte.* Lieferung 24. Berlin
1854. 4.

Astronomische Nachrichten. no. 948. Altona 1855. 4.

Corrispondenza scientifica in Roma. III. no. 45. Roma 1855. 4.

Revue archéologique. XI. 11. Paris 1855. 8.

Annales de chimie et de physique. Tome XLIII. Février. Paris 1855. 8.

Neues Jahrbuch der Pharmacie. Band II. Heft 6. Speyer 1854. 8.

Hedwigia. Notizblatt für kryptogamische Studien. No. 1—9. Dresden
1852—1854. 8. (Von dem Herausgeber, Hr. Dr. Rabenhorst in Dresden eingesendet.)

Lintz, *Die Quadratur des Zirkels.* Trier 1853. 4.

Joaquin Balcells, *Lithologia meteorica.* Barcelona 1854. 4. obl. (Von
Hrn. Lichtenstein im Namen des Verfassers überreicht).

Die Akademie empfing hierauf zuerst die schmerzliche Anzeige, daß der im vorigen Jahre zum correspondirenden Mitgliede der physikalisch-mathematischen Klasse gewählte Hr.
Duvernoy in Paris am 1. März verschieden sei.

Alsdann kamen zwei Rescripte des vorgeordneten K. Ministeriums zum Vortrage:

1. vom 27. Febr. welches die von der Akademie bewilligten 200 Rthlr. für Copialien in Beziehung zu dem Corpus
inscriptionum latinarum genehmigt und anweist.

2. vom 5. März, welches von der Akademie bewilligte 400
Rthlr. genehmigt, die zur Regulirung der Redactions-Ange-
legenheiten desselben wissenschaftlichen Unternehmens erforderlich geworden.

---

15. März. Gesammtsitzung der Akademie.

Hr. Lepsius las über eine hieroglyphische Inschrift am Tempel von Edfu (Apollinopolis magna),
in welcher der Besitz des Tempels an Ländereien
(13209$\frac{1}{16}$ Schoinia) unter der Regierung Ptolemaeus XI.
Alexander I. verzeichnet ist.

Es wurde zuerst im Allgemeinen von der Entzifferung
unbekannter Texte gesprochen, deren Reiz von jeher bis auf
unsere Tage zahlreiche Gelehrte verführt hat, die Regeln ge-
sunder Kritik zu verkennen und zu überschreiten. Dieser
Übelstand ist namentlich in der Ägyptologie sehr fühlbar gewesen. Durch scheinbar zusammenhängende Übersetzungen
ägyptischer Texte, die entweder reine Phantasiegewebe sind,

oder doch, von richtiger Grundlage ausgehend, das Unver-
standene und zweifelhafte verschweigen oder durch augenblickliche Hypothesen verdecken, werden einerseits bei dem gläu-
bigen aber ferner stehenden Publikum, unerfüllbare Ansprüche
hervorgerufen, andererseits wird bei den Besonnenen viel un-
nöthiges Mißtrauen erweckt. Es ist schon häufig das Verlangen nach zuverlässig begründeten Übersetzungen längerer ägyptischer Inschriften oder Literaturstücke laut geworden; und
in der That ist noch nicht einmal eine Erklärung des ägyptischen Theils der Inschrift von Rosette vorhanden. Die einzige
rühmlich anzuerkennende Arbeit dieser Art, ist eine Abhandlung des Vicomte de Rougé über die 7 ersten Zeilen einer
Grabinschrift von El Kab.

Der Grund der Seltenheit solcher auch von Champollion
nicht gelieferter Kommentare, liegt, wie unumwunden anerkannt werden muß, darin, daß der bisherige Stand der Hieroglyphik noch nicht erlaubt, irgend eine längere Inschrift ohne
viele und wesentliche Lücken und Unsicherheiten zu übersetz-
zen. Viele Inschriften sind uns sogar noch ganz unverständlich
und lassen nur durch kühne Hypothesen ihren allgemeinen Inhalt errathen. Einzelne günstig ausgewählte Texte sind allerdings einer sorgfältigen und zahlreiche Nebenstudien erfordern-
den Analyse mehr oder weniger zugänglich. Doch würde
der weitläuftige Apparat meistens mit dem aus dem Inhalt
einer einzelnen Inschrift zu ziehenden Gewinne in Mißver-
hältniß stehen. Es scheint daher gerathener, sich von längeren, gröstentheils hypothetischen Übersetzungen, die der
Wissenschaft statt Nutzen nur Verwirrung bringen, ganz zu-
rückzuhalten, und sich vor der Hand, mit der dann allerdings
doppelt gebotenen Vorsicht, dem Einzelnen zuzuwenden, das
wirklich verständlich ist. Eine sorgfältige methodische Benutzung solcher zuverlässig begründeter Einzelheiten, hat bereits
zu den bedeutensten Resultaten in allen Theilen der ägyptischen Alterthumskenntniß geführt und wird der Wissenschaft
jederzeit ersprießlicher sein, als die Verbreitung vieler unge-
sichteter und unbegründeter Übersetzungen.

Es wurde daher auch von einer fortlaufenden Übersetzung
der vorliegenden Inschriften, obgleich dieselben mit weniger

Lücken, als manche andere herzustellen sein dürfte, abgesehen, und sogleich, nach einigen vorläufigen Bemerkungen über den Tempel von Edfu und über den allgemeinen Inhalt der, wie es scheint, weder von Champollion und Rosellini, noch von Wilkinson oder anderen gelehrten Reisenden beachteten Inschriften, zu den Erläuterungen einzelner Theile derselben übergegangen.

Die Untersuchung handelt zuerst von dem hier angewendeten Vermessungssystem, dann von den zum Grunde liegenden Längen- und Flächenmaafsen; darauf geht sie über zu dem, was aus den Inschriften für die Nomeneintheilung von Oberägypten, und für die Topographie der Nachbarschaft von Edfu hervorgeht; ferner werden die von den Inschriften berührten chronologischen und Culturverhältnisse erörtert, und endlich der Gewinn für die Hieroglyphik nebst den nöthigen Ausführungen zusammengestellt.

Hiervon konnte zunächst nur der erste Theil vorgetragen werden, welcher das Vermessungssystem und die zum Grunde liegenden Maafse betraf.

Es ist das erste Beispiel aus dem ganzen Alterthum, wo nicht nur der Flächeninhalt bestimmter Äcker, sondern auch die einzelnen Längenmaafse mitgetheilt werden, aus welchen der Flächeninhalt berechnet worden ist. Daraus liefs sich das abgewendete Vermessungssystem selbst entwickeln.

Die grofse Anzahl gleichartiger Formeln führte bei ihrer näheren Betrachtung zunächst zur Feststellung einer Reihe von Zahlzeichen, welche bisher noch unbekannt waren, weil sie auf andern Monumenten zwar nicht unerhört, aber selten sind, und wegen ihrer Vereinzelung schwerer zu erkennen waren.

Diese neuen Zahlzeichen sind folgende:

👁 für 0.

𓏤 für 1, 𓏤𓏤 für 2, und 𓏤𓏤𓏤 für 3; daneben 〜 oder 〜, der erste.

𓏼 für 4.

★ für 5; findet sich auch im Kalender von Esneh und sonst; vergl. Horapoll. I, 13.

⊗ für 7.

ʔ für 9; vergl. hierat. ⸗. Statt der Sichel findet sich im Ka-
lender von Esneh ⊖ als 9; desgl. auf einer Stele im Brit.
Mus. (s. m. *Auswahl Aeg. Mon.* Taf. XVI.). Auf dersel-
ben Stele erscheint auch ⸗ als 20. Dasselbe hatte schon
E. Prisse auf einer Stele in Alexandrien bemerkt (Prisse, Mon.
Eg. pl. XXVI. und pag. 6), wie auch die Bedeutung von
ʔ. Das Zeichen ⸗ für 30 im Monatskalender wird in
Esneh ⸗ gezeichnet.

□ für 60. vergl. hierat. ⸗

⫴⫴ für 80. vergl. hierat. ⸗. Dasselbe Zeichen findet sich
auch sonst angewendet, z. B. Todtenb. K. III, 2.

Aufserdem gehen aus den Inschriften von Edfu noch folgende Theilbezeichnungen des zum Grunde gelegten Maafses
hervor:

⸗ $\frac{1}{2}$, ⸗ $\frac{1}{4}$, ⸗ $\frac{1}{8}$, ⸗ $\frac{1}{16}$, ⸗ $\frac{1}{32}$.

Es wurde hierauf die Formel für die Berechnung des Flä-
cheninhaltes dahin bestimmt, dafs immer $\frac{a+b}{2} \times \frac{c+d}{2} = e$

gesetzt wird, wenn *a b c d* die vier ersten, *e* die fünfte Zahl
bezeichnet. Diese Formel schliefst die Triangulation aus. Es
wurde nachgewiesen, dafs auch an eine Berechnung nach Mo-
dien (μοδισμός), welche der Formel nach möglich wäre, hier
nicht gedacht werden darf, sondern dafs es sich um die Bestimmung von Vierecken handelt, deren Flächeninhalt durch die
Längen der gegenüberliegenden Seiten oder ihrer perpendiku-
laren Abstände ausgedrückt wird, und dafs diesen Messungen
ein System von Abscissen und Ordinaten zum Grunde liegt,
wie es überall bei der Feldmessung im Gebrauch ist, und schon
im Alterthume allgemein angewendet worden sein dürfte.

Es wurden dann die einzelnen Fälle näher erläutert, in
welchen der Flächeninhalt durch zwei Paare gleicher Zahlen,
oder durch zwei gleiche und zwei ungleiche, oder endlich durch
vier ungleiche Zahlen ausgedrückt wurde. Hierauf wurde die
geometrische Construction eines durch 9 Formeln bezeichne-

ten unregelmäfsigen, von drei Canälen umgebenen Grundstücks der ersten Inschrift, uud ferner die durch 14 Formeln ausgegedrückte Construktion eines in der dritten Inschrift verzeichneten langen Uferstriches, welcher im Osten und Norden vom Nil begrenzt wurde, erläutert.

In Bezug auf das zum Grunde liegende Maafs, welches in den Inschriften nicht ausdrücklich genannt wird, wurde ferner gezeigt, dafs dieses weder das Stadium, noch die Orgyie, aber auch nicht die Arure, noch das Plethron, noch der Modius, noch die Akäne sein kann, sondern dafs hier von Schoinien (σχοινία) und zwar von solchen die Rede sein mufs, deren Seite 10 Orgyien enthielt.

An eingegangenen Schriften wurden vorgelegt:

Philosophical Transactions of the Royal Society of London. Vol. 144. Part 1. 2. London 1854. 4.

Proceedings of the Royal Society of London. Vol. VII. no. 7. 8. London 1854. 8. (no. 3—6 sind noch nicht eingegangen).

Address . . . delivered at the Anniversary Meeting of the Royal Society on Thursday, Nov. 30. 1854. London 1854. 8.

Förstemann, *Altdeutsches Namenbuch.* Lief. 4. Nordhausen 1855. 4. Nebst Schreiben des Verf. d. d. Wernigerode 5. März 1855.

de Caumont, *Bulletin monumental.* Vol. 20. Paris 1854. 8.

de Caumont, *Rapport verbal fait au Conseil administratif de la société française pour la conservation des monuments.* Paris 1854. 8.

Annuaire des cinq départements de l'ancienne Normandie. Année 21. Caen 1855. 8.

Congrès archéologique de France. Session de 1853. *Discours de clôture* par le Comte de Montalembert. Caen 1854. 8.

Bulletin de la société géologique de France. Tome XI. feuilles 32—45. Paris 1854. 8.

Astronomische Nachrichten. no. 949. 950. Altona 1855. 4.

Corrispondenza scientifica in Roma. Anno III. no. 46. Roma 1855. 4.

Göttinger Nachrichten. 1855. no. 4.

Zantedeschi, *Della contemporaneità delle opposte correnti. . .* Padova 1855. 4. (Mit 1 Tafel.)

Hierauf kamen 2 Rescripte des vorgeordneten K. Ministeriums vom 8. und 13. März zum Vortrage, deren ersteres die von der Akademie für Hrn. Dr. Gerhardt bewilligte Unterstützung der Herausgabe des 3. Bandes der unedirten mathematischen Schriften von Leibniz mit 150 Rthlr. genehmigt.

Alsdann wurde ein Schreiben des Hrn. Dr. Wilh. Freund, d. d. Breslau den 8. März vorgetragen, mit welchem er seinen Bericht über die mit Unterstützung der Akademie 1853 unternommene Reise nach den Thälern der Rhätischen Alpen begleitet. Es ist ihm gelungen, die dortigen Sprachdialecte gründlich kennen zu lernen und in Übersicht zu bringen. Der Gegenstand ward der philosophisch-historischen Klasse zur weiteren Kenntnifsnahme übergeben.

Ein Schreiben des Hrn. Ed. Robin, d. d. Paris 28. Febr. zeigt der Akademie die Zusendung mehrerer seiner Druckschriften an, die jedoch noch nicht eingetroffen sind.

Die Royal society of London dankt in einem Schreiben vom 25. Januar für den Empfang der Monatsberichte von 1854 und der Abhandlungen von 1853.

---

19. März. Sitzung der philosophisch-historischen Klasse.

Hr. Ranke las Bemerkungen über die Memoires des Duc de St. Simon.

---

22. März. Gesammtsitzung der Akademie.

Hr. Homeyer las über Johannes Klenkok wider den Sachsenspiegel.

Hierauf legte Hr. Gerhard eine von Dr. A. Baumeister ihm aus Athen zugesandte Reihe von Inschriften aus Kleinasien vor, welche von dem geehrten Einsender an Ort und Stelle mit dem besonderen Zwecke gesammelt sind, das Corpus Inscriptionum graecarum zu ergänzen. Die Mehrzahl dieser Inschriften rührt aus Thyatira her, wo aufser vielen schon im Corp. Inscript. bekannt gemachten auch noch die folgenden sich vorfanden, die wir mit Dr. Baumeister's Bemerkungen hier einrücken.

1. Weifser Marmor mit verzierten Buchstaben spätester Epoche und nachlässiger Orthographie.

ΣΩΝ
ΑΡΤΕΜΙΔΩ
ΡΟΣΑΠΟΛΛΩΝΙΟΥ
ΚΑΤΕΣΚΕΥΑΣΕΝ
ΤΟΣΧΟΛΙΟΝΚΑΙ
ΤΗΝΕΝΑΥΤΩΣΟ
ΡΩΝΑΡΤΕΜΙΔΩΡΑ
ΤΗΘΥΓΑΤΡΙΚΑΙ
ΕΑΥΤΩΚΑΙΑΜ=
ΜΙΩΤΗΓΥΝΑΙ
ΚΙΕΑΥΤΟΥΚΑΙ
ΕΓΓΟΝΟΙΣΑΥΤΩΝ

2. Marmorfragment:

ιι ΙΙ
ΩΙΕΡΕΥΣΛ
ΚΑΙΝΕΩΚΟ
ΦΤΟΥΦΣΕ
ΚΑΙΕΠΙΤΡ...
. . . .
ΑΝΗΣ

3. **Marmorplatte, oben abgebrochen, in einer Mauer** [1])

ΜΑΚΕΔΟΝΟΣΑΝΔΡΑΚΑΛΟΝΚΑΙ
ΑΓΑΘΟΝΚΑΙΦΙΛΟΠΑΤΡΙΝΕΙΡΗΝΑΡ
ΧΗΣΑΝΤΑΕΠΙΣΗΜΩΣΚΑΙΑΓΟΡΑΝΟ
ΜΗΣΑΝΤΑΛΑΜΠΡΩΣΚΑΙΦΙΛΟΔΟΞΩΣ
ΜΗΝΑΣΕΞΚΑΙΣΤΡΑΤΗΓΗΣΑΝΤΑ
ΑΓΝΩΣΚΑΙΕΠΙΜΕΛΩΣΚΑΙΔΕΚΑ
ΠΡΩΤΕΥΣΑΝΤΑΚΑΙΕΝΠΑΣΑΙΣΤΑΙΣ
ΛΟΙΠΑΙΣΤΗΣΠΟΛΕΩΣΧΡΕΙΑΙΣΦΙΛΟ
ΤΕΙΜΩΣΠΑΝΤΑΠΑΡΕΣΧΗΜΕΝΟΝΑΝΑ
ΘΕΝΤΩΝΤΗΝΤΕΙΜΗΝΤΩΝΒΑΣΙΛΕΩΝ
ΕΚΤΩΝΙΔΙΩΝΕΠΙΜΕΛΗΘΕΝΤΟΣ
ΑΠΟΛΩΝΙΟΥΤΟΥΑΠΟΛΛΩΝΙΟΥ

4. **Sarkophagplatte aus grauem Stein, abgeschabt und mit Kalk überschmiert, an einem Laufbrunnen** [2]).

ΕΝΤΗΝΣΟΡΟΝΕΑΥΤΗΚΑΙΤΩΓΛΥΚΥΤΑΤΩ........
ΤΗΝΔΕΤΩΝΠΥΕΛΕΙΔΩΝΕΞΟΥΣΙΑΝΠΑΣΩΝ...
ΤΟΑΥΡΘΑΛΕΙΤΩ.......ΤΑΥΤΗΣΥΙΩΕΧΟΝ...
ΔΑΝΠΑΡΑΤΑΥ...ΟΙΗΣΕΙΔΩΣΕ........   ●
ΤΑΥΤΗΣΤΗΣΕΠΙΓΡΑΦΗΣΑΝΤΙΓΡΑ
ΡΒΕ........ΥΠΟΛΛΕ.......

---

[1]) Genauere Abschrift desselben Steines, welcher im C. I. gr. no. 3496 mitgetheilt ist, wie Hr. Curtius bemerkt, dem auch die folgenden Anmerkungen verdankt werden.   A. d. H.

[2]) Am Anfang ist ή δεῖνα κατεσκευασ(εν) zu ergänzen, am Ende der ersten Zeile υἱῷ, am Ende der vorletzten ἀντίγραφον. Zu Z. 2 vergl. C. I. gr. no. 3517.   E. C.

5. **Marmorbasis**, jetzt als Wassertrog bei der griechischen Schule *)

```
      ΑΓΑΘΗΙΤΥΧΗΙ
      ...ΜΕΝΕΛΑΟΝ....
      ΑΡΧΙΕΡΕΛΚΑΙ.....
      ..ΛΑΡΧΟΝΔΙΑΒΙΟΥ...
   5  ..ΣΠΑΤΡΙΔΟΣΚΑΙ....
      ΑΓΩΝΟΘΕΤΗΝΥΠΟΔ...
      ΣΑΜΕΝΟΝΜΑΥΡΗΛΙΟΝ
      ΑΝΤΩΝΕΙΝΟΝΒΑΣΙΛΕ
      ΑΚΑΙΤΡΙΣΠΡΕΣΒΕΥΣΑΝ
  10  ΤΑΠΡΟΣΤΟΥΣΑΥΤΟ
      ΚΡΑΤΟΡΑΣΠΡΟΙΚΑΚΑΙ
      ΑΡΧΙΕΡΑΣΑΜΕΝΟΝΥΙΟΝ
      [ΕΟΥΛ]ΔΙΟΝΥΣΙΟΥΑΣΙΑΡ
      ΧΟΥΠΕΡΓΑΜΗΝΩΝΚΑΙ
  15  ΑΓΩΝΟΘΕΤΟΥΚΑΙΑΡΧΙΕ
      ΡΕΩΣΚΑΙΣΤΕΦΑΝΗΦΟ
      ΡΟΥΔΙΣΤΗΠΑΤΡΙΔΟΣ
      ..ΨΑΙΦΟΣΙΑΣΠΑΥΛΛΗΣ
      ΠΡΥΤΑΝΕΩΣΕΦΕΣΙΩΝ
  20  ..ΠΡΕΣΒΕΙΑΤΗΙΠΡΟΣ
      ....ϽΚΑΙΣΑΡ.ΑΣ
      .ΗΠΑΤΡΙΣ
```

Die ersten Zeilen haben an beiden Seiten Defecte, doch ist die Zahl der Buchstaben nicht genau zu bestimmen, da die Inschrift nicht στοιχηδὸν geschrieben ist. Zeile 13 sind die ersten Buchstaben unsicher. Z. 21 viell. Ἱεροκαισαρίας.

---

*) Diese Inschrift findet sich publicirt im Asiatic Journal XIII, 1842. p. 85 f. aber weniger correkt und unvollständiger.　　E. C.

6. **Marmor mit stark verzierten Buchstaben, im Keramidschi Dschamesi, einer Moschee:**

ΑΓΑΘΗΙΤΥΧΗΙ

ΗΒΟΥΛΗΚΑΙΟΔΗΜΟΣΕΤΕΙΜΗΣΑΝ · Ι · ΙΟΥ
ΛΙΑΝΗΝΘΥΓΑΤΕΡΑ · Τ · ΙΟΥΛΙΟΥΚΕΛΣΙΑΝΟΥ
ΣΤΡΑΤΗΓΟΥ · ΑΓΟΡΑΝΟΜΟΥ · ΙΠΠΑΡΧΟΥ · ΔΕΚΑ
ΠΡΩΤΟΥ · ΤΡΙΤΕΥΤΟΥ · ΙΕΡΕΙΑΝΤΗΣΜΗ*)
ΤΡΟΣΤΩΝΘΕΩΝΔΙΑΒΙΟΥ · ΑΓΩΝΟΘΕΤΗΣΑ
ΣΑΝΛΑΝΤΠΡΩΣΚΑΙΠΟΛΥΔΑΠΑΝΩΣ

7. **Dicke Marmorbasis, mit einfacher Schrift. (Das Σ hat erst von der 4ten Zeile an die Form Ϲ).**

ΑΓΑΘΗΙΤΥΧΗΙ
ΗΦ ΛΟΣΕΒΑΣΤΟΣΒΟΥΛΗ
ΚΑΙΟΙΕΡΩΤΑΤΟΣΔΗΜΟΣ
ΤΗϹΛΑΜΠΡΟΤΑΤΗϹΚΑΙΔΙΑ
ϹΗΜΟΤΑΤΗϹΚΑΙΜΕΓΙϹΤΗϹ
ΚΑΤΑΤΑϹΙΕΡΑϹΑΝΤΙΓΡΑΦΑϹ
ΚΑΙΚΑΤΑΤΑΔΟΞΑΝΤΑΚΑΙΨΗ
ΦΙϹΘΕΝΤΑΥΠΟΤΟΥΛΑΜΠΡΟΤΑ
ΤΟΥΤΗϹΑϹΙΑϹΕΘΝΟΥϹϹΟΥΑΤΕΙ
ΡΗΝΩΝΠΟΛΕΩϹΑΜ..ΝΙΟΝ
ΠΩΛΛΙΑΝΟΝΤΟΝΕΠΩΝΥΜΟΝ
ΡΧΟΝΤΑΠΡΩΤΟΝΚΑΙ
ΘΕΤΗ

---

*) Vergl. C. I. gr. no. 3490.   E. C.

8. An einem Brunnen verkehrt eingemauertes Stück, dessen Mitte zur Fassung des Wassermundes ausgemeifselt ist.

AYPΠA.¹).ΩPONEY
TYXIAN...ΘYATEI
PEINΩN   HΣAN
TA.Π.. Mündung ONA
[TΩ]NAT   PIMANEI
         ΩN

YΠOEΠ HNAYPATI
   T NZΩΣIMOY

9. Fragment von Marmor²).

ΑΓΑΘΗΙ
ΠΕΡΗΛΑΥΡΑΛΕ
ΕΠΙΒΑΛΑΝΕΙΩΝΤΟΥ
ΟΑΡΧΙΕΡΕΥΣΠΑΙΔΙΣΑΙ
...ΤΟΝΕ

10. In einem Backofen eingemauerte Grabstele mit Fronton und rohem Relief, darstellend das Brustbild einer weiblichen (?) Person, die im linken Arm ein Kind hält. Zu beiden Seiten des Kopfes die vollständige und deutliche Inschrift in Characteren der römischen späten Zeit.

ΩΘΟΝ ᵏᵒᵖᶠ ΙΟΠΟΛΙⵞ
ΟΒΑΣ

---

¹) Fehlt σιδ.   E. C.
²) Dasselbe im C. I. gr. no. 3501 mit mancherlei Abweichungen. E. C.

11. Beim Dorfe Selendi, etwa 3 Stunden südöstlich von Thyateira in der Richtung nach Sardes, finden sich deutliche Spuren einer alten Gründung, wie Gräber, Bautrümmer u. dgl. Im Dorfe selbst an einem Brunnen folgende Inschrift für eine Grabkammer:

ΖΩΝ-ΖΩΣΙΝ
ΑΡΤΕΜΙΔΩΡΟΣΦΙΛΙΠΠΟΥ
ΚΑΤΕΣΚΕΥΑΣΕΝΕΑΥΤΩ
ΚΑΙΤΕΚΝΟΙΣΚΑΙΤΟΥΤΩΝΤΕ
ΚΝΟΙΣ.........ΟΙΤΗΕΑΥ⁻
ΤΟΥΓΥΝΑΙΚΙΕΙΔΕΤΙΣΑΥΤΗ
ΚΩΛΥΣΗΘΑΦΘΗΝΑΙΕΙΣΤΟ
ΜΝΗΜΕΙΟΝΑΠΟΤΕΙΣΕΙΤΩΚΟ
. ΝΩΤΟ..ΤΟΙΚΟΝΙΣΤΑΣ
..ΣΕ.Α.ΤΟΚΟΥΣΑΣΔΗ
ΜΑ..ΑΧΕ..ΑⲀ

12. Ebendaselbst an einem Brunnen:

...ΕΜΙΔΩΡΟΣ
ΔΙΟΝΥΣΙΟΥΚΑΙ
ΑΝΤΙΓΕΝΗΣΑΠΟ
ΛΩΝΙΟΥΑΠΟΤΩΝ
ΠΕΡΙΣΣΩΝΤΗΣΙΕ
ΡΟΝΟΜΙΑΣΤΑΣΔΥΟ
ΚΡΗΝΑΣΚΑΤΕΣΚΕΥ
ΑΣΑΝΘ

Unter der Inschrift folgt ein roh in Relief gearbeitetes Löwenhaupt, dessen Maul die Mündung bildete.

Von Selendi etwa zwei Stunden südlich liegt der Ort Marmara (türk. Mermereh gespr.) am Fuſs des wild zerklüfteten Berges, worin man noch die Spuren des unter Tiberius hier wüthenden Erdbebens zu sehen glaubt. Kiepert scheint den sonst unbestimmbaren Ort Mostene hieber zu legen. Mitten unter den jetzigen Hütten ragen die Ruinen eines Palastes, scheinbar abendländischer (viell. genuesischer) Bauart; ebenso mehrere alte groſse Moscheen deuten auf frühere Gröſse, wie der Name auf alte Ruinen. Doch war Nichts zu erfragen, auſser folgenden ziemlich späten Inschriften, zu denen noch fünf andre in mir unbekannten Charakteren kommen (d. h. sie sind nicht persisch, türkisch, arabisch, armenisch oder hebräisch).

13. Marmortafel mit einem Lorbeerkranz über der Schrift*).

14. Marmortafel mit Fronton:

$$\overline{\Sigma}\overline{\Sigma}\overset{\text{H}}{\overline{Z}}$$
ΕΤΟΥΣΣΣΖΜΑΡΤΕ
ΜΕΙΣΙΟΥΤΡΙΑΚΑΔΙ

Folgen etwa acht Zeilen mit einem groſsen Kranz in der Mitte; doch sind nur wenige Buchstaben lesbar.

15. Desgleichen Grabmarmor, oben im Giebel eine Rosette:

ΕΤΟΥΣ·Σ . . Μ·ΠΕΡΕΙ
ΤΙΟΥ·Β·ΜΗΝΟΦΙΛΟΝΤΟΝ

ΣΑΤΔΙ	ΧΟΜΗ
ΝΟΝ	ΑΠΟΛ
Λ·ΝΙ Kranz	ΟΣΟΠΑ
ΤΗΡΑΝ	ΓΕΛΙΣ
ΗΜΗΤΗΡ	ΑΠΟΛΛΩ
ΝΙΟΣΟ	ΑΔΕΛ
ΦΟΣΑΛΕ	ΕΑΝΔΡ
ΟΣΟΑΔΕΛ	ΦΟΣΕΠΟΙ

ΗΣΑΝΜΝΕΙΑΣ
ΧΑΡΙΝ

---

*) Fällt weg als bereits im C. I. gr. no. 3474, vergl. 3698, abgedruckt.

E. C.

16. **Fragment von Sandstein:**

ΜΕΝΕΚΡΑΤ
ΠΟΛΥΞΙΔΟΥ·Ι
ΑΤΟΝΚΑΙΗΙ
ΟΝΗΡΩΑΛΟ
ΣΤΡΑΤΗΓΟΝΙ
ΣΙΑΡΧΟΝΠΙΥ
ΩΝΟΘΕΣ
ΙΣΕΤΕ

17. ΕΠΙΚΛΗΝ
ΠΟΝΗΡΟΥ

steht auf einem Stein, der unten noch viel Raum hat, über der Schrift aber abgeschnitten ist; also offenbar ein Grabstein, wo man den nicht eben schmeichelhaften Beinamen des Gestorbenen oder seines Vaters sich doch schämte der Nachwelt zu überliefern.

18. In der Ebene von Troja bei Halil-Eli (ein wenig südlich von Cap Rhoeteum) fand ich auf dem türkischen Kirchhofe folgendes Fragment von weifsem Marmor:

ΔΗΜΟ
ΧΙΟΥ
ΑΜΕΝΟΝ
ΙΣΚΑΙΚΥ
ΣΙΝΗΜΕΡΑΙΣ
ΝΤΑΛΑΜΠΡΩ
ΜΩΣΚΑΙΓ
ΝΤΑΤΡΙ
ΛΕΙΤΟΥ
ΑΙΣΚΑΙ

Einige leicht zu machende Ergänzungen im Stile dieser Ehrendekrete übergehe ich absichtlich.

19. **Etwa zwei Stunden** östlich von den Ruinen von Alexandria Troas liegt das Dorf Kameli, welches eine prächtige
alte Moschee von Quadern eines rothbraunen Steins besitzt.
Säulen und andere Architecturstücke, so wie ein·vor der
Moschee stehender Sessel aus weifsem Marmor, bezeugen
die Lage einer alten Ortschaft. Die folgende lateinische
Inschrift läfst an ein römisches Kastell denken; sie ist auf
weifsem Marmor, der später als Tischplatte oder sonst gebraucht wurde, wefshalb die ersten Buchstaben jeder Zeile
fehlen.

```
       LAVD IODRVS
     MANICIFIL·NERONI
        GERMANICO
     GVRSODALI·AVGVSTA
    . SODALTITIOCOS
     ORBANVS⌐FAN
     ADRATVS      PIL
       MILITPRAEFCASTR
       AVGVR.ĪIVIR
     TAMENTOPONI
        IVSSIT
```

20. **Drei Stunden** südlich von Kameli gelangt man durch eine
wilde Granitmasse, welche aus dem ringsum flachen Boden
wie durch Zauber hervorgehoben scheint, nach dem Hir-
tendorfe Jailadschik. Eine Viertelstunde westlich desselben finden sich noch drei in einer Reihe aufrecht stehende
Granitsäulen; im Dorfe selbst am Brunnen die verstümmelte Inschrift auf Sandstein:

```
       NV·TEF
     SIGNIFERO
     CVRATO'
     ETAB·IMPE
     HONORAT
     DECVRIONIC
        NV
```

21. In **Smyrna** ist bei Anlegung der neuen Chaussee außer vielen Sarkophagen und andern Resten der alten Gräberstraße auch ein rundes Marmordenkmal in Gestalt einer großen Urne gefunden, jetzt im Garten des Hrn. *Witthal* in *Bournabat* befindlich. Die Urne ist 4 Fuß hoch und hält 1⅓ Fuß im Durchmesser; ringsum in der Mitte zieht sich ein Relief von Blumengewinden von Genien getragen; den abnehmbaren Deckel krönt ein Pinienapfel. An den Seiten finden sich über und unter dem Gewinde zwei Inschriften, einander entgegengesetzt, von verschiedenen Meißeln und bei ziemlich guter Erhaltung die zweite kaum lesbar.

ΦΙΛΑΔΕΛΦΟΣ	ΝΕΑΝΙΣΧΑΡΧΗC
ΚΑΙΠΑΥΛΟΣ	ΜΗΤΡΟΔѠΡΟC
ΠΡΟΥΣΙΕΙΣ	ΟΡΕCΤΗCΚΑΤΕCΚΕΥΑ
ΑΠΟΥΠΙΟΥ	CΕΑΥΤѠΚΑΙCΥΝ
ΚΟΙΝΤѠ	ΓΕΝΕΙCΙΚΑΙΑΠΕ
ΤѠΑΔΕΛ	ΛΕΥΘΕΡΟΙC
ΦѠΕΤ	ΚΑΙΤѠΕΝΟΝ
ѠΝΙΗ	ΤΙCΥΝΟC
ΜΝΗΜ	ΤΟΘΗΚΗ
ΗCΧΑΡΙΝ	ΚΑΙΕΝCΟΡΙ
ΧΕΡΕ	ΟΙC
	ΤΟΜΝΗΜΕΙ
	ΟΝ

Zeile 4 sind wohl Προυσιεῖς ἀπ᾽ Ὀλύμπου gemeint.

In Smyrna sah ich ferner bei einem Verwandten des bekanntlich dort verstorbenen Lord Arundell, eine Anzahl der von Lezterm auf seinen Reisen in Kleinasien gesammelten Sculpturfragmente; darunter auch folgende Inschriften, deren Fundort also leider unbekannt bleibt.

22. **Weifser Marmor mit den schönen einfachen Schriftzügen der attischen Periode:**

```
    PXONTA..O
    ENTHIAΓOPΛITI
   ᴠAPΓYPOKOΓIOT
    NTAIΔEHΘHNAIΔ
    AΘHNAIOIΓPOΣΓP
    MMATEATONTHΣ
    APΓYPIOENTHΣIΓ⟨
   ιΩNHΣTAΘMOIΣHMET
   ᴠETPOIΣKAIΣTAΘMOIΣ
    PONYHΦIΣMAOKΛEAPX
    AITOΞENIKONAPΓYPION
   ⌐AMBOᴧHTAITHNΔEΓO
    AYTONΔETA AYTOEKAΣT
    POKOΓIONΣ..EΓIΣTAT
    ⌐PAYANTEΣKATA
     ΓIOΣKOΓENTΩIBO
       (Ξ)ENIKONXΩ
         NAPΓYPI
```

23. **Weifse Marmortafel, an der linken Seite zur Hälfte abgebrochen, während rechts das Ende der Zeilen vollständig ist. Über der Schrift ein Kranz.**

ΤΩΙΔΑΜΩΙΕΓΕΙ
ΥΣΑΝΤΙΟΣΧΡΕΙΑ
ΤΑΙΓΟΛΕΙΚΑΙΔΙΑ
ΥΣΙΤΩΝΓΟΛΙΤΑΝ
ᶜ   ᑅΜΩΙΕΓΑΙΝΕΣΑΙΕ.
ΣΑΝΤΙΟΝΚΑΙΣΤΕΦΑ
ΩΙΧΡΥΣΕΙΩΙΑΡΕ..
ΥΝΟΙΑΣΑΝΕΧΩΝ
ΤΟΝΔΑΜΟΝΤΟΝΔΕ
10 ᑕΑΓΓΕΙΛΑΙΤΟΝΑΓΩΝΟ
ΣΙΟΙΣΕΝΤΩΙΘΕΑΤΡΩΙ
ΟΞΕΝΟΣΓΕΝΗΤΑΙΤΟΥΣ
ΣΕΙΣΑΓΓΕΙΛΑΙΥΓΕΡ
ΩΙΥ

Den Namen der Stadt, dessen Anfangsbuchstaben mir Z. 9
Δ Ε zu geben scheinen, kann ich leider nicht enträthseln; vielleicht Δἐρβη in Lykaonien? Mehrere Ergänzungen sind leicht:

"Εδοξε τᾷ βαλᾷ καὶ] τῷ δάμῳ ἐπεὶ
. . . . Β]υζάντιος χρεία
ς πολλὰς παρέσχετο] τᾷ πόλει καὶ διὰ
παντὸς . . . . . .] νοι τῶν πολιτᾶν
. . . . δα]μῳ· ἐπαινέσαι Ε.
. . . . Βυ]ζάντιον καὶ στεφα-
νῶσαι στεφάν]ῳ χρυσείῳ ἀρετᾶ-
ς ἕνεκα καὶ ε]ὐνοίας ἂν ἔχων
διατελεῖ εἰς] τὸν δᾶμον τὸν Δερ-
βείτᾶν καὶ ἀ]παγγεῖλαι τὸν ἀγωνο-
θέτην Διονυ]σίοις ἐν τᾷ θεάτρῳ
. . . . . πρ]όξενος γένηται τοὺς
. . . . εἰσαγγεῖλαι ὑπὲρ

24. Grabstein mit einem Giebel:

ΜΟΣΧΟΣΑΠΟΛΛΩΝΙΟΥ
ΧΑΙΡΕ

25. Fragment eines Grabsteins:

ΣΙΓΓΟΣ
ΗΣΙΓΓΟΥ
ΧΙΟΣ
ΓΛΑΝΗΦΟΡΟΣ

26. Grofser Thonziegel mit der Marke auf der Aufsenseite:

ƆΟИШΤΗꟼΑ

27. Endlich auf weifsem Marmor die sehr verblichene Schrift:

CΓΕΙVSOPILANIENSIS
...CVS·DOMOCARTACIN...
EVOCATVSAVGEXPRAETOR..
VIXITANNOSXXXXVMILITA
VITANNOSXXII

An eingegangenen Schriften wurden vorgelegt:

Crelle, *Journal für Mathematik*, Band 49. Heft 3.   Berlin 1855. 4.

Journal de l'école impériale polytechnique. Tome XX. Paris 1853· 4.

Corrispondenza scientifica in Roma. Anno III. no. 47. Roma 1855. 4.

Astronomische Nachrichten no. 951. Altona 1855. 4.

Göttinger Nachrichten, vom 12. März 1855.

Kämtz, *Sur les relations entre les pluies et les hauteurs barométriques.* (Bruxelles 1855.) 8.

Geschichtsblätter aus der Schweis. Band 1. Heft 5. Luzern 1854. 8.

Memorie della R. Accademia delle scienze di Torino. Serie II. Tomo XIV. Torino 1854. 4.

Henri Brugsch, *Mémoire sur la reproduction imprimée des caractères de l'ancienne écriture démotique des Égyptiens.* Berlin 1855. 8.

Schacht, *Das Mikroskop.* Zweite Auflage. Berlin 1855. 8. (Mit einem Begleitschreiben vom 20. März 1855.

Hr. Dr. Schacht dankt in seinem Begleitschreiben der neuen Auflage seines Buches „Das Mikroskop" der Akademie für die ihm gewordenen Unterstützungen.

---

29. März. Gesammtsitzung der Akademie.

Hr. Böckh trug eine Abhandlung: „Zur Geschichte der Mondcyklen der Hellenen", auszugsweise vor.

Diese Untersuchung ist durch die Aufstellung von W. Fr. Rinck in seinem Werke über die Religion der Hellenen veranlaßt, daß die Hellenen von der Zeit des Klisthenes Olymp. 67, 4 bis Olymp. 102, 2 eine Zeitrechnung gehabt hätten, welcher ein Monat von 30 Tagen und ein Jahr von 360 Tagen oder etlichen Tagen mehr zu Grunde gelegen habe. Das Rinck'sche System ist eine Erneuerung der Oktaeteris des Jos. Scaliger mit einigen Modificationen; der Verfasser der heute vorgetragenen Abhandlung befaßt die Oktaeteris beider unter dem gemeinsamen Namen des Tricesimalcyklus im Gegensatze gegen den Mondcyklus. Er giebt *Cap.* 1 von der Scaliger'schen, *Cap.* 2 von der Rinck'schen Oktaeteris einen kurzen Entwurf, zeigt warum jene von Scaliger's Nachfolgern verworfen worden, und was dieser im Allgemeinen entgegenstehe, und hebt die Schwierigkeit hervor die letztere zu widerlegen, weil der Urheber derselben sie auf den angegebenen Zeitraum beschränkt hat, die Widerlegung sich also bestimmt auf diesen Zeitraum beziehen muß. Diese wird daher in Folgendem unternommen, und es werden nicht bloß um den Tricesimalcyklus zu beseitigen, sondern vorzüglich um chronologische Probleme zu lösen und die Kenntniß der Zeitrechnung der Hellenen zu erweitern, Betrachtungen angestellt, deren Hauptergebnisse hier nach der Folge der Capitel kurz angegeben werden. *Cap.* 3. In Rangabé's und des Verfassers Behandlung der Schatzurkunde von Olymp. 88, 3 — 89, 2 (Schriften der Akademie vom J. 1846) sind nach einem von Rangabé zuerst ermittelten Zinsfuße die Zinsen auf Mondjahre berechnet; ist dieser Zinsfuß nebst den Berechnungen richtig, so ist bewiesen, daß in den

Zeiten des Peloponnesischen Krieges ein Mondcyklus galt: es
muſs daher gezeigt werden, daſs der angenommene Zinsfuſs der
einzig mögliche sei. *Cap.* 4. Aus der im Monatsberichte der
Akademie Oct. 1853 herausgegebenen und erklärten Schatzurkunde wird mittelst arithmetischer Combinationen erwiesen,
daſs der angenommene Zinsfuſs der einzig mögliche und folglich richtige sei. *Cap.* 5. Dasselbe wird auf arithmetischem
Wege auch aus der gröſseren Schatzurkunde (Schriften der
Akademie vom J. 1846) noch besonders nachgewiesen, und durch
zwei andere Berechnungen, die eine von Rangabé, welche sich
auf eine Urkunde von Olymp. 91, 2 bezieht, die andere von
dem Verfasser, durch welche eine Panathenaïsche Penteteris
von 1476 Tagen ermittelt worden, bestätigt. *Cap.* 6. Das hohe
Alter der Oktaeteris wird erwiesen; sie liegt dem Olympischen
Schaltcyklus und der Pythischen oktaeterischen Periode zu
Grunde, welche erweislich älter als Olymp. 48, 3 ist; und nicht
die unbrauchbare Trieteris, die auf einem Miſsverständniſs beruht, sondern die achtjährige Periode muſs man dem Solonischen Kalender zueignen. Die Einrichtung der Oktaeteris, die
erst allmählig richtiger ausgebildet wurde, wird dargelegt:
eine besondere Schwierigkeit macht die nicht hinlänglich bekannte Folge der vollen und hohlen Monate; bei welcher Gelegenheit erörtert wird, daſs es eine doppelte ἕνη καὶ νέα, nämlich eine προτέρα und eine ἐμβόλιμος gegeben habe. *Cap.* 7. Die
Oktaeteris hatte in den verschiedenen Staaten einen verschiedenen Anfangspunkt und eine verschiedene Form. Die Olym-
pische begann mit der ungleichen Olympiade; wie sie wahrscheinlich beschaffen gewesen, wird in Verbindung mit der
überlieferten Zeit der Olympischen Spiele erörtert. Die Pythi-
sche und Attische Oktaeteris begann mit dem dritten Jahre der
gleichen Olympiade; die letztere ist eine doppelte Panathenaïsche Penteteris, und es ist darin das 3. 6. und 8. Jahr Schaltjahr, nicht wie gewöhnlich das 3. 5. und 8. *Cap.* 8. Redlich
in der trefflichen Schrift über Meton hat das Verdienst, die
Attische Oktaeteris dem Materiellen nach vorzüglich aus den
vorerwähnten Zinsrechnungen festgestellt und an die Julianische
Zeitrechnung angeknüpft zu haben; daſs er den Anfang derselben mit dem zweiten Jahr der ungleichen Olympiade macht

und das 3. 5. und 8. Jahr als Schaltjahre setzt, ist bloß ein
formaler Unterschied, während in beiden Cyklen, dem Redlich'-
schen und dem von dem Verfasser dieser Abhandlung dargestellten Panathenaischen Cyklus dieselben Zeitjahre oder geschichtlichen Jahre Gemeinjahre oder Schaltjahre sind, also in
dem was der Verfasser das Materielle nennt, zwischen diesen
Cyklen keine Verschiedenheit eintritt, sondern nur in dem Formalen, den Anfängen und der Zählung der Jahre der Periode.
Der Ausgangspunkt der Redlich'schen Anknüpfung an die Julianische Zeitrechnung, der 13. Juli vor Chr. 432 als 1. He-
katombäon Olymp. 87, 1, wird gegen Rinck's Hypothesen gerechtfertigt. *Cap.* 9. Die Oktaeteris, wie sie damals ausgeführt
war, hatte einen doppelten Fehler: sie war weder mit dem
Monde noch mit der Sonne in Übereinstimmung. Es wird gezeigt, daß man in Olymp. 88 angefangen, durch rasch auf einander folgende Einfügung von Zusatztagen die Übereinstimmung
mit dem Monde zu bewerkstelligen, womit man jedoch Olymp.
89, 1 noch nicht ganz zu Stande gekommen war; hypothetisch
wird gesetzt, dies sei bis Olymp. 89, 3 — 4 bewerkstelligt
worden. Ferner war der Jahresanfang längst schon häufig über
einen ganzen Monat später als die Zeit der Sommerwende;
Olymp. 88, 3, womit eine neue Oktaeteris beginnt, fängt erst
den 7. August an, während man die Sommerwende auf den 27.
Juni setzte. Also war längst der Zeitpunkt eingetreten, wo
auch abgesehen von jeder Theorie ein Schaltmonat hätte
ausgelassen werden müssen; nach den Ermittelungen des Verfassers ist dies zwischen Olymp. 89, 3 und 94, 1 geschehen,
und zwar gleich Olymp. 89, 4. Hierdurch erreichte man ein
dem Metonischen analoges Jahr, ohne den Metonischen Cyklus
anzunehmen. Man hätte allerdings zugleich in diesen übergehen
können; es steht aber fest, daß dieses nicht geschehen ist. Es
wird hierauf, nach vorgängiger Feststellung der Zusatztage,
deren drei in jeder Hekkädekaeteris waren, eine Tafel der Ok-
taeteriden von Olymp. 86, 3 — 114, 3 entworfen und erläutert; diese stimmten seit der Verbesserung des Cyklus durch
Auslassung eines Schaltmonates besser als der Metonische Cyklus
mit dem Monde. *Cap.* 10. Bestätigende oder Schwierigkeiten
entfernende Bemerkungen über den neu entworfenen Cyklus:

unter anderem über die Erscheinung eines Kometen im Game-
lion Olymp. 88, 2 nach Angabe des Aristoteles; über die Mond-
finsternifs im Boedromion Olymp. 88, 4; über die Unordnung
des Kalenders in Olymp. 89, 1 nach Aristophanes; über die
Zusammenstimmung der bürgerlichen Neumonde von Olymp.
91, 1 mit den Mondphasen; über die vom Verfasser durch
Rechnung gefundene Panathenaïsche Penteteris von 1476 Tagen,
deren Lage zwischen Olymp. 92, 3 — 93, 2 und Olymp. 91, 3
— 92, 2 bisher zweifelhaft war, nunmehr aber entschieden in
Olymp. 91, 3 — 92, 2, wie Redlich wollte, gesetzt ist, indem
gezeigt wird, dafs dies aus den urkundlichen Nachrichten über
die Prytanien von Olymp. 93, 2 im Vergleich mit der im Monatsbericht vom J. 1853 behandelten Rechnungsurkunde folge.
Hierbei Einiges über die Dauer der Prytanien. *Cap.* 11. Nach
Verlauf der eilften Oktaeteris von Olymp. 90, 3 ab, also Olymp.
112, 3, fing das Jahr wieder erst den 28. Juli, einen ganzen
Monat nach der Sommerwende an, und es mußte also um diese
Zeit nach den unterdessen befestigten Regeln der Oktaeteris
wieder ein Schaltmonat ausgelassen werden. Diese Auslassung
war jederzeit einmal in einer Periode von 160 Jahren nothwendig. Die erste in Betracht kommende Oktaeteriden-Periode
von 160 Jahren ist, wenigstens theoretisch, von Olymp. 34, 3
ab zu rechnen, für welches Jahr die Sommerwende und der erste
bürgerliche Neumond wahrscheinlich für coincidirend genommen
wurden; in diese Reihe fügte sich die mit Olymp. 46, 3, dem
Jahre der Solonischen Änderung der Verfassung, beginnende
Oktaeteris als die siebente, oder als erste der vierten Hekkädekaeteris, welche regelrecht den 7. oder 8. Juli vor Chr. 594
beginnen mußte. Diese 160jährige Periode lief Olymp. 74, 2
ab, und spätestens in diesem Jahre mußte ein Schaltmonat ausgelassen werden. Aus Unkunde geschah dies nicht, und wurde
erst Olymp. 89, 4, 62 Jahre zu spät nachgeholt; daher mußte
schon in der Oktaeteris von Olymp. 112, 3 — 114, 2, spätestens
98 Jahre von Olymp. 89, 4 ab, wieder ein Schaltmonat ausgelassen werden, indem mit Olymp. 114, 2 die zweite 160jährige
Periode, von Olymp. 74, 3 an gerechnet, ablief. *Cap.* 12. Wenn
geraume Zeit nach Ausmärzung des Schaltmonates in Olymp.
89, 4 ein Grund zur Einführung des Metonischen Cyklus in

Athen nicht vorhanden war, konnte gegen Ende der zweiten
160jährigen Periode dazu allerdings der Grund führen, daß
man das Hinausgreifen des Jahreswechsels über die Sommerwende um einen ganzen Monat für lange Zeit beseitigen wollte.
Es bedarf aber der Beweise für diese Einführung. Der einzige
haltbare Grund dafür reichte bis jetzt nur von Olymp. 116, 3
ab; denn die aus dem Ptolemaeos gezogenen Daten für Olymp.
99, 2 und 3 beweisen nicht für die Gültigkeit des Cyklus in
Athen. Ideler führt zu Gunsten der Gültigkeit des Metonischen
Cyklus in Olymp. 112, 2 an, daß die Schlacht bei Arbela, die
am 1. Oktober vorfiel, am fünftletzten Boedromion geliefert worden: dieses paßt zwar nicht in den Metonischen Cyklus an sich,
indem nach diesem vielmehr, wie Ideler rechnet, der siebtletzte
Boedromion auf den 1. October fiel; diese Differenz erklärt er
sich aber aus einer mittlerweile nothwendig gewordenen Correction des Metonischen Cyklus, in welchem der Jahresanfang damals
zwei Tage zu spät angesetzt gewesen: wobei die Einführung
des Metonischen Cyklus vorausgesetzt ist, die Ideler bekanntlich schon Olymp. 87, 1 setzte. Idelers Rechnung ist aber um
einen Tag falsch: der siebtletzte Boedromion des unveränderten Metonischen Cyklus beginnt erst mit dem Abend des 1.
Octobers, und der Tag der Schlacht bei Arbela fällt also auf
den Lichttag des achtletzten Boedromion. Dagegen weiset die
von dem Verfasser der vorliegenden Abhandlung ohne alle
Rücksicht auf die Zeit dieser Schlacht bestimmte Oktaeteris ganz
richtig den fünftletzten Boedromion als den 1. Oktober nach.
Der Verfasser will es nicht für sicher erklären, daß der Metonische Cyklus nicht etwas früher, mit der erforderlichen gewordenen Correction, eingeführt sei, obgleich das so eben gesagte
für die Fortdauer desselben bis in Olymp. 112, 2 spricht: aber
bis jetzt ist es das wahrscheinlichste, in Olymp. 112, 2 sei der
oktaeterische Schaltmonat ausgelassen und in Anknüpfung hieran
mit Olymp. 112, 3 der Metonische Cyklus angenommen worden, und zwar mit dem Jahresanfang vom 28. Juni, welcher
durch die Oktaeteris und den Cyklus des Kallippos angegeben
war: der Cyklus des Kallippos beginnt gleichfalls mit dem
Jahre Olymp. 112, 3 und scheint für die projectirte Kalender-
verbesserung ausgearbeitet, von den Athenern aber nicht ange-

nommen worden zu sein, sondern vielmehr der Metonische.
Dafs Olymp. 112, 3 der Metonische Cyklus in Athen galt, wird
hiernächst aus einer zwar verstümmelten, aber herstellbaren Inschrift bewiesen: denn aus dieser erhellt, dafs dieses Jahr ein
Schaltjahr war, was es nur im Metonischen Cyklus ist. Dasselbe wird für Olymp. 114, 3 aus zwei Inschriften nachgewiesen: auch dieses Jahr ist nur im Metonischen Cyklus ein Schaltjahr. Für Olymp. 116, 3 ist dasselbe bereits früher gezeigt.
Cap. 13. Was den Kallippischen Cyklus betrifft, so ist Idelers
Vermuthung, derselbe sei Olymp. 118, 3 in Athen eingeführt
worden, irrig. Fünf zwar verstümmelte, aber Buchstab vor
Buchstab herstellbare Inschriften führen zu dem übereinstimmenden Ergebnifs, dafs Olymp. 119, 3 ein Schaltjahr war wie
im Metonischen, nicht aber im Kallippischen Cyklus; ebenso
stimmen die übrigen Jahre der nächsten Zeit, deren Dauer sich
ermitteln läfst, mit dem Metonischen Cyklus. Die erste Spur
des Kallippischen Cyklus in Athenischen Actenstücken findet sich
in zwei Inschriften, welche doppeltes kalendarisches Datum
enthalten; ihre Herstellung ist zwar schwierig, aber so weit
möglich, dafs mit Sicherheit gesagt werden kann, das erste
Datum sei nach dem Metonischen, das zweite nach dem Kallippischen Kalender, das erstere aber sei das eigentlich amtliche.
Die eine dieser Inschriften fällt sicher in den Zeitraum von
Olymp. 145, 4 — 155, 2, und es ist das wahrscheinlichste, dafs
dieses doppelte Datiren mit dem Beginn der dritten Kallippischen
Periode, Olymp. 150, 3 angefangen habe. Es kann jedoch nicht
lange beibehalten sein; Olymp. 208, 1, nach Chr. 53, war den
Athenern ein Gemeinjahr wie im Metonischen Cyklus, während
es im Kallippischen ein Schaltjahr ist: es scheint also noch damals der Metonische Cyklus gegolten zu haben. *Cap.* 14. Die
Angaben der Alten über das Jahr der Hellenen von 360 Tagen
und ausschliefslich 30tägigen Monaten werden zusammengestellt und beseitigt. *Cap.* 15. Der Tricesimalcyklus findet eine
vorzügliche Stütze darin, dafs die Schlacht bei Marathon auf
den 6. Boedromion und dennoch um den Vollmond fiel; Rinck
legt ein besonderes Gewicht darauf, dafs sein Cyklus hiermit
übereinstimme. Diese Übereinstimmung ist aber gar nicht vorhanden, sondern beruht blofs in der Einbildung. Es wird wie-

xxxx xxx xxx verxxxxxx xxxxxxx gxxxxxx, was der Verfasser
xxxxx xxxxxxxxx xxxx xxxx xxxxxxxxxxxxxx hatte, daſs,
xx Ix xxxx xxxxxx. xx x. xxxxxxxx nicht der Tag
xx xxxxxx xx xxxxxxx vxx. xxxxx der Tag, an welchen
xxx xx für xxx xxx xxxxxx xxxxxxxx; zugleich
xxxxxxx xxx xxxxxx xxxx xxxx aus der Stellung der
xxxxx x xxx xxxxxx x xxxxxxxx mit der Ordnung der
xxxxxxx xxxxxxx xxxxxx, xxx xxxxxxx nach der Mitte
xxx xxxxxxxx xxxxxx xx. xxx xxxx die Grundlosigkeit
xxxx xxxxx xxxxx xxxxxxx xxxxxx Einwandes. Aus eben
xxxx xxxxx xxx. xxx xxxx xxxx ins Attische Jahr mit
xxx xxxxxxxx xxxxxxx xxxx. Die Schlacht bei Marathon
xx xxx xxx Verfasser xxx 1. xxxxxxxx geliefert, welcher
Tag auf xxx 12. September xxx. wenn der Kalender damals,
Olymp. 72. 3. vor Chr. 490. in Ordnung war. **Cap. 16.** Die
Schlacht bei Salamis xxx xxx Wahrscheinlichkeit auf den 19.
Boëdromion Olymp. 75. 1. vor Chr. 480 gesetzt werden, welcher damals durch eine mäßige Abweichung der bürgerlichen
xxxxxxxxx von den Mondzuxxx etwa dem 30. September entsprochen haben dürfte. **Cap. 17.** Die verschiedenen Aufstellungen über den zur Zeit des Peloponnesischen Krieges gültigen Cyklus müssen an den Thukydideischen Berechnungen der
Zeiten dieses Krieges erprobt werden. Hierbei kommt es zunächst darauf an, ob der Krieg zwei oder vier Monate vor
Olymp. 87, 2 begonnen habe: der Verfasser entscheidet sich
unbedingt für das letztere, was bekanntlich zuerst von K. W.
Krüger aufgestellt worden ist. Die erste Aufgabe ist zu zeigen,
wie es möglich sei, daſs der 80 Tage nach der Überrumpelung
von Platää erfolgte Einfall der Lakedämoner in Attika τοῦ Σί-
τ... καὶ τοῦ σίτου ἀκμάζοντος; d. h. in die zweite Hälfte des
Juni fallen konnte. Diese Aufgabe wird mit Beseitigung anderer Lösungen aus dem oktaeterischen Cyklus gelöst, der damals sicherlich allein galt. **Cap. 18.** Ebenso werden aus dem
vom Verfasser entworfenen oktaeterischen Cyklus die drei übrigen Hauptaufgaben, betreffend die Zeiten 1) von der Einnahme
von Platää bis zum Waffenstillstand vom 14. Elaphebolion
(Olymp. 89, 1, 2) von der Einnahme von Platää bis zum Frie-
densschluſs am sechstletzten Elaphebolion Olymp. 89, 3, 3) vom

Anfange des Peloponnesischen Krieges bis zum Ende desselben, genau gelöst. *Cap.* 19. Es erregt eine bedeutende Schwierigkeit, daß die Burg von Theben Olymp. 99, 2 zu sehr warmer Sommerzeit an den Thesmophorien eingenommen worden. Es wird gezeigt, daß unter Berücksichtigung der Verschiedenheit der Attischen und Böotischen Schaltperiode diese Schwierigkeit sich besser löst als Rinck sie zu lösen vermochte. *Cap.* 20. Über die Ausdrücke ἀρχομηνία und νουμηνία, zur Beseitigung der Rinck'schen Aufstellungen; desgleichen über ein Zeugenverhör im Beginn des Hermokopidenprocesses, Olymp. 91, 1, gegen Scaliger und Rinck, welche daraus zeigen wollten, es habe damals kein Mondjahr in Athen gegolten, während daraus gerade das Gegentheil und die Übereinstimmung des bürgerlichen Neumondes mit der Mondphase folgt. *Cap.* 21. Olymp. 89, 1 waren die Athener den Spartanern in der Tagzählung der Monate um zwei Tage voraus, Olymp. 89, 3 dagegen datirten die Spartaner den Athenern (nach Rinck) um zwei Tage voraus, aber in einem andern Monat als Olymp. 89, 1. Dies ungelöste Problem löst Rinck aus seinem Cyklus. Der Verfasser der vorliegenden Abhandlung löst es hier aus der Oktaeteris, und giebt eine vergleichende Tafel des Attischen und Lakonischen Kalenders für Olymp. 89, 1—3, was die Tagzählung betrifft natürlich nur hypothetisch und um eine Probe von der Lösbarkeit zu geben, die mit geschichtlicher Sicherheit aus Mangel an den erforderlichen Daten nicht gemacht werden kann. *Cap.* 22. Zur Rechtfertigung seines Cyklus hat Rinck die in den Inschriften vorkommenden Angaben über die Prytanien in Betracht gezogen. Die Erwägungen desselben sind, inwiefern sie neu sind, völlig unbegründet. Rinck hat in diese Partie einige neue Aufstellungen über die Feste eingeschoben, an welchen Schauspiele gegeben wurden. Auch diese Aufstellungen sind durchaus nichtig. Was Rinck neues beigebracht hat um zu zeigen, die kleinen Panathenäen seien im Thargelion gefeiert worden, beruht, wie hier nachgewiesen wird, auf unvollkommener Sachkenntniß und unrichtigen Vorstellungen.

Hr. Poggendorff las über eine neue Verstärkungsweise des Inductionsstroms.

Zu den Gründen, welche den Verf. bei seiner früheren
Arbeit über den Inductions-Apparat bestimmten, den Neeff'-
schen Hammer als ein selbstständiges Instrument construiren
zu lassen, gehörte unter andern der, dafs er beabsichtigte, denselben auch unter der Luftpumpe zu gebrauchen, weil er die
Vermuthung hegte, es würde für die Erregung des Inductionsstroms nicht gleichgültig sein, ob die Unterbrechungen des inducirenden Stroms im partiellen Vacuo, oder in freier Luft
geschähen.

Die Mannigfaltigkeit der an dem Inductionsapparat zu stu-
direnden Erscheinungen liefs aber damals den Gedanken nicht
verfolgen, und er ruhte bis der Verf. vor Kurzem, durch anderweitige Versuche auf ihn zurückgeführt, Veranlassung nahm,
denselben einer experimentellen Prüfung zu unterwerfen. Hierbei hat sich denn jene Vermuthung im vollen Maafse bewährt,
indem sich zeigte, dafs das Vacuum die Wirkung des Unterbrechers sehr bedeutend verstärkt, in einem Grade, dafs dadurch
der Condensator wenigstens für diejenige Klasse von Erscheinungen, für welche er gerade am wirksamsten ist, vollkommen
ersetzt wird.

Da die Vorgänge bei dieser Anwendungsweise des Neeff'-
schen Hammers auch in sonstiger Beziehung von Interesse sind,
so mag es erlaubt sein, hier kurz die Beobachtungen mitzutheilen.

Der Verf. versetzte den Hammer auf dem früher beschriebenen Extrateller in eine Atmosphäre von etwa 1,5 par. Lin.
Quecksilberdruck, und verband ihn mit dem inducirenden Apparat in der Weise, dafs der galvanische Strom die Drähte der
Hauptrolle bald neben-, bald hintereinander durchlaufen mufste.
Er erregte den Strom theils durch ein, theils durch zwei Grove'sche Elemente, und liefs ihn abwechselnd sowohl auf den
kürzeren und dickeren, als auf den längeren und dünneren seiner Inductionsdrähte wirken. Endlich richtete er es auch so
ein, dafs der im Vacuo vibrirende Hammer nach Belieben mit
einem grofsen Wachstafft-Condensator verbunden war oder nicht.

Unter gleichen Umständen und immer unterstüzt durch diesen Condensator wurde darauf derselbe Hammer in freier Luft angewandt, und seine nunmehrige Wirkung verglichen mit der, welche er im Vacuo arbeitend hervorgebracht hatte.

Dabei stellte es sich denn als allgemeines Resultat sehr entschieden heraus, daſs die Funkenwirkung der Inductionsrolle bei Anwendung des Hammers im Vacuo ohne Condensator in allen Fällen eben so stark, in einigen sogar bedeutend stärker ist als die, welche man durch den Hammer in freier Luft mit dem Condensator erhält.

Besonders war dies der Fall bei dem dickeren und kürzeren Inductionsdraht, wenn zugleich die Drähte der Hauptrolle nebeneinander verknüpft waren.

Die Verbindung des Condensators mit dem Hammer im Vacuo hatte, wenn die Drähte der Hauptrolle nebeneinander verbunden waren, wie es schien, im Allgemeinen auf die Schlagweite der Inductionsfunken keinen Einfluſs, wenigstens keinen vergröſsernden; nur wurden die Funken dadurch zuweilen etwas kräftiger.

Wenn dagegen die Hauptdrähte hintereinander verbunden waren, zeigte sich die auffallende Erscheinung, daſs die Verknüpfung des Condensators mit dem Hammer im Vacuo die Schlagweite der Inductionsfunken beträchtlich verringerte. Zugleich lieſs sich aber auch ein fortdauerndes Knacken im Condensator hören. Es hatte also die Erscheinung darin ihren Grund, daſs der Extrastrom, wegen gröſserer Intensität, durch den Condensator ging.

Was die Licht-Erscheinungen im elektrischen Ei betrifft, so wurden auch diese durch den im Vacuo vibrirenden Hammer recht schön entwickelt, im Ganzen, wie es schien, ziemlich eben so gut, wie durch die gewöhnliche Anwendungsweise dieses Instruments.

Um genau darüber zu entscheiden, müſste man diese Erscheinungen gleichzeitig in zwei Eiern durch zwei gleiche Hämmer hervorbringen, von denen der eine in freier Luft, der andere im Vacuo fungirte. Ein solcher Vergleich war dem Verf. aber zur Zeit nicht möglich.

So viel war indefs mit Sicherheit zu beobachten, dafs die Licht-Erscheinungen, welche der im Vacuo vibrirende Hammer hervorruft, durch die Verbindung desselben mit dem Condensator meistens allerdings etwas verstärkt wurden, aber doch nur dann, wann entweder das Vacuum nicht vollkommen genug war, oder der Strom an sich eine zu geringe Intensität besafs.

Wie der Verf. früher gezeigt, wirkt der Condensator bei Verbindung mit dem in freier Luft vibrirenden Hammer in ähnlicher Weise, indem seine Wirkung bei Anwendung des dünneren und längeren Inductionsdrahts und eines wohl ausgepumpten Eies ebenfalls so gut wie Null ist.

Sehr interessant sind die Vibrationen des Hammers im Vacuo für das Studium des Extrastroms.

Läfst man, durch Verbindung der Hauptdrähte nebeneinander, den galvanischen Strom einen relativ kurzen und dicken Draht durchlaufen, so bekommt man am Hammer hell leuchtende Funken, wohl drei Mal so grofs als die in freier Luft, und durch Verbindung des Hammers mit dem Condensator wenig oder gar nicht abnehmend, besonders, wenn man den Strom durch zwei Grove'sche Elemente erregt hat.

Verbindet man dagegen die Hauptdrähte hintereinander, so dafs die Strombahn die doppelte Länge und den halben Querschnitt bekommt, so geht der compacte helle Funke in eine schwach leuchtende, mehr ätherische, Flamme über, die sich nicht blofs auf die Unterbrechungsstelle des Stroms beschränkt, sondern den Platinstift, wenn er den negativen Pol bildet, nebst allen benachbarten Messingtheilchen mit blauer Farbe einhüllt, während zwischen dem Stift und der Platinplatte auf der vibrirenden Zunge noch ein weifser Funke erscheint.

Die blaue Flamme verschwindet, wenn man den Inductionsdraht mit dem wohl ausgepumpten elektrischen Ei verbindet, und ebenso verschwindet der letztgenannte Funke bei Verknüpfung des Condensators mit dem Hammer gänzlich, sobald man 1 Grove'sches Element anwendet, und zum gröfsten Theil wenigstens, sobald man deren zwei gebraucht. Das Phä-

nomen verschwindet auch vollständig, wenn man die Inductionsrolle metallisch schliefst; aber andererseits gewinnt es noch bedeutend an Ausdehnung — und dann erst sieht man es eigentlich in voller Gröfse — wenn man die inducirende Rolle
ganz zur Inductionsrolle herauszieht.

Beide Erscheinungen sind ungemein geeignet, die Rück-
wirknng des Inductionsstroms auf den Extrastrom augenfällig
darzuthun.

Übrigens wird der Hammer bei diesen Vorgängen aufserordentlich angegriffen.

Nicht allein die Zunge ist es, welche auf der Platinplatte
und zu beiden Seiten derselben auf bedeutende Strecken ge-
schwärzt wird, sondern auch die Messingtheile oberhalb derselben, die Schraube und deren Fassung, beschlagen wie mit
Blak. — Nur der an der Schraube sitzende Platinstift fand sich
bei zwei verschiedenen Versuchsweisen nicht schwarz, sondern
weifslich überzogen, ohne dafs bei der geringen Masse des
Überzugs bisher ermittelt werden konnte, von welcher Natur
derselbe sei. Der schwarze Beschlag dagegen ist offenbar
nichts anderes als fein zertheiltes Platin, welches man auch,
wenn der Hammer in Thätigkeit ist, in kleinen Fünkchen von
der Spitze des Stiftes aus nach allen Richtungen hin fortge-
schleudert sieht.

Der starke Angriff, den der Hammer beim Vibriren im
Vacuo erleidet, macht die beschriebene Verstärkungsweise des
Inductionsdraht für die Praxis gerade nicht empfehlenswerth,
es sei denn, man wolle zugleich den Condensator anwenden,
wodurch aber das Vacuum überflüssig würde[*]).

Allein in theoretischer Hinsicht ist sie gewifs nicht minder interessant als die übrigen drei bisher bekannten Verstär-
kungsmittel: der Condensator, der unter Wasser vibrirende
Hammer und die von Rijke näher studirten Unterbrechungen
zwischen den Polen eines kräftigen Magnets.

---

[*]) Später hat der Verf. gefunden, dafs dieser Angriff bedeutend verringert wird, wenn man den Platinstift des Hammers durch einen Silberstift
ersetzt und stets als negativen Pol gebraucht. Der Funke nimmt dabei
eine schön grüne Farbe an.

Bericht

über die

zur Bekanntmachung geeigneten Verhandlungen der Königl. Preuſs. Akademie der Wissenschaften zu Berlin

im Monat April 1855.

Vorsitzender Sekretar: Hr. Ehrenberg.

Osterferien.

16. April. Sitzung der physikalisch-mathematischen Klasse.

Hr. Encke las über die Berechnung der Pallas-Störungen.

Unter allen bisher entdeckten Planeten giebt es keinen, dessen allgemeine Störungen, den früheren Methoden der Entwicklung nach, gröſsere Schwierigkeiten darböten als die Pallas. Man kann die Schwierigkeiten fast unüberwindlich nennen, da bekanntlich die Pariser Akademie mehrere Jahre hindurch einen hohen Preis dafür offen lieſs, und der groſse Mann, dessen Tod wir vor wenigen Wochen zu beklagen hatten, sich eben so lange damit beschäftigte, ohne jemals so weit darin vorzuschreiten, daſs er irgend ein Resultat publizirte. Es handelte sich auch nicht bloſs um analytische Lösung des Problems, aus einigen Hülfsrechnungen, welche ich selbst 1815 für Gauſs ausführte, die numerische Ermittelung des Werthes einer periodischen Reihe, welche die Störung eines Elementes ausdrückte, für eine bestimmte Zeit, weiſs ich gewiſs, daſs sein Zweck auf numerische Werthe gerichtet war; dennoch ist nie darüber etwas bekannt geworden.

Hiernach schien mir die Pallas das zweckmäſsigste Beispiel, um zu erproben was die Behandlung der Störungen, welche

ich im Monatsberichte 1853 pag. 301 angedeutet, und in dem
Jahrbuche für 1857 weiter auseinandergesetzt habe, überhaupt
vermöge. Kann man die Pallasstörungen darnach finden, so
kann man es sicher auch bei allen andern Planeten. Denn die
beiden Elemente die am hinderlichsten bei den älteren Methoden sind, die Eccentricität und Neigung, sind bei der Pallas
so beschaffen, daß ihre Eccentricität (= 0,245) nur von der
der Juno (0,256) und unter den neueren von der der Phocaea
(0,25) und Polyhymnia (0,34) übertroffen wird, welche letztere
beiden Bestimmungen überdem noch unsicher sind, bei der
Kürze der Zeit seit welcher die beiden Planeten entdeckt sind,
Phocaea 1853, Polyhymnia 1854. Allerdings giebt es unter
den bis jetzt bekannten Bahnen der kleinen Planeten noch sieben, bei denen die halbe grofse Axe noch gröfser ist als die
der Pallasbahn, so daß sie möglicher Weise dem Jupiter noch
näher kommen können. Allein diese gröfsere Annäherung wird
in der Entwicklung nur einige Glieder mehr hinzufügen, die
eigentlich analytischen Schwierigkeiten weniger vermehren. Die
Neigung der Pallasbahn gegen die Jupitersbahn ist aber gröfser als bei allen bisher bekannten Planeten.

Es ist dabei nicht sowohl meine Absicht, die Pallasstörungen an sich mit der erforderlichen Genauigkeit zu bestimmen,
als vielmehr an einem durchgeführten Beispiele zu zeigen, wie
viel Zeit und Kraftaufwand auch in den allerschwierigsten Fällen nöthig sei. Ich habe mir deshalb das Ziel gesetzt die Entwicklung noch weiter zu treiben als für die Pallas absolut genommen nöthig wäre. Nach der Art meiner Form werden
die Störungen der rechtwinklichten Coordinaten berechnet.
Eine Einheit der siebenten Decimale in denselben wird bei der
halben grofsen Axe der Pallas etwa $\frac{1}{10}$ Secunden in der Win-
kelbewegung gleich zu setzen sein. Bis zu dieser Grenze wün-
sche ich die Entwicklung durchzuführen. Nimmt man bei der
Rechnung noch zwei Decimalen der Einheit der siebenten De-
cimalstelle hinzu, so wird man bei den Coefficienten die durch
spätere Multiplikationen grofs werden sollten, doch diese Grenze
erreichen, weil man die zu multiplicirenden ursprünglichen
Werthe nahe bis auf 0,"00007 genau vor sich hat.

Meine Zeit ist durch mannigfache andere Geschäfte so in

Anspruch genommen, daſs ich die Vollendung des Ganzen nicht in einer bestimmten Zeit versprechen kann. Auch soll mein Bestreben nicht dahin gerichtet sein in der kürzesten Zeit Alles zu vollenden. Aber es ist wenigstens das Ziel was ich mir gesteckt habe, die Arbeit zu vollenden, und dadurch nicht bloſs eine Lücke auszufüllen, die jetzt schon länger als ein halbes Jahrhundert besteht, sondern auch angeben zu können wie viel Zeit man in Fällen, die damit vergleichbar sind, gebrauchen wird. Von Zeit zu Zeit werde ich deshalb einen Bericht abstatten, wie weit ich gekommen bin und welche praktische Betrachtungen mich geleitet haben, um möglichst kurz und doch dabei sicher das Ziel zu erreichen, und da ich für jetzt den ersten Hauptabschnitt beendigt habe bei den Jupiterstörungen der Pallas, nämlich die Entwicklung der Funktion $\frac{m'k^2}{\rho^2} \cdot \frac{1}{\rho}$ (es ist hier $m'k^2$ die Jupitermasse, also $\frac{m'k^2}{\rho^2}$ die jedesmalige anziehende Kraft, wenn ρ die gegenseitige Entfernung bezeichnet), so erlaube ich mir einen vorläufigen Bericht darüber zu geben.

Die erste Betrachtung muſste sich hier, da ich die Entwicklung durch periodische Quadratur mache, darauf richten, wie viel Punkte auf der Jupiterbahn und wie viel auf der Pallasbahn anzunehmen seien, um die gewünschte Genauigkeit zu erreichen.

Wenn man die Peripherie in $2m$ Theile theilt und die zu entwickelnde periodische Reihe darstellt durch

$$Z = a^0 + a' \cos s + a^2 \cos 2s \ldots + a^p \cos p s$$
$$+ b' \sin s + b^2 \sin 2s \ldots + b^p \sin p s$$

wo bei den a und b die oben angesetzten Zahlen p Accente bezeichnen und nicht Potenzen, so erhält man bekanntlich

1. aus den m Punkten die den geraden Vielfachen von $\frac{2\pi}{2m}$ für s entsprechen, also aus $s = 0$, $2\frac{2\pi}{2m}$, $4\frac{2\pi}{2m} \ldots$ etc., die Coefficienten mit den kleineren Accenten, verbunden mit solchen welche gröſsere haben, nämlich

$$a^0 + a^m + a^{2m}\ldots$$
$$a' + a^{m-1} + a^{m+1}\ldots \qquad b' \quad - b^{m-1} + b^{m+1}$$
$$a'' + a^{m-\gamma} + a^{m+\gamma}\ldots \qquad b'' \quad - b^{m-\gamma} + b^{m+\gamma}$$
$$a^{\frac{1}{2}m} + a^{\frac{3}{2}m} + a^{\frac{5}{2}m}\ldots \qquad b^{\frac{1}{2}m-1} - b^{\frac{1}{2}m+1} + b^{\frac{3}{2}m+1}.$$

Verbindet man aber die Punkte der ungeraden Vielfachen $\frac{2\pi}{2m}$ also $\varepsilon = \frac{2\pi}{2m}$, $3\frac{2\pi}{2m}$, $5\frac{2\pi}{2m}\ldots$ allein untereinander, so erhält man die Verbindungen mit andern Zeichen, nämlich:

$$a^0 \quad - a^m \quad + a^{2m}\ldots$$
$$a' \quad - a^{m-1} - a^{m+1} + a^{2m-1} \quad b' + b^{m-1} - b^{m+1}\ldots$$
$$a'' \quad - a^{m-\gamma} - a^{m+\gamma} + a^{2m+\gamma} \quad b'' + b^{m-\gamma} - b^{m+\gamma}\ldots$$
$$a^{\frac{1}{2}m-1} - a^{\frac{1}{2}m+1} - a^{\frac{3}{2}m-1} + a^{\frac{3}{2}m+1} \quad b^{\frac{1}{2}m} - b^{\frac{3}{2}m}\ldots$$

aus der Verbindung beider Werthe erhält man die Coefficienten

$$a^0 + a^{2m}$$
$$a' + a^{2m-1} \qquad b' \quad - b^{2m-1}\ldots$$
$$a'' + a^{2m-\gamma} \qquad b'' \quad - b^{2m-\gamma}\ldots$$
$$a^m + a^{3m} \qquad b^{m-1} - b^{m+1}\ldots$$

Man kann sonach mit m theilpunkten anfangen, welche den geraden Vielfachen von $\frac{2\pi}{2m}$ entsprechen. Sollten diese nicht ausreichen, so schaltet man zwischen diesen m andere ein, welche den ungeraden Vielfachen von $\frac{2\pi}{2m}$ entsprechen, und hat dann das Resultat genau eben so, als wenn man gleich mit $2m$ Theilen angefangen hätte.

Man kann aber auch noch dazwischen einschalten, um nicht gleich von m Punkten zu $2m$ überzugeben; für eine andere Theilung nach $2n$ Punkten, würde man eben so erhalten haben, aus den geraden Vielfachen von $\frac{2\pi}{2n}$:

$$a^0 + a^n + a^{2n}$$
$$a^1 + a^{n-1} + a^{n+1} \qquad b^1 \quad - b^{n-1} + b^{n+1}$$
$$a'' + a^{n-\gamma} + a^{n+\gamma} \qquad b'' \quad - b^{n-\gamma} + b^{n+\gamma}$$
$$a^{\frac{1}{2}n} + a^{\frac{3}{2}n} + a^{\frac{5}{2}n} \qquad b^{\frac{1}{2}n-1} - b^{\frac{1}{2}n+1} + b^{\frac{3}{2}n-1}.$$

und aus den ungeraden Vielfachen

$$a^{0} \quad - a^{n} \quad + a^{2n}$$
$$a^{1} \quad - a^{n-1} \quad - a^{n+1} \qquad\qquad b^{1} + b^{n-1} - b^{n+1}$$
$$a^{2} \quad - a^{n-2} \quad - a^{n+2} \qquad\qquad b^{2} + b^{n-2} - b^{n+2}$$
$$a^{\frac{1}{2}n-1} - a^{\frac{1}{2}n+1} - a^{\frac{3}{2}n-1} \qquad b^{\frac{1}{2}n} - b^{\frac{3}{2}n}\ldots$$

Es folgt hieraus, daſs wenn $n = \frac{1}{3}m$ genommen wird, vorausgesetzt m sei von der Form $3N$, die erste Gruppe aus den geraden Vielfachen von $\frac{2\pi}{2n}$ schon vollständig in der Entwicklung nach m Punkten enthalten sein wird, und keine neuen Coefficienten-Verbindungen geben kann. Aber die zweite Gruppe der ungeraden Vielfachen wird in diesem Falle geben:

$$a^{2} - a^{\frac{1}{3}n-1} - a^{\frac{1}{3}n+1} + a^{\frac{2}{3}n-1} + a^{\frac{2}{3}n+1} - a^{n-1}$$

oder wenn $m = 3N$ genommen wird

$$a^{2} - a^{N-1} - a^{N+1} + a^{2N-1} + a^{2N+1} - a^{3N-1}$$

während die Entwicklung nach m Werthen gab

$$a^{2} + a^{3N-1} + a^{3N+1}\ldots$$

Der Unterschied beider Werthe wird also die Verbindung

$$a^{N-1} + a^{N+1} - a^{2N-1} - a^{2N+1} + 2a^{3N-1}$$

erhalten lassen, und da aus der Entwicklung nach m Werthen für den Coefficienten a^{N-1} schon der Werth hervorgeht

$$a^{N-1} + a^{2N+1}\ldots$$

so erhält man aus der Differenz dieser beiden Werthe eine Combination die mit

$$a^{N+1} - a^{2N-1}$$

anfängt, während in der Entwicklung nach m Werthen der Coefficient a^{N+1} bestimmt wird aus

$$a^{N+1} + a^{2N-1}$$

so daſs man aus der Verbindung beider Werthe den Coefficienten a^{2N-1} erhält. Durch ähnliche Combinationen erhält man aus der Verbindung beider Entwicklungen nach n und nach m die Combination:

$$b^{N+1} + b^{2N-1}$$

und aus der nach m Werthen allein:

$$b^{N+1} - b^{2N-1}$$

also auch hier wieder den Coefficienten $b^{a N-1}$. Auf diese
Weise kann man, wenn man aus der Entwicklung nach m allein
die Coefficienten bis zu

$$a^{\frac{1}{2}m} \quad \text{und} \quad b^{\frac{1}{2}m-1}$$

erhalten hat, durch Hinzufügung von $\frac{1}{3} m$ neuen Werthen und
der unabhängigen Behandlung derselben unter sich allein, wenn
sie den ungeraden Vielfachen von $\frac{2\pi}{2 m}$ entsprechen, die Coefficienten bis zu

$$a^{\frac{2}{3}m} \quad \text{und} \quad b^{\frac{2}{3}m-1}$$

erhalten.

Was nun zuerst die Frage betrifft von wie vielen Theilpunkten man bei der Pallasbahn ausgehen muſs, um die gewünschte Genauigkeit zu erhalten, so habe ich bei ihr $m = 24$
angenommen. Es ist nämlich bei der Reihen-Entwicklung von
x und y allein, der Coefficient von $\cos 9 M$ schon $0,0000145$,
und da der Werth von $\frac{m' k^2}{\rho^3}$, wenn man bei k^2 die Einheit
des julianischen Jahres annimmt und $m' = \frac{1}{1047.879}$ setzt, in Einheiten der 7ten Decimale $= \frac{376732}{\rho^3}$ wird, ρ aber im Minimum
etwa $= 1,89$, oder $\rho^3 = 6,7$ wird, so wird selbst bei diesem
gröſsten Werthe der ganzen Funktion das Produkt desselben
mit dem Coefficienten von $\cos 9 M$ nur $0,3$ Einheiten der 7ten
Dec. betragen. Funktionen die von x und y auf verschiedene
Art abhängen, wenn sie nicht zu verschiedene Maxima und
Minima Werthe haben, werden deſshalb bis zu $\cos 12 M$ und
$\sin 11 M$ entwickelt, wahrscheinlich hinreichend convergiren.

Zur Bestimmung von m', oder der Anzahl von Theilpunkten die bei der Jupiterbahn anzunehmen wären, habe ich zuerst
das Verhältniſs der beiden mittleren Bewegungen ($\mu = 770,73335$
und $\mu' = 299,12859$) in einem Kettenbruch entwickelt. Die auf
einander folgenden Werthe desselben sind der Reihe nach:

$$\frac{2}{5}, \quad \frac{5}{13}, \quad \frac{7}{18}, \quad \frac{26}{67}$$

und zwar gehört zu

$2\mu - 5\mu'$	eine Periode von		$77,4$	Jahren
$5\mu - 13\mu'$	,,	,, ,,	$101,4$	,,
$7\mu - 18\mu'$	,,	,, ,,	$325,8$	,,
$26\mu - 67\mu'$	,,	,, ,,	$1475,1$	,,

Das letztere Argument zu berücksichtigen ist offenbar ganz unnütz. Das Argument $7\mu - 13\mu'$ schien mir aber wohl der Mühe werth mitzunehmen, wäre es auch nur um zu zeigen wie gering seine Einwirkung für die nächsten Zeiten ist. Es mußte demzufolge $m' > 24$ und mindestens $= 36$ genommen werden. Da es aber zuverläßig nicht nöthig war bei allen m Theilpunkten der Pallas die Entwicklung so weit zu treiben, weil bei großen ρ die Coefficienten zu klein werden, so habe ich zuerst für alle m Punkte der Pallasbahn $m' = 24$ angenommen.

Für $M = 0$ fand sich auf diese Weise

$$\frac{m' k^2}{\rho^2} = + 3295{,}57$$

$$- 880{,}19 \cos M' \quad + 2986{,}89 \sin M'$$
$$- 1078{,}38 \cos 2 M' \quad - 624{,}60 \sin 2 M'$$
$$+ 320{,}76 \cos 3 M' \quad - 340{,}07 \sin 3 M'$$
$$+ 93{,}68 \cos 4 M' \quad + 141{,}20 \sin 4 M'$$
$$- 56{,}31 \cos 5 M' \quad + 21{,}06 \sin 5 M'$$
$$- 2{,}75 \cos 6 M' \quad - 20{,}84 \sin 6 M'$$
$$+ 7{,}24 \cos 7 M' \quad + 0{,}70 \sin 7 M'$$
$$- 0{,}79 \cos 8 M' \quad + 2{,}36 \sin 8 M'$$
$$- 0{,}72 \cos 9 M' \quad - 0{,}44 \sin 9 M'$$
$$+ 0{,}20 \cos 10 M' \quad - 0{,}21 \sin 10 M'$$
$$- 0{,}05 \cos 11 M' \quad + 0{,}09 \sin 11 M'$$
$$- 0{,}03 \cos 12 M'$$

Es geht aus den Coefficienten klar hervor, daß eine weitere Entwicklung unnöthig war, man kann die Coefficienten der größeren Vielfachen als Null ansehen. Dasselbe war der Fall bei $M = 15°$, $30°$, $45°$, $60°$, $75°$, $90°$, $105°$, $330°$, $345°$. Von $M = 120°$ an äußerte sich der Einfluß des kleineren ρ an einigen Punkten. Die Entwicklung nach $m' = 24$ gab für die letzten Coefficienten bei $M = 120°$

$$\frac{m' k^2}{\rho^3} = \ldots\ldots - 1{,}88 \cos 8 M' - 21{,}97 \sin 8 M'$$
$$- 9{,}48 \cos 9 M' + 2{,}84 \sin 9 M'$$
$$+ 2{,}21 \cos 10 M' + 3{,}86 \sin 10 M'$$
$$+ 1{,}34 \cos 11 M' - 1{,}57 \sin 11 M'$$
$$- 0{,}67 \cos 12 M'$$

Ich fügte also den 24 Punkten $M' = 0, 15°, 30° \ldots 345$ noch die 8 Punkte $M' = 22\frac{1}{2}°, 67\frac{1}{2}°, 112\frac{1}{2}°, 157\frac{1}{2}°, 202\frac{1}{2}°,$ $247\frac{1}{2}°, 292\frac{1}{2}°, 337\frac{1}{2}°$ hinzu, und erhielt jetzt auf dem angegebenen Wege bei $M = 120°$

$$\frac{m'k^2}{\rho^3} = \ldots - 1{,}85 \cos\ 8\ M' - 21{,}97 \sin\ 8\ M'$$
$$- 9{,}49 \cos\ 9\ M' + 2{,}76 \sin\ 9\ M'$$
$$+ 2{,}05 \cos 10\ M' + 3{,}91 \sin 10\ M'$$
$$+ 1{,}52 \cos 11\ M' - 1{,}23 \sin 11\ M'$$
$$- 0{,}67 \cos 12\ M' - 0{,}56 \sin 12\ M'$$
$$- 0{,}18 \cos 13\ M' + 0{,}34 \sin 13\ M'$$
$$+ 0{,}16 \cos 14\ M' + 0{,}05 \sin 14\ M'$$
$$+ 0{,}01 \cos 15\ M' - 0{,}08 \sin 15\ M'$$
$$- 0{,}03 \cos 16\ M'$$

wodurch auch wieder mehr erreicht ward als beabsichtigt war. Dasselbe war der Fall bei $M = 135°, 150°, 165°, 330°, 345°$. Jetzt zeigte sich wieder eine Erweiterung nötbig. Ich nahm deshalb jetzt noch 24 neue Werthe an, so dafs die Peripherie in 48 Theile getheilt ward. Als ein Beispiel dieser letzten Entwicklung will ich die ungünstigste von allen, die Entwicklung für den Punkt $M = 255°$ anführen, wo das kleinste ρ vorkommt. Für $M = 255°$ findet sich

$$\frac{m'k^2}{\rho^3} = \ldots + 8069{,}63$$
$$+ 12656{,}05 \cos\ M' - 3943{,}18 \sin\ M'$$
$$+ 8323{,}28 \cos\ 2\ M' - 5703{,}26 \sin\ 2\ M'$$
$$+ 4601{,}50 \cos\ 3\ M' - 5782{,}62 \sin\ 3\ M'$$
$$+ 1934{,}92 \cos\ 4\ M' - 4922{,}26 \sin\ 4\ M'$$
$$+ 287{,}06 \cos\ 5\ M' - 3715{,}96 \sin\ 5\ M'$$
$$- 567{,}45 \cos\ 6\ M' - 2534{,}62 \sin\ 6\ M'$$
$$- 888{,}05 \cos\ 7\ M' - 1559{,}94 \sin\ 7\ M'$$
$$- 896{,}66 \cos\ 8\ M' - 845{,}48 \sin\ 8\ M'$$
$$- 754{,}66 \cos\ 9\ M' - 372{,}78 \sin\ 9\ M'$$
$$- 564{,}93 \cos 10\ M' - 92{,}12 \sin 10\ M'$$
$$- 384{,}28 \cos 11\ M' + 52{,}40 \sin 11\ M'$$
$$- 237{,}85 \cos 12\ M' + 109{,}84 \sin 12\ M'$$
$$- 131{,}56 \cos 13\ M' + 117{,}66 \sin 13\ M'$$
$$- 61{,}42 \cos 14\ M' + 101{,}50 \sin 14\ M'$$

$$
\begin{aligned}
- \quad & 19{,}48 \cos 15\, M' + 77{,}16 \sin 15\, M' \\
+ \quad & 2{,}61 \cos 16\, M' + 53{,}22 \sin 16\, M' \\
+ \quad & 12{,}02 \cos 17\, M' + 33{,}52 \sin 17\, M' \\
+ \quad & 14{,}13 \cos 18\, M' + 19{,}09 \sin 18\, M' \\
+ \quad & 12{,}63 \cos 19\, M' + 9{,}51 \sin 19\, M' \\
+ \quad & 9{,}80 \cos 20\, M' + 3{,}78 \sin 20\, M' \\
+ \quad & 6{,}90 \cos 21\, M' + 0{,}82 \sin 21\, M' \\
+ \quad & 4{,}61 \cos 22\, M' - 0{,}32 \sin 22\, M' \\
+ \quad & 3{,}18 \cos 23\, M' - 0{,}40 \sin 23\, M' \\
+ \quad & 1{,}34 \cos 24\, M'
\end{aligned}
$$

Diese Entwicklung aus 48 speciellen Werthen fand bei $M = 180^{\rm o}$, 195°, 210°, 225°, 240°, 255°, 270°, 285° statt. Es liegen folglich den späteren Störungsrechnungen die aus 816 speciellen Werthen abgeleiteten 432 Cosinus Coefficienten und 384 Sinus Coefficienten zum Grunde, nämlich bei 10 Punkten der Pallasbahn ist die Entwicklung bis zu $\cos 12\, M'$ und $\sin 11\, M'$, bei 6 Punkten bis zu $\cos 16\, M'$ und $\sin 15\, M'$, und bei 8 Punkten bis zu $\cos 24\, M'$ und $\sin 23\, M'$ fortgetrieben.

Diese Rechnungen gründen sich auf die osculirenden Pallas-Elemente von Galle, wie sie in den astronomischen Nachrichten Nr. 332, mit einer allerdings etwas von der hier angenommenen Jupitermasse verschiedenen, (Galle setzt sie $= \frac{1}{1053.924}$) hergeleitet sind. Da diese osculirenden Elemente indessen nur wenig abweichen von den osculirenden Elementen von Gauſs für dieselbe Epoche, welche mit der Jupitermasse 1067,09 hergeleitet sind, so wird der Einfluſs der Verschiedenheit zwischen Galle's und meiner Annahme hoffentlich nicht zu beträchtlich sein.

Die Jupiterelemente sind die Bouvard'schen für dieselbe Epoche 1810, nachdem die halbe groſse Axe aus der mittleren Bewegung so bestimmt ist, wie sie meiner Massen-Annahme entspricht.

Die Rechnung ist von mir selbst doppelt geführt, da ich bei meiner etwas zerissenen Zeit mich an die Vorschreitung der Rechnung bei einem Gehülfen nicht binden konnte. Ich habe auf diese doppelte Rechnung bis zu dieser Entwicklung meine Muſsestunden vom 18. Nov. 1854 bis 14. Jan. 1855 verwandt.

Es blieb nun noch die Entwicklung der verschiedenen Coefficienten derselben Vielfachen von M' nach einer periodischen Reihe von M übrig und dann die Zusammensetzung der beiderseitigen Entwicklungen zu einer Reihe von der allgemeinen Form

$$a \, {}_i^{i'} \, {\textstyle {\cos \atop \sin}} \, (i\,M - i'\,M')$$

Diese Arbeit konnte ich erst am 18. Febr. wieder vornehmen und habe die doppelte Berechnung am 18. März vollendet. Ich bin demnach völlig überzeugt daſs eine doppelte Berechnung in der geringeren Ausdehnung wie sie für die Planeten (wenigtens die meisten, wahrscheinlich für alle) erforderlich sein möchte, bei freier Zeit sich in 4 Wochen vollenden läſst.

Die Entwicklung geht bis zu dem Cos. ($12\,M - 24\,M'$) und enthält auch die Glieder die bei der Integration kleine Divisoren haben, sie sind

$$- 276{,}61 \cos (2\,M - 5\,M') - 714{,}22 \sin (2\,M - 5\,M')$$

wo der Divisor $+ 0{,}08116$ oder etwa $\frac{1}{12}$ ist

$$+ 0{,}38 \cos (5\,M - 13\,M') + 21{,}23 \sin (5\,M - 13\,M')$$

wo der Divisor $- 0{,}06194$ oder etwa $\frac{1}{16}$ ist

$$+ 2{,}11 \cos (7\,M - 18\,M') - 1{,}03 \sin (7\,M - 18\,M')$$

wo der Divisor $+ 0{,}01923$ oder etwa $\frac{1}{52}$ ist.

Allerdings läſst sich aber aus diesen Coefficienten noch nichts auf die spätere Gröſse nach der Integration schlieſsen, da die Multiplicationen welche zur Bildung der störenden Kräfte noch ausgeführt werden müssen und die Integrationscoefficienten sie gewiſs ganz umgestalten.

Ich will hoffen daſs es mir möglich sein wird, wenn nicht rasch doch ohne allzulange Pausen in dieser Arbeit fortzufahren, und dann auch ausführlichere Rechenschaft abzulegen. Die Grundlage scheint in der That nach der Regelmäſsigkeit wie bei jedem constanten i, oder bei einem constanten i', die Coefficienten nach beiden Seiten hin von dem Punkte des Maximums an abnehmen, hinlänglich gesichert.

Hr. Ehrenberg machte hierauf eine mündliche Mittheilung über auch nach fast 4 Jahren fortlebende mikroskopische Thiere in trockener Erde von den hohen Alpen des Monte Rosa.

Das sogenannte Wiederaufleben scheintodter Thiere nach langer Zeit ist noch immerfort ein interessanter Gegenstand der Physiologie und es ist noch immer wichtig die Erscheinung in allen sich darbietenden neuen Gesichtspunkten und Verhältnissen, so wie in ihren Bedingungen wissenschaftlich zu beachten und zu ordnen. Daſs der Ausdruck „Wiederaufleben", welcher gewöhnlich hierbei gebraucht wird, die unversiegbare Quelle eines gröberen Irrthums ist, habe ich bereits öfter zur Erkenntniſs gebracht und angezeigt, dagegen behält der richtigere Ausdruck „das Fortleben", das sich Erhalten und Fortbestehen eines trägen und zähen Lebens in sehr lebensfeindlichen Verhältnissen jenes dauernde physiologische Interesse, welches anregt die Grenzen und Bedingungen solchen Lebens allmählich immer schärfer und tiefer zu ergründen.

Vor nun 2 Jahren (s. die Monatsberichte 1853, S. 326. 363), fügte ich dem bisher Bekannten über diesen Gegenstand die neue Thatsache hinzu, daſs Rädertiere und Bärenthierchen nicht nur nach jahrelangem Trockenliegen in gleichen atmosphärischen Verhältnissen fortleben, sondern daſs auch Formen aus über 11,000 Fuſs Alpenhöhe, dabei den Alpen ganz eigenthümliche Arten, die in ganz andern atmosphärischen Verhältnissen entwickelt worden, in Berlin (bei c. 100 Fuſs Erhebung über dem Meere), sobald sie in Wasser kamen ein thätiges Leben erkennen lieſsen, nachdem sie 2 Jahre lang ohne sichtbare Feuchtigkeit in völlig trockener Mooserde in Papier im Wohnzimmer aufbewahrt gewesen.

Die von den Hrn. DDr. Schlagintweit vom Monte Rosa mitgebrachte Mooserde des Weiſsthorpasses wurde von mir vor einigen Wochen im März und seitdem öfter, auch gestern wieder geprüft, indem ich einen Theil davon in einem Uhrglase unter reines Wasser brachte. Sie ist im August 1851 gesammelt und in demselben Papierpäckchen in einem Schreibpulte meines Wohnzimmers aufbewahrt worden. Aus demselben Materiale wurden 1853 im Mai die damals mitgetheilten Beobachtungen gemacht. Am andern Tage wurde die erdige Masse umgerührt und das im Wasser sich schwebend erhaltende (ein feiner Mulm), wurde bis nahe zum Bodensatz abgegossen. Der Bodensatz bestand aus einer leichteren oberen und einer schwereren unteren Schicht. Die letztere war Sand, die erstere enthielt viel mit der Lupe schon erkennbare weißliche Theilchen, Räderthierchen und Bärenthierchen, mit abgelösten Moosblättchen. Diese obere Schicht des Bodensatzes wurde in ein besonderes Uhrglas abgeleitet und durch öfteres Abschlemmen in wieder andere Uhrgläser wurden die Thierkörperchen mehr concentrirt. Bei jedem solchen Versuche fanden sich die 3 Arten von *Callidina*, 3 bis 4 Arten von *Echiniscus*, *Milnesium alpigenum*, *Macrobiotus Hufelandii* und *Anguillula ecaudis* und *longicaudis*, mit vielen stachligen Eiern des *Milnesium* und glatten Eiern des *Macrobiotus*. Von all diesen Formen bei welchen an Individuenzahl die *Callidina scarlatina* und *alpium* weit überwiegend waren, sah ich diesmal stets nur 3 Arten lebend. Vor 2 Jahren lebten 7 Arten:

> *Callidina scarlatina*
> *Milnesium alpigenum*
> *Macrobiotus Hufelandii*
> *Echiniscus Suillus*
> > *Arctomys*
> > *Victor*
> > *Testudo*

Eier des *Milnesium alpigenum*, meist frei,
> *Macrobiotus Hufelandii*, stets in Häuten.

Die zahlreich dazwischen liegenden Formen der
> *Callidina alpium*
> > *rediviva*
> *Anguillula ecaudis*
> > *longicaudis*

sah ich niemals lebendig bewegt, obwohl sie sich passiv ausdehnten.

Die jetzt nach 4 Jahren noch lebenden 3 Formen waren:

> *Callidina scarlatina*, selten und nur in großen Exemplaren,

Milnesium alpigenum, in grofsen und kleinen Exemplaren, *Macrobiotus Hufelandii*, in kleinen Exemplaren.

Während damals vor 2 Jahren etwa 20 von 100 nach Zuthun von Wasser das thätige Leben sichtbar fortsetzten, mögen jetzt, nach 4 Jahren, 2 von 100 es thun.

Man erkennt, bei wissenschaftlichem Ernste, leicht, dafs es sich hier nicht um Bewegung von Maschinchen, noch um Erweckung des latenten Lebens, sondern um kärgliche Selbsterhaltung und Fristen eines hart bedrängten, offenbaren Lebens handelt. Dort oben auf den Alpenspitzen in 11,000 Fufs Höhe, mufs es, der grofsen Menge der vorhandenen kräftigen Thierleiber nach, ein verhältnifsmäfsig reiches thätiges Leben geben, obschon auch da viele Individuen vorzeitig untergehen mögen, wärend in der dürren Erde im Stubenschranke die Erhaltung höchst kümmerlich, aber doch, ich wiederhole dieses Beispiel, nach Art des Holzwurms in dürrem Holze sein mag.

Die betreffenden Formen sind 1854 in der Mikrogeologie Taf. XXXV. B abgebildet.

Ich habe noch in Erwägung gezogen, was wohl die überlebenden Individuen begünstigen möge und da scheint es mir denn nützlich deren Charactere in Übersicht zu bringen.

Von Räderthieren habe ich diefsmal bei etwa 8 Untersuchungen im März und April niemals ein Junges so lebend gefunden, dafs es sich mit Ausstreckung bewegt hätte, alle jungen und mittleren Formen waren todt. Die deutlich lebenden Thiere, welche sich ausdehnten, schnell einzogen, krochen und kauten, aber nie wirbelten, waren allemal von den gröfsten Formen, enthielten aber gewöhnlich je ein fast reifes Ei im Körper. Es ist sonach wohl zu erwarten, dafs, nach allmäligem Absterben jener gröfsten Formen, die Eientwicklung in ihnen nicht hinreichende Lebenskraft besitzt noch fernere 1—2 Jahre lebende Formen dieser Art in der trockenen Erde zu erhalten.

Was die Bärenthiere anlangt, welche mit den Räderthieren allein das Leben in dieser Erde fortsetzen, so lassen dieselben zwei Bedingungen ihrer Erhaltung erkennen. Es haben sich nach 4 Jahren nur sehr grofse und kleinere Exemplare derselben Art lebend gezeigt. Alle mittleren Formen sind todt.

Die kleinen sind den eben aus dem Ei entschlüpften sehr ähnlich, aber immer etwas gröfser als die im Ei sichtbar liegenden, was auch mit den Entwicklungsgesetzen dieser Formen übereinstimmt, da das auskriechende Junge gewöhnlich schnell durch Aufnahme von Wasser um fast ⅓ an Gröfse zunimmt. Von den grofsen und gröfsten Exemplaren pflegten nur diejenigen Lebensbewegungen zu zeigen, welche gleichsam in Futteralen ihrer aufgelockerten Haut befindlich waren. Es ist schon bekannt, dafs die Bärenthierchen sich häuten und vor langer Zeit auch von mir angezeigt, dafs sie ihre Eier in die abgestreifte Haut legen. Man findet daher häufig 4 bis 6 Eier in leeren Häuten des Thieres.

So scheint die durch den Häutungsprocefs gebildete doppelte Haut die Lebensfeuchtigkeit dieser Thiere länger anzuhalten und ihnen manchen Schutz zu gewähren. Auf gleiche Weise werden die in Häute gelegten Eier der Bärenthierchen mehr geschützt als die der Räderthiere und Nematoiden.

Die Folge dieser Eigenthümlichkeiten würde hiernach die sein, dafs sich Bärenthierchen am längsten am Leben erhalten, und ohne Wasser ernähren können, dafs sie endlich aber doch auch den schwächenden Einflüssen erliegen, wie sie denn nach 4 Jahren bereits weit seltener lebend erscheinen.

Eben weil es nun zusammengezogene Thierchen giebt, die nie wieder aufleben (todte) und zusammengezogene, die sehr bald unter günstigen Bedingungen in volle Lebensthätigkeit übergehen (nicht todte), so verhalten sich diese Thiere den verdorbenen und den unverdorbenen Eiern ähnlich, obwohl auch diesen nicht gleich. Ein unverdorbenes Ei ist aber weder scheintodt noch hat es ein latentes Leben. Es hat vielmehr ein offenbares sich erhaltendes, unter gewissen Bedingungen sich auch entwickelndes Leben. Todte verdorbene Eier sind nicht entwicklungsfähig, indem sie die Bedingung dazu, die Selbsterhaltung zuerst verloren haben. Entwicklungsfähige Eier sind aber offenbar nie todt gewesen, noch haben sie ein latentes Leben gehabt im Sinne latenter Wärme oder latenter Electricität, vielmehr ist dieses physikalische Gleichnifs unpassend. Es giebt physikalisch keine Körper ohne Wärme und Electricität. allein es giebt todte Eier, die nie wieder entwicklungsfähig für das Leben sind. Eier und eingezogene, trocken lebende Räderthiere sind wiederum nicht in gleichem Verhältnifs. Eier erhalten sich nur in einem sich gleichbleibenden Zustande ohne Entwicklung, wenn nicht besondere äufsere Bedingungen einwirken, die trocknen, d. h. mit unbemerkbarer Feuchtigkeit lebenden zusammengezogenen Räderthiere, nähren sich ohne Zweifel oft noch selbstthätig in diesem Zustande, bilden und legen Eier. Die Bärenthierchen häuten sich dabei, Beide letztere sind also nicht ohne eigene Entwicklung in ihrem eiartig zusammengezogenen Zustande. Weder die Eier noch diese Thiere kann man scheintodt nennen, da man von beiden kein anderes Lebenszeichen zu erwarten berechtigt ist, als die eben vorhandenen wenn auch kargen, doch offenbaren.

---

19. April.   Gesammtsitzung der Akademie.

Hr. Müller las über *Sphaerozoum* und *Thalassicolla*.

Vom Meere getragen und herumgetrieben erscheinen gallertige organische Körper an der Oberfläche desselben, welche Zellen und Kieselskelete enthalten und so passiv sind, dafs der Besitz der Eigenbewegung fehlt oder mindestens gänzlich zweifelhaft ist. Dies sind die Sphärozoen oder Thalassicollen. Sie enthalten in der Gallert eingebettet und zerstreut gewisse sich wiederholende Structuren, d. h. viele einzelne Gruppen von Theilen, bei welchen Gruppen sich die Zellen und Kieseltheile wiederholen. Diese Körper treten schon durch die Gröfse der Gallertmassen ungesucht in die Augen. Aber ungeachtet ihrer grofsen Verbreitung sind sie doch nur von wenigen Beobachtern gesehen und untersucht und durchaus dunkel und räthselhaft.

Wenn die wesentliche Structur in der Gallert nur einmal vorhanden ist, wie in einer andern abweichenden Form, die ich den vorerwähnten anschliefse, so sind die Körper so klein, dafs sie ganz der mikroscopischen Wahrnehmung anheimfallen.

Sphaerozoum Meyen (*Thalassicolla* Huxley).

Sphaerozoum fuscum Meyen.

In einer Abhandlung über Thiere ohne Magen in den Nov. Act. Nat. Cur. Vol. XVI. Suppl. p. 287 (163) stellte Meyen

1834 eine Gattung *Sphaerozoum* auf. Es sind freischwimmende
kugelförmige, schleimig-gallertige Massen, die im Inneren aus
Kugeln zusammengesetzt sind, welche wiederum aus Bläschen
bestehen. Im Innern der Gallerte, welche die Kugeln umschliefst, findet eine Ablagerung von Crystallen statt, die nach
Meyen's Vermuthung wahrscheinlich aus reiner Kieselerde bestehen. Die Bewegung soll durch Contraction der Oberfläche
geschehen. Die Art: *Sphaerozoum fuscum* a. a. O. Tab. XXXVIII
fig. 7 von der Gröfse einer Erbse, auch noch kleiner, ist fast
vollkommen rund, schmutzig gelb, in der Chinesischen See im
Monat October in grofser Menge auf der Oberfläche des Wassers schwimmend. Die fraglichen Crystalle, welche vielmehr
Spicula zu nennen sind, bestehen nach der Abbildung aus einem
geraden Balken, dessen Enden in 3 spitze divergirende Schenkel auslaufen. Meyen stellt mit der Gattung *Sphaerozoum*
eine andere neue Gattung *Physematium* zusammen, ebenfalls
freischwimmende rundliche oder längliche Gallertmassen von
langsamer Eigenbewegung, die er im atlantischen Ocean südlich von den canarischen Inseln bis tief hinab über die Inseln
des grünen Vorgebirges gesehen hat und die zuweilen leuchten
sollen. Die Oberfläche ähnelt einer weichen Membran. Das
Innere besteht aus kleinen Bläschen, die sehr dicht zusammen-
gehäuft und von einer weichen Gallerte umschlossen sind,
auch auf der Oberfläche hervorragen. Die Gallert enthält ein
einzelnes viel gröfseres Bläschen. Von der Bewegung der
Physematien heifst es, dafs sie sich von allen Seiten zusam-
menziehen, sich wieder ausdehnen und sich krümmen. *Physematium atlanticum* Meyen ist kugelrund von 1—6''' im Durchmesser. *Physematium vermiculare* ist walzig mit einigen Ein-
schnürungen, 3—9''' lang. Aus *Sphaerozoum* und *Physematium*
bildet Meyen unter seinen Thieren ohne Magen, *Agastrica*,
eine Familie *Palmellaria*, Palmellenartige Thiere. Er parallelisirt sie den Nostochinen unter den Pflanzen und beruft sich
darauf, dafs die Gattung *Hydrurus* aus der Familie der Nostochinen auch im Innern der Substanz Crystalle absondere. Dies
sind bekanntlich Kalkspathcrystalle. Gegen diesen Vergleich
ist aber zu erinnern, dafs Crystalle und *Spicula* nicht identisch sind.

Hr. Ehrenberg führt Meyen's *Sphaerozoum* im Register seines Werkes über die Infusionsthierchen fraglich an, ob *Volvox* oder *Alga?* und läfst es damit zweifelhaft, ob es Thier oder Pflanze sei. Des *Physematium atlanticum* gedenkt er in der Abhandlung über das Leuchten des Meers, (Abh. d. Akad. a. d. J. 1834. p. 522) und bezieht es auf die *Mammaria adspersa* des Tilesius (Ann. d. Wetterauer Gesellschaft III), welche Hr. Ehrenberg als Verwandte der *Noctiluca* erklärt. Auch wird *Physematium atlanticum* auf die von Baird in Loudon's Mag. nat. hist. Vol. III. 1830 pag. 312 fig. 81 a beschriebenen und abgebildeten sphärischen Körper bezogen, welche offenbar damit identisch sind. Baird fand sie auf seiner Reise nach Indien und China in grofser Menge in leuchtendem Meerwasser. Die Abbildung stimmt genau mit derjenigen von Meyen. Die sphärischen Körper waren überall mit unzähligen kleinen runden Flecken besät, auch ist im Centrum ein runder Fleck umgeben von einem Rande. Das übrige war völlig durchsichtig mit Ausnahme der kleinen runden Flecken. Die Umhüllung von einer gallertigen dünnen durchsichtigen Haut ist ebenfalls angegeben.

Meyen's Beschreibung des *Sphaerozoum* ist nicht ganz genau, aber die Abbildung so weit klar, dafs sich der Gegenstand jetzt wiedererkennen läfst; die Bemerkung von der Eigenbewegung des *Sphaerozoum* ist nicht zuverlässig, wie sich hernach ergeben wird. Die Physematien kenne ich nicht aus eigener Beobachtung; ob sie den Sphärozoen verwandt sind, ist zweifelhaft, theils wegen ihrer von Meyen so bestimmt angegebenen Bewegungen, theils wegen der sie umhüllenden Haut, welche der Gallert des *Sphaerozoum* gänzlich fehlt, theils endlich weil die Physematien ohne Kieselabsätze sind. Baird hat keine Bewegungen derselben erwähnt.

Die Sphärozoen sind weiter beobachtet. Dieselbigen Wesen sind von Huxley, der Meyen's Beobachtung nicht kannte, unter dem Namen *Thalassicolla* beschrieben worden (Ann. nat. hist. II. ser. T. VIII. 1851. p. 433. pl. XVI) und ist die *Thalassicolla punctata* Huxley wenigstens in der Gattung mit *Sphaerozoum* Meyen identisch.

Thalassicolla punctata H u x l e y, a. a. O. pl. XVI. fig. 1. 2. 3.

In allen Meeren, aufsertropischen und tropischen, durch welche der Rattlesnake segelte, fand H u x l e y flottirend an der Oberfläche die Körper, die er *Thalassicolla punctata* nennt. Es sind äufserst weiche durchsichtige farblose gallertige Massen von sehr verschiedener Form, bald spärisch, bald ellipsoidisch, bald langgezogen, variirend an Gröfse von 1 Zoll in Länge abwärts. Sie zeigen keine Contractilität und flottiren passiv an der Oberfläche des Meers. Die Masse besteht aus einer dicken gallertigen Cruste, die eine weite Höhle oder eine Anzahl kleinerer Höhlen enthielt. In der Gallerte näher der inneren Oberfläche sind kleine sphärische oder ovale Körper eingebettet, durch welche das punctirte Ansehen entsteht. Diese sind durch die gallertige Substanz zusammengehalten und haben keine andere Verbindung mit einander. Oft erscheint die Gallerte ganz structurlos, in einigen Fällen wurden jedoch zarte verzweigte, fein granulirte Fäden gesehen, welche von jedem der sphärischen Körper in die Gallerte ausstrahlten. Jedes Sphäroid ist eine Zelle mit einer dünnen aber festen Haut, $\frac{1}{800}$—$\frac{1}{250}$ Zoll im Durchmesser und enthält einen klaren fettig aussehenden Kern $\frac{1}{1400}$—$\frac{1}{800}$ Zoll im Durchmesser, umgeben von einer Masse von Körnchen, welche zuweilen zellenförmig erscheinen. Diese fundamentale Structur, eine Anzahl von Zellen vereinigt durch Gallerte, gleichsam eine animale *Palmella*, sagt H u x l e y, unterlag einigen wesentlichen Modificationen. Sehr häufig war jede der grofsen Zellen von einer Zone von eigenthümlichen Crystallen, fast wie die sternförmigen *Spicula* der Spongien, umgeben. Die Spicula bestanden aus einem kurzen Cylinder, an dessen Enden 3 oder 4 Äste ausstrahlten, die wieder kurze Seitenäste hatten.

Es wird dann noch eine andere Form von *Thalassicolla* erwähnt, welche mit unserm Gegenstande in der That verwandt ist und von welcher später gehandelt werden wird, und bemerkt, dafs bei allen Formen von *Thalassicolla* gewisse kleine hellgelbe Zellen vorkommen, entweder um jede der grofsen Zellen mehr oder weniger versammelt, oder durch die gallertige Verbindungsmasse zerstreut.

Diese Körper sind mir schon seit mehreren Jahren bekannt, da sie im mittelländischen Meere häufig sind. Ich sah sie niemals in der Nordsee und Ostsee und bei Triest. In Nizza im

August und September 1849 waren sie mir sehr oft vorgekommen. Bei Messina sind sie überaus häufig und im August,
September, October eine tägliche Erscheinung im Hafen von
Messina. Wir nannten sie dort auf unsern Excursionen *Meerqualster*. Daſs diese Geschöpfe schon einen gleichbedeutenden
Namen, *Thalassicolla* hatten, war mir damals noch unbekannt.
In Messina gewann ihre Untersuchung durch die Beobachtung
anderer Formen bald ein erhöhtes Interesse. An den mitgebrachten Weingeist Exemplaren ist die Untersuchung fortgesetzt.

Die Beschreibung von H u x l e y ist vollkommen richtig.

Die Gallertkörper sind immer ganz abgeschlossen und zeigen niemals Spuren einer Ablösung von andern Körpern. Die
auſserordentliche Weichheit der bald sphäroidischen bald cylindrischen, an den Enden abgerundeten Massen läſst sich durch
die Bemerkung ausdrücken, daſs die Massen bei dem Versuch,
sie mit der Pincette zu greifen, bei aller Vorsicht doch leicht
durchgeschnitten werden und also schwer zu greifen sind.
Von einer äuſsern Haut der Gallert ist keine Spur vorhanden.
Ungeachtet der zahlreichen Spicula schweben sie doch in der
See in den obern Schichten, man sieht sie nicht allein an der
Oberfläche, sondern so weit als das Auge eindringt und sie
mögen auch wohl tiefer reichen.

Die Gallertkörper sind ohne alle Bewegung. Auf die Bemerkung von M e y e n von der Eigenbewegung des *Sphaerozoum
fuscum* lege ich keinen Werth, schon weil seine Beobachtungen
während der Schifffahrt angestellt sind, noch mehr aber, weil
weder H u x l e y noch ich selbst eine Bewegung oder Contractilität an ihnen wahrnehmen konnten. Auch die in der Gallerte
eingebetteten Theile zeigen nichts von Bewegungserscheinungen. Die Bemerkung H u x l e y 's über die zuweilen deutlich erscheinende fadige Structur der Gallerte muſs ich bestätigen.

Die Zahl der Nester (man verzeihe den Ausdruck) in der
Gallert, welche bei schwacher Vergröſserung als Puncte erscheinen, ist nach der Gröſse der Gallertmassen verschieden,
sie kann sehr bedeutend sein. In einem walzenförmigen Gallertkörper von $\frac{1}{2}$ Zoll Länge zählte ich gegen 300 Puncte
oder Nester.

17 *

Die Spicula liegen entweder um die grofsen Zellen herum
und bilden darum einen Hof oder sind zuweilen auch mehr
oder weniger in der Gallert zerstreut.

Huxley nennt die Spicula zwar auch Crystalle; doch bezeichnet der von ihm schon gemachte Vergleich mit den Spicula der Spongien die Natur dieser Bildungen richtiger, es sind
in der That organische Skeletbildungen aus einem anorganischen Körper. Von den Enden des queren Balkens geben in
der Regel 3 Äste ab, welche unter gleichen Winkeln auseinein-
anderfahren. Sie bilden mit dem Querbalken stumpfe Winkel.
Die äufserst zarten, senkrecht auf die spitzen Zweige gerichteten Seitenästchen sieht man erst bei starken Vergröfserungen.
Über ähnlich gestaltete Spicula bei Spongien siehe J. Quekett
lectures on histology Vol. II. p. 24. fig. 14. g.

Die Vermuthung Meyen's, dafs die Spicula aus Kieselerde bestehen, hat sich bestätigt. Sie sind in kalten und heifsen Säuren unlöslich und feuerbeständig und nach dem Glühen
so unlöslich wie vorher.

Die grofse Zelle variirt sehr an Gröfse von $\frac{1}{40}'''$ — $\frac{1}{15}'''$;
aber in demselben Gallertkörper ist ihre Gröfse oder die Gröfse
der Nester ziemlich gleich.

Die Haut der grofsen Zelle, um welche die Spicula gelagert sind, ist ohne Structur, sie umgiebt bald enger den Körnerinhalt der Zellen, bald auch ist sie von letzterem durch
einen Zwischenraum getrennt; das letztere ist gewöhnlich an
den ausgebildetsten mit Spicula versehenen Exemplaren der Fall.
Die Körner in der grofsen Zelle sind meist sehr ungleich, gröfser und kleiner, zuweilen aber auch gleichförmig, zuweilen
sehr klein.

Der in der Mitte liegende helle Körper bricht im frischen
Zustande das Licht wie Fett oder wie ein Öltropfen. In den
Weingeistexemplaren erschien er wie geronnen. In diesen
Exemplaren fanden sich öfter im Innern der grofsen Zellen
auch einige helle Körper von knolligem Ansehn, in Salzsäure
unlöslich. In der grofsen Zelle fand ich im frischen Zustande
aufser den Körnern und dem hellen Kern einigemal auch kleine
prismatische Körperchen wie Crystalle, die jedoch mehrentheils und zumal in den Weingeistexemplaren, vermifst wurden.

Gewöhnlich ist die grofse Zelle von den kleinen hellgelben Zellen umgeben, welche zwischen der grofsen Zelle und den Kieselspicula liegen. Ihre Gröfse ist $\frac{1}{120}$—$\frac{1}{10}$'''. Sie haben eine deutliche farblose Membran, der Inhalt besteht aus äufserst kleinen Körnchen, welche die Ursache der gelben Farbe sind. Die Zellen liegen bald locker bald dicht der grofsen Zelle auf; im letzteren Fall kann es scheinen als ob sie von der grofsen Zelle bedeckt seien, doch sind sie in diesem Fall nur auf die Oberfläche eingedrückt. Nicht selten finden sich die gelben Zellen auch in der Gallerte zerstreut.

Der Inhalt der gelben Zellen wird von Jod gebräunt. Von Schwefelsäure werden sie ohne Jod nicht verändert, mit Jod aber tiefbraun gedunkelt, völlig undurchscheinend. Wird dann liq. Kali caust. zugesetzt, so werden die Zellen farblos und durchsichtig, die Färbung des Inhaltes wiederholt sich darauf bei wiederholter Anwendung von Jod und Schwefelsäure, Salzsäure wirkt ebenso wie Schwefelsäure. Jod und Schwefelsäure oder Salzsäure verändern die Gallert, die grofse Zelle und ihren Inhalt nicht, als dafs sie intensiv gelb werden.

In manchen der gröfseren Massen des Meerqualsters sind die grofsen Zellen in die Länge gezogen bis doppelt so lang als breit und an grofsen Strecken der Gallert in derselben Richtung verlängert, sie sind dann bedeutend gröfser. An diesen Nestern fehlen die Spicula gewöhnlich ganz; auch runde und kleinere Nester haben zuweilen keine Spicula um sich und sie fehlen dann in der Regel in dem ganzen Gallertkörper. Nur einmal wurde in einem Exemplare, dessen Nester mit Spicula umlagert waren, ein einzelnes Nest ohne alle Spicula bemerkt.

In manchen Gallertmassen, besonders solchen, deren grofse Zellen länglich geworden, hatte die durchsichtige Gallert ein feinkörniges Wesen erhalten von zahlreichen Schleimkörperchen.

Über die Identität des *Sphaerozoum* Meyen und der *Thalassicolla* Huxley in der Gattung kann kein Zweifel sein. Man mufs sich an die Abbildung Meyen's halten, da seine Bemerkung, dafs die in der Gallert eingeschlossenen Kugeln wiederum aus Bläschen bestehen, dem Gegenstand wenig entspricht. Da diese Wesen von Meyen entdeckt sind, so ist der Name *Sphae-*

rosoum in der Priorität. Ich kann mich aber nicht entschlie-
fsen ihn zu gebrauchen oder seinen Gebrauch zu empfehlen,
weil er über die Natur der Körper als thierische praejudicirt,
welche bis jetzt durch nichts erwiesen ist. Der Name *Sphae-
rophylon* würde ebenso bedenklich und unbequem sein, da er
die Frage nicht offen läfst, welche wegen der später zu er-
wähnenden Beziehungen zu andern Formen nicht geschlossen
werden darf. Ich ziehe daher den unverfänglichen Gattungs-
namen *Thalassicolla* von Huxley vor. Wer im Stande sein
wird die thierische Natur der Thalassicollen aufser Zweifel zu
setzen, der wird den Meyen'schen Namen in sein Recht ein-
setzen und die im folgenden beschriebene Gattung *Collosphaera*
Müll., welche sich auf eine andere von Huxley entdeckte
Form gründet, vielmehr *Thalassicolla* nennen.

Sphaerosoum fuscum Meyen kann vorläufig als *Thalassi-
colla fusca* neben *Thalassicolla punctata* unterschieden bleiben.
Beide stehen sich sehr nahe, aber sie scheinen in der Gröfse,
Farbe und auch in dem Habitus der Spicula abzuweichen. Die
Thalassicolla fusca bleibt viel kleiner. Eine schmutzig gelbe
Farbe hatte *Thalassicolla punctata* im frischen Zustande nie.
Die Spicula sind schlanker, bei *Thalassicolla fusca* nach der
Abbildung massiver, sonst ist die Form in beiden völlig gleich.

Unter den von Messina in Weingeist mitgebrachten Meer-
qualstern befinden sich viele, welche mit *Thalassicolla punctata*
durch die Beschaffenheit der Spicula übereinstimmen. Ich stiefs
jedoch bei der Revision des Vorraths auf ein Stück, welches
bei sonstiger Übereinstimmung in dem Inhalt der grofsen Zellen und in den dieselbe umlagernden gelben Zellen eine ganz
abweichende Form der kieseligen Spicula hat, die sich bei allen
Nestern dieses Gallertstücks gleib blieb.

Ihre Spicula sind zweierlei Art. In den meisten Fällen
und an manchen Nestern ausschliefslich sind es sehr lange nicht
ästige Nadeln, welche die grofse Zelle und ihren Hof von
gelben Zellen umlagern. Ihre Gröfse kömmt dem Durchmesser der grofsen Zelle gleich. Sie sind mehrentheils leicht gekrümmt, nicht hakenförmig, die Enden spitz. Hin und wieder
befindet sich unter diesen auch eine dreischenkelige Nadel, deren
Schenkel unter gleichen Winkeln von 120° auseinandergehen.

Diese Form würde, wenn Art, den Namen *Thalassicolla acu-jera* verdienen. Ich bin jedoch geneigt, sie vielmehr als eine Varietät zu betrachten.

Eine besondere Erwägung verdienen die zerstreuten gelben Zellen in der Gallertmasse der Thalassicollen und die Veränderungen an den zerstreuten gelben Zellen. Man findet die gelben Zellen und die Spicula um die grofse Zelle in Gallertmassen mit kleinern und in Gallertmassen mit gröfsern Nestern. Beide, die gelben Zellen und die Spicula sind zuweilen von den Nestern ab in der Gallerte zum Theil oder gänzlich zerstreut, auch dieses findet sich sowohl in Gallertmassen von kleinen als solchen von grofsen Nestern. Die gelben Zellen können ferner zerstreut sein und zugleich alle Spuren der Spicula vermifst werden. Dann können die einzelnen gelben Zellen auf keinerlei Gruppen bezogen werden.

An den zerstreuten gelben Zellen tritt eine weitere Entwicklung ein. Unter vielen zerstreuten gelben Zellen sind hin und wieder einzelne, die ihre runde Form in eine längliche verändert haben und in welchen der gelbe von Jod sich bräunende und von Jod und Schwefelsäure noch tiefer dunkelnde Inhalt in zwei runde Kugeln auseinander gegangen ist. Man sieht alle Übergangstufen von der Einschnürung des Inhaltes bis zur Trennung in 2 Kugeln, wobei die Zelle nicht eingeschnürt ist. Innerhalb der Mutterzelle ist jede der beiden Kugeln schon wieder von einer besondern Zellenmembran umgeben. Ich sah einmal in einer der Mutterzellen den Inhalt in 3 sich gegenseitig begrenzende Kugeln getheilt, so zwar, dafs die eine von dreien etwas gröfser war, und die zweite sich wieder getheilt hatte. Selten findet man Beispiele von 4 durch Theilung entstandenen Zellen. Die durch Theilung entstandenen Zellen sind wenig oder gar nicht im Durchmesser von den noch ungetheilten gelben Zellen verschieden.

Einzelne der zerstreuten Zellen zeichnen sich durch ihre Vergröfserung aus. Während nämlich die mehrsten nur $\frac{1}{140}'''$ im Durchmesser haben und eben bei dieser Gröfse die Theilung meistens vor sich geht, so sind hin und wieder einzelne gelbe Zellen mit der characteristischen Reaction bemerkbar, welche einen Durchmesser von $\frac{1}{80}-\frac{1}{50}'''$ erreicht haben. Die

Nestzellen dieser Gallertmassen ohne Umlagerung von Spicula
und ohne Umlagerung von gelben Zellen nähern sich an Größe
den letzterwähnten vergrößerten gelben Zellen, indem sie in
manchen solcher Gallertmassen nur 2—3 mal größer sind, bis
$\frac{1}{60}'''$. Auch gleichen sich beiderlei Zellen darin, daß die äußere
Oberfläche der Zellmembran, welche mit der Gallert in Berührung ist, nicht ganz glatt und mehr oder weniger rauh con-
tourirt ist, was von dem Zusammenhang mit dem gallertigen
Wesen abhängen mag. Gleichwohl unterscheiden sich beiderlei Zellen auch jetzt wie gewöhnlich, daß die Nestzellen von
Jod und Schwefelsäure nicht gedunkelt werden. Es liegt sonst
sehr nahe anzunehmen, daß die einer Vermehrung unterwor-
fenen gelben Zellen es auch sind, welche zur Bildung der großen Zellen verwandt werden. Ganz besonders scheint hiefür
zu sprechen, daß man in den Gallertmassen ohne Spicula und
mit verhältnißmäßig kleinen Nestzellen und zerstreuten gelben
Zellen, die sich zu diesen Beobachtungen eignen, gar nicht
selten einzelne Nestzellen beobachtet, die aus zwei oder gar
drei mit einander verbundenen Zellen bestehen, während sie
sonst ganz mit den andern Nestzellen übereinstimmen. Solche
zweitheilige Nestzellen haben die größte Ähnlichkeit mit den
zweitheiligen gelben Zellen und unterscheiden sich von ihnen
nur durch die Größe und den Mangel der characteristischen
Reaction auf Jod und Schwefelsäure.

Thalassicolla Huxley. (*Collosphaera* Müll.)

Bei einer zweiten seltenern Form von Meerqualster, welche
Huxley unter *Thalassicolla punctata* beschreibt (a. a. O. pl.
XVI. fig. 6), waren die in die Gallerte eingebetteten großen
Zellen von blauer Farbe und enthielten einige prismatische
Crystalle von $\frac{1}{1000}$ Zoll in Länge. Diese blauen Zellen waren
von dicht gepackten kleinen Körnern von $\frac{1}{15000}$ Zoll Durchmesser eingehüllt. Außen von diesen war eine Anzahl hellgel-
ber Zellen von $\frac{1}{1000}$ Zoll im Durchmesser. Das Ganze war von
einer sphärischen durchsichtigen, zerbrechlichen von zahlreichen
runden Öffnungen durchbrochenen also gefensterten Schale
umgeben, welche gleichsam die Spicula ersetzte. In einem
einzigen Specimen fand Huxley eine ähnliche Schale, deren

wenige Öffnungen in kurze am Ende quer abgeschnittene Röhrchen verlängert waren (a. a. O. pl. XVI. fig. 5).

Den Meerqualster mit gegitterter Schale der Nester habe ich nicht in Nizza, aber öfter bei Messina beobachtet und in einigen Exemplaren auch in Weingeist mitgebracht. Er ist nicht so häufig als der erste und in der Regel auch nicht so groſs. Die Massen der Gallerte sind meist kugelförmig, im Innern hohl. Schwach vergröſsert läſst sich die Art frisch schon sogleich von *Thalassicolla punctata* unterscheiden, daſs die bei geringer Vergröſserung wahrnehmbaren Puncte, der Sitz der Nester, tief schwarz erscheinen, was sich bei stärkerer Vergröſserung in ein tiefes Blau umwandelt. Die Beobachtungen von Huxley haben sich auch hier in allen Beziehungen bestätigt. Die hellgelben Zellen sind in beiden Formen, derjenigen mit Spicula und derjenigen mit Gitterschalen, ganz übereinstimmend, auſserhalb der groſsen Zelle zwischen ihr und der Kieseldecke gelagert; die groſse Zelle wiederholt sich. Beide Formen sind daher jedenfalls sehr verwandt, aber nicht Varietäten einer Art. Die gänzlich abweichende Bildung des Skelets entfernt sie von einander. Selbst die Absonderung als Art würde nicht genügen und es dürfte zweckmäſsig sein, diese Form als Typus einer besondern Gattung oder Untergattung, *Collosphaera*, aufzustellen, die ich nach dem Entdecker *C. Huxleyi* nennen werde.

Thalassicolla (Collosphaera) Huxleyi M.

Meine Beobachtungen über diese Form sind folgende. Sie ist wie *Thalassicolla* ohne alle Bewegungserscheinungen. Die in der Gallert zerstreuten Nester sind bald mehr bald weniger zahlreich. Die durchlöcherte Schale der sphärischen Nester ist ohne organische Häute und besteht aus Kieselerde, sie ist nämlich in Säuren unlöslich, durch Glühen wird sie nicht verändert, in einer heiſsen Lauge von caustischem Kali werden die Schalen anfangs nicht verändert; nach vorsichtigem längerm Kochen in Liquor Kali caustici waren alle Schalen verschwunden mit Ausnahme einer einzigen, welche an den Rand der Flüſsigkeit gerathen war. Die Schalen haben $\frac{1}{50}-\frac{13}{40}'''$ im Durchmesser.

Die Löcherchen der Schale sind gröfser und kleiner, die gröfsesten erreichen den Durchmesser der hellgelben Zellen, die meisten sind merklich kleiner.

Die hellgelben Zellen liegen inwendig dicht unter der Kieselschale, zwischen ihr und der grofsen Zelle in einer farblosen feinkörnigen schmierigen Masse; sie enthalten mehrere gröfsere (2—3) und viele sehr kleine Körnchen. Diese hellgelben Zellen haben $\frac{1}{120}$''' im Durchmesser.

Die gelben Zellen finden sich auch hin und wieder in der Gallerte zwischen den Nestern zerstreut.

Die grofse Zelle mit deutlicher Wand schliefst einen Inhalt von verschiedenen Theilen ein. Das Ganze des Inhaltes erscheint im frischen Zustande tief blau. Die farbigen Theilchen sind kleine Pigmentkörnchen des Inhaltes. In den Weingeistexemplaren ist die blaue Farbe gänzlich verschwunden. Man erkennt jetzt in dem Inhalt der Zelle aufser den prismatischen von Huxley erwähnten Crystallen, eine Menge kleiner heller rundlicher oder länglich runder Körnchen, welche oft an dem einen oder beiden Enden zugespitzt sind, nicht crystallinisch. Ihr Durchmesser ist gegen $\frac{1}{500}$—$\frac{1}{100}$'''. (Dieselbige Form der Körnchen beobachtete ich einmal auch in der grofsen Zelle der *Thalassicolla punctata*.) Im frischen Zustande wurde in der Mitte des Ganzen auch ein heller Kern, das Licht wie ein Öltropfen brechend, bemerkt, was wieder an *Thalassicolla* erinnert.

Jod mit oder ohne Schwefelsäure färbt die Gallerte gelb. Dagegen werden die hellgelben Zellen oder vielmehr ihr Inhalt von Jod hell gebräunt, welches ganz ebenso den Körnerinhalt der grofsen Zelle färbt. Schwefelsäure bringt mit Jod nicht die tiefe Dunkelung des Inhaltes der gelben Zellen hervor, wie es bei *Thalassicolla* erfolgt. Die Membran der gelben Zellen ist sehr deutlich auch noch in den Weingeistexemplaren.

Crystalle kommen ohne Ausnahme in allen Nestern im Innern der grofsen Zelle vor, bald mehrere, bald viele, ich zählte einmal in einer Zelle sogar bis 27 Crystalle, sie haben eine Länge von $\frac{1}{60}$''' und sind hell und farblos. Sie sind durch die Crystallform verbunden mit ihrer Unlöslichkeit für organische Stätten ganz ungewöhnlich. Es sind rhombische Prismen

des zwei und zweigliederigen Systems mit vierseitiger Endzu-
spitzung und gröfserer oder geringerer Abstumpfung der scharfen
langen Kanten des Prisma. Von den 4 Zuschärfungsflächen der
Enden sind zwei den stumpfen Kanten des Prisma, zwei den
scharfen Kanten oder Abstumpfungsflächen derselben aufgesetzt. Wenn die Bestimmung der Flächen einige Sicherheit
erlangt hat, so verdanke ich es der Unterstützung, welche mir
Hr. G. Rose, der die Crystalle gesehen, gewährt hat. Die
Crystallform stimmt ganz auffallend mit derjenigen des schwefelsauren Strontians und schwefelsauren Baryts überein, ebenso
im Allgemeinen der Winkel an der Spitze zwischen den auf
die stumpfen Kanten des Prisma aufgesetzten Zuschärfungen.
Dieser Winkel ist bei den beiden ebenerwähnten Salzen nur
um 2 oder 3 Grad verschieden. Bei öfterer Anwendung des
Mikrogoniometers zur Messung jenes Winkels an unsern Crystallen mufste ich mich überzeugen, dafs eine scharf parallele
Einstellung der Linie des Fadenkreuzes an die allzu kleinen
Linien des Crystalls nicht ganz sicher zu erzielen ist. Dieser
Fehler wird durch die Anwendung der stärksten Objective vermindert. Ich mufs mich aber doch mit einer annähernden Bestimmung begnügen, die zu Folge oft wiederholter Messung
des Winkels an demselben Crystalle und an verschiedenen Crystallen dahin ausgefallen ist, dafs der Werth dieses Winkels
zwischen 103 und 105° fällt, was der Crystallform des Cöle-
stins entsprechen würde.

Die Crystalle, welche schon in den frischen Exemplaren
gesehen sind, hatten sich in den Weingeistexemplaren erhalten,
sie sind in Weingeist unlöslich. Wurden die Kieselschalen
mit ihrem ganzen Inhalt in viel dest. Wasser eine Zeit lang
stehen gelassen, so fanden sich hernach die Crystalle im Innern
der Schale und der Zelle unverändert; wurden die Crystalle
direct mit geringen Mengen kalten oder kochenden Wassers
zusammengebracht, so wurden sie nicht aufgelöst, sie können
daher in Wasser nicht leicht löslich sein.

Sie wurden ferner direct mit Säuren in Verbindung gebracht, sie sind in Säuren (concent. Schwefelsäure, Salzsäure,
Salpetersäure), bei gewöhnlicher Temperatur unlöslich, von
heifser concentrirter Schwefelsäure werden sie nicht verändert,

von kochender Salzsäure werden die Kanten und Flächen angegriffen und rauh. In heifser Kalilauge werden die Crystalle
nicht aufgelöst. Auf einem Glasplättchen geglüht behalten sie
ihre Gestalt, sie werden aber durch das Glühen undurchsichtig,
übrigens sind sie auch vor dem Glühen leicht zerbrechlich und
werden durch geringen Druck zwischen Glasplättchen in Fragmente zerdrückt.

Crystallform und Unlöslichkeit scheinen auf ein schwefelsaures schwerlösliches Erdsalz zu deuten. Schwefelsaurer Kalk
ist durch die Crystallform ausgeschlossen, ganz entschieden der
Gyps, und auch Anhydrit will nicht stimmen. Strontian und
Baryt sind im Meerwasser nicht beobachtet, doch könnte die
Gegenwart des Strontians darin wohl vermuthet werden, da
der Cölestin in den petrefactenführenden marinen Niederschlägen, im Muschelkalk, im Lias, in der Kreide und in der Ter-
tiärformation verbreitet und auch schon in den Kammern scha-
liger Petrefacten beobachtet ist.

Leider ist das in Weingeist aufbewahrte Material durch
die fortgesetzten Beobachtungen so sehr zusammengeschmolzen
und der kleine Gegenstand so schwer zu behandeln, dafs ich
die Versuche für jetzt nicht weiter, und nicht bis zu einer
entscheidenden chemischen Probe, wozu die Mikrochemie nicht
ausreicht, habe ausdehnen können. Bis dies geschehen kann,
mufs man bei dem Ergebnifs stehen bleiben, dafs die Crystalle
einem mit schwefelsaurem Strontian und schwefelsaurem Baryt
isomorphen schwerlöslichen Körper oder einer mit diesen isomorphen schwerlöslichen Verbindung angehören.

Die Kieselschalen der *Collosphaera* Huxleyi erinnern an
die sehr eigenthümlichen von Hrn. Ehrenberg entdeckten
Polycystinen des Meeresgrundes und fossiler Ablagerungen,
deren zierliche gitterige Kieselschalen bereits in zahlreichen
Gattungen geordnet sind; insbesondere haben sie eine grofse
Ähnlichkeit mit der zu den Polycystinen gerechneten Schale
Cenosphaera Plutonis Ehr. Mikrogeol. p. 21 Taf. XXXV. B. B.
fig. 20. von erdigem Meeresboden des atlantischen Oceans 6480
Fufs tief. Die Gattung *Cenosphaera* ist im Monatsbericht 1854
p. 237 bezeichnet: *Testa capsularis globosa cellulosa silicea
clausa, nucleo destituta.* Diese Diagnose würde auch auf *Collo-*

sphaera passen. Die sphärische durchlöcherte Schale ohne Kieselkern ist mit Ausnahme der Species-Charactere, nämlich der rauhen Oberfläche der *Cenosphaera Plutonis*, ihrer geringern Gröfse und ihrer gleichförmigen Löcherchen übereinstimmend. Man darf diese Gattungen aber doch nicht schon für identisch oder für zusammengehörend halten, weil in der *Cenosphaera* die Crystalle fehlen, und weil aus der ähnlichen Gestalt der Schale noch nicht folgt, dafs mehrere oder viele Schalen während des Lebens in einer Gallertmasse vereint gewesen. Der Unterschied ihres Vorkommens, dafs die einen an der Oberfläche des Meeres beobachtet sind, die andere aus einer sehr grofsen Meerestiefe heraufgebracht ist, könnte allein nicht bestimmend sein. Denn die Schalen des Meerqualsters können schon durch den Magen und Darm eines pelagischen Thiers von der Gallert und dem organischen Inhalt befreit werden und dann einzeln den Boden des Meeres gewinnen. Diese würden sich dann nur an den besondern Artkennzeichen erkennen lassen. Und so wird es immer schwierig sein, an leblosen sphärischen Gehäusen ohne *nucleus* sicher zu unterscheiden, ob sie Thalassicollen oder Polycystinen angehören. Die *Cenosphaera Plutonis* ist aber aus einer Tiefe und von einem Grunde hervorgezogen, die an mannigfaltigen ächten Polycystinen überaus reich gewesen.

Die von Huxley beobachtete Form, bei der sich die Schale statt der gegitterten Beschaffenheit in wenige querabgeschnittene Röhrchen verlängert (a. a. O. pl. XVI. fig. 5), habe ich nicht gesehen, sie würde aber kaum als eine Varietät der *C. Huxleyi* angesehen werden können, wenn alle Schalen in einer Gallert von dieser Beschaffenheit sein sollten, in diesem Falle würde es gerechtfertigt sein, diese Form mindestens als eine Art *C. tubulosa?* (oder Gattung) abzusondern. Dermalen wird es noch ungewifs bleiben, ob es eine Art oder Varietät ist.

Huxley, welcher seine *Thalassicolla* ein Zoophyt nennt, stellt sie zwischen die Polythalamien und die Spongien. Er beschreibt noch ein gallertiges Wesen unter dem Namen *Thalassicolla nucleata*. Diese besteht aus einer sphärischen Masse von Gallerte, so grofs als die mittelgrofsen Exemplare der *Thalassicolla punctata*, mit einer unregelmäfsigen schwarzen centralen Masse. Um letztere befinden sich zarte platte ästige Fäden

von der innersten Lage ausstrahlend. In einem Exemplar waren
die Fäden dicht mit äufserst kleinen dunkeln Körnchen besetzt,
welche in activer Bewegung waren, als wenn sie entlang den
Fäden circulirten, jedoch ohne bestimmte Richtung. Zerstreut
zwischen den Fäden nahe der centralen Zelle waren viele der
gelben Zellen und eine Menge sehr kleiner dunkler Körnchen.
Durch Rollen unter Druck konnte der centrale dunkle Körper
von der äufsern Masse getrennt werden, der erstere erschien
dann als ein rundes Bläschen von $\frac{1}{65}$ Zoll im Durchmesser, dessen Haut sehr fest und elastisch war. Sein Inhalt waren 1) ein
sehr blasses zartes Bläschen (nucleus?) 2) eine heterogene
Masse bestehend aus feinen Körnchen, Ölkügelchen und eigenthümlichen kleinen Zellen. Huxley vermuthet, dafs seine *Thalassicolla nucleata* mit der Reproduction der *Thalassicolla punctata* im Zusammenhange stehe. Doch macht er auch eine gewisse Ähnlichkeit der *Thalassicolla nucleata* mit *Noctiluca* bemerklich. Beide weichen sonst in den Gröfsen gänzlich ab.
Durch ihre Gröfse tritt *Thalassicolla nucleata* vielmehr den
Physematien Meyen's nahe, womit sie auch durch den Besitz
einer einzigen grofsen centralen Zelle übereinstimmt. Da der
Thalassicolla nucleata die Kieselbildungen fehlen, so ist es wie
von diesen zweifelhaft, ob sie den ächten Thalassicollen und
Collosphären verwandt ist. Damit soll nicht behauptet werden,
dafs es nicht Verwandte der Thalassicollen ohne alle Kieselbildung geben könne, deren Mangel wenigstens theilweise oder
zeitweilig die *Thalassicolla punctata* trifft. Die bei *Thalassicolla nucleata* beobachteten Bewegungserscheinungen der Körnchen im Innern an den Fäden, erinnern an Erscheinungen,
welche von Quatrefages bei *Noctiluca miliaris* beobachtet
sind. Diese sowohl, wie die dem *Physematium* zugeschriebene
Eigenbewegung des Körpers, welche den ächten kieselhaltigen
Thalassicollen fehlen, machen es nöthig, beide Körper, sowohl
Thalassicolla nucleata als *Physematium* vorsichtig zu behandeln
und keine Schlüsse von ihnen auf die kieselhaltigen Meerqualster zu machen. Dieselbe Vorsicht wird auch nach der andern
Seite nöthig sein, sie verwandelt sich in die Aufgabe, in den
ächten Thalassicollen mit Kieselgerüsten ähnlichen Erscheinungen wie der bei *Thalassicolla nucleata* beobachteten Körnchen-

bewegung aufzupassen. Für jetzt ist es erlaubt und räthlich, die Physematien zugleich mit der *Thalassicolla nucleata* von den Gallertkörpern mit Kieselgerüsten zu scheiden, und in der Frage von der Natur dieser Körper bei Seite zu stellen *).

---

*) Ich ergreife diese Gelegenheit auf leuchtende Körper aufmerksam zu machen, die das Ansehen einer incystirten *Noctiluca miliaris* haben Die Hauptleuchtthierchen waren im Herst 1853 bei Messina diese incystirten Körper. Freie Noctiluken wurden in dieser Jahreszeit dort nicht gesehen. Ebendieselben incystirten Körper waren im Herbst 1849 bei Nizza sehr gemein. Die Hülse ist eine glashelle vollkommen sphärische Capsel mit leichtem blaulichem Schimmer des Contour, aussehend wie die Eihaut einiger Crustaceen. Darin liegt ein Körper, der in allen Punkten der *Noctiluca miliaris* gleicht, aufser dafs man einen schwingenden Faden zu dieser Zeit niemals erkennt. Das *Noctiluca* ähnliche Wesen fullt die Hülse mehr oder weniger aus. Zuweilen ist es merklich kleiner. Die Thierchen leuchten in diesem Zustand auch ohne Erschutterung. Wurden die Hülsen in wenig Seewasser unter dem Mikroskop beobachtet, so dafs der Salzgehalt während der Beobachtung durch Verdampfung sich merklich vermehren konnte, so trat bald ein Zeitpunkt ein, wo der *Noctiluca* ähnliche Körper in seiner Hülse sich plotzlich auf ein Klümpchen, d. h. auf den gelblichen körnigen Kern, von dem die fadigen Stränge des Innern ausgehen, zusammenzog. Diese Lebensbewegung habe ich nicht einmal, sondern an manchen der incystirten Thierchen gesehen. Die Gröfse der Hulse beträgt meist $\frac{1}{5}-\frac{1}{4}'''$. Es giebt aber viel kleinere, selbst solche von $\frac{1}{10}'''$. Man findet hin und wieder auch dieselben Hulsen, die statt einer Noctilucagestalt einen runden gelben Kern von $\frac{1}{24}'''$ enthalten, und einmal fand ich eine Hulse von $\frac{7}{10}'''$, welche aufser diesem runden gelben Kern ganz frei davon noch eine recht kleine Noctilucagestalt enthielt. Von den freien Noctiluken bei Helgoland im Herbst haben die kleinsten $\frac{1}{10}'''$, die gröfseren $\frac{4}{10}-\frac{7}{10}'''$ im Durchmesser. Die gewöhnlichen Gestaltvariationen mit Einschnurung des Umfangs, die man an den freien Noctiluken wahrnimmt, und die strahligfadigen Stränge mit Ästen im Innern mit äufserst kleinen Körnchen besetzt, waren auch fur die incystirten Korper characteristisch, welche ich um so weniger von Noctiluken zu unterscheiden vermag, als sie die ausgezeichnetste Leuchtkraft besitzen. Von diesen Beobachtungen gab ich in der Gesellschaft naturforschender Freunde 17. Januar 1854 vorläufige Nachricht. Es fehlt uns dermalen der Schlüssel zu jenen merkwürdigen Erscheinungen, so wie alle Kenntnifs von dem Aufgang und Niedergang oder der Bahn der Noctiluken.

Doch gehen wir zu den Thalassicollen mit Kieselgerüsten zurück.

Über die Verwandtschaften der Formen lassen sich verschiedene noch sehr unsichere Ansichten aufstellen. Es kömmt sogleich in Betracht, wie weit die Analogien des Skelets gehen und wie weit man Werth darauf zu legen habe.

Die Skeletform allein ist nicht entscheidend. Ähnliche Skeletformen kommen bei sehr verschiedenen organischen Körpern vor. Kieselspicula erscheinen bei Spongien und Thalassicollen, Kieselnetze bei Spongien, Thalassicollen und Polycystinen, bei den Thalassicollen und Polycystinen in eigenthümlichen Schalenformen. Es giebt Kalkspicula bei Spongien, Polypen, Echinodermen, Mollusken, Kalknetze bei Polypen und Echinodermen, und bei den letztern eine Menge mikroskopischer complexer, bald ungegitterter, bald gegitterter Kalkformen. Die chemische Grundlage der Skelete organischer Körper ist oft durchgreifend characteristisch, aber doch nicht immer constant, wie z. B. in der Classe der Spongien, bei denen entweder Kieselspicula oder Kalkspicula in verschiedenen Gattungen auftreten.

Die Kieselformen der Thalassicollen bieten Analogien nach ganz verschiedenen Richtungen dar. Einmal zu den Spongien und Tethyen. In beiden Reihen wiederholen sich die Spicula. Auch die Kieselsternchen und Siebkugeln der Tethyen haben diese Bedeutung und könnten daher den Gitterschalen der *Collosphaera* nicht wohl parallelisirt werden, weil sie keine der Zelle der *Collosphaera* analogen Weichtheile enthalten. Dagegen haben die Kieselschalen der *Collosphaera* die Bedeutung einer Summe oder eines Hofes von Spicula um das wesentliche Zellengebilde, weil der Hof von Spicula um die Zellen der *Thalassicolla* und die Kieselschale um die Zellen der *Collosphaera* Äquivalente sind.

Die Bedeutung der von dem Kieselgebilde umlagerten Zellen in den Thalassicollen ist gewiß sehr wichtig, es ist aber dermalen noch ganz ungewiß, ob die einzelnen Nester der Thalassicollen als mehrfach vorhandene Organeinheiten, oder als gesellig verbundene Einzelwesen zu betrachten sind. Legt man die erstere Voraussetzung versuchsweise der Vergleichung zu Grunde, so treten die Nester den sogenannten *Gemmulae* der Spongien und der Spongillen etwas näher. Diese sind bei den Spongillen bald mit Kieselnadeln umlagert (Quekett a. a. O.), bald wie eine von Meyen (Archiv f. Anat.u.Phys. 1839. 83) beschriebene und von Quekett gleichfalls abgebildete Form mit einer Kieselkruste von Amphidisken umgeben. Bei *Halichondria Johnstonia* Bowerb. (Johnston hist. of brit. sponges and lithophytes. Edinb. 1842 p. 198. 244. pl. V. fig. 3) besteht der Umfang der *Gemmulae* bald aus dichtstehenden Zapfen, bald aus stachelförmigen Spicula*). Die verschiedenen Formen der *Gemmulae* von *Spongilla* und auch von *Halichondria Johnstonia* gleichen sich darin, daß sie die von Meyen erwähnte nackte Depression, den Porus Queketts besitzen, was von der Nest-Zelle der Thalassicollen abweicht. Übrigens liegen durchaus keine Gründe für den bestimmteren Vergleich vor, daß die Nester der Thalassicollen die Sporangien der Thalassicollen seien. Ein wesentlicher Unterschied der Thalassicollen und Spongien ist unter allen Umständen der, daß die Spongien festsitzend sind, die Thalassicollen frei im Meer herumgetrieben werden.

Eine andere Analogie bieten die Skelete der Thalassicollen zu den Polycystinen dar. Sie ist bisher nicht bemerkt, leuchtet aber ein nach der Feststellung der Kieselerde in den Schalen der *Collosphaera*. Diese Analogie geht bei *Collosphaera* und *Cenosphaera* so weit, daß man versucht sein könnte, die Meerqualster für Colonien von Polycystinen zu halten. Doch läßt sich dermalen nicht sicher beurtheilen, ob die Thalassicollen und Polycystinen nahe oder weitläufig und nur in den Skeleten verwandt sind. Gewiß ist, und ich muß es bestätigen, daß die typischen Polycystinen Ehrenbergs, sowohl die geschlossenen, als die offenen Formen, nicht Theile von andern Organismen, sondern selbstständige Wesen sind; dagegen sind die Körper mit Kieseltheilen in den Thalassicollen Bestandtheile eines größeren Ganzen. Die Thalassicollen und Polycystinen weichen

---

*) Diese Kieselgebilde von *Halichondria Johnstonia* sind in den käuflichen mikroskopischen Präparaten zum III. Heft des mikroskopischen Instituts von Engel. Zürich 1852 (N. 3) leicht zugänglich.

ferner darin von einander ab, dafs die erstern pelagisch sind, die letztern, wenn sie nicht durch die Bewegung des Meers fortgerissen werden, schon wegen ihrer Schwere dem Meeresgrunde angehören.

Die weitere Entwicklung des Gegenstandes, der ich nicht vorgreifen kann, mufs die fraglichen Beziehungen zu den verschiedenen verglichenen Formen aufklären und lehren wo die Ähnlichkeiten oder Verschiedenheiten gröfser, wo sie scheinbar oder wirklich sind.

Thalassicolla und *Collosphaera* werden jedenfalls beisammen bleiben, nach welcher Seite hin sie angezogen werden. Die Structur ihrer Weichtheile ist gänzlich übereinstimmend, die Formen ihrer Kieselgebilde können nicht so wesentlich sein, weil die Spicula in unserm Fall äquivalent für die Gitterschalen und umgekehrt sind. Auf der andern Seite liefern auch die Kalkformen bei den Polypen und Echinodermen, Spicula und Netze, parallele Abweichungen.

Acanthometra Müll. n. g.

Es giebt auch ein Beispiel von solitären pelagischen Kieselorganismen mit Gallerthülle an den Körpern, die ich *Acanthometra* nenne. Dies sind mikroskopische Wesen ohne Bewegung von strahliger Kieselbildung, deren sehr lange gewöhnlich vierkantige Nadeln in symmetrischer Stellung nach den verschiedensten Richtungen des Raums radial ausgehen, während sie in der Mitte ohne Bildung einer centralen Höhle zusammenstofsen. Die Nadeln stehen in mehreren sich kreuzenden Ebenen radial. Wenn sie sich gegenüberstehen, was in der Regel der Fall ist, so bilden sie gleichsam Achsen und man kann mehrere oder viele sich kreuzende Achsen der Gestalt unterscheiden. Bald sind diese Gestalten in verschiedenen Richtungen gleichstrahlig, bald auch ist eine der Achsen länger als alle übrigen und wird die Gestalt dadurch länglich. Die Stachelstrahlen setzen sich aber nicht durch die Mitte hindurch fort, vielmehr stofsen alle Stachelstrahlen nur in der Mitte mit keilförmig zugeschnittenem innerm Ende zusammen, so dafs der Mittelpunkt mit den innern Enden der Keile aller Stacheln zusammenfällt. Die Zusammensetzung der Mitte aus keilförmigen Enden von Speichen findet sich noch an einem sonst gänzlich abweichenden, in Säuren unlöslichen Gebilde, das ich aus dem Darminhalt der *Comatula mediterranea* beschrieben und abgebildet habe. *Pentacrinus.* Abb. d. Akad. a. d. J. 1841. p. 232 Taf. VI. fig. 4. Dies Gebilde wurde von Hrn. Ehrenberg, als er im Monatsbericht von 1844 die Gattung *Asterolampra* gründete, muthmafslich zu dieser gezogen und im Monatsbericht von 1854 *Asterolampra pelagica* genannt *). In diesen Körpern ist jedoch die strahlige Figur abweichend von *Acanthometra* in einer scheibenförmigen Kapsel eingeschlossen. Rundum zwischen den Stacheln über ihrer Zusammenfügung liegt bei *Acanthometra* eine mehr oder weniger dunkle körnige organische Masse von einer durchsichtigen zarten Haut bedeckt, welche sich wo sie mit den Stacheln in Berührung kommt, nach aufsen hin eine ganz kurze Strecke an diese anlegt. Darauf folgt zwischen den Stacheln die Gallerte, in welcher man frisch äufserst zarte durchsichtige strahlige Fäden erkennt. Die Enden der Stacheln stehen aus der Gallerte hervor, welche ganz aus den strahligen Fäden zu bestehen scheint.

Verbrennt man die Weichtheile, welche die feste Mitte der *Acanthometra* umgeben, so hängen die kieseligen Stacheln nach dem Glühen noch in der Mitte zusammen, sie fallen aber augenblicklich an der Mitte auseinander, sobald man nach dem Glühen sie mit Salzsäure benetzt und die Mitte löst sich in die keilförmigen noch kantigen Enden der Stacheln auf. Ein schaliges gegittertes Kieselgerüste fehlt gänzlich.

Die Acanthometren sind im Mittelmeer und adriatischen Meer häufig, ich sah sie in Nizza schon vor einiger Zeit täglich, dann in Triest wieder und häufiger noch in Messina. Die *Acanthometra multispina* M. ist $\frac{3}{60}$''' grofs und findet sich passiv der Bewegung des Meerwassers hingegeben, in den obern, wahrscheinlich auch in den tiefern Schichten der See. Jhre

---

*) Die verschiedenen aus dem Darminhalt dieser Comatel abgebildeten mikroskopischen Körper machen es von Interesse, den Fundort der Comatel zu kennen. Ich bemerke, dafs das fragliche Exemplar aus demjenigen Vorrath der *Comatula mediterranea* entnommen war, den ich selbst im J. 1840 in Triest gesammelt hatte.

kantigen Stacheln (gegen 20—30 und mehr) sind an der Vereinigung am breitesten, die Kanten erweitern sich nicht weit
davon noch einmal leicht zu einer Zacke, dann läuft der Stachel verdünnt als lange kantige Nadel aus. Bei einer andern
Form mit 12—14 Stacheln waren die vierkantigen oder vielmehr vierschneidigen Stacheln gleichförmig von der Basis bis
an das dünnere Ende. Die Kanten sind hohe dünne Blätter mit
geraden Rändern, so dafs der Querschnitt der Stacheln ein
Kreuz bildet. Im mittlern Quer-Durchmesser haben diese Stacheln gegen $\frac{1}{150}'''$. Diese Körper sind im Mittelmeer so häufig,
dafs ich eine Anzahl derselben in Messina sammeln und in
Weingeist mitbringen konnte. An ihnen ist die Untersuchung
fortgesetzt. Die Gallerte hat sich nicht erhalten, wohl aber
die um die Vereinigung der Stacheln gelagerte organische
Masse mit dem sie bedeckenden durchsichtigen Häutchen,
welches sich an die Stacheln innig anschmiegt und zeltar-
tig zwischen den Stacheln rundum ausgespannt ist. Die davon bedeckte Masse besteht aus gröfseren und kleineren Körnern, wovon die gröfseren $\frac{1}{150}'''$ ein zellartiges Aussehen haben.
Dieser Inhalt wurde von Jod und Schwefelsäure wenig verändert und nur gelbbräunlich gefärbt.

.　Für die Beziehungen zu den Thalassicollen ist hervorzuheben, dafs in der Gallerte einer frischen *Acanthometra* einmal
gelbliche Zellen eingelagert gesehen sind, welche auf Jodreac-
tion nicht geprüft sind.

Die Acanthometren unterscheiden sich von den Thalassicollen durch die Vereinigung ihrer Spicula in der Mitte des
Ganzen und dafs sie solitär sind, und sind insofern eine besondere Formation. Sie bilden gleichwie die Polycystinen
keine Massen, unterscheiden sich aber von diesen durch den
Mangel einer gitterigen Schale ebensosehr als durch die Zusammensetzung ihres Kieselskeletes. *Actiniscus* und *Bacterias-
trum* unterscheiden sich von *Acanthometra*, dafs ihre Strahlen
in einer Ebene liegen und zu einem gemeinsamen Centrum
verschmolzen sind.

Die physiologischen Eigenschaften der Acanthometren betreffend Vermehrung, Entwicklung sind gänzlich unbekannt.

Man könnte vermuthen, dafs die Acanthometren erst die
Keime von Organismen seien, die später auf dem Meeresgrunde

oder an andern Körpern festgewachsen sind, wie Tethyen und Spongien. In der That bestehen die im Innern der *Tethya* in der sarcoiden Masse versteckten sogenannten *Gemmulae*, von denen man nicht einsieht, wie sie nach aufsen gelangen könnten, aus Spicula, die durch eine albuminöse Masse verbunden sind. Es sind Wiederholungen der *Tethya* im Kleinen ohne Rinde und Kern, mit sehr zahlreichen radialen Nadeln. Diese von Johnston und Quekett abgebildeten Körper weichen aber von der *Acanthometra* schon durch die überaus grofse Zahl der Nadeln ab. Übrigens sind die Kieselnadeln des Körpers der Tethyen am centralen Ende abgerundet und ohne blattförmige Kanten. Bei *Halichondria Johnstonia* Bowerbank sind die stacheligen *Gemmulae* neben andern häufig, sie haben jedoch mit der *Acanthometra* nicht die geringste Ähnlichkeit. Die Kieseltheile der *Acanthometra* sind vielmehr eigenthümlich und anderweitig nicht bekannt.

Im fossilen Zustande und in den Niederschlägen des Meeresgrundes sind die Acanthometren bis jetzt nicht beobachtet. Es ist auch nicht zu erwarten, dafs ihre Skelete vollständig überliefert werden, da sie nach der Auflösung der weichen Theile in die zusammensetzenden Kieselnadeln auseinanderfallen müssen; aber auch diese sind bis jetzt in Niederschlägen noch nicht wahrgenommen worden.

Bei Messina leben auch Arten ächter Polycystinen aus den Gattungen *Haliomma, Dictyospyris, Eucyrtidium, Podocyrtis*, wovon ich die drei erst genannten hinlänglich vergröfsert gesehen habe. Es scheint dafs sie in ihrem mit organischen Theilen gefüllten Zustand vom Grunde des Meeres gelegentlich durch Strömung und andere Bewegung der See in die oberen Schichten des Meerwassers geführt werden; gewifs ist, dafs sie gelegentlich dort mit dem Auftrieb des feinen Netzes an Larven von Echinodermen, ausgebildeten jungen Echinodermen, Medusen, Crustaceen, Pteropoden, Larven dieser und der Gasteropoden, Muscheln, Anneliden und anderen Würmer und an Infusorien, wiewohl viel seltener gefischt werden können, und die von mir lebend beobachteten Polycystinen sind mit den pelagischen Objecten also gefischt. In diesem Auftrieb finden sich auch häufig organische Körper, die von ihren Standorten durch das Meer abgerissen sind, wie lebende ästige Vorticellen aus der Gattung *Carchesium**) und Polypen. Aber auch schwerere kleine Körper wie die Schalen todter Polythalamien werden zuweilen durch das Meer vom Grunde aufgehoben und in die Höhe geführt. Ich werde bei späterer Gelegenheit über die bei Messina beobachteten Arten von Polycystinen berichten und bemerke hier nur von den lebenden Exemplaren, daß sie von einer zusammenhängenden Gallerte nicht eingehüllt waren, daß aber äußerst zarte durchsichtige discrete Fäden ohne Zweige, ohne Gliederung, von der durchlöcherten Schale ausstrahlend gesehen sind. Diese Fäden sind weich, aber ausgestreckt. Es hatte ganz das Ansehen, als wenn die Fäden einzeln von den Löcherchen der Schale ausgehen. Diese Fäden waren an den frischen Exemplaren verschiedener Gattungen sowohl offener als geschlossener Form mit wohlerhaltenen inneren Weichtheilen und so übereinstimmend vorhanden, daß Entwicklung von parasitischen Algen, woran man denken mußte, nicht im Mindesten wahrscheinlich ist. Sie erinnern allerdings an die strahligen Fäden der Gallerte der Acanthometren, auch an die Strahlen gewisser Infusorien, *Actinophrys.* Sie waren übrigens ohne Bewegung. Zu einer tiefer eindringenden Vergleichung bin ich außer Stande, da die Untersuchung des Innern wegen der Umhüllung durch das Kieselgitter und wegen der nur selten dargebotenen Gelegenheit der Beobachtung nicht befriedigend war. Alle enthielten innerhalb der Schale eine sie mehr oder weniger ausfüllende weiche dunkelgefärbte, meist braune Substanz, welche Hr. Ehrenberg schon bei *Haliomma* gesehen hat. Bei dem *Eucyrtidium* von Messina nimmt das Gebilde inwendig den oberen Theil der Schale oder das Gewölbe ein und ist sehr regelmäßig in 4 Lappen getheilt, welche einige helle runde Körper enthalten. Bei *Dictyospyris* erschienen beim Zerquetschen im Innern der Schale Zellen von gelbem körnigem Inhalt. Bei einer muthmaßlich zu *Haliomma* gehörenden oder verwandten Form mit 6 Stacheln in zwei verschie-

---

*) Bemerkenswerth ist eine neue Art *Carchesium pinnatifidum*, bei welcher die Zweige einen gemeinsamen Stamm zweizeilig wie Strahlen einer Feder besetzen, von Messina.

denen rechtwinklich sich schneidenden Ebenen, enthielt die schleimige Masse im Innern der Schale sowohl Zellen mit gelblichem Körncheninhalt von $\frac{1}{240}'''$, als farblose Zellen und violette Molecularkörperchen.

Auch hier mußte ich mich auf die Formen beschränken und sind mir die physiologischen Verhältnisse, betreffend Wachsthum, Vermehrung, Entwicklung, gänzlich unklar, oder vielmehr unbekannt geblieben.

An eingegangenen Schriften wurden vorgelegt:

Comptes rendus de l'Académie des sciences. Tome 40. no. 3—12. Paris 1855. 4.

L'Institut. Section I. no. 1095—1108. Section II. no. 226—230. Paris 1855. 4.

Transactions of the Royal Irish Academy. Vol. XXII. Part 5. Science. Dublin 1855. 4.

Humphrey Lloyd, *Notes on the meteorology of Ireland.* Dublin 1854. 4.

Proceedings of the Royal Irish Academie for the year 1853—1854. Vol. VI. Part 1. Dublin 1854. 8. (Mit Schreiben des Hrn. General-Consul Hebeler vom 14. März 1855).

Bulletin de la Société de géographie. Quatrième Série. Tome VIII. Paris 1854. 8.

E. Robin, *Précis élémentaire de chimie générale.* Partie 1. 2. 1. Paris 1854. 8.

E. Robin, *Mode d'action des anesthésiques par inspiration.* Paris 1852. 8.

E. Robin, *Role de l'oxygène dans la respiration et la vie des végétaux.* Paris (1851.) 8.

E. Robin, *Loi nouvelle régissant les differentes propridtés chimiques.* Paris 1853. 8.

Zeitschrift für die gesammten Naturwissenschaften, von Giebel und Heintz. Jahrgang 1854. Band 3 und 4. Halle 1854. 8.

The quarterly Journal of the Geological Society. Vol. XI. Part 1. London 1855. 8.

Annales des Mines. 5me Série. Tome 5. Livr. 3. Paris 1854. 8. (Mit Rescript des vorgeordneten Ministerii vom 2. April 1855).

G. F. W. Suckow, *Die wissenschaftliche und künstlerische Form der Platonischen Schriften.* Berlin 1855. 8. (Mit Begleitschreiben vom 24. März 1855.)

Bulletin de la société impériale des naturalistes de Moscou. Tome XXVII. no. 3. Moscou 1854. 8.

Annales de chimie et de physique. Série III. Tome 43. Mars. Paris 1855. 8.

Revue archéologique. Année XL. Livraison 12. Paris 1855. 8.

Carl Schmidt, *Die Salzquellen zu Staraja-Russa.* Dorpat 1854. 8.

Adolph Goebel, *Der heilsame Meeresschlamm an den Küsten der Insel Ösel.* Dorpat 1854. 8.

Agresti, *Saggio di analisi del linguaggio.* Napoli 1854. 8.

(Klein), *Inscriptiones latinae in terris nassoviensibus repertae.* Aquis Mattiacis 1855. 8. (Mit Begleitschreiben vom 6. April 1855).

Ernst Brücke, *Der Verschluſs der Kranzschlagadern durch die Aortenklappen.* Wien 1855. 8.

Maercker, *Chronik des Kgl. Pr. hohen Ordens vom Schwarzen Adler.* (Berlin 1855.) 4. (Mit Begleitschreiben des Hrn Oberceremonienmeisters v. Stillfried vom 28. März 1855).

Astronomische Nachrichten. no. 953. 954. 955. Altona 1855. 4.

Verhandlungen der physikalisch-medicinischen Gesellschaft in Würzburg. Band 5. Heft 3. Würzburg 1855. 8.

Neues Lausitzsches Magazin. Band 31. Heft 3—5. Görlitz 1854. 8.

Neumann, *Geschichte der Oberlausitzischen Gesellschaft der Wissenschaften.* Görlitz 1854. 8.

James P. Espy, *Report on Meteorology.* (Washington 1850.) quer fol.

Corrispondenza scientifica in Roma. Anno III. no. 49. Roma 1855. 4.

Verhandlungen des Vereins zur Beförderung des Gartenbaus. Neue Reihe. Jahrgang 1. 2. Abtheilung 1. Berlin 1853—1854. 8. Mit Begleitschreiben vom 24. März 1855.

Ἐφημερὶς αρχαιολογική. Heft 28—36. Athen 1842—1853. 4.

Baron Gabriel Prónay, *Vázlatok magyarhon Népéletéből. (Ethnographisches Album für Ungarn.)* Pesten 1855. fol. (Mit Begleitschreiben des Verfassers vom 3. April 1855).

———

Eine im Manuscript eingereichte Abhandlung des Hrn. Ch. Save, d. d. Paris 1. März, ist der physikal.-mathem. Klasse zur Kenntniſsnahme übergeben worden.

26. April. Gesammtsitzung der Akademie.

Hr. Buschmann las über die Pima-Sprache und die Sprache der Koloschen.

Hr. Steiner trug hierauf einen Aufsatz des Prof. Schönemann über die Construction von Normalen und Normalebenen gewisser krummer Flächen und Linien vor.

Wenn ein fester Körper sich mit 4 unveränderlichen Punkten auf 4 gegebenen Oberflächen bewegt, so muß sich im Allgemeinen jeder Punkt desselben auf einer bestimmten Oberfläche bewegen. Es entsteht nun die Aufgabe, die Normale der Oberfläche für einen bestimmten Punkt des Körpers durch Construction zu finden.

1. Bezeichnen wir die 4 Punkte des Körpers mit a, b, c, d, und die 4 Oberflächen, auf welchen er sich mit diesen 4 Punkten bewegen soll, mit A, B, C, D, ferner die Normalen, die man auf A, B, C, D in den Punkten a, b, c, d errichten kann, mit α, β, γ, δ und irgend einen Punkt des Körpers mit p, so ist die Normale der Fläche P, auf welcher sich p bewegen muß, zu bestimmen. Um dies zu thun, lege man durch α, β, γ und δ die beiden geraden Linien, welche alle 4 schneiden, und die bekanntlich beide reell oder beide imaginär sein können; diese beiden sollen Richtlinien heißen. Nun lege man durch den Punkt p und durch die beiden Richtlinien eine gerade Linie, so ist diese die gesuchte Normale der Fläche P. Sollten die Richtlinien imaginär sein, so wird nachher gezeigt werden, wie man die Normale durch reelle Construction finden könne. Sind die beiden Richtlinien reell, und liegt der Punkt p auf einer derselben, so wird jede Verbindungslinie von p mit einem Punkte der andern Richtlinie eine Normale der Fläche P vorstellen. Diese Fläche P hat für solche Punkte p immer eine Kante.

2. Jede unendlich kleine Bewegung des Körpers läßt sich durch 2 Drehungen um die beiden Richtlinien darstellen.

3. Fallen die beiden Richtlinien in eine Linie zusammen, so reduzirt sich die Bewegung des Körpers auf eine Drehung

um diese Linie, d. h. die Flächen P sämmtlicher Punkte p des Körpers haben für diese Lage eine Kante; liegen Punkte des Körpers auf der gemeinschaftlichen Richtlinie, so haben die Flächen P für diese Punkte eine Spitze. Der hierbei besprochene Fall tritt auch ein, wenn 3 der Normalen α, β, γ, δ zu der einen Schaar von Geraden eines einfachen Hyperboloids gehören und die vierte zur andern Schaar.

4. Gehören die 4 Normalen α, β, γ, δ zu e i n e r Schaar eines einfachen Hyperboloids, so geht die ganze zweite Schaar durch α, β, γ, δ. Die Normale des Punktes p ist mithin nur dann bestimmt, wenn p auf dem Hyperboloid selbst liegt. Ist dies nicht der Fall, so kann der Ort des Punktes p nicht mehr auf eine Oberfläche beschränkt sein, und der Begriff der Normale wird fortfallen.

5. Liegen von den 4 Normalen α, β, γ, δ, zwei in einer Ebene, etwa α und β in der Ebene $(\alpha\beta)$, so sind die beiden Richtlinien immer reell. Die eine derselben geht nämlich durch die Schnittpunkte von γ und δ mit der Ebene $(\alpha\beta)$ und die andere durch den Schnittpunkt von α mit β und durch die beiden Linien γ und δ.

Z u s ä t z e. a) Bewegt sich eine gerade Linie mit 3 Punkten a, b, c auf 3 Oberflächen A, B, C, so wird jeder Punkt p der Linie sich auf einer Fläche bewegen, deren Normale man erhält, wenn man durch den Punkt p diejenige Linie des durch α, β und γ bestimmten Hyperboloids legt, welche mit diesen zu derselben Schaar gehört.

Hat man 4 gerade Linien α, β, γ, δ, welche von einer fünften geraden Linie geschnitten werden und zieht durch einen Punkt p der fünften Linie 4 gerade Linien, welche auf den Hyperboloiden liegen, die durch je 3 der 4 Linien α, β, γ, δ bestimmt sind und zur Schaar dieser Linien gehören, so liegen diese 4 Linien in e i n e r Ebene.

Bewegt sich eine gerade Linie mit 4 Punkten auf 4 Oberflächen, so muß jeder Punkt derselben sich auf einer gewissen Curve bewegen. Nennt man nämlich die 4 Punkte der Linie a, b, c, d und die Oberflächen, auf welchen sich dieselben bewegen, A, B, C, D, ferner die Normalen, welche man auf den Flächen A, B, C, D in den Punksen a, b, c, d errichten kann, α, β, γ, δ, so wird man die Normalebene des Bahnelements jedes Punktes *p* der bewegten Linie erhalten, wenn man ihn mit der zweiten Richtlinie von α, β, γ und δ verbindet.

b) Bewegt sich ein Körper mit 2 Punkten auf 2 festen Curven, so muſs sich jeder Punkt desselben auf einer Oberfläche bewegen. Die Richtlinien werden hier gebildet durch die Verbindungslinie der beiden Curvenpunkte und durch die Kante, in welcher sich die beiden Normalebenen auf den beiden Curven schneiden.

6. Schneiden sich drei der Normalen α, β, γ, δ in einem Punkte, etwa α, β und γ im Punkte (αβγ), so haben die Flächen *P* aller Punkte *p*, die auf der Ebene liegen, welche durch den Punkt (αβγ) und durch δ geht, eine Kante, welche senkrecht auf dieser Ebene steht. Die Fläche *P* des Punktes (αβγ) selbst hat eine Spitze. Die Normalen der Flächen aller andern Punkte sind nach diesem Schnittpunkte gerichtet.

7. Schneiden sich sämmtliche Normalen α, β, γ, δ in einem Punkte, so sind die Normalen aller Flächen nach diesem Punkte gerichtet, und die Fläche *P* dieses Punktes hat in dieser Lage eine Spitze.

8. Bewegt sich ein Körper mit 5 Punkten *a, b, c, d, e,* die nicht in gerader Linie liegen, auf 5 Oberflächen *A, B, C, D, E,* so ist im Allgemeinen jeder Punkt des Körpers gezwungen, sich auf einer bestimmten Curve zu bewegen. Errichtet man nun auf *A, B, C, D, E* in den Punkten *a, b, c, d, e* die Normalen α, β, γ, δ, ε, so treten jetzt 5 Paare von Richtlinien auf, die zu αβγδ, αβγε, αβδε, αγδε und βγδε gehören. Zieht man durch einen Punkt *p* des Körpers und durch jedes der 5 Paare von Richtlinien eine Transversale; so liegen alle 5 Transversalen in einer Ebene. Das Bahnelement des Punktes steht auf dieser Ebene senkrecht.

9. Die kürzesten Verbindungslinien jedes der 5 Paare von Richtlinien werden von einer und derselben geraden Linie unter rechten Winkeln geschnitten.

Hierdurch ist es möglich, die kürzeste Verbindungslinie der Richtlinien von α, β, γ, δ selbst für den Fall durch reelle Construction zu finden, wenn die Richtlinien imaginär sind. Man ziehe nämlich durch eine der 4 Normalen α, β, γ, δ, etwa durch α, eine fünfte Linie ε, construire für $\alpha\beta\gamma\varepsilon$ und für $\alpha\beta\delta\varepsilon$ die beiden Paare reeller Richtlinien (vergl. N. 5) und bestimme zu jedem Paare dieser reellen Richtlinien die Linie der kleinsten Entfernung, führe dieselbe Construction noch für eine zweite Linie ε_1 aus, die ebenfalls eine von den 4 Normalen α, β, γ, δ schneidet und suche nun zwischen den beiden eben bestimmten Linien der kleinsten Entfernung wiederum die Linie der kleinsten Entfernung, so ist dies die gesuchte kürzeste Verbindungslinie der Richtlinien von α, β, γ, δ. Auf ähnliche Weise kann man für den Fall, dass die beiden Richtlinien von α, β, γ, δ imaginär sind, die Normale der Fläche P eines Punktes p durch reelle Construction finden. Fügt man nämlich zu α, β, γ, δ, wie vorher, noch ein ε hinzu, welches α schneidet, und zu ε noch einen Punkt e des Körpers und eine Oberfläche E, auf der sich e bewegen muss, so kann sich der in Betracht gezogene Punkt p des Körpers nur noch auf einer Curve bewegen, deren Normalebene man durch reelle Construction erhält, da die Richtlinien von ε, α, β, γ und ε, α, β, δ reell sind. Construirt man nun für ein anderes ε_1, welches ebenfalls α schneidet, die Normalebene des Bahnelements von p, so ist der Durchschnitt der beiden construirten Normalebenen die gesuchte Normale der Bahnfläche des Punktes p.

10. Besondere Fälle: a) Fallen die beiden Richtlinien von α, β, γ, δ in eine zusammen (vergl. N. 3) und ε geht nicht durch diese gemeinschaftliche Richtlinie, so haben die Bahncurven sämmtlicher Punkte p des Körpers eine Spitze. b) Fallen alle 5 Normalen α, β, γ, δ, ε in eine Schaar eines Hyperboloids, so bewegt sich der Punkt p, je nachdem er in das Hyperboloid selbst fällt oder nicht, entweder auf einer Fläche oder in einem körperlichen Raum. c) Liegen die 5 Punkte a, b, c, d, e in gerader Linie, so ist diese Linie im Allgemeinen fest und bildet mithin eine feste Drehungsaxe des Körpers. d) Schneiden sich von den 5 Normalen drei, α, β, γ, in einem Punkte q, so hat der Körper eine augenblickliche Drehungsaxe und zwar die Schnittlinie der Ebenen $(q\delta)$ und $(q\varepsilon)$, d. h. die Bahnelemente sämmtlicher Punkte des Körpers stehen auf dieser Linie senkrecht.

11. Ist ein Körper blofs der Bedingung unterworfen, sich mit 3 Punkten auf 3 Oberflächen zu bewegen, so wird sich im Allgemeinen jeder Punkt desselben innerhalb eines bestimmten

körperlichen Raumes bewegen, und es kommt darauf an, zu bestimmen, wann der Punkt auf die Oberfläche dieses Raumes tritt, ferner, wann diese Oberfläche eine Kante und wann eine Spitze hat. Nennen wir diese 3 Oberflächen, wie oben, A, B, C, die Punkte des Körpers, mit welchen er sich auf jenen bewegt, a, b, c und die Normalen, welche in a, b, c auf A, B, C errichtet werden können, α, β, γ, so geht durch α, β, γ stets ein Hyperboloid; fällt nun der betrachtete Punkt p des Körpers in die Fläche des Hyperboloids, so befindet er sich auf der Oberfläche des Raumes, in dem er sich bewegt, und die Normale dieser Oberfläche wird angegeben durch die Gerade des Hyperboloids, welche durch den Punkt p geht und zur Schaar von α, β, γ gehört. Die Punkte a, b, c bewegen sich auf ihren Flächen A, B, C ebenfalls auf geschlossenen Flächenräumen und treten auf die Grenzcurven nur in dem Falle, wenn 2 der 3 Normalen α, β, γ sich schneiden, und sie selbst in die Ebene der beiden Normalen fallen. Die Construction der Normalen selbst läfst sich dann leicht vollziehen.

Schneiden sich von den Normalen α, β und γ zwei in einem Punkte, so mufs der Punkt p auf der Verbindungsebene dieses Schnittpunktes mit der dritten Normale liegen, wenn er sich auf der Oberfläche des Raumes, in dem er sich bewegt, befinden soll. Liegt der Punkt p in dem Schnittpunkte selber, so hat die Oberfläche an dieser Stelle eine Kante.

Schneiden sich alle drei Normalen α, β, γ in einem Punkte, so sind alle Punkte p des Körpers auf ihre Oberfläche getreten, auf welche sich überhaupt in diesem Falle der körperliche Raum reducirt, und man erhält die Normale der Oberfläche jedes Punktes, indem man denselben mit dem Schnittpunkte der 3 Normalen verbindet. Liegt der Punkt p in dem Schnittpunkte der 3 Normalen, so hat seine Oberfläche an dieser Stelle eine Spitze.

12. Bewegt sich der Körper mit 2 Punkten a und b nur auf 2 Oberflächen A und B, so ist im Allgemeinen der Raum, innerhalb dessen sich ein Punkt p des Körpers bewegen kann, ebenfalls ein beschränkter. Soll der Punkt p auf die Oberfläche dieses Raumes treten, so müssen die Normalen α und β in einer Ebene und der Punkt p in derselben Ebene liegen. Die Normale dieser Oberfläche ist nach dem Schnittpunkte der Normalen α

und β gerichtet. Liegt der Punkt p im Schnittpunkte der Normalen α und β selbst, so hat die Fläche an dieser Stelle eine Kante.

Hr. Dove legte dann eine neue vollständigere Karte
der Temperatur-Curven der nördlichen Hemisphäre
vor und erläuterte dieselbe.

Hr. Ritter theilte einen vom Vater des Reisenden in
Afrika Dr. Vogel an Hrn. von Humboldt eingesandten Brief
mit, wonach Dr. Vogel vom 1. Dec. 1854 meldet, daß er mit
Dr. Barth zwischen Kuka und Kano glücklich zusammengetrof-
fen und daß sie Beide sich wohlbefinden.

Hr. Gerbard legte aus Mittheilung des Dr. G. Papa-
sliotis zu Athen der Akademie die von demselben vorläufig
in der dortigen Zeitung 'Αθηνά no. 2234. 2235. veröffentlichte,
bei Herakleion zu Kreta ohnweit des alten Knosos im December v. J. entdeckte, umfassende und wichtige Inschrift eines
Steines vor, welcher auf seinen vier Seiten einen zwischen den
Städten Knosos und Dreros (Δρῆρος, wird von Theognostos in
Cramer's Anecd. gr. II. p. 69 erwähnt), in offenster Anfeindung
der Stadt Lyttos geschlossenen Vertrag enthält. Der Text
dieser Inschrift, über welche der gedachte Einsender sich im
'Archäologischen Anzeiger' weiter auszulassen gedenkt, folgt
anbei.

Α' Πλευρά.

ΘΕΟΣ Ε, ΤΥΧΑ
ΑΓΑΘΑΙ ΤΥΧΑΙ
ΕΓΙ ΤΩΝ ΑΙΘΑΛΕ
ΩΝ ΚΟΣΜΙΟΝ ΤΩΝ
5   ΤΩΝ ΣΥ (ΚΥΙΑΙΚΑΙ
ΚΕΦΑΛΩΙ ΓΥΡΩΙ
ΓΙΩΙ ΒΙ ΣΙΩΝΟΣ
ΓΡΑΜΜΑΤΕΩΣΔΕΦΙΛΙΓΓΟΥ
ΤΑ ΔΕ ΩΜΟΣΑΝ
10   ΑΓΕΛΑΟΙ ΓΑΝ
ΑΣΩΣΤΟΙ ΕΚΑ
ΤΟΝ ΟΓΔΟΗ
ΚΟΝΤΑ ΟΜΝΥΩ
ΤΑΝ ΕΣΤΙΑΝΤΑΝ
15   ΕΜ ΓΡΥΤΑΝΕΙΩΙ
ΚΑΙ ΤΟΝ ΔΗΝΑΤΟΝ
ΑΓΟΡΑΙΟΝ ΚΑΙ ΤΟΝ ΔΗ
ΝΑΤΟΝ ΤΑΛΛΑΙΟΝ
ΚΑΙ ΤΟΝ ΑΓΕΛΛΩΝΑ
20   ΤΟΝ ΔΕΛΦΙΝΙΟΝ ΚΑΙ
ΤΑΝ ΑΘΑΝΑΙΑΝ ΤΑΝ
ΓΟΛΙΟΥΧΟΝ ΚΑΙ ΤΟΝ
ΑΓΕΛΛΩΝΑ ΤΟΝ ΓΟΤΙΟΝ
ΚΑΙ ΤΑΝ ΛΑΤΟΙΝ ΚΑΙ ΤΑΝ
25   ΑΡΤΕΜΙΝ ΚΑΙ ΤΟΝ ΑΡΕΑ
ΚΑΙ ΤΑΝ ΑΦΟΡΔΙΤΑΝ ΚΑΙ
ΤΟΝ ΕΡΜΑΝ ΚΑΙ ΑΛΙΟΝ
ΚΑΙ ΤΑΝ ΒΡΙΤΟΜΑΡΤΙΝ
ΚΑΙ ΤΟΜΦΙΝΙΚΑ ΚΑΙ ΤΑΝ
30   ΑΜΦ Ι ΩΝΑΝ ΚΑΙ ΤΑΓ ΓΑΝ
ΚΑΙ ΤΟΝ ΟΥΡΑΝΟΝ ΚΑΙ
ΗΡΩΑΣ ΚΑΙ ΗΡΩΑΣΣΑΣ
ΚΑΙ ΚΡΑΝΑΣ ΚΑΙ ΓΟΤΑ
ΜΟΥΣ ΚΑΙ ΘΕΟΥΣ ΓΑΝΤΑΣ
35   ΚΑΙ ΓΑΣΑΣ ΜΗΜΑΝ ΕΓ Ω
ΓΟΚΑ ΤΟΙΣ ΛΥΤΤΙΟΙΣ
ΚΑΛΩΣ ΦΡΟΝΗΣ ΕΙ Ν
Μ ΗΤΕ ΤΕΧ ΝΑ Ι ΜΗΤΕ ΜΑ
ΧΑΝ ΑΙ ΜΗΤΕ ΕΝ ΝΥΚΤ Ι
40   ΜΗΤΕ ΓΕΔΑ ΜΕΡΑΝ ΚΑΙ
ΣΓΕΥΣΙ Ω ΟΤΙ ΚΑ ΔΥΝΑΜΑΙ
ΚΑΚΟΝ ΤΑΙ ΓΟΛΕΙ ΤΑΙ ΤΩΝ
ΛΥΤΤΙΩΝ

Bᵃ Πλευρά.

ΔΙΚΑΝΔΕ
ΩΝ ΜΗΘΕΩΝ
. . .
ΦΙΛΟΔΡΗΡΙ   ΩΙ
5   ΦΙΛΟΚΝΩΣ
   ΚΑΙ ΜΗΤΕ ΤΑΝ
ΛΙΝ ΓΡΟΔΩΣΕΙΝ
ΤΑΝ ΤΩΝ ΔΡΗΡΙΩΝ
ΜΗΤΕ ΟΥΡΙΑ ΤΑ
10   ΤΩΝ ΔΡΗΡΙΩΝ
ΜΗ   ΤΑ ΤΩΝ ΚΝΩ
ΣΙΩΝ ΜΗΔΕ ΑΝ
ΔΡΑΣ ΤΟΙΣ ΓΟ
ΛΕΜΙΟΙΣ ΓΡΟΔΩ
15   ΣΕΙΝ ΜΗΤΕ ΔΡΗ
ΡΙΟΥΣ ΜΗΤΕ ΚΝΩ
ΣΙΟΥΣ ΜΗΔΕ ΣΤΑ
ΣΙΟΥΣ ΑΡΞΕΙΝ ΚΑΙ
ΤΩΙ ΣΤΑΣΙΞΟΝΤΙ
20   ΑΝΤΙΟΣ ΤΕΛΟΜΑΙ
ΜΗΔΕ ΣΥΝΟΜΩΣΙ
ΑΣ ΣΥΝΑΞΕΙΝ
ΜΗΤΕ ΕΜ ΓΟΛΕΙ
ΜΗΤΕ ΕΞΟΙ ΤΑΣ
25   ΓΟΛΕΩΣ ΜΗΤΕ
ΑΛΛΩΙ ΣΥΝΤΕΛΕ
ΣΘΑΙ ΕΙΔΕ ΤΙΝΑΣ
ΚΑΓΥΘΩΜΑΙ ΣΥ
ΝΟΜΝΥΟΝ ΤΑΣ
30   ΕΞ ΑΓΓΕΛΙΩ ΤΟΥ
ΚΟΣΜΟΥ ΤΟΙΣ ΓΑΙ
ΑΣΙΝ ΕΙΔΕ ΤΑΔΕ
ΜΗ ΚΑΤΕΧΟΙ ΜΙ
ΤΟΥΣ ΤΕ ΜΟΙ ΘΕΟΥΣ
35   ΤΟΥΣ ΩΜΟΣΑ ΕΜ
ΜΑΝΙΑΣ ΗΜΗΙΝ
ΓΑΝΤΑΣ ΤΕ ΚΑΙ ΓΑ
ΣΑΣ ΚΑΙ ΚΑΚΙΣΤΩ
ΟΛΕΘΡΩΙ ΕΞΟΛΛΥ
40   ΣΘΑΙ ΑΥΤΟΣ ΤΕ
ΚΑΙ ΧΡΗΙΑ ΤΑ ΜΑ
ΚΑΙ ΜΗΤΕ ΜΟΙ ΓΑΝ
ΚΑΡΓΟΝ ΦΕΡΕΙΝ

Γη Πλευρά.

. . . . . .

I I

. . . . . .

NAEΣ
ΘΓ . ΤΟΥΣ
ΛΕΩΣ Η . . ΕΙ
ΣΚΑΓΑΘΑ
ΜΕ Ν . ΟΜΝΥΩ
Τ . . ΣΑ . Τ . ΟΣ ΑΘΡΟΟΥΣ
10 ΗΜΑΝ ΕΓΩ ΤΟΝ ΚΟ
ΣΜΟΝ ΑΙ ΚΑΜΗ ΕΞΟΡ
ΚΙΞΩΝΤΙ ΤΑΝ ΑΓΕ
ΛΑΝ ΤΟΥΣ ΤΟΚΑΕΓ
ΓΑΥΟΜΕΝΟΥΣ ΤΟΝ
15 ΑΥΤΟΝ ΟΡΚΟΝ ΤΟΝ
ΓΕΡΑΜΕΣ ΟΜΩΜΟ
ΚΑΜΕΣ ΕΜΒΑΛΕΙΝ
ΕΣ ΤΑΝ ΒΩΛΑΝ ΑΙ
ΚΑ ΑΓΟΣΤΑΝΤΙ
20 ΤΟΥ ΜΗΝΟΣ ΤΟΥ ΚΟ
ΜΝΟΚΑΡΙΟΥ Η ΤΟΥ
ΑΛΙΑΙΟΥ ΑΔΕ ΒΩΛΑ
ΓΡΑΞΑΝΤΩΝ ΕΚΑ
ΣΤΟΝ ΤΟΝ ΚΟΣΜΙ
25 ΟΝ ΤΑΣ ΤΑΤΗΡΑΣ
ΓΕΝΤΑΚΟΣΙΟΥΣ
ΑΦΑΣΚΑΕ ΜΙΑΔΗΙ
ΑΜΕΡΑΣ ΕΝ ΤΡΙΜΗΝ .
ΑΙΔΕ ΛΙΣΣΟΣΕΙ ΕΓΙ
30 ΑΓΓΡΑΨΑΝΤΩΝ
ΕΣ ΔΕΛΦΙΝΙΟΝ
ΟΣΣΑ ΚΑΜΗ ΓΡΑ
ΞΟΝΤΙ ΧΡΗΜΑΤΑ
ΤΟΥΝΟΜΑ ΕΓΙ ΓΑΤΡΟΣ
35 ΚΑΙ ΤΟ ΓΛΗΘΟΣ ΤΟΥ ΑΡ
ΓΥΡΙΟΥ ΕΞ ΟΝΟΜΑΙΝΟΝ
ΤΕΣ ΟΤΙ ΔΕ ΚΑΓΡΑΞΟΝ
ΤΙ ΤΑΙΣ ΕΤΑΙΡΕΙΑΙΣ ΙΝ
ΔΑΣΣΑΣΘΩΣΑΝΤΑΣ
40 ΕΜ ΓΟΛΕΙ ΚΑΙ ΕΙΓΕΙ
ΤΙ ΝΕΝΟΥΡΕΥΩΝΤΙ ΔΡΗΡΙΟ

Δ΄ Πλευρά.

IAE MHΓP
EΛΛΒΩΛΛΑ
ΤΑΔΙΓΛΟΑ
ΣΑΝΤΟΝΓΡΑ
5   ΤΩΝ ΔΕ ΟΙ ΕΙ ΕΥΤΑΙ
ΟΙ ΤΩΝ ΑΝΘΡΩΓΙΝΩΝ
ΚΑΙ ΔΑΣΣΑΣΘΩΣΑΝ
ΚΑΤΑ ΤΑΥΤΑ
ΤΑΔΕ ΥΓΟΜΝΑΜΑ
10   ΤΑ ΤΑΣ ΔΡΗΡΙΑΣ ΧΩΡΑΣ
ΤΑΣ ΑΡΧΑΙΑΣ ΤΟΙΣ
ΕΓΙΓΙΝΟΜΕΝΟΙΣ ΑΣ(Ι)
ΣΤΟΙΣ ΤΟΝΤΕ ΟΡ
ΚΟΝ ΟΜΝΥΜΕΝ
15   ΚΑΙ ΚΑΤΕΧΕΙΝ
ΚΑΙ ΟΙ ΜΙΛΑΤΙΟΙ
ΕΓΕΒΩΛΕΥΣΑΝ
ΕΝ ΤΑΙΝΕΑΙ ΝΕ
ΜΟΝΗΙ ΑΙ ΤΑΓΟ
20   ΛΕΙ ΤΑΙ ΤΩΝ ΔΡΗ
ΡΙΩΝ ΕΝΕΚΑ ΤΑΣ
ΧΩΡΑΣ   ΤΑΣ Α
ΜΑΣ ΤΑΣ ΑΜΦΙ
ΜΑΧΟΜΕΘΑ
25   ΝΙΚΑΤΗΡ
ΤΑΣ ΑΓΕΛΑΣ
ΚΑΙ ΕΛΑΙΑΝΕ
ΚΑΣΤΟΝ ΦΥΤΕΥ
ΕΙΝ ΚΑΙ ΤΕΘΡΑΜ
30   ΜΕΝΑΝ ΑΓΟΔΕΙ (Η)
ΕΛΙΟΣ ΔΕ ΚΑΜΗ
ΦΥΤΕΥΣΕΙ ΑΓΟ
ΤΕΙΣ ΟΙ ΣΤΑ
ΤΗΡΑΣ ΓΕΝ
35   ΤΗΚΟΝΤΑ

Hr. Peters übergab die Fortsetzung von Diagnosen der von ihm in Mossambique gesammelten und von Hrn. Dr. Gerstäcker bearbeiteten Käfer aus den Familien der *Longicornia, Paussidae* und *Ptiniores.*

LONGICORNIA.

Von 23 in Mossambique aufgefundenen Arten dieser Familie war der gröfsere Theil, nämlich 14 neu; zwei derselben bilden zugleich neue Gattungen.

1. *Cerambyx (Hammaticherus) incultus* n. sp.; fuscus, pube sericea dense vestitus, antennis pedibusque dilute piceis: thorace lateribus vix ampliato, bituberculato, elytris subtiliter punctulatis, obsolete unicostatis. Long. 9½ lin.

2. *Callichroma heterocnemis* n. sp.; laete viridis, nitidissima, elytris cyanescentibus, femoribus anterioribus rubris: thorace apicem versus profunde constricto, lateribus obtuse bituberculato, supra disperse punctato: elytris basi disperse, apicem versus sensim crebrius punctatis. Long. 9 lin.

3. *Callichroma leucorhaphis* n. sp.; rufo-ferruginea, viridimicans, dense argenteo-pubescens, capite, thorace medio elytrorumque lateribus laete viridibus: his vitta suturali nivea, extus fusco limbata ornatis. Long. 8½ lin.

4. *Callichroma ruficrus* n. sp.; aeneo-viridis, parum nitida, femoribus apice excepto laete rufis; antennis brevibus, elytris subparallelis, confertim rugulosis. Long. 12 lin.

5. *Compsomera speciosissima* n. sp.; nigra, holosericea, capite, antennis, tibiis tarsisque ferrugineis: thorace fascia antica callisque duobus semilunaribus disci purpureis, maculis tribus marginum lateralium unaque baseos media aureo-pilosis: elytris nigro-cyaneis, maculis quatuor obliquis crucem formantibus aurantiacis, nigro-circumdatis. Long. 9½ lin.

6. *Closteromerus insignis* n. sp.; niger, opacus, elytris cyaneis, femoribus anterioribus laete rufis: corpore subtus thoracisque lateribus maculis argenteo-sericeis ornatis: antennarum articulis quinque ultimis triangulariter dilatatis. Long. 5½ lin.

7. *Obrium murinum* n. sp.; elongatum, fuscum, dense griseo-pubescens, antennis femoribusque dilute rufis: oculis amplissimis, in vertice approximatis: elytris subtiliter striato-punc-

tatis, sutura maculaque laterali pone medium pallidis. Long. $4\frac{1}{2}$—$5\frac{1}{2}$ lin.

8. *Ceroplesis militaris* n. sp.; nigro-aenea, opaca, elytrorum fasciis duabus transversis, altera ante, altera post medium, margine laterali posteriore maculaque ante apicem obliqua miniaceis. Long. 14 lin.

CYMATURA nov. gen. Corpus elongatum, cylindricum, tomentosum. Frons inter antennas profunde excisa, tuberculo antennifero admodum elevato. Palpi articulo ultimo subulato. Antennae (feminae?) corpore breviores, articulis 3.—10. longitudine decrescentibus. Thorax angustus, basi apiceque evidenter constrictus, spina laterali post medium sita instructus. Elytra latitudine communi triplo fere longiora, lateribus subparallela, apice subtruncata, angulo externo producto, fimbriato. Mesosternum lineare. Pedes breviusculi, tibiae mediae extus profunde excisae.

9. *Cymatura bifasciata* n. sp.; nigra, dense tomentosa, capite, thorace, abdomine, macula pectorali magna fasciisque duabus elytrorum irregularibus, altera ante, altera post medium aurantiacis. Long. $11\frac{1}{2}$ lin.

Eine zweite, ebenfalls neue Art dieser Gattung besitzt das Berliner Museum von Port Natal:

Cymatura scoparia; nigra, tomento fusco dense vestita; verticis maculis duabus, thoracis tuberculis duobus dorsalibus, elytrorum numerosis per series duas dispositis nigro-villosis: antennarum basi-thoracis margine postico, scutello elytrorumque maculis dispersis arantiacis: his apice margineque externo fimbriato-denticulatis. Long. 13 lin.

RHAPHIDOPSIS nov. gen. Corpus parallelum, subcylindricum, tomento brevi dense vestitum. Caput magnum, thoracis latitudine, sutura media longitudinaliter divisum: fronte a vertice sutura transversa separata. Antennae distantes: maris corpore tertia fere parte, feminae vix longiora: articulo primo ceteris crassiore, 2. brevissimo, 3. dimidio fere longiore quam 1. sequentibus ad 10. usque sensim brevioribus, ultimo praecedente dimidio longiore, apice acutissimo. Thorax longitudine non latior, subcylindricus, basi sat late constrictus, lateribus pone medium in spinam brevissimam, tuberculiformen dilatatus.

Elytra thorace paullo latiora, latitudine communi plus duplo longiora. Pedes breviusculi. Prosternum simplex, medio angustatum, meżosternum tuberculo parum elevato instructum.

10. *Rhaphidopsis melaleuca* n. sp.; nigra, dense cretaceo-tomentosa, verticis maculis duabus oblongis, thoracis plaga magna dorsali punctisque duobus lateralibus, elytrorum fasciis duabus transversis valde flexuosis maculisque tribus ante apicem (suturali transversa, lateralibus subtriquetris) atris, holosericeis: antennarum articulis singulis basi cinereis.

Auſserdem ist dieser Gattung beizuzählen:

Ceroplesis Klugii Dej. Cat. (*C. ornata Klug i. lit.*), welche mit den übrigen *Ceroplesis*-Arten nichts als die scheinbar analoge Zeichnung der Flügeldecken gemein hat.

11. *Tragocephala frenata* n. sp.; nigra, tomentosa, fronte, verticis maculis duabus lateralibus, thoracis lateribus, elytrorum maculis quinque (duabus baseos oblongis, media transversa, posterioribus subrotundis) punctoque pone suturam laete aurantiacis. Long. 8 lin.

12. *Zographus hieroglyphicus* n. sp.; niger, subtus dense albido et aurantiaco-tomentosus: capite vittis tribus facialibus fasciaque verticis posteriore aurantiacis: thorace annulis quatuor flavis atque aurantiacis alternantibus: elytris fasciis duabus, altera basali, altera submedia maculaque inter illas laterali aurantiacis, lineisque numerosis albidis flavoque variegatis. Long. 9 lin.

13. *Oberea scutellaris* n. sp.; rufo-ferruginea, parce pubescens, oculis antennisque nigris: elytris deplanatis, apice dilatatis, fuscis, macula basali retrorsum acuminata marginisque lateralis basi testaceis. Long. 6½ lin.

14. *Oberea pallidula* n. sp.; testacea, antennis, ano elytrorumque stria laterali, ex apice ultra medium usque pertinente, nigricantibus: elytris regulariter seriatim-punctatis, apicem versus sericeis. Long. 3⅗ lin.

PAUSSIDAE.

Zwei Arten dieser Familie wurden in Mossambique aufgefunden, nämlich:

1. *Paussus Humboldtii* Westwood.

2. *Paussus inermis* n. sp.; castaneus, parce setulosus, subnitidus, antennarum clava subtrigona, haud excavata, prope basin marginis posterioris profunde sulcata et in dentem piligerum producta: vertice inermi, thorace deplanato, medio subconstricto, elytris nitidioribus, subtilissime confertim punctulatis, setulis brevibus flavis parce obsitis. Long. 3 lin.

Diese neue Art gehört zu Westwood's „Sectio B. *Prothorax subcontinuus*," und ist dem *Paussus verticalis* Reiche zunächst verwandt.

PTINIORES.

Drei neue Arten aus Mossambique sind:

1. *Ligniperda (Apate Fabr. Guér.) congener* n. sp.; niger, fusco-pubescens, elytris pedibusque piceis: thorace retrorsum fortiter attenuato, antice muricato, lateribus denticulato: elytris dorso tricostatis, ante apicem bispinosis. Long. 6¼ lin.

2. *Ligniperda cylindrus* n. sp.; elongatus, nigro-piceus, fusco-pubescens, antennarum clava ferruginea: thorace antice muricato, elytris dorso tricostatis, apice vix truncatis, tricallosis. Long. 9—10 lin.

3. *Sinoxylon conigerum* n. sp ; nigro-piceum, subtus sericeum, nitidum, antennis pedibusque rufis: thorace antice muricato, lateribus tridentato, elytris breviusculis, fortiter truncatis, dente conico pone suturam armatis. Long. 2 lin.

An eingegangenen Schriften wurden vorgelegt:

Gabriel v. Prónay, *Skizzen aus dem Volksleben in Ungarn*. Pesth 1854. fol. (Mit Begleitschreiben des Rechtsanwaltes Hrn. Licht zu Berlin).

Crelle, *Journal für Mathematik*. Band 49. Heft 4. Berlin 1855. 4.

Schriften der Universität zu Kiel aus d. J 1854. Bd. 1. Kiel 1855. 4. (Mit Begleitschreiben der Commission zur Herausgabe. 19 Nummern mit besondern Titeln.)

Jahresbericht der Gesellschaft für nützliche Forschungen zu Trier vom J. 1854. Trier 1855. 4. (Mit Begleitschreiben des Sekretärs der Gesellschaft, Hrn Schneemann).

Abhandlungen, herausgegeben von der Senckenbergischen naturforschenden Gesellschaft. Band 1. Lief. 1. Frankfurt a. M. 1854. 4. (Mit Begleitschreiben des Sekretärs der Gesellschaft, Hrn. Dr. Mettenheimer.)

Verhandelingen van het Bataviaasch Genootschap van Kunsten en Wetenschappen. Deel XXV. Batavia 1853. 4. und

Tijdschrift voor Indische Taal-, Land- en Volkenkunde uitgegeven door het Bataviaasch Genootschap van Kunsten en Wetenschappen. Jaarg. I. Aflevering 1—12. Batavia 1852—54. 8. (Mit Begleitschreiben des Hrn. J. Munnich, Mitherausgebers der Zeitschrift.)

Ernst Förstemann, *Altdeutsches Namenbuch.* Bd. 1. Lief. 5. Nordhausen 1855. 4. (Mit Begleitschreiben des Hrn. Verf.)

Martin Barry's *Bestätigung einiger neueren mikroskopischen Beobachtungen.* Aus d. Engl. übersetzt von F. Keber. Königsberg 1855. 8.

Martin Barry, *Some account of the discoveries of Keber on the porosity of bodies.* (From the Philosophical Magazine, Oct. and Nov. 1854.) 8. (Mit Begleitschreiben des Hrn. Keber.)

Natuurkundig Tijdschrift voor Nederlandsch Indie. Uitgegeven door de naturkundige Vereeniging in Nederlandsch Indie. Deel VII. Aflevering 1—4. Batavia 1854. 8.

Journal of the Asiatic Society of Bengal. Edited by the Secretaries. 1854. no. VI. Calcutta 1854. 8.

Mémoires de la Société des sciences physiques et naturelles de Bordeaux. Tome 1. Cahier 1. 2. Paris et Bordeaux 1854—55. 8.

Rivista periodica dei lavori della I. R. Accademia di scienze, lettere ed arti di Padova. Redattore G. F. Spongia. Trimestre 1. et 2. 3. et 4. Vol. II. Padova 1854. 8.

Corrispondenza scientifica in Roma. Anno III. no. 50. Roma 1855. 4.

Astronomische Nachrichten. no. 956. Altona 1855. 4.

Die Schrift und das Begleitschreiben des Kreisphysikus Hrn. Dr. Keber wurde der physik.-mathem. Klasse zur Kenntnißnahme überwiesen.

Ein Rescript des vorgeordneten K. Ministeriums vom 21. April genehmigt die dem Hrn. Dr. Pauli bewilligten 250 Rthlr. für Abschriften geschichtlicher Urkunden des Tower.

Der Oberbibliothekar Hr. Bernhardi zu Halle meldet unterm 13. April den Empfang der Monatsberichte vom August bis

December 1854 für die Universität und das philologische Se-
minar zu Halle.

_____

30. April. Sitzung der philosophisch-historischen Klasse.
Hr. J. Grimm las über die marcellischen Formeln.

_____

BERICHTIGUNG.
___

In Hrn. Böckh's Berichte über die Abhandlung „Zur
Geschichte der Mondcyklen der Hellenen" ist S. 205. Z. 13
statt Olymp. 119, 3 zu lesen: Olymp. 119, 2.

Bericht

über die

zur Bekanntmachung geeigneten Verhandlungen der Königl. Preuſs. Akademie der Wissenschaften zu Berlin

im Monat Mai 1855.

Vorsitzender Sekretar: Hr. Trendelenburg.

3. Mai. Gesammtsitzung der Akademie.

Hr. Pinder las über die kaiserlichen Silbermedaillons der Provinz Asia.

Hr. H. Rose las über die Zersetzung der schwefelsauren Strontianerde und der schwefelsauren Kalkerde vermittelst der kohlensauren Alkalien.

Die schwefelsaure Strontianerde und die schwefelsaure Kalkerde verhalten sich gegen kohlensaure Alkalien auf eine ganz andere Weise wie die schwefelsaure Baryterde. Sie werden schon bei gewöhnlicher Temperatur vollständig durch die Lösungen der einfach- und der zweifach-kohlensauren Alkalien zersetzt, und diese Zersetzung findet auch statt, wenn man zu den Lösungen bedeutende Mengen von schwefelsaurem Alkali hinzufügt. Durchs Kochen wird die Zersetzung beschleunigt. Die schwefelsaure Strontianerde erfordert eine längere Zeit zur vollständigen Zersetzung durch die kohlensauren Alkalien als die schwefelsaure Kalkerde.

Auch die Lösung des kohlensauren Ammoniaks bewirkt i gewöhnlicher Temperatur eine vollständige Zerset- schwefelsauren Strontianerde und der schwefelsauren

Durch das verschiedene Verhalten dieser beiden Erden im schwefelsauren Zustande und der schwefelsauren Baryterde ist es leicht diese bei quantitativen und bei qualitativen Untersuchungen von jenen zu scheiden.

Durch die Lösungen der schwefelsauren Alkalien erfolgt keine Zersetzung der kohlensauren Strontianerde und der kohlensauren Kalkerde, weder bei gewöhnlicher Temperatur, noch durchs Kochen. Auch die Lösung des schwefelsauren Ammoniaks verändert nicht die beiden kohlensauren Erden bei der gewöhnlichen Temperatur: aber beim Erhitzen werden sie mit Leichtigkeit durch dasselbe zersetzt.

Der Verfasser zeigt endlich, wie bei qualitativen Untersuchungen die drei Erden durch ihr verschiedenes Verhalten gegen Reagentien mit Sicherheit und Leichtigkeit neben einander zu erkennen sind.

Hr. E h r e n b e r g sprach über neue E r k e n n t n i f s immer gröfserer O r g a n i s a t i o n der P o l y t h a l a m i e n, durch deren urweltliche S t e i n k e r n e. Ein Zusatz zur Abhandlung vom 8. März.

Es bestätigt sich immer umfangreicher, dafs die Steinkerne der kalkschaligen mikroskopischen Organismen, deren opalartige Zustände als körniger Grünsand, Braunsand und Rothsand vor Kurzem von mir in Übersicht gebracht worden sind, eine unermefsliche Quelle neuer Organisationserkenntnifs für sonst unzugängliche Formen werden. So bin ich heute schon veranlafst zu den früheren Vorträgen einen wesentlich erweiternden Zusatz zu geben, der zum Theil auf denselben, zum Theil auf neueren Beobachtungsmethoden beruht, welche anzuwenden versucht und gelungen ist.

Der wichtigste Fortschritt in der Kenntnifs der Organisation der Polythalamien seit 1838 ist neuerlich von dem englischen Assistenz-Arzte Hrn. Carter in Bombay gemacht worden, welcher 1852 eine von ihm *Operculina arabica* genannte Form des Rothen Meeres, durch eine sehr sinnreiche neue Beobachtungsmethode sich selbst injiciren liefs, indem er

die leere Schale durch Capillar-Attraction und dieser zu Hülfe
kommenden Verdunstungsprozefs mit Carmin injicirte. Die auf
diese Weise zur Erscheinung gekommenen Schalen-Canäle sind
ein überaus klarer und wichtiger Beweis sehr grofser Organisation aller Wände im ganzen Umfange der kleinen Schalen,
die dadurch ihren besondern Organismus deutlicher zu Tage
legen, als die grofsen Schalen der Mollusken, und welche auf
den Reichthum und die Feinheit des übrigen Organismus der
kleinen Thiere einen nicht gewagten einfachen Schlufs rechtfertigen. Ich habe Hrn. Carters Beobachtungen nach einigen
vergeblichen Bemühungen sehr glücklich wiederholt und kann
die Existens des ganzen Reichthums jener Canäle vollständig
bestätigen. Ja ich habe durch noch andere Beobachtungsmethoden theils denselben Bau gleichartig aufser Zweifel gestellt,
theils auch noch weiter und vielseitiger verfolgen können. Hr.
Carter vergleicht die Polythalamien, die er wieder Foraminiferen nennt, mit den Spongien und nimmt bei diesen auch den
Amoebaeen (*Proteus*) gleichende Thiere an. Hierdurch hält er
die ganze Formengruppe der Polythalamien mit den Spongien
beisammen und schliefst auch die Nummuliten an. In jenen
beiden Punkten (Foraminiferen, Amoebaeen), mufs ich von seinen Ansichten ganz abweichen, was ich aber hier weiter zu
erörtern nicht für nöthig halte, da ich meine abweichenden
Ansichten und ihre Gründe schon oft mitgetheilt habe. Die
Foraminiferen können weder so, noch Rhizopoden, sondern nur
Polythalamien heifsen, weil diefs der ältere Name ist, es auch
in vielen Abtheilungen der Thiere Löcher (*Foramina*) und Pseu-
dopodien (Rhizopoden) giebt, und die Amoebaeen sind entschiedene Polygastern, welche, meiner Ansicht nach, nur parasitisch
in abgestorbenen Spongillen-Schwämmen, zuweilen wie Flie-
genmaden in Pilzen, oder wie Cercarien in Schnecken, Schlupfwes-
penlarven in Raupen massenhaft vorkommen. Den 1838 angezeig-
Haupt-Ernährungs-Canal der Polythalamien, den die Steinkerne
nun leicht zu jedes Beobachters Überzeugung bringen müssen,
sah Hr. Carter als Kammerverbindung bei *Operculina* auch. Er
nennt es *grand channel of intercameral communication.* Es ist
der *Sipho* mit dem Munde. Solche Siphonen zeigen die Stein-

kerne nun auch bei Orbitoiden sehr deutlich, die sich somit
den Helicosorinen anreihen.

a. Weifse Steinkerne.

Die weitere Beobachtung der Steinkerne hatte mich zuerst
veranlafst eine weifse Steinart aus Java zu prüfen, welche Dr.
Junghuhn mir vor mehreren Jahren mit zahlreichen andern
Gesteinproben zugesendet hatte. Sie war als Tertiärkalk von
Goa Lingamanik bezeichnet, und liefs kleine Orbitoidenartige
Körper erkennen. In der Mikrogeologie, pag. 157, habe ich die
Erdablagerungen vom Boden der dortigen Höhle als gelben
Süfswasser-Letten ausführlich geschildert, die weifse, kalkige,
marine Gebirgsmasse aber noch nicht erläutert. Ich empfand
beim Zerlegen und Präpariren des Gesteins eine ganz besondere Überraschung und Freude. Ich erkannte nämlich dafs unter den scheiben- und linsenförmigen Körperchen des Kalkes
viele Amphisteginen- und Heterosteginen-artige waren, deren
öfter sehr wohl erhaltene weifse Steinkerne ein unerwartet
zierliches Netzwerk darstellten. Der so unerklärliche Bau der
oft mäandrischen Zeichnung dieser Polythalmien-Gattungen,
wurde in den Steinkernen, nach Ablösung des Kalkes durch
Säure, plötzlich völlig klar. Sie bestehen nicht aus einer doppelten Spirale oder Reihe von Kammern, wie diefs aus Hrn.
d'Orbigny's Darstellungen und Modellen bisher hervorging, sondern es sind zweischenklige in einfache Spiralform gestellte
Kammern (*cellulae equitantes*), deren Schenkel stets bis zum Nabel reichen und wobei die neueren gröfseren Zellen die ältern
kleineren ganz umschliefsen. Die Steinkerne zeigen aber jederseits die Schenkel eigenthümlich durchbrochen, netzartig, diese
sind also nicht einfache hohle Theile, wie bei *Nonionina* und
Geoponus, sondern haben in der Mitte solide Kalkzapfen, welche
ihre Höhlung abtheilen, die auf diese Weise oberhalb meist
zwei, durch Anastomosen verbundene Canäle bildet. Die Steinkerne
stellen nur die breiten anastomosirenden Canäle selbst vor, die
durch die Säure ausgeätzten Kalkzapfen und Kalkhüllen lassen
diese steinernen Schenkel durchbrochen erscheinen. So besteht denn jede Kammer aus 3 Flügeln, einem rückwärts gebo-
genen Dorsalflügel von meist schmaler Sichelform, woran je-

derseits ein meist 2 förmig gekrümmter Seitenflügel (die Schenkel) sich anschliefst. Der Dorsalflügel ist stets einfach von solider Sensenform, aber die Schenkel sind nur höchst selten einfach. Manche dieser Schenkel hatten eine 2-förmige Durchbrechung, andere hatten deren 2, 3 und 4 kleinere, rundliche noch hintereinander. Hrn. d'Orbigny's Originalexemplare von Amphisteginen und Heterosteginen des Wiener Tertiärlagers, die ich von Hrn. v. Hauer in Wien vor mehreren Jahren schon gütigst zugesendet erhielt, schliefsen sich die javanischen Formen nahe an.

b. **Über eine fünffache Canal-Verbindung der einzelnen Kammern bei Polythalamien.**

Da neuerlich die von mir im Jahr 1838 hier vorgetragenen Structurbeobachtungen der Polythalamien, wonach die einzelnen Kammern (theils Glieder von Einzelthieren, theils Einzelthiere), durch breite Canäle (*Sipho*, Darm) in Verbindung stehen, neuerlich auch durch den Vicomte d'Archiac ohne eigene Beobachtung geradehin abgeleugnet werden, so geben die weifsen Steinkerne der Heterosteginen von Goa Lingamanik in Java eine vortreffliche Belehrung. Während im Februar dieses Jahres aus den grünen Steinkernen des Zeuglodon-Kalkes von Alabama bereits eine zweifache und dreifache Verbindung der Kammern bei Formen der Gattungen *Rotalia* (?) und *Geoponus* hervorgetreten war, deren eine die äufsere Spirale mit der inneren, oft doppelt, zuweilen vielfach verband, so zeigten sich hier deren sogar fünf unwiderleglich. 1) Der HauptVerbindungs-Canal der Kammern am Vereinigungspuncte ihrer 3 Flügel (der Darm), 2) einfache oder mehrfache Verbindungsröhren jedes vorderen Dorsalflügels mit dem hinteren, 3) einfache oder mehrfache Verbindungsröhren der Lateralflügel untereinander, 4) einfache oder mehrfache innere Anastomosen des doppelten Canales im Innern der Lateralflügel, 5) oft zweifache Canalverbindung der einzelnen Kammern der äufsern Spirale mit den entsprechenden der inneren, resp. der oberen und unteren.

Die mannigfachen Anastomosen der Lateralflügel der Kammern von *Heterostegina* und *Amphistegina* bilden jene Mäanderlinien der Aufsenflächen, welche d'Orbigny besonders ins Auge

gefafst hat, die aber nun ganz anders erscheinen, indem beide
Formen, die von mir schon 1838 nur zweifelhaft den *Helicosorinen* und *Helicotrochinen* angereiht wurden, sich der Gattung
Geoponus nah anschliefsen und nur durch die lateralen Anastomosen der Höhlungen der Seitenflügel, welche bei *Amphistegina* auf einer Seite weit zahlreicher als auf der andern sind,
unterscheiden.

c. Über die Beobachtungsmethode der weifsen Steinkerne und die Porosität ihrer feinen Opalmasse.

Ich habe früher schon zuweilen auch von farblosen durchsichtigen Steinkernen der mikroskopischen Organismen, auch
der Polythalamien, berichtet, allein es haben sich ganz neuerlich auch ganz kreideartig weifse erkennen lassen, welche Kalk-
Gebirgsmassen bilden helfen, ohne dafs sie dem blofsen Auge
sich auf irgend eine Art vom Kalk verschieden zu erkennen
geben. So ist es mit dem Orbitoiden- und Heterosteginen-
Kalke von Java. Isolirt man sie durch Auflösen des Kalkes,
so lassen sich unter Wasser die zierlichen Polythalamien-Formen und die oben bezeichneten Structurverhältnisse ganz schön
erkennen, allein beim Trocknen zerfallen sie gewöhnlich in ihre
einzelnen gröberen Theile. Überzieht man sie mit canadischem
Balsam, so werden sie durchsichtig wie Glas und verschwinden
in ihren Umrissen. Wollte ich sie in Flüssigkeiten unter Deck-
gläsern aufbewahren, so zerdrückten die sich allmählich enger
anschliefsenden Deckgläser die linsenartigen convexen zierlichen
Formen zu unkenntlichen Fragmenten, oder sie rollten und
zerbrachen. So habe ich sehr schön erhaltene Formen verloren. Es war daher nöthig eine Methode aufzusuchen, welche
erlaubte wohlerhaltene Formen zur Vergleichung und zum
Studium aufzubewahren. Ich bediente mich hierzu der Färbung nach Art der künstlichen Achat-Färbungen. Zunächst
löste ich in einem Uhrglase etwas Zucker auf, worein ich die
Körperchen (von Java) legte, damit sie von Zuckerlösung durch-
drungen wurden, dann wurde das Zuckerwasser abgegossen,
Schwefelsäure an dessen Stelle gebracht und diese über der
Spiritusflamme erhitzt. Dadurch wurden alle weifse Opaltheil-
chen schwarz wie verkohltes Elfenbein. Die schwarze Farbe
war nicht, wie bei *Operculica arabica*, nur in Canälchen sicht-

bar, sondern zeigte noch weit feinere Porosität an, wie sie auch der Achat zeigt. Mit dieser das farblos Durchsichtige erkennbar machenden Beobachtungsmethode erkannte ich zuerst und sogleich deutlich, daß der große sogenannte Nabel, welcher z. B. die Gattungen *Robulina* und *Anomalina* d'Orbigny's characterisirt, und als erste Kammer viel zu groß ist, kein Theil des Thierleibes, sondern ein Theil der Schaale allein ist. Die erste Thierkammer ist klein und liegt immer neben dem Nabel. Der Nabel, dessen Bedeutung bisher unbekannt war, ist der Behälter eines starken Schalen-Gefäßes (Canales), welches mit der ersten Zelle beginnend, Zweige zwischen je 2 Kammern sendet und mit den Nachbarkammern der ersten Windung am stärksten wächst. Ich habe mit Eisenchlorit und Blutlaugensalz auch blaue Färbungen versucht, die aber nur schwach gelingen wollten, während die schwarzen oft zu undurchsichtig wurden. Es ist hier noch eine Reihe von chemischen Versuchen zu machen, welche die am besten färbende Methode für farblose Kieseltheilchen ermittele, ohne deren Durchscheinen ganz aufzuheben. Gefärbte lassen sich im canadischen Balsam erkennbar aufbewahren.

Von nicht geringem Einfluß ist auch die neuerlich gewonnene Beobachtung, daß es farblose durchsichtige und auch weiße Steinkerne von Polythalamien giebt, welche nicht mehr einfach lichtbrechend sind, wie Opal, sondern doppelt lichtbrechend, wie Quarz, bei denen sich also der amorphe Opalzustand der Kieselerde in den crystallinischen umgewandelt hat, ohne die Polythalamienform zu ändern. Es ist somit aus Polythalamiensteinkernen wahrer Quarzsand geworden. Ich habe diese Beobachtung zuerst neulich an den Salzbergschichten bei Quedlinburg außer Zweifel gestellt, welche als dem untern Stockwerk der weißen Kreide entsprechend angesehen werden, und deren Probe ich von Hrn. Dr. Ewald erhielt. Der dortige Sand enthält viele Grünsand Polythalamien und unter den farblosen Sandkörnern sind in polarisirtem Lichte farbengebende erkennbare Rotaliengglieder, welche nicht selten grünen Opal einschließen.

d. Über höchst feine Gefäße zeigende Grünsand-
steinkerne von Traunstein in Baiern.

Obwohl schon die Glaukonien von Frankreich und die Num-

mulitkalke Europa's sehr wohl erhaltene Polythalamien als Grünsand erkennen liefsen, so war doch die Erhaltung und Durchbildung derselben bisher im Zeuglodon-Kalke in Alabama am
schönsten erkannt und es wurden sehr zahlreiche Resultate daraus gewonnen und der Akademie neulich vorgelegt. Später
sind dieselben durch das weifse tertiäre Gestein von Java über-
boten und ganz neuerlich hat der Traunsteiner Nummulit-Kalk
wieder noch zartere wunderbare Aufschlüsse gegeben, welche
denn endlich wohl erlauben werden, die auffallenden Meinungs-
differenzen über Nummuliten und Polythalamien in festen
Einklang zu bringen.

Ganz besonders belehrend ist ein nicht seltenes, im Mikroskop vorgelegtes, gröfseres *Polystematium*, als Grünsand von
Traunstein, welches vor Augen stellt, dafs jene baumartig verästeten Canälchen zwischen den Kammern der *Operculina*, die
Carter angiebt, und die auch ich mit Carmin erfüllen konnte,
feste typische Organe sind, welche nicht blofs bei Operculinen
vorkommen. Das feinste Gewebe aus Canälchen ist als höchst
zarte Steinkernerfüllung sichtlich. Dabei ist der dicke Verbindungs-Canal aller Zellen, *Sipho*, völlig deutlich. Auch
breite, mehrfache Verbindungscanäle der Kammern aufser dem
Sipho, welche den Operculinen fehlen, sind hier unverkennbar. Ja
es zeigen sich noch andere grofse Canäle, welche vom Centrum
unter zwei bis dreimaliger sparriger Verästung, mehrfach quer
durch die Fläche der Schale laufen, und oft sehr feine parallele
kammartige, dichtgedrängte Fasern (ursprünglich Röhrchen), im
rechten Winkel führen. Diese grofsen Canäle enden, ohne an
Dicke abzunehmen, vermuthlich in den vereinzelten gröfseren
Öffnungen, welche man an der Oberfläche und am äufseren
Rande der Formen nicht selten erkennt, die auch Carter bemerkt hat und die er mit den gröfseren Öffnungen der Spongien, leider nicht richtig, vergleicht, indem ihn das bei ihnen
bekannte freilich ähnliche Aus- und Einströmen der Flüssigkeiten beiden todten Schalen irregeleitet hat. Dasselbe hat
auch ein grüner Überzug gethan, der mir sehr wohl bekannt
ist, den ich aber stets für zufällige Umhüllung fremder Dinge
erkannt habe.

e. Studien für die Structur der Orbitoiden, Orbituliten und Nummuliten.

Zu den anregendsten Verhältnissen welche die Steinkernbildung ganz neuerlich dargeboten, gehört eine ganz besondere Structur der kleinen zelligen, oft grofse Gebirgsschichten bildenden Scheiben, welche als Orbitoiden, Orbituliten und Sorites von den Nummuliten immer schärfer abgetrennt worden sind, wozu auch *Amphisorus Hemprichü* gehört. Deutliche Grünsand-Soriten (*Sorites complanatus*)*), fanden sich in der Glauconie von Pontoise und sind von mir 1854 angezeigt worden. Bei Montfort fanden sich 1854 Fragmente einer Form als Grünsand, die ich fraglich *Orbiculina?* nannte, die aber auch Orbitoiden-Theile sein können. Diese Formen nun, welchen Hr. Prof. Carpenter ein sehr intensives Studium an geschliffenen Platten zugewendet hatte, haben durch die Steinkerne ganz neue Vorstellungen ihres Baues gewinnen lassen. Sehr häufig zeigt der Kalkstein von Goa Lingamanik weifse kleine Scheiben mit quadratischen Kammern, welche in der Mitte einige sehr grofse Zellen haben, die als Jugendzustände der Randzellen viel zu grofs erscheinen. Jede quadratische Kammer ist mit den beiden in gleichem Kreise benachbarten durch einen dem Sipho ähnlichen Canal (Kieselstiel) verbunden. Überdiefs

---

*) Die von mir 1838 *Sorites Orbiculus* genannten Körperchen, *Nautilus Orbiculus* Forskål, wozu als zweite Art eine der Formen gehört, die man in den tertiären Glaukonie-Kalken Frankreichs zu *Orbitalites complanatus* gezogen hat, unterscheiden sich durch eine einfache Zellenschicht, *Amphisorus* hat 2 Zellenschichten aneinander. Ich würde für zweckmäfsig halten, die ähnlichen fossilen Formen, welche mehr als zwei Zellenschichten in gleicher Anordnung zeigen und dadurch ein mehr schwammiges Ansehn haben, als Orbit▪▪en zu verzeichnen, da sie mannichfach unter dem Namen des *O. complanatus* früher verwechselt worden sind. Die Formen mit concentrisch, aber nicht regelmäfsig abwechselnd gestellten Zellen, die daher keine guillochirten, sich kreuzenden Linien bilden, hat d'Orbigny neuerlich als Orbitoiden abgesondert. Manche dieser Formen haben sehr grofse Nabelzellen, andere sehr kleine. Beides wird wohl späterhin noch andere generische Abänderungen veranlassen. *Sorites, Amphisorus* und *Orbitulites* sind nicht spaltbar, haben keine gröfseren Mittelkammern, Orbitoiden und Nummuliten sind spaltbar.

hat jede Kammer 1, 2 oder 3 Verbindungsröhren mit den benachbarten des nächst äufseren und inneren Kreises. Auf der breiten Scheibe liegen von der Mitte ausgehende, sparrige, verzweigte, starke Canäle, die sich, ohne sich sehr zu verdünnen, am Rande der Scheibe plötzlich enden, wie es bei dem *Polystomatium* vorhin auch angezeigt worden. Ich muſs diese Formen als Orbitoiden im Sinne der neueren Paläontologen ansprechen.

Eine weit reichere Structur der Orbitoiden hat aber die weiter fortgesetzte Analyse des Nummuliten-Kalkes von Traunstein ergeben. Die Steinkerne der mittleren Kammern sind durch ihre grüne Farbe leicht erkennbar und wunderbar rein und schön ausgebildet. Sie bilden zuweilen ganz im Zusammenhange erhaltene, concentrisch zellige, zarte Scheiben, deren Mitte eine sehr grofse, etwas spiralgebogene Kammer einnimmt, an welche sich schell abnehmende kleinere quadratische schliefsen, die meist schon in der dritten Reihe den übrigen gleich und nach der Peripherie hin abwechselnd wieder unregelmäſsig lang werden. Noch weit deutlicher sind hier bei allen grofsen und kleinen Kammern die stolonenartigen Hauptverbindungscanäle (*Sipho*), welche zuweilen doppelt sind. Ferner isoliren sich ganz scharf je 1, 2 bis 3 obere und untere Verbindungsröhren, aller einzelnen Kammern mit den in den verschiedenen concentrischen Kreisen ihnen nächst gelegenen Kammern.

Aufser diesen Structurverhältnissen der mittelsten Schicht der gröfseren Kammern, liefs sich aber eine noch bei weitem gröfsere Menge derselben feststellen. Deutlich sondern sich diese Körper in 6 Systeme, in zwei Zellmassen, um die Mittelkammern jederseits, also in 5 Schichten, sowie in ein 6tes alle 5 verbindendes Gefäſsverhältniſs. Die äufsere Schicht unter der äufsersten dünnen Kalkschale, bildet ein maurisches, flaches Zellnetz mit krummen, gebuchteten Zellmaschen und jede einzelne mit der anderen verbindenden 1—3 Canälchen. Diese besondere Oberflächenschicht ist in ihrer Art meist einfach, doch scheinen auch hier und da ähnliche Zellen doppelt übereinander zu liegen. Darauf folgt ein schwammartiges Netzwerk von rundlichen und länglichen Zellen, die allseitig durch Verbindungscanälchen verkettet sind. Durch dieses Netzwerk

gehen mehrfache dicke, fadenartige Canäle, weitläufig verästet,
und anastomosirend. Viele oft alle diese Canäle sind kammartig durch dicht gedrängte, sehr zarte parallele Röhrchen, die
oft wie ein Zaun erscheinen, rechtwinklich gefranzt. Alles
diefs ist von Kalk umhüllt. Solche sparrige über alle Windungen der ganzen Schale greifende, starke Canäle, habe ich,
aufser bei Polystomatien, auch bei grofsen Rotalien und neuerlich auch bei Triloculinen von Java gesehen und in Präparaten
aufbewahrt.

Bei einem Hinblick auf die crystallinisch erscheinende Quer-
Faserung der dichten Nummulitenschalen ist diese grofse nimmer mehr blofs schwammige, Organisation der Orbitoiden und
Orbituliten höchst überraschend und abweichend. Auffallend
übereinstimmend ist aber die mittlere Schicht von einfachen
gröfseren Kammern der wahren Nummuliten.

Die Lösung der Nummuliten-Frage liegt jetzt in den Steinkernen. Es kann mit Hülfe der Steinkerne die Summe und
der Zusammenhang ihrer organischen feinsten Canäle, mithin
ihre wahre Natur allgemein aufser Zweifel gestellt werden,
wenn auch lebende Verhältnisse solcher Nummuliten, wie sie
die Vorwelt so massenhaft zeigt, unzugänglich blieben. Obwohl ich noch keinen ganzen, frei abgelösten Nummulitenkern
vorlegen kann, so haben doch die gewonnenen besonderen Erläuterungen wohlerhaltener, frei abgelöster Theile, mehrerer
zusammenhängender Kammern, schon wesentlich entschieden,
und ich erlaube mir eine etwas weitere Ausführung des mündlich vorgetragenen hier anzuschliefsen.

Der Grund welcher bisher die Systematiker bewog, die
Nummuliten zu den Polythalamien zu stellen, lag in der äufseren Form-Verwandtschaft und in der Unbekanntschaft mit der
Structur beider. Blofs der äufseren Formähnlichkeit halber
stellte sie Hr. d'Orbigny zusammen in dieselbe Thierklasse und
die systematisirenden Paläontologen und Geologen mufsten natürlich bis auf bessere Erkenntnifs ebenso verfahren. Seitdem
die Polythalamien (durch Hrn. Dujardin) für höchst einfache
und durch Hrn. Gervais die Spongillen mit den Amoebaeen
der Infusorien völlig gleiche Thiere bezeichnet worden waren,
nahm man einen neuen Grund aus der Structur, die Nummu-

liten als ähnlich einfach gebaute Körper da anzuschliefsen.
Meine im Jahre 1830 gegebenen Erläuterungen der Amoebaeen
blieben von diesen Forschern unbeachtet. Im Jahre 1838 wurde
auch eine weit gröfsere Organisation der Polythalamien von
mir nachgewiesen, welche sich bei den Nummuliten nicht darstellen liefs. So entstand bei mir und Andern aus wissenschaftlichen Gründen das Bedürfnifs, die Nummuliten „bis auf
bessere Erkenntnifs" (das sind ausdrücklich die Worte meiner
Abhandlung von 1838 pag. 114), als zweifelhafte Körper von
den Polythalamien auszuschliefsen. Ich ging damals in die
schon vorhandene Meinung über, dafs es den inneren Kalkschei-
ben der Porpiten ähnliche Körper sein möchten, obschon ich
diese als bedeutend abweichend selbst erläuterte, und verliefs
die unfruchtbare Beschäftigung damit für längere Zeit. Da eine
grofse Formähnlichkeit mit Polythalamien vor Augen lag und
ein lebhaftes geologisches Bedürfnifs eintrat, die Nummuliten
in Übersicht zu bringen, so haben einige Forscher und Systematiker den alten Weg verfolgt, sie als Polythalamien zu betrachten, und andere haben dieselben mit mir als unklare Körper von den Polythalamien „bis zu besserer Erkenntnifs" abgesondert als Acalephentheile betrachtet. Nur die fossilen, oft
schlecht erhaltenen, überall aber schwer aufschliefsbaren Kalkschalen derselben, liefsen ein weiteres Studium zu, da sich
keine lebenden Arten in den jetzigen Meeren auffinden liefsen.
Ich glaube, dafs der von mir eingeschlagene Weg der durchaus wissenschaftliche war, da ich der wissenschaftlichen For-
derung „gleicher Structurkenntnifs bei systematisch nahezustellen-
den Formen", streng Rechnung getragen habe, obschon ich
das Resultat jetzt zu verlassen veranlafst bin. Wenn ein Tadel auszusprechen ist, so würde dieser für die andere, obwohl
jetzt annehmlichere Richtung, auch für d'Archiac's *Monographie*,
gerechtfertigter erscheinen.

Neuerlich haben nämlich die Hrn. d'Archiac und Haime in
Paris, nachdem Prof. Carpenter in London durch geschliffene
Blättchen, wie ich sie 1836 für die Organismen der Feuersteine
anwendete und empfahl, 1850 einige gröfsere Details des Baues
der Nummuliten und ihrer verwandten Formen geistvoll nachgewiesen hatte, diesem nachfolgend, bei einer umfassenden

Übersicht aller ihnen bekannt gewordenen, zahlreichen fossilen Arten' 1853 dasselbe erweitert (*Description des animaux fossiles du groupe nummlitique de l'Inde, par d'Archiac et Haime*), allein nicht in gleicher Weise ist ihre sehr anspruchsvolle Vorstellung der Structur der Polythalamien von ihnen glücklich in Einklang gebracht worden.

Die neueren Untersuchungen einiger lebenden Polythalamien des Hrn. Williamson in London haben sich seit 1848 mit den meinigen von 1838 insofern in Widerspruch gestellt, als es nicht überall, und also nirgends nothwendig, einen Verbindungs-Canal der spiralen Kammern bei Polythalamien gebe, welcher namentlich bei dem häufig lebend vorkommenden *Polystomatium* entschieden fehlen solle. (Ich habe seit 1838 S. handl. d. Akad. S. 120 Tabelle II. unten und 1839 S. 107 den Namen *Polystomatium* für *Polystomella* gebraucht, weil letzterer sprachwidrig gebildet ist.) Da ich nun die lebenden Polystomatien, welche einen stark hervortretenden Nabel an ihrer Kalkschale haben, dieses schwer und niemals gleichförmig ablöslichen Nabels halber, nicht mit Glück untersuchen und nachprüfen konnte, indem jedesmal der Thierkörper zerriss, so konnte ich bisher gegen den behaupteten Mangel ihres *Sipho* nicht protestiren, glaube aber jetzt, dass derselbe Umstand, welcher mich abhielt zu entscheiden, Hrn. Williamson und neuerlich auch Hrn. Schultze, in Irrthum geführt hat. Hrn. Williamson's Beobachtungen, die ich bisher nicht direct einsehen konnte, deren Wiederholung in anderen Schriften aber vorliegt, sind neuerlich vielfach als Basis der Polythalamienstructur aufgenommen worden, und so hat sich auch der Vicomte d'Archiac in seinem Specialwerke über die Nummuliten verleiten lassen, ihnen unbedingtes Vertrauen zu schenken, obwohl er selbst weder diese, noch Hrn. Carters weit wichtigere Beobachtungen geprüft hat, wie er p. 53 ausdrücklich mittheilt. Auf Williamsons Bemerkung hin, hat man denn bei den Nummuliten einen Ernährungskanal gar nicht mehr suchen zu dürfen geglaubt, indem ja, nach den von Dujardin 1835 eingeführten Vorstellungen, jede kleine Pore, die man zahlreich leicht nachweist, den sogenannten einfachen Gallerten der Polythalamien-Thiere (Thierkörper) Gelegenheit zum Hervortreten und

die Ernährung zu vermitteln giebt. Nummuliten und Polythalamien seien aber verwandt und gleich. Hr. von Archiac, welcher in nichtwissenschaftlicher, nicht gerechter Weise, mir,
dem mühsamen Beobachter, öfter (S. 35) das zur Last legt,
was die Entwicklung der Wissenschaft und Andere verschul-
den, geht so weit, 1853 S. 52 seines Kupfer-Werkes vom
Hauptverbindungs-Canale (*Sipho*) der Polythalamien, denen er
die Nummuliten unbedingt anreiht, als Vorwurf zu sagen: Au-
cun autre observateur que Mr. Ehrenberg ne parait avoir décou-
vert un semblable canal chez les foraminifères vivants.

So leicht wie Hr. von Archiac, welcher die Numuliten
animaux complétement homogénes nennt (p. 69), und wie derselbe meint, habe ich mir die physiologische Seite der Aufgabe
nicht gemacht, aber er hat sich selbst geschadet, daſs er den
Widerspruch ohne Prüfung so weit getrieben und als Mono-
graph mir die wesentlichste Structurerkenntniſs der Nummuliten zu erkennen überlassen hat, denn gerade die Existenz eines
Verbindungskanals der Hauptkammern, der unwiderleglich allen
untersuchten spiralen Polythalamien zukommt, und seit 17 Jahren, nach seinem Zeugniſs, meiner Erkenntniſs allein überlassen
ist, schlieſst auch die Nummuliten den Polythalamien erst an.
Der unterhalb dicht an der inneren Spirale die einzelnen Kammern verbindende Canal ist öfter von mir von noch einer zweiten Verbindung der Kammern begleitet erkannt, die beide ein
freies Gefäſs durchkreuzt. Daſs die Schwierigkeiten des Er-
kennens dieses Canales sehr groſs waren, ergiebt sich aus der
Entwicklung der Kenntniſs. Jetzt ist seine Darstellung durch
die von mir vorgelegte Methode leicht und nun schlieſsen sich
sogar einige (vielleicht freilich zufällige) Abbildungen der
Zeichner des Hrn. d'Archiac, meine Darstellung bestätigend an.
Hätte derselbe jenen Tadel gegen mich nicht so ausdrücklich
vom Mangel des Verbindungscanals hergenommen und auch so
ausdrücklich Hrn. Carter's gute Beobachtungen getadelt, so
hätte man, nach jenen Abbildungen, ihm selbst einen Theil
der Erkenntniſs zuschreiben können, was ohne Unrecht nicht
mehr angeht. Übrigens lege ich einen ebenso groſsen und
gröſseren Ton auf die daneben liegenden freien verästeten
Canäle, an deren Stelle bisher nur Furchungen der Kalkschale

erkannt waren, die jedoch das Abgeschlossene solcher Canäle (durch animalische Häute) nicht würden bewiesen haben, was nun die freien, feinen, ästigen Fäden der Steinkerne, nach Art der auslösbaren Häute lebender Polythalamien von 1838, entscheiden. Dieser Sipho, umgeben von verästeten Canälen, entscheidet über die polythalamische Natur der Nummuliten.

Es ist aber auch noch die Stellung der Nummuliten unter den Polythalamien zugänglich und in's Auge zu fassen. Obwohl Hr. d'Archiac p. 52 seines Werkes sagt: Le mode d'accroissement des *Amphistegina* est trop different de celui des *Nummulites*, pour que l'on puisse appliquer à ces dernières l'explication assez compliquée qu'il donne (Mr. Williamson), so habe ich doch kein Bedenken mehr zu erklären, daß nach meinen neuesten Ermittelungen die Amphisteginen und Heterosteginen allerdings nächst verwandte Formen der Nummuliten sind, deren verdeckte Mundöffnung, gleichviel ob die letzten Zellen anstatt zuzunehmen, abnehmen, durch Auffindung des Sipho scharf erwiesen und nothwendig ist. Auch bei *Operculina* und andern Formen kommen an Größe abnehmende letzte Zellen vor, wie es von Carter auch schon richtig erkannt worden ist. Es scheint sich im Wachsthum bei diesen der Mund zuerst zu verlängern und die neue Zelle sich dann von unten nach oben zu vergrößern. Wahrscheinlich gehören nun alle Nummuliten, sammt den Amphisteginen und Heterosteginen in die Familie der Helicotrochinen. Die Strahlung und mäandrische Zeichnung der Oberflächen der Nummuliten, paßt sehr zu den Oberflächen jener Formen und die höchst dünnen und großen Lateralflügel der Hauptkammern mögen bald mehr bald weniger anastomosiren, daher aber auch schwierig für directe Forschung bleiben, indem sie nur selten im Zusammenhang durch Steinkerne erfüllt und zu dünn und zerbrechlich sein mögen, um beim Auflösen so dicker kalkiger Zwischenplatten sich ganz auszulösen. Eine besonders günstige Lokalität kann aber leicht Gebirgsmassen herbeiführen, die allen weiteren Bedürfnissen der Wissenschaft vollends genügen. Ich spreche dieß um so zuversichtlicher aus, als ich bereits feine Platten der Lateralflügel der Centralkammern des *Nummulites Dufrenoyi* erkannt und in Präparaten fragmentarisch aufbewahrt habe.

Diese dünnen Lateraltheile, die sich von jeder Centralkammer bis zum Centrum erstrecken und die anastomosirende *cellulás equitantes* bilden mögen, zeichnen sich durch ein grobkörniges Gefüge aus, wie es die *Heterostegina javana* in allen Theilen ihrer Kammern zeigt. Auch diese groben Körnchen erscheinen zuweilen als Endpunkte feiner Röhren der Schale. Die von mir glücklich untersuchten Nummuliten aus dem Kalke von Adelholtzen und Traunstein in Baiern halte ich für *N. Dufrenoyi* (flach mit schiefen Zellen), *obesa* und *biarritzensis,* nach d'Archiacs Diagnostik. Ganz abweichend von diesen Nummuliten sind die Orbituliten und Orbitoiden, die in zwei ganz getrennte Gruppen, vermuthlich der Polythalamien gehören, erstere zu den Soritinen, letztere zu den Helicosorinen *).

---

*) Wenn die von mir bisher erläuterten Canäle und Gefäse der Polythalamien keinen andern Nachweis erlaubten, als eben durch die Steinkerne der fossilen Formen, so möchte hier und da desto leichter ein Zweifel über die Realität dieser Canäle eintreten, je gröser ihr Reichthum wird und man könnte wohl die Vorstellung gewinnen, daſs die Steinkernbildung überall da falsche Canäle darstelle, wo ursprünglich nur leere Zellen, Zellgewebe und Zellgewebsverbindungen sind, so daſs jedes schwammartige Netzwerk, als Steinkern, scheinbar gefäſsreiche Körper darstellen müsse. Obwohl es kaum glaublich ist, daſs ruhige Überlegung im vorliegenden Falle dergleichen Vorstellungen Wurzel fassen lasse, so mag doch eine objective näher eingehende Erläuterung nützlich sein. Die durch den Grünsand von mir erläuterten Canäle und Gefäse sind strenger Prüfung zugänglich. Schon 1838 wurde von mir durch ganz andere Methode die Existenz der Hauptformen gerade derselben Canäle bei jetzt lebenden Polythalamien nachgewiesen. Durch Ablösen der Kalkschale blieben die organischen häutigen Auskleidungen und die freien Häute der gleichartigen Canäle übrig. Die Vorstellung von oberhautlosen, homogen gallertigen Thierkörpern ist also fehlerhaft. Unzweifelhaft häutige, gesonderte Canäle dieser Art sind der Sipho sowohl, als die Verbindungscanale der Flügel der einzelnen Kammern. Andere Systeme von sicheren Canälen sind die durch Carter's sinnreiche Carmin-Injectionen nachgewiesenen Schalen-Canäle. Beiden entsprechen die naturlichen Opal-Injectionen vollstandig. So ist also durch 3 ganz verschiedene Methoden der Beobachtung dasselbe in gleicher Form erkannt. Wer das Zellgewebe versteinerter Pflanzen mit diesen dichotonisch verästeten und anastomosirenden Canälen auch nur oberflächlich vergleicht, muſs sich sofort überzeugt fühlen, daſs dies unvergleichbare Gegenstände sind, und eben so wenig vergleichbar ist nun die Structur des unre-

Da nun also die neuesten gewonnenen Structurverhältnisse jene vor 17 Jahren von mir der Akademie vorgelegten nicht

gemäßigen, einfachen Knochengewebes der Thiere. Ein organisches Ineinandergreifen verschiedener Canalsysteme bei Polythalamien ist jetzt unverkennbar, und unzweifelhaft bilden die Canäle der Schale einen wesentlichen Theil des Organismus, gleich den Canälen der muschelartigen Schalen der Entomostraceen und mehr als diese. Während diese reichen Schalencanäle einerseits in constanter Form erkannt werden, sind die stolonenartigen Siphonen und anderen mannigfachen Verbindungen der Kammern untereinander, die als einfach durchbrochene Wände sich so nicht darstellen könnten, directe Structurverhältnisse der eigentlichen Thierkörper, deren noch größere Gliederung im inneren Raum durch andere Beobachtungsmethode schon 1838 von mir nachgewiesen wurde. Farblose große Räume jeder einzelnen Kammer zeigten Einschluß von Bacillarien als genossener Nahrung und andere Räume derselben Kammern zeigten Erfüllung mit brauner, körniger Masse. Unter solchen Verhältnissen die Polythalamien noch homogene und dem *Proteus* der Polygastern und den Spongien verwandte Körper zu nennen, ist wissenschaftlich entschieden unstatthaft. Bei *Amoebe* und *Spongia* ist bisher bei weitem weniger Organisation nachweisbar geworden, obschon auch hier die Erkenntniß ein Zunehmen derselben in andern Kreisen wahrscheinlich macht.

Ferner scheint es zweckmäßig über die einflußreichen Formen des sogenannten Nummuliten-Kalks von Alabama noch einige Erläuterungen zuzufügen. Eine vor mehreren Jahren mir durch Hrn. Prof. Bailey zugesandte kleine Probe dieses nach Lyell über den Zeuglodon Schichten liegenden nordamerikanischen Kalkes, erlaubt mir über den so merkwürdigen *Nummulites Mantelli*, welcher neuerlich als *Orbitalites* und zuletzt auch von Carpenter als *Orbitoides d'Orbigny* abgesondert worden ist, nun mit Hülfe der Steinkerne ein Urtheil abzugeben. Die Steinkerne desselben beweisen, daß diese geognostisch einflußreiche Form sich nicht völlig an *Orbitoides* anschließt, obwohl sie mit dieser in die Gruppe der Helicosorinen wohl gehört. Eine größere Einfachheit des Schalenbaues und die rundliche nicht quadratische Form der Kammern scheidet diese Körper von den Orbitoiden und näbert sie der Gattung *Sorites*. Aber auch an *Sorites* lassen sie sich nicht unmittelbar anschließen, weil sie einen deutlichen Verbindungscanal, Sipho, der concentrischen Kammern haben, dessen characteristischer Mangel bei *Sorites* noch feststeht, obschon die einfache Schale und der Mangel an Spaltbarkeit eine große Verwandschaft zu *Sorites* begründen. In Steinkernen der amerikanischen Form liegt außerdem zwischen je 2 Reihen von Kammern ein verästeter starker Canal in der sehr dünnen Schale selbst, auch haben die verschiedenen Reihen der Kammern

aufheben, sondern in völlig gleichem Sinne grofser wachsender Organisation und in derselben Weise noch um das Vielfache

---

Verbindungsröhren, nur weniger regelmäfsig als bei Orbitoiden. Diese Bildung scheint mir eine generische Sonderung zu verlangen, etwa in folgender Art:

SORITINEN.
Kein erkennbarer Sipho, noch geschlossene Canäle. Rundliche Zellen. Scheiben unspaltbar.
= Bryozoen?

Sorites. Kammern rundlich ohne Lateral-Loben, nackt ohne zelligen Überzug, in einfacher Ebene concentrisch und zugleich in krummen Linien strahlig geordnet.

Amphisorus. Kammern rundlich, ohne Lateral-Loben, nackt ohne zelligen Überzug, in doppelter Ebene concentrisch und in krummen Linien strahlig geordnet. Bei beiden füllen sich die ganzen kalkigen Verbindungsbögen der Zellen leicht durch Carmin und bei ersterem finden sie sich auch als Steinkerne in unveränderter Form.

Orbitulites. Kammern rundlich ohne Lateral-Loben, in mehrfacher Ebene, ohne andersartigen Zellüberzug, concentrisch und zugleich in krummen Linien strahlig geordnet.

HELICOSORINEN.
Deutlicher Sipho. Quadratische oder rundliche Kammern. Abgeschlossene Canäle der Schale.

Cyclosiphon. Kammern rundlich ohne Lateral-Loben, in einfacher Reihe concentrisch mit dünnem einfachen oder undeutlich zelligen Überzug, mit Sipho und verästetem, abgeschlossenen Canalsystem in der dünnen Schale. = *Nummulites Mantelli.*

Orbitoides. Kammern quadratisch, ohne Lateral-Loben, in einfacher Reihe mitten zwischen 2 verschiedenartigen Zellschichten und einem abgeschlossenen, verästeten Canalsystem in denselben.

Die mittelste Anfangszelle ist stets verhältnifsmäfsig grofs, von unregelmäfsiger Spiralform in kleinere Kammern übergehend, die dann eine mehr oder weniger kurz- oder lang-quadratische Gestalt annehmen, bedingt durch meist 4, je 2, Verbindungskanäle. Unregelmäfsige Spirale. Scheibe spaltbar.

übersteigen und fortbilden, so werden ja auch diese Studien welche mannichfache Gebirgsmassen zu erläutern haben, allmählich von treuen Naturforschern, obschon noch vieles hinzuzufügen und das systematische Nebenwerk, da wo es über die eigene directe Beobachtung hinausgreifen muſs, stets hier und da zu ändern sein wird, in gleichem Sinne gefördert werden. Systeme sind nirgends etwas anderes als zeitweilige scholastische Hülfsmittel zur Übersicht, die sich bei wachsenden Erkenntnissen mit ihren Fundamenten ändern müssen. Die höhere Aufgabe ist überall das Wachsthum wahrer Detailkenntniſs zu fördern, welche unvergänglich ist, und durch das Kleinere und Einzelne das Groſse, durch die Theile das Ganze, faſslich macht.

HELICOTRO-CHINEN.
Zweischenkliche anastomosirende Kammern, *cellulae equitantes*, in einfacher vorn abnehmender Spirale mit Sipho.

Nummulites. Kammern quadratisch oder sichelförmig, in einfacher vollkommener Spiral-Reihe, ohne andersartigen Zellüberzug, mit Sipho und verästetem, dichten abgeschlossenen Canal-System der Schale um die Kammern. Die Lateralloben oft durchbrochen und anastomosirend, wie bei Heterosteginen. Die jüngsten Kammern stets kleiner als die etwas älteren. Scheiben spaltbar.

a. Erste Jugendzellen gröſser und unregelmäſsig (*Monetulites*).

b. Erste Jugendzellen klein regelmäſsig. (*Nummulites*).

Die Operculinen haben weder zweischenklige umschlieſsende Kammern, noch mehrfache Canal-Verbindungen der Dorsalloben, sind daher keine Nummuliten.

Da ich Hrn. Williamson's Aufsatz von 1848 nicht zur Ansicht erhalten konnte, aber aus einer Anzeige abnehme, daſs er die Nabelcanäle des Polystomatium auch schon kannte, so verweise ich auf diese wichtige Mittheilung.

An eingegangenen Schriften wurden vorgelegt:

Transactions of the Royal Society of Edinburgh. Vol. XXI. Part I. Edinburgh 1854. 4.

Proceedings of the Royal Society of Edinburgh. Vol. III. no. 44. Edinburgh 1854. 8. (Mit Begleitschreiben von Hrn. James D. Forbes, Secr.)

The American Journal of Science and Arts. Vol. XIX. no. 55. New Haven 1855. 8.

Annuaire de l'Institut des Provinces et des Congrès scientifiques. Paris et Caen 1855. 8.

Neues Lausitzisches Magazin. Bd. 32. Heft 1. Görlitz 1855. 8.

Bulletin de la Société géologique de France. 2me Serie. T. 12. Feuilles 1—3. Paris 1855. 8.

Berichte über die Verhandlungen der Kgl. Sächs. Gesellschaft der Wissenschaften zu Leipzig. Philologisch-historische Classe. 1854. Heft 1—6. 1855. Heft 1. 2. Leipzig 1854—55. 8.

Theod. Mommsen, *Die Stadtrechte der Latinischen Gemeinden Salpensa und Malaca.* Leipzig 1855. 4.

E. v. Wietersheim, *Gedächtnifsrede auf Se. Maj. Friedrich August König von Sachsen.* Leipzig 1854. 8. mit Begleitschreiben des Hrn. Prof. Hartenstein, Sekr. d. Kgl. Sächs. Ges. d. Wiss.

Göttinger Nachrichten. no. 7. 8. 1855. 8.

Astronomische Nachrichten. no. 957. 958. Altona 1855. 4.

Joseph Bonjean, *Emploi de l'ergotine chez les malades et les blessés de l'armée d'Orient.* Chambéry 1855. 8. (Überreicht von Hrn. H. Rose.)

Karl Justus Andrae, *Beiträge zur Kenntnifs der fossilen Flora Siebenbürgens und des Banates.* Wien 1854. 4. (Mit einem Begleitschreiben des Hrn. Verfassers.)

Empfangsbescheinigungen für Abhandlungen und Monatsberichte der Akademie waren eingegangen von der Royal Society in Edinburg vom 12. Dec. v. J., von der Königl. und Universitätsbibliothek in Königsberg vom 25. v. M., von der Academia di scienze lettere ed arti in Padua vom 20. v. M.

---

10. Mai. Gesammtsitzung der Akademie.

Hr. Peters las über die an der Südostküste Afrika's beobachteten Seefische.

Hr. Henri Martin in Rennes, Hr. Otto Boehtlingk in St. Petersburg, Hr. Joseph Roulez in Gent, Hr. E. W. Koelle in Sierra Leone und Hr. Ludwig Preller in Weimar wurden zu correspondirenden Mitgliedern für die philosophisch-historische Klasse gewählt.

An eingegangenen Schriften wurden vorgelegt:

Jürgen Bona Meyer, *Aristoteles Thierkunde. Ein Beitrag zur Geschichte der Zoologie, Physiologie und alten Philosophie.* Berlin 1854. 8. Durch Hrn. Lichtenstein im Namen des Verf. überreicht.

A. Sprenger, *A catalogue of the arabic, persian and hindústány manuscripts, of the libraries of the King of Oudh.* Vol. I. Calcutta 1854. 8.

The white Yajurveda edited by Albrecht Weber. Part II. no. 6. 7. Berlin 1855. 4. (10 Exemplare.)

Zeitschrift für das Berg- Hütten- und Salinenwesen in dem preußischen Staate, herausg. von R. v. Carnall. III. Band. 1. Lief. Berlin 1855. 4.

Revue archéologique. 12me année. Livraison I. Paris 1855. 8.

Neues Jahrbuch für Pharmacie, herausg. von G. F. Walz und F. L. Winckler. Bd. I. Heft 3. Bd. II. Heft 2. Bd. III. Heft 1—3. Speier 1854—55. 8. (Mit Begleitschreiben des Hrn. Dr. Walz.)

L'Institut. Ire Section. 1855. Avril no. 1109—1113. 4.

Astronomische Nachrichten. no. 959. Altona 1855. 4.

Corrispondenza scientifica in Roma. Anno III. no. 51. 52. Roma 1855. 4.

S. L. Steigmann, *Versuch einer pathologisch-therapeutischen Darstellung der Krankheiten in den Tropenländern.* 2. Heft. Würzburg 1855. 8. (Mit Begleitschreiben des Verf.)

---

14. Mai. Sitzung der physikalisch-mathematischen Klasse.

Hr. Ehrenberg las über die durch die Grünsand-Steinkerne erläuterte Structur der Nummuliten

als Polythalamien, eine weitere Ausführung seines letzten
Vortrags in der Gesammtsitzung der Akademie.

———

Derselbe sprach ferner über ein europäisches ma-
rines Polygastern-Lager und über verlarvte Polythalamien in den marinen Polygastern Tripeln von
Virginien und Simbirsk.

Der Petersburger Arzt und Staatsrath Dr. Weifse, welcher seit einem Menschenalter zu den eifrigen Förderern der
mikroskopischen Studien gehört, hat in der Mitte vorigen Jahres der Petersburger Akademie der Wissenschaften die sehr
interessante Beobachtung eines europäischen fossilen Lagers
reiner mariner Polygastern-Schalen ohne Beimischung von Polythalamien bei Simbirsk mitgetheilt, welches sich an die nordamerikanischen ähnlichen geologischen Bildungen in Virginien
auffallend anschliefst. Diese Abhandlung ist in den Petersburger *Melanges biologiques* T. II. gedruckt und mit 3 Tafeln
Abbildungen erläutert worden. Sie gehört zu den sehr aner-
kennenswerthen und hervorzuhebenden Studien.

Ein mit geognostischen Untersuchungen beauftragter Mine-
ralog Hr. Pacht, der sich bald darauf aus Schwermuth erschos-
sen, hat in der Nähe des Dorfes Beklemischewo im Korsun-
schen Kreise des Simbirskischen Gouvernements, in westlicher
Richtung von Simbirsk (zwischen Kasan und Saratof an der
Wolga), unter dem dort weit verbreiteten Kieselthone am
Flusse Stemas, ein Lager von Tripel aufgefunden, das am
rechten Ufer eine Mächtigkeit von 30 bis 40 Fufs erreicht.
Der darüber liegende Kieselthon ist 20 bis 30 Fufs mächtig,
von schiefergrauer Farbe und muschlichem Bruche. In der
Ferne sind 50 bis 70 Fufs hohe bewaldete Sandberge von
lockerem Sande als Überlagerung sichtbar. Stromabwärts er-
scheint (als Unterlage) weifse Kreide über Plänerschichten.

Obwohl Hr. Dr. Weifse, welcher mir bereits im vorigen
Jahre die Proben dieses von ihm erkannten, interessanten Ha-
libiolithes zugesandt hatte, den Wunsch aussprach, dafs ich
sofort gleichzeitig mit ihm die Analyse desselben unternehmen
möchte, so habe ich doch damit gezögert, da die Beschäftigung

mit dem Gegenstande in so guten Händen bereits war und es
gerade wünschenswerth erschien, dafs auch andere Stimmen
über fossile Biolithe erläuternd mehrfach auftreten. Andererseits ist es ein wissenschaftliches Bedürfnifs, dafs verschiedene
Beobachter dieselbe Sache in Übersicht nehmen. Eine cri-
tische Vergleichung der Formen und Namen mit den mir zu
Gebote stehenden Präparaten der 1844 erläuterten virginischen
Ablagerungen schien freilich nützlich und nöthig. Die vorliegende
Arbeit des Hrn. Dr. Weifse bildet die vortreffliche Basis, auf
welcher jede künftige Forschung über den Halibiolith-Tripel
von Simbirsk sich weiter entwickeln kann und auf der ich auch
jetzt der Akademie über jenes interessante Lager Bericht er-
statte.

Hr. Dr. Weifse hat in mehr als 100 Analysen 106 Formen
als Bestandtheile ermittelt, 56 Polygastern, 50 Phytolitharien,
von denen die Mehrzahl Spongolithen sind. Sehr richtig ist
die Hauptmasse der Formen-Arten mit den schon bekannten
für identisch gehalten worden, und ebenso richtig ist es, dafs
einige neue Lokalformen diese Gebirgsart auszeichnen und cha-
racterisiren. Als sicherste und interessanteste erschien Hrn.
Weifse eine häufig vorkommende Gestalt, die er als neues Genus erkannte und *Eunotogramma* nannte, mit 4 Arten. Er
fand durch Vergleichung der von mir gegebenen Verzeich-
nisse und der Abbildungnn in der Mikrogeologie dafs im
Ganzen das Gestein von Simbirsk am meisten mit dem Lager
bei Richmond übereinstimme und in Betreff der Phytolitharien
sich dem von Oran am meisten nähere. Aufser dem neuen
Genus sei das Lager von Simbirsk noch durch 2 Polygastern
und gegen 20 Phytolitharien characterisirt, die in den virginischen und mittelländischen Lagern fehlen. Eine grofse Anzahl Formen jener Gebirgsschichten gehen aber dem russischen
ab, das sich besonders durch die beträchtliche Zahl der Spon-
golithen-Arten unterscheide. Hervorgehoben wird das sehr
wichtige gänzliche Fehlen von Kalkthierchen. Die Formen
sind auf den Tafeln ziemlich kenntlich abgebildet und sehr erfreulich ist die Anwendung der mit meinen Darstellungen vergleichbaren Vergröfserung von gegen 300mal im Durchmesser.

Als ich vor nun 13 und 11 Jahren, über die von Hrn. Roger entdeckten virginischen Tripel mikroskopische Analysen mittheilte, machte ich auf das auffallende Resultat aufmerksam, daß jene Gebirgsschichten nur aus Kieseltheilen, meist Kieselschalen von Polygastern bestehen und daß die ähnlichen europäischen Tripel- und Polirschiefer-Ablagerungen sich wesentlich dadurch unterschieden, daß sie entweder nur aus Süßwasserformen gebildet sind, oder daß sie mit kleinen Kalkschalen von Polythalamien gemischt, Mergel darstellen, welche sich mit altem Meeresgrunde direct vergleichen und als solchen anerkennen ließen. Die amerikanischen Gebirgslager dieser Art bestanden aus Meeresgebilden bloß kieseliger Natur ohne alle Beimischung von Polythalamien und enthielten mithin einen Character, welcher dem gewöhnlichen Meeresgrunde zuwider ist. Dieser schon chemisch leicht nachzuprüfende Character (Säure bewirkt kein Brausen), wurde damals von Prof. Bailey in New York ebenfalls erkannt und weiter entwickelt. Derselbe Gesichtspunkt ist es auch hauptsächlich von welchen aus Hr. Dr. Weiße die bei Simbirsk entdeckte Gebirgsart analysirt und übereinstimmend mit den virginischen, aber abweichend von den europäischen gefunden hat.

Die mir zugekommene Probe ist eine mürbe der Schreibkreide ähnliche Gebirgsmasse, die an Gewicht etwas leicht, aber doch nicht viel leichter als Schreibkreide ist, von gelblicher oder auch ins Graue ziehender Farbe, abfärbend, aber dabei nicht ohne Festigkeit, in welcher Abdrücke von bivalven Muscheln, ohne Schalen-Reste, vereinzelt sichtbar sind. Beim Glühen wird sie erst grau und dann weiß. Salzsäure wird ohne Brausen aufgesogen.

Ich habe diese Gebirgsart in 80 mikroskopischen Analysen nach der von mir üblichen Art geprüft und lege der Klasse die gefertigten Präparate davon vor, welche mir Gelegenheit gegeben haben ein festes und weiter fort zu prüfendes Urtheil über die sämmtlichen Bestandtheile selbstständig abzugeben, so daß die große Mehrzahl der Namen des Hrn. Dr. Weiße ihre glückliche autoptische Bestätigung erhalten konnten. Das Verhältniß der von mir beobachteten Formenarten nach den Präparaten erlaube ich mir vorzulegen.

Die allgemeine Mischung besteht mikroskopisch aus vielem farblosen (grauen) Mulm, vielen deutlich organischen Theilen und selbstständigen Organismen, und aus dazwischen liegendem Sande von crystallheller, gelblicher und grünlicher Farbe.

Nächst dem beabsichtigten, vergleichenden Formenverzeichniſs war ich besonders durch meine fortschreitenden Untersuchungen über die Steinkerne der Polythalamien, als ältere Gebirgsmassen-Elemente, angeregt, dieser neuen, scheinbar polythalamienlosen Gebirgsart eine specielle Aufmerksamkeit und Nachforschung rücksichtlich solcher Steinkerne zuzuwenden.

Seitdem ich nämlich in der neuesten Zeit nicht speculativ, sondern nach directen Beobachtungen die Ansicht befestigt hatte, daſs sowohl der Grünsand als auch Rothsand, und sogar doppelt lichtbrechender, wasserheller und weiſser Quarzsand nicht selten, zuweilen der ganzen Masse nach, aus Steinkernen von Polythalamien-Gliedern und ganzen Polythalamien besteht, erschien mir die Eigenthümlichkeit der virginischen marinen Polygastern-Tripel und Polirschiefer einer Nachprüfung zu bedürfen, ob nicht die fehlenden Polythalamien, in solche Steinkerne umgewandelt und als jener Sand beigemischt wären, der überall ein Element der Zusammensetzung bildet.

Ich habe diese Nachprüfung der nordamerikanischen Felsarten sofort vollzogen und auch alsbald das Resultat gewonnen, daſs allerdings zwischen vielen unförmlichen, doppelt lichtbrechenden Quarzsandkörnern ihrer Mischung sich auch Grünsandkörner von der Form der Polythalamien-Glieder nicht selten beigemengt finden, am meisten in den Tripeln von Petersburg in Virginien.

Da sich im Jahr 1850 durch die Nachforschungen des unermüdlichen und geistvollen mikroskopischen Beobachters Hrn. Prof. Bailey in New York (Smithsonian contrib. to knowledge Vol. II.) ergeben hatte, daſs die Erde der Reisfelder in Georgien und Süd-Carolina eine den virginischen Tripeln der Urweltbildung so gleiche Zusammensetzung von mikroskopischen Meeres-Polygastern, ohne alle Beimischung von Polythalamien habe, daſs jene Urweltbildung hierdurch sich in der jetzigen Zeitperiode offenbar fortsetze, so habe ich auch diesem Culturlande, wovon ich 1853 durch Hrn. Bailey eine Probe erhielt, eine sorgfältige, auf die Steinkerne der Polythalamien gerichtete Aufmerksamkeit zugewendet.   Auch hier fanden sich nicht wenige Grünsandkörner in der Gestalt von Polythalamien-Gliedern, die sich den Gattungen der Rotalinen und Polymorphinen anreihen liefsen.   Ja es fanden sich sogar dem Fichten-Pollen im Tertiärgebirge ähnlich erhaltene, weiche Häute, von wohl erhaltener Form der Rotalinen, der *Rotalia globulosa*, ohne Kalkgehalt, wie sie im Meeresschlamm nicht selten vorkommen.   Diese Ergebnisse sind in der Fortsetzung des Textes der Mikrogeologie unter Georgien bereits entwickelt.

Geleitet durch diese Resultate der nachdenkenden Forschung vermuthete ich auch eine Beimischung von Polythalamien in den scheinbar ganz Polythalamien-leeren Schichten der neuen Gebirgsart von Simbirsk.   In dem sandigen Rückstande beim Abschlemmen fanden sich denn auch allerdings sogleich stabförmige, helmförmige und kugelförmige Grünsandkörner, welche jenen Character der Steinkerne von Polythalamien-Gliedern zeigen.   Sehr wahrscheinlich mag nun auch ein Theil der farblosen Sandkörner desselben Ursprungs sein, doch habe ich dies Letztere noch nicht erfahrungsmäfsig zur Überzeugung gebracht, während ich die ersteren als Präparate aufbewahrt habe und mit vorlege.

Schon früher hatte ich die Vorstellung bei mir festgehalten, dafs die virginischen Tripelgesteine aus marinen Polygastern, oder halibiolithischen Tripel, welche sich von den ähnlichen europäischen Mergeln und dem gewöhnlich mergelartig gemischten Meeresgrunde durch Mangel an Kalkgehalt aus Polythalamien unterscheiden, durch stattgefundenes Abschlemmen der verschiedenen Bestandtheile in verschiedene Örtlichkeiten vermittelst der Meeresströmungen bewirkt haben möchten, allein die polythalamienleeren Culturerden des grofsen, höchst fruchtbaren Küstenlandes von Georgien liefsen sich als gehobener neuester Meeresboden der dortigen polythalamienreichen Küste so nicht erklären.

Eine andere Vorstellung liefs sich in der Art mit der Erfahrung in Übereinstimmung bringen, dafs die nordamerikanischen Culturländer der Küste wohl nur durch die Fluth und durch das Vermischen des aufgestauten Flufswassers mit dem

Meerwasser bei der Fluth ihren Gehalt an Meeresgebilden beigemischt erhielten und daſs nur diejenigen Erdschichten polythalamienlose marine Polygastern-Mischung zeigen möchten, welche entfernter vom Meere liegen und denen die Fluth durch die Aufstauung nur die leichtesten und feinsten Meeresbestandtheile mittheilen kann. Denn es war eine meiner früheren Erfahrungen, daſs schon bei Hamburg die marinen Beimischungen des Fluſsgebietes entfernter vom Meere, keine Polythalamien, aber oft noch zahlreiche Polygastern des Meeres enthielten, und ich habe durch solche Charactere häufig ein, oft sehr tief ins Festland reichendes, oberes Fluthgebiet im Fluſsgebiet feststellen können.

Eine dritte Vorstellung, welche mir bei den virginischen kalklosen Halibiolith-Tripeln vorschwebte, war die Möglichkeit, daſs sie als einfach gehobener Meeresboden der Urzeit anzusehen sein könnten, bei welchem durch irgend eine später einwirkende freie Säure, saure Dämpfe, oder besondere Beschaffenheit des Grundwassers alle feineren Kalktheile ausgelaugt worden. Es konnte nur keine Schwefelsäure gewesen sein, weil sich sonst Gyps gebildet hätte.

Durch die Beobachtung der Steinkerne von Polythalamien werden jetzt jene Ansichten vom Abschlemmen durch Meeresströmung, oder Fluth und Ebbe, unwahrscheinlich, und es wird wahrscheinlicher, daſs die feinen Kalkschalen der Polythalamien, sei es durch gewöhnliches Wasser, das langsam, aber bei fortwährendem Filtriren mächtig einzuwirken vermag, sei es durch gesäuertes Wasser, aufgelöst worden sind.

Da die Steinkernbildungen im neuesten Meeresschlamme, obschon zuweilen Schwefeleisen als schwarze Kugeln manche Polythalamienschalen erfüllt, selten sind, in den Nummuliten-Kalken der Tertiärzeit aber der gröſste Reichthum solcher Erscheinungen in einem Grade ist, welcher die organischen Formen noch nicht zu sehr unkenntlich gemacht hat, so läſst sich in manchen Fällen auch wohl auf das Alter solcher Schichten ein brauchbarer ′Schluſs machen. So würde z. B. das geringere Vorhandensein solcher Steinkerne in dem Culturlande der Küste von Georgien nicht erlauben, diese Oberfläche für ein mit Humus gemengtes Tertiärlager zu halten, es bleibt vielmehr ein

gehobener, neuester Meeresboden, dessen Polythalamien ausgelaugt sind und sparsam als Steinkerne und schwerlösliche
Häute noch erkennbar werden.

Verzeichniſs und Synonymie der von Dr. Weiſse bei Simbiṛsk beobachteten Formen.

Namen und Abbildungen.	Synonyme.

Polygastern: 56.

Actinoptychus biternarius Taf. I. fig. 8.	= *Actinopt. duodenarius.*
ternarius Taf. I. fig. 9 a.	} = „ biternarius!
quaternarius Taf. I. fig. 9 b.	
senarius Taf. I. fig. 10.	= „ senarius
Amphitetras antediluviana Taf. I. fig. 23.	= *Amphitetras antediluviana!*
Biddulphia tridentata Taf. III. fig. 36 a. b. c. d.	= *Eunotogramma Weiſsei.*
Coscinodiscus Argus Abbild. fehlt.	
centralis Taf. I. fig. 3.	= *Symbolophora Microtetras.*
flavicans Taf. I. fig. 5 a. b.	= *Coscinodiscus lineatus?*
Gigas Abbild. fehlt.	= ? ?
lineatus { Taf. I. fig. 2 a.	= *Dictyopyxis cruciata.*
„ „ „ 2 b.	= subtilis.
marginatus Abbild. fehlt.	
minor Taf. I. fig. 4 a. b.	= *Coscinodiscus polycora.*
Patina Taf. I. fig. 6.	= *Coscinod. Patina!*
perforatus Abbild. fehlt.	
radiatus Taf. I. fig. 1 a. b. c. d.	= *Coscinod. Argus!*
radiolatus Taf. I. fig. 7.	= *Eupodiscus! subtilis!*
Denticella Tridens Taf. III. fig. 35.	= *Biddulphia tridentata!*
Dictyocha Navicula? Taf. III. fig. G.	= *Mesocena Triangulum.*
Quadratum { Taf. III. fig. E.	} = *Dictyocha Pons.*
Taf. I. fig. 21.	
Stella Taf. I. fig. 31.	= *Dictyolithis meĝapora ?* (einzelne Zelle.)
triommata Taf. I. fig. 30 a. b.	= *Dictyocha triommata.*
tripyla Taf. III. fig. 32.	= *Dictyocha tripyla!*
(D. Speculum!)	
Dictyopyxis cruciata Taf. I. fig. 14.	= *Dictyopyxis cruciata.*
Cylindrus! Taf. I. fig. 15.	= *Dictyopyxis Cylindrus.*
Lens! Taf. I. fig. 4 c. d.	= *Dictyopyxis Lens ?*
urceolaris Abbild. fehlt.	= ? ?
Eunotogramma triloculatum. Taf. III. fig. 37. a. e.	= *Eunotogramma triloculat.*
quinqueloculatum. T. III. fig. 37. b. f. i. k.	= *Eunotogr. quinqueloculat.*
septemloculatum. Taf. III. fig. 37. c. g.	= *Eunetogr. septemloculat.*

Eunotogramma novemloculatum Taf. III. fig. 37. = *Eunotogr. novemloculat.*
 d. h. l.

Gallionella crenata Taf. I. fig. 12. a. b. = *Gallionella crenata! !*
 sulcata Taf. I. fig. 11. a. b. c. = *Gallionella sulcata.*
Goniothecium Monodon? Taf. I. fig. 28. = *Goniothecium euryomph.!*
Haliomma ovatum? Taf. I. fig. 27. a. = *Haliomma ovatum!*
 radians Taf. I. fig. 27. b. = *Haliomma radians!*
        (Beide sind wohl Te-
        thyen-Theile.)

Hemiaulus antarcticus Taf. I. fig. 18. e. f. = *Hemiaulus Polycystinorum.*
Lithocampe Radicula Taf. III. fig. 34. = *Eucyrtidium lineatum!*
Mastogonia? Taf. III. fig. K. a. b. = *! !*
Mesocena? Taf. III. fig. D. = *Mesocena? quaternaria.*
Navicula Scalprum Taf. I. fig. 26. = *Spongolithis! flexuosa?*
Periptera Capra? Taf. III. fig. A. = *Periptera! Capra!*
Pyxidicula Actinocyclus Taf. I. fig. 13. = *Actinocyclus Pyxid.!*
 (*Cyclotella Rotula* K.)
 apiculata Taf. I. fig. 16. a. b. = *Stephanopyxis.*
 appendiculata Taf. I. fig. 17. = *Stephanopyxis.*

Rhizosolenia americana Taf. I. fig. 29. a. b. { a = *Rhizosolenia americana.*
            b = *Goniothecium! urceol.*

Synedra Ulna Taf. I. fig. 35. = *Fragilaria Amphiceros?*
Triceratium acutum Taf. I. fig. 31. = *Triceratium acutum.*
 Favus? Abbild. fehlt. = *? ?*
 Pileolus Taf. I. fig. 20. = *Triceral. Pileolus?*

 Reticulum Taf. I. fig. 18. a. (b?) { a = *Triceral. Reticulum?*
           b = *Triceral. Flos?*

 striolatum Taf. I. fig. 18. c. d. = *Triceratium carinatum.*
 undulatum Taf. I. fig. 19. = *Triceratium Flos?*
 ? Taf. I. fig. 22. a. b. = *Eunotogramma Weissei.*
Zygoceros Rhombus Taf. III. fig. 3. = *Zygoceros Rhombus.*
Fragmenta incerta Taf. III. fig. B. = *Synedra?*

   Phytolitharien: 50.

Actiniscus Pentasterias Taf. II. fig. 2. }
 Sirius Taf. II. fig. 8. } = *Lithasteriscus fistulosus?*
 Tetrasterias Taf. II. fig. 1. }
Amphidiscus Naucrates Taf. II. fig. 0. = *Amphidiscus Naucrates.*
Lithasteriscus Globulus Taf. II. fig. 4. a. b. rechts. = *Lithasteriscus Globulus.*
 radiatus Taf. II. fig. 5. = *Lithast. radiatus.*
 reniformis Taf. II. fig. 6. = *Lithosphaera reniformis?*
        (v. *Lithosph.* grammost.)

Lithasteriscus tuberculosus Taf. II. fig. 4. b. links. = *Lithasteriscus tubercule...*
Lithostylidium Clepsammidium Taf. II. fig. 3. = *? ? Arthrolithis ?*

Spongolithis acicularis   Taf. II. fig. 9. a. { = Spongol. acic. oben a. ...
                                                 { = Spongol. obtusa, Mitte.

 β *flexuosa*   „ „ „ 9. b.   = *Sp. flexuosa.*

Acus   „ „ „ 10. { = *Sp. Acus?* rechts.
                    { = *Caput serpentis* link

amphioxys   „ „ „ 11.   = *Sp. amphioxys.*
Anchora   „ „ „ 12.   = *Sp.? Anchora.*
St. Andreae   „ „ „ 13.   = *Sp. St. Andreae ?*
anthocephala   „ „ „ 14.   = *Sp. verticillata ?*
apiculata   „ „ „ 15.   = *Sp. apiculata.*
aspera   „ „ „ 16.   = *Sp. aspera.*
Caput serpentis „ „ „ 17.   = *Sp. Caput serpentis.*
cenocephala   „ „ „ 18.   = *Sp. cenocephala.*
Clavus   „ „ „ 19.   = *Sp. Clavus.*
Cornu cervi   „ „ „ 20.   = *Actinolithis dichotoma.*

Crux   „ „ „ 21. a. { = Spongol. Crux oben.
                       { = Spongol. verticillata unt...

fistulosa   „ „ „ 23.   = *Sp. fistulosa.*
foraminosa   „ „ „ 24.   = *Sp. foraminosa.*

Fustis Taf. II. fig. 26. a. b. { a = *Sp. Fustis a*
                                 { b = β *inflexa.*

Gladius   Taf. II. fig. 27.   = *Sp. Crux β.*
Hamus   „ „ „ 28.   = *Sp. Hamus.*
inflexa   „ „ „ 29.   = *Sp. acicularis β inflexa.*
ingens   „ „ „ 30.   = *Sp. ingens ?*
lacustris   „ „ „ 31.   = *Sp. Gigas ?*
Malleus   „ „ „ 32.   = *Sp. Malleus.*
mesogongyla   „ „ „ 33.   = *Sp. amblyogongyla.*
nodosa   „ „ „ 34.   = *Sp. nodosa ?*
obtusa   „ „ „ 35.   = *Sp. amphioxys ?*

Palus Taf. II. fig. 36. a. b. c. { a = *Sp. ramosa.*
                                   { b c = *Sp. Crux.*

quadricuspidata „ „ „ 37.   = *Sp. quadricuspidata.*
polyactis Taf. III. fig. 46.   = *Sp. polyactis.*
robusta Taf. III. fig. 38.   = *Sp. Gigas ?*
setosa Taf. II. fig. 22.   = *Sp. aspera.*
stellata ? Taf. II. fig. 21. b.   = *Sp. verticillata.*
Trachystauron Taf. III. fig 39.   = *Sp. Trachystauron.*
Trianchora Taf. III. fig. 40.   = *Amphidiscus Trianchora*
  (an *Amphidiscus armatus ?*)

riceros Taf. II. fig. 25.	= *Sp. Triceros.*
ncinata Taf. III. fig. 42. a. b.	= *Sp. uncinata.*
nguiculata Taf. III. fig. 43.	= *Sp. ? Jaculum.*
nginata Taf. III. fig. 44	= *Sp. ? vaginata ? ?*
rticillata Taf. III. fig. 45.	= *Sp. anthocephala ?*
lium Cribrum Abbild. fehlt.	= *? ?*
megapora Abbild. fehlt.	= *Dictyol. megapora ?*

---

ichnifs aller bei Simbirsk beobachteten Formen.

versehenen sind von mir selbst beobachtet und in Präparaten aufbewahrt.

Polygastern: 76.

Actinoptychus apicatus n. sp.
*   *biternarius.*
        denarius.
        duodenarius
      ? *Pyxidicula.*
*   *senarius.*
Amphitetras antediluviana.
Aulacodiscus Crux.
Biblarium ? (an *Biddulphia ?*)
Biddulphia includens n. sp.
       tridentata ?
Chaetotyphla saxipara ?
Coscinodiscus Argus ?
*   *eccentricus.*
        fasciatus n. sp.
        lineatus.
        perforatus ?
        Polycora n. sp.
*   *subtilis ?*
Craspedodiscus ?

*Dictyopyxis Cylindrus.
    Lens.
*   subtilis n. sp.
*Discoplea picta ?
*   simbirsciana n. sp.
*Endictya oceanica.
*Eunotogramma triloculatum.
*   quinqueloculatum.
\~   septemloculatum α
        β octonum n. var.
     novemloculatum.
     amphioxys n. sp.
       (cfr. Biddulphia lunata).
     elongatum n. sp.
*   Weifsei n. sp.
*Eupodiscus? subtilis n. sp.
*Fragilaria? Amphiceros.
      (Rhaphoneis ?)
*   pinnata.
*Gallionella apiculata n. sp.
*   coronata.
     crenata.
     distans.
*   sulcata.
*Goniothecium Cocconema n. sp.
*   Cymbalum n. sp.
     euryomphalum n. sp.
*   urceolatum n. sp.
*Hemiaulus Polycystinorum.
·Mesocena? quaternaria n. sp.
*   Triangulum.
*Mastogonia Actinocyclus.
*Periptera Capra ?
      (Geolithium ?)
*Rhisosolenia americana.
\~   Calyptra?
*Stephanopyxis apiculata.
     appendiculata.
*   hispida.
*Symbolophora Microhexas.
*   Micropentas.
\~   Microtetras.

*Symbolophora Microtrias.
*Synedra Linea.
     ?
*Trachelomonas ? laevis.
*Triceratium carinatum n. sp.
  •   *Flos* n. sp.
         megastomum.
         Pileolus.
         Pileus ?
         Reticulum.

Phytolitharien: 60.

Amphidiscus brachiatus.
  •   *Disphaera* n. sp.
         Naucrates.
         Trianchora.
         verticillatus.
*Lithasteriscus fasciculatus n. sp.
  •   *fistulosus* n. sp.
         radiatus.
         Tribulus.
  •   *tuberculatus.*
*Lithosphaera osculata.
  •   *grammostoma* n. sp.
         reniformis ?   *(Spongolithis ?)*
*Spongolithis acicularis.
  •   *aculeata.*
         Acus.
         amblyogongyla.
         amphioxys.
         Anchora.
         St. Andreae.
         anthocephala.
         annulata.
         apiculata.
         aspera.
         binodis.
         Caput serpentis.
         cenocephala.
         Clavus.
         crassiceps n. sp.
         Crux.

Synapsilus Erum.

* *fistulosa.*
- *ferruca.*
  foraminosa.
  Fustis a radia.
        δ *inflata.*

  Gigas.
  Hamus.
  inflata (auricularis?)
  ingens.
  Jaculum.
  Malleus.
  mesogongyla.
  septemis.
  nodosa.
  obtusa.
  polyactis.
  quadricuspidata.
  ramosa.
  robusta.
  septata.
  stellata.
  Trachystaures.
  Trianchora.
  Triceros.
  uncinata?
  Uncus.
  unguiculata.
  vaginata.
  verticillata.

Polycystinen: 11.

* *Ceratospyris radicata.*
* *Dictyophimus?*
* *Eucyrtidium irregulare* n. sp.
* *   lineatum.*
* *   simbirscianum* n. sp.
* *Flustrella concentrica.*
* *   spiralis.*
* *Haliomma radians.*
* *   ovatum.*

Lithopera rossica n. sp.
Lychnocanium rossicum n. sp.

Geolithien: 6.
Actinolithis dichotoma.
Colpolithis irregularis n. sp.
Dictyolithis micropora.
     megapora.
Arthrolithis constricta.
Rhabdolithis intexta (Spongolithis ?)

Polythalamien: 10.
Steinkerne als Grunsand.
Dreieckig (Rotalina).
Glockenartig.
Halbmondartig (Textilaria).
Helmartig (Rotalia).
Kugelartig (Globigerina).
Sattelartig glatt (Nonionina.)
    gezahnt (*Geoponus ?*)
Sichelartig (Grammostomum).
Stumpfzahnig (Rotalina).
Viereckig (Nummulites, Orbitoides).

Mollusken: 2.
Conchifera marina.
Conchifera marina.

Unorganisches: 2.
Unförmlicher Quarzsand.
Mulm.

Summa: 165 organische Formen und Arten.

————

Endlich legte derselbe den ihm kürzlich aus Java zu_
sendeten frischen Auswurf des Schlamm-Vulkans
n Poorwadadi vor und gab einige vorläufige
chrichten über dessen Reichthum an organi_
ıen Bestandtheilen.

————

Hr. **Dirichlet** legte folgenden Nachtrag zu einem Aufsatze von Hrn. Prof. **Heine** vor, welcher im letzten Jahrgange des Monatsberichts abgedruckt ist.

Im vorigen Jahre habe ich Ihnen eine Abhandlung mitgetheilt, in welcher ich auf die Aufgabe geführt wurde, ein elliptisches Integral der ersten Gattung, in welchem unter den Wurzelzeichen imaginäre Constante vorkommen, wenigstens für einen gewissen speciellen Fall in die kanonische Form der elliptischen Integrale zu verwandeln[*]). Indem ich mich seitdem mit der Transformation in dem allgemeinen Falle beschäftigte, wurde es nothwendig, das Fundamental-Problem, auf welches diese Aufgabe unmittelbar führt, gleichfalls mit einem allgemeineren zu vertauschen. Über dasselbe erlaube ich mir folgende Mittheilungen zu machen.

Unsere Aufgabe besteht darin, ein elliptisches Integral $\int \frac{dz}{\sqrt{1-z^2}\,\sqrt{1-k^2z^2}}$, wenn z eine imaginäre (complexe) Gröfse bezeichnet, die auf gegebene Art continuirlich von dem Anfangswerthe o zu dem Endwerthe Z läuft, und wenn ferner die Quadratwurzeln mit z sich continuirlich ändern, als die Summe von den Integralen

$$\int_0^a \frac{dx}{\sqrt{1-x^2}\,\sqrt{1-k^2x^2}}, \qquad i\int_0^b \frac{dx}{\sqrt{1-x^2}\,\sqrt{1-k'^2x^2}},$$

deren Grenzen a und b reel und nicht gröfser als 1 sind, darzustellen. Für den Fall, dafs k reel ist, hat Richelot Formeln für a und b gegeben; wir haben uns unter k eine complexe Gröfse vorzustellen, deren Modulus kleiner als 1 ist.

Es ist bekannt, dafs das Integral nach z, je nach dem Wege auf welchem z von o bis Z gelangt, verschiedene Werthe annehmen kann, die sich aber um ganze Vielfache von K und iK' unterscheiden. Auch lassen sich diese Vielfachen, um welche das Integral zunimmt, wenn man von einem gegebenen Wege zu einem andern übergeht, leicht bestimmen. Es ist daher nur nöthig — und das soll der Kürze halber hier geschehen — das Integral für irgend einen willkührlich gewählten Weg zu bestimmen.

---

[*]) Monatsbericht des Jahres 1854, p. 570.

Um diesen Weg anzugeben, bezeichnen wir die zu z, k, $\sqrt{1-z^2}$, $\sqrt{1-k^2 z^2}$ conjugirten Zahlen mit ζ, γ, $\sqrt{1-\zeta^2}$, $\sqrt{1-\gamma^2 \zeta^2}$, und setzen

$$p = \sqrt{1-k^2 z^2} + \sqrt{1-\gamma^2 \zeta^2}$$
$$qi = \sqrt{1-z^2} - \sqrt{1-\zeta^2}$$
$$r = \sqrt{1-z^2}\,\sqrt{1-\gamma^2 \zeta^2} + \sqrt{1-\zeta^2}\,\sqrt{1-k^2 z^2}$$

Es erhält dann das Integral nach z für alle die Wege zwischen o und Z denselben Werth, für welche keine der Gröfsen p, q, r verschwindet, so dafs wir einen von diesen willkührlich wählen können.

Man kann leicht ein geometrisches Bild zur Veranschaulichung dieses Resultates entwerfen. Zwei sich im Punkte A rechtwincklich schneidende Grade $X'AX$ und $Y'AY$ mögen resp. die Achsen der reellen und der rein imaginären Werthe vorstellen. M und M' seien die Puncte $+1$ und -1, ferner einer der Punkte $\frac{1}{k}$ und $-\frac{1}{k}$ sei N, der andere N'. Es wird dann $p=o$ für die beiden Graden NS und $N'S'$, welche die Verlängerungen der Graden, durch die man N mit N' verbinden könnte in's Unendliche sind. Es verschwindet q auf der Graden $M'AM$ und auf der ganzen Achse des Imaginären $Y'AY$, und endlich r wird Null auf zwei Stücken einer gewissen Lemniscate, von denen das eine die Punkte MN, das andere $M'N'$ verbindet. Der Weg von z, für den wir das Integral bestimmen wollen, ist also irgend einer von denen, welche die Punkte o oder A und Z verbinden, ohne eine dieser Linien, d. h. ohne die unendliche Achse des Imaginären $Y'AY$, das endliche Stück der reellen Achse $M'M$, die Lemniscaten-Stücke MN und $M'N'$, und endlich die nach einer Seite unendlichen Graden NS und $N'S'$ zu schneiden.

Für diesen Weg ist unser Integral unmittelbar die Summe der zwei Integrale mit den Grenzen a und b.

Um zunächst die Vorzeichen von a und b zu bestimmen, müssen wir festsetzen, welche Werthe $\sqrt{1-z^2}$ und $\sqrt{1-k^2 z^2}$ am Anfange des Laufes, also für $z=o$ hatten: es mögen beide gleich $+1$ gewesen sein. Nimmt man dann in den beiden Integralen mit den Grenzen a und b die reellen

Theile der Quadratwurzeln während der ganzen Integration positiv — keiner dieser reellen Theile kann während der Integration verschwinden — so erhalten a und b resp. die Zeichen des reellen und des imaginären Theiles, den z am Anfang seiner Bahn annimmt.

Verwandelen p, q, r für $z = Z$ sich in P, Q, R, so findet man die Werthe von a und b aus den Gleichungen

$$P^2 a^4 - a^2 (P^2 - Q^2 - R^2) - Q^2 = 0$$
$$R^2 b^4 - b^2 (R^2 - P^2 - Q^2) - Q^2 = 0.$$

Jede dieser Gleichungen hat zwei gleiche und entgegengesetzte reelle Wurzeln, aus denen man die mit passendem Zeichen herausnimmt; die beiden andern Wurzeln sind imaginär und im besonderen Falle gleich 0. Die beiden reellen Wurzeln sind auch, wie es verlangt wurde, kleiner als 1.

Wie man die beiden Integrale in Abelsche zerlegen kann, die reelle Grenzen und reelle Constante unter dem Integralzeichen haben, ist durch Jacobi's Arbeiten bekannt.

———————

Hr. **Braun** theilte folgende Abhandlung des Hrn. Dr. **Caspary** über einige Hyphomyceten mit zwei- und dreierlei Früchten mit

In der Abtheilung der Pilze, die bisher mit dem Namen Hyphomyceten belegt wurde, sind im Verhältnifs mit den Coniomyceten, Diskomyceten und Pyrenomyceten nur erst wenige Gattungen mit verschiedenartigen Früchten bekannt. Corda fand schon 1842 bei *Penicillium glaucum* aufser den gewöhnlichen Sporen keimende, 2—3 zellige Organe, welche er Gemmen nannte (Corda Anleitung, p. XXXV). Bei *Oidium* (*Erysiphe*) wurden durch die Beobachtungen von Berkeley (Gardn. chron. 1851. p. 227 und 467. Journ. hort. soc. Lond. 1854. IX. p. 62), Plomley (Berkeley in Gardn. chron. 1851. p. 467. Journ. hort. soc. Lond. l. c.), Amici (Atti dei Georgofili di Firenze 5. Sept. 1852), Tulasne (Botan. Zeitung 1853 p. 257. Compt. rend. XXXVIII. 17. Oct. 1853), v. Mohl (Botan. Zeitg. 1854. p. 137) 3 Arten Früchte bekannt. Berkeley fand eine Art *Polyactis* und *Sphaeria Desmasieri* Berk. auf ein und dem-

selben Mycelium (Gardn. chron. 1861. p. 803). Bei *Tricho-
thecium roseum* wies H. Hoffmann Sporen und Spermatien nach
(Botan. Zeitg. 1854. p. 249). De Bary zeigte, daſs *Aspergillus
glaucus* und *Eurotium herbariorum* Link derselbe Pilz in 2
verschiedenen Fruchtzuständen sei (Botan. Zeitg. 1854. p. 425).
Tulasne weist bei vielen Arten der Gattung *Peronospora* eine
zweite endophytische Frucht nach (Compt. rend. 26. Juin 1854)
und Schacht giebt an, daſs *Fusisporium Solani* v. Mart. und
Oidium violaceum Hart. demselben Pilz angehören (Monatsb.
d. Berl. Akad. 10. Juli 1854. p. 382). Es sei mir vergönnt
hier Beobachtungen darzulegen, welche ich über das Vorkommen von zweierlei Früchten bei 2 neuen Arten von *Fusisporium* und von dreierlei bei einigen Arten von *Peronospora*
machte, die bei der Neuheit des Gegenstandes freilich noch
manche Lücken haben.

Schon im Winter von 1851—52 hatte ich 2 Fruchtarten
an einem *Fusisporium*, dem ich den Namen *melanochlorum* gegeben habe, gefunden. Der Pilz erschien im Januar auf dem
Rande mehrerer Teller, in welchen ich einige Wasserpflanzen:
Lemna minor, Ceratophyllum platyacanthum und die Samen von
Naias maior, minor und *flexilis* hielt, auf faulenden Resten dieser Pflanzen und auf dem Tellerrande selbst und zwar so, daſs
die Pilzfäden am letzteren Orte ohne Matrix und frei waren.
Er bildete, in einer Breite von $\frac{1}{4}$—$\frac{3}{4}$" den Rand des Wassers
umgebend, dichte, für's bloſse Auge schwarzgrüne, sehr feuchte
Rasen von $\frac{1}{4}$—$\frac{3}{8}$" Dicke (Fig. 1), die jedoch hie nnd da dünner, trocken und vom dunkelsten Schwarzgrün waren. Die hin
und wieder warzig gewölbte Oberfläche zeigte unzählige, fa-
stigiate Fadenenden, die heller an Farbe und an vielen Stellen
schimmelig weiſs waren. Bei der mikroskopischen Untersuchung fand ich zweierlei Früchte, die ich anfangs nicht bloſs für
die zweier Gattungen, sondern zweier verschiedenen Familien,
der Coniomyceten und Hyphomyceten hielt; vergebens bemühte
ich mich jedoch die Pflanzen, welche diese verschiedenen Früchte
trugen, zu scheiden, bis ich endlich deutliche Belege fand, daſs
sie derselben Pflanze angehörten. Die Hauptmasse des Pilzes
zeigte an den feuchtesten, üppigsten Stellen ästige, vielfach in
einander verschlungene, schwer und nur stückweise abtrenn-

bare, gegliederte Fäden, welche unter dem Mikroskop schwärzlich karmoisinroth erschienen (Fig. 2, 5, 6), dunkler an der
Basis, lichter gegen die Spitzen, ja diese waren oft ganz farblos (Fig. 4), oder auch schmutzig hellgrünlich (Fig. 3). Die
Länge der Glieder verhielt sich an der Basis des Fadens zur Breite,
wie 1 : 1, gegen die Spitze nahm jedoch die Länge zu, das
Verhältniſs wurde wie 1 : 2,3 ja 20 und mehr. Die kürzeren
Glieder waren kuglig und dicker, die längeren cylindrisch und
dünner, die Spitzen sehr dünn. Die basalen, kugligen Glieder
enthielten einen groſsen, freien, centralen, das Licht stark bre-
chenden, kugligen, lichtgrünen Kern, der einem Öltropfen
glich, die längeren Glieder 2, 3, 4, ja 15 solcher Kerne in
einer Reihe in kurzen Zwischenräumen. In den dünnen farblosen Spitzen der Fäden wurden die Kerne immer kleiner,
weiter von einander entfernt und verschwanden endlich gänzlich. Die am dunkelsten schwarz-grünen, trockensten Stellen
des Pilzes zeigten mir deutlich, daſs die Fäden nach und nach
die längeren Zellen verloren, daſs zwischen je 2 Kernen sich
eine Scheidewand bildete, bis die Fäden bloſs aus kurzen Zellen bestanden (Fig. 6), deren Breite zur Länge gleich 1 : 1
war, welche kuglig anschwollen, sich von einander ablösten,
und so die eine Fruchtart des Pilzes (die Arthrosporen) bildeten.
Dies Zerfallen des Fadens in kuglige Sporen begann von seiner
Basis. Es hatte der Pilz also nur ein vorübergehendes Mycelium
oder da die basalen Theile seiner Fäden, welche dafür beansprucht
werden müſsten, sich ganz in kuglige Sporen auflösten, genau
genommen keins. Ein Faden mit noch verbundenen, fast kugligen Zellen der ebenbeschriebenen Sporen, würde zur Gattung
Hormiscium, nach bisheriger systematischer Eintheilung, gerechnet werden müssen. Die Keimung dieser schwärzlich-karmoi-
sinrothen kugligen Sporen (Fig. 7) von $\frac{1}{240} - \frac{1}{100}'''$ par. duod.*)
Durchmesser, in deren Mitte ein groſser, freier, grüner Kern
war, hielt nicht schwer zu beobachten (Fig. 8, 9). Der eine

---

*) Ich muſs die Gröſse für diesen Pilz leider nach meinen Zeichnungen
bestimmen, da ich ihn zur Zeit der Untersuchung nicht maaſs. Die übrigen
in diesem Aufsatz beschriebenen Pilze, sind durch direkte Messung mittelst eines Schraubenmikrometers, von Henkel in Bonn verfertigt, gefunden.

Kern verwandelte sich in zwei, — wie? blieb mir verborgen —,
die kuglige Zelle wurde elliptisch und zwischen die beiden
Kerne trat eine Scheidewand. Darauf verdoppelte sich der
Kern wieder in jeder neu entstandenen Zelle, diese verlängerte
sich, eine Scheidewand bildete sich zwischen den neu entstandenen Kernen und so fort, bis ein Faden da war, der dem
glich, als dessen Glied die Spore sich einst gebildet hatte. Oft
sah ich aber auch 3 Kerne in einer verlängerten keimenden
Spore (Fig. 7 e), ohne dafs schon eine Scheidewand dazwischen
getreten war. Die Kerne lagen meist in einer Reihe, selten
sah ich in einer Spore 2, ja 3 und 4 Kerne, die unregelmäfsig
über und nebeneinander lagen (Fig. 7 b, 9). Ging die Bildung
der kugligen, dunkelfarbigen Frucht von der Basis der Fäden
aus, so entstanden an den hellen, meist farblosen Spitzen derselben die eigentlichen, mehr oder weniger farblosen Fusispo-
rienfrüchte (Fig. 10—14). Diese waren $\frac{1}{200}-\frac{1}{30}'''$ par. duod.
lang, 1, 2, 3—6 zellig (Fig. 10—13), meist jedoch 5—6, sel-
tener 1, 2, 3 zellig (Fig. 14), eiförmig, oblong, lanzettförmig,
mit spitzen oder abgerundeten Enden, gekrümmt oder gerade,
mit sanfter Anschwellung der einzelnen Zellen, deren Inhalt
meist farblose Körnchen waren, die oft das Licht stark brachen
und Öltröpfchen glichen. Diese Körnchen waren meist farblos (Fig. 14), oft aber grünlich (Fig. 10—13). Die Zellwand
war ebenfalls gewöhnlich farblos, aber oft deutlich schwach
schwärzlich-karmoisin (Fig. 10, 11), besonders wenn die Körnchen grofs, öltropfenartig und grün waren. Einige Male sah
ich diese schwach schwärzlich-karmoisinrothe Fusisporienfrucht
auf Fäden sitzen, welche dicker als die gewöhnlichen, die Fusisporienfrucht tragenden waren, dabei deutlich schwärzlich-
karmoisin gefärbt und dicht an dicht grofse grüne Kerne enthielten (Fig. 10), wie die Fäden, welche die Form eines *Hormiscium's* hatten. Die Fusisporienfrucht war entweder end-
ständig und einzeln auf dem Faden (Fig. 10), hauptsächlich
wenn sie 5—6 zellig war, oder, wenn sie nur aus 1—2 Zellen
bestand, war sie nicht blofs terminal, sondern erschien auch
sehr zahlreich als seitliche Abgliederung ziemlich kurzer Zellen
der Fadenspitzen (Fig. 16). Die Entstehung dieser seitlichen Ab-
gliederungen liefs sich leicht verfolgen. Die kurzen Glieder der

Spitzen der Fäden bildeten, meist oben dicht unter der Wand,
seitliche Aussackungen, 1—2 in jeder Zelle (Fig. 16, a, b),
und diese wurden, wenn sie gröfser waren, durch eine Querwand selbstständige .Zellen.   Die Fusisporienfrucht löste sich
leicht vom Faden ab.   Auf einer Glasplatte in einem Tropfen
Wasser unter einer feucht gehaltenen Glasglocke keimte die
Fusisporienfrucht sehr leicht (Fig. 17).   Ihre Zellen trieben
lange, farblose, verästelte Fäden, meist die Endzellen, oder auch
nur eine davon, seltner eine Zelle der Mitte der Spore (Fig.
17 b).   Die weitere Entwicklung habe ich nicht beobachtet.
Ich untersuchte den Pilz im April 1852.

Bei einem andern *Fusisporium*, welches ich *F. concors*
nenne, fand ich auch die beiden Fruchtarten des vorigen. Dieser Pilz wurde mir zuerst am 27. Juli 1854 von Hrn. Dr.
Klotzsch auf dem lebenden, gesunden Blatt von *Solanum tuberosum*, worauf er in seinem Garten wuchs, gezeigt.   Ich fand
ihn im August desselben Jahres sehr reichlich auch auf den
untersten, unter den höhern Krauttheilen schattig und feucht
stehenden Blättern des von Hrn. Dr. Klotzsch erzogenen Bastards
Solanum utile-tuberosum, im Garten des Pfarrer Frege in Schöneberg, und hier entdeckte ich die zweite Frucht des Pilzes,
die kugligen Sporen.   Der Pilz bildet auf dem Blatt zahlreiche
rundliche, bläulich-graue Rasen von $\frac{1}{2}$—6''' Durchmesser und
erscheint durch die Stomata beider Seiten hindurchtretend, auf
beiden Seiten des Blatts zugleich (Fig. 19, 20).   Dabei leidet
das Gewebe des Blatts in den ersten Wochen gar nicht; das
Chlorophyll und die Zellwände des Blattgewebes der Flecken,
in welchen sich der Pilz findet, zeigen keine Spur von Zersetzung oder Bräunung (Fig. 19).   Der Pilz scheint sich nicht
vom Blatt zu nähren, sondern nur darin harmlos zu wohnen
und mit der Nährpflanze in bester Eintracht zu stehn, weshalb ich ihn *concors* nannte.   Später jedoch bei Bildung der
kugligen Frucht wird das Blattparenchym zerstört (Fig. 19).
Ob beim *Fusisporium melanochlorum* ein Unterschied der Zeit
in der Entstehung der kugligen und sichelförmigen Frucht eintritt, kann ich nicht sagen; bei *Fusisporium concors* dagegen
erscheint die akrogene Frucht zuerst und einige Wochen später die kuglige.   Zur Zeit, wenn nur die akrogene Frucht ge-

ildet wird, in den ersten Wochen, besteht der ganze Pilz
owohl in seinem intramatricalen (d. h. intra matricem befind-
ichen), als extramatricalen (d. h extra matricem befindlichen)
Theil aus gleichartigem Gewebe, aus verzweigten, dünnen Fä-
len, die nur selten hie und da Querwände zeigen (Fig. 19),
'ast farblos mit einem sehr leichten Anflug von Grau unter
lem Mikroskop erscheinen und mit feinen Körnchen erfüllt
iind; der intramatricale Theil der Fäden ist meist etwas dicker
ils der extramatrikale. Die extramatricalen Fäden sind zurück-
gebogen, mit gekrümmten, an der Spitze verdickten, meist ein-
ieitigen Ästen, und kriechen besonders über die Haare des
Blatts hin, welche sie überziehen (Fig. 18). Die Spitze der
Fäden und Äste gliedert sich als Frucht ab (Fig. 19, b, b), die
·iförmig lineal ist, 1—4 zellig, gekrümmt oder gerade, an
·inem oder beiden Enden spitz (Fig. 21). Sehr feine, farblose
Körnchen bilden den Inhalt dieser Frucht. Später als sie entwickelt sich aus dem intramatricalen Theil des Pilzes die kug-
ige Frucht (Fig. 20), indem die Fäden, so weit sie im Blatt
iind, in ganz kurze, kuglige, hellbräunliche Zellen sich ausbilden, die rosenkranzartig neben einander liegen und einen öl-
irtigen, das Licht stark brechendenInhalt haben. Auch die intramatricalen Stämmchen vermehren um diese Zeit ihre Zellen sehr.
Von der allmäligen Umgestaltung des fadenartigen, wenig geglie-
lerten intramatricalen Myceliums des Pilzes in die rosenkranz-
irtigen Sporen, kann man sich durch Untersuchung desselben
n verschiedenen Altersstufen leicht überzeugen. Die intrama-
:ricalen Fäden werden allmälig vielzelliger; die Zellen schwel-
en bauchig an; ihr Inhalt, der früher aus farblosen Körnchen
bestand, wird gelblich-bräunlich, ölartig und das Licht stark
brechend. Zur Zeit der Entstehung der zweiten kugligen
Frucht, fängt die lokale Zerstörung des Blattparenchyms an
ler Stelle, wo der Pilz sitzt, an; es nimmt ein immer tieferes
Braungrün an, bis es schwarzbraun wird. Der übrige Theil
les Blatts wird auch mehr und mehr gebräunt, bis es endlich
ibfällt. Da sich der intramatricale Theil des Pilzes ganz in
kuglige Sporen umwandelt, so ist auch hier kein eigentliches,
sondern nur ein vorübergehendes Mycelium da.

Der Genuscharakter von *Fusisporium,* wie er sich aus diesen Beobachtungen ergiebt, ist folgender:

FUSISPORIUM *Link Ch. ref.*

Fila caespites formantia ramosa, partim intramatricalia, partim libera vel rarius omnino libera, septata. Fructus duplex: 1) acrosporae fusiformes, ovatae, oblongae, ellipticae, rectae vel curvatae, 1—6 cellulares, non, vel pallidissime coloratae, in filis extramatricalibus acrogenae; 2) arthrosporae globosae, primum moniliformes, coloratae, e cellulis filorum intramatricalium omnibus vel liberorum basalibus ortae, demum solutae, membrana simplici. — Mycelio transitorio, postea in arthrosporas mutato.

F. melanochlorum Casp. Fila libera oculo nudo atro-virentia, fastigiata, caespites densos $\frac{1}{16}$—$\frac{3}{8}''$ altos formantia, hinc inde in apicibus acrosporas gerentibus albidescentia, oculo armato ut arthrospora eatro-violacea, nucleis viridibus. Acrosporae $\frac{1}{200}$—$\frac{1}{10}''$ longae, arthrosporae $\frac{1}{540}$—$\frac{1}{100}'''$ diametro.

Semel Jan.—April. 1852 Berolini domi in margine patellarum observavi, in quibus plantas aquaticas Lemnam minorem, Ceratophyllum platyacanthum etc. colui.

F. concors Casp. Filorum pars extramatricalis caespites oculo nudo violaceo-griseos rotundatos $\frac{1}{2}$—6''' diametro, intramatricalis mycelium transitorium formans. Fila libera parce septata, oculo armato pallidissime grisea, reclinata, repentia, ramellis brevibus, curvatis, subsecundis, apici incrassatis. Acrosporae $\frac{1}{107}$—$\frac{1}{77}'''$ longae; filorum pars intramatricalis in arthrosporas moniliformes, pallide brunneas, $\frac{1}{870}$—$\frac{1}{178}'''$ diametro, transmutata.

In foliis vivis *Solani tuberosi* L. et *S. utile-tuberosi* Klotzsch caespites in utraque pagina formans et per stomata erumpens. Jul.—Septbr. 1854 Schöneberg pr. Berolinum.

In der Sitzung der französischen Akademie von 26. Juni 1854 theilte Tulasne die Entdeckung mit, dafs bei einer Menge von Arten der Gattung *Peronospora* Corda sich eine zweite endophytische Frucht finde, nämlich kuglige Sporen, welche in einer grofsen, mehr oder weniger gefärbten, bisweilen sehr braunen, gestielten Zelle eingeschlossen sind, und auf demselben My-

celium vorkommen, welches die freien, Akrosporen bildenden
Stämmchen trägt. Das Sporangium dieser Spore („épispore"
Tul.) sei glatt bei *Peronospora gonglioniformis* Tul., *Papaveris*
Tul., *Dipsaci* Tul., *Ficariae* Tul., warzig bei *Peron. parasitica*
und zellig netzförmig gezeichnet bei *Per. effusa* Rabnh. und *Arenariae* Tul. Schon vorher, im Mai und Anfangs Juli desselben
Jahres, hatte ich unabhängig von Tulasne auch diese endophytische Frucht gefunden, obgleich bei 2 andern Specien als Tulasne
und nicht blofs diese zweite, sondern auch eine dritte Fruchtart.

Die von Tulasne entdeckten Sporangien sah ich zuerst den
27. Mai 1854 bei *Peronospora Hepaticae* Casp., deren Beschreibung ich unten beifüge. In dem Gewebe des Blatts der *Hepatica triloba*, worauf die genannte *Perenospora* lebt, dicht unter
der Epidermis der unteren Seite, wo es vom Pilz zerstört und
schwarzbraun geworden war, fand ich unter und neben den Rasen der freien extramatricalen Stämmchen der Peronospora auf
einem fadenartigen sehr verästelten Mycelium, welches sehr licht
bräunlich-grau oder ungefärbt und mit grauen Körnchen erfüllt
war, in kurzen Abständen grofse, braune, glatte Zellen von $\frac{1}{50}$—
$\frac{1}{36}'''$ Durchmesser, mit äufserst dicker geschichteter Wand (Fig. 22
—25). Darüber, wie ich mich davon überzeugte, dafs diese Zellen in der That dem Mycelium der Peronospora angehörten,
später! Diese grofsen Zellen fanden sich hauptsächlich da, wo
die Rasen der Peronospora dünn und in den letzten Vegetations-
stadien waren; wo sie sehr dick und noch jung und das Blatt
noch grün war, fand ich die grofsen Zellen nicht. Diese sind
beträchtlich gröfser als die Akrosporen, die nur $\frac{1}{102}$—$\frac{1}{100}'''$ lang
sind. Die innerste Schicht war in den ältesten dieser Zellen
von den übrigen gelöst und dicker als sie; ihr Inhalt waren graue
Körnchen, aufserdem meist ein grofser, centraler das Licht stark
brechender Kern. Die grofsen Zellen sind demnach als Sporangien zu fassen, welche eine einzelne Spore einschliefsen. Im jüngsten Zustande war die Wand der Sporangien sehr dünn und
nicht geschichtet (Fig. 23 und 24). Ältere Zustände zeigten die
Wand dicker und geschichtet, aber ganz zusammenhängend und
noch keine freie, zur Spore abgelöste, innerste Schicht. Leider
versäumte ich die frischen Sporangien, wie sie noch anf dem Mycelium aufsafsen, mit Jod und Schwefelsäure zu behandeln. An

eingelegten Exemplaren finde ich, daß die Sporangien mittleren
Alters, worin die Spore noch nicht sich losgelöst hat, durch Jod
und Schwefessäure in den inneren Schichten schön blau gefärbt
werden (Fig. 25), daß dagegen die äußerste, dünne Schicht braun
wird und selbst concentrirter Schwefelsäure mehrere Tage ohne
sich zu lösen widersteht. Die äußerste Schicht verhält sich also
wie eine Cuticula, oder wie die gewöhnliche Pilzcellulose. Die
Fäden des Myceliums sind leider bei den getrockneten Exemplaren nicht mehr vorhanden. An den Sporangien konnte ich im
Schnitt parallel zur Blattfläche keinen Stiel entdecken; sie lagen
meist über der Mitte des Fadens des Myceliums (Fig. 22) selten
etwas seitlich über ihm, und erschienen mir als bloße Erweiterungen desselben. Um Aufschluß darüber zu erhalten, ob die
Sporangien gestielt oder sitzend seien, präparirte ich mit der Nadel Fadenstücke, worauf sie saßen, aus dem Blattgewebe heraus;
aber auch so habe ich keinen Stiel gesehn.

Am 3. Juli 1854, zu einer Zeit, wo mir Tulasne's Entdeckung noch ganz unbekannt war, fand ich in grauschwarzen Stellen
der Blätter, Bracteen und des Kelchs von *Rhinanthus minor* neben und unter den Rasen der *Peronospora densa* Rabenh. auch
bei dieser Species Sporangien (Fig. 27). Sie unterscheiden sich
in nichts Wesentlichem von denen der *Peronospora Hepaticae*, jedoch zeigte sich die Spore deutlicher von den Schichten des
Sporangiums gelöst; in vielen Sporangien schien nur die äußerste,
braune Schicht allein übrig zu sein, dagegen die inneren resor-
birt, indem durch den Schnitt die freie Spore oft bis an die
Wand des Sporangiums gezerrt war. Auch hier konnte ich mich
von der Anwesenheit eines Stiels bei den Sporangien nicht überzeugen. Wenn ich ein Fadenstück mit einem scheinbar ˋgestiel-
ten Sporangium herauspräparirte (Fig. 27), so konnte ja dessen
Stiel, wenn er rechts sich zeigte (Fig. 27 a), ein Theil des Fadens
sein, der links vom Sporangium seine Fortsetzung gezeigt haben
würde (Fig. 27 b), wenn er nicht v i e l l e i c h t dicht am Sporangium durchs Präpariren abgerissen wäre; ob dieß der Fall war
oder nicht, konnte ich nicht entscheiden; aber ein Schnitt parallel der Blattfläche zeigte nie gestielte Sporangien. Die Gründe
weshalb ich diese Sporangien für eine 2. Fruchtart der *Peronosp.*
densa halte, werde ich ebenfalls später darlegen. Bei der *Pero-*

nospora densa fand ich jedoch noch eine dritte Fruchtart, die ebenfalls intramatrical ist ;auf denselben Fäden, welche die Sporangien trugen, safsen zwischen diesen hie und da in Gruppen von geringer Zahl kuglige, farblos-weifsliche Zellen (ganz wie in Fig. 31 und 32, welche jedoch *Peronosp. Umbelliferarum* angehören), deren Membran höchst undeutlich war, von bedeutender Gröfse $\frac{1}{17}-\frac{1}{21}$″ im Durchmesser, also mehr als doppelt so grofs, als die Sporangien. Sie enthielten eine grofse Zahl, wohl über 100, sehr kleiner Zellen, welche farblos-weifslich, stark lichtbrechend, eiförmig, elliptisch, cylindrich, gerade oder gekrümmt, $\frac{1}{169}-\frac{1}{156}$″ par. duod. lang, ohne Molekularbewegung und ohne Kern waren, (ganz wie in Fig. 32 a, welche jedoch der *Peronosp. Umbelliferarum* angehören). Durch den Schnitt waren viele dieser kleinen Zellchen, die ich als Sporidien bezeichnen will, aus den grofsen, kugligen Mutterzellen, die ich mit dem Namen Sporidangien belege, herausgerissen. Ob die Sporidangien gestielt seien oder sitzend, bemühte ich mich ebenfalls vergebens sicher zu entscheiden. Der Parallelschnitt zur Blattfläche zeigte sie mir nie gestielt; präparirte ich sie heraus, so fand ich öfters an einer Seite ein Stück Faden (wie Fig. 32 d), aber dieses für einen Stiel zu halten, war unsicher, denn der Faden konnte an der andern Seite (Fig. 32 c) abgerissen sein. Ich halte sie eher für sitzend, da ich für das Dasein eines Stiels keinen sicheren Beleg finden konnte. Die Sporidien in den Sporidangien sind ohne Zweifel gleichzeitig aus dem ganzen Inhalt der Mutterzelle gebildet, nicht durch successive Theilung. Als ich ein Präparat in Chlorchalcium machen wollte, platzten die Sporidangien auf, in Wasser dagegen und in Thwaites's fluid blieben sie ganz und ich bewahre sie darin als Präparat noch auf.

Am 5. Juli 1854 fand ich die Sporidangien von *Peronospora Umbelliferarum* Casp. var. *Aegopodii*, welche ganz ebenso sind, wie die von *Peronospora densa* (Fig. 31 und 32). Sie befanden sich im Blatt von *Aegopodium Podagraria* neben und unter den Rasen der *Peronosp. Umbelliferarum* in grau-schwarzen Flecken, wo der Pilz das Blattgewebe schon zerstört hatte. Ihr Durchmesser war $\frac{1}{65}-\frac{1}{86}$‴. Ich fand aber auch viel kleinere, die nicht einmal halb diesen Durchmesser hatten (Fig. 31), jedoch den grofsen sonst gleich waren; vielleicht waren es jüngere Zu-

stände der grofsen.   Die kleinsten Sporidien zeigten hier Molekularbewegung, die gröfsten nicht.

Ich habe noch nicht die Gründe für die Annahme dargelegt,
dafs die Sporangien und Sporidangien dem Mycelium der Peronosporen angehören.   Bei dem *Fusisporium melanochlorum* konnte
ich die Akrosporen auf derselben Art Faden, der sich in die Arthrosporen auflöst, aufsitzen sehn.   Hier jedoch bemühete ich mich
vergebens die beiden intramatricalen Früchte auf demselben Faden
mit den extramatricalen Stämmchen der *Peronospora*, welche
durch die engen Spaltöffnungen dringen, darüber sich etwas ver-
dicken und an der Verdickung sehr leicht abreifsen, aus dem braunen, zersetzten, fauligen Blattgewebe der *Hepatica*, des *Rhinanthus* und des *Aegopodium* heraus zu präpariren.   Die Schwierigkeiten, welche hier zu überwinden sind, sind so grofs, dafs es
nur Zufall sein könnte, wenn diefs gelänge.   Dafür, dafs die beiden beschriebenen intramatricalen Fruchtorgane der *Peronospora*
angehören, sprechen jedoch so starke Gründe, dafs kein Zweifel
darüber stattfinden kann.   Denn e r s t e n s befindet sich das Mycelium, dem die beiden intramatricalen Früchte aufsitzen, in derselben Nährpflanze und in demselben Blatt unmittelbar unter und
neben den Rasen der extramatricalen Stämmchen der *Peronospora*
und es ist nicht das mindeste Anzeichen da, dafs das Mycelium
beider verschieden sei.   Z w e i t e n s ist die Substanz, woraus die
inneren Schichten des Sporangiums und die Membran der Spore
im Blatt der *Hepatica* bestehn, die gewöhnliche durch Jod und
Schwefelsäure schön blau werdende Cellulosemodification, die sich
sonst äufserst selten bei den Pilzen findet, woraus auch die freien
Stämmchen aller von mir untersuchten Arten der Gattung *Peronospora* bestehn.   Schon 1852 fand ich bei *Peronospora devastatrix* Casp. (*Botrytis infestans* Mont.) und *Peron. Umbelliferarum*
Casp. var. *Chaerophylli* (vergl. de Bary Brandpilze, p. 23), dafs die
Akrosporen tragenden Stämmchen aus der durch Jod und Schwefelsäure blau werdenden Cellulosemodification bestehn; später fand
ich diefs auch bei allen andern Arten der Gattung *Peronospora*,
die ich untersuchen konnte, bei: *Peron. Alsinearum* Casp., *parasitica* Tul., *effusa* Rabenh., (Botan. Zeitg. 1854 p. 565 als *Peron.
Chenopodii*), *densa* Rabenh., *Hepaticae*, *conferta* Ung., so dafs
die ganze Gattung *Peronospora* diese merkwürdige, ausgezeich-

nete Eigenschaft aus der gewöhnlichen, in den meisten übrigen Pflanzenklassen vorkommenden Cellulose zu bestehn, zu besitzen scheint. Es sind mir nur noch 3 Pilze bekannt, zu drei verschiedenen Gattungen gehörig, in welchen sich aufser der Gattung Peronospora ebenfalls die gewöhnliche Cellulose findet, abgesehen von *Protomyces macrosporus* Ung., der sie auch besitzt, über den ich später noch besonders sprechen werde. De Bary fand nämlich, dafs *Cystopus candidus* Lev., eine Art *Anthina* (De Bary l. c. p. 23) und *Rhizopus nigricans* (Botan. Zeitg. 1854 p. 565) auch durch Jod und Schwefelsäure gebläut werden. Jedoch habe ich bei *Cystopus candidus*, den ich auf 10 verschiedenen Nährpflanzen untersuchte, nur stets ein schmutziges Braunviolett gesehn, nicht das reine, schöne, helle Blau, was sich bei *Peronospora* zeigt. Schacht (Pflanzenzelle p. 140) fand in einem unbestimmten Fadenpilz Amyloid, da er durch blofses Jod blau wurde. Man kann unter solchen Umständen wohl in der gemeinsamen, seltenen Eigenschaft der freien Peronosporenstämmchen und der Sporangien im Blattgewebe, dafs sie aus gewöhnlicher Cellulose bestehn, einen Beleg dafür sehen, dafs beide einem Pilz angehören. Drittens finden sich die Sporangien und Sporidangien zu einer Zeit, wenn die freien Stämmchen der *Peronospora* dem Ende ihrer Vegetation sich nähern, fast stets unter und neben diesen und zwar nicht blofs bei einer Nährpflanze und einer Art *Peronospora*, sondern bei verschiedenen Nährpflanzen und mehreren Arten von *Peronospora*.

Obgleich ich nach den Sporangien der *Peronospora Umbelliferarum* var. *Aegopodii* auf zahlreichen Exemplaren von mehreren Standorten unter und neben den Rasen der *Peronospora* suchte, konnte ich sie doch hier nicht finden. Aber es drängte sich mir der Gedanke auf, dafs *Protomyces macrosporus* Ung., welcher häufig auf den Blattstielen von *Aegopodium Podagraria* und der Blattfläche an den Nerven im Thiergarten und im Park von Friedrichsfelde bei Berlin vorkommt, der Sporangien tragende Zustand der *Peronospora Umbellifer.* var. *Aegopodii* sei, obgleich ich beide bisher nie auf ein und demselben Exemplare des *Aegopodii* fand. Ich untersuchte den *Protromyces macrosporus* sorgfältig und fand ihn so sehr dem Sporangien tragenden Mycelium der

Peronospora Hepaticae und *densa* ähnlich, dafs ich die oben ausgesprochene Vermuthung höchst wahrscheinlich finden mufs, und es mir scheint, dafs er mit den Sporangien systematisch in eine Gattung zu stellen ist. Die Untersuchnng des *Protomyces macrosporus* von De Bary (Brandpilze p. 15 ff.) kann ich bestätigen. Beim *Protomyces macrosporus* ist auch eine Spore in ein Sporangium eingeschlossen, dessen Bau ganz der der Sporangien von *Peronospora Hepaticae* und *densa* ist, wie ich ihn eben beschrieben habe; auch sind die Sporangien des *Prot. macr.* licht bräunlich und ungefähr so grofs, wie die der *Peron. Hep.* und *densa*, nemlich $\frac{1}{55}-\frac{1}{57}'''$ im Durchmesser (Fig. 34—37); sie sind ungestielt und bilden sich in Erweiterungen des fadenartigen Myceliums (Fig. 33); dazu kommt noch, dafs sowohl dieses als die Sporangien, wie De Bary zuerst fand, aus der gewöhnlichen Cellulosemodification bestehn, die durch Jod und Schwefelsäure violett wird (Fig. 33), wie die Stämmchen und Sporangien der Peronosporen, was auch auf eine Zusammengehörigkeit beider zu deuten scheint. Jedoch ist das Mycelium von *Prot. macr.* deutlich septirt, was ich bisher nicht bei dem Mycelium der Peronospora-Arten bemerkt habe; ein vegetativer Unterschied, der, wenn er sich bestätigte, jedenfalls nicht wesentlich ist.

Vergebens suchte ich bei *Peronospora effusa* nach Sporangien und Sporidangien, obgleich Tulasne die Sporangien gefunden hat.

Vergebens habe ich auch bei *Peronospora devastatrix* Casp., die ich wie Morren, Montagne, Berkeley, A. Braun, Tulasne nach mehrjährigen Untersuchungen, welche ich anderwegen darlegen werde, als Ursache der Kartoffelkrankheit betrachte, nach den beiden intramatricalen Früchten gesucht. Wahrscheinlich ist die Sporangienfrucht übrigens längst als *Artotrogus hydnocarpus* Montagne von Montagne (Journ. hort. soc. Lond. 1846 I. p. 33. t. IV. fig. 27—29) beschrieben und abgebildet worden, eine Ansicht, auf die ich selbst gefallen war, noch ehe Berkeley sie aussprach (Gardn. chron. 1854 p. 724). *Artorogus hydnocarpus* ist bisher nur von Dr. Rayer in Paris in keimenden Kartoffelknollen gefunden. Indem ich jedoch nach der intramatricalen Frucht der *Peronospora devastatrix* auf den

Stellen des Kartoffelkrauts, welche die *Peron.* einnahm oder eingenommen hatte, suchte, meinte ich für eine kurze Zeit die Sporidangien gefunden zu haben, indem ich durch eine ganz eigenthümliche Art Zellen, die ich im Blatt von *Solanum tuberosum, Maglia* und *utile-tuberosum* Klotzsch, antraf, getäuscht wurde. Diese Zellen sitzen in der lockeren Chlorophyllschicht der untern Blattseite einzeln, sind elliptisch, doppelt so grofs an Durchmesser als die Chlorophyllzellen, $\frac{1}{78}-\frac{1}{66}'''$ breit und $\frac{1}{45}-\frac{1}{57}'''$ lang und ganz mit weifslich-farblosen Körnchen erfüllt, ohne Spur von Chlorophyll. Eine solche Zelle ist Fig. 19, a dargestellt. Jod färbte den Inhalt fast gar nicht, Kali schwach bräunlich-grau, verdünnte Schwefelsäure löste die Körnchen bald auf. Diese Zellen haben das Auffallende, dafs sie auch in den braunen, zersetzten oder vertrockneten Stellen des Blatts, welche die *Peronospora* zerstört hat, wo ich sie auch zuerst fand, allein von allen Gewebstheilen ganz wohl erhalten sind und selbst wenn das Blatt durch Fäulnifs sonst zu Grunde gegangen ist, der Fäulnifs allein widerstanden haben.

Statt des von Tulasne gebrauchten, von Fries herrührenden Ausdrucks Conidien, habe ich das Wort Akrosporen angewandt, da es durch seine Etymologie zugleich den Ort der Entstehung der extramatricalen Frucht angiebt, was der Ausdruck „Conidien" nicht thut.

Organe die den Sporidangien von *Peronospora* analog und mit demselben Namen zu belegen sind, kommen, so viel ich weifs, auch bei *Oidium (Erysiphe)* und *Nectria* vor[*]. In der Gattung *Oidium* fand sie zuerst Plomley schon Anfang 1851 bei dem *Oidium* des Hopfens (Berkeley Gard. chron. 1851 p. 467. Journ. hort. soc. Lond. 1854 p. 62); dann entdeckte sie Cesati (Klotzsch herb. mycol. 1851 Nro. 1669) beim *Oidium Tuckeri* und hielt sie für die Frucht eines andern Pilzes, den er *Ampelomyces quisqualis* nannte. Später sind die Sporidangien des

---

[*] Ob *Antennaria* Reichenb. und *Capnodium* Montg. verschiedene Fruchtzustände desselben Pilzes sind, wie Berkeley geneigt ist anzunehmen (Gardn. chron. 1851 p. 563. Journ. hort. soc. Lond. 1854 IX. p. 66. vergl. auch l. c. 1849 IV. p. 253), ist noch genauer zu untersuchen, wie auch, wenn sich Berkeley's Vermuthung bestätigte, ob die Frucht von *Antennaria* ein Sporidangium ist.

Oid. Tuck. von Amici (l. c.) genauer beschrieben und von Ehrenberg *Cicinobolus Florentinus* (Botan. Zeitg. 1853 p. 16) genannt.
Von Riefs (Hedwigia 1853 p. 23) sind sie bei *Erysiphe lam-
procarpa* mit dem Namen *Byssocystis textilis* belegt. Tulasne
(Botan. Zeitg. 1853 p. 257. Compt. rend. XXXVII. 17. Octbr.
1853), Berkeley (Journ. hort. soc. Lond. 1854 p. 61), v. Mohl
(Botan. Zeitg. 1854 p. 137) haben sie sorgfältig untersucht.
Bei *Nectria inaurata* Berk. et Broome fand sie Berkeley (Gardn.
chron. 1854 p. 470). Bei aller Verschiedenheit der Sgoridan-
gien der 3 Gattungen *Oidium* (*Erysiphe*), *Nectria* und *Peronospora* ist diefs das Gemeinsame, dafs sie aus einer Zelle bestehn, in der sich der ganze Inhalt in sehr viele kleine Zellchen, die Spordien, und zwar höchst wahrscheinlich gleichzeitig (wenigstens bei *Peronospora* und *Erysiphe* — die Sporidangien von *Nectria* kenne ich nicht —) nicht durch successive
Theilung umwandelt. Jedenfalls werden in den Sporidangien
die Sporidien nicht als akrogene Produkte auf den Enden von
Fäden, wie die Stilosporen (Tul.) erzeugt. Tulasne bezeichnet
die Sporidangien des *Oidium* mit dem Namen Pycnidien und
Berkeley folgt ihm darin. Diesen Ausdruck (pycnidis, is oder
pycnodis, itis) hatte Tulasne zuerst in seiner vorzüglichen Arbeit über die Flechten (1852 p. 108) gebraucht, um bei *Scutula* ein Organ damit zu bezeichnen, welches in seinem Bau
von dem, was ich Sporidangium nenne, durchaus abweicht.
Später wiefs Tulasne auch bei vielen Pilzen Pycnidien nach
(Botan. Zeitg. 1853 p. 53 ff.). Die Pycnidie ist bei *Scutula*
nach Tulasne's eigener Untersuchung ein fast kugliger, etwas
abgeplatteter, innen gehöhlter, oben sich öffnender Körper,
dessen dicke Wand aus zahlreichen Zelllagen besteht und innen
auf kurzen Stielchen akrogene Sporen (Stilosporen Tul.) trägt.
Dies Organ ist nach seinem Bau und sicher auch nach Entstehung von den Sporidangien der oben genannten 3 Pilzgattungen
so verschieden, dafs zwischen ihnen kaum eine Analogie statt
findet und beide mit gemeinsamem Namen nicht bezeichnet
werden können.

Als Corda (Icon. fung. 1837 I. p. 20) die Gattung *Peronospora* von *Botrytis* abtrennte, stellte er als Unterschied nur
ein vegetatives Merkmal von geringem Werth auf, nämlich,

daſs die freien Stämmchen der Gattung *Peronospora* keine Querwände haben. Ich habe in der That nie eine Querwand bei
irgend einer Species in den freien Stämmchen gesehn, obgleich
ich seit etwa 3 Jahren die Gattung *Peronospora* vorzugsweise
untersucht habe. Eine isolirte, quere Anhäufung von den fes-
teren Theilen des Iuhalts des Fadens kann leicht als Querwand
irrthümlich gedeutet werden, aber ein Reagens, z. B. Jod
allein, oder in Verbindung mit verdünnter Schwefelsäure wird
eine solche leicht von der Wand abtrennen und in ihrer wahren Natur zeigen. Wenn ein Ast eines Fadens auf den Stamm
desselben durchs Deckglas fest angedrückt wird, so erscheint
die Achsel desselben als Querlinie, die auch irrthümlich leicht
für eine Querwand gehalten werden kann. Auch im intramatricalen Mycelium habe ich Scheidewände nicht gesehn. Tulasne
macht jedoch eine Andeutung als hätte er Scheidewände bei
Peronospora hie und da beobachtet (Compt. rend. XXXVIII.
26. Juni 1854) und De Bary spricht von „septirten Peronosporaarten, wie *P. effusa*" (Botan. Zeitg. 1854 p. 430). Der
Ausdruck „septirte Peronosporaarten" besagt jedoch zu viel und
ist deſswegen unpassend, aber es mag als seltene Ausnahme
hie und da vielleicht eine Scheidewand sich finden; jedoch in
gröſserer Zahl und regelmäſsig treten diese gewiſs nicht auf.
Die Abbildung der *Per. parasitica* Tul. bei Corda (Icon. fung.
V. Taf. II. 18 fig. 2, 3, 4) mit 2—3 Querwänden in jedem
Faden, ist jedenfalls irrthümlich, ebenso die von *Peron. devastatrix* (*Botrytis infestans* Montg.) mit 7 Scheidewänden in einem Stämmchen von Montagne (bei Berkeley Journ. hort. soc.
Lond. I. 1846 Taf. 3 fig. 14). Die Gattung *Botrytis* wurde
von Micheli (Nova plant. genera 1729 p. 202 t. 91. fig. 1—4)
aufgestellt und 4 Specien davon beschrieben und abgebildet,
die heut zu Tage wohl schwerlich noch wieder zu erkennen
sind. Der erste typische Repräsentant der Gattung *Botrytis* ist
daher *Botytris parasitica*, eine Art, die Persoon 1796 (Observ.
mycol. p. 96) aufstellte und abbildete, und Sowerby (Coloured
figures of Engl. Fungi 1803 t. 359) als *Mucor Botrytis* ebenfalls beschrieb und abbildete. Es wäre daher wünschenswerth
gewesen, daſs der Name *Botrytis* den Pilzen, die Corda *Peronospora* nannte, verblieben und daſs die Gattung, welche er

Botrytis nannte, mit dem neuen Namen bezeichnet wäre. Sehen wir aber von diesem historischen Mifsstande ab, so ist die Gattung *Peronospora* durch ihre 3 Früchte, die bei *Botrytis* nicht vorzukommen scheinen, sehr wohl charakterisirt. Auch ist zu bemerken, dafs die Gattung *Botrytis* Corda, die bei Pilzen gewöhnliche, durch Jod und Schwefelsäure braun werdende Zellulosemodification hat und nicht, wie die Gattung *Peronospora*, aus der bei den übrigen Pflanzenklassen meist vorkommenden durch Jod und Schwefelsäure sich blau färbende Cellulose besteht. Ferner lebt die Gattung *Botrytis* auf faulenden Substanzen (aufser *Botrytis bassiana* und vielleicht *B. geminata* und *B. Lactucae* Unger botan. Zeitg. 1847. p. 316), während *Peronospora* nur lebende, gesunde Pflanzen befällt. Die beiden Gattungen sind also durch die Früchte, die chemische Beschaffenheit und die Lebensweise sehr wohl geschieden.

Es sei mir erlaubt die Gattuug *Peronospora* mit ihren von mir untersuchten Specien zu charakterisiren.

Peronospora Corda. l. c.

Botrytis Auct. ex parte. Monosporium Bonord. Handb. der allgem. Mykol. 1851. p. 95 ex parte.

Stipites extramatricales erecti, continui, non septati, versus apicem ramosi, mycelio ramoso intramatricali suffulti, per stomata fasciculatim erumpentes. Fructuum genera tria: 1) acrosporae ellipticae, subglobosae, ovatae, unicellulares, singulae in singulis stipitum intramatricalium ramellis obviae, contentu granuloso repletae, basi saepe rudimento stipitis instructae; 2) sporangia globosa, monospora, membrana crassa plus minus brunnea, mycelio intramatricali insidentia; 3) sporidangia globosa, membrana tenui, sporidiis ovatis, ellipticis, cylindricis, saepe curvatis, minimis, plurimis repleta, mycelio intramatricali insidentia. Fungi e cellulosa iodo et acido sulphurico violaceo colorata constantes, in plantis vivis et sanis parasitici.

Den *nucleolus*, welchen Corda in den Akrosporen von *Peron. macrocarpa* (Icon. fung. V. p. 52, Taf. II. Fig. 21) angiebt und zeichnet, habe ich nirgend gesehen. Die Akrosporen haben in derselben Art, ja in demselben Rasen, wenn sie abfallen, bald einen Rest des Astes an sich, der sie trug, bald nicht. Ich konnte nie eine Scheidewand, durch welche die Spore von dem Ast getrennt war, bemerken. Die Spore scheint an der Basis („Hilum" Corda) offen·zu sein; ich konnte hier keine durch zwei Linien begrenzte Membran entdecken. Bei der Keimung, die ich bei *Peronospora devastatrix* beobachtete, tritt der sich bildende Faden an der Basis der Spore aus. Die Zahl der Ordnungen der Äste und die Verzweigung des Stamms, ob dieser eigentliche Äste (*rami proprii*) hat, die dem Hauptstamm oder Zweig an Dicke und Richtung ungleich sind, oder ob er sich wiederholt in gleiche, an Richtung symmetrische Äste theilt, oder beides auf demselben Stamm zusammen vorkommt, scheinen constante Verhältnisse zu sein und bieten gute Abtheilungs- und Artenkennzeichen dar.

Trib. I. Stipitibus proprie ramosis.

1. *P. devastatrix* Casp.

Botrytis devastatrix Liebert in Organe des Flandres ante 30. Aug. 1845 secundum Duchartre Rev. bot. I 151. et Morren Ann. de la soc. roy. d'Agriculture et de botanique de Gand. 1845 p. 287.

Botrytis infestans Montagne in concilio Societ. philom. 30. Aug. 1845.

Botrytis fallax Desmaz. Ms. 1845, cf. Berkeley. Journ. soc. Lond. I 1846. p. 30.

Botrytis Solani Harting Ann. sc. nat. 1846 p. 44.

Peronospora trifurcata Unger Botan. Zeitg. 1847 p. 314.

Peronospora Fintelmannii Casp. Verhandlungen des Vereins zur Beförd. des Gartenb. in den Königl. Preufs. Staaten 1852 XXI p. 327.

Peronospora infestans Casp. Ms. 1852 Klotzsch Herbar. mycol. 1854. No. 1879.

Caespitibus laxis albidis; stipitibus liberis gracillimis, subflexuosis, $\frac{1}{8} - \frac{1}{4}'''$ altis, proprie ramosis, ramis tantum primi ordinis, numero 2—5, elongatis, attenuatis, plerumque semel—ter nodosoincrassatis. Acrosporis ovatis, apice saepe spiculatis, $\frac{1}{133} - \frac{1}{165}'''$ altis, $\frac{1}{183} - \frac{1}{75}'''$ longis, granulis pellucidis incoloratis farctis.

In foliis, caulibus, tuberibus, fructibus vivis et sanis Solani tuberosi, in foliis Solani utile-tuberosi Klotzsch, in foliis et caulibus Solani laciniati Ait., in foliis Solani Lycopersici (cl. Berkeley; Tulasne compt. rend. XXXIII 26. Juni 1854; et equidem), in fructibus Sol. Lycop. (Payen compt. rend. XXV p. 521; Gaudichaud compt. rend. XXV p. 824; Berkeley Journ. hort. Soc. Lond. 1848 p. 268 et in litteris). In foliis Solani Magliae Molin. (cl. Klotzsch). In foliis Anthocercis viscosae (cl. Berkeley in litt.), Solani etuberosi, stoloniferi, verrucosi (Tulasne l. c.).

Cum cl. Berkeleyo suspicor Artotrogum hydnocarpum Montg. (l. c.) esse statum Peronosporae devast. sporangia gerentem.

Parenchyma folii Solani tuberosi illis in locis, quos Per. dev. adoritur, *primo tempore, praesertim primis diei horis, viride* (adeo in speciminibus exsiccatis herbarii mei) nec putridum, tum a fungo destructum brunnescit et Per. dev. ad marginem maculae brunneae rotundatae in parte folii viridi et sana ulterius progreditur vel tempore arido evanescit.

Fungillo nomen primo a cl. *Liberta* datum restitui, ut fas est.

Trib. II *Ramis ordinum inferiorum propriis, superiorum dichotome divisis.*

2. *P. parasitica.* Tul. compt. rend. XXXVIII 26. Jun. 1854.

Botrytis parasitica Pers. Obser. myc. 1769 I. p. 96. t. V. fig. 6, a—b.

Botrytis agaricina Johnston Fl. Berwick-upon-Tweed 1821. II. 212.

Mucor Botrytis Sowerby Engl. Fung. 1803. p. 359.

Botrytis ramulosa Link. Obs. 1800. I, 12.

Botrytis nivea Mart. Erl. 1817. p. 342.

Monosporium niveum Bonord. Allg. Myk p. 93, fig. 125.

Caespitibus albis, stipitibus liberis $\frac{1}{17} - \frac{1}{16}'''$ altis, rectis, mediocre crassis, ramosis, ordinibus ramorum tribus-quinque, ramis in apice stipitis remotiusculis, ramellis ordinis penultimi dichotome divisis, ordinis ultimi numero 12—16, arcuatis, longitudine ramellos penultimi ordinis superantibus, tenuissimis. Acrosporis ellipticis, $\frac{1}{163} - \frac{1}{136}'''$ latis, $\frac{1}{109} - \frac{1}{94}'''$ longis, granulis albidis repletis.

In caulibus, foliis, fructibus Cruciferarum e. g. Capsellae Bursae Pastoris, Camelinae sativae, Erophilae vulgaris. Tulasne sporangias vidit; veresimiliter etiam Broome in Brassica Rapa (Garden. chron. 1854 p. 724).

3. *P. conferta* Unger Botan. Zeitg. 1747 p. 314. Taf. VI. fig 7.

Caespitibus laxis, in statu vigenti cinerascentibus, demum albidescentibus, stipitibus liberis basi subflexuosis, gracilibus, $\frac{1}{4}$—$\frac{1}{3}$''' altis, ramosis, ordinibus ramorum 3—5, ramis in parte superiori stipitis remotis, ramellis ordinis penultimi dichotome divisis, ordinis ultimi rectis vel subarcuatis. Acrosporis elliptico-ovatis, $\frac{1}{151}$ — $\frac{1}{127}$''' latis, $\frac{1}{106}$ — $\frac{1}{100}$''' longis, granulis cinerascentibus farctis.

In caulibus et foliis *Holostei umbellati* ab amic. A. Braunio 28. April 1855 prope Schöneberg lecta. Unger eam se invenisse refert in foliis *Cerastii vulgati, Phyteumatis betonicaefolii, Cardaminis hirsutae, Sisymbrii impatientis* et caespites albidos esse dicit, tamen, quamquam *Peronospora* illa in *Holost. Umbell.* lecta evidenter cinerascit, eandem plantam ac Ungerianam esse censeo, quam Unger fortasse tantum statu viginti iam praeterlapso vidit. Ceterum planta Ungeriana ramosior, humilior et robustior (ex icone cl. Ungeri).

4. *P. densa* Rabenh. Klotzschii herb. mycol. 1851. Nr. 1572.

Caespitibus densis, niveis, stipitibus liberis gracilibus, basi subflexuosis, $\frac{1}{18}$—$\frac{1}{9}$''' altis, ramis in apice stipitum confertis, omnibus brevissimis rectis, ordinibus ramorum duobus—tribus, ramellis penultimi ordinis dichotome divisis, ultimi ordinis numero 6—14, subulatis. Acrosporis ellipticis vel subglobosis, $\frac{1}{181}$— $\frac{1}{144}$''' latis, $\frac{1}{147}$ — $\frac{1}{116}$''' longis, granulis griseis farctis. Sporangiis pallide brunneis, laevibus, mycelio filamentoso, irregulariter ramoso insidentibus, sessilibus (?), $\frac{1}{64}$—$\frac{1}{65}$''' diametro. Spora inclusa membrana tenui, laevi, granulis griseis repleta, nucleo centrali. Sporidangia mycelio insidentia, globosa, inter sporangia obvia, $\frac{1}{61}$—$\frac{1}{85}$''' diametro, membrana male distincta, sporidiis plerumque immobilibus, $\frac{1}{769}$ — $\frac{1}{526}$''' longis.

In foliis, bracteis, calicibus *Rhinanthi minoris* ad Neuendorf pr. Berol. 2. d. Julii 1854 legi.

5. *P. Umbelliferarum* Casp.

Caespitibus albis vel albescentibus, stipitibus liberis gracilibus, subrectis, $\frac{1}{7} - \frac{1}{3}'''$ altis, ordinibus ramorum uno—quatuor, ramellis omnibus rectis, vel ultimi ordinis rarius paululum cur'vatis, numero 4—28, penultimi ordinis dichotome, rarius trifurcatim, divisis. Acrosporis elliptico-subglobosis, $\frac{1}{173} - \frac{1}{121}'''$ latis, $\frac{1}{149} - \frac{1}{91}'''$ longis. Sporidangia ut in *Peron. densa*, $\frac{1}{85} - \frac{1}{84}'''$ diametro. Variat:

α) *Conii*, forma minor, stipitibus $\frac{1}{17} - \frac{1}{11}'''$ altis, ordinibus ramorum 1—2, ramellis ultimi ordinis brevissimis, subulatis, rectis; acrosporis maioribus. In foliis *Conii maculati* in Klotzsch. herb. myc.

P. macrocarpa Rabenh. (non Corda) in Klotzschii herb. mycol. 1850. Nr. 1172.

β) *Angelicae*, forma maior, stipitibus $\frac{1}{13} - \frac{1}{7}'''$ altis, ordinibus ramorum 2—4, ramellis ultimi ordinis longioribus, paululum curvatis; acrosporis maioribus. — In foliis *Angelicae sylvestris* ad Carlsruhe ab A. Braun lecta.

γ) *Chaerophylli*, ut antecedens, ramellis ordinis ultimi rectis. — In foliis *Chaerophylli sylvestr.* pr. *Friburgiam* Brisg. ab A. Braun lecta.

δ) *Aegopodii*, forma maior, stipitibus $\frac{1}{6} - \frac{1}{5}'''$ altis, ordinibus ramorum 2—3, ramellis ultimi ordinis rectis, brevissimis, acrosporis maioribus, $\frac{1}{175} - \frac{1}{142}'''$ latis, $\frac{1}{149} - \frac{1}{123}'''$ longis. — In foliis *Aegop. Podagr.* in sylvis frondosis pr. Berolinum. *Protomycen macrosporum* Ung., quem Unger etiam in *Heracleo Sphondilio* legit, *Peronosporae Umbelliferarum* statum sporangia gerentem suspicor.

Num *Per. nivea* Ung. (Botan. Zeitg. 1847. p. 314) huc referenda, nescio; species veresimiliter cum aliis confusa, nam Unger eam in 9 plantis 7 familiarum se invenisse refert. Num *Per. macrospora* Ung. synonyma sit, dubito, quod Unger acrosporas elongato-pyriformes esse describit. Berkeley (Gardn. chron. 1853 p. 531) *P. macrosporam* Ung. in foliis *Pastinacae* sativae se invenisse commemorat et icone illustrat, quae planta mea non esse videtur. *Peron. macrocarpa* Corda valde differt et in foliis *Anemones nemorosae* et *ranunculoidis* nec *Umbelliferarum* lecta est.

6. *P. Hepaticae* Casp.

Caespitibus laxis, albis, stipitibus liberis crassis, $\frac{1}{16}-\frac{1}{10}'''$ altis, rectissimis, ramosis, ordinibus ramorum 2—3, ramellis ultimi ordinis 4—20, ramis primi ordinis remotis, penultimi ordinis dichotomis, ultimi ordinis brevissimis, subulatis. Acrosporis ellipticis $\frac{1}{102}-\frac{1}{100}'''$ longis, $\frac{1}{131}-\frac{1}{120}'''$ latis. Sporangiis $\frac{1}{53}-\frac{1}{39}'''$ diametro, ut sporis, laevibus, ceterum ut sporangia *Per. densae.*

Iu foliis *Hepaticae trilobae* m. Maii 1854 in h. bot. Berol. *Per. pygmaea* Unger (l. c. p. 315 t. VI. fig. 8) ab Ungero in foliis *Anemones Hep.* lecta, at descriptio et icon meam plantam non representant *).

III. Trib. Stipitibus dichotome divisis.

7. *P. effusa* Rabenh. in Klotzsch. herb. mycol. 1854. Nr. 1880.

Botrytis effusa Greville Fl. Edinensis 1824 p. 468. Desmazières Ann. sc. nat. 1837 Ser. II. tom. VIII. p. 5 t. I. fig. 1.

Botrytis farinosa Fries Syn. 1832 III. p. 404. Klotzsch herb. myc. no. 264.

Peronospora Chenopodii ⎫ v. Schlechtendal Botan. Zeitg.
Monosporium Chenop. ⎬ 1852 p. 619 und Klotzsch. herb.
myc. 1853 no. 1776.

Peronospora Chenopodii Casp. Botan. Zeitg. 1854. p. 565.

Caespitibus in statu vigenti violaceo-griseis, siccis cinereis, stipitibus liberis tenuibus, bis—septies dichotome ramosis, $\frac{1}{5}-\frac{1}{3}'''$ altis, ramellis brevibus, ultimorum ordinum arcuatis. Acrosporis ellipticis, granulis griseis repletis.

α) *maior* stipitibus $\frac{1}{5}-\frac{1}{3}'''$ longis, quinquies—septies dichotome divisis, ramellis ultimi ordinis arcuatim retroflexis. Acrosporis $\frac{1}{58}-\frac{1}{70}'''$ longis, $\frac{1}{131}-\frac{1}{125}'''$ latis. — In foliis *Chenopodii albi* pr. Berol. legi, in foliis *Chenop. hybridi* in Klotzschii herb.

---

*) Ich lebte der Hoffnung durch das Wiedererscheinen der *Peronospora Hepaticae*, welche ich voriges Jahr Ende Mai fand, in den Stand gesetzt zu sein, diesen Pilz von Neuem untersuchen zu können. Allein auf der Einfassung zweier nicht kleiner Beete, die aus *Hepatica triloba* besteht, ist in diesem Jahre (bis zum 18. Juni) auch nicht eine Spur des Pilzes zu finden, obgleich im vorigen nur wenige Blätter davon frei waren.

myc. no. 1776; in foliis *Spinaciae spinosae* (Desmazières l. c. ex icone).

β) *minor* stipitibus bis—quater dichotome ramosis, ramellis ultimi ordinis paululum tantum curvatis, non arcuatim retroflexis. Acrosporis $\frac{1}{90}$—$\frac{1}{61}'''$ longis, $\frac{1}{129}$—$\frac{1}{90}'''$ latis. — In foliis *Atriplicis patulae* L. pr. Berolinum legi.

Tulasne (Comp. rend. XXXVIII. 26. m. Junii 1854) sporangia membrana celluloso-reticulata invenit.

8. *P. Alsinearum* Casp.

P. conferta Klotzschii herb. myc. 1854 no. 1878 non Ung.

Caespitibus albidis, stipitibus gracilibus, subrectis, quater—sexies dichotome ramosis, $\frac{1}{7}$—$\frac{1}{4}'''$ altis, ramellis ultimi ordinis vel ultimorum ordinum curvatis, ultimi ordinis admodum elongatis. Acrosporis elliptico-ovatis, granulis albido-griseis repletis $\frac{1}{117}$—$\frac{1}{102}'''$ latis, $\frac{1}{8}$—$\frac{1}{16}'''$ longis.

In foliis, calicibusque *Stellariae mediae* m. Novembr. 1853 pr. Berolinum legi et A. Braun m. Maii 1854 in foliis *Spergulae Morisonii* invenit. Ramellis uncinatis a *Botryte Arenariae* Berk. (Journ. hort. soc. Lond. 1846 I. p. 31) recedit. *Peron. conferta* Ung. ramos proprios nec dichotomos habet. Colore ab antecedenti differt.

Species generis *Peronosporae*, quas vel tantum in statu manco vel non vidi:

> *P. ganglioniformis* Tul. Compt. rend. XXXVIII. 26. m. Junii 1854. (*Botrytis gangl.* Berkl.)
>
> *P. Arenariae* Tul. l. c. (*Botrytis Aren.* Berkl.)
>
> *P. Viciae* (*Botrytis Viciae* Berkl. Journ. hort. soc. Lond. 1846 I. p. 31).
>
> *P. arborescens* (*Botrytis arb.* Berkl. l. c.)
>
> *P. Papaveris* Tul. l. c.
>
> *P. Dipsaci* Tul. l. c.
>
> *P. Ficariae* Tal. l. c.
>
> *P. Conii* Tul. l. c.
>
> *P. Urticae* (*Botrytis Urt.* Liebert).
>
> *P. nivea* Unger l. c.
>
> *P. macrospora* Ung. l. c. Berkl. Gard. chron. 1853 p. 531 cum icone.

P. pygmaea Ung. l. c.

P. grisea Ung. l. c.

P. Schleideni Ung. l. c.

P. Rumicis Corda Icon. fung. I. 20 tab. V. fig. 273. (*Monosporium Rumicis* Bonord. Allg. Myk. 95).

P. macrocarpa Corda l. c. V. p. 52 tab. II. fig. 21 (*Monosporium macroc.* Bonord. l. c.)

P. viticola (*Botrytis viticola* Berkl. et Curtis).

P. Pepli Durieu de la Maisonneuve (Notes sur quelques plantes de la Flore de la Gironde 1854 p. 13 sine descriptione).

Erklärung der Figuren.

Fusisporium melanochlorum.

Fig. 1—17.

1. Durchschnitt eines Rasens in natürlicher Größe.

2. Spitze eines schwärzlich-karmoisinrothen Fadens mit vielen Kernen.

3. Spitze eines schwarzgrünlichen Fadens mit wenigen Kernen.

4. Spitze eines ungefärbten Fadens mit einigen grünlichen Kernen.

5. Basis eines Fadens, welche Arthrosporen zu bilden anfängt.

6. Faden der schon ganz in rosenkranzartige Reihen von Arthrosporen umgebildet ist.

7. Arthrosporen; a mit einem Kern; b, c, d mit 2; e mit 3; b, c, d, e zeigen die ersten Stufen der Keimung.

8. Arthrosporen, welche keimen, mit 2 Zellen.

9. Keimende Arthrospore mit 3 Zellen.

10. Akrospore mit grünlichen, zahlreichen ölartigen Kügelchen als Zellinhalt; sie sitzt auf einem schwach schmutzig-karmoisinrothen Faden, mit vielen grünlichen Kernen, auf. Ihre Membran ist auch schwach karmoisin gefärbt.

11. Akrospore mit schwach karmoisinrother Membran und viel größeren, grünlichen, ölartigen Kugelchen, als die der vorigen.

12. 13. Akrosporen mit 6 und 4 Zellen; Membran ungefärbt; in 12 der Inhalt kleiner, in 13 der Inhalt sehr große grüne Kügelchen.

14. 1, 2 und 3 zellige Akrosporen.

15. Spitze eines ungefärbten Fadens, dessen Basis B eiförmige oder kuglige Zellen nach Art der Arthrosporen zeigt.

16. Spitze eines ungefärbten Fadens mit jungen Akrosporen, die theils abgegliedert sind b, theils bloße Aussackungen a, a.

17. Keimende Akrosporen; in a, c, d keimen die Endzellen; in b eine mittlere. d bat nur 2 Zellen.

Fusisporium concors.

Fig. 18—21.

18. Theil eines Haars des Blatts von *Solanum tuberosum* L., über dessen
    Oberfläche der Pilz hinkriecht. b sehr junge Akrospore; a, a etwas
    ältere.

19. Durchschnitt des Blatts von *Sol. tuberosum* mit dem Pilz, wie er ein
    fadenartiges, intramatricales Mycelium zeigt, welches nach beiden Sei-
    ten aus den Spaltöffnungen des Blatts hervortritt; A die obere, B die
    untere Blattseite. a die p. 321 beschriebene eigenthümliche Zellenart
    im Inneren des Blatts einiger Solaneen. Den 27. Juli 1854 gezeichnet.

20. Durchschnitt des Blatts von *Sol. utiletuberosum* Klotzsch; das intra-
    matricale Mycelium des Pilzes ist in rosenkranzartige Arthrosporen
    umgewandelt. Das Gewebe des Blatts fängt an sich zu zersetzen, das
    Chlorophyll ist braun und unförmlich geworden. Ende August 1854
    gezeichnet.

21. Akrosporen; a, c 4-zellig; b, d, e einzellig.

Peronospora Hepaticae.

Fig. 22—26.

22. Intramatricales Mycelium mit den darauf aufsitzenden Sporangien, im
    Schnitt parallel der Blattfläche gesehn. a, a jüngere Sporangien, ohne
    warnehmbare Schichtung, aber mit Kern; b, b, b ältere Sporangien mit
    geschichteter Zellwand; die innerste Schicht, die künftige Membran
    der Spore, tritt deutlicher als die andern hervor: Inhalt grobkörnig und
    ohne Kern.

23. Sehr junges Sporangium, dessen ungefärbte Wand noch keine Schich-
    tung zeigt und dessen Inhalt farblose Körner sind; der Faden a tritt
    bei b wieder aus. Das Präparat war durch die Nadel aus dem Blatt-
    parenchym befreit.

24. Etwas älteres freigelegtes Sporangium, welches auch noch ungefärbt
    ist, aber schon gröfser als das vorige und mit einem centralen Kern.

25. Durch Jod und Schwefelsäure gefärbtes Sporangium mittleren Alters,
    die äufserste Schicht der Membran ist braun, wie der Inhalt, geworden;
    die mittleren und innersten Schichten sind schön blau, die innersten am
    Tiefsten.

26. Extramatricale Stämmchen der *Peronospora Hepaticae*; a ohne Akro-
    sporen und mit Ästen 2. Grades; b mit Akrosporen und Ästen 3. Grades.

Peronospora densa Rabenh.

Fig. 27.

27. Sporangium aus dem Blattgewebe herauspräparirt; d—e Faden des My-
    celiums, woran der Ast c sitzt, auf dem sich das Sporangium befindet,

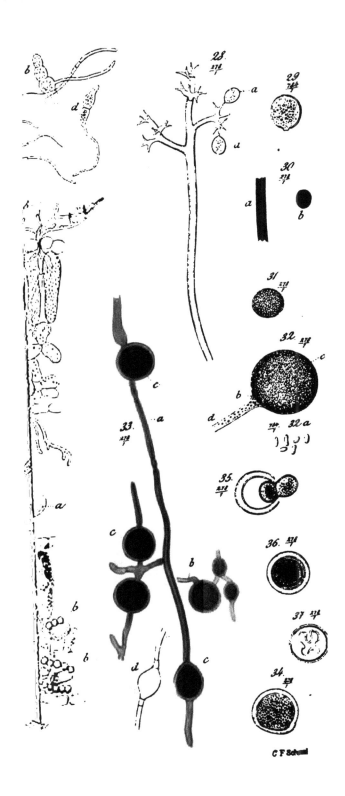

C F Schmid

dessen Spore gebräunt und mit einer deutlichen, doppelt begrenzten Membran umgeben ist. Scheinbar ist das Sporangium gestielt, aber der Faden c, welcher bei a dem Sporangium ansitzt, ist vielleicht abgerissen und würde bei b, wenn unverletzt, seine Fortsetzung zeigen.

Peronospora Umbelliferarum var. *Aegopodii.*

Fig. 28—32.

28. Extramatricaler Stamm mit meist leeren Ästen 1—4. Grades; a, a noch aufsitzende Sporen.
29. Spore; die dünne Stelle an der Basis, war der Anheftungspunkt.
30. Fadenstück a und Spore b durch Jod und Schwefelsäure schön blau gefärbt.
31. Kleines (wahrscheinlich jüngeres) Sporidangium.
32. Gröfseres Sporidangium mit Sporidien gefüllt und scheinbar mit einem Stiel d versehn; mit der Nadel aus dem Blattgewebe freigelegt. Aber es ist möglich, dafs das Sporidangium auf dem Faden d sitzend ist, und dieser sich über c hinaus fortsetzen würde, wenn er nicht am Sporidangium nach dieser Seite hin abgerissen wäre.
32 a. Sporidien. Sie haben keinen wahrnehmbaren Inhalt.

Protomyces macrosporus Ung.

Fig. 33—37.

33. Ein jüngerer Theil des Myceliums des Pilzes, aus dem Blatt von *Aegopodium Podagraria*, welches in einzelnen kurzen Gliedern des Fadens a, b, die kugligen Anschwellungen der Sporangien c, c, c zeigt und durch Jod und Schwefelsäure violett mit schwachem Stich ins Braune gefärbt ist d blofser Umrifs eines Sporangiums mit den angrenzenden Fadentheilen.
34. Älteres (reifes) Sporangium des Pilzes, mit deutlicher Membran der Spore, welche bräunliche Körner enthält.
35. Älteres Sporangium nach Kochen in Kali, Die eine Seite ist durch den Schnitt verletzt und hier tritt das Endosporium der Spore heraus, deren Exosporium noch im Sporangium zurückgeblieben ist.
36. Sporangium jüngeren Alters, in Kali gekocht, welches die Schichten der Membran sehr deutlich zeigt und einen mittleren Kern.
37. Sporangium mitten durchschnitten. Das Endosporium der Spore ist abgetrennt von dem Episporium und gefaltet.

24. Mai. Gesammtsitzung der Akademie.

Hr. H. Rose las über das Verhalten der verschiedenen Basen gegen Lösungen ammoniacalischer

**Salze und namentlich gegen die Lösung von Chlor-
ammonium.**

Durch eine Reihe von Untersuchungen hat sich der Verfasser überzeugt, daß durch kein Mittel so sicher die schwach-
oder stark-basische Eigenschaft der verschiedenen Metalloxyde erkannt werden kann, als durch die Behandlung derselben mit Lösungen geruchloser ammoniacalischer Salze, und namentlich mit
einer Salmiaklösung. Alle metallischen Basen von der atomistischen Zusammensetzung $2R + O$, und von $R + O$ zersetzen
die Lösung des Salmiaks, entwickeln daraus Ammoniak und lösen sich auf, wenn ihre Chlorverbindungen löslich im Wasser
sind. Selbst auch die Basen, welche zwar unstreitig von der
Zusammensetzung $R + O$ sind, aber doch schon zu den schwächeren gehören, und durch kohlensaure Baryterde, bisweilen
auch selbst durch Wasser aus den Lösungen ihrer Salze bei gewöhnlicher Temperatur ausgeschieden werden können, sind fähig
durchs Erhitzen mit einer Chlorammoniumlösung dieselbe zu zersetzen und sich aufzulösen.

Dagegen sind die Basen, von der Zusammensetzung $2R +
3O$ so wie die, welche noch mehr Sauerstoffatome enthalten
nicht im Stande selbst durch langes Kochen mit einer Salmiaklösung dieselbe zu zersetzen, so daß durch das Verhalten der
verschiedenen Oxyde gegen diese Lösung die atomistische Zusammensetzung der Basen am besten festgestellt werden kann.

Nur eine einzige Ausnahme hat dieses wie es scheint,
allgemein geltende Gesetz. Die Beryllerde kann nämlich die
Salmiaklösung zersetzen find sich auflösen. Aber von allen Basen von der Zusammensetzung $2R + 3O$ ist diese Base unstreitig die stärkste, so daß auch viele Chemiker ihr die Zusammensetzung $R + O$ geben. Nur die Übereinstimmung in der Krystallform der dem Feuer des Porcellanofens ausgesetzt gewesenen
Beryllerde mit der der Thonerde und das mit letzterer übereinstimmende Atomvolum, konnten den Verfasser früher bestimmen, der Beryllerde die Zusammensetzung $2Be + 3O$ zukommen zu lassen.

Übrigens verliert die Beryllerde die Eigenschaft, die Chlorammoniumlösung zu zersetzen, wenn sie vorher sehr stark erhitzt worden ist.

Hr. Braun theilte folgenden Aufsatz des Hrn. Dr. Ferdinand Cohn in Breslau über die Fortpflanzung von *Sphaeroplea annulina* mit.

Bis zum vorigen Jahre wird es wohl nur wenige Botaniker gegeben haben, welche an die Sexualität der Algen glaubten. Thurets Beobachtungen über die Antheridien der Fucaceen eröffneten allerdings eine neue Perspective, indem sie bei diesen Pflanzen die Befruchtung der zur Fortpflanzung bestimmten Sporen durch kleine, selbstbewegliche Spermatozoiden (Antherozoiden Thur.) zur Evidenz brachten; dennoch schien diese Entdeckung, so lange sie vereinzelt stand, eher die Fucaceen aus der Klasse der Algen zu entfernen, wie die schon früher bekannte Sexualität der Charen die Stellung dieser Pflanzen in vielen Systemen geändert hatte. Die Beobachtungen Pringsheims, welche im März d. J. der Akademie vorgelegt wurden, haben nachgewiesen, daß auch eine einzellige Alge unserer süßen Gewässer gesonderte Geschlechtsorgane besitze; Pr., indem er in den schon früher vorahnend als Antheridien bezeichneten Hörnchen der Vaucherien die Spermatozoiden entdeckte und ihr Eintreten in die Öffnung der Sporangiumzelle verfolgte, hat den Befruchtungsproceß in ausgezeichneter Weise constatirt und darauf die Vermuthung gegründet, daß auch bei allen übrigen Algen Geschlechtsverschiedenheit vorhanden sei, und daß die ruhenden Sporen, die echten Fortpflanzungsorgane dieser Pflanzen, überall durch Spermatozoiden befruchtet und erst dadurch zum Keimen befähigt würden. Die Entwicklungsgeschichte, deren kurzen Umriß ich im Folgenden darstellen will, giebt zwar nur eine neue Bestätigung dieses Satzes; da sie jedoch auf eine ganz unabhängige, fast gleichzeitige Untersuchung sich basirt und höchst merkwürdige Modificationen dieser Vorgänge uns enthüllt, so darf sie wohl noch auf ein besonderes Interesse Anspruch machen.

Sphaeroplea annulina Ag. ist eine der selteneren Süßwasseralgen, die nicht, wie die meisten dieser Pflanzen, überall und zu allen Zeiten, sondern nur in größeren Zwischenräumen und unter besonderen Verhältnissen beobachtet wird; sie besteht, wie alle Conferven, aus längeren oder kürzeren Zellen, die einreihig zu langen Fäden verbunden und durch eine eigenthümliche Anordnung des Chlorophylls characterisirt sind. Schon Hr. Ehrenberg bemerkte, daß sie bei Berlin ganze Flächen mit

rothem Überzuge bedecke und daher wohl zu Sagen von Blutregen Veranlassung geben könne. Bei Bremen, wo sie von
Trevíranus entdeckt wurde, ist sie an überschwemmten Stellen
gefunden worden. In Breslau fand ich dieselbe zum ersten Male
Ende October vorigen Jahres auf einem Kartoffelfelde, welches
durch die grofse Oderüberschwemmung in der letzten Woche
des August unter Wasser gesetzt worden war. Die *Sphaeroplea*
bedeckte das Feld, das nach dem Zurücktreten des Wassers wieder trocken gelegt war, als ein fast ununterbrochener Filz, der
auf der glätteren Oberseite schön mennig- oder zinnoberroth,
auf der Unterseite, wo er sich in die einzelnen Fäden zerfaserte,
grün war. Die rothe Farbe rührte von den Sporen her, mit
denen die Sphaeropleafäden vollgestopft waren; und zwar
fructifizirten nur diejenigen Fäden, die an der Oberfläche des
Filzes der Luft und dem Licht ausgesetzt waren; die der Erde
aufliegende Unterseite enthielt nur vegetative Fäden mit ihrer
normalen grünen Farbe.

Der Bau der Sphaeropleasporen ist sehr eigenthüm-
lich; es sind rothe Kugeln, gewöhnlich von $\frac{1}{125}$ — $\frac{1}{100}$''' Durchmesser, von zwei glasshellen Membranen umgeben, von denen
die innere dem Inhalt dicht anliegt, die äufsere dagegen weiter
absteht und zierlich gefaltet ist. Gewöhnlich werden die Sphaeropleasporen als sternförmig bezeichnet; Kützing giebt dagegen
an, dafs dieselben von Spiralbändern umkreist sind. Beide Behauptungen sind gewissermafsen im Rechte; es kommt auf die Lage der
Sporen an, um sie als vielstrahlige Sterne oder als längsgestreifte,
glattrandige Kugeln zu sehen. Die äufsere Haut der Spore ist nämlich so gefaltet, dafs die Falten in den beiden Polen der Kugel
nach Art von Meridianen zusammenstofsen. Schaut man daher
auf den Pol einer Spore, so sieht man die Falten nach Art einer
Halskrause in scharfgebrochenem Zickzack die Kugel umranden;
blickt man auf den Äquator der Spore, so dafs die Achse derselben parallel dem Objectglase liegt, so kann man die Falten in
ihrem ganzen Verlauf als Längslinien verfolgen. Bei vielen, namentlich den grofsen Sporen, ist die Faltung der äufseren Haut
sehr unregelmäfsig und bildet blos warzenartige Erhöhungen
ohne bestimmte Ordnung. Schwefelsäure bewirkt eine Ausdehnung dieser Haut, zerstört sie aber nicht; Jod und Schwefelsäure
färben sie schön gelb.

Der Inhalt der Sporen besteht aus gröſseren Stärkekörnchen und Protoplasma, welches durch einen eigenthümlichen Farbestoff schön zinnoberroth gefärbt ist; sie enthalten nämlich ein rothes Öl, welches zu dem Chlorophyll in engster Beziehung steht und ebensogut aus diesem hervorgeht, wie umgekehrt sich in dasselbe umbildet. In normalem Zustande ist dieses Öl nach Art einer Emulsion so fein im farblosen Plasma vertheilt, daſs es unendlich kleinen, rothen Kügelchen gleicht, die mit den sogenannten Protoplasmakörnchen verwechselt werden könnten; man überzeugt sich jedoch von seiner Fettnatur, wenn die Sporen absterben oder durch chemische Reagentien getödtet werden, worauf die rothen Kügelchen zu groſsen mennigrothen Tropfen zusammenflieſsen, die das Licht stark brechen, in Äther sich lösen, durch Jod bläulich-grün, durch Schwefelsäure bei etwas längerer Einwirkung blau gefärbt werden; letztere Reaction gleicht ganz der von Schwefelsäure auf Chlorophyll; es ist daher nicht unwahrscheinlich, daſs durch die Säure das Öl in das verwandte Chlorophyll umgesetzt werde. Bleibt die Schwefelsäure lange mit den Sporen in Berührung, so werden diese entfärbt; dasselbe geschieht auch durch Einwirkung des Lichtes auf die abgestorbenen Sporen. Der rothe Farbestoff der Sphaeropleasporen ist verschieden von dem Erythrophyll der Blätter und Blüthen, dagegen findet er sich wieder in den Sporen von *Bulbochaete*, wie Pringsheim zeigte, bei *Protococcus nivalis* und *pluvialis*, *Chroolepus Jolithus* und vielen anderen Algen, auch bei *Euglena sanguinea*; überall geht er im Laufe der Entwicklung in grünes Chlorophyll über, und umgekehrt. In auffallender Weise ähneln die Sphaeropleasporen den rothen, sternförmigen Fortpflanzungskörpern, welche Hr. Ehrenberg bei der Gattung *Volvox* (*V. stellatus*) nachgewiesen hat und die nach meinen Untersuchungen neben rothem Öl auch Stärkekörnchen enthalten.

Da die Entwicklungsgeschichte von *Sphaeroplea* bisher völlig unbekannt und überhaupt die Keimung ruhender Algensporen, die Conjugaten und *Vaucheria* ausgenommen, noch nicht beobachtet war, so beschloſs ich, die mir in ungeheuren Massen zur Disposition stehenden Sphaeropleasporen zu einer Untersuchung zu benutzen, und brachte deſshalb Anfang Oktober 1854 eine Partie des rothen Filzes in ein Gefäſs mit Wasser. Alsbald trat Fäulniſs ein, in Folge deren die Zellen der Fäden sich auflösten, die freigewordenen Sporen dagegen, die, wie die mikroskopische Untersuchung zeigte, unter dem Schutze ihrer beiden Membranen durchaus nicht alterirt waren, zu Millionen sich als röthlicher Schlamm am Boden des Gefäßes absetzten. Obwohl nun das Gefäß den ganzen Winter hindurch am Fenster des geheizten Zimmers stand, so konnte ich doch bis zum März keine Veränderung in den Sporen wahrnehmen; erst nach einigen milden Frühlingstagen trat die Keimung ein und zwar gleichzeitig in zwei verschiedenen Gefäßen. Um zu untersuchen, ob wirklich eine sechsmonatliche Ruhe für die Sphaeropleasporen nothwendig sei, brachte ich Ende März von neuem etwas von dem Sphaeropleafilz in Wasser; aber schon nach 5 Tagen bemerkte ich Keimpflänzchen. Noch rascher erfolgte die Keimung in einem späteren, dritten und vierten Versuch, wo sie vielleicht schon nach 48 Stunden eintrat, nachdem die Sporen bis dahin im Herbarium gelegen hatten. Die räthselhafte Beschleunigung des Keimens in den Frühlingsmonaten zu erklären bin ich außer Stande; schwerlich war es die größere Wärme, da vielmehr im Winter das Zimmer zu höherer Temperatur geheizt war. Immerhin geschah das Keimen der Sphaeropleasporen in der Cultur verhältnißmäßig spärlich, so daß es sich durch viele Wochen hinzog und noch jetzt die meisten Sporen unverändert geblieben sind, während im Freien Mitte April auf dem oben erwähnten Kartoffelfelde, das um diese Zeit schon wieder überschwemmt war, bereits alle Sporen gekeimt, keine Spur des rothen Filzes mehr vorhanden, dagegen das stehende Wasser von den grünen Sphaeropleafäden durchzogen war.

Die Keimung der Sphaeropleasporen weicht von allem ab, was man früher von der Entwicklung der Algen und der Pflanzen überhaupt gekannt hatte; dagegen schließt sie sich in überraschender Weise an die gleichzeitigen, von Pringsheim in diesem Berichte bereits veröffentlichten Beobachtungen über die Keimung von *Bulbochaete* an. Die jüngsten Keimlinge von *Sphaeroplea*, die mir ins Auge fielen, waren spindelförmige Körperchen, $\frac{1}{190} - \frac{1}{150}'''$ im Querdurchmesser, und etwa $\frac{1}{10}'''$ lang, an beiden Enden in lange, fadenförmige Spitzen auslaufend, die unregelmäßig gekrümmt und gebogen, dem ganzen Gebilde eine Länge von $\frac{1}{14}'''$ und darüber gaben. In ihrer Gestalt ähnelten diese Keimpflänzchen bis zum Verwechseln jener interessanten

Closterinart, die Ehrenberg als *Closterium rostratum* beschrieben und abgebildet hat. Der Inhalt der Keimlinge zeigte alle Mittelstufen von dem Roth der Spore bis zum Grün der entwickelten Pflanze; es war nämlich das Roth und Grün in zierlichster Weise gemischt, so zwar, daß entweder an einem Ende die rothen Ölkügelchen, am andern das grüne Chlorophyll angehäuft, beide in der Mitte durch eine farblose Zone getrennt waren; oder es wechselten rothe und grüne Gürtel; oder es war der ganze Inhalt grün, aber durch rothe Kügelchen gesprenkelt. Auf den ersten Blick fiel mir an diesen Keimlingen auf, daß sie ein weit geringeres Volumen hatten, als die Sporen, aus denen sie hervorgegangen sein mußten; sie konnten daher offenbar nicht einer ganzen, sondern nur einem Theil der Spore ihren Ursprung verdanken. Hierzu kam, daß ich niemals einen Keimling innerhalb der Sporenhäute steckend, sondern dieselben stets frei an allen Punkten des Wassers zerstreut fand, so daß ich nothwendig zu der Vermuthung gedrängt wurde, daß diese Theile der Spore als S c h w ä r m z e l l e n ausschlüpfen müßten. Bald gelang es mir auch, durch directe Beobachtung meine Vermuthungen zu bestätigen.

Wenn die Sphaeropleaspore keimen will, so verändert sich zunächst ihr Inhalt, indem er sich eigenthümlich körnig organisirt, und eine mehr braunrothe Färbung annimmt, in der Mitte wird ein lichterer Kreis sichtbar. Häufig färbt sich das Roth der Spore schon vor dem Keimen in Grün, indem diese Umwandlung vom Rande nach dem Centrum allmählich vorschreitet. Nun t h e i l t s i c h d e r I n h a l t d e r S p o r e, zuerst in zwei, dann in vier oder acht Portionen; die Inhaltsportionen durchbrechen ihre beiden Membranen und treten als freie Schwärmzellen ins Wasser. Bei der geringen Anzahl der Sporen, die mir unter der ungeheuren Anzahl derselben täglich keimten, glückte es mir nie, den Moment des Ausschlüpfens zu belauschen, und ich weiß daher nicht, auf welche Weise die beiden Sporenhäute zerrissen werden; häufig dagen trifft man die leeren Membranen, in denen höchstens ein Rest unverbrauchten Inhalts zurückgeblieben; auch fand ich Sporen, in deren Innerem eine noch nicht ausgeschwärmte Zelle sich lebhaft umhertummelte. Der ganze Vorgang weicht von dem durch Pringsheim beobachteten nur in so weit ab, als bei *Bulbochaete* ein langer cylindrischer Keimschlauch die Spo-

renhäute verläfst, aus dessen Inhalt sich vier Schwärmzellen bilden, während bei *Sphaeroplea* dieser Procefs sich innerhalb der
Spore selbst abschliefst; doch traf ich oft Sporen, wo die äufsere
sternförmige Haut abgestreift war, und in der inneren glatten
Membran der Inhalt zur Theilung sich anschickte.

Die Schwärmzellen, welche in den Sphaeropleasporen sich
bilden, haben eine überaus zierliche Gestalt, die jedoch, wie ihre
Gröfse und Farbe, bedeutend variirt. In der Regel sind es kuge-
lige oder kurz cylindrische Körperchen $\frac{1}{190} - \frac{1}{150}'''$ lang, prächtig
karmin- oder zinnoberroth gefärbt, an einem Ende mit einem
kurzen, farblosen Köpfchen versehen, von dem zwei lange Flimmerfäden ausgehen. Andere Schwärmzellen sind gröfser, birn-
oder spindelförmig; diese sind offenbar entweder aus einer geringeren
Theilungszahl oder aus gröfseren Sporen hervorgegangen; ich
fand selbst kuglige Schwärmzellen von $\frac{1}{140}'''$ im Durchmesser, die
an Gröfse den gewöhnlichen Sporen nicht nachstanden, und vielleicht den ausgeschwärmten Gesammtinhalt einer solchen Spore
darstellen mochten. Manche Schwärmzellen sind doppelfarbig, so
dafs der dem Schnäbelchen zugewendete Theil roth, das übrige
grün ist; oder ein grüner Rand umsäumt ein rothes Centrum;
das farblose Köpfchen mit den Flimmerfäden ist aber stets bemerklich. Ihre Bewegung dauert viele Stunden und zeigt jenen
kräftigen und dabei doch schwerfälligen Charakter, der zum Beispiel die Schwärmsporen von *Oedogonium*, und noch mehr die
auch in der Färbung und der Zahl der Wimpern ähnlichen Zellen von *Chlamidococcus pluvialis* auszeichnet. Merkwürdig sind
die langen Pausen, die von Zeit zu Zeit in der Bewegung dieser Schwärmzellen eintreten, so dafs man glauben möchte, sie
seien schon völlig zur Ruhe gekommen; aber nach stundenlanger
Unterbrechung beginnen sie plötzlich wieder ihre alten Drehungen.

Wenn die Schwärmzelle die Membran der Sphaeropleaspore
durchbricht, hat sie noch keine Cellulosemembran; sie erzeugt
aber eine solche noch während ihrer Bewegung, so dass sie alsdann deutlich von der zarten, jungen, sehr elastischen Cellulose-
haut umsäumt wird. Bei der Keimung der Schwärmzelle erstarrt
diese Membran und verlängert sich spindelförmig nach beiden
Enden; diese wachsen sehr rasch in haarförmige Spitzen aus,
die immer länger werden; die Mitte der gekeimten Zelle schwillt

nun ebenfalls auf, so daſs die Enden immer weiter auseinander-
rücken und die ganze Zelle daher gleichzeitig länger und dicker
wird. Der anfangs homogene, feinkörnige Inhalt der Schwärmzelle verändert sich beim Keimen, indem der Rest des rothen
Öls sich rasch in Chlorophyll umwandelt und der Keimling daher gleichmäſsig grün wird; aber schon in dem frühsten Zustande
scheiden sich im grünen Plasma wasserhelle Blasen (Vacuolen)
einer dünneren Flüssigkeit aus, während das Chlorophyll zwischen diese Blasen sich zusammenpreſst und daher die Form
grüner, in einem gewissen Abstande von einander stehender
Reife annimmt. In diesen Reifen scheiden sich sehr bald groſse
Amylonkugeln aus; und nun trägt der Keimling, wenn er auch
erst $\frac{1}{4}'''$ lang ist, doch schon den völligen Charakter der Sphaeropleazellen. Er wird immer länger und breiter, doch behält er
seine Closteriumähnliche Gestalt bei; ich fand colossale Spindel-
zellen von $\frac{1}{2}'''$ und darüber, die noch beiderseits in lange Haarspitzen ausliefen. Die *Sphaeroplea* ist die einzige mir bekannte
Conferve, welche niemals eine Wurzel besitzt; bei allen
übrigen Gattungen verlängert sich das eine Ende des Keimlings, das
Licht fliehend, abwärts zum Haftorgan, das andere, verschieden
gebildete Ende wird durch Spitzenwachsthum zum eigentlichen
Faden. Bei *Sphaeroplea* sind nicht nur beide Enden vom ersten Anfang an ganz gleich gestaltet, sondern es findet auch kein
Spitzenwachsthum statt, wenigstens nicht, nachdem die haarför-
migen Enden ausgebildet sind; die Zellen wachsen hier vielmehr
in der Mitte. Da durch die grünen Reife in der Sphaeropleazelle die relative Lage ihrer Punkte fixirt ist, so läſst sich die
Stelle, wo das Wachsthum stattfindet, leicht beobachten, indem
sich die Zahl der Reife beständig vermehrt und zwar durch Theilung
der alten, früher gebildeten. Doch liegt eine genauere Untersuchung hierüber dem Gegenstand dieser Abhandlung zu fern, und
würde zu weit abführen. Nach einiger Zeit theilt sich die Keim-
zelle in der Mitte, und mit der Vergröſserung der Keimpflanze vermehrt sich auch die Zahl der Zellen; die Länge derselben ist übrigens
auffallend ungleich, während man bei einzelnen Zellen das Ende gar
nicht absehen kann, sind andere Zellen nur $\frac{1}{4} - \frac{1}{8}'''$ groſs. Aber
auch am längsten vielzelligen Faden kann man noch, was bis-
her übersehen worden, die in die feinen Haarspitzen sich ver-
längernden Enden beobachten.

Der Inhalt der erwachsenen Sphaeropleazellen zeigt die allerzierlichsten Bildungen, deren Verständniß durch die schönen Untersuchungen von Al. Braun wesentlich gefördert wurde. Die Bestandtheile desselben, ein farbloses Protoplasma, grünes Chlorophyll, wässrige Flüssigkeit und Stärkekugeln sind in eigenthümlicher Weise so vertheilt, daß die wässrige Flüssigkeit große Blasen oder Vacuolen bildet, welche fast den Durchmesser der Zelle erreichen und daher wie Perlen aneinander gereiht sind, oft auch mit den Polen sich berühren und zu scheinbaren Scheidewänden abplatten. In den Zwischenräumen zwischen je zwei Vacuolen ist das grüne Plasma mit den Stärkekugeln zusammengedrängt; und noch hier wird ihm der Raum durch zahlreiche kleinere Vacuolen streitig gemacht, die aus seiner Substanz sich ausscheiden; bei schwächerer Vergrößerung erscheint das Ganze, als ob schmälere, grüne und breitere, farblose Ringe regelmäßig mit einander abwechselten. Sind die Vacuolen kleiner und das Chlorophyll reichlicher, so ist die Zelle auch gleichmäßiger grün, nur in den Zwischenräumen zwischen zwei Vacuolen intensiver. Die Vacuolen haben eine Hülle verdichteten Plasmas, so daß sie, ins Wasser ausfließend, sich nicht auflösen, sondern längere Zeit, gleich Zellen, sich erhalten; dennoch sind sie keine festen Gebilde; ihre Zahl und Größe ist in beständiger Veränderung begriffen.

In der zweiten Hälfte des April beobachtete ich zuerst, daß die gekeimten Sphaeropleafäden bereits wieder zur Sporenbildung sich anschickten. In einzelnen Zellen löste die regelmäßige Anordnung der grünen Reife sich auf; die Vacuolen vermehrten sich so, daß der ganze Inhalt den Anschein eines grünen Schaums darbot; die Amylonkugeln vertheilten sich unregelmäßig darin. Bald sah man dieselben sich so gruppiren, daß immer zwei bis drei sich zusammenfanden und um sich größere Massen des grünen Plasmas anhäuften; nach einiger Zeit hatten sich in der Mittellinie der Zelle in regelmäßigen Abständen eine große Anzahl grüner Klumpen gebildet, zwischen denen das Schaumnetz sich vertheilte. Indem die meisten Vacuolen sich allmählich auflösten, nahmen diese Klumpen die Gestalt grüner Sterne an, ähnlich wie sie paarweise in den Zygnemazellen sich finden, indem sie durch grüne, strahlenartige

Schleimfäden mit einander in Verbindung blieben. Zwischen je zwei solcher Sternmassen bildeten sich grofse Vacuolen, die zu flachen Scheidewänden sich abplatteten, so dafs die ganze Sphaëropleazelle aussah, als sei sie durch eine Menge paralleler Schleimplatten in Fächer getheilt. In jedem dieser Fächer begann eine ununterbrochene Gestaltveränderung der grünen Masse; die Schleimfäden wurden allmählich eingezogen, die grüne Substanz zog sich bald nach rechts, bald nach links zusammen; in kurzer Zeit hatte sich das farblose Plasma so um das Chlorophyll vertheilt, dafs die Scheidewände der Fächer sich trennten und der ganze Inhalt in eine grofse Anzahl freier kugeliger Massen zerfallen war, die scharf begrenzt zum gröfsten Theil aus farblosem Schleim bestanden und im Innern einen unregelmäfsig vertheilten, meist seitlich anliegenden Chlorophyllhaufen umschlossen. Diese Massen, die jungen Sporen, durchlaufen nun ununterbrochen die wunderlichsten Veränderungen; anfänglich berühren sie sich gegenseitig und bilden eben durch ihre sich aneinander legenden Begrenzungen die Plasmascheidewände, die daher doppelt sind; indem sich ihre Substanz etwas contrahirt, trennen sich die beiden Schichten dieser Scheidewände, und die Sporen isoliren sich dadurch; das Chlorophyll in ihnen vertheilt sich beständig in anderer Weise; die farblose Schleimhülle zieht sich bald stärker zusammen, so dafs freie regelmäfsige Kugeln entstehen, jetzt dehnt sie sich wieder aus, so dafs sie an den Nachbarn sich abplattet; hier verlängert sich eine seitlich, will man sie zeichnen, so ist ihre Gestalt schon ganz verändert, ehe die Zeichnung noch vollendet ist. Endlich haben die werdenden Sporen sich zu glatten Kugeln abgerundet, die jedoch noch weit gröfser sind, als im reifen Zustande, und vom Chlorophyll nicht völlig ausgefüllt werden. Doch vertheilt sich dieses immer regelmäfsiger in der Sporenkugel, während das farblose Plasma immer mehr verarbeitet und ausgeschieden wird; daher verdichtet und verkleinert sich die Spore beständig und wird endlich zu einer regelmäfsigen Kugel, die ganz und gar aus einer grünen, krümlichen Substanz besteht, einige Amylonkörnchen umschliefst und nach aufsen von einer glatten, scharfen Plasmaschicht umgrenzt ist; eine Cellulosemembran fehlt, das ganze Gebilde ist sehr weich, elastisch, zerfließt durch Druck zu Schleim, und ist als eine Primordialzelle zu betrachten.

Lange ehe der Inhalt der Sphaeroplenzellen sich zu den jungen Sporen umgebildet hat, sind auch in der Membran dieser Zellen eigenthümliche Veränderungen eingetreten; sie beginnt sich in Amyloid umzuwandeln und wird daher jetzt durch Jod allein auch ohne Schwefelsäure purpurroth bis violett gefärbt. Offenbar beginnt jetzt schon der chemische Verwandlungsproceß dieser Membran, der mit ihrer völligen Auflösung endet und den fertigen Sporen ihre Freiheit giebt. An einzelnen Stellen der Membran haben sich kleine Löcher gebildet, $\frac{1}{100} - \frac{1}{50}$''' im Durchmesser; in jeder Zelle habe ich 2—6 solcher Öffnungen gezählt; färbt man die Zelle durch Jod und Schwefelsäure blau, so sind die Löcher als farblose Stellen leichter zu erkennen.

Nicht alle Zellen eines Sphaeroplenfadens durchlaufen diese Entwickelung, in Folge deren sie sich zu Sporangien mit zahlreichen Sporen umbilden; in einem großen Theile der Zellen sind in der nämlichen Zeit ganz andere Vorgänge zum Abschluß gekommen. Die grünen Reife zwischen den farblosen Vacuolen haben hier allmählich eine eigenthümliche Färbung angenommen, sie sind röthlich-gelb geworden, die Stärkekörnchen sind verschwunden. Bald sieht man, daß die orangefarbene Substanz der Reife sich eigenthümlich organisirt; man erkennt in ihr, erst undeutlich, dann immer schärfer eine Absonderung in Körnchen, dann in Strichelchen, endlich hat sie sich in Myriaden kurzer, durcheinander gewirrter Stäbchen umgewandelt. Die farblosen Vacuolen zwischen den gelben Reifen haben an dieser Umbildung keinen Theil genommen. Jetzt fangen die Reife an sich aufzulösen; plötzlich sieht man eines der in ihre Substanz eingebetteten Stäbchen sich befreien und in der Zellhöle sich bewegen, mehr und mehr folgen die andern diesem Beispiel; die Bewegung der Stäbchen wird rascher und rascher, in wenig Minuten ist der ganze Reif in eine Unzahl beweglicher Körperchen aufgelöst; bald fangen auch die Stäbchen in einem zweiten und dritten Reif an in Bewegung zu gerathen; endlich ist die ganze Sphaeropleazelle von diesen Körperchen erfüllt, die nach allen Richtungen durch

einander schiefsen und wimmeln. Es gewährt einen wunder-
vollen Anblick, diese unglaublich lebhaften Bewegungen innerhalb der Mutterzelle zu verfolgen. Die Vacuolen bleiben bei
diesen Vorgängen zum Theil noch erhalten und man sieht dieselben als kugelige, von einer Schleimschicht umgebene Blasen
in der Zellhöhle schwimmen, wobei sie oft von den Bewegungen der Stäbchen in rasche Rotation versetzt werden.

Auch an diesen Zellen haben sich schon frühe
eine oder mehrere Öffnungen gebildet, an Gestalt
und Gröfse denen gleich, die wir in den Sporangiumzellen beschrieben haben. Jetzt sieht man das erste Stäbchen durch
ein Loch ins Wasser treten, bald folgen ihm mehrere, zuletzt
ganze Schaaren auf einmal. Im Wasser ist ihre Bewegung
anfänglich sehr schwach; sie kleben an einander fest und zit-
tern gemeinschaftlich hin und her; aber in Kurzem gewinnen
sie gröfsere Energie und zerstieben mit unendlicher Lebendig-
keit nach allen Richtungen des Wassertropfens. Die in der
Mutterzelle zurückgebliebenen Stäbchen gerathen in um so ge-
schwindere Bewegung, je freierer Spielraum ihnen bleibt; aber
allmählich wird ihre Zahl geringer, und nach einer oder mehreren Stunden haben alle beweglichen Körperchen ihre Mutterzelle verlassen. Diese ist nun ganz leer und man kann an
ihr die Austrittsöffnungen sehr deutlich erkennen; solche leeren
Zellen wurden schon früher bemerkt, doch wufste man sie sich
nicht zu erklären. Oft verstopft sich die Öffnung durch eine
Vacuole, die mit ihrer schleimigen Membran sich vor dieselbe
legt; dann können die Stäbchen nicht heraus, und ich habe sie
noch nach 12 Stunden in ihrer Mutterzelle sich dahintummeln,
endlich aber zur Ruhe kommen, und in gelbliche Bläschen sich
umwandeln sehen. Häufig blieben in der Sphaeropleazelle nach
dem Austritt der Stäbchen noch gröfsere, bräunliche Kugeln
zurück, die oft eine schwerfällige Bewegung zeigen; diese Gebilde, auf die schon Hr. A. Braun unter dem Namen der Pseu-
dogonidien aufmerksam machte, sind Reste des Zellinhalts, der
nicht zu den Stäbchen verwendet wurde, gleichwohl aber eine
selbstständige Bewegung erhielt: vielleicht sind sie aus dem
Zusammenfliefsen mehrerer Stäbchen entstanden. Ähnliche
bewegliche Kugeln finden sich übrigens auch in den Sporan-

gimzellen mitunter zwischen den Sporen, und scheinen gleichzeitig mit ihnen aus dem Zellinhalte sich gebildet zu haben.
Verschieden davon sind andere krankhafte zellenähnliche Bildungen
in den Sphaeropleazellen, die sich zum Theil auch bewegen,
so wie parasitische Infusorien (z. B. *Trachelius trichophorus*),
welche durch die Löcher der Zellen in das Innere derselben
eingetreten sind; die ersteren sind höchst merkwürdig und
mannigfaltig, ich behalte mir ihre speciellere Betrachtung für
eine andere Gelegenheit vor.

Die Körperchen, welche aus den zuletzt beschriebenen
Zellen der Sphaeropleafäden ausschwärmen, sind stabförmig verlängert, meist $\frac{1}{250}$''' lang oder auch etwas länger; ihre Form
erinnert an die gewisser schmaler Rüsselkäfer. Das hintere
Ende ist etwas angeschwollen, manchmal plattenförmig verbrei-
tert, gelblich gefärbt und läßt häufig ein oder mehrere kleine
Körnchen im Innern unterscheiden; das vordere Ende läuft in
einen schmalen, langen, glashellen Schnabel aus, der an seiner
Spitze 2 lange Flimmerfäden trägt, die durch Tödtung mit
Jod deutlicher sichtbar werden. Es unterscheiden sich daher
diese Körperchen von den durch Pringsheim entdeckten Spermatozoiden der *Vaucheria*, welche ich in jüngster Zeit gleichfalls zu beobachten das Glück hatte, so wie von den durch
Thuret beschriebenen Spermatozoiden der Fucoideen, bei aller
sonstigen Ähnlichkeit durch die Lage der 2 Wimpern auffallend und gleichen hierin manchen Schwärmsporen der Algen,
namentlich den als Microgonidien bezeichneten, an die sie in
morphologischer Beziehung sich innig anschliefsen.

Die Bewegung der Stäbchen bei *Sphaeroplea* ist charakte-
ristisch; bei geringerer Energie oscilliren sie mit dem Schnäbelchen wie tastend; bei rascherer Bewegung drehen sie sich
um ihre Querachse, gleich einem in der Mitte festgehalte-
nen und um diese gedrehten Stocke; ihre Bewegung unterscheidet sich hierdurch von der der eigentlichen Schwärmsporen,
welche um ihre Längsachse rotiren. Mitunter kreisen die
Stäbchen um sich selbst, ohne von der Stelle zu kommen, wie
die Katze um ihren Schwanz; meist aber schleudern sie sich
in Cycloiden dahin, in oft sprungweiser oder hüpfender Fort-
bewegung, seltener schrauben sie sich gerade aus vorwärts.

Ein Streben derselben nach dem Lichte wird dadurch angezeigt, daſs sie sich gern an dem zum Fenster gewendeten Rande des Wassertropfens versammeln.

Wenn schon die äuſsere Ähnlichkeit dieser Körperchen mit den Spermatozoiden der Fucaceen und Vaucherien auf eine analoge Function schlieſsen lieſs, so ist es mir gelungen, ihre befruchtende Thätigkeit durch directe Beobachtung mit einer Evidenz nachzuweisen, wie sie nur einer naturwissenschaftlichen Thatsache innewohnen kann; man kann nicht daran zweifeln, daſs die beweglichen Stäbchen die Spermatozoiden von *Sphaeroplea* sind, und daher die Zellen, in denen sie sich bilden, als Antheridienzellen bezeichnet werden müssen.

Wenn nämlich die ausgetretenen Spermatozoiden sich im Wasser zerstreut haben, so sieht man sie nach kurzer Zeit sich um solche Zellen eines Sphaeropleafadens versammeln, die ihren Inhalt zu Sporen umgebildet haben. In der Nähe dieser Zellen tummeln sie sich umher, heften sich an ihre Membran, reiſsen sich dann wieder los, um bald wieder zurückzukehren. Jetzt nähert sich ein Spermatozoid einer jener kleinen Öffnungen, die wir schon früher die Wand der Sporangiumzellen durchbohren sahen; hier hängt es sich an und steckt das feine Schnäbelchen in das Loch hinein. Oft ist das hintere Ende seines Körpers zu breit, um ungefährdet hindurch zu können, dann schraubt es sich mit sichtlicher Anstrengung unter beständiger Arbeit des Schnäbelchens vorwärts, den elastischen Körper zusammenpressend; endlich gelingt es ihm sich hindurch zu zwängen und in die Höhle der Sporangiumzelle einzutreten. Inzwischen sind andere Spermatozoiden durch dieses oder jenes Loch eingeschlüpft, oft drängen sich 3 bis 4 gleichzeitig in eine Öffnung; schmälere Körperchen gelangen in wunderbarer Weise beim ersten Anlauf, in groſsen Bogen schwimmend, aus dem Wasser durch das Loch ohne Anstoſs in die Zellhöhle; nach einiger Zeit sieht man wohl 20 Spermatozoiden sich innerhalb derselben umhertummeln und die jungen Sporen umschwärmen. Diese sind, wie wir schon gesehen, glatte Kugeln, mehr oder minder vollständig von Chlorophyll erfüllt, von einer farblosen Schleimschicht umgeben, ohne Cellulosemembran. Die Spermatozoiden stürzen von einer Spore zur andern,

als würden sie electrisch angezogen und abgestofsen, so rasch,
dafs das Auge ihnen kaum folgen kann; oft schwimmen sie von
einem Ende der Sporangiumzellen zum andern; mitunter werden die Sporen durch die Flimmerfäden der Spermatozoiden
in langsame Rotation versetzt, doch ist dies wohl nur zufällig und unwesentlich, und nur bei freierer Lage der Sporen
möglich.

Ich habe die Spermatozoiden in der Sporangiumzelle über
zwei Stunden sich dahintummeln sehen; allmählig wird ihre
Bewegung träger, sie heften sich nun an die jungen Sporen
an, und zwar so, dafs an jeder Spore ein oder ein Paar Spermatozoiden sich fixiren, mit Schnäbelchen und Wimpern fest
klebend, so dafs ihr Körper auf der Spore senkrecht steht. So
oscilliren sie noch lange hin und her; endlich aber kommen sie zur
völligen Ruhe und legen sich ihrer ganzen Länge nach auf die
Sporenfläche; ihr Körper verwandelt sich in ein Schleimtröpf-
chen und verliert seine Form; es scheint, als ob ein Theil
seiner Substanz endosmotisch von der Spore aufgesogen würde;
ein förmliches Eindringen des Spermatozoids in die Spore findet gewifs nicht statt, denn einen Rest desselben, vielleicht das
rötliche Tröpfchen, kann man noch lange auf der Aufsenseite
der Spore festsitzen sehen. Übrigens ist die *Sphaeroplea* zu
der Untersuchung des eigentlichen Befruchtungsactes wegen
der Undurchsichtigkeit der grünen Sporen weniger geeignet,
während sie für die früheren Vorgänge ein überaus günstiges
Object darbietet. Die befruchtete Spore umgiebt sich nach
kurzer Zeit mit einer echten Zellmembran, die man anfänglich nur bei der Contraction des Inhalts durch Reagentien,
später aber auch direct leicht unterscheiden kann, indem
sie sich allmählig weiter vom Inhalt abhebt. Bald entsteht
unter der ersten Membran eine zweite, welche sich anfänglich
eng an den Inhalt der Spore anschliefst, später aber in der
schon oben geschilderten Weise sternförmig faltet; nun
wird die oberste, früher gebildete Haut abgeworfen und man
findet sie in der Sporangiumzelle als leere Blase zwischen den
Sporen., eine Schälung, die auch A. Braun beobachtet hat.
Unter der sternförmigen entsteht zuletzt noch eine glatte
Membran, so dafs die befruchtete Sphaeropleaspore sich
derjenigen von *Spirogyra* oder *Zygnema* analog verhält, und

gleich dieser drei Häute besitzt, von denen jedoch die
oberste nicht erst beim Keimen, sondern schon vor der Reife
abgeworfen wird. Der Inhalt der Spore ist anfänglich ein
homogenes Grün, in dem mehrere Amylonkörnchen hervortreten; später wird er trübe und geht durch Olivengrün in
ein röthliches Braun und zuletzt in reines Roth über. Die
Zahl der Sporen hängt von der Menge des Chorophylls ab, das
in der Sporangiumzelle vorhanden war; auch ihre Größe ist sehr
verschieden, je nachdem mehr oder weniger grünes Plasma zu
einer Spore verwendet wurde; wenn sie gewöhnlich $\frac{1}{125}-\frac{1}{100}$'''
im Durchmesser haben, so finden sich auch Sporen, die das doppelte und selbst 100fache Volumen besitzen; ich beobachtete el-
liptische Sporen, die $\frac{1}{16}$, $\frac{1}{10}$ selbst $\frac{1}{5}$''' in der längeren Achse
erreichten; ja ich traf einmal eine Monstrespore, deren Längs-
diameter $\frac{1}{12}$''' hatte, und deren rother Inhalt ganz wie gewöhnlich von der warzigen Sporenhaut umschlossen war. Auch die
engere oder weitere Ordnung der Sporen, in einer oder mehreren Reihen ist unwesentlich. —

Die *Sphaeroplea annulina* ist, obwohl sie stets als vielzelliger Faden auftritt, doch ihrem Wesen nach als einzellige
Pflanze im Sinne Nägeli's zu betrachten, indem alle Zellen ohne
Ausnahme, selbst die in die Haarspitzen anslaufenden Endzellen
eingeschlossen, bei der Fortpflanzung betheiligt sind und der ganze
Faden daher nur als eine Zellenfamilie (Zellenstock) angesehen
werden kann. Die hier geschilderte Entwicklungsgeschichte enthüllt uns die Thatsache, daß nicht, wie man bisher bei einzelnen
Pflanzen glaubte, jede Zelle unmittelbar das Individuum repräsen-
tirt, sondern daß diese anscheinend gleichwerthigen Zellen in
ganz gleicher Weise geschlechtlich differenzirt sind, wie dies nur
bei irgend einem höchst complicirten Thier oder Pflanzenorga-
nismus der Fall ist, daß daher jede einzelne Zelle für sich unfruchtbar, nur durch das Zusammenwirken mit einer Zelle anderen Geschlechtes zur Fortpflanzung befähigt wird. Wir müssen
daher unter den Zellen des Sphaeropleafadens männliche und
weibliche Zellen unterscheiden, die man allerdings auch als
Antheridien und Sporangien, oder, um die analogen Organe aus
einem andern Naturreiche danebenzustellen, als Samenblasen und
Eierstöcke bezeichnen kann, die aber richtiger nur als selbststän-

dige, geschlechtliche Elementarorganismen aufgefaſst werden müssen. Der Proceſs der Befruchtung bei den Algen ist in den drei
bisher bekannten Fällen der Fucaceen, Vaucherien und Sphaero-
pleen ganz gleich gefunden worden, nämlich so, daſs Spermatozoiden mit membranlosen Primordialzellen in unmittelbaren Contact treten. Der Fall von *Sphaeroplea* ist darum ganz besonders
interessant, weil hier von einer zufälligen Berührung der Samen-
elemente nicht die Rede sein kann; denn wenn bei Fucus die zu
befruchtenden Sporen an die Oberfläche des Thallus heraustreten,
bei *Vaucheria* die Öffnungen der Antheridie und des Sporangiums
sich fast unmittelbar berühren, so müssen bei *Sphaeroplea* die
Spermatozoiden durch das Wasser hindurch zu einer oft weit
entfernten, reifen weiblichen Zelle sich begeben und durch eine
feine Öffnung den Eingang sich erzwingen. So leicht übrigens
das Factum des Eindringens der Spermatozoiden zu beobachten
ist, so räthelhaft bleibt doch die Kraft, welche diese Körperchen
durch die weite Wasserfläche in dem Gewimmel zahlloser Thierchen und Pflänzchen zu den weiblichen Zellen leitet, und sie oft
auf den ersten Anlauf den Weg durch die engen Löcher finden
läſst. Ich erinnere übrigens daran, daſs *Sphaeroplea* mit *Vaucheria* ebenso entfernt verwandt ist, als diese mit *Fucus*, und
daſs, wenn bei so verschiedenen Algenformen die Sexualität sich
gefunden hat, wohl kaum daran gezweifelt werden kann, daſs sie
auch bei den übrigen Algen und also wohl auch bei allen Pflanzen entdeckt werden müsse, daſs ich daher dieser Pringsheim'-
schen Schluſsfolgerung beizustimmen nicht Anstand nehmen kann.
 Ob die wunderbare Thatsache, daſs die Sphaeropleasporen
nicht immer, wie alle andern Sporen und Samen, einem Individuum, sondern meistens mehreren Schwärmzellen und daher auch
mehreren Keimlingen den Ursprung geben, mit der Einwirkung
eines oder mehrerer Spermatozoiden auf die werdende Spore zusammenhängt, will ich dahin gestellt sein lassen; die einzige Analogie zu diesem Factum bietet wohl die Entstehung mehrerer
Embryonen in den Planarieneiern. Merkwürdig ist, daſs nach
Pringsheims Entdeckung die befruchteten Vaucheriasporen, gleich
den durch Conjugation gebildeten Sporen der Zygnemeen,
durch unmittelbare Verlängerung der Innenhaut zu einem Keim-
schlauche auswachsen, während die Bulbochaetesporen, und

vielleicht auch die durch Conjugation entstandenen Sporen der Desmidieen, sich denen von *Sphaeroplea* ähnlich verhalten. Es läfst sich diese letztere Thatsache als eine eigenthümliche Form des Generationswechsels auffassen, insofern man die aus der Bulbochaete- und Sphaeropleaspore hervorgehenden Schwärm-zellen als eine ungeschlechtliche Generation bezeichnet, welche durch Metamorphose zunächst in die Closteriumähnlichen Keim-linge sich umbildet, dann durch ungeschlechtliche Theilung die geschlechtlichen Zellen producirt, bis diese endlich durch die Erzeugung befruchteter Sporen den Cyclus abschliefsen.

Hr. Pinder las: Die Elisphasier in Arkadien, auf einer Münze des achäischen Bundes nachgewiesen.

Ein geographischer Name bei Polybios hat mehrfache Emen-dationen hervorgerufen. In der Nähe von Mantineia erwähnt Polybios die Elisphasier mit den Worten (XI 11 6) τὴν τάφρον τὴν φέρουσαν ἐπὶ τοῦ Ποσειδίου διὰ μέσου τοῦ τῶν Μαντινέων πε-δίου καὶ συνάπτουσαν τοῖς ὄρεσι τοῖς συντερμονοῦσι τῇ τῶν Ἐλι-σφασίων χώρᾳ. Da der Name der Elisphasier sonst völlig un-bekannt ist, so hat man, ein Verderbnifs des Textes voraus-setzend, dafür Ἑλικασίων oder Ἐλυμασίων oder Ἑλισσοντίων zu lesen vorgeschlagen. „Keine dieser Verbesserungen ist so über-zeugend, dafs man sie annehmen könnte" sagt mit Recht Cur-tius im Peloponnes I 269. In der That bedarf es gar keiner Verbesserung. Auf einer der Münzen, welche Hr. von Behr-Negendank jüngst aus Griechenland mitgebracht hat, findet sich die vollständige Bestätigung der mit Unrecht angefochtenen Stelle des Polybios. Der achäische Bund prägte bekanntlich gemeinsame Münzen; zu der Gemeinsamkeit der verbündeten Städte gehörte nach Polybios (II 37 10) νόμοις χρῆσθαι τοῖς αὐτοῖς καὶ σταθμοῖς καὶ μέτροις καὶ νομίσμασιν. Auf einer sol-chen Bundesmünze erscheint nun die Stadt der Elisphasier als achäische Bundesstadt. Die Münze zeigt, wie die übrigen Erz-münzen des achäischen Bundes, einerseits den stehenden Ζεὺς Ὁμαγύριος der Achäer, andererseits die sitzende Δημήτηρ Παν-αχαιά (Pausan. VII 24 2 und 3). Auf der Vorderseite steht

der abgekürzte Magistratsname ΚΛΕ; vollständig kommen ΚΛΕΑΡ-
ΧΟΣ, ΚΛΕΟΔΙΚΟΣ auf anderen achäischen Bundesmünzen vor.
Die Umschrift der Rückseite lautet ΕΛΙΣΦΑΣΙΩΝ ΑΧΑΙΩ(Ν). In-
dem nun diese Münze das geographische System der Numis-
matik um eine Stadt bereichert, beseitigt sie die bisherigen
Bemühungen, die Stelle des Polybios zu emendiren.

Hr. Dove las über die gegenseitige Compensation
barometrischer Maxima und Minima zu derselben
Zeit.

Daſs die Witterungserscheinungen unserer Breiten im groſsen
Ganzen darin ihre Erklärung finden, daſs über demselben Beo-
bachtungsorte polare und äquatoriale Luftströme einander gegenseitig verdrängen und nach einander abwechselnd vorherrschen,
habe ich seit dem Jahre 1827 in einer Reihe von Arbeiten über
das sogenannte Drehungsgesetz festzustellen gesucht. Es folgte
unmittelbar daraus, daſs die an demselben Orte nach einander
herrschenden Ströme, zu derselben Zeit neben einander liegen
müssen. Der Nachweis dieses Nebeneinanderliegens konnte nur
durch die Discussion vieler gleichzeitigen Beobachtungsjournale
gegeben werden. Seit dem Jahre 1840 habe ich denselben zunächst für die Temperaturverhältnisse in der Erörterung der 'nicht
periodischen Veränderungen geliefert, indem ich zeigte, daſs alle
gröſseren Abweichungen der jedesmaligen Temperatur eines bestimmten Zeitraums von dem mittleren Werthe desselben sich
auf derselben Erdhälfte gegenseitig compensiren, indem ein Über-
schuſs an einer bestimmten Stelle aufgewogen wird durch ein
Fehlen an einer andern. Indem ich nur eine Seite des Phänomens in Betrachtung zog, behielt ich die Berücksichtigung der
andern Instrumente einer spätern Mittheilung vor, da erst, nachdem in dieser Weise alle atmosphärischen Verhältnisse eine gleiche
Geltung erfahren haben, die Aufgabe als erschöpfend behandelt
angesehen werden könne. Daſs ich erst nach 15 Jahren mich
zu einer theilweisen Lösung der verallgemeinerten Aufgabe wende,
wird durch den Umfang der thermischen Untersuchungen ent-
schuldigt werden, und dadurch, daſs erst in neuester Zeit andere

an diesen Untersuchungen der nicht periodischen Veränderungen Theil genommen haben, die bis dahin auf meine eigenen Arbeiten sich beschränkten.

Da mit steigender Wärme die Luft sich auflockert, während die Verdunstung zunimmt, so ist nur deswegen der Gang der barometrischen Veränderungen entgegengesetzter Art, wie der der thermischen, da in der Regel die erste Wirkung die zweite überwiegt. Die bei periodischen Veränderungen nothwendige Sonderung beider Atmosphären wird bei dem seitlichen Austausch der Luftmassen weniger nothwendig. Kann daher auch an eine directe Proportionalität des hohen Standes des einen Instruments mit dem niedrigen des andern nicht gedacht werden, so wird doch anzunehmen sein, daſs der kalte Polarstrom, wo er eintritt, das Barometer erhöht, eben so wie der warme Äquatorialstrom es erniedrigt. Liegen nun warme und kalte Luftschichten bei groſsen Abweichungen vom normalen Zustand neben einander, so muſs dies auch für barometrische Extreme gelten. Für den im Jahr 1826 bereits ausgesprochenen Satz „ita perturbationes atmosphaerae inter se cohaerere videntur, ut maxima minimis, minima maximis sind circumdata", enthalten die folgenden Untersuchungen nun einige vollständige Belege.

Am 22. Januar 1850 sank im Groſsherzogthume Posen das Thermometer über 29° R. unter den Frostpunkt. Eine solche Kälte war auf dem Gebiete des preuſsischen Beobachtungssystems bisher ohne Beispiel. Dabei erreichte das Barometer eine ungewöhnliche Höhe. Im Staate New York stand das Barometer an diesem Tage am tiefsten.

Der hohe Barometerstand veränderte sich schnell, während die Kälte einer hohen Temperatur wich. Das Barometer erreichte am 6. Februar 1850 in Deutschland einen auffallend niedrigen Stand. An demselben Tage stand bei in Amerika herrschender strenger Kälte im Staate New York das Barometer am höchsten. Auch in Nertchinsk war ein absolutes Maximum. Am 1. Januar 1855 stand an der preuſsisch-russischen Grenze das Barometer über einen Zoll niedriger als an der preuſsisch französischen. In Folge dieser Differenz brach vom Westen eine Kälte ein, deren Intensität lange in der Erinnerung bleiben wird.

Es wird daher gerechtfertigt sein, diese 3 Fälle näher zu betrachten.

1. **Barometrisches europäisches Maximum am 22. Januar 1850.**

Die gröfste Kälte trat überall in der Mitte des Beobachtungsgebietes, zwischen dem 20. und 22. ein.

Für die Orte, wo die gröfste Kälte auf einen andern Abschnitt des Monats fiel, habe ich neben die Temperatur zwischen dem 20. und 22. das absolute Minimum gestellt.

Nord-Asien und Ost-Europa. Peking — 8,8 (— 10,2 am 9ten), Nertchinsk — 30,0 (— 31,9 am 6ten), Barnaul — 37,0, Slatust — 37,2, Bogolowsk — 36,1, Catharinenburg — 29,3, Ust Sisolsk — 32,0, Solwytschegodek — 32,0, Moscau 26,7, Totma — 26,8, Lugan — 23,2, Petersburg — 21,8, (— 24,6 am 26sten), Stockholm — 15,8 (— 20 am 27sten), Christiania — 21,6, Kopenhagen — 9,3, Warschau — 23,9, Krakau — 24,5, Lemberg — 22,5, Schemnitz — 19,2, Prefsburg — 17,4.

Preufsen und Belgien. Memel — 18,7, Tilsit — 22,0, Arys — 24,6, Königsberg — 23,9, Danzig — 17,4, Schöneberg — 18,5, Conitz — 22,2, Bromberg — 29,3, Posen — 29,2, Zechen bei Guhrau — 26,1, Ratibor — 20,7, Leobschütz — 19,7, Breslau — 21,8, Neisse — 27,0, Görlitz — 24,0, Torgau — 22,3, Erfurt — 22,5, Gotha — 24,0, Arnstadt — 23,0, Mühlhausen — 19,2, Heiligenstadt — 22,0, Brocken — 10,5 (— 15,3 am 27sten).

Cöslin — 18,2, Stettin — 21,6, Wustrow — 16,7, Lübeck — 15,9, Kiel — 14,2, Schwerin — 14,9, Hinrichshagen — 20,1, Berlin — 20,0, Potzdam — 20,0, Salzwedel — 19,5, Salzuffeln — 20,3, Paderborn — 15,1, Gütersloh — 17,1.

Frankfurt a. M. — 19,4, Neunkirchen — 18,5, Trier — 16,9, Stavelot — 17,5, Boppard — 17,0, Bonn — 14,2, Cöln — 14,8, Cleve — 16,0, Aachen — 11,0, Lüttich — 13,3, Brüssel — 11,0, Gent — 11,2, Namur — 9,8, St. Trond — 12,3, Paris — 5,6.

England. Southampton — 8,9, Chiswik — 8,0, Greenwich — 4,4, Maidenstone Hill — 4,2, St. Johns Wood — 5,3, London (Stadt) — 3,1, Bucks — 4,9, Aylesbury — 5,8, Stone Obs. — 6,2, Hartwick — 5,3, Saffron Walden — 6,2, Oxford — 6,2, Rose Hill — 6,7, Cardington — 5,3, Norwich — 4,0, Holkham — 4,7, Highfield House — 5,3, Derby — 5,3, Pembroke — 4,0, Hawarden —

5,8, Liverpool — 3,6, Wakefield — 4,0, Stourton Lodge — 4,4, Stonyhurst Obs. — 5,4, York — 5,3, Whitehaven — 4,6, Durham — 6,2, Newcastle — 4,9, Applegarth — 9,3, Sandwik (Orkneys) — 2,0, Falmouth — 3,1, Helston — 3,1, Guersey — 1,8.

Oestreich, Schweiz und Italien. Brünn — 21,0, Olmütz — 19,9, Senftenberg — 26,2, Königgrätz — 24,6, Hohenelb — 21,0, Prag — 21,2, Leitmeritz — 21,6, Pürglitz — 23,0, Smeczna — 18,8, Schöfsl — 19,5, Deutschbrod — 26,0, Strakonitz — 25,0, Winterberg — 18,0, Stubenbach — 21,0, Pilsen — 23,0, Wien — 18,8, Kremsmünster — 21,5, Salzburg — 19,2, St. Paul — 23,0, Althofen — 17,5, Obir 3900′ Höhe — 12,0, 5100′ — 14,5, 6500′ — 17,5, Radsberg — 12,1, Sagritz — 14,0, Klagenfurt — 22,5, Triest — 8,0, Basel — 11,7, Genf — 3,8 (— 10,6 am 27sten), St. Bernhard — 10,4 (— 19,6 am 27sten), Mailand — 8,2, Neapel — 0,6.

Am 3ten Februar 1823, einem Jahr, dessen kalter Winter berühmt ist, schrieb man aus dem Wallis: „Schon zum zweiten Mal in diesem Winter bestätigen die Beobachtungen eine Meinung unserer Walliser, nämlich dafs in dieser Jahreszeit es in der Ebene oft kälter ist, als in der halben Höhe des Gebirges”. Man braucht unter den eben mitgetheilten Stationen nur das 3520′ hohe Sagritz, den Radsberg und Obir mit Klagenfurt, den Winterberg mit Prag, den Brocken mit Heiligenstadt, ja selbst Schöneberg am Fuße des Thurmberges mit Conitz zu vergleichen, um zu sehen, auf wie grofsen Strecken solche Verhältnisse sich wiederfinden, und man wird sich über die Wünschelburger nicht wundern, die den angenehmen Wintermorgen am 22sten Januar 1850 zu einer Fahrt nach Glatz benutzten und die Kälte in Glatz nicht begreifen konnten, die in Schlegel —27° war und in Pischkewitz in der Beamtenwohnung am Wasser —30 betragen haben soll.

Betrachten wir die horizontale Ausbreitung dieser ungewöhnlichen Kälte, so finden wir von dem Maximum in Westpreufsen, Posen, Schlesien und Böhmen nach allen Seiten hin eine Abnahme. Die Verminderung ist deutlich nach Rufsland hin, denn erst in der Nähe des Ural treffen wir eine gröfsere Kälte. Eben so nimmt sie nach Norden zu ab und überall nach Westen. Es ist diefs ein schöner Beleg dafür, dafs im grofsen Ganzen bedeutende Abweichungen von der einem be-

stimmten Abschnitt des Jahres gesetzmäfsig zukommenden
Wärme als locale Erscheinungen anzusehen sind, die ihr Gegengewicht zu derselben Zeit an andern Stellen der Erdfläche
finden.

Dies geht noch deutlicher aus der Vertheilung des Druckes
der Luft auf dem betrachteten Gebiete hervor. Das Barometer erreicht an der Stelle der gröfsten Kälte seine gröfste
Höhe und dafs dies einem wirklichen Zusammenströmen der
Luft zuzuschreiben, folgt daraus, dafs wir die Grenzen des
Gebietes hierbei sogar überschreiten können und das Fehlende
an andern Stellen direct nachzuweisen vermögen.

Der mittlere Barometerstand des Januar stimmt nahe mit
dem des Jahres überein, es genügt daher, den höchsten Stand
mit jenem zu vergleichen. In Preufsen und Östreich tritt derselbe fast überall am 22sten ein, in Memel, Königsberg, Lübeck,
Schwerin, Breslau, Görlitz, Berlin, Salzwedel, Paderborn schon
am 21sten. Bei der geringen Veränderung zur Zeit des höchsten Standes ist dies unwesentlich, da überhaupt der Moment
der gröfsten Höhe wohl selten beobachtet worden. Es steht
in pariser Linien das Barometer über dem Mittel in Königsberg
9,96, Posen 9,87, Stettin 9,51, Bromberg 9,38, Conitz 9,25, Cöslin 9,22, Breslau 9,08, Frankfurt 9,06, Krakau 9,12, Prag 9,32,
Wien 9,37, also nahe in einer von Königsberg nach Prag gezogenen Linie. Von dieser Linie an wird der Überschufs sowohl nach Westen als nach Osten geringer, denn die preufsischen Stationen geben: Tilsit 8,00, Memel 7,94, Arys 8,62,
Warschau 8,02, Ratibor 8,59, Neisse 7,13, Berlin 8,69, Potsdam
8,36, Hinrichshagen 8,00, Schwerin 7,87, Lübeck 7,28, Salzwedel
8,11, Torgau 8,21, Erfurt 8,46, Arnstadt 7,37, Gotha 7,09, Heiligenstadt 7,00, Brocken 6,10, Salzuffeln 6,84, Gütersloh 6,82, Paderborn 6,79, Trier 7,45, Neunkirchen 7,30, Frankfurt a. M. 7,50,
Aachen 7,24, Cöln 6,81, Cleve 6,40, Lüttich 7,13, Namur 6,20,
Brüssel 6,87, Gent 6,82, Paris 6,38, London 5,62, Applegarth
2,11, Orkney 0,8.

Nach Süden vom Centrum aus fortgehend, finden wir Win-
terberg 6,52, Hohenelb 7,52, Senftenberg 7,96, Olmütz 8,76,
Brünn 8,56, Königgrätz 8,82, Leitmeritz 8,37, Pürglitz 8,04,
Smeczna 8,42, Deutschbrod 7,74, Pilsen 8,03, Stubenbach 6,03,

Lemberg 6,93, Schemnitz 8,45, Kremsmünster 8,03, Salzburg 7,19, St. Paul 8,49, Klagenfurt 7,67, Sagritz 5,46, Adelsberg 7,78, Triest 7,30, Genf 5,85, St. Bernhard 4,03, Mailand 7,54, Neapel 5,55, wo aufser der Abnahme nach der Höhe die nach Süden deutlich hervortritt.

Nach Norden und Osten zu habe ich, da der stärkste Druck auf einen andern Zeitraum des Monats fällt, den mittleren Barometerstand am 22sten mit dem monatlichen Mittel verglichen. Wir erhalten Copenhagen 7,91, Stockholm 3,16, Petersburg 4,32, Lugan 3,14, Slatust 2,52, Catharinenburg 1,77, Bogoslowsk 1,70, Barnaul — 0,34, Nertschinsk — 3,13, Peking — 1,53, Sitcha 3,46.

Am 22sten Januar, dem Tage des höchsten Druckes in Europa, erreichte das Barometer im Staate New York seinen niedrigsten Stand. In North Salem Academy stand es — 8,77.

Wir können also das Terrain des erhöhten Druckes nach allen Seiten hin begrenzen, nach Süden hin wenigstens uns seiner äufseren Grenze nähern, die in Asien und Amerika bereits überschritten und in der Nähe der Orkneys erreicht ist, ja finden gleichzeitig jenseits der Grenzen ein zweites System erhöhten Druckes in Sitcha an der Küste des stillen Meeres.

Solche Differenzen müssen sich abgleichen, daher war das Ende des Januars stürmisch und der Abflufs der Luft folgte so schnell, dafs das Barometer schon am 26sten und 27sten über 20 Linien tiefer stand, und am 6ten Februar in Europa einen der niedrigsten Stände erreichte, den man je gesehen.

2. Barometrisches europäisches Minimum am 6. Februar 1850.

Am 6. Februar stand das Barometer unter demselben barometrischen Monatsmittel, dem des Januars 1850 nämlich, um folgende in Par. Lin. ausgedrückte Gröfsen.

Christiania — 20,21, Copenhagen — 17,81, Stockholm — 1,25 (schwed. Zoll.)

Lübeck — 17,73, Schwerin — 17,23, Salzwedel — 16,03, Stettin — 15,49, Hinrichshagen — 15,35, Cöslin — 15,46, Salzuffeln — 15,38, Gütersloh — 15,09, Paderborn — 14,77.

Memel — 13,90, Königsberg — 13,97, Danzig — 14,17, Schöneberg — 13,97, Conitz — 13,52, Bromberg — 13,85, Berlin — 14,13, Potsdam — 14,87, Gotha — 14,68, Erfurt — 13,70, Mühlhausen — 13,69, Heiligenstadt — 13,58, Brocken — 12,56, Cleve — 14,85.

Posen — 13,41, Frankfurt — 13,34, Torgau — 13,39, Cöln 13,41, Lüttich — 12,77, Brüssel — 12,94, Gent — 13,41, St. Trond — 12,81, Namur — 12,33.

Arys — 12,40, Warschau — 11,67, Breslau — 12,13, Görlitz — 12,08, Aachen — 12,21, Olmütz — 11,89, Neisse — 11,61, Schöfsl — 11,75, Smeczna — 11,06, Pürglitz — 11,07, Prag — 11,48, Trier — 11,33, Petersburg — 10,77, Krakau — 10,17, Ratibor — 10,76, Brünn — 10,65, Senftenberg — 10,01, Königgrätz — 10,63, Pilsen — 10,47, Wien — 10,19, London — 10,25.

Bogoslowsk — 9,76, Hohenelb — 9,45, Leitmeritz — 9,22, Deutschbrod — 9,55, Winterberg — 9,30, Kremsmünster — 9,14, Salzburg — 9,11, Triest — 9,56.

Slatust — 8,54, Stubenbach — 8,25, Klagenfurt — 8,83, Sagritz — 7,56, Mailand — 8,37, Pessan — 8,66,· Lugan — 4,47, Schemnitz — 5,41.

Barnaul — 0,73.

Peking + 4,70, Nertschinsk + 6,93, North Salem + 5,91.

Während dieses barometrischen Minimums hatte sich die Temperatur in Europa überall schnell erhoben, so dafs das thermische Mittel des ganzen Monates den normalen Werth bedeutend übertrifft. Hingegen war der 5te Februar der kälteste Tag des Jahres in North Salem, denn das Thermometer fiel auf — 13,3, in Lansinburgh auf — 16,9, in Unionshall auf — 11,5, in Sommerville im Februar ohne Angabe des Tages auf — 24,0, in Newbury (Vermont) auf — 29,3, in Toronto war der 4te Februar 7°,2, der 5te 6°,3 unter dem 12jährigen Mittel dieser Tage.

Zeigen die beiden eben betrachteten Beispiele auf eine auffallende Weise, wie die barometrischen Extreme in dem Wärmeunterschied neben einander liegender Luftströme ihre Erklärung finden, so soll doch damit nicht gesagt werden, dafs alle barometrischen Maxima auf diese Weise entstehen. Es giebt eine zweite Abtheilung derselben, welche dadurch hervorgerufen werden, dafs zwei Winde einander grade entgegenwehn und an der Berührungsgrenze gewöhnlich bei dichtem

Nebel das Barometer eine ungewöhnliche Höhe erreicht. Diese Phänomene des Stauens, die auf der See durch gegen den Wind laufende Wellen sich unmittelbar kundgeben, erheischen zu ihrer Untersuchung ein grofses Beobachtungsterrain. Ein schönes Beispiel scheint der März 1854 zu geben, doch fehlen mir noch aufsereuropäische Beobachtungen, um ihn einer vollständigen Prüfung unterwerfen zu können.

3. **Barometrisches Minimum am 1. Januar 1855.**

Können wir ein barometrisches Minimum einem Längenthale vergleichen, ein barometrisches Maximum einem Bergrücken, so wird auf einem nicht sehr weit sich erstreckenden Beobachtungsgebiet es auch vorkommen, dafs man sich am Abhange des Berges in das Thal befindet. Ein steilerer Absturz als der am Neujahrstage dieses Jahres über dem mitteleuropäischen Beobachtungsgebiet mag selten gesehen werden. Das Barometer stand am 1ten unter dem Monatsmittel in pariser Linien :*)

Tilsit — 16,86, Königsberg — 16,17, Danzig — 15,71, Arys — 15,27, Bromberg — 14,68, Cöslin — 14,59, Schöneberg — 13,95.

Conitz — 13,67, Posen — 13,09, Putbus — 13,31.

Stettin — 12,72, Wustrow — 11,56, Rostock — 11,72, Poël — 11,22, Schwerin — 11,12, Schönberg — 11,04.

Lemberg — 11,58, Zechen — 11,68, Frankfurt a. O. — 11,18, Jaslo — 10,58, Czernowitz — 10,64, Krakau — 10,96, Görlitz — 10,29, Berlin — 10,06, Salzwedel — 10,13, Kronstadt in Siebenbürgen — 9,07, Kesmark — 9,89, Leutschau — 9,16, Brünn — 9,27, Olmütz — 9,41, Wallendorf — 9,62, Cilli — 9,89, Ratibor — 9,84, Breslau — 9,93, Torgau — 9,71, Lüneburg — 9,75, Olterndorff — 9,73, Hannover — 9,80.

Semlin — 8,02, Tirnau — 8,61, Schemnitz — 8,45, Prag — 8,62, Czaslau — 8,65, Bodenbach — 8,32, Leipa — 8,92, Wien — 8,05, Mailand — 8,02, Strommnes — 8,50.

Zara — 7,12; Venedig — 7,46, Fünfkirchen — 7,21, Kahlenberg — 7,16, Linz — 7,06, Mallnitz — 7,23, Pürglitz — 7,88,

---

*) Bei den Stationen des östreichischen Beobachtungssystems ist das absolute Maximum angegeben, welches mit Ausnahme von Bodenbach, Prag, Pilsen und Czernowitz, wo es am 1sten eintrat, erst am 2ten beobachtet wurde. Die Differenzen werden am 1sten also kleiner gewesen sein.

Schöfsl — 7,86, Pilsen — 7,27, Heiligenstadt — 7,40, Mülhausen
— 8,42, Clausthal — 7,45, Lingen — 7,22, Emden — 7,51.

Debrecsin — 6,33, Szegedin — 6,65, Ragusa — 6,75, Triest
— 6,89, Adelsberg — 6,41, Meran — 6,83, Laibach — 6,92, St.
Magdalena — 6,20, Kremsmünster — 6,77, Tröpelach — 6,52,
St. Maria — 6,53, Plan — 6,52, Linz — 6,32, Heiligenblut —
6,75, St. Paul — 6,96, Klagenfurt — 6,55, Obervellach — 6,63,
Reichenau — 6,63, Trautenau — 6,05, Schüttenhofen — 6,14,
St. Peter — 6,86, Erfurt — 6,43, Ziegenrück — 6,96, Gütersloh
— 6,94, Paderborn — 6,81, Münster — 6,38, Althofen — 6,05,
Altaussee — 5,09, St. Jacob — 5,87, Insbruck — 4,47, Stilfserjoch
— 3,74.

Giefsen — 5,65, Frankfurt a. M. — 5,04, Boppard — 4,28,
Manheim — 4,17, Cöln — 4,70, Crefeld — 4,84, Cleve — 4,27,
Boston — 3,94.

Neunkirchen — 3,30, Trier — 3,29.

Paris — 0,24, Chisark bei London — 0,13.

Genf + 0,97, St. Bernhard + 1,09.

Auf dem ganzen preufsischen Beobachtungsgebiete begann
das Jahr 1855 mit stürmischen West- und Nordwestwinden,
begleitet von heftigen Regengüssen. In Berlin hatten diese
vollständig den Character eines heftigen Gewitterschauers, von
Schlesien bis Hamburg wurden von mehreren Orten Blitze und
Donner berichtet, die ich hier ebenfalls jeden Augenblick er-
wartete. In Wien erreichte der Orkan Morgens 9 Uhr seine
gröfste Stärke, in Berlin erst gegen Mittag. Im Lambacher
Walde bei Kremsmünster wurden auf einer Fläche von 4000
Jochen 30,000 Stämme umgerissen, 1200 in der Nähe des
Observatoriums auf 300 Jochen Oberfläche. In Jaslo wurde
am 2ten Morgens das Dach des Kreisamtgebäudes abgerissen,
in Trautenau Menschen und beladene Wagen umgeworfen.
Hingegen war in Zara Windstille. Das sind begleitende Erscheinungen eines Südstromes, der den ganzen December hindurch mit solcher Beständigkeit geherrscht hatte, dafs das barometrische Mittel des Monats in Arys 3,47, in Königsberg 4,36,
in Stettin 3,33, in Berlin 3,48, in Gütersloh 2,36, in Cöln 2,00
Linien unter dem siebenjährigen Mittel steht. Dies ist darum

auffallend, weil bereits in den nördlichen Provinzen das barometrische Mittel des November 2 Linien zu tief war.

Eine barometrische Differenz von $16\frac{1}{2}$ Linie zwischen Tilsit und Paris würde auf einem Wasserspiegel einen Niveauunterschied von fast 19 Zoll hervorrufen. Das ist freilich sehr merkwürdig. Wird man sich nun wundern daſs, um die Lücke an der russischen Grenze auszufüllen, die Luft von der Gegend des unverminderten Druckes hereinströmt, und hinterliegende Luftmassen nach sich ziehend, diesmal zuerst die Kälte vom Westen bringt. Aber nach einem solchen Kessel findet ein vielseitiges Zuströmen statt, daher mögen Ruſsland und Schweden später das Ihrige dazu beigetragen haben, unsere Temperatur so zu erniedrigen, daſs in Berlin, so lange an Thermometern beobachtet wird, kein so strenger Februar erlebt worden ist, wie der verflossene.

Die Verbreitung der Kälte auf dem preuſsischen Beobachtungsgebiet in den ersten 3 Monaten des Jahres 1855 habe ich in einer besondern Schrift „über die klimatischen Verhältnisse des preuſsischen Staates, 3. Abschnitt", durch Zusammenstellung der Extreme und Berechnung fünftägiger Mittel, ausführlich erörtert. Obgleich seit der Veröffentlichung derselben mir noch viele Beobachtungen zugegangen sind, hoffe ich doch diese später noch vervollständigt der Akademie vorlegen zu können.

Bei der vorhergehenden Untersuchung, die sich auf den längere Zeit andauernden Witterungscharacter eines gröſseren Gebietes bezieht, habe ich nur die Hauptrichtung der Luftströme ins Auge gefaſst, ohne durch eine nähere Discussion der Windrichtungen an den einzelnen Stationen bestimmen zu wollen, ob die Luft an einem bestimmten Tage in einer stetig fortschreitenden oder wirbelnden Bewegung begriffen war.

An eingegangenen Schriften wurden vorgelegt:

Archiv für schweizerische Geschichte. 10. Band. Zürich 1855. 8.

Weber, *Indische Studien.* 3. Band. Heft 2. 3. Berlin 1855. 8. (Mit einem Begleitschreiben d. Hrn. Verf.)

Astronomische Nachrichten. no. 960. 961. 962. Altona 1855. 4.

Hedwigia. Notisblatt für kryptogamische Studien. no. 10. Dresden 1855. 8.

Annales academici. 1850—1851. Lugd. Batav. 1854. 4.

Gerhard, *Denkmäler, Forschungen und Berichte.* Lief. 25. Berlin 1855. 4.

A. T. Kupfer, *Compte-rendu annuel adressé à M. de Brock.* Année 1853. St. Petersbourg 1854. 4.

Biot, *Nouvelles études sur les réfractions atmosphériques.* Paris 1855. 4.

Annalen der Kgl. Sternwarte bei München, herausg. von J. Lamont. VII. Band. München 1854. 8.

Jahresbericht der Münchener Sternwarte für 1854. München 1854. 8.

Mnemosyne. Tijdschrift voor classische Litteratuur. IV. Deel. Stuk 1. Leyden 1855. 8.

Annales des mines. Tome VI. Livr. 4. Paris 1854. 8. (Mittelst Rescripts des vorgeordneten Ministerii vom 10. Mai 1855.)

Parrat, *Les 36,000 ans de Manéthon.* Porrentruy 1855. 8.

Parrat, *Novum specimen quo probatur iterum linguarum indo-europaearum origo semitica.* Mulhouse 1855. 8.

Parrat, *Les tons chinois sont sémitiques.* s. l. et a. 4.

Berliner astronomisches Jahrbuch für 1852. Berlin 1849. 8.

Corrispondenza scientifica in Roma. Anno IV. no. 1. Roma 1855. 4.

Oeuvres de Frédéric le Grand. Tome XXVI. Berlin 1855. 8.

Comptes rendus des séances de l'Académie des sciences. Tome XL. no. 13—19. Paris 1855. 4.

Zantedeschi, *Telegrafo delle stazioni e delle locomotive delle strade ferrate.* Venezia 1855. 8.

Th. d'Estocquois, *Note sur l'équivalent mécanique de la chaleur.* Besançon 1854. 8.

The Quarterly Journal of the Chemical Society. Vol. VII. 2. 3. 4. VIII. 1. London 1854—1855. 8.

L. Fr. Ménabréa, *Études sur la théorie des vibrations.* Turin 1854. 4.

Zuchold, *Bibliotheca historico-naturalis.* 4. Jahrgang. Göttingen 1854. 8. (Mit Schreiben des Herausgebers vom 22. Mai 1855.)

Von der Kais. Akademie der Wissenschaften zu Wien war eine Bescheinigung vom 6. Februar d. J. über empfangene Schriften der Akademie eingegangen.

Durch einen Erlaſs des vorgeordneten Hrn. Ministers vom
10. d. empfing die Akademie Abschrift einer dem Hrn. Minister
der auswärtigen Angelegenheiten zugesandten Note des K. Sächsischen Gesandten Grafen von Hohenthal, wodurch derselbe für
die Werke Friedrichs des Groſsen eine frühere Mittheilung
der K. Sächsischen Regierung ergänzt und die Abschriften
zweier aus der Correspondenz Friedrichs des Groſsen mit der
Kurfürstin Maria Antonia nachträglich aufgefundenen Briefe mit
einigen historischen Bemerkungen gütig übersendet.

Bericht

über die

zur Bekanntmachung geeigneten Verhandlungen der Königl. Preuſs. Akademie der Wissenschaften zu Berlin

im Monat Juni 1855.

Vorsitzender Sekretar: Hr. Trendelenburg.

4. Juni. Sitzung der philosophisch-historischen Klasse.

Hr. Gerhard las die bienächst folgenden Bemerkungen zur vergleichenden Mythologie.

Die Anfänge des griechischen Götterwesens verweist Herodot (II, 50) gröſstentheils auf ägyptischen Ursprung, so daſs nur ausnahmsweise Poseidon von ihm aus Libyen hergeleitet, eine und die andere sonstige Gottheit auf Pelasger und auch wol auf Thraker von ihm zurückgeführt wird. Die neueste Forschung hat dieser Ansicht, von Seiten des griechischen sowohl als ägyptischen Alterthums, triftige Gründe entgegenzusetzen; sie lehrt uns, statt in Ägypten, vielmehr in Asien die Elemente der göttlichen Zwölfzahl Griechenlandes zu suchen. Daſs asiatische Götterdienste, theils durch die phönicische Schifffahrt, theils auch durch Vermittelung thrakischer Völkerschaften eingeführt, im ältesten Griechenland vorausgesetzt werden dürfen, ist eine mehr und mehr wissenschaftlich begründete Ansicht, welcher ich jedoch in meiner neulichen Abhandlung über Griechenlands Stammgottheiten (Abh. d. Akad. 1853) nur mit dem Vorbehalt beigetreten bin, daſs die Ursprünglichkeit einiger echt hellenischer Gottheiten, des Zeus und Apoll, der Athena und Hestia, nicht wohl sich bezweifeln lasse. Den

damals abgebrochenen Faden einer so mannigfach wichtigen Untersuchung wage ich jetzt wieder aufzunehmen, obwohl mit allem aus der Erwägung entstehenden Bedenken, wie abhängig diese
Untersuchung von der mir fern liegenden Gesamtheit vergleichender Sprach- und Religionsforschung ist. Andererseits hat
ein so eben durch mich vollendetes Lehrgebäude der 'griechischen Mythologie' (II. Berl. 1854. 55), welches von Einmischung
ungriechischer Parallelen grundsätzlich fern geblieben ist, mir
eine gewisse Verpflichtung zurückgelassen, über des griechischen
Götterwesens Verhältnifs zum Ausland und namentlich über
jene Ableitungen aus dem Orient mich zu äufsern, in welchen
Herodot Diodor und Plutarch den Werken von Bochart Kanne
und Movers, nicht weniger als den neuesten Vertretern des
Sanskrit, vorangegangen sind. In dem Bestreben dieser Verpflichtung nachzukommen, werde ich auf das Gebiet der vergleichenden Mythologie geführt, und glaube daher über
Mängel und Schwierigkeiten desselben vorerst mich aussprechen
zu müssen.

Die im Einzelnen so häufig uns vorgeführte Vergleichung
des Götter- und Sagenwesens verschiedener Völker kann meines Erachtens nur dann eine wissenschaftliche Geltung haben,
wenn eine factische sowohl als philosophische Grundlage ihr
gesichert ist. Der Thatbestand aller heidnischen Religions-
und Sagenkreise mufs als Ergebnifs geschichtlicher Forschung,
der Inbegriff aller einschlagenden ideellen Beziehungen in phi-
losophischer Schärfe vorliegen, um aus diesen beiden Factoren
zu einer vergleichenden Darlegung des Gemeinsamen und Unterscheidenden sämtlicher Religionen des Heidenthums vor-
dringen zu können. Grofse Vorarbeiten bieten theils in den
mancherlei Werken über die Religionen der alten Welt, theils
in den Philosophieen der Religion und der Mythologie, zum
Theil von Meistern der Wissenschaft herrührend, jenem Zwecke
sich dar, haben jedoch, soviel ich bemerken kann, bis jetzt
weder zu einer Gesamtdarstellung vergleichender Mythologie,
noch auch zur Feststellung der dabei mafsgebenden Grundsätze
geführt, zu deren Ermittelung ich demnach die nächstfolgenden
Bemerkungen versuchsweise mir erlaube.

Um den thatsächlichen Bestand der Glaubensformen und Mythen des heidnischen Alterthums den Zwecken einer vergleichenden Mythologie anzunähern, müssen die Stammunterschiede des Menschengeschlechts uns leitend sein. Die vergleichende Sprachforschung hat uns gelehrt, Inder und Perser, Germanen Celten und Slaven als Zweige eines und desselben arischen oder indogermanischen Menschenstamms, Babylonier und Phönicier als semitische Völkerstämme, die Assyrer in mitten beider und, in selbständiger Verwandtschaft mit den Semiten, die Ägyptier ihnen gegenüberzustellen; eine vergleichende Mythologie kann zu thatsächlicher Darstellung der heidnischen Glaubensformen eben auch nur derselben Sonderung folgen und wird dabei am füglichsten die Gesichtspunkte festhalten, die aus Idee und Darstellung, Symbolik und Dienst der verschiedenen Gottheiten sich ergeben. Erschwert wird die Festhaltung jener Volksunterschiede durch die Verschmelzung durchkreuzender Völkerzüge, welche, theils in und über Assyrien, theils auch in Ägypten, zwischen arischen und semitischen Völkern statt fand; doch ist der Gedanke deshalb nicht abzuweisen, daß in Religion und Mythologie der arischen oder indogermanischen Völker, verglichen mit denen der Semiten und Ägyptier, gewisse durchgreifende Unterschiede der Art sich vorfinden müssen, wie ich hienächst ihrer einige aufzustellen versuche.

1. Wenden wir uns zunächst zu den die *Idee* der Gottheit anlangenden Volksunterschieden, so finden wir in den arischen, gemeinhin als Sprossen Japhets betrachteten Völkern, den Dienst der Mächte des Himmels und des Lichts, wie des darauf bezüglichen Feuersymbols, überwiegend; dagegen in dem von Sem und Ham abgeleiteten, semitischen und ägyptischen Völkerstämmen, neben Anerkennung der Mächte des Lichtes und ihres Sonnendienstes, eine weitgreifende Verehrung tellurischer Mächte gebietend ist.

2. Die persönliche Auffassung der Gottheit wird in den arischen Religionen mit entschiedenster *Männlichkeit* gedacht, womit ursprünglich auch die ägyptische Auffassung übereinstimmt; den semitischen Religionen dagegen gehört die Hochstellung weiblich gefaßter Götterkraft, theils in der auch durch

26*

griechische Göttermütter bekannten Weise, theils in der arisch-
semitischen Auffassung der Naturgöttin als wehrhafter Jungfrau, woneben der Androgynismus als eine Erfindung semitischer
Weichlichkeit sich bekundet.

3. In der *Symbolik* der Gottheiten scheint sich der arische
Götterglaube ursprünglich mit der im Lebensbaum, Soma und
Haoma, gegebenen Andeutung begnügt zu haben; dagegen die
Symbolik des Steines sowohl als der Thiere, die den Semiten
zugleich mit dem Säulen- und Phallussymbol geläufig war, bei
den Ägyptiern einerseits zum Thierdienst, andererseits zur men-
schenähnlichen Bildung der Gottheiten sich gestaltete.

4. Der *Gottesdienst,* hervorgegangen aus dem Abhängig-
keits- und Schuldgefühl aller Nationen, allerorts auch mit prie-
sterlicher Stellvertretung und persönlichen Bussacten verbunden, ist vorzugsweise bei Ägyptiern und Semiten zu Über-
schwenglichkeiten gediehen, die im ehrwürdigen ägyptischen
Todtendienst, aber auch in den Verirrungen persönlicher Hingebung, in Menschenopfer und Prostitution, in zahllosen Prie-
sterschaaren und einem düstern Geheimdienst, alles dieses hauptsächlich bei den semitischen Stämmen, sich bekunden.

5. Die grübelnde Mythologie der Welt- und Götterent-
stehung ist vorzugsweise von den semitischen Völkern verfolgt
und aus deren Philosophemen in Griechenlands *Theogonie* übertragen worden. Die Mythen von der Götter Geburt und Verschwinden, Entführung und Tod, Wiederkehr und Erneurung,
die der späteren indischen und der nordischen Mythologie zwar
auch nicht fremd sind, scheinen doch vorzugsweise im über-
schwellenden, von Gegensätzen erfüllten, Naturgefühl der Semiten entwickelt worden zu sein, aus deren Mitte die griechischen Mythen vom Tod des Adonis und Herakles, wahrscheinlich auch die Entführungssagen vom Raub der Europa und
Kora stammen.

Mit Übergehung noch mancher anderer Gegensätze arisch-
japhetischer und semitisch-ägyptischer Mythologie können die
eben erwähnten uns genügen, zunächst von dem überwiegen-
den Einfluss semitischer Religionsideen und Symbole auf
Griechenlands Mythologie uns zu überzeugen; ein Verhältniss
in welchem auch die seit Herodot in hohem Grad überschätzte

Verwandtschaft der griechischen mit der ägyptischen Mythologie ihre Erklärung findet. Statt dieser scheinbaren Verwandtschaft, deren wirklicher Grund in der frühen Verschmelzung
semitischer und ägyptischer Volksstämme zu suchen ist, lassen
die meisten Anfänge des griechischen Götterwesens sich um so
sicherer bei den semitischen Küstenvölkern nachweisen. Es
läfst sich kaum leugnen, dafs unter den griechischen Gottheiten wenigstens die Reihe weiblicher Erdmächte, solcher wie
Gäa Themis und Rhea, wie auch Demeter und Aphrodite es
sind, dafs unter den leitenden Symbolen der Mythologie Phallus und Schlange, dafs im Ritual des griechischen Götterdien-
stes alles Mysterienwesen auf die Einmischung semitischer Religionen zurückweist. Diese vielbezeugte, durch Griechenlands
Land- und Seeverkehr mit Assyrien und Phönicien vielfach erklärte, Einwirkung läfst sich zunächst an der Mehrzahl *griechi-*
scher Gottheiten erkennen, für die es mir vergönnt sei, die
dahin einschlagenden Wahrscheinlichkeiten, dem jetzigen Stande
der Forschung gemäfs, der Kürze wegen apodiktischer zusammenzustellen, als die Natur des Gegenstandes und die Behutsamkeit philologischer Forschung in einem andern Zusammenhang es gut heifsen würden.

   Mit jenem, von mannigfacher orientalischer Sprach- und
Religionsforschung betheiligten, dermaligen Standpunkt der
Forschung ist es nicht nur wohl verträglich, dafs man in *Kronos*
einen so entschieden ungriechischen Gott wie den babylonisch-
phönicischen Baal oder Belitan erkennt, sondern es sind auch
in der Zwölfzahl olympischer Götter wenigstens *Poseidon,* Ares
und Aphrodite, wahrscheinlich auch Hera Demeter und Artemis,
unzweifelhaft aus semitischen Gottheiten entstanden: Poseidon,
dessen anderwärts nachgewiesene ursprüngliche Wildheit in
den semitischen Meeresgottheiten von Joppe und Askalon ihr
Vorbild findet; *Ares,* den man mit gleicher Wahrscheinlichkeit
dem assyrischen Azar und andern Abzweigungen des als Son-
nengluth gedachten Baal gleichsetzt und in vielfacher Beziehung
auch dem Dionysos gleichsetzen kann, endlich *Aphrodite,* deren
assyrisch-phönicische Herkunft bereits, in gröfserer Allgemeinheit als ich selbst gewagt hätte, von den namhaftesten Bürgen
hellenischer Forschung für eine durchaus ungriechische Gott-

heit angesehen wird. Die vorzugsweise an dieser Göttin bekannte Idee der semitischen Lebensmutter ist aber in Orient
und Occident noch ungleich weiter verbreitet: der babylonischen Mylitta, phönicischen Astarte, kleinasiatischen Rhea und
Kybele, ist nicht nur die assyrische und idäische Aphrodite-
Urania entstammt, sondern es läfst sich von jener asiatischen
Göttin gewifs auch die lydische *Hera* der Pelopiden ableiten,
deren idäischer, hie und da auch in Hellas wahrnehmbarer,
Reiz durch die Beiordnung mit Zeus zum überragenden matro-
nalen Ernst der dodonischen *Ge* und *Dione* gedieh. Die Müt-
terlichkeit, mit welcher eben dieser matronale Ernst in der griechischen *Demeter* verknüpft ist, vermag in der Feuerläuterung
des eleusinischen Demophon die Spur asiatischer Kindesopfer,
dem Dienst der semitischen Astarte und arisch-semitischen Tanais
entsprechend, nicht zu verleugnen. Ungleich entschiedener aber
aus Landen semitischer und arischer Mischung hervorgegangen
erscheint die Lichtgöttin *Artemis*, die, mit *Pallas* sowohl als
auch mit *Persephone* über Nordasien und Thrakien hereinge-
drungen, den Dienst der assyrischen Tanais, durch wilde Jungfräulichkeit und grausame Menschenopfer bezeichnet, nach Griechenland brachte. Eine mit ihr verwandte, in Griechenland vom
Kriegsbrauch des Ares zur Handhabung strenger Gerechtigkeit
hinübergezogene, Göttin scheint *Adrastea*-Nemesis zu sein, deren Name an den bereits erwähnten assyrischen Kriegsgott
Adar oder Azar erinnert.

Andere griechische Gottheiten geben ihren semitischen
Ursprung durch die Symbole des Phallus oder der Schlange
kund; obenan unter ihnen steht *Dionysos*, dem unter den Gottheiten Asiens der syrische und phönicische Gluthgott Baal oder
Moloch vielleicht am meisten verwandt ist. Hinüberreichend
bis nach Indien wo Shiva, bis nach Arabien wo Urotal, Ausdrücke jenes orgiastischen Gluth- und Weingottes, des Todes-
gottes zugleich und des Gottes glühender Begeisterung sind,
ist die Spur seines Geburtsortes Nysa in orientalischen Kulten
verbreitet, die man nicht wohl erst den hellenistischen Einflüssen der Zeit Alexanders beimessen kann; das semitische Symbol seiner Feuersäule ist in den griechischen Dionysos στῦλος,
Behörnung und Stierdienst ebenfalls in die gangbarste griechi-

sche Sitte, und ebendahin auch mancher mystische Priesterbrauch
seines Dienstes übergegangen. Mit diesem Gotte zugleich gibt
die Reihe sonstiger Zeugungsgottheiten, silenesker sowohl als
priapischer und hermaphroditischer Art, als semitisch sich kund.
Aber auch die Reihe der Heilgottheiten, *Asklepios*, samt allen
mit dem heilkräftigen Schlangensymbol versehenen phönicischen
Ophionen und samt dem seit frühester Zeit in der Geltung
des guten Ortsdämon gesicherten Schlangendienst, weisen auf
die, über Thrakien oder Kleinasien wirksam gewordenen, Einflüsse ähnlichen semitischen Rituals zurück.

Mit diesen Phallus- und Schlangendämonen zunächst verwandt und allem Anscheine nach gleichen Ursprungs mit ihnen
sind die dämonischen Gestalten, in denen, oft auch mit den
Schwingen assyrisch-phönicischer Kunstgebilde gedacht, physische Erhebung, hauptsächlich des Morgenlichts, zum Vorbilde
geistiger Erhebung und Verknüpfung sich steigerten. Wenn
Adonis und *Phaethon* phönicischen Ursprungs sind, wird man
ein Gleiches auch für den *Eros* einräumen müssen, dessen gei-
sterhafte Erscheinung der hesiodischen Theogonie als schaffen-
des Weltprincip voransteht und nebst allen andern erheblich-
sten Grundzügen derselben auf die Lehrsätze semitischer Kos-
mogonieen zurückweist. Hieneben verdient das Gewicht beachtet zu werden, welches in jenen dämonischen Gestalten
sowohl als auch in der mit Aphrodite verwandten *Eos* auf die
Erscheinung des ersten Morgenlichtes gelegt wird. Die zumal
für Küsten- und Inselbewohner eindrückliche Erhebung des
Sonnenlichts aus dem Meer macht es begreiflicher, wenn eines-
theils das neuerstehende Licht als der den Gewässern entstie-
gene Schöpfungs- und Schicksalsgeist betrachtet wurde, anderntheils aber auf die Wassergottheiten jener Nachdruck gelegt
war, welchen *Okeanos Triton* und *Melikertes*-Palämon, alle vielleicht aus phönicischer Vorstellung, in der griechischen Mythologie beanspruchen. In einer ganz ähnlichen Vereinigung aber
des physischen und geistigen Lichts mit dem Element der Gewässer, reihn der semitischen Göttin des Frühroths auch *Leu-
kothea* und die mancherlei prophetischen Nymphen, Musen Sibyllen und Sirenen, zugleich mit *Ilithyia* und andern Göttinnen

sich an, in denen Licht, Geburt und Schicksal ihren vereinigten Ausdruck fanden.

Neben diesen rein ideellen Anlässen sind endlich, um die
semitischen Elemente der griechischen Mythologie mit einiger
Vollständigkeit zu überblicken, auch noch die praktischen des
Handels und Bergbaus hinzuzufügen, die in *Telchinen Daktylen*
und anderen Bergdämonen der Urzeit, mit Einschluß des idäi-
schen *Herakles*, aber auch wohl im Feuergott *Hephästos*, und
noch entschiedener im Handelsgott *Hermes*, erkennbar sind.
Ihnen gesellen als Lenker phönicischer und demnächst griechischer Schiffahrt die flammenden *Kabiren* und leuchtenden *Dioskuren* sich bei. Die tiefe Einwirkung semitischer Einflüsse
hatte für Götter- und Menschenleben sich frühzeitig auch in
der griechischen Sprache begründet, in welcher, zahlreicher
Ortsnamen zu geschweigen, die eigensten Ausdrücke göttlicher
Klugheit und menschlicher Rede, die Μάχαρες und die *Meropen*,
samt manchen charakteristischen Götterbeinamen, sich auf semitische Sprachwurzeln zurückführen lassen; wogegen freilich
auch alle Unzier des ältesten Griechenlands mit einiger Zuver-
sicht für semitisch erklärt werden darf. In der griechischen
Heroensage sind die unheimlichsten Gebräuche der Vorzeit,
namentlich die durch Stier- und Schlangensymbolik oder durch
Meerungethüme gedrohten Menschenopfer, die Sagen von *Mi-
notauros* und *Talos*, von der *Hesione* Rettung und Hippolyts
Untergang, samt den an gleiche Symbole geknüpften Sagen
der *Kadmos*-Schlange und des *Europa*-Stiers, mit einem so entschieden semitischem Gepräge durchzogen, daß außerdem nur
etwa die ähnliche Wildheit des Artemisdienstes, wegen ihrer
mehr nordasiatischen, auf arisch-semitischer Mischung beruhenden Quelle, die Menschenopfer der *Orestes*- und Iphigeniasage
zu erklären sich anführen läßt. Neben diesen mythischen Zeug-
nissen blutiger Sitte der Vorzeit fallen aber auch die auf unnatürliche Lust bezüglichen Mythen im Sagenkreis der kreti-
schen *Pasiphae* und attischen *Phädra* ebenso sicher dem Aphroditedienst der Phönicier anheim, und es bedarf so glänzender
Heldengestalten wie *Bellerophon Sarpedon* und *Perseus*, um
durch die Würde assyrisch-babylonischen Sonnendienstes, aus
dem jene lykischen und kilikischen Helden stammen, dem Un-

glimpf semitischer Einwirkungen aufs älteste Griechenland ein Gegengewicht darzubieten. Nebenher läfst dieses Gegengewicht auch durch Heroen phönicischen Bergbaus wie *Phineus*, durch astronomische Sagenkreise wie den des *Orion* zu Hyria, noch unabweislicher durch die grammatischen Künste des *Palamedes*, sich verstärken.

Mit dieser Aufzählung semitischer Elemente der griechischen Mythologie sind die ausländischen Elemente derselben jedoch keinesweges erschöpft; vielmehr drängt nun mit gröfserem Nachdruck die Frage sich auf, ob neben jenen semitischen Einflüssen, die bei der Phönicier bekanntem Einfluss aufs älteste Griechenland in höherem oder geringerem Grade unleugbar sind, auch die Annahme so ungleich entfernterer Einflüsse wie die der indogermanischen Völker eine berechtigte sei. Dieser Frage näher zu treten, wird uns zunächst durch diejenigen Kultusverhältnisse möglich gemacht, in denen a r i s c h e u n d s e m i t i s c h e Elemente verschmolzen sind. Eine solche Verschmelzung fand in Assyrien statt und hat von dort aus ihren Weg füglich nach Griechenland finden können; sie gibt am augenfälligsten theils in der Verknüpfung des reinen Lichtdienstes mit tellurischen Elementen und mit der vorherschenden Wildheit ihrer Gebräuche, theils in dem steigenden Übergewicht weiblich gefafsten Götterwesens, sich kund. Die indischen Himmels- und Lichtgottheiten sind durchaus männlich gedacht, wie denn ein gleiches Verhältnifs überwiegend männlicher Auffassung auch in Ägypten mafsgebend gewesen zu sein scheint; zum persischen Mithra hatte wohl erst durch semitischen Einfluss die weibliche Mitra sich gesellt, aus deren dem männlichen Mithra verknüpften Dienst die von Xerxes dem delischen Götterpaare Apollon und Artemis gewährte Schonung sich erklärt; aber auch Assyrien huldigte jener von Herodot dort bezeugten Mitra, die in der gleichgeltenden Benennung *Tanais* uns geläufiger ist. Mit einer männlichen Gottheit, weniger dem Mithra als dem semitischen Baal, verknüpft, hatte diese Gottheit den Dienst der semitischen Lebensmutter, der Baaltis Mylitta oder Astarte, in einer Weise umgestaltet, deren unnatürliche, durch Menschenopfer und Prostitution im Sakäenfest bezeugte, Wildheit als eine semitische Ausbeutung der im

arischen Lichtdienst gegebenen Anläfse betrachtet werden kann.
Hieneben aber fand eine dem Feuerdienst Oberasiens gemäfsere
Auffassung eben derselben als Jungfrau gedachten Göttin ihre
nicht minder weite Verbreitung. Über den Zusammenhang
der persischen und griechischen *Artemis* kann nicht wohl gezweifelt werden, aber auch die Würgerin Persephone-Kora
und die Lanzenschwingerin Pallas scheinen aus eben jener jungfräulichen Lichtgöttin des Orients entstanden zu sein. Für den
Zusammenhang der persischen taurischen und thrakischen, brau-
ronischen und spartanischen Artemis bürgt die durchgehende
Symbolik des von allen jenen Göttinnen bewältigten oder ge-
zähmten Wildes, die grausame Sitte der Jungfrauenopfer, die
Unzugänglichkeit ihrer Heiligthümer und, daraus erklärlich, sowohl der Orgiasmus als auch der priesterliche Pomp ihres
Hierodulenwesens; in der ephesischen Göttin traten dieselben
Grundzüge jungfräulichen Artemisdienstes durchs Übergewicht
semitischen Einflusses hinter dem babylonischen Begriffe der
Lebensmutter zurück. Durch Jungfräulichkeit und durch Jungfrauenopfer steht bemerktermafsen derselben assyrischen Tanais
auch die griechische *Persephone*-Kora gleich, deren Entwickelung
jedoch in höherem Grad von semitischen Elementen betheiligt
ward: die in ihr vereinigten Gegensätze von Lebenslust und
Todesqual weisen auf Aphroditedienst und Stierbändigung assy-
rischer und persischer Kulte zurück. Wenn eben jene Persephone im griechischen Mysterienwesen mit Demeter vereint
auftritt, so läfst die erfolgreich gewordene Verbindung dieser
vorzugsweise so genannten 'beiden Göttinnen' am besten aus dem
durchgängigen griechischen Bestreben sich erklären, den Göt-
terdiensten des Auslands (in diesem Falle sowohl der jungfräulichen arischen als der semitischen Muttergöttin), jede Anerkennung und Einbürgerung zu gönnen. Ob auch *Pallas-Athene*
von der jungfräulichen Kriegsgöttin Oberasiens stamme, läfst
hienach sich ebenfalls fragen. Trotz der täuschenden Ähnlichkeit der Namen Athana und Tanais kann die ursprüngliche Verwandtschaft dieser agrarischen Burggöttin Athens (einer zunächst
den böotischen Gäa- und Onkadiensten vergleichbaren Göttin,
die aber wie Hestia auch Göttin des unvergänglichen Lichtes
ist) mit den Erdgöttinnen semitischer Kulte nicht wohl be-

zweifelt werden; in der taurisch-thrakischen Pallas jedoch sind
Grundzüge der Tanais kaum zu verkennen; wonach denn im
Doppelwesen der aus zwei verschiedenen Kulten herrührenden
Gottheit Pallas-Athena eine ganz ähnliche Unterscheidung,
des Wesens sowohl als der Herkunft, beider Göttinnen aus ur-
alter Zeit uns vorliegt, wie in der sinnvoll verschmolzenen
Doppelgestalt der Demeter und Kora.

Eine unmittelbare Einwirkung rein a r i s c h e n Götterwesens
auf das griechische geht aus jenen Nachweisungen arisch-semitischer Mischung und ihrer nach Hellas gelangten weiblichen
Lichtgottheit allerdings nicht hervor; griechische Götter aus
dem entferntesten Asien, etwa das Vestafeuer vom Dienste der
Magier, abzuleiten, darf ohne schlagende Gründe als Willkür
getadelt werden, dagegen der unbekümmert geübte Glaube
an Autochthonie des ältesten Griechenlands der mythologischen
Forschung aufs dankenswertheste bisher zu statten kam. Zuletzt aber lassen doch weder Pelasger noch Hellenen der Ver-
kettung des ganzen Menschengeschlechts sich entziehen, und
wie ihre Sprache auf indogermanische Wurzeln zurückweist,
wird eine gleiche Ableitung auch für die echtesten Religions-
elemente Griechenlands die folgerechteste sein. Dieses vorausgesetzt, ist es nun sehr beachtenswerth, daß gerade *Zeus*
und Apoll, die wir als eigenste Gottheiten des Hellenismus anzuerkennen befugt sind, auf überraschende Analogieen der arischen Völker rückweisen. Ein gemeinsamer Licht- und Himmelsgott aller indogermanischen Völker, in den verschiedenen
Namensformen Devas Jovis und Janus, Zio und Tyr (Grimm
D. Myth. 175 ff.) dem Namen des Zeus gleicherweise entsprechend, ist durch die vergleichende Sprachforschung außer Zweifel gesetzt, und der selbständig benannte indische Himmelsgott
Indra geht um so mehr durch Begriffsverwandtschaft dem Zeus
voran: mit Donner und Blitz versehn und Weltherscher wie
Zeus, ist seine Bekämpfung des Wolkengotts Vritra den Siegen
des Zeus über Titanen und Giganten, sein zum Kampf ihn
stählender Somatrank dem Nektar der olympischen Götter vergleichbar. Dem indisch-persischen Lichtdienst erscheint aber
auch *Apollon* verwandter als irgend einem semitischen: die
fleckenlose Reinheit dieses ins Menschenleben so tief eingrei-

fenden Gottes findet in der Entwickelung indischen Sonnendienstes ein ideelles Vorbild, dem die Anwendung überwiegend
semitischer Symbole, der Feuersäule in welcher das Prototyp
des Agyieus sich erkennen läfst, oder auch des Delphins, keineswegs widerspricht. Allerdings kann eine solche Übereinstimmung mehr oder weniger zufällig sein; doch wird die Einwanderung indischer und persischer Religionsvorstellungen in
Griechenland, erklärlich, wie bei der arisch-semitischen Lichtgöttin, durch nordasiatische oder westliche Mittelwege, auch
mannigfach sonst noch uns nah gelegt. Es kann wol nicht
fehlen, dafs *Hephästos* und Hermes durch die Phönicier nach
Lemnos und Samothrake gelangten ; aber es wird auch kaum
möglich sein, die Übereinstimmung des Hephästos mit dem indischen Feuergott Agni, die des *Hermeias* mit dem als Seelen-
führer Stabträger und Hirt gleich jenem griechischen Gotte
bezeugten indischen Sarameya, für zufällig zu erachten. Die
unverkennbare Begriffsverwandtschaft des hiemit berührten, indischen sowohl als griechischen, Rinderraubs scheint mytholo-
gische Quellen uns aufzuschliefsen, deren uralte und mannigfach
sonst noch bestätigte Völkergemeinschaft einerseits über die
Gleichsetzung des Götterboten mit einem Hunde uns wegsehen
läfst, anderntheils aber auch alle Behutsamkeit für ähnliche,
der neuesten indischen Forschung fast allzu reichlich erwach-
sende, Parallelen uns zur Pflicht macht. Überraschende Ähnlichkeiten wie auch Uranos mit Váruna, Akmon mit Açman,
die drei Kabiren mit Indiens verbrüderten grofsen Göttern,
die Dioskuren mit den Açvin, die Hekatoncheiren mit den Maruts,
Dionysos mit Shiva, Pan und die Kentauren mit den Pani und
Gandharba's, Hypnos und Thanatos mit dem Todesgott Yama,
wie ferner von weiblichen Gottheiten Eos mit Ushas, die Cha-
riten mit den Apsaras, die Erinyen mit Saranyu verglichen, sie
zeigen, vermögen die Brücken nur vorzubereiten, noch immer
nicht aufzurichten, die zur Verknüpfung indischer und griechischer Urzeit bis jetzt vermifst wird, geben jedoch im Allgemeinen der Ansicht Raum, dafs manche bis hieher für sehr entschieden erkannte Vorzüge der griechischen Mythologie, sei es
für die persönliche Göttlichkeit feinsinnig erkannter Naturkraft,

sei es für Sitte und Menschenleben, nicht ohne den Vorgang noch älterer Völker gedacht werden dürfen.

Dem Autochthonenstolz der Hellenen wird durch dies Ergebniſs zwar nicht geschmeichelt; um so mehr aber kommt zu gerechter Würdigung der griechischen Mythologie die poetisch-religiöse Durchbildung ihres dem Ausland entlehnten mythischen Personals in Anschlag, ohne daſs es, den ideellen Werth jener groſsartigen Schöpfung höher zu stellen, einer Aufzählung der nur in Hellas genannten Gottheiten und Mythen bedarf. Die Zahl solcher von Haus aus griechischer Wesen dürfte, wenn die oben angestellte Vergleichung nicht widerlegt werden kann, jetzt nur sehr mäſsig ausfallen: keine der gröſseren Gottheiten, Pan so wenig als Eros, von Wasser- und Luftgottheiten kaum selbst die Silene und Walddämonen, die Nymphen Sibyllen und Musen, aus der Schöpfungs- und Heldensage kaum die Titanen und Herakles, sind in so ausschlieſslicher Geltung rein griechischen Ursprungs zu nennen. Wie groſs aber erscheint der hellenische Bildungsgeist eben dadurch, daſs sein olympischer Zeus und delphischer Apoll, seine Athena und Hestia die einfache Majestät der gleichartigen indischen Gottheiten, an und für sich und vermöge der durch sie gebildeten und gelenkten Götter- und Menschenwelt, überbieten; daſs aus den assyrischen Lebensmüttern, eines zum Theil fluchwürdigen Dienstes, die lydische Hera und idäische Aphrodite, aus der Wildheit nordasiatischer Mondgöttinnen die arkadische und delische Artemis, daſs selbst aus den Ungethümen semitischer Andacht ein korinthischer Poseidon ihm hervorging! Die griechische Gastlichkeit hatte, wie an den Menschenstämmen die bei ihr anlandeten, so auch an deren Gottheiten sich reichlich bethätigt; sie hat das Göttergewimmel des Polytheismus samt allen in späterer Zeit ihm erwachsenen Übeln verschuldet, aber es ist auch der Schöpfungskraft griechischen Geistes allein erreichbar gewesen, Babylons Lebensmutter und die jungfräuliche Lichtgöttin Oberasiens zur sittlichen Einheit eleusinischer und athenischer Doppelgöttinnen, wie Demeter-Kora und Pallas-Athene es sind, zu gestalten. Endlich kommt neben dem griechischen Götterglauben auch noch der eigenthümliche Werth der ihm verknüpften Heroen.

sage in Anschlag, vermöge dessen der Hellene vor andern Völkern sich rühmen konnte, seine von Zeus oder andern Göttern erzeugten Vorfahren, samt aller Fülle der ihnen verknüpften Sage, in vollem Bewufstsein des göttlichen Ursprungs der Menschheit, zu unvergänglichen Musterbildern religiöser zugleich und volksthümlicher Dichtung erhoben zu haben.

Hr. Trendelenburg legte die ihm unter Bezug auf eine akademische Preisaufgabe von dem Verf. übersandte Schrift „neue Darstellung des Sensualismus; ein Entwurf von Heinr. Czolbe, Dr. med. 1855" mit einigen Bemerkungen vor.

---

7. Juni. Gesammtsitzung der Akademie.

Hr. Braun las über *Chytridium*, eine Gattung einzelner Schmarotzergewächse auf Algen und Infusorien.

Die Gattung *Chytridium*, deren ich in der Schrift über Verjüngung p. 279 vorläufig Erwähnung gethan habe, umfalst sehr kleine einzellige Gewächse, welche im süfsen Wasser schmarotzerisch auf lebenden Organismen, besonders Algen und Infusorien, vorkommen. Das ganze Pflänzchen besteht aus einer einfachen blasenartigen Zelle, welche oft mit einer wurzelartigen Verlängerung in die Zellen des Nährorganismus eindringt, seltener sich im Inneren dieser selbst entwickelt; sie besitzt eine ziemlich derbe und feste Haut, welche durch Jod und Schwefelsäure nicht gebläut wird, und einen farblosen Inhalt, in welchem im jugendlichen Zustand ein oder mehrere Öltropfen zu unterscheiden sind. Zur Zeit der Reife bilden sich aus dem ganzen Inhalt zahlreiche und sehr kleine, kugelförmige oder längliche, farblose, bewegliche Keimzellen (Zoogonidien), welche einen excentrischen, dunkler erscheinenden Kern und einen sehr langen, einfachen Flimmerfaden besitzen.

Die Zelle öffnet sich mit einer oder mehreren Öffnungen, welche bei einigen Arten gedeckelt sind, bei andern nicht, bei
einigen endlich in eine längere Röhre auslaufen. Die durch
diese Öffnungen ausschwärmenden Keimzellen haben eine sehr
lebhafte, innerhalb der Mutterzelle wimmelnde, aufserhalb derselben gleichsam hüpfende oder tanzende Bewegung.

Nach der schmarotzerischen Lebensweise und dem Mangel
der Chlorophyllbildung mufs man diese Gebilde, wenn man
die gewöhnliche Unterscheidung der Pilze und Algen beibehalten will, zu den Wasserpilzen rechnen, allein in Beziehung
auf Bau und Fortpflanzung schliefsen sie sich den im streng-
sten Sinne einzelligen Algen (*Hydrocytium*, *Characium*, *Scia-
dium*, *Hydrodictyon* u. s. w.) an, in analoger Weise, wie *Achlya*,
Saprolegnia und *Leptomitus* sich den *Vaucherien*, *Hygrogrocis* den
Oscillarien anschliefsen. Man mufs sich hüten diese Schma-
rotzergebilde nicht für spermatozoenbildende Organe der Nährpflanzen zu halten, eine Verwechselung, die um so eher stattfinden kann, als bei manchen Algengattungen in der That die
Spermatozoen in besonderen kümmerlichen Individuen gebildet zu werden scheinen, welche gleich Schmarotzern der entwickelten Alge ansitzen (*Oedogonium*, *Bulbochaete*).

Unter den bis jetzt beobachteten Formen der Chytridien
lassen sich 21 Arten unterscheiden, von denen manche noch
zweifelhaft sind, da nicht bei allen die Entwicklung der Zoogonidien beobachtet ist. Dieselben wurden auf 32 Nährorganismen gefunden, von welchen 18 unbezweifelte Pflanzen aus
der Klasse der *Algen* sind, 12 solchen Familien angehören, die
je nach der Grenzbestimmung des Pflanzen- und Thierreiches
bald dem einen, bald dem andern Reiche zugezählt werden (*Desmi-
diaceen*, *Diatomaceen*, *Chlamidomonaden* und *Volvocinen*). In einem
Falle ist der Nährorganismus ein entschiedenes Thier (*Euglena*). Abweichend von dem Vorkommen auf Organismen aus den untersten
Reihen des Pflanzen- und Thierreichs, ist endlich ein bis jetzt
isolirt stehender Fall des Vorkommens auf Theilen höherer
Gewächse, nämlich auf dem ins Wasser gefallenen Blüthen-
staub von *Pinus*. Manche Arten sind bis jetzt nur auf einer
Art von Nährorganismen gefunden worden, ja sogar nur auf
ganz bestimmten Zellen desselben, andere Formen haben sich,

specifisch nicht unterscheidbar, auf mehreren Nährorganismen
gefunden. Unter den 7 Arten, welche auf verschiedenen Nährorganismen schmarotzen, befindet sich Eine (*Ch. globosum*),
welche auf 8 bis 9 Arten, die 6 verschiedenen Gattungen und
4 verschiedenen Familien angehören, beobachtet wurde. Auch
das Umgekehrte findet statt, indem in 6 verschiedenen Fällen
2 specifisch verschiedene Chytridien auf Einer Nährpflanze beobachtet wurden.

Die meisten Chytridien üben eine deutlich erkennbare des-
organisirende Wirkung auf die Zellen des Nährorganismus aus;
ist dieser ein einzelliger, so wird er durch den Schmarotzer
getödet, ist er ein mehrzelliger, so scheint sich die Wirkung
blofs auf die befallenen Zellen zu beschränken. Treten die
Chytridien epidemisch auf, so kann die ganze Generation der
befallenen Nährpflanze vertilgt werden.

Folgende Arten dieser ohne Zweifel sehr artenreichen
Gattung, deren genauere Beschreibung und Abbildung der vollständigen Publication der gelesenen Abhandlung vorbehalten
bleibt, sind bis jetzt beobachtet worden:

1) *Ch. Olla.* Die gröfste bekannte Art, eiförmig mit flacherem, stumpfgenabeltem Deckel und schlauchartig verlängerter
Wurzel. Ohne die Wurzel reif $\frac{1}{20}$ — $\frac{1}{15}$'' lang, $\frac{1}{40}$ — $\frac{1}{30}$'' dick;
die Schwärmzellen fast kugelig, $\frac{1}{500}$'' lang mit 4 — 5 mal so
langem Flimmerfaden. Auf *Oedogonium rivulare* (*Prolifera ri-
vularis* Le Clerk, *Vesiculifera Landsboroughii* Hassal, *Tiresias
Leprevostii* Derb. et Sol.) und zwar stets am Halse der bauchi-
gen Sporenmutterzelle dieser Art, woselbst die Wurzel eindringt und an der Spore selbst sich festsetzt. Freiburg im
Breisgau 1847—1848.

2) *Ch. acuminatum.* Dem vorigen ähnlich, aber viel kleiner ($\frac{1}{60}$'' lang), und mit länger zugespitztem Deckel. An der
Sporenmutterzelle von *Oedogonium Rothii* Bréb. bei Freiburg
1847; zweifelhaft auch an *Oed. echinospermum* A. Br.

3) *Ch. oblongum.* Länglich oder fast keulenförmig, oben
gerundet, ungedeckelt, $\frac{1}{10}$ — $\frac{1}{60}$'' lang, $\frac{1}{150}$ dick. Nur einmal
gesellig auf der ganzen Sporenmutterzelle von *Oedogonium vesi-
catum* Link (Freib. 1847).

4) *Ch. Lagenula.* Länglich, unten stielartig verschmälert, oben im Alter nach Art eines Flaschenhalses verlängert, stumpf, ohne Deckel, an der Spitze sich öffnend. Länge $\frac{1}{40} - \frac{1}{30}$ ''', Dicke $\frac{1}{120}$; Schwärmzellen fast kugelig, kaum $\frac{1}{500}$ ''' lang. Auf *Melosira varians* und *Conferva bombycina* bei Freiburg 1847.

5) *Ch. mammillatum.* Ungefähr von der Gestalt einer Citrone, d. h. eiförmig mit zitzenartig vorgezogener Spitze, aber ohne Deckel. Länge $\frac{1}{40} - \frac{1}{30}$ ''', Dicke $\frac{1}{60} - \frac{1}{50}$. Seitlich an den Gliederzellen der Fäden von *Coleochaete pulvinata* bei Freiburg 1846; und neuerlich von Dr. Pringsheim an den Fäden und selbst an den Schwärmzellen eines *Stigeoclonium* bei Berlin beobachtet.

6) *Ch. minimum.* Sehr kleine, längliche, an der Spitze sich öffnende Zellen von $\frac{1}{100} - \frac{1}{80}$ ''' Länge, $\frac{1}{200}$ Dicke, auf der Spitze der Fäden von *Coleochaete pulvinata* bei Freiburg. Eine sehr zweifelhafte Form, die ich blofs im entleerten Zustande gesehen.

7) *Ch. globosum.* Völlig kugelförmig, zuletzt an einer oder mehreren Stellen mit kleinen, ungedeckelten Mündungen sich öffnend. Durchmesser $\frac{1}{50}$ ''' und mehr, nach Cohn selbst bis $\frac{1}{50}$ '''; Schwärmzellen $\frac{1}{400}$ ''' lang mit fast 8mal so langem Flimmerfaden. Bei Freiburg in grofser Menge auf den vegetativen Zellen von *Oedogonium fonticola* A. Br., seltener, aber schaarenweise, auf einzelnen vegetativen Zellen von *Oedogonium rivulare* (1847); ferner auf *Melosira varians* und einmal häufig auf *Eunotia amphioxys* Ehrenb.(1848). Dr. Cohn beobachtete es bei Breslau (1852), wo es an cultivirten *Closterien* (*Cl. Dianae, Digitus* und anderen) epidemisch auftrat, so wie auch einmal an *Navicula viridis* *). Wahrscheinlich dieselbe Art fand er neuerlich auch auf den Keimlingen von *Sphaeroplea annulina*.

8) *Ch. sporoctonum.* Vielleicht zum vorigen gehörig, mit dem es durch kugelige Gestalt übereinkommt, aber durch Kleinheit sich zu unterscheiden scheint. Ich fand es blofs unausgebildet gesellig auf der Sporenmutterzelle von *Oedogonium Vaucherii* (*Prolifera Vaucherii* Le Clerk) bei Freiburg 1847.

9) *Ch. pollinis Pini.* Eine gleichfalls kugelige Art von kaum über $\frac{1}{50}$ ''' Durchmesser, welche sich unregelmäfsig mit einer einzigen grofsen Mündung öffnet. Die schwärmenden

---

*) Act. nat. cur. XXIV. I. p. 142.

Keimzellen fast kugelig $\frac{1}{100}$mm lang. Die Haut dieser Art ist dicker, als bei den verwandten und der Inhalt zeigt in der Jugend einen sehr grofsen, erst spät verschwindenden Öltropfen. Auf in's Wasser gefallenen Pollenkörnern von *Pinus sylvestris* bei Berlin Anfang Juni d. J. gefunden.

10) *Ch. laterale.* Kugelförmig, an der Befestigungsstelle einen kurzen wurzelartigen Fortsatz aussendend, reif mit einer oder mehreren, seitlichen, zitzenartigen Vorragungen, welche sich ohne Deckel öffnen. Durchmesser $\frac{1}{70}$—$\frac{1}{60}$mm; Schwärmzellen $\frac{1}{100}$ lang mit 5—6 mal so langem Flimmerfaden. Freiburg an den Fäden von *Ulothrix zonata* K. 1847—48.

11. *Ch. subangulosum.* Der vorigen Art ähnlich, aber etwas gröfser ($\frac{1}{50}$—$\frac{1}{40}$mm), kugelförmig, reif etwas eckig, mit mehreren weniger stark vorspringenden Mündungen sich öffnend. Schwärmzellen $\frac{1}{100}$mm lang. Findet sich einzeln oder paarweise auf den Spitzen der Fäden von *Oscillaria tenuis* var. *subfusca* K. bei Freiburg (1848).

12. *Ch. transversum.* Anfangs kugelig, später queroval, jederseits in eine zitzenartige Spitze vorgezogen und in diesem Zustande ungefähr $\frac{1}{60}$mm breit. Ich fand diese Form 1847 bei Freiburg gesellig auf *Chlamidomonas Pulvisculus* Ehrenb., welche durch die Entwicklung des Schmarotzers allmählich zur Ruhe gebracht und getödtet wurde. Jugendliche Formen vielleicht derselben Art sind mir auch auf *Chlamidomonas obtusa* A. Br., so wie auf einem vierzelligen *Gonium* vorgekommen.

13) *Ch. Chlamidococci.* Es ist mir nur sehr spärlich 1848 auf cultivirtem *Chamidococcus pluvialis* vorgekommen, so dafs ich es nicht vollständig charakterisiren kann. Die Exemplare waren kugelig mit etwa $\frac{1}{100}$mm Durchmesser, etwas gröfsere schienen sich in die Länge zu dehnen; vollständig entwickelte habe ich nicht beobachtet. Ein, wie es scheint, auf *Haematococcus nivalis* vorkommendes *Chytridium*, das C. Vogt als Sprofsbildung der Organismen des rothen Schnees beschrieben hat, gehört vielleicht zu derselben Art.

14) *Ch. Euglenae.* In der Jugend fast kugelig, später stark schlauchartig verlängert und oft mannigfach hin und hergebogen, endlich an der Spitze sich öffnend. Die Schärmzellen etwas länglich. Auf encystirter *Euglena viridis* bei München

von C. Th. von Siebold und Dr. Meifsner, neuerlich auch bei Breslau von Stud. Bail beobachtet.

15) *Ch. depressum.* Niedergedrückt, fast halbkugelförmig, mit breiter Basis aufsitzend, von etwa $\frac{1}{84}^{mm}$ transversalem Durchmesser, in der Mitte in eine Spitze sich erhebend, die zu einem oft gekrümmten Schnabel sich verlängert. Von Dr. Pringsheim auf *Coleochaete prostrata* Pringsh. gefunden, nach dessen Beobachtungen die Nährpflanze durch den Schmarotzer keinen Schaden nimmt. Da überdies die Schwärmzellen noch unbekannt sind, so ist es zweifelhaft, ob dieses Gebilde wirklich zu den Chytridien gehört.

16) *Ch. Hydrodictyi.* Kugelförmig, zuletzt etwas ei- oder verkehrt birnförmig verlängert, an der Spitze mit einfacher Mündung sich öffnend. Durchmesser im erwachsenen Zustand $\frac{1}{50}$—$\frac{1}{40}^{mm}$. Gesellig auf erkrankenden Zellen des Wassernetzes im Jahr 1846 zu Freiburg beobachtet. Die äufserlich auf der Zelle der Nährpflanze befindliche Blase steht durch einen feinen Wurzelcanal mit einer kugeligen Masse im Innern der Zelle in Verbindung.

17) *Ch. decipiens.* Im Inneren der Sporenmutterzelle von *Oedogonium Vaucherii* (Le Cleck) der Spore selbst unmittelbar aufsitzend oder in eine Vertiefung derselben eingesenkt, von halbkugliger oder dick linsenförmiger Gestalt und höchstens $\frac{1}{84}^{mm}$ Durchmesser. Die schwach länglichen Keimzellen, welche schon innerhalb der Mutterzelle lebhaft wimmeln, haben etwa $\frac{1}{500}^{mm}$ Länge. Diese durch ihr merkwürdiges Vorkommen von den vorhergehenden abweichende Art wurde von Pringsheim im verflossenen Frühling bei Berlin beobachtet; ähnliche vielleicht hieher gehörige Gebilde habe ich bei Freiburg im Innern der Sporenmutterzellen von *Oed. echinospermum* A. Br. gesehen. Derbès und Solier hatten bei Aufstellung ihrer Gattung *Bretonia* ohne Zweifel ein solches Chytridium vor Augen, dessen Schwärmzellen sie für die des *Oedogoniums* selbst hielten.

18) *Ch. apiculatum.* Halbkugelig oder fast kugelig, mit breiter Grundfläche aufsitzend, bis zu $\frac{1}{75}^{mm}$ dick, in der Mitte in eine schmale zapfenförmige Spitze von $\frac{1}{500}^{mm}$ Länge sich erhebend. Erscheint an den durch 2 Flimmerfäden bewegten grünen Zellen von *Gloeococcus mucosus* A. Br., an welchen

es sich unter der zarten Zellhaut, zwischen dieser und dem
grünen Inhaltskörper entwickelt, nur mit der zapfenartigen
Spitze aus der emporgehobenen und ausgespannten Zellhaut
hervorragend. Bei Freiburg 1847.

19) *Ch. endogenum.* Etwas niedergedrückt kugelig, bis
$\frac{1}{40}$ᵐᵐ dick, nach oben in einen flaschenartigen langen Hals auslaufend, der in der Mitte eine Anschwellung besitzt, an der
Spitze sich trichterförmig öffnet. Fand sich 1843 im innern
Zellraum von *Closterium Lunula*, dem contrahirten und veränderten Inhaltskörper gesellig aufsitzend und mit dem röhrig
verlängerten Halse die Zellhaut so durchbrechend, dafs die Anschwellung desselben an der Innenseite der Wand ansteht.
De Bary hat dieselbe Art in *Pleurotaenium Trabecula* Näg., und
Pringsheim eine damit wahrscheinlich identische Form im Innern
von *Spirogyra*-Zellen beobachtet.

20) *Ch. Saprolegniae.* Bildet im Innern abnorm ange-
schwollener Fadenspitzen von *Saprolegnia ferax* K. längliche
Schläuche von $\frac{1}{45}-\frac{1}{20}$ᵐᵐ Dicke und der doppelten oder fast drei-
fachen Länge, welche mit einem kurzen und engen Halse die
Zellhaut der Nährpflanze durchbrechen, um die schwärmenden
Keimzellen nach aufsen zu entleeren. Ich beobachtete diese
Form einmal und leider nicht ganz genügend bei Freiburg im
Sommer 1849 auf einer *Saprolegnia*, die einen kranken *Limneus*
überzog und aufser den mit Chytridien schwangeren Fäden
reichlich die normalen Fructificationskeulen trug. Ich zweifle
kaum, dafs die von Nägeli als durch freie Zellbildung entstehende Keimbehälter beschriebenen Gebilde diesem Chytridium
angehören.

21) *Ch. ampullaceum.* Unter allen die kleinste, aber auch
die zweifelhafteste Form: farblose Kugeln von $\frac{1}{150}$ᵐᵐ Durchmesser, überragt von einem engen Hals, der der Kugel an Länge
gleichkommt und in eine höchst zarte, wie es scheint sehr
dünnwandige Spitze ausläuft. Findet sich sehr gesellig auf
Fäden von *Mougeotia, Oedogonium vesicatum* Lnk. und *undulatum* A. Br. bei Freiburg und Berlin (1847—1854). Alle Exemplare sind von gleicher Gröfse, was die einstweilige Unterbringung
dieser in Beziehung auf Fortpflanzung unbekannten Form unter
Chytridium sehr zweifelhaft erscheinen läfst.

Hr. H. Rose berichtete über eine Untersuchung des Hrn. Heintz über die Destillationsproducte der reinen stearinsauren Kalkerde. Während Bussy angab, bei dieser Operation entstehe Stearon, ein Körper, der als wasserfreie Stearinsäure betrachtet werden könne, aus der so viel Äquivalente Kohlensäure ausgeschieden seien, als sie Basis zu sättigen vermag, behauptet neuerdings Rowney, der dabei sich bildende, feste schmelzbare Körper sei der Formel $C^{28}H^{28}O$ gemäfs zusammengesetzt. Er nennt ihn Stearen.

Aus den Resultaten der der Akademie schon früher mitgetheilten Untersuchung des Hrn. Heintz über die Destillationsprodukte des Stearinsäurehydrats, läfst sich schon in Bezug auf die Zersetzungsprodukte der stearinsauren Kalkerde der Schlufs ziehen, dafs Bussy's Ansicht die richtige ist und dafs sie nur in so fern rectificirt werden mufs, als das gebildete Stearon bei der zur Zersetzung nöthigen Hitze selbst zum Theil zersetzt wird.

Die Untersuchung der Destillationsprodukte der stearinsauren Kalkerde selbst hat ergeben, dafs dieser Schlufs vollkommen richtig ist. Hr. Heintz fand, dafs bei dieser Operation theils gasförmige, theils feste Destillationsprodukte entstehen. Erstere bestehen aus Kohlenwasserstoffen von der Formel $C^n H^n$ und Grubengas, welches aus jenen unter Abscheidung von Kohle erzeugt ist, letztere aus Stearon ($C^{35}H^{34}O$) und anderen Ketonen, die aus dem Stearon entstanden sind, indem es sich in dieselben und jene Kohlenwasserstoffe zerlegt hat.

Die Zersetzung kann durch die Gleichungen:

$$I \quad C^{36} H^{35} O^3 + CaO = (CO^2 + CaO) + C^{35} H^{34}O)$$
$$II \quad C^{35} H^{34}O = C^n H^n O + C^{35-n} H^{35-n}$$

ausgedrückt werden.

Das reine Stearon erhielt Hr. Heintz durch mehrfaches Auskochen der genannten Destillationsprodukte mit Alkohol und Umkrystallisiren des Ungelösten aus der kochenden und erkaltenden ätherischen Lösung. Es besitzt alle Eigenschaften des bei der Destillation des Stearinsäurehydrats entstehenden schon früher von Hrn. Heintz untersuchten Stearon's, nur lag sein Schmelzpunkt etwas höher, nämlich bei 87°,8 C., offenbar weil es reiner war.

Zur Bestimmung des Atomgewichts des Stearon's hat Hr. Heintz durch Brom ein Substitutionsproduct dargestellt, welches er der Formel $C^{36} \begin{Bmatrix} H^{34} \\ Br \end{Bmatrix} O$ gemäfs zusammengesetzt fand.

Bei der Analyse der durch Alkohol in der Kochhitze löslichen Antheile des rohen Stearon's ergab sich, dafs sie ebensoviel Äquivalente Kohlenstoff als Wasserstoff, aber mehr Sauerstoff als das Stearon enthalten, woraus folgt, dafs sie (wohl neben etwas Stearon) andere Ketone mit geringerem Kohlenstoff und Wasserstoffgehalt enthalten.

An eingegangenen Schriften wurden vorgelegt:

Bullettino archeologico napolitano. Nuova Serie. No. 41—42. 45—52. Napoli 1854—1855. 4.

Georg Rathgeber, *Nike in Hellenischen Vasenbildern.* (Lief. 1. 2. 3. 4.) Gotha 1851—1855. fol.

Georg Rathgeber, *Über 125 mystische Spiegel.* Sendschreiben an die Kgl. Preufs. Akademie der Wissenschaften zu Berlin. (Aus der vierten Lief. der Schrift Nike p. 289—305 besonders abgedruckt.) Gotha 1855. fol. (Mit Begleitschreiben des Verfass. d. d. Gotha 25. Mai 1855.)

F. F. Runge, *Der Bildungstrieb der Stoffe. Veranschaulicht in selbstständig gewachsenen Bildern.* Oranienburg 1855. fol. (Mit Begleitschreiben des Herausgebers d. d. Oranienburg 26. Mai 1855.)

Fr. Strehlke, *Abhandlung über die Schwingungen homogener elastischer Scheiben.* Danzig 1855. 4. (Mit Begleitschreiben des Verfassers d. d. Danzig 18. Mai 1855.)

Denkschriften der Kaiserlichen Akademie der Wissenschaften. Math.-naturw. Klasse. Band XIV. 1. 2. 3. XV. 1. 2. Philos.-histor. Klasse. Band XIII. 3. XIV. 1. 2. XV. 1. Wien 1854—1855. 8.

Archiv für Kunde östreichischer Geschichtsquellen. XIV. Band. 1. Hälfte. Wien 1855. 8.

Notizenblatt. Beilage zum Archiv. Wien 1855. no. 1—12. 8.

Almanach der Kaiserl. Akademie der Wissenschaften. 5. Jahrgang. Wien 1855. 8.

Corrispondenza scientifica in Roma. Anno IV. no. 2. 3. 4. Roma 1855. 4.

Astronomische Nachrichten. no. 963. 964. 965. Altona 1855. 4.

Annales de chimie et de physique. Tom. 43. Paris Avril 1855. 8.

Bulletin de la société géologique de France. Tome XI. feuilles 46—50. Paris 1854. 8.

The Quarterly Journal of the Geological Society. Vol. XI. Part 2. London 1855. 8.

B. Guérard, *Notice sur M. Daunoie, suivie d'une notice sur Mr. Guérard par N. de Wailly.* Paris 1855. 8.

Revue archéologique. 12me année. Livr. 2. Paris 1855. 8.

Baumgärtner, *Anfänge zu einer physiologischen Schöpfungsgeschichte.* Stuttgart 1855. 8. (2 Exemplare.)

Gemeinnützige Wochenschrift des polytechnischen Vereins zu Würzburg. 5. Jahrgang. no. 7—19. Würzburg 1855. 8.

Jahresbericht der Königl. Schwedischen Akademie der Wissenschaften über die Fortschritte der Botanik in den Jahren 1839—1842. Regensburg 1846. 1847. 8. (Geschenk des Hrn. Archivar zur Ergänzung einer Lücke in der Bibliothek.)

Der vorsitzende Sekretar gab der Akademie von einem an ihn gerichteten Schreiben vom 2. d. M. Kenntnifs, in welchem Hr. Ludwig Preller in Weimar den Empfang des Diploms zum correspondirenden Mitglied der Akademie dankend meldet.

---

14. Juni. Gesammtsitzung der Akademie.

Hr. Klotzsch las über die afrikanischen Cleomeen.

Hr. Pinder las über eine unedirte Erzmünze des mauretanischen Königs Bogut.

An eingegangenen Schriften wurden vorgelegt:

A. von Reumont, *Beiträge zur italienischen Geschichte.* Band 3. 4. Berlin 1855. 8.

Journal für die Mathematik von Crelle. Band 50. Heft 1. Berlin 1855. 4.

Astronomische Nachrichten. no. 966. 967. Altona 1855. 4.

(P. Ritter von Chlumecky) *Die Landtafel des Markgrafthums Mähren.*
Lief. 2. 3. Brünn 1855. folio. (Mit Begleitschreiben des Herausgebers d. d. Brünn 10. Mai 1855.)

Henry Barbet de Jouy, *Les Della Robbia, sculpteurs en terre émaillée.*
Paris 1855. 8.

Annales de chimie et de physique. Série III. Tome 44. Mai 1855. Paris
1855. 8.

Exposé des titres scientifiques du Dr. Leroy-D'Étiolles. Paris 1854.
4. (2 Exemplare.)

Ephemeris archaeologica. no. 37. Athen 1855. 4. (Mittelst Ministerial-
rescripts vom 11. Juni 1855 übersandt.)

————

Hr. Otto Böhtlingk in St. Petersburg meldet der Akademie
unter dem 23. v. M. dankend den Empfang seines Diploms zum
correspondirenden Mitgliede für die philosophisch-historische
Klasse.

————

18. Juni.   Sitzung der physikalisch-mathe-
matischen Klasse.

Hr. H. Rose las über die Zersetzung unlöslicher
und sehr schwer-löslicher Salze vermittelst der
kohlensauren Alkalien.

Der Verfasser hatte früher gezeigt, auf welche Weise sich
die schwefelsaure Baryterde, die schwefelsaure Strontianerde,
und die schwefelsaure Kalkerde gegen kohlensaure Alkalien verhalten. Das schwefelsaure Bleioxyd ist in dieser Hinsicht den beiden letzten Salzen ähnlich, denn schon bei gewöhnlicher Temperatur wird es durch Lösungen von einfach —
und von zweifach-kohlensauren Alkalien vollständig zersetzt,
und in kohlensaures Bleioxyd verwandelt. Die Lösungen der
einfach-kohlensauren Alkalien, nicht aber die der zweifach-kohlensauren Alkalien lösen dabei etwas Bleioxyd auf. Durch die
Lösung letzterer kann man daher das schwefelsaure Bleioxyd
quantitativ von der schwefelsauren Baryterde trennen; na-

mentlich· gelingt dies durch eine Lösung des käuflichen kohlensauren Ammoniaks, welche immer Bicarbonat enthält.

Kohlensaures Bleioxyd wird weder bei gewöhnlicher
Temperatur noch durchs Kochen durch Lösungen schwefelsaurer Alkalien in schwefelsaures Bleioxyd verwandelt.

Die chromsaure Baryterde verhält sich gegen Lösungen kohlensaurer Alkalien mehr der schwefelsauren Baryterde ähnlich, obgleich sie in mancher Hinsicht in ihrem Verhalten gegen jene von ihr abweicht. Denn schon bei gewöhnlicher Temperatur wird sie durch neutrale kohlensaure
Alkalien zersetzt. Gießt man darauf die gelbe Flüssigkeit ab,
ersetzt sie durch eine neue Lösung von kohlensaurem Alkali,
und wiederholt diese Operation mehrere Male, so kann eine
gänzliche Zersetzung bewirkt, und die chromsaure Baryterde
endlich vollständig in kohlensaure Baryterde verwandelt werden. Weit leichter und sehr schnell gelingt dies, wenn ein
Überschuß von einer Lösung des kohlensauren Alkalis kochend
angewandt wird. Werden gleiche Atomgewichte von chrom-
saurer Baryterde und von kohlensaurem Natron mit Wasser
gekocht, so werden von 7 Atomen ersterer 1 zersetzt; werden dieselben aber zusammengeschmolzen, und die geschmolzene Masse mit Wasser von der gewöhnlichen Temperatur behandelt, so wird nur 1 Atom der chromsauren Baryterde von
21 zersetzt, was auffallend ist.

Die Zersetzung der chromsauren Baryterde durch Lösungen kohlensaurer Alkalien wird vollständig verhindert, wenn
zu letzteren eine hinreichende Menge von neutralem chromsauren Alkali hinzugefügt wird. Auch durchs Kochen wird
dann nicht die kleinste Menge von kohlensaurer Baryterde erzeugt.

Dagegen verwandelt sich kohlensaure Baryterde ganz vollständig in chromsaure Baryterde, wenn sie mit einer hinreichenden Menge einer Lösung von neutralem chromsauren Alkali behandelt wird.

Selensaure Baryterde wird schon bei gewöhnlicher
Temperatur durch eine Lösung von kohlensaurem Alkali leicht
und vollständig zersetzt. Sie unterscheidet sich dadurch wesentlich von der schwefelsauren Baryterde. — Der Verf. hat sich

indessen überzeugt daſs die selensaure Baryterde nicht vollständig unauflöslich im Wasser ist, wodurch sich dieses Verhalten
derselben gegen kohlensaure Alkalien erklären läſst.

Wie die chromsaure Baryterde so wird die oxalsaure
Kalkerde durch Lösungen kohlensaurer Alkalien schon bei
gewöhnlicher Temperatur zersetzt. Man muſs indessen die
Flüssigkeit vom Ungelösten oft abgieſsen, und durch eine neue
Lösung von kohlensaurem Alkali ersetzen, wenn eine vollständige Zersetzung erfolgen soll. Sehr schnell wird dieselbe indessen bewirkt, wenn die oxalsaure Kalkerde mit einer Lösung
von kohlensaurem Alkali gekocht wird. Sie wird aber vollständig verhindert, wenn die oxalsaure Kalkerde mit einer Lösung von kohlensaurem Kali, zu welchem eine hinreichende
Menge von neutralem oxalsauren Kali hinzugefügt worden
war, bei gewöhnlicher oder bei erhöhter Temperatur behandelt wird.

Werden gleiche Atomgewichte von oxalsaurer Kalkerde
und von kohlensaurem Kali mit Wasser bei gewöhnlicher Temperatur behandelt, so werden von 17 Atomen der ersteren nur
zwei zerlegt; kocht man aber das Ganze, so werden von 8
Atomen der oxalsauren Kalkerde 5 zersetzt und in kohlensaure
Kalkerde verwandelt.

Wird kohlensaure Kalkerde mit einer Lösung von neutralem oxalsaurem Kali bei gewöhnlicher Temperatur behandelt,
so wird sie zum Theil in oxalsaure Kalkerde verwandelt; kocht
man sie damit, so erzeugt sich oxalsaure Kalkerde schneller,
doch scheint es nicht möglich zu sein, die ganze Menge der
kohlensauren Kalkerde leicht und vollständig in oxalsaure zu
verwandeln, wenn man oft die Flüssigkeit abgieſst und durch
eine neue Menge einer Lösung von oxalsaurem Kali ersetzt.

Das oxalsaure Bleioxyd wird schon vollständig bei gewöhnlicher Temperatur durch eine Lösung von kohlensaurem
Alkali zersetzt, und in kohlensaures Bleioxyd verwandelt, von
welchem sich indessen eine geringe Menge in der alkalischen
Flüssigkeit auflöst.

———————

Der Verf. zieht aus diesen und den früher erwähnten freilich nicht zahlreichen Beispielen über die Zersetzung unlösli-

cher und sehr schwer-löslicher Salze durch lösliche die Schlüsse, daß wenn die Zersetzungen den gewöhnlich angenommenen Verwandtschaftsgesetzen nicht entsprechen, dies darin hauptsächlich seinen Grund hat, daß das gebildete Salz auf das erzeugte unlösliche ein Zersetzungsvermögen auszuüben im Stande ist, und dadurch die gänzliche Zersetzung hemmt, welches Hemmniß nur dadurch aufgehoben werden kann, daß man die Lösung des entstandenen löslichen Salzes entfernt, und durch eine neue Lösung des zersetzenden Salzes ersetzt. Wo keine solche zersetzende Wirkung des entstandenen löslichen Salzes auf das gebildete unlösliche statt findet, erfolgt auch die Zersetzung mehr den gewöhnlichen Verwandtschaftsgesetzen gemäß. Da kohlensaures Alkali schwefelsaure Baryterde eben so zersetzt, wie schwefelsaures Alkali die kohlensaure Baryterde, so kann durch gleiche Atomgewichte von kohlensaurem Alkali und von schwefelsaurer Baryterde, und durch gleiche Atomgewichte von schwefelsaurem Alkali und von kohlensaurer Baryterde nur eine sehr unvollständige Zersetzung entstehn. Da aber wohl kohlensaures Alkali die schwefelsaure Strontianerde zersetzen kann, nicht aber schwefelsaures Alkali die kohlensaure Strontianerde, so erfolgt im ersteren Falle eine schon ziemlich vollständige Zersetzung, wenn gleiche Atomgewichte beider Salze angewandt werden. Aus demselben Grunde findet eine beinahe vollständige Zersetzung auch bei gleichen Atomgewichten von kohlensaurem Alkali und von schwefelsaurer Kalkerde, so wie vom schwefelsauren Bleioxyd statt.

Daß in diesen Fällen die entstandenen Verbindungen der Kohlensäure mit der Strontianerde, mit der Kalkerde und mit dem Bleioxyd durch das erzeugte schwefelsaure Alkali nicht zersetzt werden, hängt mit der wenn auch nur geringen Löslichkeit der schwefelsauren Strontianerde, der schwefelsauren Kalkerde und des schwefelsauren Bleioxyds zusammen. Denn so wie die geringsten Mengen dieser schwefelsauren Verbindungen sich bilden und in der Flüssigkeit sich lösen würden, könnten sie nicht der zersetzenden Wirkung des gleichzeitig gebildeten kohlensauren Alkali's widerstehen.

Wenn nun aber auch bei der Zersetzung ganz unlöslicher Salze, z. B. der schwefelsauren Baryterde, durch lösliche, z. B.

durch kohlensaure Alkalien, die Zersetzung hauptsächlich durch
die entgegengesetzte Wirkung des entstandenen löslichen Salzes auf das gebildete unlösliche gehemmt wird, so ist diese
Hemmung wohl die hauptsächlichste, kann aber nicht die allei-
nige sein. Der Verf. hielt früher bei der Zersetzung der schwefelsauren Baryterde durch kohlensaures Alkali die Verwandtschaft
des löslichen schwefelsauren Alkali's zur noch nicht zersetzten
schwefelsauren Baryterde für das wichtigste Hinderniß der gänzlichen Zersetzung. Wenn diese Verwandschaft unstreitig auch
störend einwirkt, so kann sie wohl deßhalb nicht das Haupt-
hinderniß sein, weil auch eine ähnliche Verwandtschft zwischen
schwefelsaurem Alkali und der schwefelsauren Kalkerde und der
schwefelsauren Strontianerde statt findet. Die Verbindungen
dieser beiden Salze mit schwefelsaurem Kali kennen wir sogar
im krystallinischen und krystallisirten Zustande, während uns
eine Verbindung von schwefelsaurem Alkali und schwefelsaurer
Baryterde im festen Zustande noch unbekannt ist, dieselbe sich
also schwieriger bilden und leichter durch Wasser zersetzt
werden muß, als jene. Aber die Verwandtschaft des schwefelsauren Alkali's zur schwefelsauren Strontianerde und zur schwefelsauren Kalkerde wirkt weniger störend bei der Zersetzung
derselben durch kohlensaures Alkali, kann überhaupt nur bemerkt werden, wenn gleiche Atomgewichte beider Salze angewandt werden, und wird leicht überwunden, wenn eine nur
geringe Menge von kohlensaurem Alkali im Übermaaß hinzugefügt wird. Aus den früheren Untersuchungen ergiebt sich,
daß bei der Zersetzung der schwefelsauren Baryterde vermittelst kohlensaurer Alkalien bei verschiedenen Temperaturen,
beim Kochen mit Wasser oder durchs Schmelzen sehr verschiedene Resultate erhalten werden können.

Wie sich gegen kohlensaure Alkalien die schwefelsaure
Baryterde verhält, so verhalten sich in der meisten Hinsicht
ähnlich die chromsaure Baryterde und die oxalsaure Kalkerde,
Salze, welche wir für unlöslich im Wasser halten, und welche
grade wegen dieser ihrer Unlöslichkeit der Zersetzung durch
ein gleiches Atomgewicht des kohlensauren Alkali's widerstehen.
Und hierin besteht grade der Unterschied zwischen diesen unlöslichen und den nur schwer löslichen Salzen; letztere werden

durch ein gleiches Atomgewicht des kohlensauren Alkali's fast, wenn auch nicht ganz vollständig zersetzt, aber ein nur kleines Übermaaſs des kohlensauren Alkali's würde die gänzliche Zersetzung bedingen.

Nicht alle unlöslichen Salze indessen verhalten sich gegen die Lösungen der kohlensauren Alkalien wie die schwefelsaure Baryterde, die chromsaure Baryterde und die oxalsaure Kalkerde. Es sind namentlich viele unlösliche phosphorsaure Salze, welche der vollständigen Zersetzung durch kohlensaure Alkalien mit groſser Hartnäckigkeit widerstehen, wenn das Verfahren auf sie angewandt wird, durch welches bei der schwefelsauren und chromsauren Baryterde, so wie bei der oxalsauren Kalkerde die gänzliche Zersetzung leicht gelingt.

———

Hr. Rieſs las über den Durchgang elektrischer Ströme durch verdünnte Luft.

Hr. Gaugain in Paris hat eine interessante Beobachtung gemacht, indem er einen Magneto-Inductionsstrom durch einen mit verdünnter Luft gefüllten Glasballon zwischen zwei Metallkugeln übergehen lieſs, von welchen die eine, bis auf eine sehr kleine Stelle, mit einer isolirenden Substanz bekleidet war[*]. Es war nämlich, auſser jenem Glasballon, in den inducirten Drath ein Galvanometer eingeschaltet, und dieses zeigte eine starke Ablenkung, wenn die nackte Kugel negativ war, wenn also, nach der üblichen Bezeichnung, ein elektrischer Strom von der bedeckten zur nackten Kugel ging, zeigte hingegen keine Ablenkung bei entgegengesetzter Richtung des Stromes. Der Beobachter schrieb danach dem Öffnungsstrome des Inductionsapparats die Eigenschaft zu, nur in der Richtung von der bedeckten zur nackten Kugel durch den Glasballon gehen zu können, den er deſshalb als ein elektrisches Ventil bezeichnete. Die folgende Untersuchung wird lehren, daſs der Schluſs ungegründet und der Name, wenigstens in der ausgesprochenen Bedeutung nicht passend ist.

———

[*] Compt. rend. 40. 640. Pogg. Annal. 95. 163.

Um den Gaugain'schen Versuch anzustellen, bekleidete ich an einem hohlen, mit Metallplatten geschlossenen, niedrigen Glascylinder die untere Platte und den darauf befestigten Metallstiel und dessen Kugel mit geschmolzenem Siegellack, und ließ an der Kugel nur die oberste Stelle, in der Größe eines Stecknadelknopfes blank. Etwa $\frac{3}{4}$ Zoll über dieser Kugel befand sich eine ähnliche, aber blanke Metallkugel an einem in der oberen Platte befestigten Stiele. Zur Erregung des Magneto-Inductionsstroms benutzte ich einen in Betracht seiner Größe sehr wirksamen Apparat von Siemens und Halske, den ich früher beschrieben habe[*]. An diesem Apparate hat die äußere, inducirte Dratbrolle eine Länge von 30 Lin. bei einer Breite von 27 Lin.; der voltaische Strom der Hauptrolle, in welcher ein Eisendratbündel lose liegt, wird durch die von Neeff vor langer Zeit eingeführte Wagner'sche Zunge unterbrochen und geschlossen. Die Enden der inducirten Rolle wurden durch einen Drath verbunden, in den das Gewinde eines Galvanometers mit Doppelnadel und der beschriebene Glascylinder, in welchem die Luft bis 1 Linie Quecksilberdruck verdünnt war, eingeschaltet waren. Die eine Kugel im Cylinder war daher direkt mit einem Pole der Inductionsrolle, die andere Kugel durch das Gewinde des Galvanometer mit dem andern Pole verbunden. Durch einen Commutator konnte die Lage des Glascylinders umgekehrt werden, so daß z. B., wenn vorher die bedeckte Kugel positiv (mit dem positiven Pole der Inductionsrolle verbunden) war, es jetzt die nackte Kugel wurde. Positiv wird derjenige Pol der Inductionsrolle genannt, welcher, bei Verbindung beider Pole durch einen mit Jodkaliumlösung befeuchteten Papierstreifen, Jod entwickelt, wenn der voltaische Strom in der Hauptrolle unterbrochen wird. Man findet diesen Pol sehr leicht, wenn man zwei spitz zugeschnittene federnde Metallstreifen auf passende Weise mit einander zugewandten Spitzen so befestigt, daß die Entfernung der Spitzen geändert werden kann, und zwischen diese Spitzen einen Streifen dünnen Schreibpapiers klemmt. Verbindet man jede Spitze mit einem Pole der Inductionsrolle und nähert sie

---

[*] Poggend. Annal. 91. 290.

einander, bis zwischen ihnen ein fortwährender Funkenstrom
entsteht, so sieht man diesen Funkenstrom, so lange das Papier
nicht sichtlich verletzt ist, nur auf Einer Papierfläche übergehen.
Die Metallspitze, welche diese Fläche berührt, führt, einer bekannten Eigenschaft der positiven Elektricität gemäß, zu dem
positiven Pole der Inductionsrolle. Ich benutzte ein Grove'-
sches Element zur Erregung des Inductionsapparats, zog aber,
weil der Strom damit zu stark wurde, das Eisenbündel zur
Hälfte aus der Hauptrolle heraus. Als die bedeckte Kugel im
Glascylinder mit dem positiven Pole der Inductionsrolle verbunden war, wurde die Nadel des Galvanometers sogleich nach
einer bestimmten Seite abgelenkt und blieb mit Schwankungen
bei etwa 30°· War hingegen die nackte Kugel positiv, so
blieb die Nadel einige Sekunden lang unbewegt und schlug
dann zur einen oder andern Seite des Nullpunkts um wenig
Grade aus. Es hatte also in der That den Anschein, als ob
der Öffnungs-Inductionsstrom von der bedeckten zur nackten
Kugel vollständig und leicht, hingegen von der nackten zur
bedeckten Kugel gar nicht, oder nur schwer und theilweise
überginge. Gegen diese Auslegung des Versuches sprach aber
sogleich das Licht im Cylinder, das in beiden Fällen gesehen
wurde, und zwar (bei vollem Tage und beschatteten Cylinder)
in ziemlich gleicher Gestalt; nur fiel es auf, daß in dem Falle,
wo die Nadel abgelenkt wurde, das Licht ruhiger und gleichmäßiger erschien, als in dem andern Falle. Ich ging später
zu einer genaueren Untersuchung der Lichterscheinung; es
schien mir ein weiteres Experimentiren an dem complicirtesten
aller elektrischen Ströme, den der Inductionsapparat liefert,
von keinem Nutzen zu sein, ehe ich über die vorliegende Erscheinung Erfahrungen an dem einfachsten elektrischen Strom,
dem der leydener Batterie, gesammelt hatte.

Versuche an der Leydener Batterie.

Ich ließ mir folgenden einfachen und bequemen Apparat
anfertigen. Ein hohler Cylinder aus sehr dickem Glase von 3
Zoll 9 Lin. Höhe, 1 Z. 5$\frac{1}{3}$ Lin. innerem Durchmesser, ist an
der einen Basis vollkommen eben abgeschliffen, an der andern
durch eine Messingfassung geschlossen, die in einen Hahn und

eine Schraubenspindel, zum Aufschrauben auf die Luftpumpe,
fortsetzt. Von dieser Fassung geht im Innern des Cylinders
eine schlanke Messinghülse aus, in der ein Messingstift mit daran geschraubter Kugel auf und abzuschieben ist. Der Cylinder wird durch eine aufgelegte mit Fett bestrichene Glasscheibe
luftdicht abgeschlossen. Die Glasscheibe ist in der Mitte fein
durchbohrt, darauf ist ein zolllanger Elfenbeinstab gekittet, der
eine Klemme zur Befestigung des Leitungsdrathes trägt. Von
der Klemme geht ein $\frac{1}{2}$ mm. dicker Platindrath durch das Elfenbein und ist in der Glasplatte festgekittet, deren untere Fläche
zugleich mit dem Drathende abgeschliffen ist In der Ebene
der untern Glasfläche wird daher eine Platinscheibe von $\frac{1}{2}$ mm.
Durchmesser gebildet, zwischen welcher und der darunter stehenden Messingkugel die Elektricität übergehen kann. Nachdem diese Kugel (Diam. $4\frac{1}{2}$ Lin.) von der Platinfläche 10 Lin.
entfernt, und die Luft im Cylinder bis 1 Lin. Quecksilberdruck
verdünnt war, wurde der Apparat und ein empfindliches elektrisches Thermometer in den Schliefsungsbogen einer aus 3 Flaschen
bestehenden elektrischen Batterie gebracht. Die Verbindung
des Apparats mit dem Schliefsungsbogen wurde abwechselnd
so hergestellt, dafs die Kugel im Cylinder bei der Entladung
entweder die positive oder die negative Elektrode bildete. In
der folgenden Tafel ist der Theil im Cylinder angegeben, der
mit dem Innern der Batterie in Verbindung stand, damit die Art
der Ladung der Batterie zu erkennen sei. Die Aufschrift: „Fläche
+” zeigt also, dafs die Batterie mit positiver, „Kugel —”, dafs
sie mit negativer Elektricität geladen worden, indefs in Betreff
der Richtung des Entladungsstromes beide Fälle nicht von einander verschieden sind. Folgende sind die (einmal beobachteten)
Werthe der Erwärmung des Thermometers bei verschiedener
Ladung der Batterie; die Kugeln der Maafsflasche zur Messung
der in die Batterie geführten Elektricitätsmenge standen $\frac{1}{2}$ Linie
von einander entfernt.

Erwärmung im Schliefsungsbogen bei Unterbrechung
desselben durch Luft von 1 Lin. Quecksilberdruck.

Elektricitätsmenge.	Fläche	Kugel	Fläche	Kugel	Kugel	Fläche.
	+	+	+	+	—	—
4	6	10,5	5,3	10,7	6,	10,2

Elektricitätsmenge.	Fläche	Kugel	Fläche	Kugel	Kugel	Fläche.
	+	+	+	+.	−	−
5	8,5	16	8,4	15	8	14,3
6	13,5	21,5	14	21	13,6	21,3
7	18,7	29,3	19,7	30	17,5	28,8
Einheit d. Ladung	1,10	1,87	1,11	1,85	1,07	1,78

Vergleicht man irgend zwei einzelne Erwärmungen durch gleiche Ladung der Batterie, die in verschiedener Richtung durch den verdünnten Luftraum entladen wurde, so findet man die Erwärmung bei einer bestimmten Richtung größer als bei der andern. Man erhält als Mittel aus allen Beobachtungen folgendes Verhältnifs der Erwärmung.

Richtung des Entladungsstromes von der Fläche zur Kugel: Erwärmung 100.

Richtung des Entladungsstromes von der Kugel zur Fläche: Erwärmung 168.

In einer andern Versuchsreihe stand die Kugel im Glascylinder $32\frac{1}{4}$ Lin. von der Platinfläche der Deckplatte entfernt.

Elektricitätsmenge.	Fläche	Kugel	Fläche	Kugel.
	−	−	−	−
5	9,5	6,7	9,2	7
6	15	10,3	15	10
7	17,7	13,7	17	13
8	26,3	18,5	27	18,2
Einheit der Ladung	1,18	0,84	1,16	0,83

Hier ist das Verhältnifs im Mittel:

Strom von der Fläche zur Kugel Erwärmung 100.

„   „   „ Kugel „ Fläche   „   140.

Um stärkere Ladungen der Batterie (bis zur Elektricitätsmenge 16) anwenden zu können, vertauschte ich den sehr dünnen Platindraht im Thermometer mit einem dickeren, und fand im Mittel aus je 4 Beobachtungen bei der Richtung des Stromes von der Fläche zur Kugel die Erwärmung 100, und bei entgegengesetzter Richtung 130. Es wurde die Kugel im Glascylinder mit einer horizontalen Messingscheibe von 11 Linien Durchmesser vertauscht, und diese 1 Linie von der Platinfläche der Deckplatte entfernt. Es fand sich bei der Richtung des Stromes von der Fläche zur Scheibe die Erwärmung 100, bei entgegengesetzter Richtung 122. Ich entfernte die Scheibe, so daſs nur der 2 Zoll 11 Lin. lange Messingstiel im Cylinder blieb, dessen Spitze von der Platinfläche 10 Lin. entfernt war. Die Erwärmung war 122 als der Strom von dem Stiele zur Fläche ging, wenn die Erwärmung bei entgegengesetzter Richtung 100 gesetzt wird. Endlich wurde der Schlieſsungsbogen durch einen 16 Fuſs langen, 0,057 Linien dicken Platindrath verlängert, in dem Cylinder wieder die Kugel 10 Linien von der Platinfläche entfernt und die Ladung der Batterie bis zur Elektricitätsmenge 16 gesteigert. Im Mittel war, die Erwärmung bei Richtung des Stromes von der Fläche zur Kugel 100 gesetzt, diese Erwärmung 105 bei entgegengesetzter Richtung. In allen Versuchen, und ich habe deren viele angestellt, in welchen der Entladungsstrom der Batterie durch sehr dünne Luft (1 bis 2 Linien Druck), zwischen einer kleinen und einer verhältniſsmäſsig groſsen, sonst beliebig gestalteten, Metallfläche überging, war ein Unterschied der Erwärmung des Schlieſsungsbogens je nach der Richtung des Stromes merklich, und dieser Unterschied, bald gröſser, bald kleiner, fand ohne Ausnahme in demselben Sinne statt. Man sieht in den mitgetheilten Versuchen, daſs die gröſsere Erwärmung stets bei einer Richtung des Stromes eintrat, bei welcher in dem zu Anfange beigebrachten Versuche des Magneto-Inductionsstroms keine oder eine geringe Ablenkung der Magnetnadel hervorbrachte. Wenn der Entladungsstrom der leydener Batterie durch sehr dünne Luft zwischen einer sehr kleinen und einer dagegen groſsen Metallfläche übergeht, so ist die Erwärmung im übrigen Schlieſsungsbogen gröſser, wenn der Strom von der groſsen zur kleinen Fläche geht, als im entgegengesetzten Falle. Was unter einer sehr kleinen Fläche zu verstehen ist, wird weiter unten erörtert werden.

Der Grund dieser merkwürdigen, bisher unbekannten Weise, eine Wirkung der elektrischen Entladung zu verändern, läſst sich leicht bekannten Erfahrungen entnehmen. Ich versicherte mich, daſs bei beiden Richtungen des Stromes die Entladung der Batterie gleich vollständig erfolgte. Da der Schlieſsungsbogen in beiden Fällen dieselbe Zusammensetzung hatte, so konnte es nur die Art der Entladung sein, welche den Unterschied der Erwärmung bedingte. Daſs bei Veränderung der Entladungsart die Erwärmung im Schlieſsungsbogen geändert wird, ist bekanntlich in auffallendster Weise zu zeigen. Man unterbreche den Schlieſsungsbogen durch eine, zwischen Metallplatten befindliche, kurze Schicht destillirten Wassers, und wende die stärkste Ladung der Batterie an, welche noch geräuschlos durch das Wasser geht. Es ist ein empfindliches elektrisches Thermometer nöthig, um die geringe Wärme aufzuzeigen, die dabei im Schlieſsungsdrahte erregt wird. Bringt man aber die Platten im Wasser einander um ein Unmerkliches näher, so geht die Ladung mit einem Funken hindurch, und zugleich wird die Erwärmung im Schlieſsungsdrahte so stark, daſs das Thermometer nicht mehr zu ihrer Messung genügt. Oder man lasse die Ladung in freier Luft zwischen einer Kugel und einer sehr feinen Spitze übergeben, deren Entfernung so regulirt ist, daſs kein Funke zwischen ihnen entsteht. Die Erwärmung im Schlieſsungsdrahte wird sehr gering sein; wogegen sie sehr stark wird, wenn man die feine Spitze mit einer abgestumpften vertauscht, und dadurch veranlaſst, daſs zwischen beiden Elektroden ein Funke entsteht. Man hat in beiden Fällen, wo der Funke erschien, die Zeit, in welcher dieselbe Elektricitätsmenge entladen wird, auſserordentlich verkürzt, und dadurch, nach einem bekannten Gesetze, die Wärmeerregung verstärkt. Wie wir nun in Wasser und freier Luft die Art der Entladung der Batterie geändert haben durch Näherung der Elektroden und durch Änderung der Form der einen Elektrode, so können wir, wie die neuen Versuche lehren, in sehr dünner Luft dasselbe bewirken durch Beschränkung der negativen Elektrode. Die Batterieentladung kann durch dünne Luft zwischen beliebig gestalteten Elektroden auf zwei wesentlich verschiedene Arten hindurchgeben. Bei der ersten Art, welche die glimmende heiſsen mag, nimmt ein röthlich leuchtender Luftkegel Theil an der Entladung, dessen Spitze die positive Elektrode berührt und dessen Basis stets in einiger Entfernung von der negativen Elektrode liegt. An der negativen Elektrode nimmt die einen groſsen Theil dieser Elektrode berührende Luftschicht in geringer Höhe an der Entladung Theil, und glimmt mit

28*

einem eigenthümlich blauen Lichte. — Die zweite Art der Entladung ist die, welche ich vorzugsweise die discontinuirliche
genannt habe. Ein schmaler, beide Elektroden berührender
Luftcylinder nimmt Antheil an der Entladung, wird weifsglü-
hend und auseinander gesprengt, in eben der Weise, wie es
ein Metalldraht wird, der beide Elektroden mit einander verbindet und dessen Durchmesser unter einer, für jede Ladung
der Batterie bestimmten Grenze liegt. Während die glimmende
Entladung so langsam geschieht, dafs die Flächen beider Elektroden unverletzt bleiben, und im ganzen Schliefsungsbogen
nur geringe Wärme erregt wird, reifst die discontinuirliche
Entladung Theile von den Elektroden los, schleudert sie glühend fort und erhitzt den Schliefsungsbogen. Bei jeder Entfernung der Elektroden von einander kann die glimmende Entladung in die discontinuirliche verwandelt werden durch Stei-
gerung der Dichtigkeit der entladenen Elektricitätsmenge, durch
Zulassen von Luft oder endlich, und das ist die Folgerung,
zu welcher die neuen Versuche berechtigen, durch Beschränkung
der negativen Elektrode. Ist nämlich die Fläche der negativen
Elektrode sehr klein in Vergleich zu der Fläche, die bei der
gebrauchten Dichtigkeit der entladenen Elektricitätsmenge mit
Glimmlicht bedeckt würde, so geht die Elektricität mit discon-
tinuirlicher Entladung über, die sonst glimmend sich entladen
hätte. Mit dieser merkwürdigen Folgerung stehen die beigebrachten Versuche in vollem Einklange. Als der Entladungsstrom von der kleinen Platinfläche im Glascylinder zu der blan-
ken Kugel, dem Messingstiel und der Bodenplatte ging, die
negative Elektrode also eine hinreichende Ausdehnung hatte,
so mufsten von den vielen Partialentladungen, die mit abnehmender Dichtigkeit einander folgen und die Entladung der Batterie ausmachen, ein Theil der letzten, wegen zu geringer
Dichtigkeit, mit glimmender Entladung übergehen, und daher
für die Erwärmung unwirksam bleiben. Ging hingegen der
Strom von der Kugel zur kleinen Platinfläche, so war die negative Elektrode beschränkt, und ein Theil der glimmenden Entladungen wurde in discontinuirliche verwandelt, und dadurch
für die Erwärmung wirksam. Es mufste also, wie gefunden
wurde, wenn die Entladung von der Fläche zur Kugel ging,

die Wärme im übrigen Schliefsungsbogen kleiner sein, als wenn
die Entladung die entgegengesetzte Richtung hatte. Dafs die
Zahl der glimmenden und durch die Umkehrung des Stromes
wirksam werdenden Entladungen verschieden ist bei verschiedener Gestalt und Entfernung der Elektroden, leuchtet ein und
bedarf keiner weitern Erörterung. So können auch Fälle vorkommen, wo der Unterschied der Erwärmung unmerklich ist;
aber wo er auftritt, mufs er in dem gebotenen Sinne statt
finden, und dies habe ich ohne Ausnahme bestätigt gefunden.
Die gegebene Erklärung wird auch durch den Augenschein unterstützt. Betrachtet man den Cylinder bei mäfsiger Dunkelheit,
während die Entladung von der Kugel zur Fläche geht, so
sieht man ein helles Licht in dem Zwischenraume zwischen
den Elektroden, während Kugel und Stiel nur schwach leuchten. Wie beiläufig bemerkt wird, ist diese glänzende Lichtmasse zwischen den Elektroden grell zweifarbig, an der negativen Elektrode röthlich-violett, an der positiven grünlich-blau.
Geht hingegen die Entladung von der Fläche zur Kugel, so
erscheint ein breiter röthlicher Lichtstreifen nicht nur zwischen
den Elektroden, sondern, über Kugel und Stiel sich fortzie-
hend, in der ganzen Länge des Glascylinders. Im letzten Falle
nimmt die Erklärung einen grofsen Theil der Entladungen
glimmend an.

In freier Luft, wenn der Entladungsfunke zwischen einer
sehr kleinen Fläche und einer Kugel übergeht, ist kein Unterschied der Erwärmung im Schliefsungsbogen bei verschiedener
Richtung des Stromes zu finden, es blieb daher die Grenze
der Luftverdünnung zu suchen, bei welcher dieser Unterschied
noch merklich ist. Der Glascylinder wurde auf die Luftpumpe
geschraubt und in dauernde Verbindung mit der Barometer-
probe gesetzt; Fufs und Klemme des Cylinders wurden durch
lange Kupferdrähte mit dem Schliefsungsbogen der Batterie
verbunden, in dem sich das Thermometer befand. Die Kugel
im Cylinder stand von der kleinen Fläche 10 Linien entfernt.
In der folgenden Zusammenstellung sind die Erwärmungen für
die Einheit der Ladung angegeben, die aus je 4 Beobachtungen
des Thermometers berechnet wurden, in der vierten Zeile ist
der Werth der Erwärmung bei positiver Kugel angegeben,

wenn die Erwärmung bei gleichem Luftdrucke und positiver
Fläche = 100 gesetzt ist.

Erwärmungen im Schliefsungsbogen bei Unterbrechung desselben durch verdünnte Luft.

Luftdruck.	1	5	10	20	30	40 par. Lin.
A. Fläche positiv	0,85	1,02	0,93	0,94	1,09	1,18
B. Kugel positiv	1,28	1,13	0,96	0,96	1,08	1,19
Verhältnifs von B zu A.	150	111	103	102	100	100

Die Verstärkung der Wärme bei Umkehrung der Entladung im Glascylinder, durch welche die Kugel von der negativen Elektrode zur positiven wird, nimmt also mit zunehmen-
dem Luftdrucke schnell ab, und ist schon bei 30 Linien Druck
nicht mehr merklich.   Einen schönen Beleg zu dem Satze, dafs
bei diesen Versuchen zwei wesentlich von einander verschiedene
Entladungsarten der Elektricität wirken, liefert der Umstand,
dafs in Zeile A. die gröfste Erwärmung bei Einschaltung der
dichtesten Luft (Druck 40 Lin.), und in Zeile B. bei Einschaltung der dünnsten Luft (1 Linie Druck) bemerkt wird.   Wo
nämlich ein grofser Theil der Partialentladungen glimmend geschah, mufste das Zulassen von Luft das Glimmen verhindern,
und dadurch diese Entladungen zur Erregung der Wärme ge-
schickt machen; wo hingegen die Mehrzahl der Partialentladungen discontinuirlich erfolgte, hatte die vermehrte Luftmasse
die Wirkung, die Zeit zwischen den einzelnen Partialentladungen zu vergröfsern, und damit die Erregung der Wärme
zu vermindern.   Da beide, in Bezug auf die Erwärmung, entgegengesetzte Wirkungen bei jedem Versuche zugleich statt
finden, so darf es nicht auffallen, dafs bald die eine, bald die
andere Wirkung überwiegt.   So mufs man, um die Beobachtung bei 5 Lin. Druck in Zeile A zu erklären, annehmen, dafs
bei Veränderung der Luftmasse von 1 bis 5 die Wirkung durch
Verhindern des Glimmens die überwiegende ist, während bei
10 Lin. Druck die Verzögerung der discontinuirlichen Entladung in der Beobachtung merklich wird.   Von 40 Lin. Druck
an scheint bei beiden Zuständen der Elektroden nur Eine Art
der Entladung, die discontinuirliche, statt zu finden, und wirklich ist es mir schon bei 30 Lin. Druck nicht mehr möglich
gewesen, einen Unterschied der Lichterscheinung im Cylinder

zu finden, wenn die Kugel positiv oder negativ war. In beiden
Fällen erschien ein heller breiter Lichtstreifen allein in dem
Raume zwischen den Elektroden.

Eine Ablenkung der Galvanometernadel durch die Entladung
der Batterie, nach ihrem Durchgange durch die bis 1 Linie Druck
verdünnte Luft, zu erhalten gelang nicht, wie vorauszusehen war.
Als mit dem Conductor einer Elektrisirmaschine das eine Ende des
Galvanometergewindes durch einen Drath und den Cylinder mit
verdünnter Luft verbunden, das andere Ende zur Erde abgeleitet
war, erfolgte bei dem Drehen der Maschine eine bedeutende Ablenkung der Nadel, die aber keine constante Verschiedenheit nach
der Lage des Cylinders im Drathe zeigte, was ebenfalls, bei der Unsicherheit des Versuches, nicht auffallen kann. .

Versuche am Inductionsapparate.

Der zu Anfange beschriebene kleine Inductionsapparat wurde
durch ein Daniellsches Element erregt, das Eisendrathbündel zur
Hälfte aus der Hauptrolle gezogen. In der Schließung der inducirten Drathrolle befand sich das Gewinde eines empfindlichen Galvanometers, ferner der an der leydener Batterie gebrauchte Glascylinder, in welchem die Luft bis 1 oder $1\frac{1}{2}$ Linie Druck verdünnt
war, und ein Commutator, der die Richtung des Inductionsstromes
im Glascylinder umkehrte, im übrigen Theile der Nebenschließung
aber ungeändert ließ. Diese Stellung des Commutators ist der
Vereinfachung sowol der Beschreibung als des Versuches selbst wegen gewählt; bringt man den Commutator so an, daß er den Inductionsstrom in der ganzen Nebenschließung, oder gar den voltaischen Strom in der Hauptrolle wendet, so erfolgt ein hörbar ver-
ändertes Spiel der Zunge am Inductionsapparate, das den Versuch
noch verwickelter macht, als er schon für sich ist. Im Cylinder befand sich eine $4\frac{1}{2}$ Linie dicke Messingkugel, die zuerst 10 Linien von
der kleinen Platinfläche des Cylinders entfernt wurde. Als die
kleine Fläche positive Elektrode war, (mit dem zu Anfange definir-
ten positiven Pole der Inductionsrolle verbunden) wurde die Nadel
des Galvanometers bis zum Maximum (70°) nach der, der Richtung
des Stromes entsprechenden Seite abgelenkt (normal). Wurde
die Kugel zur positiven Electrode gemacht, so erfolgte eine Ablenkung von etwa 10° nach der andern Seite (anomal). Bei Wieder-

holung des Versuches trat bei positiver Kugel eine normale Ablenkung von 10° ein. Die Kugel wurde 17 Linien von der Platinfläche entfernt; bei negativer Kugel hatte ich 40 bis 50 Grad nor-
maler Ablenkung, bei positiver Kugel eine geringe anomale, die
später in eine geringe normale überging. Bei 32 Linien Entfernung
von Kugel und Fläche mußte der Inductionsstrom durch tieferes
Hineinschieben des Eisenbündels in die Hauptrolle verstärkt werden, damit der Übergang des Stromes im Cylinder erfolgte. Die
Ablenkung war bei beiden Lagen der Elektroden normal, aber bei
negativer Kugel stärker, als bei positiver. Eine kleinere Kugel ($3\frac{1}{2}$
Lin. Durchmesser) wurde von der kleinen Fläche der Deckplatte
$11\frac{1}{5}$ Lin. entfernt. Als die Kugel negativ war, betrug die Ablenkung 60° und war normal, bei positiver Kugel war die Ablenkung
unmittelbar nach der Schließung des Stromes Null, und ging in
eine normale oder anomale an 10° über. Die Kugel wurde mit einer
horizontalen, 11 Lin. breiten, Messingscheibe vertauscht, die 14
Lin. von der Platinfläche entfernt war. Bei negativer Scheibe erfolgte die Ablenkung normal bis zum Maximum, bei positiver anomal und betrug etwa 20°. Diese Versuche, die ich vielfach variirt
habe, zeigten das Gemeinsame, daß wenn die kleine Platinfläche positiv war, die Ablenkung der Nadel stets normal und stetig gleich
nach der Schließung des Inductionskreises eintrat, wenn hingegen
jene Fläche negativ war, die Ablenkung zögernd und ruckweise
erfolgte. Daß im letzten Falle die Ablenkung zuweilen anomal ist,
hat auch Hr. Gaugain beobachtet, er hat aber diese Beobachtung
fallen lassen, deren Berücksichtigung den irrigen Schluß, den er
aus seinen Versuchen gezogen hat, verhindert haben würde. Es ist
nämlich unzweifelhaft, daß bei diesen Versuchen zwei entgegengesetzt gerichtete Inductionsströme wirken, der Strom bei dem Öffnen
der Hauptrolle, in Bezug auf welchen die Pole der Inductionsrolle
bezeichnet worden, und der Strom bei Schließung der Hauptrolle,
für den die Pole die entgegengesetzte Bezeichnung erhalten müssen.
Noch leichter als durch das Galvanometer, kann man sich an einem
Zersetzungsapparate von der Wirkung der beiden entgegengesetzten Ströme überzeugen. Außer dem Galvanometer und dem Cylinder mit verdünnter Luft, in welchem eine Kugel 10 Lin. von der
kleinen Fläche entfernt stand, wurden in die Schließung der In-
duktionsrolle zwei Platinspitzen eingeschaltet, die etwa 1 Zoll von

einander auf einem mit Jodkalium befeuchtetem Papiere standen. Ein Commutator gab, wie früher, dem Inductionsstrome allein im Glascylinder die verschiedene Richtung. Als die kleine Fläche im Cylinder mit dem positiven Pole der Inductionsrolle verbunden war, erschien in 7 angestellten Versuchen der Jodfleck nur unter derjenigen Platinspitze, welche der Richtung des Öffnungsstromes nach positiv war; als die Fläche hingegen mit dem negativen Pole in Verbindung stand, fand sich, unter 13 Versuchen, der Jodfleck 8 mal nur unter der andern Platinspitze, 5 mal unter beiden Spitzen. Als die Kugel im Cylinder 17 Linien von der kleinen Fläche entfernt war, entstand der Jodfleck bei positiver Fläche 5 mal unter der nach dem Öffnungsstrome beurtheilten positiven Platinspitze, bei negativer Fläche 4 mal unter der andern Spitze. Wenn man den Gesammtstrom des Magneto-Inductionsapparats durch sehr verdünnte Luft zwischen einer sehr kleinen und einer dagegen grofsen Fläche übergehen läfst, so geht, wenn die kleine Fläche durch den Öffnungsstrom positiv wird, nur der Öffnungsstrom über. Wenn hingegen die kleine Fläche durch den Öffnungsstrom negativ wird, so geht aufser diesem Strom auch der Schliefsungsstrom über. Dafs durch einen Luftraum nur der Öffnungsstrom übergeht, war seit lange bekannt, und ist eine Folge der geringen Dichtigkeit des Schliefsungsstromes, die, wie Poggendorff gezeigt hat (Monatsberichte 1855 S. 30), davon herrührt, dafs bei der Bildung des Schliefsungsstromes ein geschlofsener leitender Kreis sich in der Nähe der inducirten Rolle befindet.

Indefs Gaugain aus seinen Versuchen schlofs, dafs der Öffnungsstrom durch sehr verdünnte Luft bei einer gewissen Gestaltung der Elektroden nicht übergeht, folgt aus der vorliegenden Untersuchung, dafs in diesem Falle neben dem Öffnungsstrome auch der Schliefsungsstrom mit übergeht. Wollte man also dem Gaugainschen Apparat den Namen des Ventils lafsen, so müfste man es als ein Ventil, nicht für den Öffnungsstrom, sondern für den Schliefsungsstrom betrachten. Der Anblick der Lichterscheinung im Glascylinder gibt eine fernere Bestätigung des hervorgehobenen Satzes, deren es freilich nicht bedarf. Ich liefs, um das Licht schärfer sehen zu können, die im Cylinder gebrauchte Messingkugel und

Scheibe schwarz beizen, wodurch die Leitung an ihrer Oberfläche nicht wesentlich verschlechtert wurde. Wenn die kleine Fläche positiv ist, tritt jene gefällige Lichterscheinung ein, die auch zwischen 2 gleichen Kugeln statt findet, und häufig beschrieben worden ist. Von der kleinern Fläche geht ein gut begränzter Kegel röthlichen Lichtes zur negativen Elektrode und endigt in einiger Entfernung davon, so daſs zwischen der Basis des Kegels und der negativen Elektrode ein breiter Raum dunkel bleibt. Die negative Elektrode, sie mochte eine Kugel oder Scheibe sein, war an ganzer Oberfläche von einer schön blauen Lichthülle umgeben, die sich über den Stiel hinzog. Das Licht war dauernd gleich hell und ruhig. War hingegen die kleine Fläche negativ, so fiel sogleich auf, daſs das Licht, unruhig flackernd, häufig seine Intensität änderte. Hatte ich den Strom so regulirt, daſs keine oder nur eine geringe Ablenkung der Magnetnadel erfolgte, so war die Lichtgestalt der früheren ziemlich ähnlich. Nur war die röthliche Lichtmasse der positiven Elektrode ohne bestimmte Begränzung, sie breitete sich aus und erstreckte sich bis zur negativen Elektrode, ohne einen dunkeln Raum frei zu lassen. Die negative Elektrode leuchtete blau, aber nicht auf ganzer Fläche, an der Kugel nur die vordere Schale, an der Scheibe die vordere Fläche. Wurde der Strom verstärkt, so war das blaue Licht auf eine noch kleinere Stelle beschränkt, und wurde von breiten röthlichen Lichtgarben, die zwischen den Elektroden aufleuchteten, momentan verdeckt. Hat man diese Lichtgestalten einmal im Dunkel betrachtet, so ist es leicht, an ihnen, auch am hellen Tage bei beschattetem Cylinder zu erkennen, welche Verbindung der Elektroden mit der Inductionsrolle statt habe.

Zur Erklärung der Erscheinungen am Inductionsapparate führen die an der leydener Batterie gewonnenen Erfahrungen. Es ist gezeigt worden, daſs die in der Batterie angehäufte Elektricität eine geringere Wärme im Schlieſsungsbogen erregt, wenn sie in der dünnen Luft von der kleinen zur groſsen Fläche geht. Dasselbe findet statt für den Öffnungsstrom des Inductionsapparats. Es wurde in dem Glascylinder die Messingscheibe eine Linie von der kleinen Fläche der Deckplatte entfernt, und der Cylinder nebst einem empfindlichen elektr. Thermometer in die Schlieſsung der Inductionsrolle gebracht. Die Erwärmung war im Allgemeinen gering, aber deutlich geringer bei der Richtung des Öffnungsstro-

r mes von der kleinen zur grofsen Fläche, als im entgegengesetzten
Falle. Als die grofse Scbeibe negativ war, sank die Flüssigkeit im
Thermometer um 1 bis 3 Linien, wenn die Scheibe positiv war,
um 5 bis 6 Linien. Ein ganz constantes Resultat erhielt ich, als ich
den Strom in der Richtung von der grofsen Fläche zur kleinen eine
Zeit lang fortwirken liefs, bis die Flüssigkeit im Thermometer ihren
tiefsten Stand erreicht hatte; die plötzliche Umkehrung des Stromes bewirkte sogleich ein Steigen der Flüssigkeit. An einem zugleich eingeschaltetem Galvanometer wurde bestätigt, dafs die
gröfste Erwärmung mit der kleineren Ablenkung der Nadel, und
die kleinere Erwärmung mit der gröfseren Ablenkung eintrat. Bei
der leydener Batterie ist es unzweifelbaft, dafs die Änderung der
Erwärmung durch Änderung der Entladungsart, dafs die Verstärkung der Erwärmung durch Verwandlung der langsamen glimmenden Entladung in die viel schneller vollendete discontinuirliche
Entladung bewirkt wird. Nimmt man eine gleiche Änderung der
Entladungsart des Öffnungsstromes am Inductionsapparate an, so
ist damit der Grund der veränderten Wirkung desselben, und der
des Überganges des Schliefsungsstromes gefunden. Die Verwandlung der glimmenden in die discontinuirliche Entladung bewirkt
nämlich, wie aus Versuchen bei der leydener Batterie bekannt ist,
dafs ein im Schliefsungskreis befindliches Galvanometer weniger
abgelenkt, von einer darin befindlichen Substanz eine geringere
Menge zersetzt wird, als früher. Während die glimmende Entladung die Elektroden unverletzt läfst, reifst die discontinuirliche Entladung Theile der Elektroden fort und wirft sie im glühenden Zustande in den Raum zwischen die Elektroden. Hierdurch mufs dieser Raum leitender werden und kann dem Schliefsungsstrome gestatten, glimmend überzugehen. Dafs dieser Strom nicht gerade
eines vollkommenen Leiters zu seinem Übergange bedarf, zeigt das
Durchgehen desselben durch einen langen Streifen mäfsig feuchten
Papieres. Unter diesen Prämissen lassen sich die beobachteten
Wirkungen der Inductionsströme ohne Schwierigkeit ableiten.
Wenn der Gesammtstrom des Inductionsapparates in einen stark
verdünnten Luftraum zwischen einer sehr kleinen und einer grofsen
Fläche geführt wird, und der Öffnungsstrom die Richtung von der
kleinen zur grofsen Fläche hat, so geht nur dieser Strom und zwar
glimmend über; im Schliefsungsbogen wird daher nur geringe

Wärme erregt, ein Galvanometer stark und stetig nach einer bestimmten Richtung abgelenkt, eine zersetzbare Substanz regelrecht zersetzt, so daß ein bestimmter Bestandtheil derselben an einer bestimmten Stelle ausgeschieden wird. Wendet man den Strom, so daß der Öffnungsstrom in der dünnen Luft von der großen zur kleinen Fläche geht, so geht dieser Strom zum Theil discontinuirlich über, daher wird im Schließungsbogen eine größere Wärme erregt, das Galvanometer weniger abgelenkt, von der zersetzbaren Substanz eine geringere Menge zersetzt. Diese Wirkungen werden dadurch geändert, daß durch den leitend gewordenen Luftraum auch der Schließungsstrom und zwar glimmend übergeht, dessen Wirkung auf die Erwärmung gering, auf die magnetische Ablenkung und die Zersetzung stark, und, der Richtung nach, der Wirkung des Öffnungsstromes entgegengesetzt ist. Die Ablenkung der Nadel kann daher noch stärker vermindert, ganz aufgehoben oder nach der entgegengesetzten Stelle gebracht, die Ausscheidung des bestimmten Stoffes an der früheren Stelle verhindert und dafür an der entgegengesetzten Stelle bewirkt werden. Oder es können auch die Wirkungen beider Ströme merklich bleiben, es kann der bestimmte Stoff an beiden Stellen ausgeschieden, die Nadel bald nach der einen, bald nach der andern Seite abgelenkt werden. Diese Veränderlichkeit des Erfolges findet in der That nicht nur bei verschiedenen Versuchen, sondern häufig bei demselben Versuche statt, und ist bei dem veränderlichen Nacheinanderwirken von zwei entgegengesetzten Strömen nicht auffallend. Bei der ersten Richtung der Inductionsströme hingegen ist der Erfolg, von nur Einem Strome bedingt, wesentlich stets derselbe.

Es möge hier noch eine fern liegende, räthselhafte Thatsache in Erinnerung gebracht werden, die vielleicht durch den oben nachgewiesenen, durch den Öffnungsstrom bedingten, Übergang des Schließungsstromes Licht gewinnt. Wenn man den Strom einer mächtigen voltaischen Batterie in freier Luft zwischen zwei Dräthen leuchtend übergehen läßt, so wird der Drath, welcher die positive Electrode bildet, heißer als der andere und glüht und schmilzt zuerst. Läßt man hingegen den Strom eines Inductionsapparates in freier Luft zwischen zwei gleichen Drathspitzen mit Funken übergehen, so kommt nur diejenige Drathspitze ins Glühen und Schmelzen, welche die negative Elektrode des Öffnungsstromes bildet,

und, wie ich vor längerer Zeit gezeigt habe, an der Umhüllung mit
blauem Glimmlichte leicht zu erkennen ist. Dieser Widerspruch
ist bisher nicht gelöst worden. Könnte es nicht sein, daß der
Öffnungsstrom, der hier sichtlich zum Theil glimmend übergeht,
geringen Antheil an der Erwärmung hätte, daß er aber den Luftraum leitend und den Übergang des Schließungsstromes möglich
machte, der wesentlich bei dem Erglühen der Dratspitze wirkte?—
Dann wäre es die positive Elektrode des Schließungsstromes,
welche die stärkste Erwärmung zeigte und zwischen der Wirkung
des voltaischen und des Inductionsstromes fände keine Verschiedenheit statt. Es wäre dies eine sehr einfache, erwünschte Lösung des
Räthsels.

Hr. Mitscherlich theilte einen Zusatz zu seiner Abhandlung über die Krystallform und die isomeren Zustände des Selens und die Krystallform des Jod mit;
der Auszug der Abhandlung folgt hier:
  Die Krystallform und die isomeren Zustände
              des Selens.

  Die Bestimmung der Krystallform des Selens war schon
von besonderer Wichtigkeit, weil die Krystallformen der einfachen Körper für weitere Untersuchungen von Wichtigkeit
sind, dann aber vorzüglich, weil das Selen durch seine große
Ähnlichkeit in seinen chemischen und physikalischen Eigenschaften mit dem Schwefel zu allgemeinen Resultaten führen
kann. Ich habe vergebens versucht die Form des Selens zu
bestimmen, welches sich aus einer Lösung des Selenkalium
oder Selennatrium, welche man durch Kochen einer Kali- oder
Natronlösung mit Selen erhält, krystallinisch ausscheidet, wenn
man sie der Luft aussetzt, und des Selens, welches man durch lang-
sames Erkalten bei einer erhöhten Temperatur krystallinisch erhält. Man kann an den Krystallen zwar Flächen erkennen, sie
sind aber zu klein und zu wenig ausgebildet, um eine Bestimmung zuzulassen. Kleine Krystalle, welche Trommsdorff aus
einer Lösung des Selens in Schwefelkohlenstoff erhalten hatte,
und die er mir mittheilte, veranlaßten mich, dieses Auflösungs-
mittel zu versuchen. Bei 46°,6, dem Kochpunkte des Schwe-

felkohlenstoff lösen 100 Theile 0,1 und bei 0° 0,016 Theile
Selen auf; das Selen scheidet sich beim Erkalten theils in dünnen, durchsichtigen, rothen, stark glänzenden Blättchen, theils
in Körnern aus, die so intensiv gefärbt sind, daß sie undurchsichtig und fast schwarz erscheinen; dünne Splitter derselben
zeigen die Durchsichtigkeit und die Farbe der Blättchen. Die
größten Krystalle bildeten sich, wenn ich Schwefelkohlenstoff
mit Selen, wie man es durch Reduction der selenigen Säure
durch schwefelige Säure bei der gewöhnlichen Temperatur erhält, in einem sehr starken Glaskolben, welcher zugeschmolzen
wurde, längere Zeit hindurch abwechselnd einer Temperatur
die etwas niedriger war, als die des kochenden Wassers und
der gewöhnlichen aussetzte; ihre Größe betrug jedoch kaum
1ᵐᵐ, die Flächen waren jedoch gut ausgebildet, aber nur mit
der Lupe zu erkennen; die Neigung derselben konnte mit dem
Reflexionsgoniometer bestimmt werden; bei der großen Anzahl
von secundären Flächen war ihr Verhältniß zu einander nur
mit der größten Schwierigkeit zu ermitteln. Bei den Blättchen war nur die Fläche *P* größer ausgebildet. Diese Krystalle
verflüchtigten sich vollständig und lösten sich ohne Rückstand
mit rauchender Salpetersäure oxydirt auf; ihre Lösung gab mit
Barytsalzen keinen Niederschlag. Schwefelkohlenstoff in welchem Schwefel gelöst worden war, löste beim Kochen nicht
mehr Selen auf, als ohne denselben und aus der Lösung schieden sich beim Erkalten Selenkrystalle von der gewöhnlichen
Form aus, die keine Spur von Schwefel enthielten.

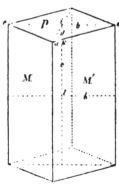

Die Form dieser Selenkrystalle ist
ein schiefes rhombisches Prisma *P M*,
mit den Seitenflächen 2 *m*, *h* und *g*, mit
dem schiefen Rhomben-Octaëder *O U*
und dem vordern schiefen Rhomben-Octaëderflächen *o* 2 und dem hinteren
s $\frac{3}{2}$ und dem geneigten Prisma $\frac{s}{2}$.

Die Fläche *P* ist bei den Blättchen
sehr vorherrschend, die Flächen *M* kommen sehr selten vor; fast stets beobachtet man das schiefe Rhomben-Octaeder *O U* und die Seitenflächen 2 *m*.

Statt des schiefen rhombischen Prisma's könnte man daher eben so gut, ein schiefes rhombisches Octaëder als Hauptform anneh-

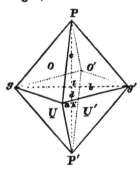

men. Am genauesten war die Neigung von $P:h$, von $P:U$ und $2m:$
$2m'$ zu bestimmen; sie betrug nach
einem Mittel mehrerer Messungen
104°6', 112°36' und 103°40' und darnach sind die Dimensionen der Form
und die Neigung der Flächen gegen
einander berechnet, nachdem ihr Verhältnifs zu einander sowohl durch den
Parallelismus der Kanten als auch durch
die Bestimmung ihrer Neigungen vermittelst des Goniometers ermittelt worden war.

Die Linie a verhält sich zur Linie b wie $1:0,63615$ und
zur Linie c, also zur Höhe des Prisma wie $1:0,9921$ und die
Linie c zur Linie d, also zur Höhe der geneigten Fläche wie
$0,9921:0,2512$, welches so nahe wie $4:1$ ist, dafs bei dieser
Form, wie bei vielen anderen ein einfaches Verhältnifs sehr
wahrscheinlich ist.

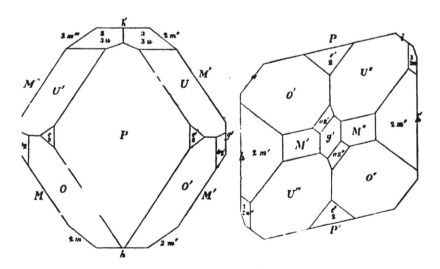

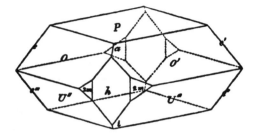

$$M : M' = 64°56'$$
$$2m : 2m' = 103°40'$$
$$2m : h = 141°50'$$
$$M : g = 147°32'$$
$$g : h = 90$$
$$P : h = 104°6'$$
$$P : g = 90°$$
$$P : 2m = 101°2\tfrac{1}{2}'$$
$$P : M = 97°57'$$
$$P : O = 124°48'$$
$$P : U = 112°36'$$
$$O : U' = 122°36'$$
$$O : O' = 91°21'$$
$$O : g = 134°20'$$
$$O : h = 123°53'$$
$$02 : 0'2 = 54°13'$$
$$02 : {}^{\cdot}O = 161°26'$$
$$02 : g = 152°53\tfrac{1}{2}'$$
$$i : \tfrac{e}{g} = 105°48'$$
$$i : P = 142°54'$$
$$U : U' = 77°12'$$
$$U : g = 141°24'$$
$$U : h' = 111°48'$$
$$O' : U = 124°19'$$
$$3u^3 : 3u^3 = 123°31'$$
$$3u^3 : h' = 145°48'$$
$$U : 3u^3 = 146°$$
$$i : h' = 126°32'$$
$$a : h = 141°11\tfrac{1}{2}'$$
$$i_3 : h' = 159°51'$$

Die Krystalle lösen sich leicht in der nöthigen Menge kochenden Schwefelkohlenstoffs auf, welcher davon sogleich roth gefärbt erscheint; mit Wasser gekocht, also bei einer Temperatur von 100° verlieren sie diese Eigenschaft auch nicht, auch behalten sie ihre Farbe; erhitzt man sie aber allmälig stärker, etwa bis 150°, so verlieren sie ihre helle Farbe und werden so dunkel, daß sie fast schwarz erscheinen und sind vollkommen unlöslich in Schwefelkohlenstoff; wie lange man ihn auch damit kochen mag, er bleibt vollkommen farblos und läßt beim Verdampfen keinen Rückstand. Schmelzt man die veränderten Krystalle und läßt das Geschmolzene rasch erkalten, so löst es sich vollständig in Schwefelkohlenstoff auf.

Das specifische Gewicht der Krystalle vor dem Erwärmen betrug 4,46—4,509 bei 15° nach dem Erwärmen, wobei sie nichts verloren, 4,7. Die Bestimmungen wurden vermittelst Alkohol und nur mit einer kleinen Menge (2 Grm.) gemacht und die erhitzten Krystalle um jede Veränderung zu vermeiden nicht gepulvert; sie haben unstreitig dasselbe specifische Gewicht wie das krystallische körnige Selen, welches Schaffgotsch mit so großer Genauigkeit bestimmt und zu 4,801 gefunden hat (Pogg. Ann. B. 90 p. 66); durch kleine Höhlungen, welche in den umgeänderten Krystallen sich bilden mußten, läßt sich das gefundene etwas geringere specifische Gewicht erklären. Das specifische Gewicht des aus einer Auflösung von Selennatrium krystallinisch ausgeschiedenen Selens betrug 4,760—4,788 bei 15°.

Hittorf hat die schöne Beobachtung gemacht (Pogg. Ann. B. 84 p. 214) daß wenn man das Selen im amorphen Zustand, aus seleniger Säure reducirt, oder gepulvertes glasiges nur bis 90° erhitzt wird, es rasch krystallinisch wird und eine Temperaturerhöhung von mehr als 30° dabei stattfindet, also ganz so wie Regnault es zuerst beim rasch abgekühlten Schwefel fand. Beim Selen kann man das Krystallisiren und die Wärmeentwicklung am schönsten beobachten, wenn man größere Mengen in einem Kolben schmelzt und bis über 217° erhitzt, dann schnell um 30°—40° unter dieser Temperatur erkalten läßt und bei dieser Temperatur eine Zeitlang erhält; am zweckmäßigsten in einem Luftbade, wozu man den bekannten kupfernen Cylinder verwendet, in dessen Deckel der Kolben mit einem Kork befestigt

wird und den man mit einer Spirituslampe bei einer constanten Temperatur erhalten kann. Die Temperatur des Selens
steigt alsdann sehr bald um 20° und mehr und die ganze Masse
wird krystallinisch körnig und enthält durch die starke dabei
statt findende Zusammenziehung Höhlungen mit Krystallen.
Dadurch also, daß der Flüssigkeit die nöthige Zeit gelassen
wird, daß sich ihre Theile zu Krystallen ordnen können, ist
das Krystallisiren möglich; je zäher eine Flüssigkeit ist, je weniger beweglich also ihre Theile sind, desto mehr Zeit ist dazu
erforderlich. Häufig kommen Fälle nicht vor, daß die Krystallisationskraft auf andere Kräfte wie auf die chemische Ver-
wandschaftskraft modificirend wirkt: ich habe schon früher das
Bleioxydhydrat und weiße Roheisen als ein paar schöne Beispiele angeführt; fällt man ein Bleisalz mit einer Natronlösung,
so scheidet sich Bleioxydhydrat, als weißes amorphes Pulver
aus; löst man es in einem Überschuß einer Natronlösung, so
krystallisirt beim längeren Stehen Bleioxyd wasserfrei in gelben
und rothen Krystallen heraus; im lezteren Falle war also die
nöthige Zeit vorhanden, daß die Bleioxydatome zu Krystallen
sich an einander legen konnten und dadurch konnte die Krystallisationskraft die chemische Verwandschaft zwischen Bleioxyd
und Wasser aufheben. Kühlt man das flüssige Roheisen, welches 5,3 p. C. Kohle enthält, rasch ab, indem man es in Wasser fließen läßt, so löst es sich in Salzsäure ohne Rückstand
auf; läßt man die flüssige Masse langsam erkalten, so ist hinreichend Zeit vorhanden, daß die Krystallisationskraft der Kohle
thätig werden, und diese als Graphit krystallisiren kann, indem
die chemische Verbindung dadurch getrennt wird, beim Auflösen in Säuren bleibt der Graphit in Krystallen zurück.

Das krystallinisch-körnige Selen, welches man auf diese
Weise erhält, ist in Schwefelkohlenstoff unlöslich, während
das rasch erkaltete darin löslich ist; es hat in diesem Fall also
nicht allein ein Krystallisiren statt gefunden, sondern es ist dadurch ein anderer Körper, ein allotropes Selen entstanden.

Erhitzt man das aus Schwefelkohlenstoff krystallisirte Selen
rasch, indem man es in einen kleinen Platintiegel schüttet und
diesen in ein bis 200° erwärmtes Luftbad aufhängt, so schmelzen die Krystalle und geben beim raschen Erkalten eine glasige
Masse; das krystallinisch körnige Selen und das aus Selenkalium

krystallisirte Selen verändern sich nicht, wenn sie auf dieselbe Weise erhitzt werden; das krystallinisch körnige Selen schmilzt erst jenseits 200° nach Hittorf bei 217°.

Das in Schwefelkohlenstoff unlösliche Selen hat eine viel dunklere Farbe als das lösliche, selbst wenn man es zu einem ziemlich feinen Pulver zerreibt, oder einen Strich damit auf unglasirtes gebranntes Porzellan macht; das ganz feine Pulver jedoch z. B. ein Strich auf Pergament gemacht, erscheint, wel_ ches Selen man nehmen mag, ganz von gleicher Farbe.

Glasiges Selen, welches viele Jahre aufbewahrt worden war, ist ganz unverändert geblieben, nimmt also nicht wie die glasige arsenige Säure einen krystallinischen Zustand an.

Übergießt man amorphes Selen, welches man durch Re- duction der selenigen Säure vermittelst schwefeliger Säure erhalten hat, mit Schwefelkohlenstoff, so wird es nach einigen Wochen vollständig in krystallinisches Selen umgeändert, woran die Form sich nicht bestimmen läfst, welches aber voll_ ständig in Schwefelkohlenstoff löslich ist. Es ist keine seltene Erscheinung, dafs amorphe Pulver in gewissen Flüfsigkeiten sich in krystallinische umändern, selbst wenn an eine theil_ weise Lösung, also an ein successives Lösen und Krystallisiren nicht gedacht werden kann; in der Regel ist aber das Letz_ tere der Grund dieser Veränderung. Am deutlichsten kann man diesé beiden Arten von Umänderungen bei der von Frankenheim zuerst beobachteten Veränderung der rhomboëdrischen Krystalle des Salpeters in die prismatischen unter dem Mikroskop stu- diren; indem zuerst in einem Tropfen der Salpeterlösung sich in der Flüssigkeit gewöhnlich am Rande Rhomboëder bilden und nachher einzelne Prismen entstehen; wenn die Rhomboëder nicht von diesen berührt werden, so lösen sie sich schnell auf, und die Prismen vergröfsern und vermehren sich und zuletzt sind nur noch diese vorhanden. Berührt dagegen der prismatische Krystall ein Rhomboëder, so findet von dem Berührungspunkt die Umänderung aller Rhomboëder, die sich berühren, sehr schnell statt, man kann sie jedoch mit dem Auge verfolgen und sich überzeugen, dafs jedes Rhomboëder, ohne sich zu lösen, in eine Gruppe von vielen Prismen, mit Beibehaltung der äufsern Um- risse des Rhomboëders sich umändert.

Schwefelkohlenstoff in Berührung mit glasigem Selen än-

29*

dert dieses nicht in krystallinisches um, wie er beim Schwefel
die schiefen rhombischen Prismen in Rhomben-Octaëder umändert;
verschafft man sich glasiges Selen in Körnern, dadurch daß man
flüssiges Selen in Wasser gießt und läßt es einige Wochen mit
Schwefelkohlenstoff in einem verschlossenen Gefäß stehen, so
löst sich vom glasigen Selen auf, und das Gelöste setzt sich
in kleinen Krystallen mit glänzenden Flächen auf die Körner
ab; in diesem Fall findet also ein successives Lösen und Krystallisiren statt.

Aus den angeführten Thatsachen folgt, daß das krystallinisch-körnige Selen und das aus der Selenkalium- oder Selen-
natriumlösung krystallisirte Selen identisch sind, und wesentlich verschieden von dem aus Schwefelkohlenstoff krystallisirten.
Das Selen in diesen beiden verschiedenen Zuständen verhält
sich wie der Schwefel in der Form des schiefen rhombischen
Prisma's und in der des Rhomben-Octaëders; das Selen zeigt
jedoch ein viel größeres Beharren (Stabilität) in seinen beiden
Zuständen, die man entschieden als isomere oder allotrope anzusehen hat. Von diesen unterscheidet sich das Selen, als Pulver oder glasige Masse durch seinen amorphen Zustand; als
amorpher Körper gehört es jedoch wohl dem aus Schwefelkohlenstoff krystallisirten Selen zu.

Die Krystallform des Jod's.

Das Jod erhält man durch Sublimation, durch Schmelzen
und aus verschiedenen Lösungen in bestimmbaren Krystallen;
es hat stets dieselbe Form und zeigt nichts von ungewöhnlichen interessanten Erscheinungen, die man beim Schwefel,
Selen und Phosphor beobachtet. Durch Sublimation erhält
man es in sehr schönen Krystallen, wenn man einen Kolben
oder ein langes weites Rohr in ein schwach erwärmtes Sand-
bad etwa von 50° herstellt; beim raschen Sublimiren bilden
sich zu dünne Krystalle. Aus einer Lösung des Jods in wässeriger Jodwasserstoffsäure erhält man es in sehr großen
Krystallen, wenn man sie in einer offenen Flasche längere
Zeit hinstellt, in dem Verhältniß wie der Sauerstoff der Luft
sich mit dem Wasserstoff verbindet, scheidet sich das Jod und
zwar so langsam aus, daß sich nur einige große Krystalle bilden. Läßt man eine Lösung von Jod in Alkohol verdampfen,
so erhält man nur kleine Krystalle. Das flüssige Jod krystal-

lisirt sehr leicht beim Erkalten und man erhält es auf dieselbe
Weise in bestimmbaren Krystallen wie den Schwefel. Die
Form der Jodkrystalle ist von Wollaston und Marchand ange-
geben aber nicht genau bestimmt; ich habe mir so gut aus-
gebildete Krystalle darzustellen gesucht, daſs ich sie mit dem
Reflexionsgoniometer messen konnte.

Die Krystallform des Jods ist ein Rhomben-Octaëder *O*,

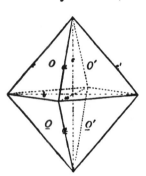

mit den Seitenflächen *M*, *g* und
der Endfläche *P* des dazu gehörenden Prisma's und den Flächen
der Rhomben - Octaeder: 30, $\frac{5O}{2}$
$\frac{O}{2}$. Bei den sublimirten Krystallen
ist entweder die Fläche *P* oder
die Fläche *g* so stark ausgebildet,
daſs sie dadurch als platte rhombische Tafeln erscheinen; zuweilen hat sich die eine Tafel auf der
andern so ausgebildet, daſs die Flächen der einen, den entsprechen-

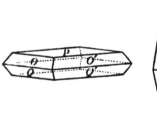

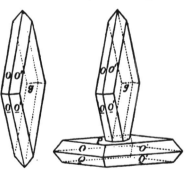

den der anderen parallel sind. Dieselbe Ausbildung findet bei den
Krystallen statt, welche man durch Schmelzen erhält; diese sind
zwar groſs, haben aber selten gut ausgebildete Flächen. Bei den
Krystallen, die beim Verdampfen einer alkoholischen Lösung
sich bilden, sind die Flächen *O* in der Regel vorherrschend,
die Flächen *g* und *P* sind vorhanden aber wenig ausgebildet; zuweilen sind die Flächen 3 *o* gröſser als die Flächen *O*. Aus
einer Lösung von Jod in wässeriger Jodwasserstoffsäure erhielt
ich Krystalle, bei denen die Flächen $\frac{3O}{2}$ so ausgebildet waren,

dafs *P* gar nicht vorhanden war und *O* und *g* nur sehr klein erschienen. Die Flächen *M* und ⁰⁄₉ kommen nur selten vor.

Am besten waren die sublimirten Krystalle zu bestimmen, in der Luft verdampft von den Flächen das Jod aber so schnell, dafs eine genaue Einstellung für das gröfsere Goniometer unmöglich war; ihre Neigung mufste daher mit einem kleinen Reflexionsgoniometer bestimmt werden. Als Mittel von mehreren Messungen ergab sich für die Neigung von *O : O'* und von *O : O"* 118°18' und 135°52'. Das Verhältnifs der Flächen gegen einander ist sowohl durch den Reflectionsgoniometer, als durch den Parallelismus der Kanten ermittelt worden, und die Dimensionen und die Neigung der Flächen und Kanten sind aus dem angegebenen Winkel und diesem Verhältnifs berechnet.

Die Linie *c, a, b* oder die Länge, Höhe und Breite des Octaëders verhalten sich wie 1 : 2,055 : 1,505

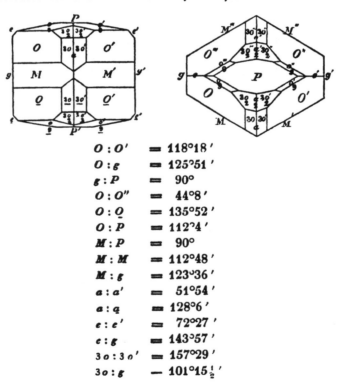

$$O : O' = 118°18'$$
$$O : g = 125°51'$$
$$g : P = 90°$$
$$O : O'' = 44°8'$$
$$O : Q = 135°52'$$
$$O : P = 112°4'$$
$$M : P = 90°$$
$$M : M = 112°48'$$
$$M : g = 123°36'$$
$$a : a' = 51°54'$$
$$a : q = 128°6'$$
$$e : e' = 72°27'$$
$$e : g = 143°57'$$
$$3o : 3o' = 157°29'$$
$$3o : g = 101°15\tfrac{1}{2}'$$

$$3\,o : O = 160°22\tfrac{1}{2}'$$
$$3\,o : 3\underline{o} = 129°10'$$
$$3\,o : P = 115°15'$$
$$\tfrac{3o}{2} : \tfrac{3o}{2}''' = 87°5'$$
$$\tfrac{3o}{2} : P = 133°32\tfrac{1}{2}'$$
$$\tfrac{3o}{2} : \tfrac{3o}{2} = 92°55'$$
$$\tfrac{3o}{2} : 3\tfrac{o}{2}' = 161°58'$$
$$\tfrac{3o}{2} : \mathscr{b} = 99°1'$$
$$\tfrac{o}{2} : \tfrac{o}{2}'' = 149°21'$$
$$\tfrac{o}{2} : P = 164°40'$$
$$\tfrac{o}{2} : \tfrac{o}{2}''' = 154°34'$$

Die Krystallform des Phosphors.

Die Krystallform des gewöhnlichen Phosphor's habe ich schon früher beschrieben, sie ist ein reguläres Dodekaëder; dieselbe Form erhält man, wenn man gröfsere Mengen von flüssigem Phosphor erkalten läfst, und dabei wie beim Schwefel verfährt. Der auf gewöhnliche Weise also der sehr schnell erkaltete Phosphor ist glasartig auf dem Bruch und ohne krystallinisches Gefüge; nach einiger Zeit erleidet er, wie die glasige arsenige Säure von Aufsen nach Innen eine Veränderung, indem er sich in eine weifse undurchsichtige Masse umändert, von welcher Rose gezeigt hat, dafs sie aus reinem Phospor bestehe; an dieser Kruste habe ich nie deutliche Krystalle entdecken können, und ich wage nicht zu bestimmen, ob diese Umänderung stets darauf beruht, dafs glasartiger amorpher Phosphor krystallinisch wird oder auch darauf, dafs der Phosphor eine andere Krystallform annimmt; nur zuweilen beim Schmelzen gröfserer Mengen habe ich Phosphor mit krystallinischer Structur erhalten.

Sehr schöne Phosphorkrystalle erhält man, wenn man Phosphor in einem luftleeren Rohr oder einem Rohr, welches mit einer Gasart, in welcher der Phosphor sich nicht oxydiren kann, gefüllt ist, dem Sonnenlichte aussetzt; der Phosphor verflüchtigt sich durch die Sonnenwärme leicht von einer Stelle zur andern und setzt sich an die kälteren Theile des Rohrs in kleinen Krystallen an, die sehr gut spiegelnde und glänzende Flächen zeigen; die aber, weil man sie nicht herausnehmen kann, sich nicht messen lassen. Nie habe ich beim Verflüchtigen des Phosphors durch dunkle Wärme in solchen Röhren die geringste Spur eines Leuchtens bemerkt, so dafs Sauerstoffgas eine noth-

wendige Bedingung ist, damit der Phosphor leuchte. Die sublimirten kleinen Krystalle sind farblos und durchsichtig, färben
sich aber im Sonnenlichte sehr bald roth ohne ihre Form zu ändern, in der Regel ist es nur die äußerste Schicht, die sich umändert. Die Krystalle sind also nicht krystallisirter rother Phosphor; ich habe diesen nie krystallisirt erhalten können und
große Stücke desselben die ich dem Entdecker der Natur dieses Körpers, Schrötter verdanke, zeigen keine Spur von kry-
stallinischem Gefüge. Die Umänderung des gewöhnlichen
Phosphors in rothen kann man sehr gut verfolgen, wenn man
Phosphor nahe bei seinem Kochpunkt in einem Reagenzglase
erhitzt; es scheiden sich zuerst kleine Mengen des rothen Phosphors aus, die in dem flüssigen schwimmen: der flüssige scheint
seine Farbe nicht zu verändern und der röthliche Schein, welchen er zeigt, rührt von dem beigemengten rothen Phosphor
her, bald wird er trübe und ganz undurchsichtig: selbst bei
Anwendung größerer Mengen erhält man, nachdem man mit
Schwefelkohlenstoff den gewöhnlichen Phosphor weggenommen
hat, nur so kleine Körner, daß man eine Form mit der stärksten Vergrößerung unter dem Microscop nicht daran erkennen
kann, sie sind mit rother Farbe durchscheinend; der rothe
Phosphor scheint sich in dem flüssigen nicht aufzulösen; man
kann diesen mit Stücken von rothem Phosphor kochen, ohne
daß diese sich verändern, der rothe Phosphor ändert sich erst
jenseits des Kochpunkts des gewöhnlichen in diesen um, und nimmt
gasförmigen Zustand an, ohne zu schmelzen. Auch rother
Phosphor, den ich durch eine unvollständige Verbrennung
des Phosphor unter Wasser oder in der Luft, mir verschaffte,
und den man früher für Phosphoroxyd hielt, war nie krystallinisch. Man erhält ihn am leichtesten, wenn man in einer
großen irdenen Schaale ein Stückchen Phosphor nach dem andern entzündet und den Phosphor bis die Verbrennung jedes
Stückes aufgehört hat, in der Schaale herumfließen läßt; den
Rückstand zieht man abwechselnd mit Schwefelkohlenstoff und
Alkohol und mit Wasser aus; destillirt bei Ausschluß von
Sauerstoff hinterläßt er keinen Rückstand, also keine Phosphorsäure, er ist also reiner Phosphor, wie dieses auch aus den
Versuchen von Schroetter folgt.

21. Juni. Gesammtsitzung der Akademie.

Hr. Curtius las über die Stammsitze der Ionier.

Nach allen Seiten hin hat sich die hellenische Alterthumskunde kräftig und erfolgreich entwickelt; einen Ueberblick deßen, was auf diesem Felde gearbeitet worden ist, giebt die eben veröffentlichte vierte Ausgabe von K. Fr. Hermann's Lehrbuch der griechischen Staatsalterthümer. Trotz dieser grofsen Thätigkeit sind gewisse Hauptfragen, die das griechische Alterthum betreffen, ohne Antwort geblieben und unsere Kenntnifs von der Entwicklung des griechischen Volks hat hier viel gröfsere Lücken, als man sich eingestehen will. Die gröfste Lücke ist da, wo auf die Ionier die Rede kommt. Woher stammt dies räthselhafte Volk, das überall und nirgends zu Hause ist, wie greift es in das Gesammtleben der Hellenen ein, wo beginnt seine Geschichte? — Das sind noch Räthsel, welche ungelöst, ja fast unberührt geblieben sind. Man mufs den Stamm des Ion als den wichtigsten Bestandtheil der hellenischen Nation anerkennen und doch erscheint er im Gegensatze zu den eigentlichen Hellenen. Seine ursprünglichen Wohnsitze hat man nach Analogie der anderen Stämme in Thessalien gesucht, aber sie sind dort nirgends nachzuweisen und es ist ohne Gewaltsamkeit nicht möglich, die Ionier mit Müller, Buttmann u. A. der Analogie der von Norden herabziehenden Bergvölker einzufügen. K. H. Lachmann nahm die Heimath der Ionier in Argolis an, Wachsmuth versetzte sie an die Ostküste des ionischen Meers, nach Epirus und Illyrien; in Hermann's Lehrbuch der Staatsalterthümer sind sie als Autochthonen zu beiden Seiten des saronischen Meeres ansässig. Keine dieser Ansichten ist jedoch mit beweiskräftigen Gründen unterstützt noch auch gegen nahe liegende Einwendungen gesichert und am Ende bleibt es dabei, dafs, wie O. Müller in den Doriern sagt, die Ionier, wie vom Himmel gefallen, in Attika erscheinen, von dessen Urbewohnern sie sich sehr bestimmt unterscheiden.

Es gilt den Versuch, auf die Frage nach der Abstammung des ionischen Volks durch eine gründlichere Forschung, als dem wichtigen Gegenstande bisher zugewendet worden ist, eine klarere Antwort zu finden und zu dem Ende mufsten zunächst alle die Orte aufgezählt werden, wo Ionier nachgewiesen werden können, um so von der Art ihres Vorkommens einen Überblick zu gewinnen.

Eine Musterung dieser ionischen Wohnplätze von Euboia durch
Böotien und Attika um den Peloponnes herum das westliche Gestade hinauf bis Adria liefert den Beweis, daſs hier überall freilich
unverkennbare Spuren der Ionier anzunehmen sind, aber nirgends
ein ursprüngliches Ionien; überall sind es schmale Küstensitze an
Meerstraſsen und Golfen, vorspringende Halbinseln oder einzelne
vom Strande aus landeinwärts leitende Fluſsthäler. So wohnen
keine aus dem Binnenlande vorgedrungenen Eroberer, so wohnen
auch nicht des Landes ursprüngliche Inhaber; es müssen, wie auch
in denjenigen Ländern, wo sie am meisten massenhaft vorkommen,
in Achaja und Attika, die unbestrittene Ueberlieferung sagt, zuge-
wanderte Seevölker sein.

Auch besteht die einzige ionische Wanderung, die geschicht-
lich nachzuweisen ist, aus einer Reihe von Seezügen und dies war
die dem Stamme eigenthümliche Art der Wanderung. Daraus erklärt sich die Form ihrer Niederlassungen, daraus ihr Aufgeben in
die Masse der vorgefundenen Bevölkerung, weil die Wandernden
nur Männer waren, die sich ihre Weiber aus den Eingeborenen
des Landes nahmen.

Faſst man die ionische Wanderung näher in das Auge, so über-
rascht zunächst die Thatsache, daſs die Ionier nirgends so massenhaft, so in voller Eigenthümlichkeit entwickelt vorkommen, wie im
asiatischen Ionien.   Diese Kultur Ioniens ist in ihrer Verbreitung
und Reinheit unerklärbar, wenn der Boden vorher als ein Barbaren-
land gedacht werden muſs; die Gründung der neuen Städte Ioniens
war nur eine Erneuerung alter Gründungen, ein Anschluſs an alte
Stammesheiligthümer; eine Reihe echt ionischer Sitze ist gar nicht
aus Kolonisation von Westen herzuleiten, wie Ios, Iasos u. s. w.
Was folgt daraus? Die Ionier haben sich an den Küsten von Ly-
dien und Karien mit Stämmen gleicher Art und gleicher Religion
verbunden; es ist kein neues Ionien gegründet, sondern ein altes
erneut worden; der ionische Volksstamm, der jenseits überall nur
zuwandernd erscheint, ist hier zu Hause und die sogenannte ionische Wanderung ist nur ein Rückzug des groſsen Stammes nach
seiner ursprünglichen östlichen Heimath.

Diese Ansicht von der ursprünglichen Ansässigkeit der Ionier
im Osten des ägäischen Meers wird dadurch bestätigt, daſs im ganzen Morgenlande der ionische Name es war, unter dem die griechi-

sche Nation bekannt war, und zweitens dadurch, daſs die Ionier nachweislich früher als die anderen Stämme ihrer Nation im Besitze jener Bildung waren, welche vom Morgenlande aus ihren Weg zu den westlichen Völkern nahm. Am Rande des asiatischen Kontinents einheimisch, waren die Ionier berufen, die Vermittler zu sein zwischen den älteren und jüngeren Völkern der alten Welt.

Es erhellt, wie sich darnach nicht nur die Vorstellung von der Einwanderung der hellenischen Nation in ihre geschichtlichen Wohnsitze, sondern auch die Anschauung von der ältesten Kultus- und Kulturgeschichte bedeutend modificiren muſs. Denn wenn ein wesentlicher Theil der hellenischen Nation im Osten des Meers zu Hause war, so muſs man die Ansicht aufgeben, daſs der Kern des griechischen Volks dem europäischen Halbinsellande angehört habe und man darf nicht mehr die Religionen und Sitten, welche von der asiatischen Küste nach Griechenland übertragen sind, als etwas Orientalisches d. h. Barbarisches dem Hellenischen gegenüberstellen.

Es kommt nun darauf an, die Ionier in ihren Beziehungen einerseits zu den ältern Reichen des Orients, andererseits zu den jüngeren Bruderstämmen des europäischen Griechenlands näher kennen zu lernen. Zu dem Zwecke wird der Versuch gemacht, in den Annalen ägyptischer Königsdenkmäler dem Vorkommen der Ionier nachzugehen und in den frühesten Erwähnungen derselben als ägyptischer Reichsfeinde, als bekriegter und besiegter Stämme des Nordens, einen Maſsstab für das Alter ionischer Seemacht zu gewinnen. Zu den Phöniziern standen die Ionier seit ältesten Zeiten in einem sehr nahen Verhältnisse; sie eigneten sich die Künste und Industriezweige derselben an und wetteiferten bald mit ihnen in Verbreitung derselben, besonders auf den gegenüberliegenden Gestaden von Hellas, wo sie selbst mit dem Namen genannt wurden, den sie den Kananitern gegeben hatten.

Das Wichtigste ist aber, das Verhältniſs der Ionier oder Ostgriechen zu den Westgriechen zu erkennen; denn wo diese beiden durch das Meer getrennten Hälften der griechischen Nation sich wieder vereinigen, da liegen die fruchtbaren Keime hellenischer Staatenbildung. Diese Berührungen näher zu bestimmen werden zunächst die Ortsnamen benutzt, soweit sie in gröſseren Gruppen wiederkehrend und unter einander verwandt, die Niederlassungen

... Küstenbewohner zeugten, welche die Gestade und Inseln des Archipelagus mit einander verknüpft haben. Zweitens die Ortssagen, welche die Erinnerung der von Kreta empfangenen Kultur in Wahr... Nach beiden Kennzeichen lassen sich die wenigen Punkte bestimmen, wo die kleinasiatischen ... sich niedergelassen... Diese Niederlassungen gehören aber nur verwandten Personen an, die sich nach den Gottesdiensten in ältere und jüngere unterscheiden lassen. In ältester Zeit erscheinen die Ionier unter dem Sammelnamen der Leleger eingegriffen und der Poseidondienst ist es, der sie mit den gleichartigen Nachbarvölkern kleinasiatischer Herkunft verbindet; die Städte des Poseidon geben Zeugniß von dieser frühesten Periode kleinasiatischer Einwirkungen. Eine neue Zeit beginnt mit dem Auftreten der apollinischen Religion, die durch den Dienst des Delphinios mit dem Poseidon vermittelt wird und deren Verbreitung der Stamm des Ion, mit den verwandten Stämmen Kreta's und Lycien's wetteifernd, als seinen Beruf erkannte. Wie sich an die Dienste des Poseidon und des Apollon die ältesten Eidgenossenschaften der europäischen Griechen, die Anfänge eines Staats- und Völkerrechts, die Gründungen der Städte und Stadtverfassungen anschließen, ist nicht schwer nachzuweisen.

Auf diese Weise ist der Versuch gemacht worden, dem Stamme der Ionier, der bis dahin nur wie eine durch äußere Umstände hervorgerufene Abart der Pelasger betrachtet wurde oder wie ein unbestimmtes, unstätes Fluidum im Organismus des griechischen Volks erschien, eine bestimmte Heimath und eine schärfer begränzte Individualität zu geben, ihre verschollene Geschichte in den Grundzügen wiederherzustellen und durch den Gegensatz auch die nichtionischen Völker, die Binnenländer oder Westgriechen, in ein helleres Licht zu stellen.

O. Müller hat seine Dorier so sehr auf Kosten der anderen Stämme ausgestattet, und sie so kühn und zuversichtlich in den Mittelpunkt der hellenischen Geschichte gestellt, daß die von seinem Geiste beherrschte Wissenschaft lange Zeit gebraucht hat, von jenem Dorismus zurückzukommen und den andern Stämmen allmählich ihr Recht zurückzugeben.

An eingegangenen Schriften wurden vorgelegt:

Nikolai von K o k s c h a r o w, *Materialien zur Mineralogie Rußlands.* Lieferung 13—15. Petersburg 1855. 8. und Atlas in 4.

K o p p, *Geschichtsblätter aus der Schweiz.* Band II. Heft 1. Luzern 1855. 8. Mit Begleitschreiben des Hrn. Herausgebers d. d. Luzern 7. Mai 1855.

Congrès archéologique de France. Séances générales tenues à Moulin en 1854. Paris 1855. 8.

Comptes rendus des séances de l'Académie des sciences. Tome 40. no. 20. 21. 22. 23. Paris 1855. 4.

Astronomische Nachrichten no. 968. 969. Altona 1855. 4.

Natuurkundig Tijdschrift voor Nederlandsch Indië. Deel VII. Aflevering 5 et 6. Batavia 1854. 8.

M. F. M a u r y, *Letter concerning Lanes for the steamers, crossing the Atlantic.* New York 1855. 4.

v. Mscr. James P. E s p y, *Reports on meteorology,* II. III. (Washington 1851.) folio obl. Mit Begleitschreiben des Hrn. Verfassers. d. d. Washington 22. April 1855.

Richard O w e n, *Principes d'ostéologie comparée.* Paris 1855. 8.

Memorial de ingenieros. Anno IX. no. 12. et Suppl. Anno X. no. 1. 2. 3. Madrid 1855. 8.

Corrispondenza scientifica in Roma. Anno IV. no. 6. Roma 1854. 4.

H a n s e n, *die Theorie des Äquatoreals.* Leipzig 1855. 8.

N a u m a n n, *die Rationalität der Tangentenverhältnisse tautozonaler Krystallflächen.* Leipzig 1855. 8.

M ö b i u s, *die Theorie der Kreisverwandschaft in rein geometrischer Darstellung.* Leipzig 1855. 8.

Berichte über die Verhandlungen der Königl. Sächsischen Gesellschaft der Wissenschaften zu Leipzig. Mathematisch - physikalische Klasse. 1854. I. II. Leipzig 1854. 8.

Theodor S c h e e r e r, *Olivin nebst Bemerkungen über Serpentinbildung.* Braunschweig 1853. 8.

———————, *Über Obligoklas und die Feldspathfamilie.* Braunschweig 1853. 8.

———————, *Über Palagonit und Pechstein.* Braunschweig 1854. 8.

———————, *Über Pseudomorphosen,* mit zwei Fortsetzungen. Leipzig 1854. 8

28. Juni. Gesammtsitzung der Akademie.

Hr. **Kiepert** las eine Fortsetzung der Abhandlung über die arischen und semitischen Sprach-
grenzen in Kleinasien.

Hr. **Trendelenburg** legte der Akademie einige aus der Kön.
Bibliothek zu Hannover ihm zur Einsicht verstattete **Manuscripte**
Leibnizens vor, das **Naturrecht** betreffend, theils lateinische, in
zwei Convoluten mit der Aufschrift *elementa iuris naturalis* und *dis-
quisitiones ad elementa iuris, in sp. naturalis,* theils französische, in
einen Umschlag mit der Aufschrift *méditation sur la notion commune
de la iustice par Leibniz* zusammengelegt. Die lateinischen, in gröfserer wissenschaftlicher Strenge gehalten, sind Vorarbeiten, Anfänge und Bruchstücke von gröfsern Plänen, namentlich von Leibnizens beabsichtigten *elementa iuris naturalis* (vgl. Leibnizens Brief
an Arnauld vom J. 1671 oder 1672 in Grotefend's Ausgabe S. 143
und Brief an den Herzog von Hannover Johann Friederich vom J.
1673 bei Guhrauer Leibnizens deutsche Schriften 1838. I. S. 281).
Von den französischen Aufsätzen, welche leichter geschrieben und,
wie es scheint, für die grofse Welt bestimmt sind, fällt der ausführ-
lichste von Leibnizens eigener Hand etwa zwischen 1701 und 1705,
wie nach einer Erwähnung der Königin von Preufsen wahrscheinlich ist. Die Bruchstücke geben keine eigentlich neuen Aufschlüsse.
Das Wesentlichste der lateinischen Aufsätze ist in die gedrungene
Darstellung der Rechtsprincipien übergegangen, welche Leibniz
(1693) in die Einleitung des codex iuris gentium diplomaticus aufnahm und für welche diese Arbeiten als Vorbereitung erscheinen.
Von den wiederholten Versuchen die Begriffe *iustitia, iurispru-
dentia* zu definiren, welche sich vorfinden, zeichnet sich Eine Behandlung durch Klarheit, Schärfe und gebundenen Zusammenhang
aus. Von Leibnizens Hand sorgfältig und deutlich geschrieben erörtert sie den Begriff der *iustitia universalis*. Sie beginnt *iustitia
est habitus (seu status confirmatus) viri boni* und verfolgt in streng
fortschreitender Zergliederung die Elemente dieser Definition bis
in die letzten Principien. Was Leibniz in dem ersten Briefe an
Arnauld (Grotefend S. 143 u. 114) über die Definitionen der in das

Recht einschlagenden Begriffe und namentlich über den Begriff des Helfens sagt, trifft so auffallend mit diesem Entwurf zusammen, daſs sich dadurch die Zeit der Abfassung um das J. 1671 bestimmen läſst.

An eingegangenen Schriften wurden vorgelegt:

Jahrbuch der K. K. geologischen Reichsanstalt. 5. Jahrgang no. 4. Wien 1854. 4.

Hubert Beckers, *Fr. W. I. von Schelling. Denkrede.* München 1855. 4.

Lamont, *Denkrede auf die Akademiker Thaddäus Siber und Georg Simon Ohm.* München 1855. 4.

Almanach der Königl. Bayrischen Akademie der Wissenschaften für das Jahr 1855. München 1855. 8.

The Journal of the Royal Geographical Society. Vol. XXIV. London 1854. 8.

Silliman, *The American Journal of Science and Arts.* Second Series. no. 56. 57. New Haven 1855. 8.

Journal of the Asiatic Society of Bengal. no. 245. 246. Calcutta 1854—1855. 8.

Nachrichten von der G. A. Universität in Göttingen. no. 9. 10. Göttingen 1855. 8.

A. Quetelet, *Sur la relation entre les températures et la durée de la Végétation des plantes.* Bruxelles 1855. 8.

A. v. Reumont, *Dei soci esteri della Accademia della Crusca.* Firenze 1855. 8.

Fr. Bonaini, *Ordinamenta justitiae Communis et populi Florentiae anni 1293.* s. l. et a. 8. (durch Herrn von Reumont mitgetheilt).

P. de Tschihatschef, *Considérations historiques sur les phénomènes de congélation constatés dans le bassin de la mer noire.* Paris 1855. 8.

Kiepert, *Handatlas.* Lieferung 1. Berlin 1855. 4.

Durch Verfügung vom 25. d. giebt der vorgeordnete Hr. Minister Nachricht, daſs des Königs Majestät mittelst allerhöchster Ordre vom 4. d. M. die von der Akademie getroffene Wahl des Dr. Georg Pritzel zum Archivar derselben zu genehmigen geruht haben.

Hr. Prof. G. W. Raſsmann in Gent meldet unter dem 20. d. Namens des leider erkrankten Herrn J. Roulez den Empfang des Diploms desselben zum correspondirenden Mitgliede der Akademie.

Nachtrag zur Sitzung vom 10. Mai.

Hr. Peters übergab eine Übersicht der in Mossambique beobachteten Seefische.

PERCOIDAE.

APOGON Lacépède.

1. *Apogon quadrifasciatus.* Cuvier et Valenciennes, Hist. nat. des poissons. vol. II. p. 153.

2. *Apogon novemfasciatus* C.V. l. c. II. 154.

3. *Apogon zeylonicus* C.V. III. 491. =? *Apogon lineolatus* Ehrbg. Rüppell, Atlas Taf. 12 Fig. 1.

4. *Apogon roseipinnis* C. V. III, 490 = *Apogon annularis,* Rüppell. Wirbelthiere. 85.

Im Leben goldig mit feinen schwarzen Pünktchen. Körpermitte bläulich schillernd. Eine blaue Binde von Auge zu Auge, eine zweite am Rande der Oberlippe und von da zum Auge, eine längs dem Oberkiefer, ein blauer Fleck am Vordeckel und am Winkel des Kiemendeckels. Flossen roth. Eine breite schwarze Binde um die Basis der Schwanzflossen.

Mossambique, Inhambane. Einh. Name *nanino.*

AMBASSIS Commerson.

5. *Ambassis Commersonii* C.V. II. Taf. 25.

Auch in süssen Gewässern bei Quelimane und im Flusse Molumbo gegenüber der Insel Mossambique. Alle Exemplare haben nur sechs Kiemenstrahlen.

GRAMMISTES Bloch. Cuvier.

6. *Grammistes orientalis* Bloch C. V. II. 203.

Die Varietät mit vier Längsbinden.

Fundort: Mossambique, 15° S. Br.

SERRANUS Cuvier.

In der Macúasprache von Mossambique mit den Namen *intello, schipunde, minearcera* u. a. benannt.

7. *Serranus oceanicus* C.V. II. 302.

Im Leben braunroth; die Querbinden undeutlich schmutzig braun. Brustflossen gelbgrün. Die Haut zwischen den Stachelstrahlen nach dem Rande hin schwarz. D. 11, 16; A. 3, 9.

8. *Serranus salmonoides* C.V. II. 343.

9. *Serranus areolatus* C. V. II. 350. Descript. de l'Egypte. Taf. 20.

10. *Serranus merra* C.V. II. 325. Bloch Taf. 329.

11. *Serranus guttatus* Bloch Taf. 224 = *Serranus myriaster* C.V. II. 365. Rüppell. Atlas Taf. 27. Fig. 1.

Schwarzviolet mit himmelblauen schwarz eingefafsten Flecken. Schwanzflossen und mehr oder minder auch die Rücken- und After-flosse weifs gesäumt. Aufser den Ocellen noch braunrothe Flecken hinter den Stachelstrahlen der Rückenflosse. Nach Vergleich mit dem im Berliner Museum befindlichen Blochschen Exemplare sind die beiden genannten Arten zu vereinigen.

12. *Serranus miniatus* Rüppell. Atlas Taf. 26. Fig. 3. = *Serranus cyanostigma* Kuhl et van H. C.V. II. 359.

13. *Serranus fuscoguttatus* Rüppell. Atlas Taf. 27. Fig. 2.

14. *Serranus marginalis* C.V. II. 301. Bloch Taf. 328.

D. 11, 16; A. 3, 9.

15. *Serranus flavoguttatus* n. sp.

Verwandt mit *S. alboguttatus* C.V. II. 366. Die Flecken sind am lebenden Fische hellgelb.

D. 11, 17; A. 3, 9.

16. *Serranus flavocoeruleus* Quoy et Gaim. Uranie. Taf. 57. Fig. 2. Bennett. Fishes of Ceylon. Taf. 19.

17. *Serranus melas* n. sp.

Von derselben Gestalt wie *S. merra*. Unter- und Oberkinn-lade mit sehr feinen Schuppen bekleidet. Operkel mit drei platten Spitzen. Vordeckel am abgerundeten Winkel mit stärkeren, am aufsteigenden Rande mit feineren Zähnen. Farbe einfarbig schwarz-braun; Flossen dunkler ohne alle Flecken. Obgleich ähnlich in der Farbe wie *Serranus rogoa* Forsk. weicht diese Art durch Ge-stalt und auch durch die Flossenstrahlen von ihr ab.

B. 7. D. 11, 17; P. 20; V. 1, 5; A. 3, 8.

Fundort: Querimba-Inseln (Ibo).

18. *Serranus (Anthias) squamipinnis* n. sp.

Eine sehr ausgezeichnete schöne Art. Roth mit einer blauen Linie von dem untern Augenrand bis auf die Basis der Brustflossen. An Gestalt dem *Serranus anthias* ähnlich. Höhe und Körperlänge (ohne die Schwanzflosse) wie 1: 3. Oben zwei, unten vier Eckzähne, von denen die hinteren stark rückwärts gekrümmt sind. Operkel mit zwei starken Dornen, indem der dritte obere nicht entwickelt ist. Suboperkel und Interoperkel wie bei *S. anthias* sägeförmig gezähnelt. Der aufsteigende Rand des Vordeckels mit Zähnchen bewaffnet, welche nach dem Winkel hin allmählich an Gröfse zunehmen. Die Seitenlinie macht dieselbe Krümmung wie bei *S. anthias.* Die Rückenflosse hat 13 weiche und 10 Stachelstrahlen, von welchen letzteren der dritte sich in einen borstenförmigen Fortsatz verlängert. Die weichen Strahlen der Bauchflossen sind nur um $\frac{2}{3}$ länger als der Stachelstrahl. Die Schwanzflosse ist gabelig und hat dreizehn verzweigte Strahlen. Die Flossen sind hoch über ihre Basis hinauf mit ziemlich grofsen Schuppen bekleidet. Zahl der Schuppenquerreihen etwa 44, Längsreihen 19 (3 über, 15 unter der Seitenlinie bis zum After).

B. 7; D. 10, 18; P. 17; V. 1, 5; A. 3, 8; C. $\frac{7}{13}$

Fundort: Mossambique, 15° S. Br.

Aufser den vorstehenden wurden noch zwei sehr grofse Serrane von mehr als 5 Fufs Länge beobachtet, welche ich nicht mit Bestimmtheit auf eine der bekannten Arten zurückzuführen weiss. Beide ermangeln der grofsen Eckzähne, so dafs man sie darnach auch der Gattung *Centropistes* zuzählen könnte, wie diese Gattung von Cuvier und Valenciennes aufgefafst worden ist. Sie führen dort den portugiesischen Namen *Garoupa.*

19. *Serranus abdominalis* n. sp.

Die erste ist schwarzbraun, zur Seite des Bauches zwischen Bauch- und Afterflosse mit zwei breiten blauweissen Querstreifen; die Flofsen dunkler schwarz gefleckt. Der Kiemendeckel mit drei grofsen platten Dornen, der Vordeckel am aufsteigenden Rande und zumal am Winkel mit starken Sägezähnen versehen. Der Unterkiefer ist mit gröfseren, der Oberkiefer mit kleineren Schuppen bekleidet. Das Profil gerade, die Augen nach oben gerichtet. Rücken-, Bauch- und Schwanzflosse abgerundet, die Afterflosse am untern Rande gerade. Die Rückenflosse hat zwölf Stachelstrahlen. Die ganze Länge betrug 1700 Mm., die des Kopfes allein 540 Mm.

D. 12, 15; P. 18; V. 1, 5; A. 3, 8. C. $\overline{17}$

Fundort: Mossambique, 15° S. Br.

20. *Serranus Goliath* n. sp.

Von der zweiten großen Art, welche ich wegen der mangelnden Eckzähne früher ebenfalls zu *Centropristes* gezogen hatte, befindet sich das Skelet auf dem hiesigen anatomischen Museum. In ihrer Gestalt ähnlich der vorigen, ist sie ebenfalls von brauner Farbe, dunkler gewölkt. Die Flossen sind wie bei *S. fuscoguttatus* mit dunklen Flecken geziert. Auch die Bewaffnung des Kiemendeckels mit drei platten Spitzen und die Bezahnung des Vordeckels (am aufsteigenden Rande feiner, am Winkel stärker) ist ganz wie bei dieser Art. Sowohl Unter- als Oberkiefer tragen kleinere Schuppen als die Backen, welche wie die Körperschuppen an der Endoberfläche rauh aber nicht am Endrande gezähnelt erscheinen.

Das Skelet zeigt 10 Rumpf- und 14 Schwanzwirbel. Der Magen bildet einen 330Mm. langen Blindsack. Der Darm hat eine Länge von 5280Mm. und sehr zahlreiche Appendices pyloricae. Totallänge 1700 Mm.; Kopf allein 580 Mm.

B. 7; D. 11, 12; P. 18; V. 1, 5; A. 3, 9; C. $\frac{5}{\frac{15}{7}}$

Fundort: Mossimböa, 11° S. Br.

PLECTROPOMA Cuvier.

21. *Plectropoma melanoleucum* C.V. II. p. 388.

Die Grundfarbe ist nicht, wie angegeben wird, im Leben weiß, sondern blaß violet.

Fundort: Ibo, 12° S. Br.

DIACOPE Cuvier.

22. *Diacope coccinea* Ehrenberg. C.V. II. 437. Rüppell. Wirbelthiere Taf. 23. Fig. 2.

23. *Diacope marginata* C.V. II. 425.

24. *Diacope quadriguttata* C. V. II. 427. VI. 533. = *Diacope bohar* Lac. Rüpp. Atlas. p. 73.

25. *Diacope fulviflamma* Fotsk. C.V. II. 423. Rüppell. Atlas Taf. 19. Fig. 3. = *Mesoprion monostigma* C. V. II. 446.

26. *Diacope octolineata* C.V. II. 418.

27. *Diacope notata* C.V. II. 422.

PRIACANTHUS Cuvier.

28. *Priacanthus Boops* C.V. III. 103.

Das von *Priacanthus* gesammelte Exemplar stimmt mit der von der vorstehenden Art gegebenen Beschreibung und dem von Hr. Valenciennes dem hiesigen Museum übersandten Specimen überein.

Dules Cuvier.

29. *Dules Bennetti* Bleeker. = *Perca argentea* Bennett. Fish of Ceylon. Taf. 22.

Eine in das grofse Fischwerk von Cuvier und Valenciennes nicht aufgeonmmene Art.

Zwei Exemplare, bei Mossambique, in 15° S. Br. gefangen.

30. *Dules fuscus* C.V. III, 118.

Nur in süfsen Gewässern der Insel Anjoana.

Therapon Cuvier.

31. *Therapon servus* Bloch. C.V. III. 125.

Im Meere und in Süfswasser-Teichen bei Quellimane.

Pelates Cuvier.

32. *Pelates quinquelineatus* C.V. III. 148.

33. *Pelates sexlineatus* C.V. III. 147.

Holocentrum Artedi, Cuvier.

34. *Holocentrum diadema* Lacépède. Rüppell. Atlas Taf. 22. Fig. 2.

35. *Holocentrum samara.* Forsk. Rüppell. Atlas Taf. 22. Fig. 3.

36. *Holocentrum punctatissimum.* C.V. III. 215.

Percis Bloch-Schneider.

37. *Percis hexophthalma* Ehrenberg. C.V. III. 271 = *P. cylindrica* Rüppell. Atlas. Taf. 5. Fig. 2.

38. *Percis polyophthalma* Ehrenberg. C.V. III. 272.

39. *Percis cancellata.* C.V. III. 268.

Sphyraena Bloch-Schneider.

40. *Sphyraena Commersonii* C.V. III. 352.

41. *Sphyraena obtusata* C.V. III. 350. *)

In der Macuasprache *musonja* genannt.

Sillago Cuvier.

42. *Sillago acuta* C.V. II. 400.

In der Macùasprache von Mossambique *mor-de-schen* genannt. Wird dort sehr viel gegessen.

Upeneus Cuvier.

In Mossambique unter den Namen *nanino* bekannt.

43. *Upeneus vittatus* Forsk. C.V. III. 448.

44. *Upeneus cinnabarinus* C.V. III. 475.

45. *Upeneus lateristriga* C.V. III. 463.

---

1) Während meines Aufenthaltes in Angola, an der Westküste Afrikas, zeichnete ich eine grofse *Sphyraena*, welche mit der *Sph. barracuda* C.V. III. 343. übereinstimmt.

CATAPHRACTI.

DACTYLOPTERUS Lacépède.

46. *Dactylopterus orientalis.* C.V. IV. 134.

Mossambique, Inhambane, Ibo.

PLATYCEPHALUS Bloch-Schneider.

47. *Platycephalus insidiator* Bl.-Schn. C.V. IV. 227.

48. *Platycephalus punctatus* C.V. IV. 243.

49. *Platycephalus pristis* n. sp.

In der Körperform, der Stellung der Augen, der Form der Schnauze u. s. w. am nächsten mit *P. pristiger* und *asper* verwandt, aber Infraorbitalknochen mit verschiedener Bewaffnung und Seitenlinie unbewehrt. Das Nasale mit einem kleinen Dorn; das erste Infraorbitale mit einem deutlichen und zwei verkümmerten vorderen Dornen, im übrigen Theile glatt bis zum hintern Ende, welches ebenfalls in einen Dorn ausgeht; der zweite Infraorbitalknochen in der ersten Hälfte glatt, in der letzten mit ungefähr sechs Sägezähnen. Der Vordeckel hat drei Dornen, einen oberen gröſseren und zwei beträchtlich kleinere untere. Der Kiemendeckel ist mit zwei Dornen bewaffnet, welche dem mittlern Dorn des Vordeckels an Gröſse gleichen. Der Zwischenraum zwischen den Augen beträgt kaum $\frac{1}{4}$ des Durchmessers eines derselben, ist in der Mitte glatt und quer concav, jederseits durch die gezähnelten Supraorbital-Kämme begrenzt. Diese beiden Kämme weichen hinter den Augen leierförmig auseinander und setzen sich so über das Hinterhaupt fort, erstrecken sich aber nicht so weit nach hinten, wie eine andere jederseits mehr nach auſsen liegende unregelmässige Reihe niedergebeugter Stacheln, welche am hintern Augenhöhlenrande beginnt und oberhalb des Kiemendeckels an der Schulter endet. Die Seitenlinie ist unbewaffnet und aus ungefähr 51 Schuppen zusammengesetzt. Oberhalb der Seitenlinie bilden die Schuppen 5, unterhalb derselben 15—16 Längsreihen. — Die schmutziggelbe Grundfarbe wird am Rücken ganz durch Braun verdrängt, welches am Kopfe und an den Körperseiten in unregelmässigen Querbinden, Flecken und Punkten auftritt. Sämmtliche Flossen sind mit braunen Fleckenbinden geziert. Der Stacheltheil der Rückenflosse steht um die ganze Länge des letzten Stachelstrahls von dem weichstrahligen Theile derselben entfernt.

B. 7; D. 8 + 13; P. 20; V. 1, 5; A. 14; C. $\frac{5}{\frac{9}{4}}$

Fundort: Mossambique, 15° S. Br. Die Arten dieser Gattung heissen in der Macûasprache *mbiriviri*.

SCORPAENA Linné.

50. *Scorpaena mossambica* n. sp.

Eine mit *Sc. erythraea* Ehrenberg (= *Sc. aurita* Rüppell) und *Sc. borbonica* C. V. sehr nahe verwandte Art, aber mit noch näher beisammen stehenden Augen, wenig deutlicherem Stirnwulst und nur drei verzweigten Strahlen in den Brustflossen.

B. 7; D. 12, 10; P. 15 (1 + 3 + 11); V. 1, 5; A. 3, 6; C. $\frac{5}{\frac{11}{4}}$

Fundort: Ibo, 12° S. Br.

PTEROIS Cuvier.

51. *Pterois volitans* C. V. IV. 352.

Ibo, Mossambique, Inhambane, vom 11° — 24° S. Br. In der Macuasprache *sucuramatánga* (d. h. grofse Segel) genannt.

APISTUS C. V.

52. *Apistus binotatus* n. sp.

Den *A. taenianotus, longispinis* und *Bougainvillii* am meisten verwandt.

Das Profil ist senkrecht concav, die Rückenflosse mit der Schwanzflosse wie bei *A. taenianotus* durch eine Haut verwachsen, und unterhalb des 8. bis 9. Stachelstrahls befindet sich wie bei *A. longispinis* auf der Seitenlinie ein silberweisser, nach dem Tode rosenrother Fleck.

B. 7; D. 15, 9; P. 12; V. 1, 5; A. 3, 6; C. 13.

Fundort: Ibo, 12° S. Br.

SCIAENOIDAE.

OTOLITHUS Cuvier.

53. *Otolithus argenteus* Kuhl et Van Hasselt. C.V. V. 62.

In der Macuasprache: *carrupala*.

CORVINA Cuvier.

54. *Corvina dorsalis* n. sp.

Höhe gleich der Länge des Kopfes, zur Totallänge wie 1: $4\frac{1}{2}$. Schnauze stumpf abgerundet. Kiemendeckel mit zwei durch einen halbmondförmigen Ausschnitt getrennten platten Dornen. Vordeckel mit sehr feinen spitzen sparsamen Dornen. Die längeren Zähne der äußeren Reihe weniger zahlreich. Am Kinn 6 Poren, von denen die beiden mittleren einander sehr genäherten durch ein kleines Knötchen getrennt sind. Der Humerus lang und fein wie bei *Sciaena pama* gezähnt. — Farbe silberig, der vordere obere Theil der Rückenflosse schwarz.

B. 7; D. 10 — 1, 27 (oder 1, 29); P. 18; V. 1, 5; A. 2, 8; C. $\overline{15}$.

Fundort: Quellimane, 18° S. Br.

PRISTIPOMA Cuvier.

55. *Pristipoma kaakan* C.V. V. 244.

DIAGRAMMA Cuvier.

56. *Diagramma gatherina* C.V. V. 301.

57. *Diagramma flavomaculatum* Ehrenberg. C.V. V. 304. $=$? *D. faetela* C.V. V. 307.

58. *Diagramma cinerascens* C.V. V. 307. $=$ *D. punctatum* Ehrenberg. C.V. 302.

59. *Diagramma Blochii.* C.V. V. 312. $=$ *D. albovittatum* Rüpp.

SCOLOPSIS Cuvier.

60. *Scolopsis bimaculatus* Rüpp. Atlas. Taf. 2. Fig. 2. $=$ *Sc. taeniatus* Ehrenberg.

61. *Scolopsis ghanam* C.V. V. 348. Rüppell. Atlas Taf. II. Fig. 1.

SPARINI.

CHRYSOPHRYS Cuvier.

62. *Chrysophrys berda* Forsk. Cuv. Rüpp. Wirbelth. Taf. 27. Fig. 4.

LETHRINUS Cuvier.

Der einheimische Name dieser Fische in Mossambique ist *schango.*

63. *Lethrinus centurio* C.V. VI. 301. Taf. 158. $=$ *L. nebulosus* Forsk.

64. *Lethrinus Gothofredi* C.V. VI. 286.

65. *Lethrinus mahsenoides* Ehrenberg. C.V. VI. 286.

66. *Lethrinus olivaceus* C.V. VI. 295.

67. *Lethrinus variegatus* Ehrenberg. C.V. VI. 287.

68. *Lethrinus abbreviatus* Ehrenberg. C.V. VI. 312.

69. *Lethrinus elongatus* Ehrenberg. C.V. VI. 289.

SARGUS Cuvier.

70. *Sargus auriventris* n. sp.

Von metallisch bläulicher Färbung, am Kopfe grünlich. Am Bauche zieht sich jederseits über den Bauchflossen eine schmale goldene Binde entlang.   Die Flossen dunkel; der untere Rand der ausgeschnittenen Schwanzflosse und die Bauchflossen von gelblicher Farbe.

D. 11, 14; P. 15; V. 1, 5; A. 3, 11; C. 18.

Fundort: Mossambique, im Juni.   Einh. Name *curumballe.*

CRENIDENS Cuv. Val.

71. *Crenidens Forskålii* C.V. VI. 378. Taf. 162[4].

Die in Mossambique gefundene Art stimmt nach Vergleichung mit der des rothen Meeres überein.   Die runden Zähne sind in der citirten Tafel zu klein gezeichnet.

Fundort: Mossambique.

MAENOIDAE.

CAESIO Commerson.

72. *Caesio tricolor* C.V. VI. 438.

Die Bauchseite im Leben weiss, verwandelt sich in Weingeist und wird rosenroth.

73. *Caesio caerulaureus* Lac. C.V. VI. 434.

In der Macuasprache *solólo.*

GERRES Cuvier.

74. *Gerres oyena* C.V. VI. 472.

Heisst in der Macûasprache *sálla.*

MUGILINI.

MUGIL Linné.

75. *Mugil scheli* Forskål. C.V. XI. 152 = ? *Mug. euronotus* A. Smith Illustr. of the zool. of South Africa. Taf. 29.

NESTIS Val.

Nestis cyprinoides Val. wurde nur in Süfswasserbächen auf der Insel Anjoana gefunden und hat nicht cycloidische sondern ctenoidische Schuppen.

ATHERINOIDAE.

ATHERINA Linné.

76. *Atherina afra* n. sp.

Von Gestalt sehr mit *A. presbyter* Valenciennes (X. 439. Taf. 304. Fig. 2) verwandt, gehört sie wegen ihrer weiter zurück zwischen Bauch- und Afterflosse stehenden ersten Rückenflosse in die dritte Abtheilung ausländischer Atherinen dieses Autors. Sie ist mit feinen Zähnen an den Kieferrändern, auf einer queren Platte des Vomer und an den Gaumenbeinen versehen.

Von Gestalt fast spindelförmig ist der Kopf $4\frac{1}{3}$ Mal in der Totallänge (mit Ausschluss der Schwanzflosse) enthalten. Das Auge nimmt $\frac{1}{3}$ der Kopflänge ein und die Schnauze ist um $\frac{1}{3}$ kürzer als der Durchmesser desselben. Die obere Fläche des Kopfes ist abgeplattet, zwischen den Augen durch zwei Längsfurchen vertieft und hier an Breite gleich einem Augendurchmesser. Das Maul steigt schräg von oben und vorn nach hinten und unten bis zu den Augen herab. Die Brustflossen, welche die Insertion der Bauchflossen überragen, sind um $\frac{2}{5}$ kürzer als der Kopf. Die erste Rückenflosse besteht aus 6 Strahlen, beginnt um $1\frac{1}{2}$ Kopflängen hinter dem Rande des Kiemendeckels und steht hier dem in der Mitte zwischen Bauch- und Afterflossen befindlichen Porus analis gegenüber. Die zweite Rückenflosse steht über den letzten drei Vierteln der Afterflosse und besteht aus 11 Strahlen. Die Schwanzflosse ist tief ausgeschnitten gabelig. Die Schuppen sind grofs, cycloidisch, am hintern Rande schwach gekerbt und bilden von der Rückenflosse bis zum After 6 Längsreihen. Die Seitenlinie verläuft in der dritten obern Längsreihe und wird aus etwa 36 Schuppen gebildet. Zwischen der ersten und zweiten Rückenflosse liegen 9 Schuppen. Die Schuppen des Rückens und der obern Seite des Kopfes sind schwärzlich mit weissblauen Punkten geziert; die Bauchseite ist fleischfarbig; die Körperseiten sind durch eine Silberbinde ausgezeichnet. Die Rückenflossen und besonders die Bauchflossen zeigen viele schwarze Pünktchen. Totallänge 105 Mm.

B. 6; C. 6 — 1, 10; P. 17; V. 1, 5; A. 1, 13 (1, 14); C. $\frac{4}{15}$.

Fundort: Mossambique. Heifst in der Macúasp. *nagogo.*

SCOMBROIDAE.

Scomber Cuvier.

77. *Scomber kanagurta* C.V. VIII. 49.

Chorinemus Cuvier.

78. *Chorinemus Sancti Petri* C.V. VIII. 379.

79. *Chorinemus rhoadetta* Ehrenberg. C. V. VIII. 382. — Bleeker hält diesen für identisch mit dem vorigen, die Schuppen sind jedoch viel schmäler. Heifst in Mossambique *supada,* wahrscheinlich aus dem portugiesischen *espada* (Schwert) corrumpirt.

CARANX Cuvier.

80. *Caranx speciosus* Lac. Rüpp. = *Sp. speciosus* Forsk.
C.V. IX. p. 150.

In der Macùasprache *intaru* gen., auch in Inhambane gefunden.

81. *Caranx Belengerii* C.V. IX. 116.

Bei den Macùas *scheræua* genannt.

EQUULA Cuvier.

Gazza Rüppell.

82. *Equula dentex* C.V. X. 91.

Heifst in der Macùasprache *umpánda*.

SQUAMIPENNES.

CHAETODON (Art.) Linné.

83. *Chaetodon falcula* Bloch. Taf. 425 Fig 2. C.V. VII. 41.

84. *Chaetodon Abhortani* C.V. VII. 58.

85. *Chaetodon virescens* C.V. VII. 30.

86. *Chaetodon vittatus* Bl. Schn. C.V. VII. 31.

87. { *Chaetodon Sebanus* C.V. VII. 74.

88. { *Chaetodon setifer* Bloch Taf. 426. Fig. 1.

89. *Chaetodon nigripinnis* n. sp.

Von Gestalt ähnlich wie *Ch. vagabundus* L. und *Ch. dorsalis*
Reinw. Körperhöhe zur Länge wie 7: 10. Schnauze verspringend.
Goldgelb ; eine schwarze Binde durch die Augen und 7 — 8 senkrechte gebogene schwarze Linien über den Körper. Der weichstrah-
lige Theil der Rücken- und Afterflosse, eine Linie nahe dem Rande
des Stacheltheils der Rückenflosse und der Theil vor der Basis der
Schwanzflosse schwarz. Die Ränder der After- und Rückenflosse
hellgelb oder weiss.

P. 15 (16); D. 14, 25; V. 1, 5; A. 3, 23; C. $\frac{4}{15}$
$_5$

Fundort : Mossambique. Name in der Macùasprache *nicú-
pecúpe*.

HENIOCHUS Cuvier.

90. *Heniochus macrolepidotus* Bloch. Cuv. VII. 93. Taf. 176.

ZANCLUS Commerson.

91. *Zanclus cornutus* Commerson. C.V. VII. 177.

HOLACANTHUS Lacépède.

92. *Holacanthus semicirculatus* C.V. VII. 191. Taf. 193.

93. *Holacanthus chrysurus* C.V. VII. 188.

PLATAX Cuvier.

94. *Platax vespertilio* Bloch. C. V. (*Pl. Ehrenbergii* C. V.)

95. *Platax teira* Forsk. Cuv.

PSETTUS Commerson.

96. *Psettus rhombeus* Forsk. C. V.

GOBIINI.

PETROSCIRTES Rüppell. 1828.(OMOBRANCHUS Ehrenberg.1828.
BLENNECHIS Cuv. Valenc. 1836.)

97. *Petroscirtes cynodon* n. sp.

Körperform verlängert zusammengedrückt. Der Kopf nimmt
reichlich $\frac{1}{4}$ der Totallänge (ohne die Schwanzflosse) ein, die Körperhöhe ist $5\frac{1}{2}$ mal in derselben enthalten und die Dicke des Körpers gleich hinter dem Kopfe ist um ein Drittel geringer als die
Körperhöhe daselbst. Der Augendurchmesser ist $4\frac{1}{2}$ Mal in der Länge
des Kopfes enthalten; die Augen liegen um einen Augendurchmesser
von einander und um etwas mehr von der breiten Spitze der bogenförmig nach unten gekrümmten Schnauze entfernt. Häutige Lappen an Augen und Kinn sind nicht bemerkbar. Die Zahl der einreihi-
gen Zähne beträgt sowohl oben als unten 36 — 40; die gekrümmten
Eckzähne der Zwischenkiefer sind klein, die des Unterkiefers dagegen außerordentlich groß, vorn und hinten mit einer zugeschärften
Kante versehen. Die lange Rückenflosse beginnt am Nacken, reicht
hier nicht weiter nach vorn als der Kiemendeckel und hört zwar
ziemlich weit von der Schwanzflosse zugleich mit der Afterflosse
auf, ist aber durch eine häutige Fortsetzung mit derselben vereinigt.
Ihre Strahlen, etwa 30 an Zahl, sind im Allgemeinen gleich lang,
genau genommen jedoch die ersten bei den Männchen, die der zweiten Hälfte bei den Weibchen etwas länger. Die Brustflossen bestehen
aus 15 Strahlen, von denen die mittleren am längsten sind. Die Bauchflossen werden aus zwei Strahlen gebildet, von denen der innere
fast doppelt so lang als der äußere erscheint. Die Analöffnung liegt
ein wenig weiter von dem Schnauzenende als von der Basis der
Schwanzflosse entfernt. Die Afterflosse ist kaum halb so lang wie
die Rückenflosse, enthält aber dennoch 18 — 21 Strahlen. Die
Schwanzflosse ist in einigen Fällen am hintern Rande gerade abgeschnitten, in andern gabelförmig, indem der vierte und fünfte obere
und untere Strahl sehr verlängert erscheinen.

Die Farbe ist schmutzig grün mit vielen kleinen dunklen Fleckchen; von dem Auge bis auf die Schwanzflosse geht ein dunkler breiter, nicht scharf begrenzter Fleckenstreif hin, auf welchem sich hellere Flecken zeigen. Die Rückenflosse ist an der Basis dunkel, zwischen den Strahlen weiss und braun gefleckt. Bei den Männchen ist die Rückenflosse am Ende des ersten Strahls ausgezeichnet durch einen grofsen schwarzen Fleck. Die Afterflosse ist dunkel, undeutlich gefleckt, die Spitzen ihrer Strahlen sind, wie undeutlicher auch die der Rückenflosse, weiss. — Länge ohne die Schwanzflosse 105 Mm.

B. 6; D. 26 (— 30); P. 15; V. 2; A. 18 (— 21); C. 15.

Der Schädel hat eine sehr eigenthümliche Form, indem die Zwischenkiefer seitlich sehr entwickelt sind, um die grofsen Eckzähne des Unterkiefers bergen zu können, der Schädel hinter den Augen dagegen plötzlich sehr zusammengedrückt erscheint. Es sind 35 Wirbel vorhanden, von denen 12 dem Rumpfe, 23 dem Schwanze angehören.

Häufig bei **Mossambique**, im 15° S. Br. Wird *quátu* gen.

98. *Petroscirtes barbatus* n. sp.

Kopflänge gleich der Körperhöhe und zu der Körperlänge wie $1 : 3\frac{2}{3}$. Gestalt des Kopfes und Körpers ähnlich wie bei der vorigen Art, aber kürzer, Augen liegen kaum um $\frac{1}{2}$ Augendurchmesser von einander und um einen ganzen von der Schnauzenspitze entfernt. Schnauze schräg abschüssig. Über jedem Auge ein verzweigter und unter dem Kinn zwei einfache Hauttentakel. Zähne ähnlich wie bei der vorigen Art. Die Stellung der Flossen wie bei der vorigen Art. Die Strahlen der ersten Rückenflosse aber sind sehr verlängert, die Bauchflossen bestehen aus drei Strahlen und die mittlern Strahlen der Schwanzflosse erscheinen verlängert, so dass diese Flosse zugespitzt erscheint. Schmutzig grün mit rostfarbenen Flecken. Die senkrechten Flossen sind schwarzbraun gebändert und gefleckt auf gelbrothem Grunde. Der Darm ist einfach, ohne Blinddärme; die Schwimmblase ist silberig, das Peritonäum schwarz gefärbt. Ganze Länge 90 Mm.

B. 6; D. 26; P. 15; V. 3; A. 18; C. 15.

Fundort: **Mossambique**; im Novembermonat.

99. *Petroscirtes elongatus* n. sp.

Diese Art steht in der Körperform dem von Valenciennes beschriebenem *Blennechis punctatus* aus Bombay am nächsten. Der

Kopf ist $5\frac{1}{3}$ Mal und die Körperhöhe $6\frac{1}{2}$ Mal in der ganzen Körperlänge (ohne die Schwanzflosse) enthalten. Das Profil ist sehr
konvex, die Schnauze kaum so lang wie der Augendurchmesser und
die Augen liegen nur $\frac{1}{3}$ desselben von einander entfernt. Die Zahl
der Zwischenkieferzähne beträgt 20, die der Unterkieferzähne 22,
außer den Eckzähnen, welche gekrümmt und an dem Unterkiefer
doppelt so groß wie am Zwischenkiefer sind. Die Rückenflosse beginnt über den Brustflossen oder ein wenig weiter vorn als dieselben, ist in der Mitte am niedrigsten und hört mit der Afterflosse um
die Länge ihrer letzten Strahlen von der Schwanzflosse entfernt
auf. Der After öffnet sich zwischen dem 2. und 3. Fünftel der Körperlänge. Die Bauchflossen bestehen nur aus zwei Strahlen. Die
Schwanzflosse erscheint durch die Verlängerung einiger Strahlen
gabelförmig. Schmutzig grün. Auf dem Kiemendeckel eine weiss-
gesäumte Ocelle. Die Rückenflosse und Afterflosse braun mit weissen Streifen, welche an ersterer der Länge nach, an letzterer schief
gerichtet sind. Das Männchen hat zwischen dem 23. bis 25. Strahle
der Rückenflosse eine Ocelle, welche dem Weibchen fehlt.

B. 6; D. 32; P. 15; V. 2; A. 24; C. 15.

Fundort: **Mossambique**

SALARIAS Cuvier.

100. *Salarias quadricornis* C.V. XI. 329. Taf. 329.

Entweder von derselben Farbe, wie Valenciennes sie angibt,
oder mit bläulichweissen Fleckchen am Kopf und Körper.

Fundort: Insel Pão, 15° S. Br., im Julimonat.

GOBIUS (Art.) Linné.

In der Macùasprache *nicotumbíro* genannt.

101. *Gobius albomaculatus* Rüpp. Atlas. Fische d. R. M. 135.
Neue Wirbelthiere. 137 (*G. quinqueocellatus* Val. XII. 95.)

Fundort: **Mossambique.**

102. *Gobius nebulopunctatus* C.V. XII. 58.

Fundort: **Mossambique.**

103. *Gobius obscurus* n. sp. (Div. I. Valenciennes, mit fadenförmigen oberen Brustflossenstrahlen).

Körperform hinter dem Kopfe abgeplattet oder so breit
wie hoch, am Schwanze comprimirt. Der Kopf, dessen Länge sich zu der des ganzen Körpers (ohne die Schwanzflosse)
wie 1 : $3\frac{1}{5}$ verhält, ist vorn abgerundet, $\frac{1}{4}$ breiter als hoch und

um eben so viel länger als breit. Die Augen sind länglich oval
und nehmen das zweite Viertheil der Kopflänge ein, oder sind
selbst noch ein wenig weiter nach vorn gerückt. Sie sind um einen
halben bis ganzen Durchmesser von einander entfernt und mehr nach
oben als nach der Seite gerichtet. Die obere Profillinie des Kopfes
steigt sehr allmählig von hinten nach vorn herab, nur am Schnauzen-
theile erscheint sie stärker bogenförmig, um der schräg in die Höhe
steigenden Unterkieferlinie entgegenzukommen. Das Maul ist breit,
abgerundet und bis unter den vordern Rand der Augen gespalten;
es liegt unter der Augenlinie und steigt daher nur wenig schräg nach
unten herab. Die Kiefer sind mit einer ziemlich breiten Binde von
Sammetzähnen besetzt, welche sowohl oben wie unten von einer
äußern Reihe stärkerer Zähne überragt wird. Die erste Rückenflosse beginnt nicht weit hinter der Insertion der Brustflossen; das
Ende ihrer häutigen Basis befindet sich grade der Analöffnung gegenüber. Die Strahlen dieser Flossen zeigen in den vorliegenden drei
Exemplaren keine Verlängerungen, sondern sind alle kürzer als der
Körper hoch ist. Die zweite Rückenflosse steht der Afterflosse gerade gegenüber, hat dieselbe Strahlenzahl wie diese letztere, aber
geht sowohl vorn als hinten mit ihrer längern Basis über dieselbe
hinaus. So wie in der ganzen Körperform nähert sich diese Art auch
in der fadenförmigen Bildung der oberen Brustflossenstrahlen dem
gemeinen europäischen *Gobius*. Diese Flossen werden zusammengesetzt im Ganzen aus zwanzig Strahlen. Die Analöffnung liegt etwas weiter von dem Schnauzenende als von der Basis der Schwanzflosse entfernt. Die Schwanzflosse erscheint abgerundet, welche
Gestalt aber wahrscheinlich wie bei andern Arten durch die mehr
oder weniger große Entwickelung einzelner Strahlen variiren kann.
Die Schuppen sind ziemlich klein, am Rande kammförmig; man
zählt vom Kiemendeckel bis auf die Schwanzflosse etwa 42 derselben,
und von der Rückenflosse bis zum After herab 14 Längsreihen.

Die Farbe ist ein gleichmäßiges Schwarzbraun; der nackthäutige
Kopf erscheint dunkler, mit mehr oder weniger deutlichen hellen
senkrechten Streifen an den Backen. Mit der Loupe betrachtet
wird die Färbung durch gedrängte schwarze Pünktchen hervorgebracht. Bauch- und Brustflossen sind einfarbig. An den Rückenflossen treten mehr oder weniger deutliche Längsreihen von dunklen
Flecken hervor. Die Afterflosse zeigt hier und da einen weissen Fleck,

ebenso die Schwanzflosse, welche durch senkrechte Reihen undeutlicher Flecken geziert ist. Totallänge 65 Mm.

B. 5; I.D. 6; II.D. 1, 10; P. 20; V.6; A. 1,10; C. $\frac{6}{14}$.

Fundort: Mossambique.

104. *Gobius capistratus* n. sp.

Diese Art steht durch eine mehr abgerundete gestreckte Körper-
gestalt, die kugelförmige Schnauze und das kleine Maul dem *G.semido-
liatus* C.V. (*Priolepis mica* Ehrenberg. Symb.phys.Taf.9 Fig. 8.) näher.
Der Kopf verhält sich zu der ganzen Körperlänge (ohne Schwanz-
flosse) wie 1 : 3$\frac{1}{2}$, die Körperhöhe zu derselben wie 1 : 4$\frac{1}{2}$. Die Dicke
ist um $\frac{1}{3}$ geringer als die Körperhöhe. Die Augen liegen oben und
nahe bei einander, wodurch sie noch mehr gewissen Arten von
Periophthalmus ähnlich erscheint; sie liegen im zweiten Viertel der
Kopflänge, in welchem ihr Durchmesser 4 mal enthalten ist. Die
feinen Sammetzähne bilden an den Zwischenkiefern eine Binde, vor
dem eine aus sechs größeren Zähnen gebildete Reihe zu bemerken
ist; am Unterkiefer bemerkt man ebenfalls vor den Sammetzähnen
sechs längere Zähne, welche aber mehr hakenförmig gestaltet sind
und von denen der äußerste jeder Seite sich nach hinten krümmt
und eine mehr liegende Stellung einnimmt. Die Kiemenspalten
sind ein wenig länger als die Basis der Brustflossen. Die Kiemenhaut wird von 5 Strahlen gestützt, von denen der vierte sehr
breit ist. Die Stellung der Flossen zu einander verhält sich wie bei
der vorigen Art. Die Strahlen der Rückenflossen bieten nichts
Besonderes dar; sie sind im Allgemeinen viel kürzer als die Höhe
des Körpers, bei einem Exemplar jedoch sind die letzten Strahlen
der zweiten Rückenflosse eben so wie die entsprechenden der Afterflosse verlängert. Die Schwanzflosse ist abgerundet. Ebenso die
Brustflossen, deren obere Strahlen keine fadenförmige Beschaffenheit haben. Die Schuppen sind am hintern Rande kammförmig
gezähnt und bilden etwa 31 Quer- und 9 Längsreihen.

Die Grundfarbe des Körpers ist schmutzig grün. An der obern
Körperhälfte treten jederseits fünf verwaschene braune breite Querbinden auf, von welchen die erste die Gegend zwischen dem Kopf,
der Brustflosse und dem Anfange der ersten Rückenflosse einnimmt, die
zweite über das Ende der ersten und den Anfang der zweiten Rückenflosse, die vierte und fünfte auf die zweite Rückenflosse und die letzte
hinter der Rückenflosse über die Basis der Schwanzflosse sich aus-

deinen. Andere ähnliche Binden der untern Körperhälfte wechseln
mit diesen folgen ab. Auch treten mehr oder weniger deutliche
weisse Flecken in der Mitte der einzelnen Schuppen auf. Der Kopf
ist vorzüglich durch eine braune senkrecht vom Scheitel durch
die Augen bis über die Unterlippe herabsteigende braune Binde
ausgezeichnet, welche durch mehr oder weniger deutlich begrenzte
metallische Flecke von der Umgebung abgesetzt wird. An den
Backen treten eben solche perlmutterartige Flecken auf. Die Brustflossen sind sehr fein und dicht mit Weiss gesprenkelt, so dafs ge-
brochene wellenförmige abwechselnd braune und weisse Quer-
linien entstehen. Der erste Strahl der ersten Rückenflosse ist mit
4 bis 5 schwarzbraunen Flecken geziert, mit welchen eben so viele
blassere Längsbinden oder Fleckenreihen dieser Flosse beginnen.
Ebenso sind die Strahlen der zweiten Rückenflosse gefleckt. Die
Schwanzflosse zeigt unregelmäfsige desgleichen senkrechte Fleckenbinden. After- und Brustflossen sind nach dem Rande hin dunkler.
Totallänge 53 Mm.

B. 5; L D. 6; II. D. 1, 12; P. 16; V. 1, 5; A. 1, 12; C. $\frac{5}{\frac{13}{4}}$.

Fundort: Ibo, 12° S. Br.

105. *Gobius signatus* n. sp.

Körperform verlängert, etwas zusammengedrückt. Die Höhe
desselben verhält sich zur Länge (ohne die Schwanzflosse) wie 1:5,
die Dicke zur Höhe wie 1:1$\frac{1}{2}$. Der Kopf, welcher sich zur Körperlänge wie 1:4 verhält, ist von regelmäfsiger Gestalt; seine Höhe
verhält sich zu seiner Länge etwa wie 3:4, und seine gröfste Breite
zur Höhe wie 4:5. Die obere Profillinie des Kopfes steigt in einem
ebenso flachen Bogen herab wie die untere hinaufsteigt; beide treffen
vor der Mitte des Kopfes zusammen. Die Mundspalte steigt von dieser Stelle schräg nach hinten herab, ohne über den vordern Augenrand hinauszugehen. Genau genommen wird der Zwischenkiefer
ein wenig von dem Unterkiefer überragt. Das Auge nimmt das
zweite Viertel der Kopflänge ein, ist von dem der andern Seite
nur durch seinen halben Durchmesser entfernt. Das vordere kleine
Nasenloch liegt noch immer dem Augenlidrande ein wenig näher
als dem Rande der Schnauze. Am hintern und obern Rande des
Vordeckels, über dem Kiemendeckel, hinter und zwischen den Augen sind einzelne deutliche Poren sichtbar. Vor den Sammetzähnen tritt sowohl oben wie unten eine Reihe von (12) längeren

Hakenzähnen hervor. Die Kiemenspalten sind etwas weiter als die Basis der Brustflossen; unten werden sie durch eine Haut verschlossen, welche fünf Strahlen erkennen läfst. Die erste Rückenflosse ragt mit ihrer häutigen Basis bis nahe vor die zweite, welche letztere kaum länger ist, als die ihr gegenüberstehende Afterflosse. Die Schwanz-flosse ist zugespitzt und von der Länge des Kopfes. Die Strahlen der übrigen Flossen zeigen eben so wenig bemerkenswerthe Eigen-thümlichkeiten; die etwas längeren vorletzten Strahlen der zweiten Rückenflosse und der Afterflosse sind an Länge gleich der Körperhöhe. Die Schuppen sind ctenoidisch und ziemlich grofs; sie lassen den Kopf unbedeckt und nehmen von den Brustflossen an bis zum Schwanze merklich an Gröfse zu; man zählt etwa 30 von der Brustflosse bis zu der Schwanzflosse und 8 bis 9 Querreihen zwischen der ersten Rückenflosse und dem After. Letzterer liegt fast $\frac{1}{5}$ weiter entfernt von dem Schnauzenende als von der Basis der Schwanzflosse.

Körperfarbe schmutzig grün mit unregelmäfsigen grofsen schwarz-braunen Flecken. Die Backen und Kiemendeckel mit weissblauen Flecken; erstere mit zwei blauen Längslinien. Flossen bräunlich; Brustflossen mit weissen Flecken, welche an der Schwanzflosse zahlreiche senkrechte Fleckenbinden bilden; Bauchflossen nach dem Rande zu braunschwarz. Afterflosse nur an der Basis mit undeut-lichen weissen Flecken. Rückenflossen braun, der erste Strahl bei-der Flossen mit dunklen Flecken, welche den Anfang undeutlicher Längsbinden andeuten. Der Zwischenraum zwischen dem 5. und 6. Strahl der ersten Rückenflosse wird durch eine grofse schwarzblaue Ocelle eingenommen. Totallänge (mit Schwanzflosse) 72 Mm.

B. 5; I. D. 6; II. D. 1, 10; P. 15 (16); V. 1, 5; A. 1, 10; C. $1\frac{4}{3}$.

Fundort: Mossambique.

106. *Gobius atherinoides* n. sp.

Diese Art, welche, abgesehen von der Schmalheit der die Augenhöhlen trennenden Brücke in der Gestalt viel Ähnlichkeit mit den Atherinen hat, ist in der Jugend von mehr cylindrischer, im ausgewachsenen Zustande von etwas zusammengedrückter verlän-gerter Form. Der Kopf verhält sich zu der Körperlänge (von dem Schnauzenende bis zur Basis der Schwanzflosse) wie 1:$3\frac{3}{4}$. Die Kör-perhöhe ist fast $1\frac{1}{2}$ Mal in der Länge des Kopfes und $5\frac{1}{2}$ Mal in der Körperlänge enthalten. Die Schnauze ist verhältnifsmäfsig kürzer

das Maul weiter gespalten und das Auge gröſser als bei der vorigen
Art. Das obere Profil der Schnauze ist krumm gebogen, so daſs
das vordere Ende des Mauls in gleicher Höhe mit der Mitte des Auges liegt und die ziemlich tief herabsteigende Maulspalte fast bis
unter das zweite Augenviertel ragt. Das Auge liegt um das Doppelte seines Durchmessers von dem hintern Ende des Kiemendeckels,
um weniger als seinen Durchmesser vom Ende der Schnauze entfernt. Auch diese Art zeigt vor den Sammetzähnen sowohl oben
wie unten eine Reihe längerer stärkerer Zähne, welche aber im
Unterkiefer nicht so stark gekrümmt erscheinen, wie bei jener. Die
relative Lage der Flossen ist dieselbe; nur ist das Verhältniſs derselben
zur Körperlänge verschieden; so ist die zweite Rückenflosse um ihre
ganze Länge von der Basis der Schwanzflosse entfernt. Die Schuppen, welche hier auch die Hinterhauptsgegend bedecken, sind ctenoidisch und ziemlich groſs; man zählt über 9 Längsreihen und vom
Kiemendeckel bis auf die Schwanzflosse 26 bis 28. Die Farbe ist
schmutzig grün, am Bauche silberig. Längs der Mitte des Körpers
zeigt sich eine Reihe unregelmäſsiger groſser brauner Flecken,
von denen der letzte sich auf der Basis der Schwanzflosse befindet.
Einige ebenso unregelmäſsige Binden von derselben Farbe auf den
Backen. Flecke in Längsreihen auf den Rückenflossen, in senkrechten Reihen auf der Schwanzflosse geordnet, sind von derselben
braunen Farbe. Totallänge (eingeschlossen die Schwanzflosse)
80 Mm.

B. 5; I. D. 6; II. D. 1, 10; P. 17; V. 1, 5; A. 1, 10; C. $\frac{7}{4}$.

Fundort: Mossambique.

SICYDIUM C.V.

107. *Sicydium lagocephalum* C.V. XII. 174.

Nur in Süſswasserbächen der Comoreninsel Anjoana gefunden.

CALLIONYMUS Linné.

108. *Callionymus marmoratus* n. sp.

Eine, wie mir nach Valenciennes Beschreibung von *C.
lineolatus* (Hist. nat. d. poiss. B. 11. 307.) scheint, mit diesem verwandte Art. Die Kiemenöffnung wird von vornher, bei anliegendem Kiemendeckel durch die den Kiemendeckel mit dem Nacken
verbindende Haut geschlossen und erscheint als eine Querspalte,
wenn man den Vordeckel abzieht. Einen wesentlichen Unterschied

kann ich hierin jedoch zwischen den verschiedenen Arten nicht
finden.

Der Kopf, welcher fast $\frac{1}{3}$ der ganzen Körperlänge (ohne
Schwanzflosse) ausmacht, ist $\frac{1}{6}$ breiter als hoch, und um $\frac{1}{3}$ länger
als breit. Die Augen sind grofs, einander genähert und um $1\frac{1}{2}$ ihres
Durchmessers von dem hinteren Ende des Kiemendeckels und um
$\frac{3}{4}$ desselben von der Spitze der Schnauze entfernt. Die obere Profillinie der Schnauze bildet einen stark convexen, die untere (des
Unterkiefers) einen schwach concaven Bogen. Der Dorn des Vordeckels ist etwas nach innen gebogen und trägt auf seinem oberen
Rande zwei etwas nach vorn gerichtete Spitzen, welche von gleicher Gröfse sind wie die Endspitze des Stammes. Die Kiemen-
baut wird von sechs feinen, langen Strahlen gestützt. Die sehr
protractilen Kiefer tragen eine Binde kräftiger Sammetzähne. Die
Strahlen der ersten Rückenflosse ragen mit ihren Spitzen aus der
Haut hervor, ohne jedoch an Länge die gröfste Körperhöhe zu übertreffen; sie sind nicht länger, sondern oft sogar kürzer als die der
zweiten Rückenflosse. Der After liegt in der Mitte zwischen der
Basis der Schwanzflosse und der Einlenkung des Unterkiefers. Die
erste Rückenflosse liegt zwischen den Brustflossen, mit ihrem vorderen Ende dieselben vorn überragend. Die zweite Rückenflosse
beginnt weit vor dem After und um ihre ganze Länge von den hinteren Augenrändern entfernt. Der drittletzte Strahl der Afterflosse, welche um $\frac{1}{4}$ kürzer ist, steht dem Ende der zweiten
Rückenflosse gegenüber. Die Schwanzflosse erscheint am hintern Rande gerade abgestutzt.

Die Oberseite des Kopfes und Körpers ist olivenbraun,
mit dunklen Marmorirungen; über das Ganze verbreitet sich
ein äufserst engmaschiges, zierliches, weifses Netzwerk, hier
und da hervorgehoben oder auch unterbrochen durch schwarze
Fleckchen. An der Bauchseite wird dieses Netzwerk allmählig
verwischter, und die Grenze gegen die schmutzig weifse Unterseite wird vom Kopf bis zur Schwanzflosse durch eine Reihe
unregelmäfsiger brauner, rundlicher Flecke gebildet, welche
durch kleinere, perlmutterartige Fleckchen und Binden mehr
hervorgehoben werden. Die erste Rückenflosse ist dunkelbraun
mit bläulich-weifsen unterbrochenen Linien, welche in Bezug
auf die Basis des ersten Flossenstrahls eine concentrische Rich-

tung haben. Die zweite Rückenflosse zeigt zahlreiche dunkle Querstriche, welche etwa 6—7 schwarzbraune Längslinien über die ganze Flosse bilden; die heller braunen Zwischenräume sind mit wurmförmig gekrümmten weifsen Linien geziert. Die Bauchseite der Bauchflosse ist weifs, die obere Fläche sowohl der Flosse als der von ihr zur Brustflosse ausgehenden Verbindungshaut dagegen ist in derselben Weise wie der Körper marmorirt und fein genetzt. Die Basis der Brustflosse ist mit einer grofsen schwarzbraunen Halbocelle geziert und die sehr zarthäutige Flosse selbst zeigt zerstreute Querreihen abwechselnd weifser und dunkelbrauner Flecken. Die Afterflosse ist weifs mit grofsen schwarzbraunen Flecken, die auch zu fünf bis sechs breiten Querbinden zusammentreten können. Die Schwanzflosse hat 4—5 braune senkrechte Fleckenbinden; zwischen diesen und am Rande sind kleinere weifse Flecken eingestreut, welche auch zu Linien zusammentreten. — Totallänge 85 Mm.

B. 6; D. 4—9; P. 19; V. 1, 5; A. 1, 7; C $\frac{3}{5}$.

Fundort: Mossambique.

ECHENEIS (Art.) Linné.

109. *Echeneis Naucrates* Linné. Bleeker, Verhand. Batav. Genootsch. XXIV. Bat. 1852. Bijdr. *Chirocentroidei, Lutodeiri, Butirini, Elopes, Notopteri, Salmones, Echeneoïdei* en *Ophidini* pag. 22.

TEUTHIDOIDAE.

AMPHACANTHUS Bl. Schn.

In der Macuasprache *safi* genannt.

110. *Amphacanthus Abhortani* C.V. X. 143.

Mossambique, Inhambane.

111. *Amphacanthus olivaceus* C.V. X. 163.

Mossambique.

112. *Amphacanthus guttatus* Bl. Schn. Bloch. Taf. 196.

Mossambique, im September.

ACANTHURUS (Forsk.) Lacépède.

113. *Acanthurus scopas* C.V. X. 245. Taf. 290.

Mossambique.

114. *Acanthurus triostegus* Bl. Schn. C.V. X. 197.

Mossambique.

115. *Acanthurus annularis* C.V. X. 209.

Mossambique, im September.

116. *Acanthurus velifer* Bloch. Rüppell. Atlas Taf. 15. Fig. 2.
Inhambane, 24° S. Br.

Naseus Commerson.

117. *Naseus fronticornis* Commerson. = *N. brevirostris* C.V.
X. 259. 277.

Mossambique, Ibo.

Keris C.V.

118. *Keris anginosus* C.V. X. 304. Tafel 295.

Ein einziges Exemplar von Mossambique, 15° S. B.

AULOSTOMI.

Aulostoma Lacépède.

119. *Aulostoma chinense* Linné.

Das von mir im Februar 1847 in Mossambique eingesammelte Exemplar war in einer Sendung enthalten, welche allein
von allen verloren ging. Nach den darüber aufgenommenen
Notizen stimmte es aber in der Färbung mit der obigen Art
überein. Die Grundfarbe der Flossen ist aber im frischen Zustande
nicht gelb sondern röthlich. Vor den Rückenflossen standen
zwölf freie Stachelstrahlen; die Zahl der Flossenstrahlen war
folgende:

D. 12—27; P. 17; V. 6; A. 25; C. 13.

Fistularia Lacépède.

120. *Fistularia Commersonii* Rüppell. Neue Wirbelth. p. 142.
(*F. immaculata* Cuv.)

Im frischen Zustande braungrau mit undeutlichen helleren
bläulichen Flecken, am Bauche silberig.

Fundort: Mossambique, Inhambane. Einh. Name:
tordmpa.

Amphisyle Klein.

Von dieser Gattung ist bis jetzt nur eine einzige Art, der
Centriscus scutatus L. (Bloch. Taf. 123 Fig. 2) bekannt, denn
der von Cuvier hieher gezogene *Centriscus velitaris* (Pallas.
Spic. zool. VIII. Taf. IV. Fig. 8.) stimmt offenbar mit dem
C. scolopax generisch überein. Die in Mossambique vorkommende und in vielen Exemplaren eingesammelte Art, welche ich
nicht für specifisch von *A. scutata* verschieden gehalten hatte, weicht

indess bei genauerer Vergleichung in mehreren wesentlichen Punkten von derselben ab.

121. *Amphisyle brevispina* n. sp.

Die allgemeinen Körperproportionen, die Länge der Schnauze, die mehr oder weniger quadratische Form der Rückenschilder, die relative Gröfse des Auges, die Lage der Brustflossen, der Bauchflossen, variiren bei dieser wie bei *A. scutata* in so verzweifelter Weise, dafs das einzige constante unterscheidende Merkmal in der viel gröfseren Kürze des über die Basis der Rückenflosse hervorragenden Fortsatzes des letzten Rückenschildes besteht. Während nämlich bei *A. scutata* der freie Theil dieses Stachelschildes eben so lang ist wie der an den Körper angeheftete, ist er bei dieser Art kaum halb so lang. Bei allen Exemplaren ist die Entfernung der Basis der Brustflossen von dem hintern Rande des Kiemdeckels geringer als der Abstand zwischen diesem und dem vordern Augenhöhlenrande. Die Afterflosse hat bei dieser neuen Art einen Strahl mehr, die Rückenflosse dagegen einen weniger als bei *A. scutata*, von der mir indessen nur drei Exemplare zur Vergleichung zu Gebote stehen. Aufserdem unterscheidet sich diese neue Art durch Reihen zerstreuter, ziemlich grofser, schwarzer Punkte, von denen eine längs der Mitte des Rückens, eine jederseits hoch oben neben dem Rücken, ein bis zwei Reihen zu jeder Seite des Kopfes bis auf die Basis der Brustflossen und von da nahe unter dem Seitenpanzer, ein bis zwei Reihen nahe dem scharfen Bauchrande verlaufen.

Die Bauchflossen haben nur vier Strahlen, welche wie die aller anderen Flossen unverzweigt, äufserst weich und platt fadenförmig sind.

Die Zahl der Kiemen und Kiemenstrahlen ist ebenfalls vier, und die Nebenkiemen sind frei kiemenförmig. Länge 150 mm.

B. 4; D. 2, 10 oder 3, 10; P. 1, 11; V. 4; A. 13; C. $\frac{1}{2}$

Fundort: Inhambane und Mossambique, von 15° bis 24° S. Br. Heifst in der Macûasprache, wie *Syngnathus biaculeatus, muronjóngo.*

PLEURONECTOIDAE.

Rhombus Cuvier.

122. *Rhombus argus* Bloch. == *Rh. pantherinus* Rüppell. Atlas 121. Taf. 31. Fig. 1.

SOLEA Cuvier.

123. *Solea spec. incerta.*

Eine von den wenigen bei der Versendung zu Grunde gegangenen und nicht genau bestimmten Arten. Im Juni 1846 bei Mossambique gefangen, wird in der Macûasprache *niqúnda* genannt.

OPHIDIOIDAE.

OPHIDIUM Linné.

Fierasfer Cuvier.

124. *Fierasfer neglectum* n. sp.

Diese Art steht in der Form und Färbung dem *Fierasfer imberbe* aus dem Mittelmeer aufserordentlich nahe und unterscheidet sich von ihr nur durch etwas andere Körperproportionen und den Ursprung der Rückenflosse. Da ich nur ein einziges Exemplar und noch dazu ein sehr kleines erhalten habe, so ist die Unterscheidung derselben als fraglich zu betrachten. Die Sammetzähne der Kiefer und der Gaumenbeine bilden eine schmale Binde, deren äufsere Reihe aus, besonders am Unterkiefer, gröfseren hakenförmigen Zähnen besteht. Am Vomer sind nur drei sehr lange zusammengedrückte, nach hinten gekrümmte Hakenzähne bemerkbar, welche am Grunde eingelenkt erscheinen.

Totallänge . . . . 60 Mm.

Kopf . . . . 6 Mm.

Entfernung der Rückenflosse vom Schnauzenende 15 Mm.

Dieses Exemplar fand ich im Monat Mai 1847 zur Ebbezeit zwischen den Klippen der Insel Ibo, im 12° S. Br.

LABROIDAE.

COSSYPHUS Valenciennes.

125. *Cossyphus Diana* C. V. XIII. 127.

Fundort: Mossambique.

126. *Cossyphus opercularis* n. sp.*)

---

*) Von den drei folgenden Arten hatte ich aus den beiden ersten wegen der Verlängerung des ersten Strahls der Bauchflossen eine neue Gattung (*Pteragogus*) gebildet und ebenso die dritte wegen der fadenförmigen beträchtlichen Verlängerungen der Flossenhäute als Repräsentant einer andern neuen Gattung betrachtet. Da man aber bei verschiedenen Exempla-

Höhe zu der Körperlänge (ohne die Schwanzflosse) wie
$1 : 2\frac{1}{4}$. Der Kopf, dessen Länge etwas geringer ist als die
gröfste Körperhöhe, hat im allgemeinen ein concaves Profil,
indem es über dem Auge plötzlich eingedrückt erscheint und
von da ab bis zur Schnauzenspitze allmählig gerade herabsteigt.
Das Auge ist fünfmal in der ganzen Kopflänge enthalten und
steht um seinen Durchmesser von dem der andern Seite entfernt. Die Zähnchen des aufsteigenden Randes des Vordeckels
sind sehr regelmäfsig und deutlich. Die Zähne der Kiefer ver-
verhalten sich im Allgemeinen wie bei den andern Arten dieser
Gattung; die beiden äufsern langen Vorderzähne, besonders die der
Zwischenkiefer sind sehr nach hinten in fast horizontaler Richtung
gekrümmt; hinter oder nach innen von den äufsern spitzen Zähnen
finden sich angehäufte kleine mehr abgerundete. Der hintere spitze
Winkel des Operkulums erscheint in einen breiten häutigen Fortsatz verlängert, welcher zu gleicher Zeit nach hinten die Insertion der Brustflosse überragt. Die Rückenflosse beginnt genau über
dem hintern Winkel des Operkels und der Insertion der Brustflossen und ist etwas länger als die Entfernung der Schnauzenspitze
von der Afterflosse; sie enthält eilf Stacheln und zehn gegliederte
Strahlen. Die Bauchflossen entspringen unmittelbar hinter und unter den Brustflossen und zeichnen sich dadurch aus, dafs der erste
gegliederte Strahl mehr als doppelt so lang ist wie die übrigen. Die
Länge der Afterflosse ist ungefähr gleich $\frac{2}{7}$ der Rückenflosse und
hat drei starke Stachelstrahlen nebst zehn gegliederten und verzweigten. Die Schuppen sind grofs und cycloidisch und bedecken
den Kiemendeckel und die Backen. Die Seitenlinie, in welcher
sich 25 Schuppen befinden, ist nicht unterbrochen, macht aber
bei der 17. Schuppe ein starkes winkliges Knie. Die Basis
der Rückenflosse wird von den verlängerten Schuppen der ersten
Reihe bedeckt. Über der Seitenlinie befinden sich zwei, unter
derselben fünf bis sechs Schuppenreihen.

Die Farbe ist fleischfarbig mit grünlichem Anfluge; auf dem

---

ren anderer Arten von Labroiden (z. B. *Chilinus radiatus*) einen grofsen
Wechsel in der Verlängerung oder Verkürzung gegliederter Flossenstrahlen beobachten kann, so verlieren solche Charaktere alle Bedeutung
sowohl für die Bestimmung der Gattungen als Arten.

Operkel und je hinter den beiden ersten Stacheln der Rückenflosse eine grofse schwarze gelbgesäumte Ocelle. Die Backen,
die Körperseiten, der obere Theil der Schwanzflosse und die
Basis der Afterflosse punctirt.   •

B. 5; D. 11, 10; P. 1, 12; V. 1, 5; A. 3, 10; C. $\frac{4}{10}$

Fundort: Mossambique.

127. *Cossyphus taeniops* n. sp.

In der Gestalt des Körpers, der Länge der Flossen und ihrer
Strahlen, der Form und Zahl der Schuppen ganz mit der vorigen Art übereinstimmend. Die Rückenflosse hat einen Stachelstrahl weniger und einen gegliederten Strahl mehr. Keine Ocelle
am Kiemendeckel, sondern blofs eine einzige hinter dem ersten
Stachel der Rückenflosse. Eine senkrechte dunkelbraune Binde
über den Kopf durch das Auge gegen die Kehle hingehend.
Schwanzflosse mit senkrechten dunklen Fleckenbinden.

B. 5; D. 10, 11; P. 1, 12; V. 1, 5; A. 3, 10; C. $\frac{4}{10}$

Fundort: Mossambique.

128. *Cossyphus filamentosus* n. sp.

Eine mit den vorigen beiden in der Form und Beschuppung
übereinstimmende Art. Sie hat aber nur neun Stachelstrahlen in
der Rückenflosse und alle Exemplare sind ausgezeichnet durch
die fadenförmigen Verlängerungen an den sämmtlichen Stachelstrahlen der Rücken- und Afterflosse, welche in einigen Fällen
der Körperhöhe gleich kommen. Die Grundfarbe des Körpers ist
grün. Unter den Augen gehen feine bläuliche senkrechte, zuweilen mit einander anastomosirende Linien herab. Der Hinterkopf
oben und seitlich mit nadelkopfgrofsen schwarzen Punkten gezeichnet. Die Seitenlinie und die Rückengegend zeigen mehr
oder weniger deutliche unregelmässig vertheilte schwarze Flecken.
Die Mitte der Körperseiten mit helleren Flecken und schwarzen
Pünktchen. Ebenso sind mit Ausnahme der Brustflossen sämmtliche Flossen dunkler und heller gefleckt.

B. 5; D. 9, 12; P. 1, 12; V. 1, 5; A. 3, 10; C. $\frac{4}{10}$

Fundort: Mossambique.

CHILIO (Commers.) Lacépède.

129. *Chilio auratus* Commerson. Quoy et Gaimard. Voyage
Uranie. Taf. 54. Fig. 1. C.V. XIII. 341.

130. *Chilio cyanochloris* C.V. XIII. 346. Taf. 382.
Beide in Mossambique.
JULIS Cuvier.

131. *Julis decussatus* C.V. Bennett, Fishes of Ceylon. Taf.14.
Fundort: Mossambiqre, im Dezember.

132. *Julis hebraicus* C.V.
Fundort: Mossambique, November.

133. *Julis lunaris* C.V. Var. *J. meniscus* C.V. XIII. 415.

134. *Julis dorsalis* Q. et G. Bennett l. c. Taf. 12.

135. *Julis caudimacula* Q. et G. Voyage de l'Astrl. Taf. 15. Fig. 2.

136. *Julis coeruleovittatus* Rüppell.

137. *Julis strigiventer* Bennett. C.V.
Sämmtlich in Mossambique.

138. *Julis marginatus* Rüppell.
Ein Exemplar bei der Comoreninsel Anjoana.
XYRICHTHYS C. V.

139. *Xyrichthys macrolepidotus* C.V. *Labrus macrolepidotus* Bloch. Taf. 284.

Sehr häufig bei Mossambique, 15° S.Br. Heißt hier *quiçuero.*

Das Blochsche kleine Originalexemplar stimmt nach Vergleichung ganz damit überein.

D. 9, 14; A. 3, 14; V. 1, 5. Schuppen in 25—26 Querreihen und in 10—11 Längsreihen.

Durch die weiter vorn entspringende Rückenflosse, die beiden Reihen von Schuppen unter den Augen und die unterbrochene Seitenlinie von den *Julis* unterschieden, sonst in der Gestalt ganz mit ihnen übereinstimmend. — An der Mitte der hintern Körperhälfte befinden sich oft mehr oder weniger ausgedehnte schwarze Flecken und über den Brustflossen eine goldgelbe Binde, welche bis zum Ende des ersten Körperdrittheils hingeht. — Valenciennes citirt die Bloch'sche Abbildung zweimal, einmal Vol. XIII. p. 386. als *Julis trimaculatus*, unter welchem Namen Rüppell einen ganz andern Fisch beschrieben hat, und dann Vol. XIV. p. 59. als *X. macrolepidotus.*

CHILINUS Lacépède.

140. *Chilinus radiatus* C.V. (*Ch. trilobatus* Rüppell. *Labrus radiatus* Ehrenberg. Symb. phys. Taf. VIII. Fig. 1.)

Auch die Iris und Knochen sind grün.

141. *Chilinus punctulatus* C.V. (*Labrus lunulatus* Ehrenberg.
Symb. phys. Taf. VIII. Fig. 2.)

Beide bei Mossambique.

SCARUS Gronovius.

142. *Scarus capitaneus* C.V.

Mossambique, Inhambane.

143. *Scarus maculosus* Lac. C.V.

Mossambique, Ibo. Diese Fische heifsen *ponno*.

POMACENTROIDAE.

AMPHIPRION Bloch-Schneider C. V.

144. *Amphiprion Clarkii* C. V. Bennett, Fishes of Ceylon.
Taf. 29.

Mossambique, Ibo.

POMACENTRUS Lacépède C. V.

145. *Pomacentrus Pavo* Lacép. C.V. V. 413. Bloch. Taf.
198. Fig. 1.

146. *Pomacentrus annulatus* n. sp.

Körperform zusammengedrückt, oval und ziemlich hoch, indem die Höhe nicht zweimal in der Länge (ohne die Schwanzflosse)
enthalten ist. Infraorbitalknochen sehr schmal, undeutlich gezähnelt. Zähne in einer Reihe, an der Spitze abgerundet, ungelappt.
Abwechselnd goldgelb (am Bauch silberig) und schwarzbraun quer-
gebändert oder beringt. Die erste schwarzbraune Binde geht durch
das Auge, die zweite geht vom Nacken und den ersten Strahlen der
Rückenflosse schräg durch die Basis der Brustflosse zu der Basis
der Bauchflossen herab, die dritte, von den mittleren Stachelstrahlen
der Rückenflosse entspringende, steigt hinter den Bauchflossen herab,
indem sie sich kurz vorher mit der zweiten vereinigt hat und so z.Th.
auf die Bauchflossen übergeht, die vierte geht von den letzten Stachelstrahlen und dem Grunde der gegliederten Strahlen der Rückflosse
an die Afterflosse, über deren größten Theil sie sich ausdehnt, und
die fünfte umfaßt mit der der andern Seite die Basis der Schwanzflosse. Die kammförmigen Schuppen sind in etwa 25 Quer- und
12 Längsreihen geordnet. Totallänge 70 Mm.

B. 6; D. 13, 13; P.17; V. 1, 5; A.2, 13; C $\frac{6}{13}{6}$

Fundort: Mossambique, 15° S. Br.

DASCYLLUS Cuvier.

147. *Dascyllus aruanus* C.V. V.434.

148. *Dascyllus trimaculatus* Rüppell. Atlas Taf. 8. Fig. 2.

Beide sehr häufig bei Mossambique.

GLYPHISODON Lacépède.

149. *Glyphisodon coelestinus* Solander. C.V. V. 464. Taf. 135.

150. *Glyphisodon sparoides* C.V. V. 468.

151. *Glyphisodon zonatus* C.V. V. 483.

Diese Art wurde von mir ebenfalls in Mossambique gefunden, wie aus der Vergleichung mit dem Exemplar, welches das hiesige zoologische Museum durch Hrn. Valenciennes aus Neu-Guinea erhalten, hervorgeht.

152. *Glyphisodon fallax* n. sp. (?)

Diese Art hat sowohl in der Körperform als in der Farbe eine so täuschende Ähnlichkeit mit *Pomacentrus Pavo*, dafs Einem die Trennung dieser beiden Gattungen nicht anders als bedenklich erscheinen kann. Zwar fehlt der blaue Augenfleck des Kiemendeckels, jedoch kann dieser, wie so häufig bei den Gobien eine Geschlechtsverschiedenheit sein, und vielleicht ist dasselbe mit der Zähnelung des Vordeckels, welches die Gattung *Pomacentrus* allein von *Glyphisodon* unterscheiden soll, der Fall. Es sind sechs Strahlen in der Kiemenhaut vorhanden, von denen aber die beiden inneren kleinsten um so leichter übersehen werden können, als sie für sich gesondert von den anderen stehen. Schuppen in 9—11 Längs- und 29 Querreihen.

B. 6; D. 13, 12; P. 1, 16; V. 1, 5; A. 2, 12; C $\frac{6}{13}$ $_6$

Fundort: Mossambique.

153. *Glyphisodon sculptus* n. sp.

Von ähnlicher hoher Körperform und mit grofsen Schuppen wie *Gl. sordidus* Rüpp. (Atlas Taf. 8. Fig. 1). Der Infraorbitalknochen am Rande glatt, aber eben so wie der horizontale Theil des Vordeckels neben dem Rande durch sehr deutliche grübchenartige Vertiefungen ausgezeichnet. Die Farbe ist am Rücken und der Oberseite des Kopfes schmutzig grün, an den Seiten des Körpers goldig, an den Seiten des Kopfes und am Bauche silberig. Die Schuppen, obgleich sehr grofs, decken sich so, dafs man an 25 Quer- und 10 bis 11 Längsreihen zählen kann.

B. 6; D. 13, 14; P. 1, 17; V. 1, 5; A. 2, 14; C $\frac{5}{13}$
$\frac{}{5}$

Fundort: Mossambique, 15° S. Br.

SCOMBERESOCES.

BELONE Cuvier.

154. *Belone crocodilus* Lesueur. (*B. choram* Rüpp.).

Mossambique, Inhambane, Ibo.

HEMIRHAMPHUS Cuvier.

155. *Hemirhamphus Far* Rüppell (*H. Commersonii* C.V.) —
Steigt auch in die Flüsse hinauf. Junge Exemplare wurden von
mir in dem Licuare gefunden.

156. *Hemirhamphus Dussumierii* C. V.

Mossambique, Quellimane, Inhambane. — Beide
Arten heißen in der Macûasprache *ngalalla*.

SILUROIDAE.

PLOTOSUS C. V.

157. *Plotosus anguillaris* Bloch. Russell (*Pl. lineatus* C. V.)
Heißt in Mossambique *ingo*.

SCOPELOIDAE.

SAURIDA Valenciennes.

158. *Saurida nebulosa* Valenciennes C. V. XXII. 504.

Die in Mossambique vorkommende Art ist offenbar die vorste-
hende und stimmt mit ihr im Zahnbau überein. Die Flossenstrahlen-
zahl finde ich theilweise etwas verschieden.

B. 12; D. 1, 10; P. 14; V. 9; A. 1, 9; C. $\frac{6}{17}$
$\frac{}{6}$

In der Macûasprache *mbiriviri singanno*.

CLUPEINI.

CLUPEA Linné.

Alausa Valenciennes.

159. *Clupea sirm* Forskål. Rüppell. Neue Wirbelthiere. 77.
Taf. 21. Fig. 1.

Mossambique, Inhambane.

CHIROCENTRUS Cuvier.

160. *Chirocentrus dorab* Cuvier (*Ch. dentex* C. V.)
Heißt in Mossambique *nassulus*, portugiesisch *espada*.

Mossambique, Inhambane. (*)
LUTODIRA K. v. Hass. Rüpp.
161. *Lutodira mossambica* Pet.
Nur in süfsen Gewässern gefunden.
ALBULA Gronov. (*Butyrinus* Commers. Lacépède.)
162. *Albula bananus* Lacép. C.V. XIX. 345. (*Butyrinus glosso-dontus* Rüpp.; *Butyrinus indicus* Cuvier.
Mossambique.

MURAENINI.

CONGER Cuvier.
163. *Conger cinereus* Rüppell. Atlas. Taf. 29. Fig. 1.
Zuweilen schneeweifs, Rücken- und Afterflossen schwarz einge-fafst.
Fundort: Mossambique, Querimba - Inseln (Ma-temmo).

MURAENESOX M'Clelland.
164. *Muraenesox bagio* Cantor. Bleeker.
Ein Exemplar bei Quellimane, im 18° S. Br.
Es stimmt in Allem mit jener Art (verglichen mit einem Exemplar von *M. bagio* aus Mergui) überein, nur sind die grofsen Vomerzähne etwas zahlreicher als Bleeker dieselben angibt.
MURAENA Thunberg (GYMNOTHORAX Bloch; MURAENOPHIS Lacépède).
a) mit conischen Zähnen.
α. Kieferzähne (Gaumenzähne, Richardson) einreihig, sub-acut.
165. *Muraena variegata* Forster, Richardson. Zoology of Ere-bus and Terror. 94. (*Muraena ophis* Rüppell. Atlas. Taf. 29. Fig. 2).
Die Übereinstimmnng dieser beiden Arten hat für mich nicht den geringsten Zweifel, da die mehr oder weniger grofse Regel-mäfsigkeit der Zähne bei derselben sehr variirt.
Fundort: Mossambique, Inhambane, Querimba-Inseln.
β. Kieferzähne zweireihig, stumpfconisch (wie bei *M. polyzona* und *catenata*).

(*) MEGALOPS.
Megalops indicus C. V.
Nur in süfsen Gewässern beobachtet.

166. *Muraena fascigula* n. sp.

Zwischenkieferzähne an den Seiten zweireihig, vorn einreihig, conisch; Oberkieferzähne zweireihig, stumpfer, kleiner und weniger hervorragend als die Zwischenkieferzähne; Vomerzähne zwischen dem Zwischenkiefer einreihig conisch, dann von stumpf abgerundeter Form, anfangs in drei und dann in vier Reihen; Unterkieferzähne stumpf-conisch, jederseits in zwei Reihen, hinten stumpf, und in drei unregelmäfsigen Reihen.

Schnauze weit über den Unterkiefer vorragend; das Auge über der Mitte der Maulspalte befindlich. Der Darmcanal mündet hinter der Körpermitte aus; die Rückenflosse beginnt von der Körpermitte. Die Höhe der Rückenflosse gleicht etwa $\frac{1}{4}$ der Körperhöhe, und ist etwa doppelt so grofs, als die der Afterflosse.

Die Farbe ist dunkel umbrabraun, die Bauchseite bläulich weifs. Der Mundwinkel ist durch einen schwarzbraunen Fleck ausgezeichnet. An der Seite des Kopfes und an der Kehle dunkelbraune Längslinien, welche kaum über die Kiemenlöcher hinausgehen. An dem Schwanzende ein paar schmale weifse Ringe.

Totallänge	375 mm.
Durchmesser des Auges	5 mm.
Schnauzenspitze bis Mundwinkel	20 mm.
Entfernung der Schnauze von dem Kiemenloch .	52 mm.
Entfernung der Schnauze vom Anfang der Rückenflosse	41 mm.
Entfernung der Schnauzenspitze vom After . .	195 mm.
Entfernung des Afters vom Schwanzende . .	178 mm.

Fundort: Mossambique, 15° S. Br.

b) mit spitzen Hakenzähnen;

α. Zähne allenthalben in einer Reihe (wie *M. Helena* u. a.)

167. *Muraena vermicularis* n. sp.

In der Form der Zähne ganz mit *M. Helena* übereinstimmend. Schnauze stumpfer und der Kopf weniger zusammengedrückt als bei dieser Art. Auch fängt die Rückenflosse nicht vor, sondern genau über den Kiemenlöchern an Der After liegt in oder um ein weniges vor der Körpermitte. Das Auge liegt über der Mitte zwischen Schnauzenspitze und Mundwinkel. Die Rückenflosse ist höher als die Afterflosse, nicht ganz gleich $\frac{1}{5}$ der Körperhöhe.

An dieser Art bemerkte ich ein sehr deutliches Caudalherz.

Im Leben ist die Grundfarbe grün, nach dem Rücken zu

bräunlich, mit dunkleren, netzförmig zusammenfliefsenden Marmorirungen, welche auch über die Flossen ausgedehnt sind. Die Grundfarbe der Schnauze und des Kinns ist weifs, mit dunkelgrünen Punkten und Marmorirungen.

Totallänge . . . . 265 Mm.

Durchmesser des Auges . . . . . $3\frac{1}{4}$ Mm.

Entfernung von der Schnauze bis zum Mundwinkel 12 Mm.

„ „ „ „ „ „ Kiemenloch 35 Mm.

„ „ „ „ „ „ Rückenflosse 37 Mm.

„ „ „ „ „ „ After . 131 Mm.

Fundort: Querimba-Inseln (Ibo).

β. hakenförmige Zähne zweireihig im vordern Theil des Zwischenkiefers, des Oberkiefers und des Unterkiefers; vordere Vomerzähne lang, einreihig, spitz, hintere Vomerzähne conisch oder abgerundet, in zwei mehr oder weniger regelmäfsigen Reihen (wie *M. siderea.*)

168. *Muraena diplodon* n. sp.

In der Farbe, in der Gestalt, der Lage und Länge der Flossen, ganz mit der vorigen Art übereinstimmend, nur durch die Form des Gebisses von ihr verschieden.

I. Totallänge 340 mm.; Entfernung d. Schnauze v. After 170.

II. Totallänge 185 mm.; „ „ „ „ „ 90.

III. Totallänge 135 mm.; „ „ „ „ „ 65.

Ebenfalls bei den Querimba-Inseln gefunden.

OPHIURUS Lacépède.

169. *Ophiurus marginatus* n. sp.

Zähne allenthalben in zwei Reihen. Die vordere Nasenöffnung röhrenförmig. Die hintere Nasenöffnung mündet unter dem Auge. Analflosse etwas höher als die Rückenflosse, beide nahe vor ihrem Ende etwas erhöht.

Grün, am Rücken dunkler grün, am Bauche grünlich gelb. Die Rückenflosse schwarz gerändert. Brustflosse und Afterflosse blassroth; die letztere mit schwarzem Rande.

B. 21; P. 11; D. 460—480; A. p. m. 270.

Totallänge . . . . . 610 Mm.

Durchmesser des Auges . . . 2 Mm.

Von der Schnauze bis zum Mundwinkel $10\frac{1}{2}$ Mm.

„ „ „ „ „ Auge . 5 Mm.

Von der Schnauze bis zur Brustflosse   36 Mm.

   „   „   „   „ „ Rückenflosse   49 Mm.

   „   „   „   „ zum After   265 Mm.

Körperhöhe . . . . . .   12 Mm.

Fundort: In h a m b a n e , 24° S. Br.

SPHAGEBRANCHUS Bloch. (DALOPHIS M'Clelland, Bleeker.)

170. *Sphagebranchus brevirostris* n. sp.

Zähne allenthalben in einer Reihe, die derOberkiefer am kleinsten und sehr gedrängt, die Unterkieferzähne länger und nach hinten gekrümmt, fast so grofs wie die Vomerzähne, welche mehr aus-
einanderstehn. Zwischenkieferzähne von Form der Unterkieferzähne, zwei jederseits und einer in der Mitte. Der Zwischenkiefer
ragt ganz über den Unterkiefer hervor. Die vordere röhrige Nasenöffnung hinter dem Zwischenkiefer nach unten hervorragend, die
zweite vorn mit einem kurzen Tentakel versehene in dem Rande der
Oberlippe unter und vor dem vordern Rande des Auges. Die
Kiemenhaut hat 28 Strahlen. Farbe eintönig schmutzig fleischfarben
mit olivenfarbigem Anfluge.

Totallänge . . . .   260 Mm.

Durchmesser des Auges . . . . .   1 Mm.

Von der Schnauzenspitze bis zum Mundwinkel   10 Mm.

   „   „   „   „ „ Auge .   3 Mm.

           „ zu der Kiemenöffnung $24\frac{1}{2}$ Mm.

   „   ..   ..   „ „ „ Rückenflosse $30\frac{1}{2}$ Mm.

   „   „   „   „ zum After .   117 Mm.

Diese Art unterscheidet sich von *S. rostratus* Bloch (nach Vergleichung mit dem Originalexemplare) sehr leicht durch die kürzere
Schnauze.

Fundort: Im Canal von Mo s s a m b i q u e , an der Westküste
von Madagascar, $23\frac{1}{2}$ ° S. Br.

PLECTOGNATHI.
GYMNODONTES.

DIODON Linné.

171. *Diodon antennatus* Cuvier. Mém. du mus. IV. p. 131.
Taf. 7.

An den ausgewachsenen Exemplaren sind die Tentakel rudi-
mentär.

Fundort: **Mossambique, Inhambane**. Heißt in der Macùasprache *nibúnju*.

TETRODON Linné.

Gastrophyses J. Müller.

172. *Tetrodon poëcilonotus* Schlegel. Fauna Japonica. Taf. 124. Fig. 2. Rüppell. Atlas. Taf. VI. Fig. 2.

Arothron J. Müller.

173. *Tetrodon sordidus* Rüppell. Neue Wirbelth. Taf. 16. Fig. 4.

174. *Tetrodon perspicillaris* Hempr. et Ehrbg. Rüppell. Atlas pag. 63. (*T. laterna* Richardson. Voyage of the Sulphur. Taf. 61. Fig. 2.)

175. *Tetrodon lineatus* Bloch Taf. 141. Schlegel. Fauna Japonica. Taf. 125. Fig. 2. (*T. Pardalis* Hempr. Ehrbg. Mus. Berol.)

Fundort: **Mossambique, Inhambane**. In der Macùasprache heißen die Tetrodonten mit aufgetriebenem Bauch *kitotofo*.

Anosmius Peters.

176. *Tetrodon ocellatus* n. sp.

Von ganz ähnlicher Gestalt wie *T. Solandri* Richardson (Voyage of the Sulphur. Taf. 57. Fig. 4); auch mit ähnlichen Flecken und Binden. Die Grundfarbe der Rückseite rothbraun, die des Bauches weiß. Der Körper und die Schwanzflosse mit hellblauen Flecken geziert, welche an der Oberseite des Kopfes und des Rückens zu Binden zusammenfließen. Die Grundfarbe der Schwanzflosse, besonders nach der Basis hin, roth. An der Basis der Rückenflosse ein großer, schwarzer, runder, blaugesäumter Fleck. Der Körper ist überall mit feinen zweiwurzeligen Stacheln bedeckt, in der Mitte des Schwanzes jedoch fast ganz glatt. Totallänge 73 mm.

P. 16; D. 9; A. 9; C. $\frac{2}{8}$.

Fundort: **Mossambique**, im Augustmonat.

Tetrodon papua Bleeker (Verh. Bat. Gen. XXIV. 1852. *Gymnodontes*. pag. 13.), stimmt der Farbe nach ganz mit unserer Art überein, hat aber nur 8 Strahlen in der Afterflosse und soll ein gespaltenes Nasenloch in der Praeorbitalgegend haben.

177. *Tetrodon taeniatus* n. sp.

Von derselben Körperform und in derselben Weise mit kleinen, spitzen, zweiwurzeligen Stachelchen bewaffnet, wie die vorige Art.

Die Grundfarbe ist bläulich-weifs, die Oberseite der Schnauze und des Kopfes graubraun. Mit runden braunen Flecken bestreut, welche an dem Bauche verschwinden. Vier breite schwarzbraune Querbinden; die erste nimmt den Hinterkopf ein; die zweite steigt von dem Anfange des Rückens über die Basis der Brustflossen zum Bauche herab; die dritte ebenso breite nimmt den Raum zwischen dieser und der Rückenflosse ein und steigt an beiden Seiten ebenfalls aber noch tiefer auf den Bauch herab. Die dritte umfafst den Schwanz zwischen Rücken- und Schwanzflosse und setzt sich in den schwarzen oberen Saum der Schwanzflosse fort. Diese Flosse ist auch am untern Rande schwarzgesäumt, in der Mitte dagegen abwechselnd blauweifs und schwarz gefleckt und der Länge nach gestreift. Die Basis der Rücken- und Afterflosse ist ebenfalls schwarzbraun. Die Strahlenzahl der Flossen ist dieselbe wie bei der vorigen Art. Ich erhielt dieselbe wie die vorige Art in drei Exemplaren, von welchen das gröfste 90Mm lang ist.

Fundort: Mossambique.

SCLERODERMI.

OSTRACION Linné.

178. *Ostracion cubicus* Bloch. Taf. 137.

Iris von gelber Farbe.

Fundort: Mossambique.

179. *Ostracion quadricornis* Bloch. Taf. 134.

Heifst in der Macùasprache *kitaljánje.*

180. *Ostracion cornutus* Bloch. Taf. 133.

Der von Bianconi beschriebene *O. Fornasinii* ist, wie derselbe selbst ganz richtig vermuthete, nichts als eine Monstruosität dieser Art.

Fundort: Ibo, Mossambique, Inhambane. In der Macùasprache *coconco.*

BALISTES Cuvier.

181. *Balistes aculeatus* Bloch. Taf. 149.

182. *Balistes lineatus* Bl. Schn. Taf. 87.

183. *Balistes albocaudatus* Rüppell. Wirbelthiere. Taf. 16. Fig. 1.

184. *Balistes flavomarginatus* Rüppell. Wirbelthiere Taf. 15. Fig. 1 und 2.

185. *Balistes rivulatus* Rüppell. Wirbelthiere Taf. 56.

Stimmt in der Körperform, Beschuppung und Strahlenzahl ganz mit dieser Art überein, jedoch sind die Punkte nicht zu Linien vereinigt.

Fundort: Cabaceira, Halbinsel bei Mossambique.

186. *Balistes stellatus* Lacépède. Bleeker. Verb. Bat. Gen. XXIV. 1852. Balistini pag. 13.

Fundort: Mossambique.

MONACANTHUS Cuvier.

187. *Monacanthus frenatus* n. sp.

Schwanz ohne besondere Bewaffnung. Körper verlängert, zusammengedrückt; Höhe zur Länge wie 1 : 2¼. Kopf höher als lang, macht ein Drittel des Körpers aus. Oben 8, unten 6 Zähne in dem Kiefer. Kiemenöffnungen über und vor den Brustflossen. Der Nackenstachel über den Augen stehend, von der Länge der Schnauze, vorn granulirt, hinten mit einer doppelten Reihe Widerhaken bewaffnet. Rückenflosse über der Afterflosse, wenig kürzer als diese; beide ausgerandet; ihre vordersten Strahlen nahe gleich der halben Körperhöhe. Die dreieckige Bauchflosse mit gröfseren dornigen Schuppen, ihr erster dicker Strahl granulirt und bestachelt; Schwanzflosse abgerundet. Die Farbe ist grün mit dunkleren dichtgedrängten Punkten bedeckt. Vom Auge steigen drei dunkle Linien längs der Seite der Schnauze zum Kinn herab. Über und zur Seite des Mauls und an den Backen mehr oder weniger deutliche, abwechselnd blaue und gelbe schmale Binden. Die Schwanzflosse so wie die Basis der After- und Rückenflosse mit schwarzbraunen Fleckenbinden. Länge 95Mm.

D. 1—25; P. 11; A. 27; C. $\frac{1}{10}$

Fundort: Querimba-Inseln, Mossambique, Inhambane. Heifst in der Macûasprache *namussadia.*

LOPHOBRANCHII.

HIPPOCAMPUS Cuvier.

188. *Hippocampus ramulosus* Leach. (*H. fuscus* Rüppell. Wirbelthiere. Taf. 33. Fig. 1.)

Mossambique, Querimba-Inseln.

189. *Hippocampus comes* Cantor. Kaup.

Inhambane.

SYNGNATHUS Linné.

Gasterotokeus Heckel.

190. *Syngnathus biaculeatus* Bloch. Taf. 121. 1.

An der ganzen Küste sehr gemein.

Corythoichthys Kaup.

191. *Syngnathus fasciatus* Gray. Illustr. Ind. Zool. Taf. 6. Fig. 2.

Von dieser von Bleeker als *S. haematopterus* (Verb. Bat. Gen. XXV. 1853. *Lophobranchii.* pag. 20.) richtig und vortrefflich beschriebenen Art, erhielt ich ein einziges Pärchen bei der Querimba-Insel Matemmo, im April 1847.

Ichthyocampus Kaup.

192. *Syngnathus Mossambicus* n. sp.

Körper siebenseitig, höher als breit, Schwanz vierseitig. Die Schnauze ist ein wenig kürzer als der übrige Theil des Kopfes. Der After liegt im Ende des dreizehnten Ringes; die Rückenflosse beginnt auf dem 13ten und zwar über und vor dem After und endigt auf dem 18ten Ringe. Man zählt im Ganzen sieben und vierzig Ringe. Olivenbraun mit dunkel-brauner Zeichnung, am Kiemendeckel einige blauweiße Punkte. Die Strahlen der Rückenflosse schwarzbraun gefleckt.

D. 23; P. 15; A. 3; C. 10. *)

Totallänge	141 Mm.
Entfernung der Schnauzenspitze vom After	58 Mm.
Länge des Kopfes	7 Mm.

PLAGIOSTOMI.

GINGLYMOSTOMA Müll. Henle.

193. *Ginglymostoma concolor* M. H.

Im Canal von Mossambique, an der Westküste von Madagascar.

CARCHARIAS Cuv. M. H.

Scoliodon M. H.

194. *Carcharias acutus* Rüppell.

An der ganzen Küste.

Prionodon Müll.

195. *Carcharias glaucus* Cuvier.

196. *Carcharias Lamia* Risso.

---

*) Außer diesen wurden von mir früher (Monatsberichte 1852 pg. 685) zwei Arten von *Syngnathus* aus süßen Gewässern beschrieben, von welchen die eine *S. Zambesensis* P. (= *S. fluviatilis* Pet.) zu der Gattung *Doryichthys* Kaup gehört, die andere, *S. argulus* P., eine neue Gattung der *Nerophinae* bildet, welche ich *Coelonotus* genannt habe.

TORPEDO Dumeril.

197. *Torpedo fuscomaculata* n. sp.

Die an der Küste von Mossambique vorkommende Art von
Zitterrochen stimmt in der Körperform, in der Stellung und
Gestalt der Flossen, in der Gestalt der um die Spritzlöcher
gestellten Papillen, in der Feinheit und grofsen Zahl der Zähne
am meisten mit der *T. panthera* Ehrbg. des rothen Meeres überein. Die zweite Rückenflosse ist um $\frac{1}{3}$ kleiner als die erste,
und die Schwanzflosse länger als hoch. Sie unterscheidet sich
sehr leicht von der verwandten *T. marmorata* Rudolphi dadurch,
dafs 1. die erste Rückenflosse mit ihrem vordern Theil über
dem After steht, während sie bei jener fast um die Länge
ihrer Basis hinter dieselbe gerückt ist; 2. die Papillen um die
Spritzlöcher von sehr ungleicher Gröfse (drei innere kleine
und ein zwischen zwei beträchtlich gröfseren befindlicher hin-
terer kleiner) sind, während die bei *T. marmorata* vorkommenden 7 Papillen regelmäfsiger und gleich grofs erscheinen; 3.
die Zähne viel feiner und zahlreicher sind als bei gleich grofsen Exemplaren jener Art. In der Färbung weicht sie aber
von *T. panthera* ab und schliefst sich mehr der *T. Galvani* Bona-
parte (Icon. della Fauna italica Taf. 153. Fig. 4.) an. Die Grundfarbe erscheint nämlich bei jüngeren Exemplaren gelbbraun mit
gedrängten, nach dem Rande der Scheibe hin immer kleiner
werdenden, hie und da zusammenfliefsenden, schwarzbraunen
Flecken. Bei älteren Individuen ist die Grundfarbe rothbraun
und braunschwarze Flecken sind nur hier und da deutlich zu
erkennen. Die Flossen sind braunschwarz mit weifslichen
Rändern.

Totallänge . . .	220 Mm.
Querdurchmesser der Scheibe	110 Mm.
Längsdurchmesser der Scheibe	110 Mm.
Länge des Schwanzes . .	90 Mm.
Höhe der Schwanzflosse .	30 Mm.
Länge der Schwanzflosse .	36 Mm.

Fundort: M o s s a m b i q u e, A n g o x e, I b o. Wird in der
Macùasprache *hyrrirri* genannt.

TAENIURA Müller et Henle.

198. *Taeniura lymna* Müll. Henle.

Fundort: M o s s a m b i q u e.

gehen mehrfache dicke, fadenartige Canäle, weitläufig verästet und anastomosirend. Viele oft alle diese Canäle sind kammartig durch dicht gedrängte, sehr zarte parallele Röhrchen, die oft wie ein Zaun erscheinen, rechtwinklich gefranzt. Alles diefs ist von Kalk umhüllt. Solche sparrige über alle Windungen der ganzen Schale greifende, starke Canäle, habe ich, aufser bei Polystomatien, auch bei grofsen Rotalien und neuerlich auch bei Triloculinen von Java gesehen und in Präparaten aufbewahrt.

Bei einem Hinblick auf die crystallinisch erscheinende Quer-Faserung der dichten Nummulitenschalen ist diese grofse nimmermehr blofs schwammige, Organisation der Orbitoiden und Orbituliten höchst überraschend und abweichend. Auffallend übereinstimmend ist aber die mittlere Schicht von einfachen gröfseren Kammern der wahren Nummuliten.

Die Lösung der Numuliten-Frage liegt jetzt in den Steinkernen. Es kann mit Hülfe der Steinkerne die Summe und der Zusammenhang ihrer organischen feinsten Canäle, mithin ihre wahre Natur allgemein aufser Zweifel gestellt werden, wenn auch lebende Verhältnisse solcher Nummuliten, wie sie die Vorwelt so massenhaft zeigt, unzugänglich blieben. Obwohl ich noch keinen frei abgelösten, ganzen Nummulitenkern vorlegen kann, so haben doch die gewonnenen besondern Erläuterungen wohlerhaltener, frei abgelöster Theile, mehrerer zusammenhängender Kammern, schon wesentlich entschieden, und ich erlaube mir eine etwas weitere Ausführung des mündlich vorgetragenen hier anzuschliefsen.

Der Grund, welcher bisher die Systematiker bewog, die Nummuliten zu den Polythalamien zu stellen, lag in der äufseren Form-Verwandtschaft und in der Unbekanntschaft mit der Structur beider. Blofs der äufseren Formähnlichkeit halber stellte sie Hr. d'Orbigny zusammen in dieselbe Thierklasse und die systematisirenden Paläontologen und Geologen mufsten natürlich bis auf bessere Erkenntnifs ebenso verfahren. Seitdem die Polythalamien (durch Herrn Dujardin) für höchst einfache und durch Hrn. Laurent 1841 in den Spongillen mit den Amoebaeen der Infusorien völlig gleiche Thiere bezeichnet worden waren, nahm man einen neuen Grund aus der Structur,

die Nummuliten als ähnlich ein fach gebaute Körper da anzuschlie.
fsen. Meine im Jahre 1840 gegebenen Erläuterungen der Amoe.
baeen blieben von diesen Forschern unbeachtet. Im Jahre 1838
wurde auch eine weit gröfsere Organisation der Polythalamien
von mir nachgewiesen, welche sich bei den Nummuliten nicht
darstellen liefs. So entstand bei mir und Andern aus wissenschaftlichen Gründen das Bedürfnifs, die Nummuliten „bis auf
bessere Erkenntnifs" (das sind ausdrücklich die Worte meiner
Abhandlung von 1838 pag. 114), als zweifelhafte Körper von
den Polythalamien auszuschliefsen.   Ich ging damals in die
schon vorhandene Meinung über, dafs es den inneren Kalkschei-
ben der Porpiten ähnliche Körper sein möchten, obschon ich
diese als bedeutend abweichend selbst erläuterte und verliefs
die unfruchtbare Beschäftigung damit für längere Zeit. Da eine
grofse Formähnlichkeit mit Polythalamien vor Augen lag und
ein lebhaftes geologisches Bedürfnifs eintrat, die Nummuliten
in Übersicht zu bringen, so haben einige Forscher und Systematiker den alten Weg verfolgt, sie als Polythalamien zu betrachten, und andere haben dieselben mit mir als unklare Körper von den Polythalamien „bis zu besserer Erkenntnifs" abgesondert als Acalephentheile betrachtet. Nur die fossilen, oft
schlecht erhaltenen, überall aber schwer aufschliefsbaren Kalk-
chalen derselben, liefsen ein weiteres Studium zu, da sich
keine lebenden Arten in den jetzigen Meeren auffinden liefsen.
Ich glaube, dafs der von mir eingeschlagene Weg der durchaus wissenschaftliche war, da ich der wissenschaftlichen For-
derung „gleicher Structurkenntnifs bei systematisch nahezustel-
lenden Formen" streng Rechnung getragen habe, obschon ich
das Resultat jetzt aus eigener Anregung zu verlafsen veranlafst
bin. Wenn ein Tadel auszusprechen ist, so würde dieser für
die andere, obwohl mir jetzt annehmliche Richtung, auch für
d'Archiac's *Monographie*, gerechtfertigter erscheinen.

Neuerlich haben nämlich die Hrn. d'Archiac und Haime in
Paris, nachdem Prof. Carpenter in London durch geschliffene
Plättchen, wie ich sie 1836 für die Organismen der Feuersteine
anwendete und empfahl, 1850 einige gröfsere Details des Baues
der Nummuliten und ihrer verwandten Formen geistvoll nachgewiesen hatte, diesem nachfolgend, bei einer umfassenden

Bericht

über die

zur Bekanntmachung geeigneten Verhandlungen der Königl. Preuſs. Akademie der Wissenschaften zu Berlin

im Monat Juli 1855.

Vorsitzender Sekretar: Hr. Trendelenburg.

2. Juli. Sitzung der philosophisch-historischen Klasse.

Hr. Panofka las eine Abhandlung „Apollon in Panda und seine Verwandten."

1. Apollon in Panda.

In der für Religionsforschung höchst wichtigen Bündniſsinschrift (Böckh. C. I. II, p. 696, 697) mit dem Schwur der Smyrnäer und Magnesier für König Seleukos II. Pogon geschieht eines Apollotempels in Panda Erwähnung, von dem der berühmte Herausgeber vermuthet, daſs er in der Vorstadt von Magnesia am Sipylos gelegen habe. Fragen wir zuvörderst nach der sprachlichen Bedeutung des Ortsnamen Panda, so kann er entweder wie der Römer *fanda* von *fari*, durch φάντα erklärt werden, dessen Compositum πρόφαντον Hesychius durch λόγιον, ϑεοπρόπιον erörtert: oder nach der Analogie des Stadtnamen Silandos, dessen Münzen mit dem Kopf des Silanos geschmückt sind, läſst sich für die richtige Auffassung von Panda der Vergleich von πανός gleichbedeutend mit φανός, Leuchter, benutzen; noch förderlicher aber erscheint ein Hinblick auf Pan, Synonym von Phanes, den Faunus der Römer, welcher die Idee des Lichts φάος und der Offenbarung φήμη ausdrückt und daher den doppelten Beruf des Lichtgottes am Himmel und des Rath- und Orakelgebers auf Erden in seiner Person vereinigt. Daſs der gleiche Charakter des Lichtgottes und Orakelgottes dem Apoll von Panda

eigen ist, setzen die Bildwerke aufser Zweifel. Denn die Münzen
von Magnesia am Sipylos zeigen als Rückseite eines lorbeerbekränzten Apollokopfes bald einen lorbeerbekränzten nackten stehenden Apoll, der das rechte Bein beugend und die Linke auf den an
den Boden gestemmten Bogen auflegend, in der vorgestreckten
Rechten einen R a b e n hält, und als derselbe O r a k e l g o t t erscheint,
den auf einem bekannten Terrakottenrelief Jason konsultirt: bald
durch einen S t e r n vor der Figur des Gottes, oder durch eine
S t r a h l e n k r o n e auf seinem Haupt denselben Apoll in Panda als
kosmischen L i c h t g o t t beleuchtend. Andere Apollokulte gleicher
Bedeutung und entsprechender Kunstform auf Münzen von Side,
Magnesia am Maeander, Epiphaneia nachweisend, schlofs dies erste
Capitel mit der Vorlage einer antiken Paste (neuerer Erwerb der
Gemmensammlung des kgl. Museums) die uns den Apollo in Panda
nackt mit gekreuzten Beinen stehend, in vorgestreckter Rechten
einen Lorbeerzweig haltend, kennen lehrt, an den Dreifufs hinten
angelehnt, auf den seine Linke sich aufstützt, und vor Apolls Füfsen
den heiligen Diener und Begleiter des Gottes, den Raben.

2. P a n d i n a.

Obwohl die deutliche Inschrift Πανδινα um eine Göttin in lan-
ger Bekleidung mit einer P e i t s c h e in der Rechten, darunter ein
S t e r n, auf Münzen von Hipponium über Benennung keinen Zweifel
gestattete, so übersah man doch, dafs die Rückseite des lorbeer-
kränzten Apollokopfs einerseits und der Stern zur Seite der stehenden
Gottheit andrerseits, welche diese Münze von Hipponium mit der von
Magnesia am Sipylus gemein hat, in der Blutsverwandtschaft von
Pandina und Apoll in Panda ihre Begründung findet und daher der
Name Pandina weder als „allkreisende," noch als „allfurchtbare" son-
dern als „leuchtende Nachtgöttin" aufzufassen ist. Diese Pandina wies
Hr. P. auf einem schönen Pompejanischen Wandgemälde (M. Borb.
XIV, Tav. III.) nach, wo sie zu dem in einer Felsgegend tief schlum-
mernden, vom Hunde zur Seite bewachten Jäger Endymion, an der
Hand des mit der Fackel vorleuchtenden Hesperos herabschwebt.
Die Mondscheibe hinter ihrem Haupte und eine Peitsche in ihrer
Rechten charakterisiren die Mondgöttin Pandina als Lenkerin ihres
Rofszweigespanns. Dieselbe Göttin galt in der mit Panda gleich-
bedeutenden syrischen Stadt Phanea (L e u c h t i n g e n) als Schutzgöt-
tin der Stadt; daher die Münzen ihr Idol, eine Peitsche mit mehr.

fachen Riemen haltend, uns vergegenwärtigen. Avellino's Vermuthung, Pandina könnte die in Hipponium verehrte K o r a bezeichnen,
wurde so wie die abweichende Cavedoni's Pandina vertrete E o s,
aus mehrfachen Gründen zurückgewiesen und auf dem Martorelli-
schen Dintenfafs, das so wenig als ein pompejanisches Wandgemälde mit Planetengöttern, sondern mit den Göttern der W o c h e n-
t a g e geschmückt ist, statt der mit Unrecht bisher gedeuteten Hestia
oder Pandina - Eos, vielmehr S o l im langen Aermelchiton der
ἡνίοχοι, mit Peitsche und lodernder Fackel in seine Rechte wieder
eingesetzt, worauf schon seine Stelle zwischen Saturn und Luna,
Sonntag zwischen Sonnabend und Montag, hinleiten könnte.

3. E m p a n d a.

Eine Göttin der Römer, welche Festus als G ö t t i n d e r D o r f-
b e w o h n e r erklärt, indefs Andre ihren Namen davon herleiten,
dafs sie den Dorfflecken vorstand, welche o f f e n waren und nicht
verschlossen nach Sitte der Städte. Insofern ihr Name sie dem
Apoll in Panda und der Pandina nahe stellt, die Auslegung desselben sie mit der Göttin der Kreuzwege Hekate, die auch Fackel und
Peitsche hält, vergleichen läfst: vermag eine noch unerklärte Gemme
(Gerhard Ant. Bildw. CCCVII, 37) ihr Bild zu veranschaulichen.

4. P a n L y k a i o s. F a u n u s F a t u u s.

Bei der Seltenheit der Bildwerke, welche den lycäischen Pan
Arcadiens, den schon Pausanias VIII, 37, 8, 9. in älteren Zeiten als
O r a k e l g e b e r mit der Nymphe Erato als Prophetin verbürgt,
den Faunus Lupercus der Römer uns vergegenwärtigen und der
andremale mit Pandina das Attribut der P e i t s c h e theilt: wurden
zwei längst und oft publicirte, aber unerklärte Bilder zu näherer
Prüfung empfohlen. Das eine, ein herkulanisches Wandgemälde
(M. Borb. V. VIII, Tav. XXI) *dio Fauno fervente amatore delle
fugaci donne* aufgefafst, wird in entgegengesetztem Sinn vom
Orakelgott Faunus verstanden, den eine Jungfrau mit ihrer Beglei-
terin wegen ihrer Liebesangelegenheit zu Rathe ziehen will. Dafs
der Besuch keinen andern Zweck hat, verräth das über der Frauen-
gruppe sichtbare Votivbild, des Mars Besuch bei Rhea Sylvia, von
Numitor erspäht, darstellend. Das andre Bild, Henkelschmuck eines
von Millin (G. m. CXXXI bis 500) publicirten apulischen Krater,
zeigt den gehörnten, bocksbeinigen Pan mit einem πρόχους in der
einen, und einer Peitsche in der andern Hand. Insofern er beide

Attribute mit Himeros und Peitho gemein hat, dürfte der Luperci Frauengeißelung an den Lupercalien zur Rechtfertigung dieses merkwürdigen Bildwerks schon vollkommen hinreichen.

Hr. **Bekker** gab einen **nachtrag von varianten zum Thucydides**, gesammelt auf seiner zweiten reise nach Italien, i. j. 1839.

Codex C.

S. 237 z. 24 (der stereotypausgabe) συρακουσίαν und 27. συρακόσιει. so immer   238 7. μετήνην   10. πρὼ]περὸς   11. πελοπονήσιει immer   22. λεωεῦ   29. ὑκήγευτο   30. ἀε 34. τοῦτο γὰρ ξυνέπλευσε   239 1. αὐτὸ τοῦ τε   3. μετρήφ 15. περὶ στάσιν   18. ξυμβαίνειν   28. wie E   240 10. ξόσ τῆς   20. στρατιᾶς   35. wie E   241 24. wie A   26. wie A   242 20. wie G   21. ἢ fehlt   25. ἰθέλοιεν 28. ὁ fehlt   31. ἴξιμεν   31. ῥᾳδίως   243 7. μὴ fehlt 15. wie G   244 25. χί αι   28. καθωρμίσαντα   245 3. ἀντιπλήρους   22. διετάξησαν   35. wie A   246 17. wie A, nur mit Einem ν   31. μέλλειν   247 11. νῦν fehlt   18. ῥώμην νῦν   26. διὰ — πιστεύοντες fehlt   28. wie F   30. σφα λεῖτε   248 34. ταῦτα   249 6. δέξασθαί pr D   10. ὁρί γονται   16. wie B   24. wie E   250 2. ξυνέκειντο   14. wie F   22. wie B   251 15. ἐπιβληθεῖσι   20. καὶ τῇ ναυ μαχίᾳ τοιουτοτρόπῳ fehlt   34. wie E   252 34. τε fehlt wie B   253 6. τῶν τριήρων τὴν φυλακὴν   11. wie A   12. wie A   ὑφεδροι   22. ἐν fehlt   35. wie G   254 2. τῆς γνώμης   4. παριόντας   9. γάρ εἰ   11. πλέει   30. αὔξειν 255 9. οὗτης αὐτῆς   18. ἂν fehlt   26. wie A   256 8. ποιή σονται   23. καταλαμβάνει   29. wie A   257 5. πελαγίοις 18. ἰδ —   24. wie G   26. ἰδ —   258 21. wie A   25. wie A   259 1. προϊέναι   2. εὕροι   4. προσβαίνων   260 23. ἐπιποδοῦντο   35. wie G   261 21. ἴσω   32. ὃν]οὐ 262 10. κρυμμύωνα   16. χερονήσου   20. ἐσώταντο   25. wie A 265 6. wie A   266 13. wie A   16. wie G   267 5. wie A 14. διοτρεφοῦς   (36. καὶ nach διὸ fehlt F, nach θᾶσσον fehlt D) 268 1. wie A   5. wie E   269 5. τε   10. θυραίαν

κυνουρίας 16. wie A 24. wie A 270 29. δεῖ 31. προ-
χωρήσει ὅτι fehlt 271 19. ἢ 272 8 und 9. wie E
22. wie E 26. φανερούς 31. wie A 33. ἀναβαλλώμεϑα
273 6. ἀμυνόμενος 11. wie A 14. τινὸς 20. σωφρονοῦ-
μεν 274 9. λόγον εὐπραγία τῶν πλειόνων εὐπραγία 23. ὑπ-
ποκράτην 275 4. ἔλαττον fehlt ἄπωϑεν 7. ἀφηρικὸν
21 und 27. wie G 29. ἐχώρει 30. wie A 35. wie F
277 3. wie A 8. wie E 20. μεγαρέων 24. wie G
28. ἔκπτυστος 31. περάσαι 35. ἐκβάλλει εἰ δὲ 278 1.
ἑαυτὴν 2 und 6. wie A 16. wie A 17. wie E 279
18. περιεκεχωρήκει 23. ἐπιχειροῖτο 280 6. λόγους 9.
τοῦτον 20. μὴ fehlt 281 1. ἱπποκράτη 11. μυνῖον
15. φανώτιδι 21. wie A 33. ἐξ]ξυν 282 4. καταλαμ-
βάνων 5. wie γρ G 15. πάνερος 283 5. ἀφώρμισεν
8. wie E 22. wie A wie A λυγκιστῶν 33. τῷδε
νεότητα 284 11. αὐτῷ 14. wie A 23. τὸν 31.
τὸ 33. ταύτη]τότε 285 20. wie E 28. βουλεύ-
σεσϑαι 32. ὑπαληϑεύουσα 286 6. δὲ 23. παραγέγονα
287 5 und 7. wie A 10. ἐς]ὡς 23. ἀγωνίζεσϑε pr D
288 7. αὐτῶν 10. προσαγάγητε 11. καὶ fehlt 35. wie B
289 12. τείχισμα 290 10. wie A 12. πλησιόχοροι 17.
τὸν — 18. ἀμυνόμενον fehlt 291 2. καὶ ἐπειδὴ 5.
ἱπποκράτη 9. τι 15. τε 17. κωπεῖς 27. συνετίβαλλον
31. τὴν fehlt 293 35. ἀμύνονται 294 13. wie A 295 3.
αὐτῷ 7. ὡς καϑῆτο 12. οὖσα 16. wie A 18.
ἐλείφϑησαν 30. wie F 296 3. τριβαλούς 8. στρυμῶνι
17. ἥδωνας 28. wie E 297 6. wie G 9. ὁ βρασίδας
ῥᾳδίως 14 und 21. wie A 26. wie G 28. ϑάττον
29. wie F 298 7. wie A 16. ἐπελάμβανον 29. μὴ ἐς
βοήϑειαν αἱ 299 10. wie E 12. στρυμόνος ποταμοῦ ἦν
28. ὅσον 300 22. διόρυχα 26. τοι 28. βρηττωνικὸν καὶ
ἥδωνες 30. παρεχώρησαν wie B 34. αὐτῶν 301 5.
wie A 9. wie A 13. κατὰ fehlt wie F 23 wie A
302 20 und 29. wie A 33. πάλιν 303 3. πειφοβεῖσϑαι
24. τὸ χωρίον ἤδη 33. πρόσω 304 7. ἔτι οὐκ ἂν 23. κατὰ]
καὶ κατὰ 27. wie A wie F 31. wie G 32. τοῖς
305 1. τομέως corr: vorher mehr buchstaben, darunter ρ 5.
wie F 6. δὲ fehlt 16. wie B 17. δοκῶν 21. wie E

τε fehlt   22. κατὰ]καὶ κατὰ   26. διδάσκετε· καὶ οὐδενὸς
306 1. wie A   8. wie B   11. wie F   13. ξυνετέθη
15. ἐριξιδαῖδα   16. wie B   19. εὐταιῖδα   20. διατρεφοῦ,
wie öfter   25. ἀστηνὲν   32. ἄπκιϑεν   33. wie A   307 2.
wie A   8. ἄλλα   308 9. τε   19. wie E   29. πειϑί-
μενοι   31. ἐπιεικειιζει   309 6. τοῖς fehlt   12. ἀντεστρα-
τοπεδευομένους   310 6. und immer ἄπαϑεν   26. πεφοβῆ-
ϑαι   27. πολὺ   29. τὸ   310 11. wie E   20. ἐνδείκνυτα
312 1. wie A   17. εἰ]ὖ   19. pr wie G   313 12. wie F
23. τοῦ fehlt   315 16. wie A   21. φιλοῦντα   23. wie A
26. περιετείχιστό   31. ἐγεγόνει   317 14. wie E   15. τοῦ
παλαιοῦ τείχους corr   318 3. ἐγράψαντο   10. wie E   28.
wie E   319 10. στρατιὰ   11. wie A   12. ἄξαντα   22.
ἥδωνας   320 13 und 24. wie A   31. αὑτις   321 6. wie A
29. wie G   322 20. ἀποφαίνονται   323 10. wie E   14.
wie F   28. wie G   34. μνῆμα   324 3. wie A   26.
wie E   29. ὅτι   35. ἔχοντας   325 15. νεωτερήσωσι   16.
wie E   18. κυνουρίαν   28. wie A   35· ἠναντιῶντο   326
23. φεύγοντας   24. διὰ τὴν fehlt   δόκησιν   26. wie E
327 32. ἐπὶ τῇ πυγμονῇ   328 8. wie B   13. δὲ fehlt   19.
ὅσοις   24. εἰσὶν   25. wie F   329 1. wie B   wie G
4 und 6. wie A   7. ὅποι   18. wie A   23. ἡ vor ἐς fehlt
330 10. ἀπολογισάμενος   16. κατὰ]καὶ κατὰ   18. μὴν   35.
λακεδαιμονίοις   331 5 und 26. wie A   26. τέλλης   332 11.
μῆνας δίκα   34. ἰσχυρᾶς   333 6. wie A   12. αἴσπερ παρ-
εβλήθησαν   334 22. ταῖς nach ἐν fehlt   27. βούλονται
335 2. τοὺς fehlt   7. αὐτοὶ αὐτούς   20. wie A   27. wie
G   336 29. ἀργεῖοι καὶ κορίνϑιοι   337 19. σπαρασίους   20.
μαντιναίων   27. κυψέλλοις   338 11 und 14. wie B   20.
wie E   21. ἐν οἷς fehlt pr   35. ἐμ   339 3. wie A   7.
wie F   8. τούτω   9. ἄφοδος   wie B   10. ἕτεροι ἔφοροι
13. wie G   17. wie E   29. μέν τι   30. wie F   340
26. ἀμύνειν   341 3. ὕστερον fehlt pr   24. εἰρημένων   342
3. οὐδὲ fehlt pr   13. wie F   20. κυνουρίας   34. γὰρ φί-
λον   33. ταῦτα εἶναι   343 8. wie B   29. wie E   30.
ὃ   33. wie F   344 3. βεβαίως   24. wie A   30. wie E
31. wie A   345 2. αὐτούς   7. ποιήσει   27. wie A   32.
πεποιῆσϑαι   346 4. wie G   28. ἀπαγγίλλωσιν   347 1.

ἀπαγγέλλωσιν 14. σίτου fehlt 15. wie E 28. ἐμμένω
348 12. τῷ vor τοῦ 349 19 und 23. wie E 25. πρὶν
350 2 und 14. wie A 351 1. ἦν fehlt pr 13. wie A
17. ὅπη 33. συγκαθεῖσθαι 352 2. τῆς fehlt 34. καὶ
τρίτον — 35. ἐτελεύτα fehlt 36. μετοῦντος fehlt 353 2.
wie E 11. wie A 19. καὶ fehlt 25. ᾧ fehlt 26
und 27. wie E 28. wie G 32. πελλινεῖς wie A 354
12 und 15. wie E 29. ἄγειν ἢ σπονδὰς 33. wie A
355 24. wie F 356 33. wie A 357 10. wie γρF 22.
τὴν πολεμίαν fehlt 35. αὐτὸ 358 3 und 6. wie A 19.
ὑπάγουσιν 29. μελήσεως 359 6 und 8. wie A 28. wie
F 360 17. ἔλθοι 26. wie A 29. wie F 30. τὰ
fehlt 361 1. τῇ πυκνότητι 13 und 37. wie E 362 1.
wie G 31. δὲ 36. ἐτράφησαν 363 24. wie B 364
20 und 21. wie A 21. wie E 22. οἱ μὲν wie B 25.
πολίεσσι 26. ἐμινλην 30. πελλοπόνασον ἐλεξέμεναι
365 1. wie E 2. wie B 6. wie A 18. 1 und 2 wie
A, 3 wie E 21. πελοποννάσσου 22 und 25. wie F
28. wie A 366 1. 3 und 4 wie B 33. ταῦτα ἤδη 34.
χειμῶνος]πολέμου 36. wie A 367 5. wie F wie G
18. μελήτεις 24. ὠφελεῖ 368 14 und 22. wie F 22.
λεσβίοις 30. ἐς — 31. γῆν fehlt 369 3. ἀνέλεκτα 7.
wie A 19. wie B 20. οἱ 32. wie A 370 1. ἢ
μὲν 18 und 25. wie B 27. wie E 29. δὲ]μὲν 32.
τούς τε]τούτους 371 9. wie A 13. ἡγήσονται 24.ἢ]εἴ
33. wie A 372 5. φυλάξαι 9. wie E 31. εἰκότως
ἦν 373 13. οἴεσθαι 14. wie A 24. πολλῆ 374 25.
ἤκουσι 375 15 und 25. wie A 17. τε σφῶν 27. ἀθηναίων 33. wie A 376 1. μελήσαντες 4. μέλησιν 7.
wie A 25. pr wie F 27. wie A 377 3. ἐνοικησάμενος
8. τὸ πρότερον 17. wie E 22. οὕτω 378 2. wie A
7. wie G 31. πάμμιλον wie B 33. αὐτῆς 379 2 und
6 und 7. wie A 9. πιστύλον 11. χαλκιδῆς 14. κρα-
ταιμενῆς 17. τὸ χωρίον τὴν ἰδέαν 22. μεσήνυην 23 und
28. wie A 30. δὲ κεκασμέναι pr 380 2. wie B 23.
πέμψαντες 33. ἀκούσαντες 381 1 und 3. wie G 34.
pr wie A 382 2. καὶ vor οὐκ fehlt 8. wie A 10.
ἄριστα fehlt pr 28. προνοεῖται 383 2 und 4. wie B 7

und 8. wie A   16. wie A   17. ξυνεπιϑοῖντο   22. wie A
384 6. ἐκεῖνος   13 und 18 und 27. wie G   385 1. ἄσμενος
ἄρχειν   παραινεῖν   2 und 12, 23 und 27. wie G   31
und 33. wie F   386 4. τὰ ἄλλα   17 und 35. wie A
387 1. wie γρ G   26. ἀποχρήσασϑαι   29. γὰρ fehlt   31.
wie B   388 9 und 16. wie F   389 12. εἰ   22. μὲν
νεότητα   390 6. wie B   15. wie E   25. wie G   31.
ξυνιττῶσιν   32. βοηϑεῖται   391 4. wie A   28. wie B
392 7. wie A   12 und 26. wie A   393 1. ἄλλω   2.
ἄρξειν   4. τοὺς]τούτους   31. wie A   394 35. ἀπολείπειν
395 24. τὸ   36. ἐκ τοῦ fehlt   396 2. εὑρεϑῇ   26. στρατιᾶς   397 2 und 3 und 4. wie A   15. ᾗ]εἰ   18. wie F
28. wie G   398 20 und 21. wie F   24. wie E   26.
wie A   399 9. wie A   27. δράσειεν   400 8. ἐξ ὧν]ἐξὸν
28. τοσαύτην ἑτέραν   401 14. ἀφ'   20. προσπείσεται   35.
wie E   402 11. wie F   12. ἀπαλλαγῆτε   28. wie G
403 1 und 6. wie E   9 und 19. wie A   20. πεντηκοντέ-
ροιν   404 29. wie B   36. μόνα τάλαντα   405 15 und 31.
wie B   406 14. ἔφη ἀντικρυς   25. wie E   30. διαμε-
λήσειν   34. wie B   35. τοῦτο]τοῦ   407 12. τῶν fehlt
18 und 19. wie B   20. ὁρμημένοις   32. wie A   408 12.
ἐς σκεδασμένους   15. wie A   22. wie E   409 20. νόμος
34. wie A   410 8. wie E   29. εὐϑὺς corr   411 10.
wie G   18. wie A   412 8. wie E   15. αὐτὸν   26.
οὐϑεὶς   31. διὰ]μετὰ   413 17. πρὸς]ὡς βιωτοὺς   31.
ἀπολογισαμένω   414 1. ξυνστρατεύειν   415 12 und 22. wie A
23. ψιλοὺς τῶν σφῶν   416 18. σιμαίϑω   20. wie F   32.
μάχη   417 5. wie A   6. οὐϑεὶς   19 uud 23. wie A
418 6. wie A   14. ἐποικήσονται   22 und 34. wie A   419
12. wie B   19. μεῖζον   420 15. wie A   36. ἐς fehlt
421 10. τε αὐτὸν   25. διάφϑειρον   27. περὶ τρεῖς μείναντες
καὶ δέκα ·   30. wie F   422 19. wie A   27. οὐ]οἱ pr
κατοικῆσαι   28. ἐξοικῆσαι   37. εὐπρεπεῖ   423 5. κακοξυν-
ετωτέρου fehlt pr   nach ἐκεῖ 2 oder 3 buchstaben getilgt
wie F   10 und 24. wie A   12. οὐ]οἱ pr   29 und 32.
wie A   424 17. wie A   18. ἐπικαλεῖσϑε   19. wie A
425 10. ὃ]ὡς pr   25. εἰ fehlt   426 3 und 11. wie F   22.
οὐκ ἄλλω ἐπόμεϑα   427 2. τοῦτο μᾶλλον   23. wie A   27.

ἐπὶ καιροῖς   28. wie E   29. ὦ   wie F   30. ἀφίενται
ἡμῶν 34. συστῶσα   428 1. εἰς ἓν   3. ἐπεισάγεσθαι   wie
A   9. μὴ fehlt   22. wie A   25. βουλήσεσθαι   429
33. wie A   430 3. wie B   8. γε   20. ἄλλα   431 1.
wie A   31. ἀνάγκην   432 5. γένοιτο   13. ἀποπειράτονται
32. περιέστε   433 3. ἐκεῖ   35. wie A   434 8. wie E
26 und 29. wie A   435 24 und 28. wie A   29. ἐπήεσαν
     πιπράσαντες   436 8, 10, 19. wie A   20. ἐξήρτηται
27 2. wie G   437 1. in Θάψον zwischen α und ψ ein buchstab getilgt, das ψ selbst aus correctur   4. ἔχει   11. δὲ
fehlt   20 (und 30). wie F   21 und 24. wie E   438 11.
wie E   19. ἐπιβοηθεῖεν   20. wie A   32. ἐπιτειχίσματος
33. δίχα σφίσι   439 12. οἱ   32. οἷοί   440 3. στεριφότα-
τον   8 und 11. wie A   441 3. ἐκέλευεν, scheint es   8
und 10. wie A   24. περιωρῶντο   wie A   34. wie F
442 8. ὡς fehlt   14, 17, 18. wie F   17. οὐδὲ   23. wie
F   ἀπὸ   25, 27, 33. wie A   443 2. καὶ fehlt   4, 6,
8. wie A   9. πρασσίαν
     508 6. wie A   τε   13. wie A   29. σωφρονῆσαι
509 10. wie A   17. wie F   wie A   21. τῷ fehlt   22.
wie A   510 2 und 15. wie A   22. wie E   29. ἐς fehlt
511 10, 21, 25, 29. wie A   512 6. οἱ]ἐς   13 und 22.
wie A   23. μελυγκρίδαν   28. ὧν   513 1 und 6. wie A
15 und 16. wie F   20, 22, 23. wie A   27. εὐθὺς]αὐτοῖς
28. wie A   514 7 und 18. wie A   25. ἔσχατος καὶ ἔρημος
515 8. wie E   23. wie A   24. πείσειν   wie A   26.
wie A   516 3 und 5. wie A   11. κηρύκω   17, 23, 26.
wie A   517 2, 14, 15, 18, 20, 22, 26. wie A   31. ὁ τά-
γης   518 5 und 35. wie A   519 1 und 14. wie F   31.
ἀφικόμενος ἀθηναίων   520 1. wie F   17. ἐπ' αὐτὴν]ἑαυτὴν
22, 25, 30, 31. wie F   521 5. ἀντιστάτας   13. wie A
ἄρχοντα — 15. παρέπλει fehlt   15. ἐλπίζειν   16 und 18.
wie A   23. wie F   522 6. ἐρυθρᾶα   12. τὰ fehlt   19.
wie E   23 und 28. wie A   523 4. λείψει   18. ξυνε-
βάλλοντο   wie A   21. δεξαμένους   30. wie A   524
1. προσαγάγοιτο   4. wie A   16. τειχιοῦσαν   525 5. ἡ
14 und 30. wie A   526 8, 20, 24. wie F   26. πλείω
33. wie A.

C und D.

527 11. ἐπειδὴ δὲ D   20. φώκεαν D   22, 23, 25. D
wie B   27. D wie A   28. CD wie A   528 3. CD wie
A   6. D wie F   19. C wie A   21. ἀφειγμένοι C, ἀφιγ-
μένοι D   23. αὐτοῖς D   24. C wie E, D wie A   32. CD
wie A   529 1. ἐπεδίωκον C, ἀπεδίωκον D   2. CD wie A
3. D wie A   6. ὑπὸ]ἐπὶ D   8. καθορμησάμενοι D   14.
CD wie A   ἀπὸ τῆς D   17. C wie B   21, 27, 30. CD
wie A   24. προσέβαλον D   530 4. CD wie A   7. τοὺς
π.] πρὸς π. D   8. κατὰ δὲ ὁπόσην χώραν D   15. CD wie
A   19. ποιῶσι D   22. ποιοῦνται C   29. ἴη fehlt CD
31. μὲν fehlt C   32. κίλλητι D   34. CD wie A   καὶ
γῆς] τῆς γῆς C, γῆς D   531 3. D wie F   5. τοῦ ρυδίως
13. CD wie A   18. αἶ]ἐν C   22. CD wie A   532 1.
καινὰς D   4 und 6. CD wie A   11. βοηθήσειν C   18.
εὐθὺς]αὐτοῖς D   19. ἐχρήσαντο C   533 2. CD wie E   20.
ξυνέφαλα D   21. παρεῖχε D   33. τευγλουσαν D   34.
ἑλικαρνατόν. καὶ μετὰ τοῦτο D   534 1. καὶ — στήσαντες fehlt
D   5. C wie A   12. CD wie A   14. οὐ τῷ D   16
und 18. CD wie A   29. ναυατῶν D   31. C wie G   535
1. CD wie A   3. CD wie B   5. τούς D   τῶν D   6.
D wie E   21. ἐπ' C   23. CD wie A   D wie G   536
1. CD wie E   D wie A   6. C wie A   11, 13, 20. CD
wie A   18. καὶ nach νῦν fehlt C   24. τοὺς αὐτοὺς C   27.
D wie B   537 1. κατατρίψας D   2. δὲ C   εἶναι]ἔφη D
6. D wie A   15. ἀλκιβιάδι D   19. CD wie A   ἐκ fehlt
D   23 und 25. CD wie A   25. D wie A   538 2. ἑαυτῶν C   7. C wie A   CD wie A   9 und 12. CD wie A
14. C wie A   16 und 21. CD wie A   22. ἐκοίνωσαν C
27, 28, 30, 32. CD wie A   539 2. CD wie A   4. οὐδὲν
κακὸν οὐδὲν D   CD wie A   10. δημοκρατείας C   11 und
13. C wie G   15. D wie A   16. D wie B   20. γε
fehlt C   25. τε τῆς fehlt C   28. ὁ fehlt C   29. D wie E
30. CD wie A: nur hat D ὑπ'   32. D wie A   34. αὐτῷ
C   540 1. τιτσαφέρνη C, τιτσαφέρνει D   3. τοῦ fehlt C
6. C wie B   CD wie F   10. τούτου C   11. CD wie A
13. C wie G   14. D wie E   αὐτῶν C   23. ἄλλο nach
δρᾶσαι D   τι ἂν C   25. ὡς]οὐ D   30. D wie A   541

3. C wie A   D wie F   8. C wie G, D wie A   13,
18, 21, 22, 27. C wie G   16, 18, 19, 25. D wie A   30.
καὶ ἄλλων fehlt C   δημοκρατείας C   542 2. ἐν D   3. D
wie A   CD wie A   ἔχειν D   7. ὄντων]ἐχόντων D   8.
D wie A   9. CD wie A   10. ἐλέγετο C   11. D wie E
αι
12. ποιήσαμεν C (von neuerer hand: denn die erste läſst τὰς
ἀρχὰς π. weg), ποιήσαμεν D   13. πλεῖον D   βουλεύωμεν C
14. γὰρ fehlt D   15. D wie A   17. μὲν fehlt C   18, 20.
D wie A   22. ἂν fehlt C   25. ὁ δῆμος fehlt pr C   26.
D wie A   δὲ fehlt C   542 6. διαμέλεσθαι D   9. C wie
G   13. βοηθήσοντας C   17. D wie A   ἀπαίρῃ D   22.
αὐτός fehlt C   25. ἐρεῖ D   26. ἐπεκβοησάντων C   27, 30.
D wie A   35. CD wie E   544 5. C wie G   7. ξυμ-
βασίοντα C   9. τοῖς ἀθηναίοις C   11. C wie G   12.
CD wie A   15. D wie A   17. ναῦς]αυ nach einem getilg-
ten buchstaben C   18. ἑαυτῶν C   C wie G   19. D wie
A   25. D wie A   26. CD wie A   31. πορθῶσι C   32.
τοῦτο D   545 1. πρὸς ἀλλήλους fehlt C   3. τρὶς τάσδε C
4. D wie E   11. C wie B   12. εἶναι C   13. τὴν fehlt
C   14. D wie B   τῶν fehlt C   16. CD wie A   17.
ἐκ τῆς]ἐπὶ D   31. καὶ vor Λακ. fehlt D   546 1. D wie A
3. CD wie A   9. ἐπιβουλεύονται D   11. C wie G   D
wie A   12. D wie A   13. ἀφικνοῦντ᾽ D   17. περὶ] περὶ
τὸ C, περὶ τὸν D   18. χαλκιδέας D   20. αἱ μὲν D   23.
CD wie A   27. περιεπέμφθη D   D wie A   31. ὄντως C
32. ἀντιστρατηγοῦ C   547 1. D wie A   τοῦτον fehlt C   8.
ἀναγομένων C   20, 22. CD wie E   23. D wie A   24.
C wie A   28. CD wie A   548 2. κατελύετο C   4. ἔτι
fehlt C   5. προτρέψαντος C   7. D wie E   D wie A
11. αὐτῶ D   19. πράξαντας D   20. ἴσχωσιν C   22. CD
wie E   24. C wie F   28. ὅσαι ἡμέραι C   32. θᾶττον
ἀποστῆναι D   549 3. θᾶττον D   7. CD wie A   11. C
wie A   12. ἑτέροις D   18. CD wie F   21. C wie G
24. τε fehlt C   26. D wie A   27. ἢ fehlt C   28. D wie
A   ὅς τι D   31. καὶ fehlt C   33. CD wie A   550 1.
εἰ fehlt D   C wie G   3. D wie A   4, 6. C wie G
5, 7. D wie A   12. C wie A   23. ξυνέλεξαν C   27.
CD wie A   551 1. δὲ C   2. ἔτι fehlt C   4. ας τούτους —

5. τῶν ἐκ C von neuerer Hand, zusammengeengt   5. D wie
E, C wie G   7. CD wie E   13. ἀθηναῖος D   ἑαυτῶν D
D wie A   15. C wie G   20. D wie A   23. pr D wie
A   24. CD wie A   27. ἔπραξαν C   552 4. CD wie A
5. ἐπ᾽ fehlt C   D wie A   10. D wie A, C wie G   12,
20. C wie G   16. μὴ ἑαυτοῖς D   ἄπωθεν C   17. ποιου-
μένοις]δεομένοις D   20. ἐπ᾽ αὐτὸ]ἑαυτῶ E   24. καὶ]καὶ οἱ C
C wie B   32. ποτὲ D   τε fehlt C   553 4. τοὺς fehlt C
C wie G   7. μετέστησαν C   8. CD wie G   10. D wie
A   14. ἡσυχάσῃ D   15. τι fehlt C   16, 21. D wie A
28. CD wie A   κατέβαλλον C   32. μείναντες C, μὲν αὐτὰς
D   33. ἀπέπεμψαν C   554 4. D wie F   7. οὔτε τριακό-
σιοι C   8. D wie F   στρατιὰς C, στρατιᾶς D   9. ὑπερο-
ρίαν C   11, 12. CD wie A   12. αὐτοὺς fehlt C   μετά-
στασιν C   14, 31. D wie A   17. τοῦτον fehlt C   18.
σαμείων C. und so öfter   22. ξυνομόται D   555 2, 4. C
wie G   6. παραλίους oder παράλλους pr C   10. D wie E,
ὁπότε πλέοιεν C   CD wie A   16. πάραλλον C   20. ἀγγε-
λοῦντες C   22, 33. C wie G   παράλλων C   23. δι᾽ C
24. C wie G   28, 31. CD wie E   29. πάντα D   556
1, 8, 11, 27 C wie G   D wie A, C corr τεθνήξωνται   2.
C wie B   3. D wie B   6. ἐγγὺς]εὐθὺς D   10. προει-
στήκεισαν C   14. καὶ — διοίτειν fehlt C   15. τοὺς πολεμίους
C   21. CD wie A   22. D wie A   25. καὶ fehlt D   26.
C wie A   27. ἔπαυσαν fehlt D   557 1. ποριμώτεροι ἢ εὐ-
πορώτεροι D   2. D wie A   τὸ πᾶν σφῶν D   3, 4, 6, 14.
CD wie A   6. διῆλθε C   D wie A   13. βουλόμενοι C
15. D wie A   16, 19. C wie G   18. εἴ D   CD wie A
21. τοῖς μὲν C   D wie A   22. CD wie A   23, 24. D
wie A   24. χεῖρας C   26. D wie F   29. καὶ γῆν — 577
14. ἐπισιτισάμεναι fehlt G: am rande ζήτει φύλλα β′   558
2. τὰ]κατὰ C .   5. ἤδη ὄντες]ἰδόντες C   C wie G. auch 8,
18, 25, 28, 29   10. προτιμότερον C   13. τὰ C   559 3.
C wie B   4, 11, 21. C wie G   21. ὁ fehlt C   560 2. C wie A
4. ἀπ᾽ C   6, 18, 21. C wie G   9. τῆς φυγῆς ἐπητίασε C
11. C wie A   C wie FG   15. αἲ] ς C   23. ἐξαργυρῶσαι
C   27. C wie B   561 2. C wie B   3. τούς]τό C   5.
C wie E   11. τε fehlt C   12. ἤδη fehlt C   13. ἀλκι-

βιάδει pr C   C wie E   16. τὸν τιττκφέρνην C   18. τῶν
fehlt C   24. C wie G   562 3. ἐλεύθερον C   11. C wie
A   20, 28 C wie G   563 8. καὶ nach μᾶλλον fehlt C   9.
ἑαυτὸν C   12. C wie G   15. ἀναδιδάξαντας C   22. γί-
νοιτο C   26, 31. C wie G   564 2, 7, 15, 23, 24, 31. C
wie G   13. καὶ fehlt C   565 3. ταμῶν C und 11. ταμῶς
6, 15. C wie G   20. C wie A   22. ἐνδυαττῶς C   25.
κατακφθορὰ   566 6. ἐν fehlt C   11. C wie G   27. σικε-
λίου C   ἐν πρώτοις rc C   29. σπουδῇ πάνυ fehlt C   30.
ἔπεμπεν fehlt C   567 8. δὲ fehlt C   12. C wie G   16.
ποτὲ fehlt C   22. προθυμοῦντο C   568 5, 7. C wie A
10. C wie A, nur fehlt τοῦ   13. ἐς ἣν fehlt C   15, 16, 22.
C wie G   17. C wie E   23. σικελαὶ καὶ C   25. ἡγησανδρίδας ἡγητάνδρου C   569 3. δὲ fehlt C   4. τοῦ fehlt
C   9. καὶ fehlt C, beidemal   18. κελεύσαντος ὀνόματος   20.
ποτε rc C   25. C wie E   570 3, 5, 7, 18, 23, 26. C
wie G   4 2. C wie G   5. μονυχίας C   18. οὐκ C   22.
ἕκαστος C   571 1. nach εἰ raum für zwei buchstaben C   20.
ἕλκοντες C   21, 24. C wie G   22. αὖ ἐν pr C, αὐτοῦ ἐν
rc C   572 1. τοῦ διονύσου C   2. ξυνειλεγμέναι C   3, 8,
28. ἡγησανδρίδας C   5, 8, 23, 25, 29. C wie G   10. πα-
ρόντα fehlt C   20. θουρίκου C   πραττείων C   24. αὐτῆς
573 1, 8, 12, 18, 23. C wie G   ἐρετριέων C   18. ἐρετρία
C   24. C wie F   574 9. ἢ fehlt C   10. ἐφορμοῦντες ἢ
fehlt C   15, 20. C wie G   24. ἐπεὶ δ'   29. C wie E
575 16. γινομένην C   18, 31. C wie G   19. αὐτὸς C   21.
κἀκείνοις C   22. ξυμβιβᾶσθαι C   31. τέως fehlt C   576
10, 28, 30. C wie G   11. χερρονήτου C   16. εὐθὺς fehlt
C   20. ἄρα ἀποικινοῖντο C   24. τοὺς — 25. λέτβου fehlt
C   577 3. πάταις ταῖς fehlt C   4. ὁ fehlt C   6. ὑττε-
ρίτας C   6, 8. C wie G   14. C wie E   15. nach τρεῖς
raum für fünf buchstaben   D wie A   20. κρατερείοις C
21. περαιοῦνται D   ἀργεννούσαις C   23. D wie A   26.
λάρυτταν D   27. D wie B   28. αἱ fehlt D   29. C wie
E   578 1, 5. D wie A   11. CD wie A   16, 34. CD
wie E   28. D wie A   32. ἐπικαίρως D   579 1. παρέ-
τεινον C   3. C wie G   οἱ δ' — 4. ἑξήκοντα fehlt C   12,
21. D wie A   16. D wie E   20. τὸ] τοῦ C   28. τὸν

fehlt C   D wie A   29, 32, 34. D wie A   580 2, 21.
CD wie A   C wie G   3, 13. D wie A   18. ναῦς τε
μέντοι D   24. D wie A   τοῖς] τοὺς C   25. D wie F
33. CD wie E   581 9. ἄλλας fehlt D   16. πεποιήκει C
19. ἐξέπραξα D   καὶ Κῶν] κακῶν D   καὶ fehlt CD   ἄρ-
χοντας D   20. D wie A   μεθόπωρον D   24. τοὺς ἴωνας C
28. ἀττάκου D   30. D wie E   582 6. τοὺς σφετέρους rc C
8. CD wie A   10. D wie E   11. C wie G   15. D wie
A   16. D wie G   17. ἄλλων ὡς εὐπρεπέστατα   19. ὅταν
— πληροῦται fehlt C

Hr. **Curtius** legte eine **byzantinische Inschrift** vor.
In der Marcuskirche in Venedig und zwar in der Kapelle
des Cardinal Zeni ist eine Marmortafel mit griechischer Inschrift eingemauert, die einst, halb verstanden, zu der Sage Anlaſs gegeben hat, es sei jene Platte ein Stück des Felsen,
aus welchem Moses das Wasser habe hervorströmen lassen.
Die Inschrift war bis dahin nur in Cursivschrift und uncorrekt
durch Montfaucon (Diar. Ital. p. 51) bekannt gemacht und darnach ohne Veränderung von Mai in der Coll. Vatic. Tom. V.
p. 358 n. 1 aus der handschriftlichen Sammlung der christlichen Inschriften von Marini wiederholt worden. Auf meine
Bitte hat Hr. Conrector Dr. Bergmann im vorigen Jahre die
Inschrift abgeschrieben und mich in Stand gesetzt ein genaues
Faksimile der 4 Trimeter zu geben, die zu den besseren Epi-
grammen gehören, welche wir aus dieser späten Zeit kennen.
Die Platte war zu Constantinopel über einem der Mutter
Gottes geweihten Brunnen befestigt; oben das Bild der Panagia
im Relief mit der Bezeichnung Μήτηρ Θεοῦ ἡ ἀνίκητος. Unten
rechts die Löcher, aus denen das Wasser vorströmte; am Rande
der Platte die Inschrift, in welcher der Erbauer des Stadt-
brunnens bezeichnet wird, Kaiser Michael, der als ein zweiter
Moses seinem dürstenden Volke diese Felsenquelle geöffnet
habe. Welcher Michael dies gewesen sei, läſst sich nicht mit
voller Sicherheit ausmachen; war es der vierte oder der fünfte
dieses Namens, so würde die Widmung des Brunnens in den
Zeitraum von 1034—1042 fallen. Die Münzen geben gerade in
Bezug auf diese Kaiser wenig feste Anhaltspunkte. Vgl. Saulcy
Suites monétaires Byzantines p. 266, 310.

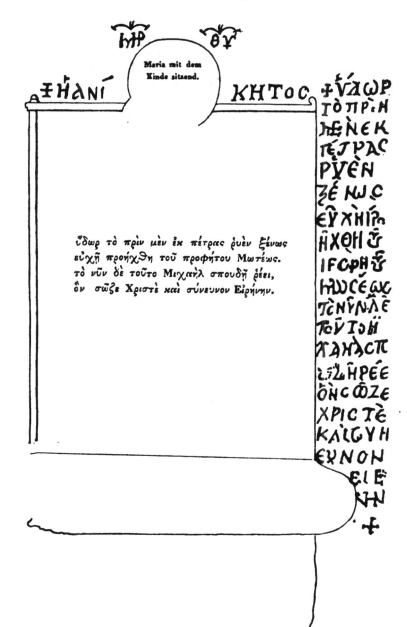

ὕδωρ τὸ πρὶν μὲν ἐκ πέτρας ῥυὲν ξένως
εὐχῇ προήχθη τοῦ προφήτου Μωσέως.
τὸ νῦν δὲ τοῦτο Μιχαὴλ σπουδῇ ῥέει,
ὃν σῶζε Χριστὲ καὶ σύνευνον Εἰρήνην.

5. Juli. Öffentliche Sitzung zur Feier des Leibnizischen Jahrestages.

Die Sitzung wurde von dem vorsitzenden Sekretär Hrn. Böckh mit einer Einleitungsrede eröffnet, welche in der Beilage mitgetheilt ist.

Hr. Ehrenberg schloß an diese Einleitungsrede die Bekanntmachung der an diesem Tage zur Erledigung kommenden, so wie der neu gestellten akademischen Preisfragen.

Die physikalisch-mathematische Klasse der Akademie hatte im Jahre 1849 aus dem von Eller für ökonomische Fragen gestifteten Legate als Aufgabe für das Jahr 1852 eine Untersuchung des Torfes mit besonderer Rücksicht auf die Anwendung desselben und seine Asche als Düngungsmittel gegeben, und diese Aufgabe im Jahre 1852 bis zum 1. März 1855 verlängert. Da über diesen Gegenstand auch in der zweiten Konkurrenzperiode eine Bewerbungsschrift nicht eingegangen ist, so hat die Klasse die gänzliche Zurückziehung der Aufgabe beschlossen.

Ferner sollte die von derselben Klasse im Jahre 1852 gestellte mathematische Aufgabe zur Entscheidung kommen, deren Worte lauteten: „Die Differentialgleichungen eines um einen festen Punkt rotirenden Körpers, auf welchen keine andere beschleunigende Kraft als die Schwere wirkt, durch regelmäßig fortschreitende Reihen zu integriren, welche alle zur Kenntniß der Bewegung erforderlichen Größen explicite durch die Zeit darstellen." Obgleich auch für diese Preisfrage eine Konkurrenzschrift nicht eingegangen ist, hat doch die Klasse, das Interesse des Gegenstandes im Auge behaltend, beschlossen, diese Frage in ganz gleicher Fassung, wie folgt, zu wiederholen.

Bekanntlich ist die Anzahl der Fälle, in welchen die Differentialgleichungen der analytischen Dynamik in endlicher Form integrirt oder auch nur auf Quadraturen zurückgeführt worden sind, ziemlich beschränkt und nach den wiederholten Bemühungen, welche die größten Mathematiker diesem Gegenstande zugewandt haben, ist es sehr wahrscheinlich, daß die meisten der mechanischen Probleme, deren Lösung bisher in der erwähnten Form nicht gelungen ist, ihrer Natur nach eine Integration durch Quadraturen nicht zulassen und zu ihrer erfolgreichen Behandlung die Einführung anderer analytischer Formen erfordern. Nachdem Jacobi in der letzten Zeit eine schöne Darstellung der Rotation eines festen Körpers, auf den keine beschleunigende Kraft wirkt, in Reihenform gegeben hat, scheint es wünschenswerth, daß der Versuch gemacht werde, der Anwendung der Reihen eine größere Ausdehnung zu geben und mit ihrer Hülfe Fälle der drehenden Bewegung zu behandeln, die noch nicht auf Quadraturen zurückgeführt worden sind. Einen solchen Fall bietet das Problem der Rotation eines schweren Körpers dar, für welches die Zurückführung auf Quadraturen nur in einem speciellen Falle geleistet worden ist, dessen Behandlung man Lagrange verdankt. Die Akademie macht daher die vollständige Lösung dieses Problems zum Gegenstande einer Preisbewerbung und stellt die Aufgabe:

„Die Differentialgleichungen für die Bewegung eines um einen festen Punkt rotirenden Körpers, auf welchen keine andere beschleunigende Kraft als die Schwere wirkt, durch regelmäßig fortschreitende Reihen zu integriren, welche alle zur Kenntniß der Bewegung erforderlichen Größen explicite durch die Zeit darstellen."

Die ausschließende Frist für die Einsendung der Beantwortungen dieser Aufgabe, welche, nach der Wahl der Bewerber, in Deutscher, Lateinischer, Französischer, Englischer oder Italienischer Sprache geschrieben sein können, ist der 1. März 1858. Jede Bewerbungsschrift ist mit einer Inschrift zu versehen, und diese auf dem Äußern des versiegelten Zettels, welcher den Namen des Verfassers enthält, zu wiederholen. Die Ertheilung des Preises von 100 Ducaten geschieht in der öffentlichen Sitzung am Leibnizischen Jahrestage im Monat Julius des gedachten Jahres.

Überdies hatte in dieser Sitzung die physikalisch-mathematische Klasse eine neue ökonomische Preisfrage aus der Ellerschen Stiftung zu verkünden, welche lautet:

„Es ist der Gehalt verschiedener Weine von bestimmten „Standorten, etwa vom Rhein und der Mosel, an Säuren, die „Natur dieser Säuren und das Verhältniß ihrer Menge zu der „des Alkohols festzustellen. Hiermit kann sehr zweckmäßig „eine Untersuchung der in diesen Weinen gelösten Salze und

„der Einfluſs dieser Säuren und der Salze auf den Geschmack
„verbunden werden.

Die ausschlieſende Frist für die Einsendung der Beantwortungen dieser Aufgabe, welche nach der Wahl der Bewerber in
deutscher, lateinischer oder franzöſischer Sprache abgefaſst sein
können, ist der erste März 1858. Jede Bewerbungsschrift ist mit
einem Motto zu versehen und dieses auf dem Aeuſsern des versiegelten Zettels, welcher den Namen des Verfassers enthält, zu wiederholen.

Die Entscheidung über die Zuerkennung des Preises von
100 Dukaten geschieht in der öffentlichen Sitzung am Leibnizischen
Jahrestage im Monate Juli des Jahres 1858.

Nach diesen Bekanntmachungen las schlieſslich Hr. Curtius
eine von Hrn. Brandis in Bonn, correspondirendem Mitglied
der Akademie, verfaſste und eingesandte Denkrede auf Friedrich
Wilhelm Joseph von Schelling.

---

12. Juli. Gesammtsitzung der Akademie.

Hr. Gerhard las über Hermenbilder auf griechischen Vasen.

Eine in zahlreichen Exemplaren auf uns gekommene Reihe
antiker Marmorwerke, die zu örtlicher Begrenzung und Aus-
schmückung vormals bestimmten Hermen, mit einem viereckten die
Männlichkeit stark bezeichnenden Schaft und einem darauf gesetzten, meist bärtigen Kopf, lassen in den alterthümlich stylisirten Zü-
gen dieses Kopfes den Zweifel zurück, ob Hermes als eigenster Gott
der hermenförmigen Bildung, dem Zeugniſs Herodots (II, 53) über
die samothrakisch-attischen Hermen gemäſs, oder vielmehr Dionysos, dem noch mancher andere Göttername verwandt oder gleich-
geltend ist, gemeint sei. Jene erste an und für sich natürlichste
Meinung ward von Zoega (de usu et orig. obelisc. p. 222) und Müller (Hdb. d. Archäol. §. 379, 1), diese letztere im Wesentlichen
schon von Visconti (zu Pio-Clem. VI, 8: Phanes) und neuerdings
von dem Verfasser dieser Abhandlung (Ghd. archäol. Nachlaſs aus
Rom 1852 S. 217. 270) begründet. Diese für eine sehr groſse Anzahl

auf uns gekommner antiker Sculpturen, aber auch für die genauere
Kenntnifs der genannten Gottheiten und des mit ihnen von Herodot
in Verbindung gesetzten Mysterienwesens, sehr wichtige archäolo-
gische Streitfrage neu zu beleuchten, waren zahlreiche Hermenbilder in den Gefäfsdarstellungen bemalter griechischer Thongefäfse
bisher aufser Acht gelassen. Die von Hrn. G. seit längerer Zeit vor-
bereitete Sammlung solcher, bisher gröfstentheils unedirt gebliebe-
ner, 'Hermenbilder auf Vasen' bildet demnach die Grundlage von Hrn.
G.'s neuester Untersuchung, so wie die gedachte Streitfrage Ausgangspunkt, eine Lösung derselben das Ziel seiner genannten Abhandlung ist.

   Hauptsächlich auf die aus römischen Oertlichkeiten herrührenden Marmorhermen hatte Hr. G. seine früher (de religione herma-
rum Berol. 1844. Archäol. Nachlafs aus Rom S. 217. 270) vorgetragene Ansicht begründet, dafs die viereckte und ithyphallische Hermenform, der von Herodot darüber gegebenen Belehrung gemäfs,
aufser Hermes noch den etwanigen andern Gottheiten samothrakischer Weihe und Begriffsverwandtschaft, namentlich dem Dionysos,
den ländlichen Gottheiten und der Aphrodite-Kora, geeignet gewesen sei, dagegen für Zeus und andere nicht mystische, so wie für
die Mehrzahl der weiblichen Gottheiten, die Hermenform keine Anwendung gehabt habe. Ob nun diese, den Mysterienbezug der Hermenform gröfsentheils aus Zeiten römischer Religionsmischerei
bezeugende, Ansicht auch durch die Hermenbilder der ungleich
älteren griechischen Vasenbilder bestätigt werde, bleibt die Frage.

   Aus dem von Hrn. G. zu diesem Behuf aus Zeichnungen und
Notizen zusammengestellten Verzeichnifs solcher Hermenbilder auf
Vasen ergibt sich, bei unerläfslicher Unterscheidung des älteren und
jüngeren Styls ihrer Zeichnung, nun folgendes. In den nicht zahlreichen Vasenbildern mit schwarzen Figuren auf denen Hermen vorkommen, so wie in den keineswegs seltenen Gefäfsbildern solchen
Inhalts, welche in röthlichen Figuren aus kampanischem oder etrus-
kischem Fundort ebenfalls Hermenbilder darstellen, ist vielleicht
ohne Ausnahme, zum Theil mit Andeutung durch Heroldstab oder
Petasus, Hermes und zwar als Gott der Palästra gemeint, nur dafs
die damit verbundenen Darstellungen nicht sowohl auf Wettkämpfe
und Preise, als vielmehr auf den in der Nähe der Hermen vormals
geübten geselligen und Bade-Verkehr bezüglich sind, dergestalt

34*

daſs manches dahin einschlagende, erlaubte oder unerlaubte, Verlangen dem listigen Gotte des Jugendlebens zu Berathung und Weis-
sagung, Liebeslust und Verführung empfohlen erscheint, und mancher
besondere, in Bekränzung Anrufung und schmeichelnder Berührung
den Hermen von Männern oder auch Frauen erwiesene Dienst dadurch verständlich wird.   In gleichem Sinn jenen Hermesbil-
dern auch bacchische Figuren und Attribute beigesellt zu finden, ist
selbst aus archaischen Gefäſsmalereien nicht unerhört, findet jedoch
vorzugsweise auf den unteritalischen Vasen sich vor, auf denen die
Sitte des späteren Athens, in Einklang mit der römischen Sitte der
Toga-anlegung an den Liberalien, sich abspiegelt.

In den Ideenkreis dieser unteritalischen Vasenbilder einzuführ-
ren, ist ein kraterförmiges Gefäſs der kaiserlichen Sammlung zu
Wien vorzüglich geeignet.   In Mitten zweier junger Männer und
zweier Frauen, welche letztere das bacchische Tympanum tragen, ist
ein Hermenbild mit weibischem Kopf dargestellt. Nachdem in ähnlichen Bildungen von Hr. G. schon früher (Nachlaſs aus Rom S.
279) der Hermaphrodit in seiner eigensten Bedeutung als Aphrodi-
tosherme erkannt worden ist und auch die häusliche Bekränzung
der Hermaphroditen in einer bekannten Stelle Theophrasts (char.
25=16) keinem Zweifel mehr unterliegt, bleibt es wichtig zu fragen,
in welcher Ideenverbindung und religiösen Beziehung jenes Wiener
Vasenbild, dem noch manches andre gleichartige Gefäſsbild sich
anreiht, zu verstehen sei. Eine Beantwortung dieser Frage ist nicht
wohl möglich, ohne über das grofsgriechische Mysterienwesen genauer unterrichtet zu sein, als trotz Ritschl's genauerem Eingehen
in dasselbe (Annali d. Inst. XII, 186 ff.) noch ganz neuerdings Otto
Jahn (Einl. zur Münchener Vasensammlung S. 138) es für möglich
erachten wollte. Hr. G. sucht wahrscheinlich zu machen, daſs der
cerealisch-bacchische Dienst jener Gegenden den Eleusinien des späteren Athens entsprach und von der früheren Gestalt jener Weihen
hauptsächlich durch Einmischung des Aphroditedienstes, etwa vom
Vorgebirg Kolias her (woher auch die Töpfergilden berühmt sind)
sich unterschied: eine Ansicht, in welcher die aphrodisische Darstel-
lungsweise der Kora, die Geltung des Eros als Mysteriendämon, die
Verbindung der Aphrodite mit Pan und manche andre Besonderheit unteritalischer Vasen ihre Erklärung finden. Von jenem Eros
ist der Hermaphrodit jedoch zu unterscheiden; eher möchte man

glauben, es sei in diesem ein androgyner Iacchos gemeint, wie auch
die Orphiker (Hymn. 42) ihn annahmen. Die Verehrung seines
Idols wird im gedachten Wiener Vasenbild von Frauen sowohl als
Männern geübt; auch diese Mischung beider Geschlechter entspricht
dem Brauche der Eleusinien, während die ältere cerealische Sitte
der Thesmophorienfeier geschlossene Frauenversammlungen er-
heischte.

Ist nun nicht nur der Hermes alltäglichen Verkehrs in Umgebung bacchischen Personals nachgewiesen, sondern auch der von
ihm und Aphrodite entsprossene Hermaphrodit als Ausdruck besonderer Verehrung der aphrodisischen Bacchanalien Grofsgriechen-
lands anerkannt, so ist auch die Lösung der Frage vorbereiteter, ob
unsere bärtigen Marmorhermen archaischen Styls dem Hermes oder
dem Dionysos zuzurechnen sind. Wie Hekate als eleusinische Pfört-
nerin, als Artemis Propylaia, bezeugt ist, stellt Hermes den Mysta-
gogen cerealisch-bacchischer Mysterien dar, und man kann daher
füglich manche mit leichten bacchischen Merkmalen versehene Herme dem so gefafsten Hermes zurechnen. Sicher stellt eins der Co-
lonna'schen Mysterienreliefs in solcher Geltung ihn dar, während
andere Bildwerke uns unentschieden lassen, ob Hermes oder Dionysos gemeint sei und wieder andere offenbar nur diesem letzteren
Gott gelten. Beider Gottheiten Zusammenstellung in Hermenform
ist in eigenthümlichster Weise auf einem schönen Gefäfs der hiesigen königl. Sammlung (Pelike v. Fig no. 1990) erfolgt, dessen
schwierige Deutung aus dem Vorherigen nun leicht sich ergibt;
eben so wird man zu Auslegung jener, eigentlich dem Hermes zugehörigen, Marmorhermen in nicht wenigen Fällen mit der Wahrscheinlichkeit sich begnügen müssen, dafs manche in griechischer
Auffassung dem Hermes gehörige Herme durch dessen inniges Verhältnifs zum Dionysos zugleich auch ein Ausdruck des römischen
Liber-pater war.

———

Hr. Ehrenberg gab hierauf mündliche Nachricht über die
gelungene Darstellung ganzer Steinkerne von
Nummuliten mit reicher organischer Structur.

In der Mittheilung vom 3. Mai d. J. wurde bemerkt, dafs es
mir gelungen sei, bei einigen wahren Nummuliten durch sorg-

fältige Auslösung von Steinkernen nicht blofs die bisher bekannte einfach kammrige Structur, sondern die mannigfach sehr zusammengesetzte Structur der gefäfsreichen Heterosteginen unter den Polythalamien nachzuweisen.

Es wurde im Monatsbericht Seite 281 gesagt: „obwohl ich noch keinen ganzen frei abgelösten Nummulitenkern vorlegen kann, so haben doch die gewonnenen besondern Erläuterungen wohlerhaltener frei abgelöster Theile, mehrerer zusammenhängender Kammern, schon wesentlich entschieden."

Die untersuchten fossilen Arten aus dem Nummulitkalke von Traunstein in Baiern sind ebenda, Seite 286, *Nummulites Dufrenoyi*, *obesa* und *biaritzensis* genannt. Die Steinkerne waren von grünem Eisensilicat oder Grünsand. Die erkannten Structur-Details wurden als aufbewahrte Präparate im Mikroskop vorgezeigt.

Die fortgesetzten Prüfungen haben seitdem diesen Gegenstand vervollständigt und wissenschaftlich abgeschlossen. Besonders die *Nummulites striata* von Couizac bei Alet im Departement de l'Aude in Frankreich, welche mir massenhaft unter dem Namen *N. biaritzensis* durch die Mineralienhandlung des Hrn. Dr. Kranz in Bonn zugekommen, hat einen vollständigen Aufschlufs in dieser schwebenden Frage gegeben.

Es bilden nämlich in jener Örtlichkeit, wie es nach den Handstücken erscheint, überall oder schichtenweis die zusammengehäuften Formen dieser kleineren Nummuliten-Art den linsenartigen Hauptbestandtheil der Gebirgsmasse und unter ihnen sind nicht wenige, welche von einem braunschwarzen Eisen-Silicat (vermuthlich Schwefel-Eisen) mehr oder weniger vollkommen infiltrirt sind. Aus sehr vollkommen infiltrirten ist es mir gelungen schwarzbraune Steinkerne in der vollkommenen Erhaltung mit sichtbar alle Kammern verbindendem, spiral durchlaufendem Sipho, zu erhalten. Die Lateral-Loben (Schenkel) der Kammern dieser Nummulitenart sind nicht netzartig hohl, wie bei *Heterostegina*, sondern einfach (hohl) wie bei *Nonionina*, und reichen nicht immer bis zur Mitte, lassen vielmehr oft die mittleren Spiralen theilweis unbedeckt, was eine abgestufte, schwach geringelte Zeichnung der Kalkschale der Oberfläche gegen die Mitte veranlafst. Nicht selten sind sie durch seitliche Zapfen (Röhren) verbunden.

Aber nicht blofs diese Loben und dieser verbindende Sipho wurden erkannt, sondern in einigen Exemplaren wurden auch die radialen, höchst zart verästeteten Canäle zwischen je 2 Kammern und deren den Sipho doppelt begleitende spirale und ästige Gefäfsstämme infiltrirt erkannt und erhalten. Ja mehrere sehr vollkommen infiltrite und durch das Auslösen aus der Kalkschale weniger beschädigte Exemplare liefsen sogar einen zusammenhängenden, rings am Rande der Schale hinlaufenden Kranz eines dichten Gefäfsnetzes auf das deutlichste erkennen, wie es bisher nur durch Dr. Carters Karmin Infiltrationen bei *Operculina arabica* beobachtet und von mir bestätigt worden war.

Da dieser Gefäfskranz des Randes der Nummuliten und Operculinen sich in den inneren Windungen der Spirale schwächer zeigt, so ist hierdurch physiologisch die Einsicht gewonnen, dafs dieses Rand-Netz die Fortbildung des spiralen Körpers bei Nummuliten und Operculinen am meisten besorgen mag, während bei Orbitoiden ein solches Gefäfsnetz nicht den Rand, aber die ganzen Seiten überzieht, bei Soriten ganz fehlt. Die allein übrig bleibende Eigenthümlichkeit der Nummulitenform, die abnehmenden letzten Kammern, scheint hierdurch ihre physiologische Erläuterung zu finden, denn das Randgefäfsnetz kränzt auch, mit ablaufend, die äufsersten kleineren Zellen bis zum Munde und dient wahrscheinlich überall zur Ausscheidung des Kalkes bei der neuen Zellbildung wie zur Resorption des älteren Rand-Netzes.

Sehr wohl erhaltene, schwarzbraune ganze Steinkerne von *N. striata* mit allen Kammern und dem sichtbaren Sipho, und auch einige mit den freien radialen, ästigen Zwischencanälen der Kammern, in schön erhaltene Randnetze übergehend, wurden unter dem Mikroskop, wo sie schon bei nur 25maliger Vergröfserung übersichtlich ganz deutlich sind, vorgelegt.

———————

Hr. du Bois-Reymond legte eine Mittheilung des Hrn. Eduard Pflüger vor, betreffend ein Hemmungsnervensystem für die peristaltischen Bewegungen der Gedärme.

Nachdem Eduard Weber die wichtige Entdeckung gemacht hatte, dafs die Erregung der *Nervi Vagi* das Herz zum Stillstand bringe, liefs sich vermuthen, dafs auch für die peristaltischen Bewegungen der Gedärme ein Hemmungsnervensystem existire. Um hierüber zu einer Gewifsheit zu gelangen, wurden folgende Experimente angestellt.

Versuch I. Nachdem der Dorsaltheil des Rückens eines ausgewachsenen Kaninchens vom Felle entblöfst ist, werden die Elektroden auf den Muskeln über den Dornfortsätzen befestigt, die eine Elektrode über dem 5—6ten, die andere über dem 10—11ten Brustwirbel. Nachdem die Bauchhöhle geöffnet ist, betrachtet man die peristaltischen Bewegungen mit Aufmerksamkeit, läfst dann die Inductionsströme des du Bois-Reymond'schen Schlittenapparats durch die thierischen Theile gehen und beobachtet: **allgemeinen Tetanus des Rumpfes und der Extremitäten, und gleichzeitig Stillstehen der peristaltischen Bewegung des Dünndarms.** Das *Colon descendens* und *intestinum rectum* bewegen sich weiter. Ungewifs ist, wie es sich mit dem übrigen Dickdarm verhält, weil er sich fast niemals bewegt. Hört man auf zu tetanisiren, so hebt mit aufhörendem Tetanus die Bewegung in den Dünndärmen meist nicht sogleich, sondern erst nach 5—10 und mehr Sekunden an, und zwar gewöhnlich lebhafter als zuvor. Das Resultat ist constant.

Versuch II. Man richte Alles so zu wie bei Versuch I, zerschneide dann die *Nervi Splanchnici* unmittelbar bevor sie in die Ganglien des Sonnengeflechtes sich verlieren. **Wenn man nun wiederum tetanisirt, kann man die Gedärme nicht mehr zum Stillstande bringen.** Auch dieses Resultat ist constant. Die *Nervi Splanchnici* hemmen also, wenn sie erregt werden, die peristaltischen Bewegungen des Dünndarms.

Versuch III. Nachdem man die Bauchhöhle geöffnet, schneide man das Zwergfell an, lege eine Lungenhöhle dadurch frei, präparire ein Stück des *Nervus Splanchnicus* von einem Zoll Länge blofs, durchschneide es an seiner oberen Insertion und bringe den frei präparirten Nerven auf du Bois-Reymond's stromzuführende Vorrichtung. Hier wird beim Tetanisiren des Nerven nur dieser und kein anderer Theil des Körpers vom Strome getroffen. Nachdem man die Bewegungen der Dünndärme beobachtet hat, tetanisirt man den Nerven und beobach-

tet, wie stets der Dünndarm augenblicklich seine
Bewegungen einstellt. Auch jetzt setzen *Colon descendens* und *intestinum rectum* ihre Bewegungen fort. Dieser Versuch ist an mehr als 50 Kaninchen wiederholt worden, und
hat sich als ganz sicher erwiesen. Doch muſs bemerkt werden,
daſs die *Nervi Splanchnici* sehr empfindlich gegen mechanische
Mishandlungen sind, weshalb ohne eine Reihe von Vorsichts-
maſsregeln der Versuch nicht ausgeführt werden darf.

Beim Tetanisiren der *Nervi Vagi* und *Phrenici* wurden
keine sicheren Wirkungen auf die peristaltischen Bewegungen
wahrgenommen.

Das Resultat dieser Versuche ist also:

Erregung der *Nervi Splanchnici* wirkt hem-
mend auf die Bewegungen des Dünndarms, was so
weit geht, daſs die der *Nervi Splanchnici* nur einer
Seite die Bewegung des gesammten Dünndarms
augenblicklich aufhebt.

An eingegangenen Schriften wurden vorgelegt:

Mittheilungen der antiquarischen Gesellschaft in Zürich. VII. Band, Heft
6. 7. 8. IX. Band. 1ste Abtheilung, Heft 2. 3. 2te Abtheilung, Heft
1 — 4. und X. Band. Zürich 1853—1855. 4. (Mit Begleitschreiben
des Vorsitzenden, Herrn Prof. K e l l e r, d. d. Zürich vom 28. Februar 1855.)

Freiherr von S t i l l f r i e d, *Alterthümer und Kunstdenkmale des Erlauchten
Hauses Hohenzollern.* Lieferung 3. Berlin 1855. Folio. (Mit Begleitschreiben des Herrn Herausgebers, d. d. Berlin 4. Juli 1855.)

Det Kgl. Danske Videnskabernes Selskabs Afhandlinger. IV. Raekke.
Naturv. og math. Afh Deel 1—12. Kjöbenhavn 1824—46. 4. Philos.
og hist. Afh. Deel 1—7. ib. 1823—45. 4.

*Oversigt over det Kgl. danske Videnskabernes Selskabs Forhandlinger, i
Aaret* 1854. Kjöbenhavn (1855.) 8.

*Astronomical and meteorological Observations made at the Radcliffe Ob-
servatory in the year* 1853. Vol. XIV. Oxford 1855. 8.

Monthly Notices of the Royal Astronomical Society. Vol. XIV. London
1854. 8.

Memoirs of the Royal Astronomical Society. Vol. XXIII. London. 1854. 4.

Verhandelingen der Koningl. Akademie van Wetenschappen. Deel II. Amsterdam 1855. 4.

Koningl. Besluit tot vorming der Akademie van Wetenschappen. Amsterdam
1855. 4.

Verslagen en Mededeelingen der Kgl. Akademie van Wetenschappen. II.
Deel, Stuk 3. III. Deel, Stuk 1. 2. Amsterdam 1854—1855. 8.

Catalogus der Boekerij van de Kgl. Akademie van Wetenschappen. Aflevering 1. Amsterdam 1855. 8.

Leibnizens mathematische Schriften, herausgegeben von C. J. Gerhardt.
Band III. 1. Hälfte. Halle 1855. 8. (Zwei Exemplare.)

L'Institut. I. Section, no. 1114—1120. II. Section, no. 231—232. Paris
1855. 4.

Astronomische Nachrichten. no. 970—972. Altona 1855. 4.

Burmeister, von Siebold und Budge, *Preisfrage der Leopoldinischen Akademie über den Bau der einheimischen Lumbricinen.* Breslau 1855. 4.

Annales de chimie et de physique. Tome 44. Juin. Paris 1855. 8.

Revue archéologique. XII. Année, Livr. 3. Paris 1855. 8.

von Jaumann, *Colonia Sumlocenne.* Neuere zu Rottenburg am Ne-
ckar aufgefundene römische Alterthümer. Stuttgart 1855. 8.

Bertelli e Palagi, *Sulla distribuzione delle corrente elettriche nei con-
duttori.* Bologna 1855. 8.

J. H. Lefroy and John Richardson, *Magnetical and meteorological
Observations at Lake Athabasca and Fort Simpson and Confidence.*
London 1855. 8.

Kongl. Vetenskaps-Academiens Handlingar för år 1852. 1853, 1. Stockholm 1854. 1855. 8.

Öfversigt af Kongl. Vetenskaps-Academiens Förhandlingar. Årgång 1853.
1854. Stockholm 1854. 1855. 8.

Wikström, *Års-Berättelser om Botaniska Arbeten för 1845—1848.*
Deel II. Stockholm 1855. 8. ür 1850 ib. 1854. 8.

Boheman, *Berättelse om Framstegen i Insecternas, Myriapodernas och
Arachnidernas Naturalhistoria,* för 1851 och 1852. Stockholm 1854. 8.

Edlund, *Berättelse om Framstegen i Fysik, under år 1851.* Stockholm
1854. 8.

Mémoires de l'académie impériale des sciences de Lyon. Classe des Sciences.
Tome III. IV. Classe des lettres. Tome III. Lyon 1853—1854. 8.

Annales de la société impériale d'agriculture et d'histoire naturelle de Lyon.
Tome VI. Lyon 1855. 8.

Bulletin de la société d'émulation de Rouen, 1853—1854. Rouen 1854. 8.
(Mittelst Rescripts des vorgeordneten Königl. Ministeriums vom
9. Juli 1855.)

Annales des mines, Tome VI. Livr. 5. Paris 1854. 8. (Mittelst Rescripts
des vorgeordneten Kgl. Ministeriums vom 7. Juli 1855.)

A. P. Vreto, *Su la scoperta di Tomi.* Atene 1853. 8.

A. P. V r e t o, *Neohellenike Philologia.* Meros 1.   Athen 1854.   8.

——————, *De l'idée dominante des Grecs sur la conquête de Constantinople.*   Athènes 1854. 8.   (Alle drei durch den Herrn Verfasser personlich übergeben.)

P e t e r s, *Über die an der Küste von Mossambique beobachteten Seeigel.* Berlin 1855. 4.

——————

Der vorgeordnete Hr. Minister übersendet der Akademie unter dem 30. v. M. ein Exemplar von Verhandlungen und Publikationen der K. Baierischen Akademie der Wissenschaften, welche von derselben der Königl. Regierung zum Geschenk gemacht sind. Da die Akademie und die Königl. Bibliothek bereits im Besitz dieser Schriften sind, so beschließt die Akademie die Überweisung dieser Sammlung an die Königl. Universitätsbibliothek.

——————

16. Juli. Sitzung der physikalisch-mathematischen Klasse.

Hr. Lejeune Dirichlet las über eine Eigenschaft der quadratischen Formen von positiver Determinante.

Da der neue Satz, welcher den Gegenstand dieser Vorlesung bildet, innig mit der Theorie der Gleichung

$$(1) \qquad t^2 - D u^2 = 1$$

zusammenhängt, so sind zunächst einige Bemerkungen über diese Gleichung zu machen, worin die gegebene positive ganze Zahl D keinem Quadrate gleich sein soll und von welcher hier nur die in positiven ganzen Zahlen t, u ausgedrückten Auflösungen zu berücksichtigen sind.

Sind T, U die kleinsten der Gleichung genügenden Werthe, so werden bekanntlich sämmtliche Auflösungen von der eben erwähnten Beschaffenheit durch die Formel

$$(T + U \sqrt{D})^n = t_n + u_n \sqrt{D}$$

erhalten, wenn man der ganzen Zahl n alle positiven Werthe beilegt. Unter diesen Auflösungen giebt es unendlich viele, in denen $u_\bullet$ durch eine beliebige (positive) Zahl S theilbar ist, und die Exponenten n, für die dieser Umstand statt findet, sind die aufeinander folgenden Vielfachen des kleinsten N derselben. Setzt man nämlich $D' = D S^{\prime}$ und bildet die neue Gleichung

$$t'^2 - D' u'^2 = 1$$

so erhellt, daß jede Auflösung dieser letzteren, wenn $t = t'$, $u = Su'$ gesetzt wird, eine Auflösung von (1) ergiebt, in welcher u durch S aufgeht, und umgekehrt, woraus das Behauptete und überdies folgt, daß N durch die Gleichung

$$(T + U \sqrt{D})^N = T' + U' \sqrt{D'}$$

bestimmt wird, worin T', U' die kleinsten Werthe von t', u' bedeuten.

Man kann, ohne T', U' zu kennen, den Exponenten N angeben, sobald für jeden der verschiedenen in S enthaltenen Primfactoren p der kleinste Werth v, für den $u_\bullet$ durch p aufgeht, und zugleich der Exponent δ der höchsten Potenz von p bekannt ist, durch welche $u_\bullet$ theilbar ist. Man überzeugt sich nämlich ohne Schwierigkeit, daß, wenn e eine beliebige durch p^ε (wo ε auch Null sein kann), und keine höhere Potenz von p theilbare Zahl bedeutet, unter der vorhin gemachten Voraussetzung $p^{\delta+\varepsilon}$ die höchste in $u_{\bullet\bullet}$ aufgehende Potenz von p sein wird, so daß also die erforderliche und ausreichende Bedingung dafür, daß $u_{\bullet\bullet}$ durch p^α aufgehe, darin besteht, daß e durch $p^{\alpha-\delta}$ theilbar sein muß, wo natürlich die Differenz $\alpha - \delta$, wenn sie negativ wird, auf Null zu reduciren ist.

Unterscheidet man nun die verschiedenen in S enthaltenen Primfactoren p so wie die ihnen entsprechenden Werthe v, δ durch Indices, und setzt

$$S = p_1^{\alpha_1} p_2^{\alpha_2} \dots$$

so ist nach dem Gesagten N das kleinste gemeinschaftliche Vielfache der Zahlen

$$v_1 p_1^{\alpha_1 - \delta_1}, \quad v_2 p_2^{\alpha_2 - \delta_2}, \dots$$

und man sieht sogleich, daß wenn man ohne neue Primzahlen in S aufzunehmen, sämmtliche Exponenten α_1, α_2, ... über jede

Grenze binaus wachsen läfst, der Quotient $\frac{S}{N}$ bald einen festen von

$\alpha_1, \alpha_2, \ldots$ nicht mehr abhängigen Werth erreichen wird.

Aus der eben bewiesenen Eigenschaft ergiebt sich eine interessante Folgerung für die Theorie der quadratischen Formen von positiver Determinante. Fügt man zu den schon gemachten Voraussetzungen noch die hinzu, dafs D keinen quadratischen Faktor enthält, bezeichnet mit h die Anzahl der Klassen, in welche die zur Determinante D gehörigen Formen zerfallen, und nimmt h' in ähnlicher Bedeutung für die Determinante $D' = DS^2$, so hat man, wie in einer früheren Abhandlung (Rech. sur div. applic. sec. part.) bewiesen worden ist, die Gleichung

$$h' = h \; \frac{\log (T + U \sqrt{D})}{\log (T' + U' \sqrt{D'})} \; S R,$$

wo hinsichtlich des Faktors R zu bemerken ist, dafs derselbe von den Primzahlen $p_1, p_2 \ldots$, nicht aber von den Exponenten $\alpha_1, \alpha_2 \ldots$, abhängt. Da man dieser Gleichung auch die Form

$$h' = h \; \frac{S}{N} \; R$$

geben kann, so folgt, dafs aus jeder Determinante D unendlich viele andere $D S^2$ abgeleitet werden können, welchen allen dieselbe Klassenanzahl entspricht. Durch schickliche Wahl von D und den Primzahlen $p_1, p_2, \ldots$ läfst sich bewirken, dafs diese unveränderliche Anzahl der Klassen mit der der genera übereinstimmt und so die Richtigkeit der von Gaufs ausgesprochenen Vermuthung beweisen, dafs die Reihe der positiven Determinanten, welche in jedem genus nur eine Klasse besitzen, nicht abbricht, während die mit derselben Eigenschaft begabten negativen Determinanten nur in endlicher Anzahl zu sein scheinen (Disq. arith. art. 304).

Hr. H. Rose berichtete über ein eigenthümliches Verhalten des geschmolzenen Wismuths beim Erstarren, welches von Hrn. R. Schneider beobachtet worden ist.

Es wird gewöhnlich als ein sicherer Beweis für die Ausdehnung, die das Wismuth beim Erstarren erfährt, angesehen, dafs wenn dasselbe im geschmolzenen Zustande auf eine kalte Platte ausgegossen wird, während der Erstarrung zahlreiche Wismuthkugeln daraus hervordringen. Dieser Beweis ist nicht richtig: — gerade chemisch reines Wismuth, unbeschadet der Ausdehnung, die es beim Erstarren erfahren mag, zeigt dabei wenigstens nicht die Erscheinung der hervordringenden Wismuthkugeln. Diese Erscheinung wird vielmehr nur beim unreinen Wismuth beobachtet und merkwürdiger Weise zeigt sich, daß die aus diesem während der Erstarrung hervordringenden Wismuthkugeln einen hohen Grad von Reinheit besitzen, selbst dann, wenn das angewandte Metall eine bedeutende Menge fremdartiger Stoffe (Schwefel, Arsenik, Eisen, Nickel, Kupfer, Silber) in nicht unbedeutender Menge enthielt, wurden bis zu 50. Proc. hervorgedrungener Wismuthkugeln erhalten, in welchen stets über 99,5 Proc. Wismuth enthalten waren. Bemerkenswerth ist, daß von den schweren Metallen nur das Silber dem hervortretenden Wismuth folgt, während z. B. Kupfer vollständig in der Grundmasse zurückbleibt.

Ohne Zweifel wird das Hervordringen der Wismuthkugeln aus der Oberfläche des erstarrenden unreinen Metalles dadurch bedingt, daß die binären Verbindungen (resp. Legirungen) des Wismuths mit den es verunreinigenden Stoffen, sich im Momente ihrer Erstarrung ausdehnen und dabei das wegen seines niedrigen Schmelzpunktes und seiner spätern Erstarrung dann noch flüssige Wismuth aus der Masse herausdrängen. Da im Zeitpunkte dieses Hervortretens jene fremden Stoffe also bereits fixirt sind, so können sie natürlich dem hervordringenden Wismuth nicht folgen. Hr. Schneider glaubt, daß dieses Verhalten zu einer (wenn auch nur vorläufigen) Reinigung des käuflichen Wismuths mit Vortheil benutzt werden könne.

———

19. Juli. Gesammtsitzung der Akademie.

Hr. Beyrich las über den Zusammenhang der Tertiärbildungen im nördlichen Deutschland zur Erläuterung einer geologischen Übersichtskarte.

Hr. Lepsius las über den Namen der Ionier auf den
Aegyptischen Denkmälern.

Es ist in einer der letzten Sitzungen von Hrn. Curtius in seinem reichhaltigen Vortrage [1]) über die Stammsitze der Ionier
einer den Aegyptischen Denkmälern entnommenen Thatsache
Erwähnung geschehen, und wegen der darauf gegründeten Folge-
rungen einiges Gewicht darauf gelegt worden. Ich erlaube mir
heute einige nähere Angaben über diesen Punkt zu geben und das
Sachverhältniſs, so weit es bis jetzt vorliegt, etwas genauer nachzuweisen. Es ist erfreulich wenn endlich einige von den zunächst
liegenden und handgreiflichen ägyptischen Ergebnissen vom griechischen Standpunkte aus zur Aufhellung der Zeiten benutzt werden,
welche vor das klare Bewuſstsein der Griechischen Geschichte
fallen, und bisher meistens lediglich nach den miſslichen Deutungen
und künstlichen Kombinationen der griechischen, anerkannt mythischen Berichte später Zeiten beurtheilt zu werden pflegten.

In dem vorliegenden Falle handelt es sich nicht um die Nachweisung der europäischen oder kleinasiatischen Ionier im engern
Sinne auf den altägyptischen Monumenten, sondern um die doppelte
Thatsache, einmal daſs sich der Name der Ionier in der Bedeutung
von Griechen überhaupt, hieroglyphisch nachweisen läſst, und dann,
daſs sich dieser hieroglyphische Name bereits auf den Denkmälern
der 18. Dynastie, also im 15. Jahrhundert vor Chr., so wie in den
nächstfolgenden Dynastieen in einer engen Beziehung zu Aegypten
wiederfindet.

In der letzten Zeile der Inschrift von Rosette wird angeordnet,
daſs das Dekret eingegraben werden soll in hieroglyphischer, demotischer und griechischer Schrift (τοῖς τε ἱεροῖς καὶ ἐγχωρίοις καὶ
Ἑλληνικοῖς γράμμασιν). Dem Namen der Griechen entspricht
im demotischen Texte der Inschrift eine Gruppe von vier alphabe-
tischen Zeichen nebst einem Determinativ. Die lautliche Bedeutung dieser Zeichen war bereits von den ersten Entzifferern richtig
erkannt worden, nämlich schon 1802 von Akerblad, 1819 von

Young. Die Gruppe ist diese und kann von

---

[1]) Siehe Monatsbericht der Akademie Juni 1855 pag. 421. und die besonders gedruckte Abhandlung. 8.

... ... Dieses demot
... ... ΟΥΕΕΙΒΗ, (ΟΥΕΕΙΒΗ, (
ΕΡΒΗ . ... in Kiocanen ... Annahme und allei
Gr... ... Marc ... ... Ap. Gesch.
... ... Dieses ... ΟΥΕΕΙΒΗ und demotische *Cu*
... ... des Namens der 'Iones, Iones
... ... andere Asiatische Völker die Hellen
... ... Es wurden also sowohl
Cristus als ... in Ptolemäischer Zeit die Griechen in Aeg
Ionier genannt.

Was ... die hieroglyphische Bezeichnung betrifft, so ...
entsprechende Stelle in der Inschrift von Rosette darüber ...
Zweifel. Ihe Gruppe, welche hier dem Namen der Griechen
spricht ... wird aus dem Papyrusbusche ..., zwei ph
tischen Zeichen ... die dem allgemeinen Alphabete angehören
... lauten, und dem zweimal wiederholten Zeichen ⌣, wel
einen geflochtenen Korb darstellt, gebildet. Hierauf folgt
Mann ... als Determinativ des Volksbegriffs, endlich die
Striche ... als Zeichen des Plurals.

Diese Stelle ist nicht die einzige, in welcher die Griec
hieroglyphisch erwähnt werden. Zwei Inschriften, der von Ros
ähnlich, in hieroglyphischer und demotischer Schrift, an einer T
pelwand auf der Insel Philae eingegraben [1]), schließen mit der
ben Vorschrift wie jene, daß die Dekrete in hieroglyphisc
demotischer und griechischer Schrift aufgestellt werden soll

In beiden Stellen (die demotischen Gruppen sind leider z
stört) und in einer dritten, der siebenten Zeile des zweiten I
kretes wird der Name der Griechen ... geschrieb
Die ideographischen Zeichen, Papyrusbusch und Korb s
also dieselben wie in der Inschrift von Rosette; nur ist der K
nicht zweimal, sondern dreimal wiederholt, und vor dem allgem
nen Determinativ des Mannes ist noch vollständiger das besond
Determinativ der fremden Völker, der Pfahl auf dem Länd
zeichen ..., eingeschoben. Dagegen lauten hier die zwischeng

---

[1]) Denkmäl. aus Aeg. und Aethiop. Abth. IV, Taf. 34.) Abth. VI, 30—.

setzten phonetischen Vokalzeichen 𓎡 nicht *ui,* sondern *au* [1]). Die Vokale wurden im Aegyptischen, wie auch die koptische Orthographie zur Genüge lehrt, sehr schwankend gebraucht, und hieroglyphisch in früherer Zeit meistens gar nicht geschrieben, namentlich die kurzen.

In einer Inschrift am Tempel von Philae hinter einer Darstellung, in welcher der Kaiser Tiberius eine Anzahl Gefangener beim Schopfe faſst, werden unter den von ihm beherrschten Völkern wiederum die Ionier 𓏏𓄿𓂝𓊃 mit den Vokalen *ui,* wie im Koptischen, geschrieben. In einer zu Memphis gefundenen Stele [2]) vom 12. Jahre Kleopatra VII. und Ptolemaeus XVI. Caesar wird endlich derselbe Name mit denselben Zeichen 𓏏𓄿𓊃, aber ohne alle Vokale geschrieben. Aus dieser letzten Variante geht am deutlichsten hervor, was wir auch ohnedies hätten schlieſsen müssen, daſs die wesentlichen Zeichen des Namens nur die ideographischen sind 𓏏𓄿 Papyrus und dreifach gesetzter Korb, und daſs die Vokale *ui* erst später zu leichterem Verständniſs der Aussprache *Uinen* hinzugefügt zu werden pflegten. Es mochte dies nöthig erscheinen, weil, wie wir sehen werden, die ideographischen Zeichen allein zunächst nicht auf diese Aussprache geführt haben würden; diese Zufügung stellt es aber auch für uns nur um so gewisser heraus, daſs wir wirklich die Gruppe, wie im demotischen Texte, *Uinen* zu lesen haben, auch wenn die Vokale, wie in der Memphitischen Inschrift, nicht geschrieben sind.

Nun finden wir genau denselben Volksnamen, nicht nur auf den *bis* jetzt angeführten späten Monumenten aus Ptolemäischer und aus Kaiserzeit, sondern nicht selten auch auf den alten Pharaonischen Denkmälern aus verschiedenen Jahrhunderten. Der Name erscheint hier stets mit andern Völkernamen zugleich, eingeschlossen in den Mauerring, welcher nur Länder- oder Völker-Namen einschlieſst. Diese Schilder sind auf dem Leibe der Repräsentanten

---

[1]) Nach einem nicht seltenen Gebrauche bei solcher Stellung der Zeichen, würde man auch *ua* lesen können.

[2]) Hrn. Harris in Alexandrien gehörig. Prisse, Mon. pl. XXVI.

jener Völker selbst angebracht, welche als Gefangene mit
denen Armen und auf den Knieen liegend dargestellt werden.
hier in Rede stehende Name wird nun ohne jede Variante
geschrieben, ist also völlig identisch mit dem
Ionier oder Griechen auf den spätern Denkmälern,
welchen, wie bemerkt wurde, die Gruppe sowohl
ohne die eingeschobenen Vokale erscheint. Die
native fallen hier weg, weil der Mauerring und die
des Gefangenen selbst jede weitere Bezeichnung unnöthig

Es bedarf nun keines weiteren Beweises, daſs man mit ein und
demselben Namen in späterer Zeit nicht ein gänzlich verschie-
nes Volk von dem, was auf den älteren Monumenten gemeint war,
bezeichnen konnte. Der Begriff des Namens konnte sich allmälig
im Laufe der Geschichte verändern, er konnte enger oder weiter
werden, er konnte den geschichtlichen Verhältnissen des dargestellten Volkes selbst mehr oder weniger nachgeben, aber es ist nicht
möglich, daſs der Name willkührlich von einem Volke auf ein ganz
anderes übertragen wurde, um so weniger, da die Aegyptische Geschichte, Litteratur, Hieroglyphik in dieser ganzen Zeit nie wesentlich und dauernd unterbrochen wurde, sondern jeder Begriff, jede
Gruppe sich von Geschlecht zu Geschlecht im ganzen Lande fort-
erbte. Zwar können wir noch nicht für jedes Jahrhundert ein Denkmal, auf welchem dieser Name sich gerade erhalten hätte, besonders nachweisen; wir besitzen überhaupt wenig kriegerische
Darstellungen aus der Zwischenzeit nach der 22. Dynastie bis zu
der griechischen Herrschaft. Aber an der Kontinuität in diesen Beziehungen läſst sich darum in keiner Weise zweifeln.

Sehen wir nun in welcher Verbindung der Völkername, mit
welchem wenigstens später die G r i e c h e n im allgemeinen bezeichnet wurden, auf den alten Denkmälern vorkommt. Die hieroglyphische Geographie, welche einen groſsen Theil der alten civilisirten
Welt umfaſst, ist noch immer ein so gut wie gänzlich unangebau-
tes Feld, so reiche Ausbeute es auch verspricht. Noch hat niemand
die Materialien, die zahlreich vorhanden sind, im Zusammenhange
betrachtet, und bis das geschehen ist, können vereinzelte Vergleichungen, die auf mehr oder minder scheinbare Lautähnlichkeiten
gebaut sind, nicht viel helfen. Die Völker- und Städtenamen, die
auf den Denkmälern theils einzeln bei der Beschreibung der Phara-

onischen Kriegszüge, theils in größeren Reihen genannt werden, müssen gruppenweise zusammengestellt werden und sich gegenseitig erläutern, wenn ein fester Boden für diese Untersuchung gewonnen werden soll. Ich will hier zwei solcher Gruppen bezeichnen, von deren näherer Erläuterung bei jeder umfassenderen Behandlung des Gegenstandes, auszugehen sein dürfte. Die eine Gruppe sind die bekannten v i e r Völkerstämme, welche in den Thebanischen Gräbern öfters in symbolischer Verbindung erscheinen, *Ret*, *Aamu*, *Nehesu* und *Temhu*, von denen nur das erste Volk, die A e g y p t e r, und das dritte, die N e g e r, keinem Zweifel unterliegen, während das zweite und vierte Volk erst genauerer Prüfung bedürfen. Champollion [1]) hielt das zweite Volk für Asiaten, das vierte für Europäer. Mure [2]) hält das zweite gleichfalls für Asiaten, das vierte aber hat er ohne Zweifel richtig als ein Afrikanisches Volk nachgewiesen, und zwar als das Libysche Volk, welches von Norden her seit langen Zeiten eingewandert, die mittelländischen Meeresküsten nach Westen hin bewohnte.

Die zweite Gruppe besteht aus n e u n Völkern, und ist hier um so mehr zu erwähnen, da der in Rede stehende, später die Hellenen bezeichnende Name unter ihnen die erste Stelle einnimmt. Diese neun Völkernamen finden sich auf Denkmälern sehr verschiedener Könige in einer bestimmten Ordnung, von welcher in den ältesten Darstellungen, die überhaupt ganze Reihen von Gefangenen enthalten, am wenigsten abgewichen wird. Erst später traten Veränderungen der Reihenfolge, und Vermehrungen ein, ohne daß jedoch der ursprüngliche Charakter dieser neun Namen ganz verloren ginge. Es handelt sich nämlich dabei nicht um solche Länder, welche zur Zeit der Darstellung oder auch während der Regierung des Königs bekriegt und besiegt worden wären, sondern um solche, welche entweder wirklich unter der dauernden Oberherrschaft des Aegyptischen Königs standen, oder doch als solche angesehen wurden. Dieses geht deutlich daraus hervor, daß unter den neun Ländern auch das eigentliche Aegypten selbst, in seiner bekannten Zweiheit, als Ober- und Unterägypten, mitbegriffen ist. Die neun Namen sind nämlich folgende:

---

[1]) Lettres écr. d'Égypte. 1833. p. 248. ff.
[2]) Annal. dell' Inst. di corr. archeol. vol. VIII. 1836.

35 *

Von diesen enthält das dritte und fünfte Schild die bekannten
Namen von Ober- und Unterägypten, „das südliche Land" und „das
nördliche Land." Daß hier nicht etwa, wie Andere meinten, im
Allgemeinen von der nördlichen und südlichen Welt und allen darin enthaltenen Ländern in pomphafter Übertreibung die Rede ist,
geht daraus hervor, daß sie allein unter ihnen, und im Gegensatze
zu allen andern fremden Ländernamen, das Determinativ des Stadtplanes ⦿ führen, welches ausschließlich ägyptischen Orten oder
Landestheilen gegeben wird.   Die Gruppen selbst sind in ihren
Hauptsymbolen, dem der Südpflanze ⟨, ⲣⲏⲥ, und des nördlichen
Papyrus ⁘, ⲙⲟⲓⲧ, schon aus der Inschrift von Rosette bekannt; Hätten alle Länder der Erde außerhalb Aegyptens bezeichnet werden sollen, so würde man nicht den Süden und
Norden allein, sondern auch den Osten und Westen genannt haben.   Die beiden Theile Aegyptens, in den Königs-
titeln meistens nur durch zwei Erdlagen ≋, *toti*, „die
beiden Länder" geschrieben, werden vollständiger wie hier als
„das südliche" und „das nördliche Land" bezeichnet. Um aber
noch mehr jeden Zweifel zu entfernen, bemerke ich, daß in
einem Thebanischen Grabe (Denkm. aus Aeg. Abth. III, 63),
wo Zeichnung und Farbe der gebundenen Völkerrepräsentanten
besonders gut erhalten sind, sich die Träger der beiden genannten
Schilder durch ihre rothe Gesichtsfarbe und Haartracht vollkommen deutlich als Aegypter von den übrigen Völkern unterscheiden. Daß die Aegypter nun nicht unter feindlichen besiegten
Völkern begriffen werden konnten, versteht sich von selbst; es
kann also in allen diesen Darstellungen nur von beherrschten
Völkern die Rede sein, wobei natürlich die durch Siege begründete
Herrschaft nicht ausgeschlossen ist.

Wir finden nun diese neun Völker bereits in der 18. Dynastie
unter Tuthmosis III. in einem Thebanischen Privatgrabe aus
der Zeit dieses Königs, der nach Manethôs die Vertreibung der
Hyksos aus Auaris vollendete. Die drei letzten Schilder sind zerstört; die früheren folgen sich in der angegebenen Ordnung. In
einem andern Grabe unter seinem Nachfolger Amenophis II. (Abth.
III, 63) sind die beiden ersten Schilder abgebrochen; dann folgt
die bekannte Reihe; doch werden hier hinter dem neunten Schilde
noch andere hinzugefügt, von denen 4 noch erhalten sind. Unter
dem nächsten Könige Tuthmosis IV. (Wilkinson Mat. Hierogl. pl.
VIII) ist die Zahl wieder auf die früheren neun Völker, immer in derselben Ordnung, beschränkt. Nach ihm regiert Amenophis III. Am
Throne dieses Königs in einem Grabe von Qurnah sind wiederum dieselben neun Völker gebunden abgebildet, und zwar zweimal in sich
entsprechenden Darstellungen (Abth. III, 76. 77). Es folgt die 19.
Dynastie. Hier erscheinen in dem Tempel der Wüste von Re-
desieh bei Gelegenheit eines Sieges über die Kusch die neun Völker von Ammon dem Könige Sethos I. zugeführt; allen voraus geht
aber der Name der Kusch als zehnter Name, ohne Zweifel der besonderen Gelegenheit wegen. Diese Besiegung dürfte in das 9.
Regierungsjahr des Königs fallen, nach einer andern Inschrift jenes
Tempels. Auf den Tempelwänden von Karnak und Qurnah werden
nun noch eine große Menge andrer besiegter Völker erwähnt, welche
den neun früheren Namen hinzugefügt werden. Diese letzteren
geben aber in Qurnah den übrigen voraus (Abth. III, 131), und sind
auch in Karnak (III, 129) wenigstens in ihrer alten Ordnung so weit
zusammengehalten, daß der Name von Oberägypten allen vorausgeht,
hinter diesem eine Anzahl anderer südlicher Völker, zuerst die Kusch,
eingeschoben werden, und dann sogleich Unterägypten folgt, nebst
den übrigen Namen der alten Reihe, die dann ihre Ordnung nicht
weiter verändern. Ähnlich ist die Anordnung unter Ramses II.,
welchem in Karnak (Abth. III, 145) Ammon erst Oberägypten,
und Kusch, dann eine Anzahl südlicher Völker, dann die übrigen
Völker der alten Liste, doch in veränderter Ordnung, und wie es
scheint, mit einer Auslassung, endlich eine Anzahl neu bezwungener
Völker zuführt. In einer andern Darstellung (Abth. III, 148) begin-

nen wieder Oberägypten und Kusch, später erst folgt Unterägypten
und das Schild der Griechen; das Übrige ist abgebrochen. Unter
R a m s e s III. in Karnak (Abth. III, 207) beginnen gleichfalls die Reihen mit Oberägypten und Kusch, es folgen andre wohl nur südliche
Völker, dann Oberägypten, das Schild der späteren Hellenen, drei
oder vier andre Schilder der alten Reihe und endlich viele andre.
Unter den nun folgenden Königen scheint die auswärtige Macht
der Pharaonen bedeutend gesunken zu sein.   Neue Kriege und
Siege finden wir erst wieder unter den Königen der 22. Dynastie dargestellt.   S e s o n c h i s I., dem Schischaq der Bibel, werden in Karnak (Abth. III, 207) 140 Völker oder Städte zugeführt. Diese stattliche
Reihe beginnt wieder mit allen neun Völkern der alten Zeit, doch
so, daß die beiden Aegypten allen vorausgeschickt sind; dann, scheint
es, folgen die südlichen, dann die nördlichen Völker, und das Schild
der Ionier, welches in den früheren Darstellungen immer das erste
zu sein pflegte, ist hier das letzte derselben.

Offenbar geht aus dieser kurzen Übersicht schon hinreichend
hervor, daß die neun Völker eine geschlossene Zahl sind, deren
frühe Feststellung auch dadurch angedeutet ist, daß die meisten
dieser Namen aus ideographischen Zeichen bestehen, während die
später bekriegten Völker meistens nur mit phonetischen Zeichen
geschrieben werden.

Es liegt nahe, hierbei an die häufig wiederkehrende Gruppe der
„n e u n B o g e n” 𓏠𓏠𓏠 oder 𓏠𓏠 zu denken, welche früher für ein einzelnes fremdes Volk, die L i b y e r gehalten, später
von Champollion in allgemeinerer Weise durch „B a r b a r e n”
übersetzt wurde.   Man würde bei einer solchen Erklärung an 9
einzelne Tribus oder Völkerschaften haben denken müssen, aus
denen das Volk der Libyer bestanden hätte, oder welche vor andern als feindliche barbarische Völker angesehen worden wären.

Der Bogen scheint aber, wie auch im Hebräischen, ein nahe
liegendes Symbol der Macht und Kraft überhaupt gewesen zu sein,
und konnte daher auch auf die Volkskraft, das Volk selbst übertragen werden. Diese allgemeine symbolische Bedeutung geht
aus Bezeichnungen hervor, wie sie z. B. Sethos I. unter seinen
officiellen Titel aufgenommen hat.

Von Völkern ist in jedem Falle die Rede, und es könnte nur
Zweifel sein, ob die Bezeichnung von „Bogen führenden" oder
auch von andern Völkern gebraucht wurde. Für das Letztere spricht,
daß der Name nie einer besonders bekriegten Völkerschaft bei-
gelegt wird, sondern stets nur in allgemeinen Verbindungen vorkommt, vom Könige, der die 9 Bogen beherrscht, in Unterwür-
figkeit, oder unter seinen Füßen hält. Diese Ausdrücke sind ganz
begreiflich, wenn 9 in und zunächst um Aegypten wohnende, dem
Pharao unterworfene Völker hierunter verstanden wurden. Wäre
ein einzelnes, das Libysche Volk, etwa nach der Anzahl seiner Stämme
„die neun Bogen" genannt worden, so würde man auch in der
Regel das Determinativ der Völker oder Länder hinter dem Ausdruck finden; das ist aber nicht oder doch nur ausnahmsweise der
Fall. Wie früh aber der Abschluß der Neunzahl statt fand, geht
daraus hervor, daß sich die „neun Bogen" schon im Anfange der
12. Dynastie in einer Inschrift von Benihassan finden, s. Abth. II,
121. Doch werden in der folgenden Dynastie unter Muntuhotep
auch einmal 15 Bogen, ohne Zweifel in gleicher Bedeutung abgebildet, s. Abth. II, 150.

Der nähere Nachweis nun dieser 9 den Pharaonen unterwor-
fenen oder doch von ihnen beansprchten Völker verlangt eine
gründlichere Untersuchung und Nachweisung, als hier versucht
werden kann. Die Schwierigkeit ist nicht geringer als die genauere
Bestimmung der sieben abstammenden oder doch abhängigen Völker Aegyptens, welche in der Völkertafel als von *Misraim* ge-
zeugt aufgeführt werden, die *Ludim, Anamim, Lehabim, Naphthu-
him, Patrusim, Kasluhim* und *Kaphthorim*, unter welchen wir nur
von den Patrusim wissen, daß es eine Bezeichnung des oberägyptischen Stammes war.

Scheiden wir von unsern neun Namen Ober- und Unterägypten aus, so läßt sich von den übrigen nur das achte Schild mit
großer Wahrscheinlichkeit dahin erklären, daß es die südlich an
das eigentliche Aegypten angrenzenden äthiopischen Völker bezeichnet, die in dem heutigen Unternubien saßen. Die Gruppe
ist uns namentlich ihrem zweiten Theile nach, welcher mit der
Aussprache *Fent* vorkommt, aus unternubischen Denkmälern und
sonst wohl bekannt. Daß es ein dunkles Volk war, geht auch aus

der Darstellung des schon erwähnten Grabes in Qurnah hervor
(Abth. III, 63), in welchem sein Repräsentant sehr dunkelfarbig,
fast schwarzbraun von Farbe und unbärtig abgebildet ist. Daß das
letzte Volk, die *Menat nu Ment* [1]) durch „Hirten des Heerdenlan-
landes", mit Vergleichung des koptischen ⲘⲞⲚⲒ, ⲘⲞⲞⲚⲈ, pascere;
ⲘⲀⲚ- in Kompositis pastor, zu erklären, und etwa von östlich
angrenzenden Arabern zu verstehen sein dürfte, bleibt eine sehr
wahrscheinliche Vermuthung. Die übrigen Namen bieten noch
weniger Anhaltspunkte zur Erklärung dar. Auch die Anordnung
der Schilder ist schwer zu erklären. Eine geographische Reihenfolge ist darin nicht zu erkennen, und in jedem Falle ist es auffallend, daß die beiden Ägypten nicht in erster Stelle stehen, wie
dies allerdings später unter Scheschonk der Fall ist; noch auch
Ober-Ägypten an der Spitze der Südländer, Unter-Ägypten an
der Spitze der Nordländer steht, wie dieses erst in der 19. Dynastie
sich findet. Vielmehr geht in der alten Ordnung gerade der uns
zunächst beschäftigende Name allen voraus. Später dagegen, seitdem die *Kusch* unter diese Hauptvölker mit aufgenommen wurden,
d. i. seit Sethos I, welcher zuerst die von Ramses II.[2]) dauernd
beherrschten Äthiopier besiegt zu haben scheint, stehen die *Uinen* in
einem gewissen Wechselverhältnifs zu den *Kusch*. Denn unter Sethos I, Ramses II. und Ramses III, folgt auf allen Monumenten,
auf welchen „Oberägypten" die Reihe beginnt, unmittelbar
hinter diesem ersten Schilde als vornehmstes südliches Volk
das der *Kusch*, und ebenso hinter „Unterägypten" als erstem
nördlichen Volke das der *Uinen*. Dieselbe wichtige Stelle daher, welche unter den Südvölkern die *Kusch*, das sind die Äthiopier im engeren Sinne, das Volk von Meroë, einnahmen, wurde
unter den nördlichen den *Uinen*, den *Ioniern* angewiesen.

Wie soll man sich nun das Verhältnifs dieses letzteren
Volkes zu den Ägyptern denken. Offenbar kann hier von den
Europäischen oder Kleinasiatischen Ioniern oder überhaupt von
den griechischen Stämmen in ihren Ursitzen nicht die Rede

---

[1]) Die Aussprache des Zeichens ▭ *men* geht aus Varianten sicher
hervor, vgl. den Gold - Horus Namen des Königs Amenophis III. Das zwischen
gesetzte *nu* ist die regelmäfsige Genitivform hinter einem Plural.

[2]) S. meine Chronologie der Ägypter. Bd. I, S. 283.

sein. Es muſs nothwendig ein in der Nähe, sei es in der
Nielniederung selbst, sei es in unmittelbarer Nachbarschaft, an-
gesiedeltes Volk sein; sonst konnte es, auch nicht zeitweise,
in solcher Abhängigkeit von den Pharaonen stehen, daſs es den
9 von Alters her ihrer Herrschaft zugehörigen Völkern bei-
gezählt worden wäre. Ebenso einleuchtend ist es aber auch,
daſs unser Name nicht irgend einem der benachbarten semitischen Völker zugehören konnte, denn wie hätte man später
auf einen semitischen Volksnamen den der Ionier übertragen und aus ihm die Griechen herauslesen können. Es bleibt
daher nur übrig anzunehmen, daſs von denselben Völkern, deren Ursitze wir im Norden an den Küsten und auf den Inseln
des Archipelagus kennen, in frühester Zeit bereits einzelne
Stämme sich an den südlichen Küsten des Mittelländischen
Meeres und zwar in oder doch in der Nähe von Ägypten an-
gesiedelt hatten. Daſs uns die Griechen selbst von dieser
südlichen Ausbreitung ihres Stammes keine direkte Nachricht
geben, darf nicht Wunder nehmen, wenn wir bedenken, daſs
es sich hier um Zeiten handelt, welche für die Griechen vor-
historisch waren. Dagegen fehlt es an mythologischen Erzäh-
lungen nicht, welche sich leicht auf solche Wanderungen nach
Süden und uralte Beziehungen zu Ägypten deuten lassen. Diese
zu verfolgen gehört nicht hierher.

Offenbar hatte in früheren Zeiten der Ionische Name als
Repräsentant aller zu ihrer Verwandtschaft gehörigen Völker,
eine allgemeinere Bedeutung, umfaſste zahlreichere und weiter
ausgebreitete Stämme, als die uns aus der späteren Geschichte
bekannt sind. Darauf scheint auch der Gebrauch hinzudeuten,
der von demselben Namen in der Völkertafel des A. T. gemacht wird. Es liegt hier ein mit dem ägyptischen Gebrauche
des Wortes sehr paralleles Verhältniſs vor. Es ist bekannt,
daſs die Griechen im A. T. nie anders als durch *Iavan*, oder
ohne Punktation *Iūn, Iūnīm* bezeichnet werden; das ist die
semitische Form der *Iones*. In der Völkertafel erscheint nun
Iavan oder *Iun* als Enkel von Noah, als Sohn des Japhet, und
hat selbst wieder vier Völker als Nachkommen hinter sich.
Iun steht also mit den Söhnen Ham's, mit Kusch und Misraim
auf gleicher Stufe, und ebenso, wie wir von Misraim wieder

eine Anzahl verschiedener Stämme abgeleitet sehen, so von *Iun,* der daher offenbar, im Sinne des Verfassers der Völkertafel, ein weit umfassenderer Name war, als dem Stammvater des einzelnen ionischen Stammes zugekommen wäre. Wir dürfen uns daher nicht darüber wundern, wenn bei den den Hebräern benachbarten Ägyptern derselbe Sprachgebrauch galt, und wir auch bei ihnen den Namen der Ionier in frühester Zeit auf eine größere Gruppe verwandter Völker angewendet finden, als auf den einzelnen Stamm der Ionier im hellenischen Sinne, oder wenn sich ergeben sollte, daß der eigentliche Stamm der Ionier früher eine viel größere Bedeutung unter den verwandten Stämmen hatte, als wir aus der späteren Geschichte bisher schließen durften. Wie man dieses Verhältniß aber auch ansehn mag, nach dem hier Gesagten bleibt immer die Thatsache fest stehen, daß bereits im 16. und 15. Jahrb. v. Ch. *Ionier,* d. h. wenigstens ein Theil, eine ansehnliche Kolonie von diesem enger oder weiter zu fassenden Volke, an den ägyptischen Küsten oder in ihrer Nähe, dauernde Sitze hatte, und von den ägyptischen Herrschern abhängig war.

Es hat sich uns hiernach eine etwas verschiedene Auffassung von der des Hrn. Curtius ergeben, die aber den allgemeinen Zusammenhang, in welchen die Thatsache von ihm gebracht worden ist, nicht ändert, sondern ihm vielmehr zu entschiedener Unterstützung dient. Wären diese ionischen „Normannen", wie sie Curtius mit einer glücklichen Anspielung auf ihren hieroglyphischen Namen nennt, den Ägyptern durch einzelne Raubzüge bekannt und von ihnen durch Schlachten zurückgetrieben worden, so würde sich ihr Name auch an einzelne Kriegsdarstellungen knüpfen, was nicht der Fall ist, und er würde nicht so regelmäßig unter jedem König in seiner bestimmten Ordnung wiederkehren. Wohin aber die seefahrenden Ionier auf ihren Raubzügen gelangen konnten, da konnten sie sich auch fest setzen, Kolonien gründen und ein Land bevölkern, und dies ist die Annahme, zu welcher das Erscheinen ihres Namens auf den alten Denkmälern nöthigt.

In Bezug auf die ursprüngliche Bedeutung und phonetische Aussprache der ideographischen Zeichen, ist nun noch folgendes zu bemerken. Der Papyrusbusch 𓇔 ist vorzugsweise ein Symbol für

Unterägypten, in dessen feuchten Niederungen die Pflanze vornehmlich wuchs. In dieser Bedeutung pflegt er das Determinativ
des Stadtplanes ⊗ zu führen (Todtenb. c. 142, 10. u. a.), kommt
aber auch ohne dasselbe vor (Insch. von Ros. lin. 5.). Vollständiger
wird dann ⸺𓌴 „das Land Unterägypten" geschrieben (Todtb.
c. 142, 20. u. oben p. 502). Statt des Busches wird nicht selten auch
der einzelne Stengel 𐦙 der Papyruspflanze gesetzt, wie dies namentlich häufig in den Namen oder Titeln der Könige der Fall ist. Für
Oberägypten correspondiren hiermit die Zeichen der oberägyptischen noch unbekannten Blume 𓆸 und 𐦙. Die Aussprache des Papyrus scheint dann *ḥet* oder *emḥet* zu sein, entsprechend dem koptischen ϧⲎⲦ, ϢⲎⲦ, ⲘⲞⲒⲦ. Darauf weist die Variante ⸺𓆸⊗
(Denkm. aus Aeg. Abth. III, 252 u sonst) hin, in welcher das Zeichen ⸺ *meh* lautet und den Norden bezeichnet. Die Anwendung
nun derselben Papyruspflanze von Nordägypten auf den Norden
als Himmelsgegend überhaupt, liegt nahe, wie auch die oberägyptische Pflanze 𓇇 mit dem Determinativ der Ecke ⧫, die südliche
Himmelsgegend, den Süden überhaupt zu bezeichnen pflegt. Ob
aber diese allgemeinere Bedeutung bei der Papyruspflanze wirklich
irgendwo nachgewiesen werden kann, ist mir noch zweifelhaft;
die Variante welche de Rougé, Mém. sur l'inscr. du tombeau d'Ah-
mès p. 43, mit dem Determinativ der Ecke anführt, ist mir bisher
noch nicht vorgekommen. Der Papyrusbusch in der Bedeutung
von Unterägypten hat auch die Aussprache *cheb* und wechselt dann
nicht selten mit der Biene, einem andern Symbole von Unterägypten, wie die Varianten ⬤𐦙, ⬤𓆸 zeigen. Hiermit hat bereits Champollion (Dict. p. 215) das koptische ϧⲞⲂⲈ, *humilem
esse*, und de Rougé (Aahmes p. 117) mit Bezug auf die Biene
ϧⲀⲂⲒⲞⲦⲒ, *crabrones, vespae*, verglichen. Derselbe Papyrusbusch
wird aber häufig auch als Theil von andern Gruppen gebraucht,
wo er seine ursprüngliche Bedeutung gar nicht mehr erkennen
läfst, sondern nur lautlich verstanden werden kann. Dann ist er
meistens *h* zu lesen, wie in ⸺𓆸𓅓 c. ⲦⲞϨ, *palea* (Denkm.
III, 10, c.), 𐦙□⎰⸗ Variante von 𓆸□⸗ auf Todtenvasen, u. a.
Ich habe aber auch in einem Exemplare des Todtenbuchs c. 127, 6
für 𓆸𓅓 die Variante 𐦙 gefunden in der Gruppe 𓂸□𓏤, und

in der Gruppe 𓎛𓇉𓇋𓇋𓎟, welche auch 𓎛𓅱𓇋𓇋𓂻 geschrieben ist (¹) (Denkm. III, 225) scheint das Zeichen zunächst für 𓅱 zu stehen.

Die Hieroglyphe 𓎟, der Korb, hat bekanntlich zwei Bedeutungen entsprechend dem Koptischen ⲛⲏⲃ, *dominus*, und ⲛⲓⲃⲓ, ⲛⲓⲃⲉⲛ, ⲛⲓⲙ, *omnis*.

Es scheint mir nun in der That schwer, die angeführten Bedeutungen der Zeichen 𓇉 und 𓎟 zu einem Begriffe zu vereinigen, welcher auf die Jonier, oder verwandte Völker hätte angewendet werden können. Man hat übersetzen wollen „die Herren des Nordens." Der Papyrusbusch bezeichnet aber zunächst nur Nordägypten, als dessen Herren man die Jonier nicht bezeichnen konnte; unpassend wäre es aber auch gewesen, sie die Herren des außerägyptischen Nordens zu nennen, ja überhaupt dieses unterworfene Volk als Herren zu bezeichnen. Endlich wäre graphisch kein Grund gewesen den Papyrusbusch voran zu setzen, da der Genitiv oder auch das Adjectiv hinter dem Nominativ oder Substantiv gesprochen werden mufste. Nach de Rougé (Aahmes p. 43) wäre die ursprüngliche Bedeutung der Gruppe „les peuples du nord, littéralement: les septentrionaux tous;" erst später sei bei der Anwendung auf die Griechischen Könige, durch den Doppelsinn des Korbes, daraus geworden: les septentrionaux seigneurs. Für die Stellung von 𓎟𓎟𓎟 pafst allerdings die Bedeutung „alle" besser. Die Auslegung des

(¹) Es kann hier aber 𓇉 allerdings auch *h* oder *hu* lauten und seine Aussprache 𓎛 vor sich angenommen haben, nach den festen Regeln der Hieroglyphik. Ich mache hier noch besonders auf die merkwürdigen, meist roth und schwarz geschriebenen Doppelinschriften aufmerksam, die sich öfter in den Thebanischen Königsgräbern finden und denen obiges Beispiel entnommen ist. Sie sind sehr lehrreich durch die zahlreichen Varianten, die sie gewähren. S. Denkm aus Äg. Abth. III, 79. 113. 134. 224. 225. 234. Die vorausgehenden Legenden pflegen roth, die folgenden schwarz geschrieben zu sein; jene sind die ausführlicheren, in welchen mehr phonetische Zeichen angewendet werden, und im Ganzen entsprechen sie der bekannteren Orthographie der Thebanischen Denkmäler. Wenn es sich hierbei, wie zu vermuthen wäre, um Schriftdialekte handelt, so würde man zunächst an oberägyptische und unterägyptische Schreibart denken müssen, und es würde dann die rothe Schrift nur der oberägyptischen entsprechen können, schon weil sie vorausgeht. Ich habe eine Zusammenstellung und nähere Erläuterung dieser Doppelinschriften vorbereitet.

Papyrus als „Völker des Nordens" oder „Nordländer" dürfte sich
aber nicht rechtfertigen lassen, weder in dieser Allgemeinheit des
Begriffes, noch als Plural; man würde dann ein angemessenes Determinativ und das Pluralzeichen hinter dem Papyrus zu erwarten
gehabt haben. Endlich würde zu erklären sein, wie ein solcher allgemeiner Ausdruck mitten unter andre einzelne Völkernamen gesetzt
werden konnte, oder wie es kam, daſs man wenigstens später die
Griechen damit bezeichnete.

Es scheint vielmehr, daſs wir jede ideographische Deutung aufgeben müssen. Es würde auch keineswegs natürlich sein, daſs man
ein einzelnes fremdes Volk durch irgend eine ähnliche Umschrei-
bung bezeichnet hätte, statt es einfach bei seinem eigenen Namen
zu nennen. Man liebte es aber zu allen Zeiten, fremde wie auch
einheimische Namen mit ideographischen Zeichen zu schreiben,
welche hauptsächlich ihres Lautes wegen gewählt wurden und oft
nur sehr entfernte begriffliche Anspielungen zu enthalten brauch-
ten. Es ist daher sehr wahrscheinlich, daſs die Aussprache des Pa-
pyrusbusches ursprünglich in der That dem ersten Theile des
Namens der Jonier entsprach, mag er nun *iu* oder, wie nach dem
Koptischen zu vermuthen, *ui* gelautet haben, oder mit einer leichten Aspiration gesprochen worden sein, *hiu* oder *hui*, oder auch
hau, wie die hieroglyphischen Varianten geben. Wir finden das
Zeichen besonders gern mit dem Vokal *a* oder auch *au* verbunden. Da die Jonier jedenfalls von Norden gekommen waren, und
sich an den Nordküsten niedergelassen hatten, so mochte die
Wahl des Zeichens dadurch vielleicht mitbestimmt worden sein.
Das dreifache Zeichen ⌒ könnte aber der thebanischen Aussprache
des koptischen ⲚⲒⳘ, *omnes*, entsprochen haben. Die semitische
Endung war ursprünglich *Junim* (hebr. *Javūnim*, arab. *Jūnān*),
welches sich in der koptischen Aussprache zu -*in* abgeschwächt
findet. Man konnte aber ausnahmsweise auch das Zeichen ⌒ selbst
als einfaches *n* auffassen, in der Weise, wie so manche andre ideographische Zeichen später ausnahmsweise nur für den Anfangslaut
des Wortes gesetzt wurden, und wie ursprünglich alle Lautzeichen
des allgemeinen phonetischen Alphabets entstanden waren. Daſs
dies die Meinung desjenigen war, der in der Inschrift von Rosette
den Namen *Uinen* mit zwei statt mit drei ⌒ schrieb, dürfte kaum
in Abrede zu stellen sein. Die Schwierigkeiten der Erklärung

sind allerdings nicht zu verkennen; es ist aber schon Gewinn,
diese anzuerkennen und näher zu beleuchten.

An eingegangenen Schriften wurden vorgelegt:

Gerhard, *Denkmäler, Forschungen und Berichte.* Lieferung 26.   Berlin
1855. 4.

Woepcke, *Recherches sur l'histoire des sciences mathématiques chez
les Orientaux.* Article I. II. Paris 1855. 8.

*Arabischer Text des ersten Buches des Commentars des Valens zu dem
zehnten Buche der Elemente des Euclides.* (Paris 1855.) 8. (Probe-
druck, durch Herrn Encke übergeben.)

Corrispondenza scientifica in Roma. Anno IV. no. 7. 8. Roma 1855. 4.

*Extrait du Programme de la Société hollandaise des sciences à Harlem
pour l'année 1855.* (Harlem 1855.) 4.

Mnemosyne. IV. Deel, Stuk 2. Leyden 1855. 8.

Walz und Winckler, *Neues Jahrbuch der Pharmacie.* Band III, Heft
4. Speyer 1855. 8.

Mémoires de l'Académie des sciences de Dijon. Deuxième Série. Tome III.
1854. Dijon 1855. 8.

Ladrey, *Rapport sur le sucrage des vendanges.* Dijon 1854. 8.

Th. Henri Martin, *La vie future.* Paris 1855. 8.

E. Rödiger, *Bemerkungen über die phönikische Inschrift eines am 19.
Januar 1855 nahe bei Sidon gefundenen Königs-Sarkophags.* (Leipzig
1855.) 8. (Mit Begleitschreiben des Verfassers d. d. Halle 14. Juli
1855.)

Saalschütz, *Archäologie der Hebräer.* Theil 1. Königsberg 1855. 8.
(Mit Begleitschreiben des Verfassers d. d. Königsberg 3. Juli 1855.)

Archiv des historischen Vereins von Unterfranken. Band XII. Heft 2. 3.
Wurzburg 1853. 8. (Mit Begleitschreiben des Herrn Prof. Contzen
d. d. Wurzburg 8. Juli 1855.)

---

26. Juli. Gesammtsitzung der Akademie.

Hr. Ewald las über die Ausbildung des Neokoms
in der Provinz Sachsen.

Hr. H. Rose sprach über eine neue und vortheilhafte Darstellung des metallischen Aluminiums.

Nach der Entdeckung des Aluminiums durch Wöhler hat uns
in neuerer Zeit Déville die Darstellung desselben in größeren

zusammenhängenden Massen gelehrt, in welchen dieses Metall Eigenschaften zeigt, welche wir an dem mehr pulverförmigen Metall, wie man es nach der Wöhlerschen Darstellungsart erhielt, nicht wahrgenommen hatten. Während es nämlich in diesem Zustande bis zum Glühen erhitzt mit grofsem Glanze zu weifser Thonerde verbrennt, kann es in zusammengeschmolzenen Kugeln bis zur Rothgluht gebracht werden, ohne sich merklich zu oxydiren.

Nach der Bekanntmachung der Abhandlung von Déville suchte auch der Verfasser das Aluminium aus dem Chloraluminium-Natrium darzustellen. Er befolgte nicht genau dessen Vorschriften, aber sowohl er, als auch Hr. Rammelsberg, der genau danach arbeitete, erhielten eine nur unbedeutende Ausbeute, und es scheint sehr viel Übung, Zeit, Mühe und Kosten erforderlich zu sein, um hinreichende Mengen des merkwürdigen Metalls darzustellen.

Die Anwendung des Chloraluminiums und seiner Verbindungen mit den alkalischen Chlormetallen ist besonders auch deshalb unangenehm, weil sie so leicht Feuchtigkeit anziehen. Der Verfasser dachte daher schon früh daran, das Fluoraluminium oder vielmehr dessen Verbindungen mit alkalischen Fluormetallen anzuwenden. Eine Verbindung dieser Art, Fluoraluminium mit Fluornatrium findet sich in der Natur als Kryolith. Da derselbe mit Leichtigkeit zum feinsten Pulver gebracht werden kann, wasserfrei ist, und keine Feuchtigkeit aus der Luft anzieht, so bietet er aufserordentliche Vortheile gegen die Anwendung des Chloraluminium-Natriums bei der Darstellung des Aluminiums dar.

In der That stellte der Verfasser schon im vergangenen Winter Aluminium vermittelst Natriums aus dem Kryolith dar; die Seltenheit des Minerals indessen hielt ihn ab, die Versuche fortzusetzen.

Er nahm dieselben erst wieder vor ganz kurzer Zeit auf, als er durch Hr. Krantz in Bonn eine beträchtliche Menge des reinsten Kryoliths zu einem sehr wohlfeilen Preise erhielt. Besonders aber wurde sein Eifer durch den unerwarteten Umstand belebt, dafs er erfuhr, der Kryolith sei hier in Berlin zu unglaublich billigen Preisen im Handel zu erhalten.

Schon Hr. Krantz hatte dem Verfasser mitgetheilt, dafs er gehört habe, der Kryolith käme in Massen im Handel vor; er hätte indessen nicht erfahren können, wo? Kurze Zeit darauf übergab Hr. Rüdel, der Vorsteher der hiesigen chemischen Fabrik des Hrn. Kunheim

vor dem Halle'schen Thore dem Verfasser eine Probe eines weifsen
groben Pulvers, von dem unter dem Namen Mineralsoda grofse
Quantitäten zu dem Preise von drei Thalern pr. Cour. für den
Centner aus Grönland über Kopenhagen nach Stettin versandt
worden waren. Es waren davon hiesigen Seifensiedern Proben von
40 Pfund mitgetheilt worden; man hatte in der That vermittelst ge-
brannten Kalks daraus eine Natronlauge bereitet, die wahrscheinlich
grade wegen ihres Thonerdegehalts sich vortrefflich zur Bereitung
von mancher Seife eignete.

Der Verfasser erkannte dieses Pulver für Kryolith von derselben Reinheit, wie die Stücke, welche er durch Hrn. Krantz erhalten hatte, und benutzte es sogleich, um unter Mithülfe des Hrn.
Weber daraus das Aluminium darzustellen. Er bediente sich dazu
kleiner dünner gusseiserner Tiegel, in welchen das feine Pulver des
Kryoliths mit Natrium geschichtet und mit einer Lage von Chlorkalium bedeckt, zur starken Rothgluht gebracht wurde. Nach dem Erkalten wurde der Inhalt des Tiegels mit Wasser behandelt, wodurch
nur eine höchst geringe, bisweilen kaum merkliche Gasentwicklung
statt fand. Die geringe Menge des entweichenden Wasserstoffgases
hat denselben unangenehmen Geruch, welchen das bei der Auflösung des Roheisens in Chlorwasserstoffsäure sich entwickelnde Gas
besitzt. Der Kohlegehalt rührt nur von der höchst geringen Menge
des Steinöls her, welches dem Natrium auch nach dem Abtrocknen
noch anhängt. Durch die Schwerlöslichkeit des Fluornatriums er-
weicht die Masse nur langsam. Nach 12 Stunden indessen kann man
die ungelösten Klumpen mit einem Pistil in einem Porcellanmörser
zerdrücken. Man findet dann nebst kleineren auch gröfsere Kugeln
von Aluminium von 0,3 bis 0,4 Grm. Gewicht, welche man abson-
dert; die kleineren Kugeln können von der zugleich gebildeten
Thonerde nicht durch Schlämmen getrennt werden, weil diese
schwerer als jene sind. Das Ganze behandelt man darauf mit verdünnter Salpetersäure, wodurch zwar die geglühte Thonerde nicht
gelöst wird, aber die Kugeln des Aluminiums dadurch erst ihren
metallischen Glanz erhalten. Man trocknet sie, und nach dem Trocknen trennt man die feine Thonerde durch Reiben auf seidnen Mus-
selin von den kleinen Metallkugeln, welche auf dem Zeuge zurückbleiben.

Die kleinen Kugeln des Aluminiums können in einem bedeckten

kleinen Porcellantiegel unter einer Decke von Chlorkalium zusammengeschmolzen werden. Sie ohne ein Flußmittel durchs Schmelzen zu vereinigen, gelingt nicht. Man kann die kleinen Kugeln nicht wie kleine Silberkugeln zusammenschmelzen, denn wenn auch das Aluminium scheinbar durchs Glühen an der Luft sich nicht oxydirt, so überzieht es sich doch dadurch mit einer fast nicht sichtbaren Oxydhaut, welche das Zusammenschmelzen verhindert.

Das Zusammenschmelzen unter einer Decke von Chlorkalium ist immer mit einem Verluste an Aluminium verbunden. Eine Kugel von 3,85 Grm. verlor durch das Schmelzen unter Chlorkalium 0,05 Grm. — Der Verfasser befolgte daher die Vorschrift von Déville, und schmelzte die Kugeln des Aluminiums in einem bedeckten Porcellantiegel unter einer Decke von Chloraluminium-Natrium.

Der Verfasser hat die Methode der Darstellung des Aluminiums mannigfaltig abgeändert, um eine möglichst vortheilhafte Ausbeute zu erzielen. Denn die günstigste Ausbeute betrug nur 9 Procent von angewandten Kryolith, der überhaupt nur 13 Proc. Aluminium enthält. Wenn aber auch nur 6 bis 4 Proc. erhalten wurden, so konnte auch dieses Resultat noch ein vortheilhaftes genannt werden; denn oft erhielt der Verfasser nur 3 Procent und bisweilen fast gar nichts.

Diese so sehr verschiedenen Resultate hängen zum Theil von dem Grade der Erhitzung ab, besonders aber davon, daß während des Erkaltens, da dasselbe bisher nur beim Zutritt der Luft geschah, der fein zertheilte Theil des reducirten Aluminiums sich oxydirte.

Die geringen Ausbeuten, welche der Verfasser erhielt, müssen aber von ferneren Versuchen nicht abhalten. Es sind dies die Resultate der ersten Versuche, mit denen der Verfasser sich erst seit sehr kurzer Zeit beschäftigt, um überhaupt zu untersuchen, ob der Kryolith ein vortheilhaftes Material zur Darstellung des Aluminiums sei. Aber durch seine bisher angestellten Versuche ist der Verfasser der festen Meinung geworden, daß der Kryolith wohl von allen Aluminiumverbindungen am vortheilhaftesten zur Darstellung dieses Metalls wird angewendet werden können. Er besitzt so viele Vorzüge vor dem Chloraluminium Natrium, daß man ihn selbst dann noch mit dem größten Vortheil wird anwenden können, wenn auch der Preis desselben sich bedeutend steigern sollte.

Jetzt, da der Kryolith aber zu so überaus niedrigen Preisen zu
erhalten ist, und das Natrium, um dessen leichtere Darstellung sich
D é v i l l e ein wesentliches Verdienst erworben hat, in Zukunft
auch wohlfeiler wird dargestellt werden, kann sich jedermann mit
der Darstellung des Aluminiums beschäftigen, und man wird gewiß
in kurzer Zeit Methoden finden, eine vortheilhafte Ausbeute zu erhalten.

Man hat mit Sicherheit das Aluminium noch nicht unmittelbar
aus der Thonerde darstellen können. Kalium und Natrium scheinen
nur dann die Reduction der metallischen Oxyde bewirken zu können,
wenn das sich erzeugende Kali und Natron mit einem Theile des
nicht reducirten Oxyds sich verbinden kann. Reines Kali und Natron, deren Eigenschaften wir so gut wie gar nicht kennen, scheint
sich nie hierbei zu bilden. Da nun Thonerde mit den Alkalien zu
einem Aluminat sich leicht vereinigen läßt, so sollte man denken,
daß die Reduction der Thonerde durch die alkalischen Metalle gelingen könne.

Aber wenn es auch möglich werden sollte, das Aluminium aus
der Thonerde unmittelbar darzustellen, so wird man vielleicht noch
lange zur Darstellung dieses Metalls der Thonerde den Kryolith
vorziehen, wenn dieser nicht zu sehr im Preise steigen sollte. Denn
die Natur liefert denselben in einem Zustande seltener Reinheit.
In ihm ist das Aluminium nur mit Natrium und Fluor verbunden,
zwei Substanzen, welche bei der Darstellung des Metalls nicht schädlich einwirken können. Im reinen Zustand findet man aber die
Thonerde nur sehr selten und in einem Zustande großer Dichtigkeit; um aus ihren Verbindungen die Thonerde im Großen darzustellen, und sie von Bestandtheilen zu reinigen, welche bei der Bereitung des Aluminiums schädlich einwirken können, würde mit
vielen Schwierigkeiten verbunden sein.

Die Kugeln des vom Verfasser dargestellten Aluminiums sind
meistentheils so dehnbar, daß man sie stark ausplatten und zu dem
feinsten Blech auswalzen kann, ohne daß sie Risse an den Seiten
zeigen. Sie haben dabei einen starken metallischen Glanz. Einige
wenige Massen, die auf dem Boden des Tiegels sich finden, bisweilen
auch auf demselben fest sitzen, bekommen beim Ausplatten Risse
und spalten sich beim Auswalzen. Sie sind offenbar nicht so rein,
wie die größte Mehrzahl der Kugeln und wohl etwas eisenhaltig.

Wie auch schon **Déville** angiebt, so hat auch der Verfasser das Aluminium oft krystallinisch erhalten. Die Krystallform scheint indessen nicht dem regulären System anzugehören.

Es ist schon oben bemerkt worden, daß man hier in Berlin den Kryolith zur Bereitung von ätzender Natronlauge benutzt hat. In der That wird der gepulverte Kryolith vollständig zersetzt, wenn man ihn mit Aetzkalk und Wasser kocht. Das sich erzeugte Fluorcalcium enthält keine Thonerde, die vollständig im Natronhydrat aufgelöst ist, das andrerseits frei von Flúor ist, oder außerordentlich geringe Spuren davon enthält.

Hr. von Humboldt las über einige Erscheinungen in der Intensität des Thierkreislichtes.

In **Gould's** schätzbarem amerikanischem *astronomical Journal* (Nr. 84, vom 26. Mai 1855) ist in einem Briefe des Schiffscaplans Rev. Mr. **George Jones**, von der Fregatte Missisippi, als Resultat seiner Beobachtungen des Thierkreislichtes in den Meeren von China und Japan, die Vermuthung über einen zweiten, mit dem Monde in Beziehung stehenden, lichtausstrahlenden Ring aufgestellt worden. Diese Vermuthung gründet sich auf das *„extraordinary spectacle of the Zodiacal light, simultaneously observed at both east and west horizons from 11 to 1 o'clock"*, mehrere Tage lang hinter einander. Da ich vor 52 Jahren in der Südsee, auf der 40tägigen Überfahrt vom *Callao del Perú* nach dem mexicanischen Hafen Acapulco, etwas sehr analoges beobachtet und es in dem astronomischen Theile meines **Kosmos** in gedrängter Kürze bekannt gemacht habe, so ist es vielleicht nicht ganz ohne Interesse für die Akademie, wenn ich aus meinem, auf dem Meere geschriebenen, französischen Reisejournale vortrage, was auf diesen, bisher noch nie ausführlich berührten Gegenstand Bezug hat. Das Thierkreislicht und die schwierige Lösung des Problems, ob die merkwürdigen Veränderungen der Intensität des Lichtes, während die kleinsten Sterne sich in den Tropennächten mit gleicher Klarheit dem unbewaffneten Auge zeigten, einer materiellen Ursach außerhalb unserer Atmosphäre zuzuschreiben seien, haben mich fünf

Jahre auf grofsen Höhen in den Cordilleren, in den Ebenen
der Grasfluren (Llanos), und auf dem Meere diesseits wie jenseits des Äquators beschäftigt: wie meine spätere, zum Theil
veröffentlichte Correspondenz mit Olbers beweist (Kosmos Bd.
I. S. 412).

Aus meinem Schiffsjournale vom 14. bis 19. März 1803
zwischen nördl. Breite 12°9' und 15°20' und chronometrischer
Länge 104°27' und 105°46', westlich von Paris, nach eigenen
Beobachtungen:

„Le 17 et le 18 mars le fuseau zodiacal, dont la base pa-
raît appuyée sur le Soleil, brillait d'un éclat dont je ne l'ai
jamais vu en d'autres tems à l'approche de l'équinoxe du prin-
tems. La pyramide lumineuse terminait entre Aldebaran et
les Pléiades à 39°5' de hauteur apparente, mesurée audessus
de l'horizon de la mer, qui était encore assez visible. La
pointe était un peu inclinée au nord; et la partie la plus lumineuse, relevée à la boussole, gisait ouest-nord-ouest. Ce
qui m'a frappé le plus pendant cette navigation, c'est la grande
régularité avec laquelle, pendant 5 ou 6 nuits de suite, l'intensité de la lumière zodiacale augmentait et diminuait progres-
sivement. On en apercevait à peine l'existence dans les pre-
miers trois quarts d'heure après le coucher du soleil, quoique
l'obscurité fût assez considérable pour voir briller les étoiles
de 4ème et 5ème grandeur; mais après les 7ʰ 15' le fuseau lu-
mineux paraissait tout d'un coup dans toute sa beauté. La
couleur n'était pas blanche comme celle de la voie lactée, mais
telle que Dominique Cassini assure l'avoir vue en Europe, d'un
jeaune rougeâtre. De très petits nuages, situés accidentelle-
ment de ce côté de l'horizon, réfléchissaient sur le fond rougeâtre une vive lumière bleue. On croyait presque voir à
l'ouest un second coucher du Soleil. Vers les dix heures la
lumière disparaissait presqu' entièrement; à minuit je n'en voyais
qu'une faible trace, quoique la voûte céleste eût conservé la
même transparence. *Pendant que la lumière était très vive à*
l'ouest, nous observâmes constamment à l'est, et c'est
là sans doute un phénomène bien frappant, une lueur
blanchedtre également pyramidale. Cette dernière était
tellement forte, qu'elle augmentait à cet air de vent la clarté

du ciel, de la manière la plus frappante. *Les matelots mêmes furent émeroeillés de cette double lueur à l'ouest et à l'est ; et j'incline à croire que cette lueur blanche à l'est était le reflet de la véritable lumière zodiacale au couchant. Aussi toutes les deux disparaissaient elles en même tems.* Des reflets analogues se présentent souvent dans nos climats au coucher du Soleil, mais je n'aurais jamais imaginé que l'intensité de la lumière zodiacale pût être assez forte pour se répéter par la simple réflexion des rayons. Toutes ses apparences lumineuses étoient à peu près les mêmes depuis le 14 au 19 mars. Nous ne vîmes pas la lumière zodiacale *le 20 et le 21 mars, quoique les nuits fussent de la plus grande beauté.*"

Dies sind die Worte meines Schiffsjournals, Beobachtungen und zugleich Meinungen enthaltend, welche die Beobachtungen damals veranlafsten.

Ich gründete mich demnach auf das, was ich zu Anfang dieses Jahrhunderts in einem nicht veröffentlichten Schiffsjournale der Südsee niedergeschrieben hatte, als fünf Jahre vor der Bekanntmachung der interessanten Beobachtungen des R e v. M r. G e o r g e J o n e s ich im astronomischen Theile des K o s m o s sagte:

„Im ganzen scheinen mir die Veränderungen des Zodiacallichtes von inneren Veränderungen des Phänomens, von der gröfseren oder geringeren Intensität des Lichtprocesses (im Ringe) abzuhangen: wie meine Beobachtungen in der Südsee es zeigen, in welchen sogar ein Gegenschein, gleich dem bei dem Untergang der Sonne, bemerkt ward:" (K o s m o s Bd. III. S. 589.)

Ich füge hier noch die Bemerkung hinzu: dafs ich, von dünnen Luftschichten umgeben, auf den hohen Gebirgsrücken der Cordilleren (in zehn- bis zwölftausend Fufs Höhe), ja selbst noch in der Stadt Mexico, auf nur 7000 Fufs Höhe, im Januar 1804, wie ein Jahr darauf in dem Kloster des Mont Cénis, in welchem ich, in einer Höhe von 6350 Fufs, mit Gay-Lussac (im März 1805) mehrere Nächte zubrachte, um die Intensität der Magnetkraft bei sehr grofser Kälte und den Sauerstoff-Gehalt der Luft zu bestimmen; über die durch die Höhe zugenommene grofse

Lebhaftigkeit des Zodiacallichtes (in den Tropen wie in der
gemäfsigten Zone) gleich verwundert war. Die Veränderungen
der Erscheinung selbst lassen sich aber, nach meinen Erfahrungen, keineswegs alle aus der Beschaffenheit unserer Atmosphäre
allein erklären. Es bleibt auch über diesen Gegenstand noch
viel zu beobachten übrig.

Zu correspondirenden Mitgliedern der Akademie in der
physikalisch-mathematischen Klasse wurden gewählt die Hrn.
Franz Unger in Wien, James Dana in New Haven im
Staate Connecticut, M. Sars auf Mangen in Norwegen, Sir
Charles Lyell in London, die Hrn. P. J. van Beneden
in Loewen, Asa Gray in Cambridge in Nord-Amerika und
George Bentham in Kew bei London.

An eingegangenen Schriften wurden vorgelegt:

Έπιγραφαὶ ἀνέκδοτοι. Phylladion III. Athen 1855. 4.

Astronomische Nachrichten. no. 973. 974. Altona 1855. 4.|

L. Horner, *An Account of some recent Researches near Cairo.* Part I.
London 1855. 4.

Neueste Schriften der naturforschenden Gesellschaft in Danzig. 5. Band.
Heft 3. Danzig 1855. 4.

Comptes rendus de l'Académie des sciences de Paris. Tome 40. no. 24—
26. Tome 41. no. 1. 2. Paris 1855. 4.

Bulletin de la société impériale des naturalistes de Moscou. Année 1855.
no. 1. Moscou 1855. 8.

Nachrichten von der Universität Göttingen. Gottingen 1855. no. 11. 8.

Förstemann, *Altdeutsches Namenbuch.* 1. Band. Lieferung 6. Nordhausen 1855. 4. (Mit Schreiben des Verf. vom Juli 1855.)

Lartigue, *Exposition du système des vents.* Ed. II. Paris 1855. 8.
(Mit Schreiben des Verf. vom Juli 1855.)

30. Juli. Sitzung der philosophisch-historischen Klasse.

Hr. v. d. Hagen legte sein eben im Druck vollendetes Werk vor:

"Heldenbuch. Altdeutsche Heldenlieder aus dem Sagenkreise Dietrichs von Bern und der Nibelungen. Meist aus einzigen Handschriften zum erstenmal gedruckt oder hergestellt." Zwei Bände, 77 Bögen; enthaltend:

"Vorrede des Heldenbuchs". Aus der Strafsburger Handschrift.

I. Ortnit. Aus der Ambras- und Windhag-Wiener Handschrift.

II. Wolfdietrich. Aus der Ambras-Wiener Handschrift.

III. Ortnit und Wolfdietrich. Hagens Bruchstücke.

IV. Hugdietrich und Wolfdietrich. Aus Hagens und der Heidelberger Handschrift und dem Wiener Bruchstücke.

V. Alpharts Tod. Aus der einzigen Handschrift.

VI. Die Ravenna-Schlacht. Aus der Windhag- und Ambras-Wiener und Heidelberger Handschrift.

VII. Sigenot. Aus Lafsbergs Handschrift.

VIII. Ecke. Aus Lafsbergs Handschrift.

IX. Dietrich und seine Gesellen. Aus der Heidelberger Handschrift.

X. Dietrich und seine Gesellen. Bruchstücke: Berliner (Kinderlings) Handschrift; Leipziger Handschrift; Christs Handschrift.

XI. Dietrichs Brautfahrt, von Albrecht von Kamenaten. Aus Aufsefs's Handschrift im Germanischen Museum.

XII. Etzels Hofhaltung. Alter Druck.

XIII. Ermenrichs Tod. Alter Druck.

Der Vorbericht, der über Entstehung und Verhältnis dises Werkes zu früheren verwandten Arbeiten des Herausgebers, über die Geschichte der einzelnen Gedichte, über die Quellen und deren Gebrauch, Rechenschaft gibt, und zugleich den litterarischen Zuwachs des gesammten vaterländischen Sagenkreises seit Erscheinung seines litterarischen Grundrisses zur Geschichte der Altdeutschen Dichtung 1811, zusammenstellt, ward im Auszuge mitgeteilt; namentlich, aus Anlaſs der nun vorligenden manigfaltigen Darstelluugen der Ortnits- und Wolfdietrichs-Dichtung, die widerstreitende Vorstellung von der Entstehung und Bildung des altdeutschen Heldengedichts, vor allem des Nibelungenliedes.

———

Hr. Pertz übergab die letzte Lieferung der von dem Hrn. Dr. Pauli im Archiv des Tower zu London für deutsche insbesonders preuſsische Geschichte verfertigten Abschriften von Urkunden zur Geschichte des 13. und 14. Jahrhunderts. Sie enthält zunächst die Urkunden König Richards II. aus den Jahren 1377—1387, Heinrichs IV. von 1399—1404, Heinrichs VI. von 1440 und 1451, und Eduards IV. von 1472 und 1473. Die letzteren sind ausnahmsweise und wegen ihrer besondern historischen Wichtigkeit hinzugefügt; sie enthalten die Instruction zu Friedensverhandlungen mit dem Erzbischofe von Cöln um 1440, den Friedensvertrag zu Utrecht zwischen Heinrich VI. und den Preuſsen und Hansa 1451, Juni 12., eine Bittschrift der Gemeinen gegen die Vorrechte der Hansa und Preuſsen, und Eduards IV. Instruction für die Utrechter Friedensunterhandlungen mit der Hansa, — ausführliche Actenstücke, für deren Mittheilung über sein Versprechen hinaus man Hrn. Dr. Pauli dankbar zu sein Ursache hat. Die Urkunden der Könige Richard II. und Heinrich IV. beziehen sich gleich den früher übersandten auf alle Theile besonders des nördlichen Deutschlands von Liefland an bis Flandern, besonders aber Preuſsen, die Hansen, und die einzelnen Städte, Riga, Stralsund, Hamburg, Lübeck, Cöln, Brügge, den Erzbischof von Cöln, Geldern, Meklenburg, doch auch aus dem innern Deutschland Nürnberg, und Böhmen. Der gröſste Theil betrifft Handelsverhältnisse, an welche sich dann die politischen Verhandlungen anknüpfen. In dieser Beziehung treten die Preuſsisch-Englischen Unterhandlungen und Verträge von 1387—1389 und 1398 hervor. Ein ausführliches Verzeichnifs (no. 42) von Gütern, welche auf drei Rigaer Schiffen zu Grunde gegangen, aus dem Anfange des 15. Jahrhunderts, von Hrn. Dr. Pauli aus der Handschrift des Brittischen Museums, Cotton no. B. II., abgeschrieben, ist für die Handelsgeschichte von Werth; es kommen darin deutsche Waaren- und Maafsbezeichnungen vor, welche für die Sprache nachgesehen zu werden verdienen, und die Bezeichnung der einzelnen Güterballen und Kisten ist von Hrn. Dr. Pauli nicht übergangen worden. Schliefslich giebt Hr. Dr. Pauli aus dem unerschöpflichen Stoffe des Tower und aus dem Brittischen Museum eine Reihe Nachträge zu seinen früheren Sendungen aus den Jahren 1227 bis 1353, darunter 80 Auszüge aus Heinrichs III. Rotulis de Liberata, des Königs Verkehr mit Deutschland betreffend, nebst 18 andern Stücken, darunter ein Schreiben Ludwigs des Bayern an Eduard III., welche die früheren Mittheilungen vervollständigen.

Beilage.

Einleitungsrede zur Feier des Leibnizischen Jahrestages am 5. Juli 1855, von Herrn Böckh.

Die bescheidene Feier, welche unsere Akademie dem Gedächtniſs unseres groſsen Leibniz widmet, läſst sich unter verschiedenen Gesichtspunkten betrachten. Leibniz gilt als Stifter dieser Gesellschaft, und mit Recht; Leibniz hat in vielen Fächern der Wissenschaft und Gelehrsamkeit Bedeutendes geleistet, in der Philosophie und Mathematik Epoche gemacht; er hat auch auf die praktischen Kreise, auf Staat und Kirche einzuwirken gesucht: so können auch wir ihn heute in seiner unmittelbaren Beziehung auf die Akademie, oder als den Mann von der höchsten wissenschaftlichen Bedeutung überhaupt oder für dieses oder jenes Fach, oder in seiner mehr nach auſsen gerichteten Thätigkeit betrachten. Die Universalität seines Geistes macht es auch einer und derselben Person möglich, in kurzen Zwischenräumen, wie es von uns geschehen muſs, wiederholt über ihn zu sprechen, ohne der Gefahr oder Nothwendigkeit ausgesetzt zu sein wieder auf dasselbe zu gerathen. Dennoch dürfte ein stärkerer Wechsel derjenigen, welche hier über ihn zu sprechen haben, nicht unerwünscht sein, und am liebsten möchte man wohl solche über ihn hören, die ohne erst zu dem Zwecke eines Vortrages nothdürftige Studien zu machen, durch häufigen Verkehr mit des groſsen Mannes eigenthümlichsten und hauptsächlichsten Leistungen dem Gegenstande ganz gewachsen sind. Wer hätte nicht, um dieses gerade nahe liegende Beispiel zu wählen, den tiefsinnigen Philosophen, welchen uns der Tod vor kurzem entrissen hat, lieber statt meiner an diesem Gedächtniſstage über Leibniz sprechen gehört? Wie also, wenn es möglich sein oder gelingen sollte, eine Vermittelung zu treffen, daſs dieser durch meinen Mund spräche? Die Philosophen, ausgenommen wenige die fast nur ihren näch-

sten Vorgänger kennen oder kennen wollen, schliefsen sich gern
an einen oder mehrere der früheren an, und man kann sicher
darauf rechnen, dafs wer diesen bestimmten anerkennt, auch zu
andern bestimmten sich hingezogen fühlen werde. Wer für Platon gestimmt ist, schätzt auch den Bruno und Spinoza hoch, wie
verschieden auch Platon und Spinoza sein mögen; und die meisten, welche diese drei anerkennen, sind auch unserem Leibniz
hold: ja ich würde dies noch allgemeiner aussprechen, wenn mir
nicht doch eine bedeutende Ausnahme erinnerlich wäre. Schelling
steht in jener Reihe, und er hat es geliebt auf Geistesverwandte
Rücksicht zu nehmen. An dem heutigen Tage, der zugleich ein
Gedenktag für kürzlich hingeschiedene Amtsgenossen sein soll,
scheint es mir daher nicht unangemessen zu sein, einige wenn
auch nur obenhin gegriffene und wenn man will dilettantische
Bemerkungen über Schellings Verhältnifs zu Leibniz und seine
Ansicht von diesem und seinen Philosophemen zu geben. Zu-
sammengesucht aus vielen seiner Schriften können sie dennoch
auf Vollständigkeit keinen Anspruch machen, und Geringeres lasse
ich sogar absichtlich weg: noch weiter bin ich von der Anmaßung
entfernt, etwa in dieser Einkleidung eine Gedächtnifsrede für
Schelling zu halten, die für den heutigen Tag selbst ein Mann
vom Fach geliefert hat. Freilich könnte mich auch von diesem
beschränkteren Vorhaben Ein Gedanke abhalten. Wenn Sokrates [1])
von dem grofsen Parmenides, dem ehrwürdigen, gewaltigen, tiefen sprechend sagt, er fürchte, dafs er dessen Worte nicht verstehe, noch viel mehr aber hinter dem zurückbleibe, was jener
dabei sich dachte, so mag auch mir in dem vorliegenden Falle
eine ähnliche Befürchtung um so weniger zu verargen sein, je
häufiger der tiefsinnige Philosoph, dessen Ansichten über Leibniz
ich zusammenzustellen versuche, darüber geklagt hat, dafs er nicht
verstanden oder falsch verstanden werde, und je leichter in der
Wiedererzählung abgerissener Urtheile ein Mifsverständnifs mit
unterlaufen kann. Selbst dafs der edle und mir wohlwollende ältere Amtsgenosse gelegentlich einmal mit etwas zweideutiger Ar-
tigkeit gegen mich geäufsert hat, er sei überzeugt, dafs ich ihn
verstehen könne, wenn ich wolle, kann dieses Bedenkens bei dem

---

[1]) Platon Theaet. S. 183. E.

besten Willen mich nicht entheben. Es kommt hinzu, daſs seine Äusserungen über Leibniz nur in früheren Schriften enthalten sind, aus denen auch ich sie meist nach Jugenderinnerungen kenne, und daſs man ihn eines bedeutenden Wandels seiner Ansichten zeiht. Aber bei welchem Gegenstande der Betrachtung fänden sich nicht Bedenken? Wer nur immer alle Bedenken bedenken wollte, müſste sich zu völligem Schweigen verurtheilen, von welchem ich nicht zu sagen weiſs, ob es das Unbedenklichste oder das Bedenklichste sei.

Wenn Schelling darüber klagte, daſs er nicht verstanden werde, sagte er von sich nur was er auch von Leibniz sagte. Es ist unstreitig ein wahres Wort, wenn er in den Ideen zu einer Philosophie der Natur[1]) ausspricht, daſs „von jeher die alltäglichsten Menschen die gröſsten Philosophen widerlegt haben, mit Dingen, die selbst Kindern und Unmündigen begreiflich sind. Man hört, liest und staunt, daſs so groſsen Männern so gemeine Dinge unbekannt waren, und daſs so anerkannt kleine Menschen sie meistern konnten. Viele, sagt er, sind überzeugt, Platon würde, wenn er nur Locke lesen könnte, beschämt von dannen gehen; mancher glaubt, daſs selbst Leibniz, wenn er von den Todten auferstünde, um eine Stunde lang bei ihm in die Schule zu gehen, bekehrt würde, und wie viele Unmündige haben nicht über Spinoza's Grabhügel Triumphlieder angestimmt?" Es ist eine fast unübersteigliche Kluft zwischen den Menschen vom gemeinen Sinn und den speculativen Geistern. „Was war es doch, läſst er jene fragen, was alle diese Männer antrieb, die gemeinen Vorstellungsarten ihres Zeitalters zu verlassen und Systeme zu erfinden, die allem entgegen sind, was die groſse Menge von jeher geglaubt und sich eingebildet hat? Es war ein freier Schwung, der sie in ein Gebiet erhob, wo ihr auch ihre Aufgaben nicht mehr versteht, so wie ihnen dagegen manches unbegreiflich wurde, was euch höchst einfach und begreiflich scheint". So verhält es sich mit Leibniz sicherlich, und nicht allein gemeine, nein selbst ausgezeichnete Geister, deren Gröſse jedoch auf einem anderen Felde liegt, gehen hiervon den Beweis: ich brauche nur an Friedrichs des Groſsen Urtheile über einige der wichtigsten Leibnizischen

---

[1]) 1. Thl. 2. Ausg. (1802) S. 13.

Lehren zu erinnern. Daſs Schelling gerade auf diese, die dem
gemeinen Sinne nur als Phantasiegebilde erschienen, seine Aufmerksamkeit richtete, namentlich auf die Monadologie und die
prästabilirte Harmonie, läſst sich von vorn herein erwarten: er
schreibt sich aber ein neues und eigenthümliches Verständniſs
derselben zu, und wird nicht müde zu wiederholen, daſs Leibniz
noch nicht verstanden worden. Es scheint mir, daſs er sich nicht
gleich zu Anfang seines Philosophirens, namentlich in der Abhandlung vom Ich als Princip der Philosophie ¹), schon in diesem Verständnisse befand, wenn er sagt, der transcendente Realismus, den er unserem Leibniz zuschrieb, sehe die Objecte überhaupt als Dinge an sich an, könne daher das Wandelbare und
Bedingte an ihnen nur als Product des empirischen Ichs ansehen,
und sie nur, insofern sie die Form der Identität und Unwandelbarkeit haben, als Dinge an sich betrachten: so habe Leibniz, um
die Identität und Unwandelbarkeit der Dinge an sich zu retten,
zur prästabilirten Harmonie seine Zuflucht nehmen müssen; die
Leibnizischen Monaden hätten die Urform des Ichs, Einheit und
Realität, identische Substantialität und reines Sein als vorstellende
Wesen, dagegen hätten alle diejenigen Formen, welche vom
Nicht-Ich aufs Object übergehen, Negation, Vielheit, Accidenta-
lität, Bedingtheit, als bloſs in der sinnlichen Vorstellung desselben vorhanden, empirisch-idealistisch erklärt werden müssen; Leibniz sehe alle Erscheinungen als eben so viele Einschränkungen
der Realität des Nicht-Ichs an, und alles, was da ist, sei ihm
Nicht-Ich, selbst Gott, in dem alle Realität, aber auſserhalb aller
Negation, vereinigt sei. Hier ist noch nicht von einem Miſsverstehen der Leibnizischen Lehren die Rede. Aber nicht lange
nachher, in den Abhandlungen zur Erläuterung des Idealismus der
Wissenschaftslehre ²), ist er ergrimmt über die Halbköpfe, die
von Kant gehört, was Leibniz behaupte, aber zu aufgeklärt geworden, um ihn selber zu lesen: „Unsterblicher Geist, was ist

---

¹) S. 72 ff. (1795), philos. Schriften Bd I. Seine allererste Schrift
ziehe ich nicht in Betracht, obgleich sich schon diese mit Leibniz beschäftigt; sie ist in seinen gesammelten philosophischen Schriften wohl mit Absicht weggelassen.

²) Ebendas. S. 212 (1796—97)

unter uns aus deiner Lehre geworden! Was aus den ältesten,
heiligsten Traditionen geworden ist; — *doctrina per tot manus
tradita, tandem in vappam desiit!*" Wie es überhaupt in der
Geschichte der Philosophie Beispiele gebe von Systemen, die mehrere Zeitalter hindurch räthselhaft geblieben, so sei erst jetzt die
Zeit gekommen, Leibnizen zu verstehen; denn so wie er bisher
verstanden worden, könne er nicht verstanden werden, wenn er,
wie Jemand damals gesagt hatte, im Grunde doch Recht haben solle [1]). Selbst von denen, welche sich zu ihm bekennen
oder die Philosophie zu ihm zurückführen wollten, sei die Lehre
in Hauptpunkten, der vorherbestimmten Harmonie, dem Verhältniß der Monaden zu Gott, und andern ganz unverstanden geblieben [2]). Indem er als congenialer Geist, weil das Gleiche nur
von Gleichem erkannt werden kann, tiefer in Leibniz eindrang,
geht er bald [3]) so weit zu sagen: „die Zeit ist gekommen, da
man seine Philosophie wiederherstellen kann. Sein Geist, fährt
er fort, verschmähte die Fesseln der Schule; kein Wunder, daß
er unter uns nur in wenigen verwandten Geistern fortgelebt hat
und unter den übrigen längst ein Fremdling geworden ist. Er
gehörte zu den wenigen, die auch die Wissenschaft als freies
Werk behandeln. Er hatte in sich den allgemeinen Geist der
Welt, der in den mannigfachsten Formen sich selbst offenbart
und wo er hinkommt Leben verbreitet." Doch spricht er ihn
nicht davon frei, durch eigene Schuld nicht verstanden worden
zu sein [4]), und er setzt auch Leibnizens Nebenbuhler nicht un-
gemäßigt herab. Hat man seiner und der nächst verwandten
Schule mit Recht vorgeworfen, daß sie gegen Newton eine bis
ins Unverständige und Unanständige gehende Geringschätzung
äußere, so verdient nicht vergessen zu werden, was er über das
Verhältniß beider sagt [5]). „Selten, meint er, haben große Geister zu gleicher Zeit gelebt, ohne von ganz verschiedenen Seiten
her auf denselben Zweck hinzuarbeiten. Während Leibniz auf

---

[1]) Ebendas. S. 328.
[2]) Bruno S. 229 (1802).
[3]) Ideen zu einer Philos. d. Natur S. 14.
[4]) Bruno a. a. O.
[5]) Ideen zu einer Philos. d. Natur S. 20 f.

die prästabilirte Harmonie das System der Geisterwelt gründete,
fand Newton im Gleichgewicht der Weltkräfte das System einer
materiellen Welt." Die Auflösung beider Systeme in Eins oder
die Auflösung des Geistigen und Natürlichen, des Idealen und
Realen in Eins, ist ihm das letzte Ziel unseres Wissens: „Wenn
anders im System unseres Wissens Einheit ist, und wenn es gelingt, auch die letzten Extreme desselben zu vereinigen, so müssen wir hoffen, daſs eben hier, wo Leibniz und Newton sich
trennten, einst ein umfassender Geist den Mittelpunkt finden
wird, um den sich das Universum unseres Wissens — die
beiden Welten bewegen, zwischen welchen jetzt noch unser Wissen getheilt ist, und Leibnizens prästabilirte Harmonie und New-
tons Gravitationssystem als Ein und dasselbe, oder nur als verschiedene Ansichten von Einem und demselben erscheinen werden." Das erste hauptsächlichste Miſsverstehen der Leibnizischen
Lehre findet nun Schelling [1]) darin, daſs man jenem eine Welt
von Dingen an sich beilege, die von keinem Geiste angeschaut
und erkannt, doch auf uns wirken und alle Vorstellungen in uns
hervorbringen. „Leibniz wuſste von keinem Dasein, als nur von
einem solchen, das sich selbst erkennt, oder von einem Geiste erkannt wird. Das letztere war ihm bloſse Erscheinung.
Was aber mehr als Erscheinung sein sollte, daraus machte er
nicht ein todtes, selbstloses Object. Darum begabte er seine
Monaden mit Vorstellkräften, und machte sie zu Spiegeln des
Universums, zu erkennenden, vorstellenden, und nur insofern nicht ‚erkennbaren‘, nicht ‚vorstellbaren‘ Wesen." Sein
erster Gedanke, von dem er ausging, war: daſs die Vorstellungen von äuſseren Dingen in der Seele kraft ihrer eigenen Gesetze, wie in einer besonderen Welt entstünden, als
wenn nichts als Gott (das Unendliche) und die Seele (die Anschauung des Unendlichen) vorhanden wäre: keine äuſsere Ursache könne auf das Innere eines Geistes wirken. „Als Leibniz
dies sagte, sprach er zu den Philosophen: Heutzutage haben sich
Leute zum Philosophiren gedrungen, die für alles andere, nur für

---

[1]) Ebendas. S. 14 ff. vergl. S. 35. Zur Erläuterung des Idealismus
der Wissenschaftsl. S. 212.

Philosophie nicht, Sinn haben. Daher, wenn unter uns gesagt
wird, daſs keine Vorstellung in uns durch äuſsere Einwirkung
entstehen könne, des Anstaunéns kein Ende ist. Jetzt gilt es
für Philosophie, zu glauben, daſs die Monaden Fenster haben,
durch welche die Dinge hinein und heraus steigen." Die ganzen
Systeme des Spinoza und Leibniz seien nichts anderes als der
von diesen allein gemachte Versuch, aus der Natur des endlichen
Geistes die Nothwendigkeit einer Succession seiner Vorstellungen
abzuleiten, und damit diese Succession wahrhaft objectiv sei, die
Dinge selbst zugleich mit dieser Aufeinanderfolge in ihm werden
und entstehen zu lassen: Spinoza habe eingesehen, daſs in unserer Natur Ideales und Reales, Gedanke und Gegenstand innig
vereinigt seien, zwischen den wirklichen Dingen und unseren
Vorstellungen von ihnen keine Trennung stattfinde; aber sich
selbst überfliegend habe er sich sogleich in die Idee eines Unendlichen auſser uns verloren, und sein System gebe keinen Übergang vom Unendlichen zum Endlichen: nach Leibniz dagegen sei
in mir jene nothwendige Vereinigung des Idealen und Realen,
des Absolut-thätigen und Absolut-leidenden, die Spinoza in eine
unendliche Substanz auſser mir versetzte, ursprünglich ohne mein
Zuthun da, und eben darin bestehe meine Natur. Ohne sich auf
diesen Punkt gestellt zu haben, wo Leibniz sich von Spinoza
scheide und mit ihm zusammenhänge, könne man ersteren nicht
verstehen, dessen ganzes System von dem Begriff der Individualität ausgehe und dahin zurückkehre: er gehe weder vom Unendlichen zum Endlichen noch von diesem zu jenem über, sondern
beides sei ihm gleichsam durch eine und dieselbe Entwickelung
unserer Natur — durch eine und dieselbe Handlungsweise des
Geistes, auf einmal wirklich gemacht. Nur vorstellende Wesen
halte Leibniz für ursprünglich real und an sich wirklich, weil
nur in ihnen jene Vereinigung ursprünglich ist, aus welchen
alles andere, was wirklich heiſst, sich entwickelt und hervorgeht. Nach der Meinung der miſsverstandenen prästabilirten
Harmonie „producirt zwar jede einzelne Monade die Welt aus
sich selbst, aber doch existirt diese zugleich unabhängig von den
Vorstellungen; allein nach Leibniz selbst besteht die Welt, insofern sie reell ist, selbst wieder nur aus Monaden, mithin beruht

alle Realität am Ende nur auf Vorstellkräften [1])." Der Geist sei
absoluter Selbstgrund seines Seins und Wissens. Die gewöhnliche Vorstellung von Leibnizens prästabilirter Harmonie treffe
also nicht das Richtige; es liege in dem Leibnizischen System
selbst, daß aus dem W e s e n endlicher Naturen überhaupt die
Übereinstimmung, von welcher die Rede ist, folge, nicht aber
eine höhere Hand uns erst so eingerichtet habe, daß wir eine
solche Welt und eine solche Ordnung der Erscheinungen vorzustellen genöthigt sind [2]). „Ich kann nicht anders annehmen, sagte
er in einer anderen Stelle, als daß Leibniz unter der substan-
tiellen Form sich einen den organisirten Wesen i n w o h n e n d e n
regierenden G e i s t dachte [3])." Er trägt auch nicht Bedenken,
aus eigener Person die Nothwendigkeit einer prästabilirten Harmonie der beiden Welten, der idealen und der realen, auszusprechen [4]); das System der Natur sei zugleich das System unseres
Geistes und zwischen Erfahrung und Speculation keine Trennung
mehr. Der Leibnizische Idealismus, den er früher als empirischen
Idealismus, gleich dem transcendenten Realismus, bezeichnet hatte,
wird ihm, weil er auf dem Satz beruhe, daß alle Kräfte des Universums zuletzt auf vorstellende Kräfte zurückkommen, vom tran-
scendentalen Idealismus nicht verschieden, und wenn Leibniz die
Materie den Schlafzustand der Monaden oder wenn sie Hemster-
huis den geronnenen Geist nenne, so liege in diesen Ausdrücken
ein Sinn, der sich aus den von ihm selber vorgetragenen Grundsätzen sehr leicht einsehen lasse, und er erkennt darin gerade die
Aufhebung alles Dualismus und alles reellen Gegensatzes zwischen Geist und Materie [5]): indem Leibniz, richtig verstanden,
die Materie, die ihm bekanntlich für nicht real gilt, bloß aus den
Vorstellungen der Monaden ableitet, welche wenn sie adäquat
sind nur Gott, wenn sie aber verworren sind die Welt und die

---

[1]) System des transc. Idealismus S. 65 (1800).
[2]) Ideen zu einer Philos. d. Natur S. 40. vergl. System des transc.
Idealismus S. 344. und über den Mißverstand der prästabilirten Harmonie
ebendas. S. 263.
[3]) Ideen zu einer Philosophie der Natur S. 51.
[4]) System des transc. Idealismus S. 16.
[5]) Ebendas. S. 190.

sinnlichen Dinge zum Gegenstande haben [1]). Auch daſs man
Leibnizen die Lehre von den angeborenen Begriffen zuschreibt,
soll Miſsverstand sein: Locke streite gegen dieses Hirngespinst
von angeborenen Begriffen, welches er bei Leibniz voraussetze,
der weit davon entfernt gewesen; „Es giebt Begriffe a priori,
ohne daſs es angeborene Begriffe gäbe. Nicht Begriffe, sondern
unsere eigene Natur und ihr ganzer Mechanismus ist das uns
angeborene" [2]). Wir finden jedoch auch manche abstimmige
Urtheile über die ersten Gründe der Leibnizischen Philosophie.
Wenn er im Bruno den Intellectualismus im Gegensatze des
Materialismus im wesentlichen nach Leibniz dargelegt hat, findet
er selber in dem Ausgehen von dem Begriffe der Monas eine
Beschränktheit seiner Darstellung [3]). Daſs die todte Materie ein
Schlaf der vorstellenden Kräfte, das Thierleben ein Traum der
Monaden, das Vernunftleben ein Zustand der allgemeinen Er-
wachung sei, ist ihm doch nur „ein sinnvoller Traum" [4]). Selbst
Leibniz, sagt er anderwärts, sei dem Miſsgriffe nicht völlig ent-
gangen, die ihrer Natur nach unreellen, das Positive gar nicht
angehenden Bestimmungen, welche nur ein falsches Denken
macht, zu Mängeln der Dinge zu machen [5]). Des Dualismus
zeiht er zwar Leibnizen nicht, tadelt aber, daſs dieser seine Lehre
in einer Form ausgesprochen, die der Dualismus sich wieder an-
eignen könnte, wenn auch seine Anhänger mehr als er die Schuld
trügen [6]). Endlich erklärt er später doch das Leibnizische System
mit starken Worten für einseitig: „Der Idealismus, wenn er
nicht einen lebendigen Realismus zur Basis erhält, wird ein eben
so leeres und abgezogenes System, als das Leibnizische, Spino-
zische oder irgend ein anderes dogmatisches. Die ganze Neu-

---

[1]) Philosophie und Religion S. 48 (1804).

[2]) System des transc. Idealismus S. 317. 319. Locke schreibt jedoch
nicht gegen Leibnizens sondern gegen des Descartes Philosophem von den
angeborenen Ideen.

[3]) Bruno S. 229.

[4]) Erster Entwurf eines Systems der Naturphilosophie S. 200 (1799).

[5]) Darlegung des wahren Verhältnisses der Naturphilosophie zu der
verbesserten Fichteschen Lehre S. 63.

[6]) Vorlesungen über die Methode des akademischen Studiums S.
136 (1803).

europäische Philosophie seit ihrem Beginne (durch Descartes) hat diesen gemeinschaftlichen Mangel, daſs die Natur für sie nicht vorhanden ist, und daſs es ihr am lebendigen Grunde fehlt. Spinoza's Realismus ist dadurch so abstract als der Idealismus des Leibniz. Idealismus ist Seele der Philosophie, Realismus ihr Leib; nur beide zusammen machen ein lebendiges Ganze aus"[1]).

Schellings Kritik der Leibnizischen Lehren hat überall das Gepräge eines schonenden Wohlwollens; nirgends erscheint darin Überhebung oder Wegwerfung, nirgends Ironie; man findet nur sanften Tadel. So beschaffen finden wir auch die Besprechung der Gegenstände der Theodicee in der Abhandlung über die Freiheit, wenn er daran auch vieles aussetzt. Denn nach Schelling fehlt bis Entdeckung des Idealismus (des neuesten) der eigentliche Begriff der Freiheit in allen Systemen der neueren Zeit, im Leibnizischen so gut wie im Spinozischen[2]), und er verwirft alle Verbesserungen, die man bei dem Determinismus anzubringen suchte, als ungenügend, auch die Leibnizische, daſs die bewegenden Ursachen den Willen nur incliniren, nicht bestimmen. Die allgemeine Möglichkeit des Bösen findet Schelling darin, daſs der Mensch seine Selbstheit, anstatt sie zur Basis, zum Organ zu machen, vielmehr zum Herrschenden und zum Allwillen zu erheben, dagegen das Geistige in sich zum Mittel zu machen streben kann[3]). Meistentheils hat man die Quelle des Bösen in der Materie gesucht; Leibniz ging davon ab, aber weil er die verworrenen Vorstellungen der Monaden und die mit ihnen nothwendig verbundenen Privationen des Übels und des sittlichen Bösen nicht erklären konnte, muſste er sich der Rechtfertigung und gleichsam Vertheidigung Gottes wegen der Verhängung oder Zulassung desselben unterziehen[4]). Die Quelle des Übels (*du mal*) liegt ihm in der idealen Natur des geschaffenen Wesens, inwiefern sie unter den ewigen Wahrheiten begriffen ist, die in dem Verstande Gottes sind, unabhängig von seinem Willen. Denn es giebt eine ursprüngliche Unvollkommenheit des geschaffenen

---

[1]) Über die Freiheit, philos. Schriften Bd. I. S. 427 (1809).
[2]) Ebendas. S. 412.
[3]) Ebendas. S. 474.
[4]) Philosophie und Religion S. 48.

Wesens vor der Sünde, weil das Geschaffene wesentlich beschränkt ist, daher es nicht alles wissen, daher es sich täuschen
und andere Fehler begehen kann. Gott hat dem Menschen nicht
alle Vollkommenheiten mittheilen können, ohne ihn selbst zu Gott
zu machen; es mußte verschiedene Grade der Vollkommenheit
geben und Einschränkungen jeder Art[1]). Leibniz unterscheidet
zwei Principien in Gott, den Verstand und den Willen: der
Verstand, dessen Object die Natur der Dinge ist, enthält in sich
den Grund zur Zulassung des Bösen; aber der Wille geht allein
auf das Gute, und die Möglichkeit des Bösen ist von dem göttlichen Willen unabhängig. Diese Unterscheidung findet Schelling[2]) der sinnreichen Art dieses Mannes gemäß; er setzt sogar
hinzu, die Vorstellung von dem Verstande oder der göttlichen
Weisheit als etwas, worin sich Gott selbst eher leidend als thätig
verhalte, deute auf etwas Tieferes hin; nur erkennt er Leibnizens
Lehre vom Übel und Bösen als bloßer Privation nicht mehr wie
früher an, als er sie mit der eigenen Ansicht näher stimmend
fand und ihr nur die berichtigende Bemerkung zugesetzt hatte,
daß dem durchdringenden Geiste Leibnizens die, wie angedeutet
wird, aus Klugheit unterdrückte Folgerung daraus nicht habe entgehen können, die Substanz in allen Dingen sei nur Eine und
zwar Gott, „wodurch sein Ausspruch: ‚Wären keine Monaden,
so hätte Spinoza Recht,‘ auf seinen eigentlichen Werth zurückgeführt werde”[3]): eine Bemerkung, die ohne Zweifel sehr gegründet ist. Jetzt aber tadelt er, daß in der Leibnizischen Erklärung das Böse, welches aus jenem lediglich idealen Grunde
stammen kann, auf etwas bloß Passives, auf Mangel, Einschränkung, Beraubung hinauslaufe, was der eigentlichen Natur des Bösen
völlig widerstreite, und er entkräftet die Versuche, wie Leibniz
die Entstehung des Bösen aus einem natürlichen Mangel begreiflich machen will: und da Leibniz das Böse immerhin doch nur

---

[1]) Theod. I, 20.
[2]) Über die Freiheit S 443 ff.
[3]) Aphorismen zur Einleitung in die Naturphilosophie, Jahrbücher der
Medicin als Wissenschaft, 1 Bd. S. 84 ff (1806). In dieser Abhandlung
wird auch sonst mit Vorliebe auf Leibniz Bezug genommen, wie S. 29.
50. 61.

von Gott ableiten könne, und die Beraubung selbst, um bemerklich zu werden, eines Positiven bedürfe, sei derselbe genöthigt, Gott zur Ursache des Materialen der Sünde zu machen und nur das Formelle derselben der ursprünglichen Einschränkung der Creatur zuzuschreiben. Als Kern der ganzen Theodicee erklärt Schelling[1]) zwei Stellen: die eine, Gott wolle vorgängig alles Gute an sich, nachfolgend das Beste als einen Zweck, das Gleichgültige und das physische Übel bisweilen als ein Mittel, das moralische Böse aber lasse er nur zu unter dem Titel einer *conditio sine qua non* oder der hypothetischen Nothwendigkeit, die es mit dem Besten verknüpft, daher der nachfolgende Wille Gottes, welcher die Sünde zum Object hat, nur zulassend sei; die andere, das Laster sei nicht Gegenstand des göttlichen Rathschlusses als Mittel, sondern als *conditio sine qua non*, und darum werde es nur zugelassen. Gegen alles dieses erklärt sich Schelling; „Der Wille zur Schöpfung, sagt er, war unmittelbar nur ein Wille zur Geburt des Lichtes und damit des Guten; das Böse aber kam in diesem Willen weder als Mittel, noch selbst wie Leibniz sagt, als *conditio sine qua non* der möglich größten Vollkommenheit der Welt in Betracht. Es war weder Gegenstand eines göttlichen Rathschlusses, noch und viel weniger einer Erlaubniß. Warum Gott, da er nothwendig vorgesehen, daß das Böse wenigstens begleitungsweise aus der Selbstoffenbarung folgen würde, nicht vorgezogen habe sich überhaupt nicht zu offenbaren, diese Frage scheint ihm keine Erwiederung zu verdienen: dennoch giebt er auch noch eine solche, die ich übergehen darf, und es wird hinterher sogar dem Leibnizischen Begriff des Bösen als *conditio sine qua non* eine beschränkte Anwendung zugestanden, nämlich auf das, was Schelling den Grund oder die Natur in Gott nennt[2]), ein von ihm zwar unabtrennliches, aber doch unterschiedenes Wesen, welches den creatürlichen Willen, das mögliche Princip des Bösen, als Bedingung errege, unter welcher allein der Wille der Liebe verwirklicht werden könne. Die Leibnizische Berathschlagung Gottes mit sich selbst über die Selbstoffenbarung oder Weltschöpfung oder

---

[1]) Über die Freiheit S. 491.
[2]) Ebendas. S. 429.

die Wahl zwischen mehreren möglichen Welten, verwirft Schelling[1]): sobald nur die nähere Bestimmung einer sittlichen Nothwendigkeit hinzugefügt werde, sei der Satz unläugbar, daß aus der göttlichen Natur alles mit absoluter Nothwendigkeit folgt, daß alles, was kraft derselben möglich ist, auch wirklich sein muß, und was nicht wirklich ist, auch sittlich unmöglich sein muß: Spinoza fehle keinesweges durch die Behauptung einer solchen unverbrüchlichen Nothwendigkeit in Gott, sondern dadurch, daß er sie unlebendig und unpersönlich nimmt; die Gründe gegen die Einheit der Möglichkeit und Wirklichkeit in Gott seien von dem ganz formalen Begriff der Möglichkeit hergenommen, den Leibniz offenbar nur darum annehme, um eine Wahl in Gott herauszubringen und sich dadurch so weit als möglich von Spinoza zu entfernen. „In dem göttlichen Verstande selbst, als in uranfänglicher Weisheit, worin sich Gott ideal oder urbildlich verwirklicht, ist wie nur Ein Gott ist, so auch nur eine mögliche Welt." Doch sage uns die ganze Natur, daß sie keinesweges vermöge einer bloß geometrischen Nothwendigkeit da ist: es sei nicht lauter reine Vernunft in ihr, sondern Persönlichkeit und Geist; sonst hätte der geometrische Verstand sie längst durchdringen und sein Idol allgemeiner und ewiger Naturgesetze mehr bewahrheiten müssen, als es bis jetzt geschehen sei: es gebe keine Erfolge aus allgemeinen Gesetzen, sondern die Person Gottes sei das allgemeine Gesetz, und alles was geschehe geschehe vermöge der Persönlichkeit Gottes, nicht nach einer abstracten Nothwendigkeit, die w i r im Handeln nicht ertragen würden, geschweige denn Gott. Er sieht es in der Leibnizischen Philosophie, die sonst nur zu sehr vom Geiste der Abstraction beherrscht werde, als eine der erfreulichsten Seiten an, daß sie anerkenne, die Naturgesetze seien sittlich, nicht aber geometrisch nothwendig: denn Leibniz habe gefunden, die in der Natur nachweisbaren Gesetze seien nicht absolut demonstrabel; weder ganz nothwendig noch ganz willkürlich ständen sie in der Mitte als Gesetze, die von einer über alles vollkommenen Weisheit stammen, und gäben einen Beweis ab eines höchsten intelligenten und freien Wesens

---

[1]) Ebendas. S. 484.

gegen das System einer absoluten Nothwendigkeit[1]). Ich erzähle
nur, und unterdrücke die Bedenken gegen die Folgerichtigkeit
und Bündigkeit dieser Speculationen.

Leibniz hat selbst im Wust Goldkörner zu finden gewußt.
Auch in dieser Beziehung hat Schelling ihn anerkannt. Schon
in der Abhandlung vom Ich als Princip der Philosophie[2]) findet
sich eine Vorliebe für die Schwärmer: ihre Ausdrücke, sagt er,
enthalten häufig einen Schatz geahneter und gefühlter Wahrheit;
„sie sind nach Leibnizens Vergleichung die güldenen Gefäße der
Ägypter, die der Philosoph zu heiligerem Gebrauche entwenden
muß". Wenn Schelling gegen Fichte sich wegen der Hinneigung
zu den Schwärmern vertheidigt[3]), vergißt er nicht den Vorgang
von Kepler und Leibniz und „die vielen seelen- und gemüthvol-
len Aussprüche" dieser und mancher anderer, die nach Fichte
alle für Unsinn gehalten werden müßten. „Ich schäme mich
des Namens vieler sogenannter Schwärmer nicht, sondern will
ihn noch laut bekennen und mich rühmen von ihnen gelernt zu
haben, wie auch Leibniz gerühmt hat, sobald ich mich dessen
rühmen kann". In einer zwar nicht zufälligen, aber doch unerwarteten Verbindung hiermit hat Schelling einen für das richtige
Verständniß vieler Leibnizischen Äußerungen sehr wichtigen Punkt
berührt. Unter den Gelehrten der letzten Jahrhunderte, bemerkt
er, scheine eine Art von geheimem und stillschweigendem Vertrag stattgefunden zu haben, über eine gewisse Grenze in der
Wissenschaft nicht hinauszugehen, und die so gerühmte Geistes-
und Denkfreiheit habe jederzeit nur innerhalb dieser Grenze wirklich gegolten, kein Schritt außerhalb derselben aber ungestraft
und ungerochen gewagt werden dürfen; er brauche diese Grenze
dem wahren Kenner nicht näher zu bezeichnen und nur zu sagen,
daß selbst die geistreichsten Männer, die sie wirklich überschritten, wie Leibniz, doch den Schein davon vermieden. Treffend
ist in diesen Worten die Leibnizische Behutsamkeit und Anbe-
quemung bezeichnet, die dem großen Mann um so mehr noth-

---

[1]) Ebendas. S. 483.

[2]) S. 77.

[3]) Darlegung des wahren Verhältnisses der Naturphilosophie zu der
verbesserten Fichteschen Lehre S. 154 ff.

wendig war, je vornehmer und höher seine Verbindungen waren, und je weiter aussehend seine Plane für Wissenschaft, Staat und Kirche, die er durch sie zu erreichen suchte. Dies erscheint meiner vollen Überzeugung nach besonders in seinem Verhältniß zur positiven Theologie, und auch Schelling kann etwas anderes nicht gemeint haben, wenn er bei der Frage von dem Ursprung des Übels und des Bösen ihm ein ziemlich klares Bewußtsein über die einzige darauf mögliche Antwort zutraut, „die er auch in einzelnen Äußerungen zum Theil wirklich ausgesprochen," aber sofort hinzusetzt: „sie nicht mit consequenter Klarheit durchgeführt zu zeigen, mochte der weise Mann in seinem Zeitalter Gründe genug finden"[1]). Schelling hatte solche Rücksichten lange unumwunden bei Seite gesetzt, befindet sich aber in dem oben bezeichneten Verhältniß auf einem etwas andern Standpunkt als Leibniz. Dieser ist niemals weiter als zu der Behauptung gegangen, daß da zwei Wahrheiten sich nicht widersprechen können, die auf außerordentliche Weise von Gott geoffenbarte Wahrheit, bei welcher das Zureichende der Beweggründe der Glaubwürdigkeit vorausgesetzt wird, und die Wahrheit der Vernunft sich nicht widersprechen könnten; übrigens hat er beide unvermischt gelassen, und die äußerste Grenze, bis zu welcher er vorging, war diese, die Möglichkeit, nicht aber die Wirklichkeit der Wahrheit der geoffenbarten Lehren zu beweisen. Unserem uns näher gewesenen Amtsgenossen ist die Naturwelt eine Selbstoffenbarung Gottes, aber auch die Geschichte als Ganzes eine fortgehende, allmählig sich enthüllende Offenbarung des Absoluten[2]), „ein Epos im Geiste Gottes gedichtet"[3]): woraus ihm denn die ersten Grundzüge einer Philosophie der Geschichte erwachsen sind[4]). Diese Lehren sind mit dem Leibnizischen System nicht unvereinbar: sind die Monaden, trotz ihrer behaupteten Selbständigkeit, Fulgurationen oder Ausstrahlungen Gottes, ist auch im Menschen

---

[1]) Aphorismen zur Einleitung in die Naturphilosophie a. a. O.

[2]) System des transc. Idealismus S. 438.

[3]) Philosophie und Religion S. 64.

[4]) Vergl. System des transc. Idealismus a. a. O. und die theilweise Umgestaltung in den Vorlesungen über die Methode des akad. Studiums S. 175.

alles vorausbestimmt, von Gott bestimmt, so folgt das von Schelling aufgestellte auch aus dem Leibnizischen System. Aber bei
vieler Ähnlichkeit ist beider Männer Gang doch sehr verschieden.
Unter die Ähnlichkeiten rechne ich die Begabung beider mit einer
reichen Phantasie, welche sie auch von trockenem Schematisiren
zu freieren Darstellungen überleitete, obgleich Leibniz es nicht
verschmähte, selbst in die feinsten scholastischen Spitzfindigkeiten
einzugehen und das freier dargestellte in syllogistische Form nachträglich umzuwandeln, und auch Schelling das dialektische Philosophiren geübt hat und die dialektische Philosophie als ein für
sich bestehendes und von Religion und Poesie geschiedenes anerkennt[1]). Vielleicht scheint es kleinlich, wenn ich auch das merkwürdig finde, dafs wie Leibniz in Lucrezischem Stil ein Lateinisches Gedicht über den Phosphor geschrieben, so Schelling der
philosophisch-historischen Klasse ein ganz ähnliches Lateinisches
Werkchen von der ächten Farbe des eben genannten Vorbildes
über die Ansichten vom Ursprung der Sprache, zwar wie ein
fremdes vorgetragen hat, doch ohne stark zu widersprechen, wenn
ihm auf den Kopf zugesagt wurde, er selber habe es in seiner
Jugend verfafst. Aber Schelling hat auf die poetische und künstlerische Phantasie ein viel gröfseres Gewicht gelegt Die ästhe-
tische Anschauung ist ihm die objectiv gewordene transcenden-
tale, die Kunst das einzige wahre und ewige Organon zugleich
und Document der Philosophie: sie öffne dem Philosophen gleichsam das Allerheiligste, wo in ewiger und ursprünglicher Vereinigung wie in Einer Flamme brennt, was in der Natur und Geschichte gesondert ist, und was im Leben und Handeln ebenso
wie im Denken stets sich fliehen mufs; er schaue darin wie in
einem magischen und symbolischen Spiegel das innere Wesen
seiner Wissenschaft[2]). „Die wahre Objectivität der Philosophie
in ihrer Totalität ist nur die Kunst"[3]), und „Schönheit und

---

[1]) Über die Freiheit S. 509. Kaum wage ich die Stelle über die wirkliche Dialektik in den von Paulus herausgegebenen Vorlesungen über die
Philosophie der Offenbarung damit zu verbinden, S. 463.

[2]) System des transc. Idealismus S. 475. Vorlesungen über die Methode des akad. Studiums S. 321.

[3]) Ebendas. S. 161.

Wahrheit, Poesie und Philosophie bilden eine Einheit"[1]). So kam er frühzeitig auf den Gedanken, die Philosophie, so wie sie in der Kindheit der Wissenschaft von der Poesie geboren und genährt wurde, werde mit denjenigen Wissenschaften, welche durch sie der Vollkommenheit entgegengeführt werden, nach ihrer Vollendung in den allgemeinen Ocean der Poesie zurückfliefsen, von welchem sie ausgegangen waren; das Mittelglied der Rückkehr der Wissenschaft zur Poesie liege in der Mythologie, wiewohl er nicht anzugeben weifs, wie die neue dafür zu bildende Mythologie beschaffen sein werde[2]). Man kann es niemanden verargen, wenn er hierbei an Umkehr der Wissenschaft denkt; nur thut man ihm Unrecht, wenn man ihm selber eine bedeutende Sinnesänderung zur Last legt, indem seine früheren Schriften sehr kräftige Keime späterer Entwickelungen enthalten[3]). Mit dem Gesagten hängt nun die Begeisterung für den alten Mythos wesentlich zusammen; und diese wurde gesteigert durch die vielleicht später aufgegebene Vorstellung[4]), das Menschengeschlecht, wie es jetzt erscheint, habe sich nicht von selbst aus dem Instinct und der Thierheit zur Vernunft und Freiheit erheben können, sondern die Erziehung und den Unterricht höherer Naturen genossen, die nachdem sie den göttlichen Saamen der Ideen, Künste und Wissenschaften, der Vernunft unmittelbar theilhaftig, auf der Erde ausgestreut, von ihr verschwunden seien, wie die grofsen Thiere der Vorwelt, und in diesem Unterrichte liege der erste Ursprung der Religion, deren Symbole der Mythos enthält, so-

---

[1]) Bruno S. 23.

[2]) System des transc. Idealismus S. 477. Vergl. auch S IV. der Vorrede zur ersten Auflage der Schrift von der Welt-eele (3. Auflage, 1809), wo von der Rückkehr zur ältesten dichterischen Philosophie noch bestimmter gesprochen ist.

[3]) S. die eigene Andeutung in den Vorlesungen über die Philosophie der Offenbarung S. 394 bei Paulus: was wohl nicht im Widerspruch steht mit der Verheifsung der in der Hauptsache letzten Umänderung der Philosophie (Vorrede zu Becker's Übers. des Vorwortes der 2. Ausg. von Cousin's Fragmens philosophiques).

[4]) Wenigstens kann ich damit das in den eben genannten Vorlesungen S. 554 (Paulus) gesagte nicht reimen.

wie jeder andern Erkenntnifs und Cultur'). Nach dieser ebenso
phantastischen als phantasiereichen Vorstellung wäre also der
Mythos Überlieferung eines in irdische Leiber herabgestiegenen
Geistergeschlechts²) und somit in der That eine Art von Offenbarung im engeren Sinne; anderwärts wird minder auffällig nur
gesagt, als der menschliche Geist die Mythologien und Dichtungen
über den Ursprung der Welt erfand, sei er noch jugendlich
kräftig und von den Göttern her frisch gewesen, und die Religion habe früher, abgesondert vom Volksglauben, gleich einem
heiligen Feuer in Mysterien bewahrt, mit der Philosophie ein ge-
meinschaftliches Heiligthum gehabt³). So wurde ihm die Construction des Mythos ein Gegenstand der Philosophie, und er
hat, nicht ohne das gefährliche Spiel der Etymologien, stets geist-
reich, die Aufgabe erfüllt, „auch in jenem grenzenlosen Raume
das Licht der Wahrheit zu verbreiten, den Mythologie und Religion für die Einbildungskraft mit Dichtungen angefüllt haben".
Was die Christliche Offenbarung betrifft, so könnte es scheinen,
er habe sie ehemals nicht höher als den Mythos gestellt, wenn
er sagt, die biblischen Bücher hielten an ächt religiösem Gehalt
keine Vergleichung mit so vielen anderen der früheren und späteren Zeit, vorzüglich den Indischen, auch nur von ferne aus⁴);
aber die Schroffheit dieses Urtheils hebt sich durch ein daneben
stehendes freilich nicht minder schroffes, dafs die ersten Bücher
der Geschichte und Lehre des Christenthums selbst nichts als
auch nur eine besondere, noch dazu unvollkommene Erscheinung
desselben seien⁵), und andere in derselben Schrift enthaltene
Äufserungen, welche auf eine symbolische Bedeutung und erforderliche speculative Umdeutung der Lehren hinweisen, werden
reichlich aufgewogen durch die bestimmte Erklärung, dafs Gott
in Christo zuerst wahrhaft objectiv geworden⁶): ja man kann

---

¹) Bruno S. 197. Philosophie und Religion S. 64 ff. Vorlesungen
über die Methode des akad. Studiums S. 167.

²) Philosophie und Religion S. 66.

³) Ideen zu einer Philosophie der Natur S. 14. Philosophie und Religion S. 1.

⁴) Vorlesungen über die Methode des akad. Studiums S. 199.

⁵) Ebendas. S. 197.

⁶) Ebendas. S. 193.

sich in dieser Richtung nicht stärker ausdrücken als in der Abhandlung über die Freiheit geschehen ist[1]): „Das Licht des höheren Geistes erscheint, um dem persönlichen und geistigen Bösen
entgegenzutreten, ebenfalls in persönlicher, menschlicher Gestalt,
und als Mittler, um den Rapport der Schöpfung mit Gott auf
der höchsten Stufe wieder herzustellen. Denn nur Persönliches
kann Persönliches heilen, und Gott muſs Mensch werden, damit
der Mensch wieder zu Gott komme”. Später hat er den Unterschied der Mythologie von der Offenbarung dahin bestimmt, daſs
jene vielmehr Folge, nicht Offenbarung eines göttlichen Willens
sei, dieser erst nachher, über sie hinaus offenbar werde, aus der
Mythologie sich auf jenen göttlichen Willen schlieſsen lasse, diese
aber nicht der Effect dieses Willens sei[2]). Die Ausbildung ge-
offenbarter Wahrheiten in Vernunftwahrheiten hat er nun schon
früher[3]) für schlechterdings nothwendig erklärt, wenn dem menschlichen Geschlecht damit geholfen werden solle, worunter ich doch
nur „Deduction Christlicher Dogmen”[4]) verstehen kann. Jedoch
sollen, wenn man den nicht von ihm selber bekannt gemachten
Vorlesungen trauen darf, die Wahrheiten der geoffenbarten Religion nicht auf solche zurückgeführt werden, welche die Vernunft
aus sich selbst erzeugt, sondern müssen etwas über die Vernunft
hinausgehendes sein, Wahrheiten, die ohne die Offenbarung nicht
nur nicht gewuſst wurden, sondern gar nicht gewuſst werden
konnten. Als ein Unbegreifliches aber soll die Offenbarung nicht
stehen gelassen werden: der Mensch hat die Enge seiner Begriffe
zur Gröſse der göttlichen zu erweitern; Gottes Thun übersteigt
alle menschlichen Begriffe, aber nicht daſs es unbegreiflich wäre,
sondern wir müssen dazu einen Maſsstab haben, der alle gewöhnlichen Maſsstäbe übersteigt; es ist die Aufgabe der Philosophie
der Offenbarung, „zuerst auf diesen über allem nothwendigen
Wissen erhabenen Standpunkt zu stellen, sodann jenen Entschluſs,
der der eigentliche Gegenstand der Offenbarung ist, nicht *a priori*
zu begründen, aber nachdem er geoffenbart ist, theils überhaupt

---

[1]) S. 460.
[2]) Vorlesungen uber Philos. d. Offenb. S. 610 (Paulus).
[3]) Über die Freiheit S. 507.
[4]) Erste Vorlesung in Berlin S. 13 (1841).

theils in seiner Ausführung begreiflich zu machen"[1]). Das ist
es nun gerade, wo Leibniz und Schelling sich bedeutend scheiden: die Mysterien, lehrt Leibniz, lassen sich nur erklären bis
auf einen gewissen Grad, nicht begreifen noch verständlich machen wie sie zugehen. Mit diesem seinem Grundsatz, den sogar
sein unwissenschaftlichstes Werk, die Theodicee anerkennt, scheint
es allerdings in Widerspruch zu stehen, wenn er obwohl nicht
die Wahrheit, doch die Möglichkeit der Mysterien, namentlich
der Dreieinigkeit, der Fleischwerdung und des Abendmahles, beweisen zu können sich frühzeitig gerühmt und diese Beweise versucht hat, indem er zwar die Übervernünftigkeit der Mysterien
behauptet, aber in Abrede stellt, daß sie wider die Vernunft
seien: will man dies aber auch nicht auf sein sehr weit getrie-
benes Bestreben der Accommodation rechnen, worauf gut unter-
richtete Zeitgenossen manche in das theologisch-dogmatische Gebiet einschlagende Äußerungen desselben gerechnet haben, so ist
er dennoch hierin weit hinter Schelling zurückgeblieben, wenn
man dem vertrauen darf was letzterem zugeschrieben worden. Ich
glaube anderwärts, nicht ohne gebührende Rücksicht auf Leibnizens eben angedeutete die Mysterien betreffenden Versuche, die
lediglich apologetisch sind, gezeigt zu haben, daß dieser die Offenbarung und die Philosophie gänzlich auseinander gehalten
habe[2]), sodaß bei ihm von einer Offenbarungsphilosophie ebenso
wenig als von einer Philosophie der Mythologie die Rede sein
kann. Doch genug hiervon: mögen noch einige Worte über
den Mythos erlaubt sein, der Leibnizen wenig anzog. Der Mythos, welchen wir als den dogmatischen Ausdruck der antiken
Religionen zu betrachten haben, ist ein Erzeugniß des uralten
und uranfänglichen Enthusiasmus: er enthält in naturwüchsiger
Verpuppung tiefe Ahnungen des Übersinnlichen wie des Natür-

---

[1]) Vorlesungen über die Philos. d. Offenb. S. 215. 612 f. 618.

[2]) Leibniz in seinem Verhältniß zur positiven Theologie, akademische
Rede vom J. 1843, in Friedr. v. Raumers historischem Taschenbuch, neue
Folge, 5. Jahrg. S. 483—514. Habe ich später (Rede vom 8. Juli 1847,
Monatsber. d. Akad. S. 255) zugegeben, daß Leibniz in einem gewissen
Falle seine Lehre dem Dogma anbequemt habe, so thut dies meiner obigen
Behauptung keinen Abbruch. Volle Consequenz kann man ihm nicht zu-
schreiben.

gerade. in genauer Beziehung auf den Mythos, aber doch in nahe
verwandtem Sinne das öfter gesagte wiederholt hat, es sei freilich nicht seine Meinung, als ob der Mensch erst allmählig von
der Dumpfheit des thierischen Instincts zur Vernunft sich auf-
gerichtet habe, setzt er ausdrücklich hinzu[1]): „Dennoch glauben
wir, daß die Wahrheit uns näher liege, und daß wir für die
Probleme, die zu unserer Zeit rege geworden sind, die Auflösung
zuerst bei uns selbst und auf unserem eigenen Boden suchen
sollen, ehe wir nach so entfernten Quellen wandeln. Die Zeit
des blofs historischen Glaubens ist vorbei, wenn die Möglichkeit
unmittelbarer Erkenntnifs gegeben ist. Wir haben eine ältere
Offenbarung als jede geschriebene, die Natur." So sprach er in
den Zeiten, in welche seine Urtheile über Leibniz fallen.

---

[1]) Über die Freiheit S. 510.

Bericht

über die

zur Bekanntmachung geeigneten Verhandlungen der Königl. Preuſs. Akademie der Wissenschaften zu Berlin

im Monat August 1855.

Vorsitzender Sekretar: Hr. Trendelenburg.

2. August. Gesammtsitzung der Akademie.

Hr. Buschmann las über die Lautveränderung aztekischer Wörter in den sonorischen Sprachen und über die sonorische Endung *ame*.

Hr. Heinr. Rose sprach über das Quecksilber haltende Fahlerz von Poratsch oder Kotterbach in Ungarn.

Dieses Fahlerz hat wegen seines Quecksilbergehalts die Aufmerksamkeit der Chemiker auf sich gezogen. Es ist zuerst von Klaproth, und später von Scheidthauer analysirt worden, welche indessen nur die derben Varietäten der Untersuchung unterwarfen. In neuerer Zeit hat v. Hauer 5 Varietäten des Kotterbacher Erzes untersucht, aber sehr verschiedene Resultate erhalten; der Quecksilbergehalt wechselte in ihnen von 0,52 bis zu 16,69 Procent; ein Arsenikgehalt wird gar nicht angegeben.

Im vergangenen Jahre erhielt Hr. H. Rose durch Hrn. Zeuschner in Krakau das Kotterbacher Fahlerz im krystallisirten Zustande, als Tetraeder. Dieselben waren zwar mit etwas Kupferkies bedeckt, welcher sich indessen sehr gut von der Fahlerzmasse trennen lieſs.

Hr. G. vom Rath hat dasselbe einer genauen Untersuchung unterworfen. Dieselbe war wegen der Mannigfaltigkeit der Bestandtheile eine sehr mühsame und schwierige. Er fand das Mineral, dessen spec. Gewicht zu 5,070 bestimmt wurde, in 3 Analysen zusammengesetzt aus:

	I.	II.	III.
Schwefel	22,54	22,11	22,94
Antimon	18,56	19,54	19,93
Arsenik	3,18	3,13	2,50
Wismuth	0,96	0,66	(0,96)
Blei	(0,21)	0,21	(0,21)
Kupfer	35,42	34,83	35,76
Zink	0,64	0,75	0,67
Eisen	0,80	0,99	0,81
Quecksilber	17,27	(17,27)	(17,27)
	99,58	99,51	101,05

Die Zusammensetzung kann durch die gewöhnliche Fahlerzformel ausgedrückt werden, doch verhält sich der Schwefelgehalt der Schwefelbasen $\dot{R}$, wenn zu diesem auch das Schwefelquecksilber gerechnet wird, zu dem der Basen $\ddot{R}$ nicht genau wie 1 : 2, sondern mehr wie 1 : 2,5.

Scheidthauer hat in dem derben Erze weit weniger Quecksilber (nur 7,54 Proc.) gefunden, als Hr. vom Rath in dem krystallisirten Das Mineral scheint daher, wie dies auch aus den Untersuchungen des Hrn. v. Hauer hervorgeht, wenigstens im derben Zustande von verschiedener Zusammensetzung zu sein.

Eine bemerkenswerthe Ähnlichkeit hat das krystallisirte Fahlerz von Kotterbach in seiner Zusammensetzung mit einem derben Fahlerze, angeblich von Schwatz in Tyrol, das durch Weidenbusch untersucht worden ist.

———

Hr. Magnus machte folgende Mittheilung: über die Menge des Wassers welches der Vesuvian enthält.

Die Untersuchung welche Hr. Prof. Th. Scheerer über die Zusammensetzung des Vesuvians vor Kurzem veröffentlicht hat[1]), veranlaíst mich die folgenden, schon vor einiger Zeit angestellten Versuche mitzutheilen.

Vor vielen Jahren habe ich mich mit den Vesuvianen beschäftigt und auch mehrere derselben geschmolzen. Als ich den Gewichtsverlust bestimmte, welchen der Vesuvian vom Wiluiflusse erleidet, fand ich, daſs dieser nur 0,791 p. C. seines Gewichtes beim Schmelzen verlor[2]). Eine Menge die so gering war, daſs man sie als durch die Ungenauigkeit der Beobachtung veranlaſst betrachten muſste. Als indeſs Hr. Prof. Rammelsberg[3]) vor einiger Zeit bei mehreren Vesuvianen gefunden hatte, daſs sie zwischen 2 und 3 p. C. beim Schmelzen verlieren, sah ich mich veranlaſst den Vesuvian vom Wilui-Fluſs von Neuem in dieser Beziehung zu untersuchen. Ich fand wieder sehr nahe denselben Verlust nämlich 0,734 p. C. Da aber andere Vesuviane die ich geschmolzen habe, einen eben so groſsen Verlust erlitten, wie ihn Prof. Rammelsberg angiebt, nämlich 2 bis 3 p. C., so schien es mir unzweifelhaft, daſs der Vesuvian eine flüchtige Substanz enthalte. Auch überzeugte ich mich bald, daſs er in höherer Temperatur Wasser mit sehr kleinen Mengen von Kohlensäure abgiebt.

Um diese Substanzen zu bestimmen verfuhr ich auf folgende Weise. Das Fossil wurde in einem Schiffchen aus Platinblech in eine Porcellanröhre gebracht die in einem Windofen lag. Da die Hitze welche derselbe lieferte, nicht ausreichte um Wasser aus dem Vesuvian auszutreiben, so wurde dieselbe durch Anwendung eines starken Gebläses gesteigert. Während der Erhitzung wurde entweder atmosphärische Luft oder Stickgas sehr langsam durch die Röhre geleitet. Das Gas ging bevor es in die Röhre trat, zuerst durch eine concentrirte Auflösung von kaustischem Kali, sodann durch Barytwasser, und darauf durch eine zwei Fuſs lange Chlorcalciumröhre. Auf diese Weise konnte ich sicher sein, daſs die Luft, wenn sie mit dem Vesuvian in Berührung kam, weder Kohlensäure noch Wasserdampf enthielt. Aus der Porcellanröhre ging die Luft zunächst durch eine lange, enge Glasröhre, die an

[1]) Poggendorffs Annal. Bd. 95 p. 520.
[2]) Ebendas. Bd. 30 p. 477.
[3]) Ebendas. Bd. 94 p. 92.

einer Stelle zu einer Kugel ausgeblasen war, und zur Aufnahme
des Wassers diente, wefshalb sie von aufsen abgekühlt wurde.
Der nicht verdichtete Wasserdampf, so wie die Kohlensäure
wurden ganz so wie bei den organischen Analysen bestimmt,
nur wandte ich statt kaustischen Kalis Barytwasser an, um sogleich beobachten zu können ob sich Kohlensäure entwickelt.

Erst wenn der Vesuvian seinem Schwelzpunkt nahe war,
entwickelte sich Wasser, und gleichzeitig begann das Barytwasser sich zu trüben. Die Hitze mufste hierfür so hoch gesteigert werden, dafs die Glasur des Porcellans weich wurde.
Dadurch entstand der Übelstand, dafs das Platinschiffchen mit
der Glasur zusammenschmolz. Um dies zu vermeiden befestigte
ich das Paltinschiffchen auf vier Drathspitzen, die wenn sie mit
der Glasur zusammengeschmolzen waren, leicht gelöst werden
konnten. Dadurch wurde es möglich das Platinschiffchen mit
dem Vesuvian nach Beendigung des Versuchs zu wägen, und
den Gewichtsverlust zu bestimmen. Da indefs stets einige
Gewalt angewendet werden mufste um die Platinspitzen los-
zubrechen, so war diese Bestimmung nicht mit voller Sicherheit
auszuführen.

Die Vesuviane wurden stets nur in vollkommen klaren
Krystallen angewandt. Von jedem derselben wurde soviel Kohlensäure erhalten dafs das Barytwasser sich stark trübte; aber
doch war die Menge derselben so gering, dafs sie nur in zwei
Fällen bestimmt werden konnte. Das erhaltene Wasser reagirte
schwach sauer, doch war es nicht möglich irgend eine andere
als Kohlensäure in demselben aufzufinden. Die Menge des
Wassers war nahe dem Gewichtsverlust gleich, welchen das
Fossil erfahren hatte, bisweilen etwas geringer, bisweilen etwas
gröfser, was offenbar von der Unsicherheit herrührte, welche
in der Bestimmung des Gewichtsverlustes lag.

Die erhaltenen Werthe sind folgende:

Vesuvian von	angewandt Grammes	Verlust in p. C.	Wasser p. C.	Kohlensäure p. C.
Slatust	4,636	2,54	2,44	0,15 .
Ala	9,848	3,18	2,98	unbestimmb.
Vesuv (grüner)	10,7335	2,63	0,29	desgl.
Vesuv (brauner)	7,814	1,73	1,79	0,06
Derselbe	7,970	1,55	2,03	unbestimmb.

Ich würde diese Versuche nicht veröffentlichen, da ihre Resultate zum Theil schon durch Hrn. Prof. Scheerer's Arbeit bekannt sind, wenn sie mir nicht von besonderem Interesse dadurch zu sein schienen, daſs der Vesuvian das Wasser erst bei einer so auſserordentlich hohen Temperatur abgiebt. Hr. Prof. Scheerer erwähnt diesen Umstand nicht, in dem offenbar der Grund liegt, weſshalb man das Wasser früher nicht in den Vesuvianen gefunden hat. Denn wer konnte früher wohl voraussetzen daſs ein Fossil, welches in der vollsten Rothglühhitze nichts an Gewicht verliert, noch Wasser enthalte.

Es ist schwierig zu ermitteln, bis zu welcher Temperatur man die Vesuviane erhitzen darf ohne daſs sie Wasser verlieren. Weder durch eine Spiritus- noch durch eine Gaslampe mit doppeltem Luftzug konnte ich die geringste Menge von Wasser austreiben. Es gelang dies nur durch Anwendung eines Gebläses. Als mittelst eines solchen der Vesuvian in einem offenen Tiegel erhitzt wurde in dem gleichzeitig ein Stückchen Silber lag, zeigte er selbst nachdem das Silber geschmolzen war keinen Gewichtsverlust. Auf diese Weise habe ich mich bei Vesuvianen von verschiedenen Fundorten überzeugt, daſs sie bei der Temperatur, bei der das Silber schmilzt, noch kein Wasser abgeben.

Da ich früher gefunden hatte daſs die Granate, wie die Vesuviane, durch Schmelzen ein geringeres spec. Gew. annehmen, so lag mir besonders daran zu wissen, ob auch die Granate beim Schmelzen Wasser verlieren. Auf meinen Wunsch hat deſshalb Hr. W e b e r, dessen umsichtiger Hülfe ich mich bei diesen Versuchen zu erfreuen hatte, von einer Anzahl Vesuvianen und Granaten den Gewichtsverlust bestimmt.

Die geringen Gewichtsverluste, welche bei dem Grossular und Kaneelstein beobachtet wurden, haben ihren Grund ohne Zweifel in einer Veränderung des Oxydationsgrades des in ihnen enthaltenen Eisens, denn sie erschienen nach dem Schmelzen ganz dunkel, fast schwarz. Die Granate enthalten daher kein Wasser.

Die Gewichtsverluste waren folgende.

Vesuvian von	angewandt Grammes	Verlust. Grammes		p. C.
Slatoust	2,1635	0,058	=	2,68
Derselbe	1,3100	0,0275	=	2,10
Banat	2,8135	0,068	=	2,41
Derselbe	2,5965	0,0625	=	2,41
Wilui	1,9075	0,014	=	0,73
Egg bei Christiansand	2,1175	0,047	=	2,21
Derselbe	1,9845	0,0435	=	2,19
Vesuv (grüner)	2,0715	0,058	=	2,80
Vesuv (brauner)	2,1425	0,050	=	2,33
Derselbe	1,8555	0,040	=	2,15
Ala	0,9345	0,029	=	3,10
Granat				
Grossular vom Wilui	2,429	0,003	=	0,12
Almandin von Slatoust	4,712	0,000	=	0,00
Rother Kaneelstein	3,4755	0,009	=	0,25
Derselbe	2,9085	0,010	=	0,34

Hr. Ehrenberg theilte die gelungene durchscheinende Färbung farbloser organischer Kieseltheile für mikroskopische Zwecke mit.

Methode.

Bei den Untersuchungen der viele grofse Gebirgsmassen characterisirenden Steinkerne der mikroskopischen Organismen, war die Beobachtung besonders im Bereiche des Grünsandes der leicht sichtbaren Farbe halber glücklich und rasch fortgeschritten. Rothe und braune Steinkerne hatten daneben eine ähnliche schnelle und sichere Auffassung erlaubt, schwieriger aber waren die farblosen glasartigen Steinkerne geblieben. Unter Wasser verschwinden fast selbst die gröfseren Formen der letzteren wegen dadurch erhöhter Durchsichtigkeit und der Versuch sie in Balsamen zu befestigen und aufzubewahren, macht sie noch durchsichtiger, so dafs oft keine Spur mehr erkannt wird, wie wenn man Glas-Geschirr unter Wasser legt.

Eine weiße an organischen farblosen Kieselkörperchen sehr reiche Gebirgsart aus Java ließ diese Schwierigkeit für die Beobachtung besonders fühlbar werden, da die in ihr vorhandenen feinen Steinkerne mannigfache sehr ansprechende Formen undeutlich zeigten, aber für die nöthige Fixirung und Aufbewahrung ganz unzugänglich erscheinen ließen.

Im Mai d. J. habe ich bereits Versuche mitgetheilt, durch Färbung der mittelst Salzsäure isolirten Kieseltheilchen jene Schwierigkeiten für die wissenschaftliche Forschung zu überwinden. Es gelang mir, wie im Monatsbericht S. 276 mitgetheilt worden, zuerst schwarze Färbungen zu machen, indem die Körperchen, wie gewisse Schichten des Achats, Zuckerauflösung einsaugen, welche mit Hülfe von Schwefelsäure und Erhitzung eine intensive Schwärze erzeugt. Da diese schwarze Färbung aber die Theilchen ganz undurchsichtig macht, so blieben doch dabei mancherlei Verhältnisse unklar, besonders für den Zusammenhang. Ich schloß daher die Mittheilung darüber mit den Worten: „Es ist hier noch eine Reihe von chemischen Versuchen zu machen, welche die am besten färbende Methode für farblose Kieseltheilchen ermittele, ohne deren Durchscheinen ganz aufzuheben. Gefärbte lassen sich in canadischem Balsam erkennbar aufbewahren."

Dieses wissenschaftliche Bedürfniß ist mir neuerlich zu befriedigen gelungen. Während Eisenchlorid und vielerlei andere Mittel keine deutliche Färbung hervorbrachten, gelang es mit salpetersaurem Eisen, welches nach einer Mittheilung des Hrn. Magnus in den Achatschleifereien zum Röthlich färben des weißen Achates dient. Es war aber nicht allein die Färbung, welche das günstige Resultat gab, als vielmehr die Möglichkeit die Färbung so zu modificiren, daß dabei die oft in einander geschachtelten Structurtheile durchscheinend bleiben und mit ihren Verbindungen durchgesehen werden können.

Eine vor dem Gelatiniren mit Wasser verdünnte salpetersaure Eisen-Auflösung färbte sehr schnell alle Kieseltheilchen der javanischen Gebirgsart von Gua Linggo manik, nachdem dieselben durch Salzsäure vom Kalk isolirt worden waren, gelb und beim Erhitzen allmählich braunroth. Wurde die färbende Flüssigkeit durch Wasser verdünnt und allmählich entfernt, so blieben die gefärbten Theilchen rein liegen und ließen sich so trocknen. Auf Glastafeln an-

getrocknete isolirte kleine Formen liefsen sich dann leicht mit canadischem Terpentin überziehen, und dadurch zur Aufbewahrung
fixiren, ohne dafs die durchdringende Eigenschaft des Terpentins
ihre Durchsichtigkeit zum Schaden der Erkenntnifs erhöhte. Ja es
wurde diese neue Beobachtungsmethode sogleich eine Quelle sehr
vieler neuer Structur- und Formenkenntnisse. Es fand sich bald,
dafs die Durchsichtigkeit bei diesen Färbungen nach Belieben und
Bedürfnifs modificirt werden könne, je nachdem man das salpetersaure Eisen länger oder kürzer, kalt oder erhitzt, einwirken läfst.

Einige bereits gewonnene Thatsachen.

Wenn ich im Mai dieses Jahres (Monatsber. S. 274) aus dem
weifsen Tertiärkalk von Gua Linggo manik auf Java schon ohne Färbung mit etwas mühsamer Behandlung das ganze innere Höhlen-
und Canal-Gerüst von Polythalamien-Schalen darstellen konnte,
die zu den Gattungen *Amphistegina* und *Heterostegina* gehören,
und vom Bau dieser Formen eine ganz neue, weit zusammenge-
setztere Vorstellung begründen konnte, so hat die neue Beobachtungsmethode auch hierbei noch in so fern wesentlich genützt, als
es nun möglich ist, dergleichen damals vergängliche Produkte mühsamer Behandlung für die wiederholte spätere Prüfung zu fixiren
und aufzubewahren. Solche Präparate der wohl und fest erhaltenen *Heterostegina javana* mit ihren netzartig durchbrochenen
Seitenflügeln der Kammern, lege ich jetzt hierbei vor.

Ferner konnte ich schon im Mai dieses Jahres nach schwarzen
Färbungen die starken Nabelgefäfse der Schalen von Arten der
Gattung *Polystomatium*, von denen Hr. Williamson in London
zuerst gesprochen, anschaulich vorlegen, daneben aber auch den
von Williamson geläugneten Sipho oder Verbindungscanal der
Kammern, anschaulich machen. Jetzt lassen sich auch die neuerlich
wieder von Hrn. Max Schultze geläugneten mehrfachen seitlichen
Verbindungs-Canäle der Kammern ebenfalls als Steinkerne fixirt
vorlegen. Vergl. Monatsbr. S. 283.

Durch die schwarze Färbung hatte ich auch bereits im Mai,
aufser bei *Polystomatium*, über die ganze Schale greifende Canäle
bei Triloculinen von Java erkannt, (l. c. p. 281.).

Dergleichen Structur-Verhältnisse der für einfach erklärten
einflufsreichen Polythalamien sind nun jetzt viel vollständiger zur

Ansicht gekommen und ihre Auffindung ganz leicht geworden. Ja jede neue Beschäftigung mit dem Gegenstande in dieser Methode muß nothwendig immer neue reichere Erkenntnisse gewähren.

Zu dem Auffallendsten gehört, daß bei 2 Arten der Gattung *Polystomatium* des Gesteins von Java, die ich als *P. Leptactis* und *P. Pachyactis* bezeichne, das Canalsystem des Nabels der Schale, in Verbindung mit den, von mir auch bei mehreren Nummuliten-Arten nachgewiesenen, radienartigen, zwischen je 2 Kammern aufsteigenden ästigen Canälen, sich frei ablöst und als ein selbstständiges höchst zartes Gerüst isolirt, dessen zwischenliegende schwere Kammern, unbeschadet seines Zusammenhanges, abbrechen konnten. Eine solche Festigkeit so feiner, vielfach verzweigter Canal-Ausfüllungen war höchst überraschend und es ist mir gelungen, 3 sehr schöne sich gleichende Präparate zu fixiren, welche ich mit den samt den Kammern schön erhaltenen ganzen Steinkernen derselben Arten vorlege. *P. Leptactis* hat eine glatte Oberfläche der Steinkerne, *P. Pachyactis* eine gekörnte, die oft am Rande in Röhrchen ausgeht.

Auch mit der neuen Färbungsmethode gelang es wieder und noch deutlicher die großen Gefäßstämme in der Längsrichtung der Schale bei Triloculinen zu sehen und zu fixiren.

Bei dem großen *Orbitoides javanicus,* dessen Kammern im Diameter durchschnittlich dreimal größer sind als die des *Orbitoides Prattii,* ist das analoge Canal-System mit Sipho, sowie mit concentrischen und radienartig strahlenden Gefäßen vollständig deutlich geworden. Dagegen scheint das Zellsystem der Schalen einfacher zu sein, während das Gefäßnetz der Schalen stärker und reicher entwickelt ist. Die Central-Kammern auch dieses Orbitoiden sind viel größer als die übrigen und zeigen deutlich, daß die ersten Jugendzustände dieser Formen sich den spiralen Polythalamien (den Rotalinen) anschließen.

Besonders die Aufmerksamkeit erregend war auch ein sichtbarer Längscanal bei Nodosarinen (*Marginulina?*), welcher den Sipho überall begleitet und in der Mitte verborgen liegt. Sein Verlauf ist sehr deutlich durch alle Glieder, seine Verzweigungen aber verlangen weitere Forschung. Der Canal(?) erscheint sonderbar genug als eine Röhre überall am Rande des Sipho, aber alle Kammern, nicht seitlich, sondern in ihrer Mitte gerade durchlaufend und seitlich am Grunde des den Sipho bildenden Schnabels erweitert endend. Ein solcher innerer Canal als alle Glieder verbindendes Gefäß, ist bisher völlig unbekannt geblieben und verändert wesentlich die Vorstellung des organischen Baues der Marginulinen.

Ebenso interessant waren die nun erst erkennbar gewordenen frei ausgelösten Steinkerne von Alveolinen des Tertiärgesteins von Java. Die von mir 1838 bei Gelegenheit der physiologischen Systematik der Polythalamien, aus der Zellenstellung entwickelte Ansicht über den Bau der Alveolinen, ist später zwar schon durch Steinkerne und auch durch jetzt lebende Formen des Austral Oceans weiter gefördert worden, allein auch die Steinkerne, welche im Bergkalke Rußlands massebildend 1843 von mir aufgefunden worden, und die in der Mikrogeologie auf Tafel XXXVII zahlreich abgebildet sind, gaben noch keine hinreichend festen physiologischen Charactere. Mit geringerem Bedenken hat Herr d'Orbigny 1846 (Die fossilen Foraminiferen des Wiener Tertiär-Beckens) die scheinbar gürtelführenden Formen der Gattung Fusulina zu den Nonioninen gestellt und von den formverwandten Alveolinen weit getrennt. Begründet wurde diese Stellung von ihm nicht, aber es war eine glückliche Combination, der ich beitrete. Die Steinkerne aus dem Bergkalke, welche von mir seit 1843 bereits gezeichnet waren (S. Monatsbericht d. Akad. 1843 S. 79. 106.) und die in der Mikrogeologie veröffentlicht worden sind, hatten schon mehr Bürgschaft gegeben, allein ich zog vor den Namen Fusulina nicht zu verwenden, weil ich auch kugelrunde Formen gleicher Structur kannte, auf welche der Name Fusulina gar nicht paßt und weil ich nach schärfer trennenden Characteren suchte. Soviel war mir sogleich deutlich geworden, daß die Fusulinen nur e i n e Mündung haben konnten und zwar am Ende des Gürtels, in der Mitte, daß sie mithin Monosomatien waren, während die Borelis-Arten als wahre Alveolinen v i e l e Mündungen zeigten, die sie als Polysomatien bezeichneten. Aber auch die von mir geprüfte und von ihrer Kalkschale befreite, jetzt lebende Alveolinen-Form Australiens, von der ich im vorigen Jahre Mittheilung gemacht (*Alveolina Novae Hollandiae* Vergl. Monatsbericht 1854. S. 315. 402. Note.) gab nicht den erwünschten hinreichenden Aufschluß, obschon sie einen netzartigen Bau und grüne Erfüllung der kleinen Zellen erkennen ließ.

Durch die neue Beobachtungsmethode ist es nun aber gelungen, nicht bloß die Kammern völlig deutlich, sondern auch die die-

selben reihenweis verbindenden Siphonen, so wie überdieß die
Schalengefäße dieser Formen kennen zu lernen. *Alveolina* gleicht
fast einem aufgerollten Orbitoiden, oder besser Soriten. Die Siphonen verbinden die kleinen Kammern reihenweis in der Längsrichtung der Spindel und zwar liegen dieselben in den Kanten der
vielkantigen (8-20-längsstreifigen) Spindeln. Diese fossile Form von
Java hat 2 Reihen von hohlen Organen übereinander, deren Öffnungen mithin 2 Reihen feiner Löcher in der Queersicht bilden
würden, wie es bei *Alveolina Quoyi* bemerkt wird. Aber das sind
nicht, wie man vermuthen sollte, 2 Reihen Mündungen für die Ernährung, vielmehr gehört die obere Reihe den Mündungen der parallelen Schalengefäße, und diese Gefäße erscheinen auch als
äußerlich sichtbare sehr feine Queerlinien. Unter ihnen liegen die
Kammern mit ihren Mündungen. Die Kammern sind Blindsack-
artig (keulenartig), in gleicher Zahl wie die parallelen Schalen-Canäle, und gehen vom Sipho aus. Zuweilen schien es als wären 2
Reihen solcher Kammern übereinander, dann würden 3 Reihen von
Öffnungen bei den Kalkschalen zu finden sein. Andere Gefäße
oder Canäle habe ich aber nicht erkennen können und die Orbitoiden haben durch ihre die Kammern einhüllenden äußeren Zelllagen
und Gefäßnetze doch einen noch sehr abweichenden Bau, während
die Soriten in der Organisation näher stehen.

Sehr bemerkenswerth wäre ferner die gewonnene Thatsache,
daß die Steinkerne des *Orbitoides javanicus* in den Kammern hie
und da Körperchen enthalten, die den Kieselschalen von Bacillarien
sehr ähnlich aussehen, in der Weise, wie es von mir bei *Sorites*
1838 bereits in den Abhandlungen der Akademie abgebildet worden, und wie es bei lebend im Meeressande getrockneten Exemplaren durch Ablösen der feinen Kalkschale mit Säure leicht nachzusehen und oft wieder gesehen worden ist. Bei fossilen mikroskopisch
kleinen Formen das Futter noch zu erkennen, bleibt immer ein in-
teressantes Curiosum, ist aber physiologisch mehr als dieses, da es
mit wissenschaftlicher Schärfe die Function des betreffenden Or-
gans als Nahrungsbehälter für grobe feste Stoffe außer Zweifel
stellt. In einem Falle scheint mir ziemlich unzweifelhaft eine *Navicula* in den Kammern des Orbitoiden zu liegen, in einem andern
eine längliche mit Luft erfüllte andere Bacillarie. Übrigens finden
sich noch mannichfache scheinbar organische Fragmente darin, die

öfter auch gekrümmten Pflanzenfasern gleichen, und keineswegs
Luftbläschen sein können.

Aufserdem hat sich durch die neue Beobachtungsmethode eine
weit gröfsere Zahl von Formen-Arten nun systematisch bestimmen
lassen, welche den Tertiär-Kalk von Gua Linggo manik zusammensetzen. Ich kann bereits folgendes Verzeichnifs geben:

Polygastern:	*Orbitoides javanicus* α.
(im Magen der Orbitoiden.)	— — β.
Bacillaria?	— — γ.
Navicula?	*Polystomatium Leptactis.*
Polythalamien:	*Pachyactis.*
Alveolina.	*Quinqueloculina.*
Amphistegina.	*Sorites.*
Aspidospira.	*Triloculina.*
Cristellaria.	**Mollusken:**
Cyclosiphon.	*Cerithium ?*
Geoponus.	**Polycystinen?:**
Grammostomum sigmoideum.	*Spirillina ?*
Heterostegina javana.	**Bryozoen:**
Marginulina?	*Cellepora.*
Mesopora.	**Radiaten:**
Nonionina.	*Asteriae fragmenta.*
Nummulites?	

Späterhin werden sich auch den generischen Namen hie und
da noch mehr Special Namen zufügen lassen, was ich jetzt aus wissenschaftlichen Gründen unterlasse. Nur möge noch bemerkt sein,
dafs ich einige doch wohl Nummulitenartige Fragmente daraus auf-
bewahre die mit den Orbitoiden dort zusammen vorkommen.

Schliefslich erlaubt die neue Beobachtungs- und Färbungs-Me-
thode einen Schlufs auf die Substanz der Steinkern-Masse, welcher
beachtenswerth sein dürfte. Ich habe mit derselben Methode die
fossilen und frischen Bacillarien-Schalen verschiedener Lokalitäten
behandelt und auch die Phytolitharien so wie die Polycystinen von
Barbados. Alle diese Kieseltheile färbten sich nicht damit. Sie haben aber auch sämmtlich ein anderes Lichtbrechungs-Vermögen,
da sie in Wasser und canadischem Balsam scharf und schön sichtbar
bleiben. Die Kieseltheile des Tertiärkalkes von Java verhalten sich
gegen das salpetersaure Eisen gerade wie die damit sich färbenden

Lagen des weifsen Achates.   Beide sind einfach lichtbrechend, wie amorphe Kieselerde (Opal); aber eben weil sie sich durch Aufnahme von Eisen und Zuckersolution porös zeigen, sind sie verschieden von der Substanz der Bacillarien-, Phytolitharien- und Polycystinen-Kieselerde, welche jede Aufnahme verweigert. Auch die in Grünsand umgewandelten Polythalamien saugen weder Zuckerwasser noch Eisensolution ein, so wenig als der Milch-Opal.

Dennoch habe ich schon im Jahre 1836 auf den Eisengehalt in feinen Zellen und die feine Porosität der eisenhaltigen Gallionellen aufmerksam gemacht. Ich stelle mir jetzt den Unterschied beider Substanzen vorläufig so vor, dafs die javanischen fossilen Steinkerne, wie die betreffenden Achatstreifen, feine parallele Röhrchen (Zwischenräume von Faserbildung würden in letztern doppelte Lichtbrechung bei polarisirtem Lichte zeigen) besitzen, ähnlich dem mexicanischen Schiller-Obsidian, die natürlichen Kieselpanzer aber sich wie kurzzelliger Bimstein verhalten, dessen einzelne Zellen verschlossene Bläschen sind, welche beym Abkühlen nach dem Glühen an der Oberfläche platzen, und so erst ihren Eisengehalt als Füllung nicht auf einmal sondern allmälig den Säuren preifs geben, ohne die Form im Ganzen zu verlieren.

An eingegangenen Schriften wurden vorgelegt:

A L. Crelle, *Journal für Mathematik.* 50. Bd. Heft 2. Berlin 1855. 4.
Revue archéologique. Année XII. Livr. 4. Paris 1855. 8.
Zeitschrift der deutschen morgenländischen Gesellschaft. 9. Bd. Heft 3. Leipzig 1855. 8.
Bulletin de la société des naturalistes de Moscou. Année 1853. no. 3. 4. Moscou 1853. 8.
Hedwigia. Notizblatt für kryptogamische Studien. no. 11. Dresden 1855. 8.
Swellengrebel, *Analyt. geometrische Untersuchungen.* Bonn 1855. 4.
Proceedings of the Royal Society. Vol. VII. no. 5. 6. 9—13. London 1854—1855. 8.

---

9. August. Gesammtsitzung der Akademie.

Hr. Heinr. Rose berichtete über eine Arbeit des Hrn. R. Schneider, das Wismuthchlorür betreffend.

Erhitzt man trocknes Ammonium-Wismuthchlorid im Wasserstoffstrome bis auf 300° C., so färbt sich dasselbe, während salzsaure Dämpfe entweichen, anfangs purpurroth, sintert allmäblich zusammen und schmilzt endlich zu einer fast schwarzen Flüssigkeit, die beim Erkalten zu einer dunkelbraunen, stark hygroscopischen, bisweilen krystallinischen Masse erstarrt. Diese färbt sich auf Zusatz von Kali, unter Ammoniakentwickelung grau; durch verdünnte Mineralsäuren wird sie in der Art zersetzt, daſs Wismuthchlorid (nebst Salmiak) sich auflöst und metallisches Wismuth als schwarzes glanzloses Pulver sich abscheidet. Es folgt hieraus, daſs dieselbe eine niedrigere Chlorstufe des Wismuths (Wismuthchlorür) enthält. Bei mehreren analytischen Versuchen hat sich dies bestätigt gefunden; das nach lange fortgesetzter Einwirkung des Wasserstoffgases erhaltene Produkt kann als Ammonium-Wismuthchlorür bezeichnet werden, obschon stets noch etwas Wismuthchlorid darin enthalten ist.

Wiederholt angestellte Versuche, das Ammonium-Wismuthchlorid durch Erhitzen im Wasserstoffstrome unter Verjagung des ganzen Salmiakgehaltes direkt in Wismuthchlorür überzuführen, haben nicht das gewünschte Resultat ergeben.

Dagegen wird Wismuthchlorür erhalten, wenn man ein inniges Gemenge von pulverförmigem Wismuth (1 Theil) und Quecksilberchlorür (2 Theilen) bei Luftabschluſs (in zugeschmolzenen Röhren) längere Zeit einer Temperatur von 230—250°C. aussetzt. Es scheidet sich metallisches Quecksilber aus, das sich zu unterst in der Röhre ansammelt, und darüber befindet sich als schwarze geflossene Masse das Wismuthchlorür. Dieses kann durch mehrmaliges Umschmelzen (in verschlossenen Röhren) und längeres Verweilenlassen im Metallbade (bei der angegebenen Temperatur) von anhaftendem Quecksilber fast vollständig befreit werden. — Die damit angestellten Analysen haben ergeben, daſs es nach der Formel Bi Cl² zusammengesetzt ist, also die dem Wismuthoxydul entsprechende Chlorverbindung darstellt.

Die Eigenschaften des Wismuthchlorürs sind folgende: schwarze geflossene Masse von mattem Glanz und unebenem erdigem Bruch, ohne deutliche Zeichen von Krystallisation. Stark hygroscopisch. Zusatz von Wasser bedingt unter milchichter Trübung die Abscheidung von basischem Wismuthchlorid. Verdünnte Mineralsäuren zersetzen dasselbe in Chlorid, das sich auflöst, und Wismuth, das sich als schwarzes glanzloses Pulver abscheidet. Auf Zusatz von Ätzkali färbt es sich schwarzgrau unter Ausscheidung von Wimuth-oxydul. Bei starkem Erhitzen zerfällt es in Wismuthchlorid und metallisches Wismuth. In geringer Menge zu Wismuthchlorid gesetzt, färbt es dies beim Schmelzen purpurroth; durch einen gröfseren Gehalt an Chlorür wird das Chlorid fast ganz schwarz.

Hr. Ehrenberg las: Beiträge zur Kenntnifs der Flufstrübungen und der vulkanischen Auswurfs-stoffe.

I.
Quantitative Messung der Rheintrübung in allen Monaten eines Jahres.

Im August des Jahres 1853 berichtete ich der Akademie über qualitative, das kleine Leben betreffende, Untersuchungen der Rheintrübung im vollen Jahres-Cyclus. S. Monatsber. 1853. S. 505. Die Materialien dazu waren, in practischer Erwägung des mannig-fachen hohen Interesses der Flufs-Ablagerungen, vom Königlichen Minister a. D. Hrn. Camphausen Excellenz aus Cöln mir zur analy-tischen Vergleichung übergeben worden. Da die Jahreszeiten bei uns für die Entwicklung specieller Lebensformen von wesentlichem Ein-flufs sind und sich mithin die zufälligen gröfseren und geringeren Flufstrübungen durch Regenwetter, Wasserschwellen und Schiff-fahrt für das qualitative Verhältnifs weniger verändernd voraus-setzen lassen, so halte ich jenen ersten Cyclus der Rheinbeobach-tungen für einen glücklich gewonnenen.

Aber auch das quantitative Verhalten des Flusses im Jahres-Cyclus hat ein ansehnliches Interesse. Da es nur vereinzelte Be-obachtungen, noch keinen Jahres-Cyclus der Beobachtung für ir-gend einen Flufs der Erde rücksichtlich des Quantitativen der, die meisten und besten Culturländer bedingenden, Trübung durch feste Bestandtheile giebt, so hat Hr. Camphausen Exc. einen zwei-ten erweiternden Cyclus sorgsam gesammelter Materialien in meine Hände gelegt, welche nun vom vaterländischen Rhein die erste Übersicht eines Flusses der Erde in diesen Beziehungen gestatteten.

Die practische Beschäftigung mit dieser Frage hat dem Beobachter sogleich erkennen lassen, daß eine einfache Reihe von Monat zu Monat gemachter Beobachtungen durch die von der Jahreszeit häufig ganz unabhängigen Zustände des Flusses sehr modificirt werden, und daß eine besonders auf die Flußzustände gerichtete Nachforschung hinzutreten muß.

Möge eine weitere künftige Forschung diesen Gesichtspunkt
ins Auge fassen. Schon die einzelne Reihe von Beobachtungen
hat ihren vollen Werth. Sie dient als Maaßstab für die folgenden
und erweckt größere Reihen im gleichen Sinne. Die reinen meteorologischen Verhältnisse der Regenmenge und der Schnee-
schmelze längs der Flußläufe stehen in directer Verbindung mit
den Flüssen. Die bereits wissenschaftlich gewonnenen und geordn-
neten großen Reihen meteorologischer Thatsachen geben schon
jetzt unerwartete Resultate, welche den Werth einzelner Beobachtungen, die an sich geringfügig erscheinen, im Reihenzusam-
menhang als entschieden wichtig erkennen lassen. So werden
größere Reihen von Beobachtungen späterhin auch für die Fluß-
trübung und den Antheil des Lebens an derselben, ein mittleres
Verhalten darzustellen erlauben, und somit allmählig der wahren
Natur sehr nahe kommende Zahlen-Übersichten ergeben.

Aus dem an mich gerichteten Schreiben Sr. Excellenz beehre
ich mich das Folgende zur Erläuterung der Beobachtungsmethode
mitzutheilen:

Die von dem Mechaniker Hilt angefertigte Flasche zum
Schöpfen des Wassers enthält genau ein preußisches Quart. Ein
Feder-Ventil wird in der Tiefe vermittelst einer Schnur geöffnet
und geschlossen, und eine starke Beschwerung erhielt dieselbe
während der Füllung in verticaler Lage. Das Wasser ist an der
Landungsbrücke der Cölnischen Dampfschifffahrts-Gesellschaft geschöpft worden, welche weit genug in den Strom hineingebaut
ist, um vor einer Vermischung mit den aus der Stadt in den Rhein
geführten Stoffen gesichert zu sein. Bei niedrigen Wasserständen,
wurde, wie schon aus den angegebenen Tiefen zu schließen, in
größerer Entfernung vom Ufer, nämlich an der Stromseite eines
vor der Landungsbrücke liegenden Dampfschiffes geschöpft. Da die
Dampfschiffe häufig den Strom aufrühren, so mußten zur Füllung
die Zeiten längerer Ruhe ausgesucht werden. Der Director der

Cölnischen Dampfschiffahrts- Gesellschaft batte die Gefälligkeit mit Rücksicht hierauf die Füllung jedesmal zur geeigneten Zeit bewirken zu lassen.

„Die Filtrirung erfolgte in der Regel im bedeckten Trichter, um den Hinzutritt von Bestandtheilen der Atmosphäre abzuhalten. Zur Ausspülung der letzten Reste der Flasche, und zur Auflösung von Salzen in den Absätzen des Rheinwassers wurde filtrirtes Wasser benutzt."

Die Filtra waren sämmtlich von feinem Berzeliusschem Filtrirpapier, und vorher bei 100° C. gewogen und das Gewicht darauf markirt.

Die hierbei übergebene Übersichtstabelle enthält die auf dem Umschlag der Filtren notirt übersandten Angaben. Die Nachwägung der Filtren nach dem Filtriren und nachdem sie wieder bei 100° C. getrocknet worden, hat Hr. Dr. Weber in H. Rose's Laboratorium in Berlin sorglich zu übernehmen die Güte gehabt. Auch die von hier nach Cöln gesandten Filtra hatte Hr. Dr. Weber bei 100° C. gewogen.

Übersicht der quantitativen Rheintrübung im Jahres-Kreise 1854-1855.

Zu vergleichen mit der qualitativen von 1853. (Monatsbericht.)

Filtrirte Wassermasse 1 Quart preuß.

Tag	Wasserstand am Pegel	Tiefe in welcher geschöpft worden	Gewicht des filtrirten bei 100° C getrockneten Schlammes	Bemerkungen
18 März 1854	9′ 3″ rheinisch	10′ 9″	0,054 Grm.	1 Fuß über dem Flußbette geschöpft.
18 April	5′ 9″	7′ 9″	0,014 Grm.	Witterung war anhaltend trocken.
19 Mai	9′ —	11′ —	0,103 Grm.	
21 Juni	12′ 3″	14′ —	0,109 Grm.	In der vorherigen Woche haben starke Regengüsse stattgefunden.
19 Juli	14′ 4″	16′ —	0,126 Grm.	Der Rhein sehr getrübt.
21 Aug.	10′ 4″	13′ —	0,070 Grm.	
21 Sept.	5′ 2″	5′ 9″	0,023 Grm.	
23 Oct.	4′ 4″	7′ 6″	0,010 Grm.	Der Strom sehr klar.
19 Nov.	6′ 4″	9′ —	0,007 Grm.	
21 Dec.	17′ 11″	18′ —	0,157 Grm.	Der Strom sehr trübe.
17 Jan. 1855	8′ 10″	12′ —	0,022 Grm.	
22 Febr.	6′ 1″	7′ 6″	0,003 Grm.	

II.
Über die Wassertrübung des Tiberflusses
in Rom.

Hr. Prof. Henzen in Rom hat die Güte gehabt auf meine
Anregung die bei den römischen klassischen Autoren vielerwähnte
gelbfarbige Trübung des Tiberwassers meiner mikroskopischen
Analyse zugänglich zu machen. Ich habe von demselben eine
Probe der feinen Erdablagerungen des Tiberflusses erhalten, welche den dortigen abgelagerten Tiberschlamm, und wohl den meisten Culturboden bilden, und durch seine Vermittelung hat Hr.
Hille in Rom zwei Quart Wasser des Tibers filtrirt und das Filtrum selbst unverändert mir zugesandt. Die Analyse beider Substanzen wie sie das Mikroskop erlaubt, ist hiernach ein Gegenstand
meiner Bemühung gewesen.

Es scheint mir nützlich und zweckmäfsig, die Bezeichnungen
der altrömischen Klassiker vorher in Erinnerung zu bringen.

Ein stehendes Beiwort des Tiberflusses ist bei den klassischen
Dichtern des Alterthums von seiner gelben Farbe entlehnt. Horaz,
Ovid, Virgil und Silius italicus bedienen sich öfter des Ausdruckes
flavus Tiberis in ihren Werken.   Dabei ist zuweilen wohl das
Hochwasser des Flusses gemeint, bei welchem alle Flüsse trübe
und gelblich sind, zuweilen aber ist das Beiwort offenbar dem gewöhnlichen ruhigen Strome gegeben.   Vom wilden Hochwasser
spricht entschieden Horatius in der 2ten Ode Ad Augustum Cae-
sarem:

> *Vidimus flavum Tiberim retortis*
> *Litore etrusco violenter undis*
> *Ire dejectum monumenta Regis*
> *Templaque Vestae.*

Vom ruhigen Tiber braucht er dasselbe Epitheton in der 8ten
Ode ad Lydiam:

> *Cur timet flavum Tiberim tangere?*

Warum flieht er das Baden im gelben Tiber?
Ovid sagt, Tristia V. 1. 31. dafs der Sand des Tiberflusses gelb sei:

> *Quot frutices sylvae, quot flavas Tibris arenas,*
> *Mollia quot Martis gramina campus habet,*
> *Tot mala pertulimus.*

Hierbei ist offenbar an den gewöhnlichen ruhigen Fluß zu denken, und es könnte nur im Zweifel sein, ob das Beiwort ursprünglich dem Wasser gegeben worden (*flavus Tibris arenas*), oder dem Sande (*flavas Tibris arenas*).

Silius italicus in seinem Heldengedicht vom 2ten punischen Kriege sagt I, 607:

> *In pontum flavo descendit gurgite Thybris*

und XVI, 679:

> *Laurentes potuit populos et Troia adire*
> *Moenia flaventemque sacro cum gurgite Thybrim.*

Nach demselben Dichter ergießt auch der Teverone (Anio), etwas oberhalb Rom, ein gelbes Wasser in den Tiber XII, 539:

> *Sulphureis gelidus qua serpit leniter undis*
> *Ad genitorem Anio labens sine murmure Thybrim.*

Hier ist überall vom gewöhnlichen, nicht vom außerordentlichen Wasserstande die Rede.

Ebendahin gehört auch was der Dichter Statius in den Silvis 3, 75 ausspricht:

> *Illic sulphureos cupit Albula mergere crines.*

Mit dem Beiworte *sulphureus* beim Tiberflusse kann Statius nimmermehr Schwefelgehalt gemeint haben, und es ist vollständig unzweifelhaft, daß in diesem Falle das Wort *sulphureus* für *flavus* zu nehmen sein und die gelbe Farbe bedeuten soll.

Auch unterliegt es keinem Zweifel, daß der Fluß Albula der Tiber ist, da Virgil, Ovid und Plinius es ausdrücklich anzeigen. Beim langsamen Anio könnte *sulphureus* noch den Sumpfgeruch mit ausdrücken sollen, allein beim Tiber kann nur die Farbe gemeint sein. Virgil sagt Aen. VIII, 331:

> *A quo post Itali fluvium cognomine Thybrim*
> *Diximus; amisit verum vetus Albula nomen.*

Ovid sagt Fasti 2, 389:

> *Albula, quem Tiberim mersus Tiberinus in undis*
> *Reddidit.*

Plinius sagt: *Tiberis antea Tybris appellatus et prius Albula.* Hist. Mundi L. III. c. v.

Der Name Albula mag leicht auch dem Flusse von seiner Farbe gegeben worden und dem *flavus Tiberis* in seinem Ursprunge gleich sein, mithin mag *albulus* einen Gegensatz von klar und farblos oder von blau und grün bilden, welche Farben die Gewässer sonst zu haben pflegen.

Sonderbar sich wiedersprechend ist anscheinend Virgil, welcher Aeneis VIII, 66 (mit licentia poëtica) sagt:

Coeruleus Thybris, coelo gratissimus amnis

und Aeneis VII, 517 von einem der großen Zuflüsse des Tiber, dem Nera, die Nachricht giebt:

Sulphurea Nar albus aqua.

Im letzteren Falle haben zumal die Commentatoren behauptet, daß *sulphurea* schwefelig heißen solle, und man hat das Beiwort *albus* dann öfter auf Schwefelgehalt bezogen. Es ist aber höchst unwahrscheinlich, daß ein ansehnlich wasserreicher Zufluß diesen Character habe, welcher bei kleinen Quellen Italiens freilich oft vorhanden ist, und es liegt sehr nahe die Worte zu übersetzen:

der durch gelbes Wasser trübe Nar.

Wenn nun der gelbfarbige unklare Nar und der gelbfarbige Anio den Tiber wesentlich bilden, so ist der Ausdruck *coeruleus Thybris* bei Virgil, welcher nirgends wiederholt ist, nur dichterisch.

Commentatoren dieser Stelle haben auch die Meinung ausgesprochen *coeruleus* bezeichne die Tiefe des Flusses, und *albus* bezeichne die wasserarmen flachen Stellen. Allein ein trüber Fluß wird an seinen tiefen Stellen nicht blau und an den flachen nicht hell. Vielleicht läßt sich der Ausdruck dadurch erläutern, daß Virgilius als guter Naturbeobachter bemerkt hat, wie der Tiber bei sehr niederem Wasserstande weniger trübe, und daher auch zuweilen bläulich ist wie andere Flüsse.

Der mir zur Ansicht gekommene Niederschlag des Flußwassers ist, wie erwähnt, doppelter Art. Eine Art ist der natürliche, feine, schlammartige Absatz des Flusses; die andere ist der künstlich auf einem Filtrum erlangte Absatz des gelblichen Flußwassers. Vom Chemiker Hrn. Hille in Rom ist folgende Nachricht beigefügt:

„Das Wasser wurde geschöpft am 15. April, nachdem seit etwa 10 Tagen kein Regen gefallen war. Es war trübe, durchscheinend. Das bei 100° C getrocknete Filtrum wog 0,654 Grm. Vom gut geschüttelten Wasser ließ man durch dasselbe laufen 500 Grm. (2 Quart)."

In Berlin ist durch Hrn. Dr. Weber das Filtrum sammt dem

Rückstande, ebenfall bei 100° C getrocknet, wieder gewogen worden, und hat eine Gewichtszunahme auf 0,736 Grm. ergeben.

Die auf dem Filtrum zurück gebliebene Färbung ist lehmartig bräunlich gelb, und unfühlbar fein in ihren Theilchen, die directe Flußablagerung als Flußschlamm ist etwas gröber, mehr graubraun und deutlicher sandartig, aber doch feiner als Streusand. In beiden erkennt man mit der Lupe feine, silberglänzende Glimmertheilchen. Beide brausen mit Säure, und zeigen dadurch eine nicht geringe Beimischung von kohlensauren Kalktheilchen an. Diese Kalktheilchen erkennt man im gröberen Tiberschlamm schon mit bloßen Augen als weißliche Körnchen und im Mikroskop sind es vorherrschend recht wohl erhaltene Polythalamien oder Bruchstücke von Muscheln.

Das zusammengesetzte Mikroskop zeigt bei 300maliger Linear-Vergröfserung in dem feinsten Mulm des Schlammes eingestreute Polygastern, Phytolitharien, Polythalamien und auch Pflanzentheilchen mit feinen oft sternartigen Crystallen.

Aus der hiermit vorgelegten Special-Übersicht der in nur je 10, zusammen 20, nadelkopfgrofsen Theilchen der Masse beobachteten kleinern organischen Formen ergiebt sich, daß die geringe Masse nicht weniger als 51 nennbare Formen enthielt, 19 Polygastern, 11 Phytolitharien, 11 Polythalamien, 2 weiche Pflanzentheile, 8 unorganische Formen.

Aus der schwebenden Trübung des Flusses sind 33 Formen ermittelt; aus dem abgelagerten Schlamme 29.

Die schwebende Trübung ist entschieden reicher an Kiesel-Polygastern, der abgelagerte Schlamm ist reicher an Kalk-Polythalamien. Die Polygastern und Phytolitharien sind vereinzelt eingestreut, die Polythalamien bilden aber einen wesentlichen Volumtheil der Masse. Die selten beigemischten Spongolithen gehören Süfswasserschwämmen an.

Da die kalkschaligen Polythalamien, welche eine so reiche wesentliche Mischung des Tiberschlammes bilden, ihren Ursprung nicht im Süfswasser haben können, sondern Meeresgebilde sind, so tritt die Sonderbarkeit heraus, daß der Tiberflufs hauptsächlich Meeresbildungen als Schlamm wieder ins Meer führt. Diese Sonderbarkeit findet ihre Erläuterung darin, daß die dortige Ober-

fläche des Landes überall auch sonst als ein neuer, obwohl lange
vor Romulus und Remus, Latinus und Aeneas, vielleicht gleichzeitig mit Libyen, gehobener Meeresboden characterisirt ist.

Die Bestandtheile des thonigen feinen Mulms der Kieselpanzer
und des Quarzsandes sammt den Kalkformen und den verrotteten
Pflanzentheilen, bilden jene Art von Culturland, welche einen Mer-
gelboden darstellend, das ergiebigste ist, und den Segen der Fluſs-
Deltas ausmacht.

Der reiche Gehalt an kohlensauren feinen Kalktheilchen beweist, daſs saure Schwefel-Exhalationen dort gar nicht statt gefunden haben, da sie Gyps gebildet haben müſsten, ein Umstand, der
die alten Bezeichnungen *sulphureus* und *Albula* in sehr bestimmter
Weise erläutert.

Die in dem Filtrum und Niederschlag beobachteten sternartigen kleinen Crystalldrusen sind, den Schneeflocken ähnliche, kohlensaure, sehr zarte Kalkbildungen, welche nur selten in der Kreide,
besonders häufig aber in Tertiärkalken gesehen werden.   Solche
Formen sind auf den Tafeln der Mikrogeologie mannichfach abgebildet.

Übersicht

der den Tiberfluſs in Rom erfüllenden und mit färbenden
Lebensformen.   15. April 1855.

	Filtrum (Trubung)	Abgela- gerter Schlamm.
P o l y g a s t e r n: 19.		
Arcella Globulus	—	+
Cocconeïs — ?	+	
Cocconema Cistula	+	
Lunula	—	+
— ?	+?	+?
Eunotia amphioxys	+	+
zebrina	+	
Gallionella crenata	+	
distans	—	+
— ?	+?	

	Filtrum (Trübung)	Abgelagerter Schlamm.
Gomphonema gracile	+	
— ?	+?	+?
Navicula gracilis	+	
— ?	—	+?
Pinnularia borealis	+	
viridis	+	
Surirella sigmoidea	+	
Synedra acuta	+	
Ulna	—	+
	14	8
Phytolitharien: 11.		
Lithosphaeridium irregulare	+	
Lithostylidium angulatum	+	+
crenulatum	+	
denticulatum	—	+
laeve	—	+
quadratum	+	
rude	+	+
Serra	—	+
triquetrum	—	+
Spongolithis acicularis	+	+
obtusa	—	+
	6	8
Polythalamien: 11.		
Grammostomum — ?	+	+
Marginulina — ?	—	+
Miliola — ?	—	+
Planulina — ?	+	+
— — ?	—	+
Polymorphina aculeata	—	+
— — ?	—	+
Rotalia globulosa	+	+
senaria	+	
Strophoconus — ?	—	+
Textilaria — ?	—	+
	4	10

	Filtrum (Trübung)	Abgelagerter Schlamm.
Weiche Pflanzentheile: 2		
Pflanzenparenchym	+	
Pilzsame	+	
	2	—
Summe des Organischen: 43	26	26
Unorganische Formen: 8		
Crystallprismen grün	+	
Crystalldrusen 5strahlig	+	
6strahlig	+	
7strahlig	+	
9strahlig	+	
Glimmer	—	+
Feiner thoniger Mulm	+	+
Quarzsand	+	+
Ganze Summe: 51	33	29

III.

Nähere Bestimmung der Mischung des frischen Auswurfs des Schlamm-Vulkans von Poorwadadi auf Java.

Am 14. Mai dieses Jahres gab ich der Physikalisch-mathematischen Klasse eine vorläufige Nachricht über den kürzlich aus Java erhaltenen Auswurf des Poorwadadi-Vulkans, und zeigte den Reichthum desselben an organischen Bestandtheilen an, deren namentliche Bestimmung aber erst erfolgen sollte. S. Monatsbericht Mai, S. 305. Ich erlaube mir heut weitere Details bei der Akademie niederzulegen.

Der holländische Arzt Dr. Waitz, ein Deutscher, welcher seit vielen Jahren in Java ansässig ist, und vor zwei Jahren auf einer Reise in Berlin war, machte auf mein Anregen Hoffnung, von den javanischen Schlamm-Vulkanen eine frische und reine Probe des Auswurfs zu erhalten, welcher mit der Moya von Pelileo, mit dem Schlamm-Auswurfe beim Erdbeben in Guadeloupe und dem von Scheduba in Hinter-Indien, deren Analysen ich veröffentlicht habe, verglichen werden könne.

Das Resultat der bisherigen Prüfungen solcher Auswurfsstoffe war ein sehr auffallendes gewesen, indem sich ergeben hatte,

dafs aufser in Scheduba überall die Schlamm-Auswürfe nicht, wie
man erwarten sollte, Meeresformen, sondern vielmehr nur reine
Süfswasserformen als mikroskopische Beimischung enthielten. In
der Mikrogeologie sind von mir mehrfache Analysen ausführlich
mitgetheilt worden. Der täglich hervorquellende Schlamm in
Scheduba, wovon ich 1846 durch Hrn. Piddington in Calcutta
gleichzeitig mit Proben des Gangeswassers eine Flasche voll erhalten hatte, und dessen Analyse ich damals S. Monatsbericht 1846,
S. 171, vorgetragen habe, war unter allen untersuchten Auswurfs-
stoffen jetzt thätiger Vulkane der einzige, welcher als Beimischung
jetzige Meeresformen zeigte. Hiernach war es von besonderem
Interesse in Erfahrung zu bringen, ob die javanischen Vulkane sich
jener Mehrzahl der Süfswasserformen auswerfenden, oder dem Character des näher liegenden Scheduba-Vulkans anschliefsen.

Das den vulkanischen Auswurfsstoff begleitende Schreiben des
Dr. Waitz lautet so:

„Beigebendes Kästchen enthält eine Kruke mit vulkanischem Schlamme, den ich kommen lies von Poorwadadi, einem
2 gute Meilen von der Nordküste Java's in der Provinz Sama-
rang gelegenen Orte, in dessen Mitte eine Gruppe vulkanischer
Schlammkegel sich befindet, die seit Menschengedenken in ununterbrochener Thätigkeit sind. Den gröfsten dieser Kegel be-
sah ich im Jahre 1818 aus einer Entfernung von etwa 400 Schritten. Näher mich zu wagen verbot die hohe Temperatur und
weiche Beschaffenheit des Bodens, worinn schon mancher
Unvorsichtige sich tödtlich verbrannt oder begraben hat. Der
Krater schleuderte in Pausen von einigen Minuten, deren Zahl indefs nicht immer gleich war, eine beträchtliche Menge Schlamm
empor, welcher unter Begleitung einer dicken Rauchwolke
prasselnd auf den Umkreis des Kegels niederfiel. Jedem Auswurf ging ein unterirdisches Getöse vorher.

Mit dem Wunsche dafs der Ihnen zugeschickte Schlamm
etwas Neues für ihre mikroskopischen Forschungen darbieten
möge bin ich" u. s. w.

Buitensorg bei Batavia 15. Aug. 1854. Dr. Waitz.

Die übersandte Masse befand sich in einer gewöhnlichen Sel-
terswasser Kruke, welche demnach bis dorthin verführt werden.
Die Masse selbst war breiartig, oberhalb flüssig und unten fester,

von der Farbe eines bräunlich grauen Thons oder Schlammes.
Aus der verstöpselten Kruke war am Stöpsel Salz efflorescirt, welches neben Kochsalzgeschmack einen bittern und stechenden Ne-
bengeschmack hatte, wie ihn die Salze des Meerwassers zu haben
pflegen. Beim Eröffnen des Stöpsels war kein Schwefelwasserstoff-
geruch erkennbar.   Die thonige Masse war zwischen den Fingern
gerieben in ihren feinern Theilchen für das Gefühl kaum bemerkbar,
indem nur einzelne feine Sandkörnchen sich durchfühlen liefsen.
In einer gröfseren Menge geschlemmt, zeigte sich ein deutlicher
sandiger Rückstand, welcher sowohl Quarztheilchen als kohlensaure Kalktheilchen und schwarze kohlige Theile unterscheiden liefs.   Es fand sich kein fasriger Gyps.   Salzsäure bewirkte
ein lebhaftes Aufbrausen.   Im Trocknen wurde diese thonige
Masse erst von einer auffallend starken Zähigkeit und Plasticität,
dann aber allmälig und zwar sehr langsam weifslich grau oder
bläulich grau, einem blauen Töpferthone ähnlich, und stark zusammenhängend.

Die weifsen, dem blofsen Auge sichtbaren, Sandkörnchen des
Rückstandes ergeben sich bei näherer Betrachtung oft als Polythalamien, die kohligen Theile als verkohlte Pflanzenfragmente.

Die mikroskopische Analyse ist in 3 Gesichtspunkten ausgeführt worden.   Es wurde

a die natürliche Masse einfach ausgebreitet untersucht in 8
   Analysen,

b der feinere Rückstand beym Schlemmen in 22 Analysen,

c die natürliche Masse, nachdem sie mit Salzsäure ihrer Kalktheile beraubt worden, in 10 Analysen.   •

Auf diese Weise sind 40 Analysen gemacht worden, welche in
40 nadelkopfgrofsen, mithin sehr kleinen Substanztheilchen, 74
Formen erkennen liefsen, worunter 69 organische sind.

Es fanden sich Polygastern 9
                Phytolitharien 37
                Polycystinen 2
                Polythalamien 16 (5 Steinkerne)
                Weiche Pflanzentheile 5
                Unorganische Formen 5

Unter dieser Formenzahl sind 24 reine Meeres-Gebilde, 50
Süfswasser-Formen, letztere an Menge überwiegend.

Rücksichtlich der Artenbestimmung finden sich einige Schwierigkeiten, indem die Formen etwas undeutlich in ihren Contouren geworden sind, doch scheint es, daſs unter den bis jetzt beobachteten, keine characteristischen sind.

Es unterliegt gar keinem Zweifel, daſs der Schlammauswurf von Poorwadadi keine reine Meeresbildung ist, vielmehr vorherrschend Süſswaſserformen enthält. Man würde wegen der, aber doch nicht geringen Beimischung von Meeresformen in der Masse, einen brakischen Character finden können, so etwa wie eine Fluſsmündung in eine Meeresbucht ihn hervorbringen kann.

Hierbei muſs jedoch in Betracht gezogen werden, daſs Meeresformen in der Mischung von vulkanischem Schlamme nicht immer den Character einer reinen Süſswasserbildung aufheben, indem dergleichen Beimischungen aus urweltlichen Felsarten, welche längst dem Meere entfremdet sind, durch die Thätigkeit des Vulkans einem reinen Süſswasserschlamme zugefügt sein können.

Wendet man diese Vorsicht bei Beurtheilung der vorliegenden Verhältnisse an, so würden freilich weder die Meeres-Polythalamien noch die Meeres-Spongolithen eine hinreichende Bürgschaft für ihren Ursprung aus dem jetzigen Meere bei Java geben. Es fehlt offenbar zu sehr an characteristischen neueren Formen, und besonders auch an der jetzt gewöhnlichen Mischung des Meeresschlammes mit Meeres-Polygastern.

Ich würde geradehin geneigt sein, bei diesem vulkanischen Schlamm, seiner marinen Formen ungeachtet, den Character einer heutigen Meeresbildung ganz in Abrede zu stellen, wenn nicht die fraglichen *Coscinodiscus subtilis, Gallionella sulcata* und der fragliche *Hemiaulus* sammt dem Salzgehalte doch dafür sprächen.

Jedenfalls halte ich, der Steinkerne halber, für rathsam, den marinen Character in Zweifel zu stellen und diesen Vulkan noch unter den in Süſswassergebilden thätigen zu verzeichnen.

Sehr bemerkenswerth dürfte noch sein, daſs die, den Schlamm hervortreibenden Gas-Explosionen gar keine saure Beimischuug haben können, da auch die feinsten kohlensauren Kalkgebilde der mikroskopischen Formen in der Form noch erhalten sind und alle Mischung mit Gyps fehlt. Es können daher nur Wasserdämpfe dort wirken.

Indem ich die Auswurfsmasse des Poorwadadi-Vulkans in einer ansehnlichen Menge, welche getrocknet vielleicht 2 Pfd. wiegen wird, vorzulegen mich beehre, bemerke ich noch, daſs dieselbe, obwohl nur von Papier bedeckt, doch bisher nicht trocken geworden ist, vielmehr deutlich sich bald feuchter bald trockener zeigte, daher durch ihren reichen Salzgehalt leicht Wasser aus der Luft anzieht. Hierbei hat sich auf der Oberfläche, des starken Salzgehaltes ungeachtet, eine olivengrüne Färbung gebildet, die sich unter dem Mikroskop als lebende Bacillarien von sehr kleiner Art erkennen aber doch nicht sicher benennen ließ, da es Jugendzustände solcher Art viele giebt, und ich mich ungern zu den Beobachtern zähle, welche unklare Jugendzustände von Naturkörpern abgesondert in die Systematik bringen. Es läſst sich nur aussprechen, daſs eine derselben zur Gattung *Amphora*, die massenhafte aber zur Gattung *Navicula* oder *Frustulia* gehören mag.

Die noch jetzt im Schlamm lebenden Formen scheinen doch vom Vulkan mit ausgeworfen zu sein und sich, selbst bei gesteigerter Concentration des Salzgehaltes, nachträglich vermehrt zu haben. Die Formen des Luftstaubes würden sich in dem concentrirt salzigen Schlamme nicht erhalten noch weniger entwickeln.

Schlamm-Auswurf vom Poorwadadi-Vulkan in Java. 74 Formen.

Polygastern 9.

Amphora — ?

Campylodiscus Echeneïs?

***Coscinodiscus subtilis?**

Frustulia? — ?

Gallionella crenata

*   *sulcata*

***Hemiaulus** — ?

Navicula — ?

Synedra — ?

Phytolitharien 37.

Amphidiscus clavatus   *

Lithodontium Bursa

            curvatum

            furcatum

Lithodontium nasutum

       rostratum

Lithomesites comtus

       ornatus

Lithostylidium Amphidiscus

       angulatum

       Bidens

       clavatum

       crenulatum

       curvatum

       denticulatum

       Emblema

       irregulare

       obliquum

       oblongum

       Ossiculum

       ovatum

       Pes

       quadratum

       Rhombus

       rude

       Securis

       Serra

       Trabecula

       triquetrum

       unidentatum

       ventricosum

Spongolithis acicularis

  *   *Caput serpentis*

  –   *cenocephala*

       fistulosa

       Fustis

       Gigas?

    Polycystinen: 2

*Haliomma radiatum

  *   — ?

    Polythalamien: 16

*Globigerina — ?

*Grammostomum — ?
*   — ?
*Planulina? .
*Robulina?
*Rotalia globulosa
*   senaria
*   — ?
*Textilaria globulosa
*   —   — ?
*Fragmentum Polyth.
*Grünsand
*Weiße Steinkerne Grammost.
*   Globigerina
                    Textilaria
*   — ?

Weiche Pflanzentheile: 5.
Pflanzen Epidermis
    —   —   von Gräsern
    —   Treppengefäß
    —   Fasergefäße
Pilzsame 4fächrig
    Unorganische Formen: 5
Crystallprismen grün
    —   blaugrün
    —   Druse 6strahlig
    —   — mit gekrönten Strahlen.
Bimsteinfragment.

IV.

Über den Süßwasser-Schlammauswurf der kleinen Vulkane von Turbaco in Quito.

Im Sommer vorigen Jahres erhielt ich durch Hrn. Alexander von Humboldt eine Probe des Schlammes, welchen die kleinen Vulkane von Turbaco fortwährend auswerfen, die man *Volcanitos de Turbaco* nennt. Hr. Boussingault hat dieselben mannigfach studirt und eine Probe des Schlammes zu meiner Prüfung an Hrn. v. Humboldt gesandt. Ich habe zwar in der Vorrede zur Mikrogeologie Text, S. XVI. das allgemeine Resultat meiner Prüfung bereits im vorigen Jahre noch publicirt, allein das Detail ist noch nicht mitgetheilt und schließe sich hier an.

Auch dieser Schlamm ist eine bräunlich graue sehr fein erdige Masse. In Berührung mit Salzsäure sah ich kein Brausen.

Ich habe 30 Analysen in gleicher Art wie die früheren bei 300 Vergr. gemacht, und darin 25 nennbare Formen beobachtet: 1 Polygaster, 6 Phytolitharien, 6 Polythalamien Steinkerne, 9 weiche Pflanzentheile, 3 unorganische Formen.

Zwar sind unter all diesen Formen keine ausgezeichneten, auch sind die Formen der Moya besser erhalten, allein es bleibt doch kein Zweifel, daſs der Volcanitos-Schlamm von Turbaco sich eng an die Moya anschlieſst. Auffallend sind nur hier auſser den zahlreichen Phytolitharien auch noch Opal-Steinkerne von Polythalamien zu finden, die verschiedene Färbung haben. Diese Steinkerne setzen die vulkanische Verarbeitung älterer Kalkgebirgs-Schichten voraus, und der völlige Mangel aller Kalktheile läſst schlieſsen, daſs saure Dämpfe diese Massen wohl mögen durchzogen haben. Übrigens ist aber auch kein Gyps deutlich geworden, weshalb wohl auch hier nicht Schwefelsäure gewirkt haben mag.

Volcanitos de Turbaco.

Übersicht der 25 beobachteten Formen im Schlamm-Auswurfe.

Die Sternchen bezeichnen Meeres-Organismen, die hier aber den Character nur von fossilen tragen.

Polygastern: 1.

Trachelomonas aspera?

Phytolitharien: 6.

Lithosphaeridium irregulare
Lithostylidium crenulatum
            denticulatum
            irregulare
            quadratum
            rude

Polythalamien?: 6.

Fossile Theilchen.

*Fragment, Steinkern, weiſs
*Grünsand   —   Kugel
*   —   Halbmond
            —   gebuchtet

*Rothsand Kugel

*   Keule

Weiche Pflanzentheile: 9.

Pflanzenfaser einfach

—   doppelt

—   gablig

—   knotig

Pflanzenzellen strahlig

Pflanzenparenchym

Pflanzensame kuglig

Pflanzentheilchen schiffartig

Pflanzenhumus

Unorganische Formen: 3.

Crystallprismen grün

Crystallrhomben

Glimmer

An eingegangenen Schriften wurden vorgelegt:

Preisschriften der fürstlich Jablonowskischen Gesellschaft zu Leipzig.
V. Geinitz, *Darstellung der Flora des Hainichen-Ebersdorfer und
des Flöhaer Kohlenbassins.* Leipzig 1854. 4. nebst Folio-Atlas.

Pictet, *Matériaux pour la Paléontologie suisse.* Livraison 3. Genève
1855. 4.

Natuurkundig Tijdschrift voor Nederlandsch Indië. Deel VIII. Aflevering
1—4. Batavia 1855. 8.

Mnemosyne. Deel IV, 3de Stuk. Leyden 1855. 8.

Memorial de ingenieros. Anno X. no. 4. 5   Madrid 1855. 8.

Astronomische Nachrichten. no. 975. Altona 1855. 4.

Corrispondenza scientifica in Roma. Anno IV. no. 9. 10. Roma 1855. 4.

Die Akademie wählte den africanischen Reisenden, Hrn. Dr.
Heinrich Barth zum correspondirenden Mitgliede ihrer philosophisch-historischen Klasse.

13. August 1855. Sitzung der physikalisch-mathematischen Klasse.

Hr. **Heinr. Rose** las über das Verhalten der Quecksilberchloridlösung gegen Basen.

Vermittelst der kohlensauren Baryterde oder anderer schwachbasisch wirkender Substanzen, besonders aber durch die Lösungen von Chlorammonium, kann man die verschiedenen Oxyde hinsichtlich ihrer stark- oder schwach-basischen Eigenschaften nur in zwei Abtheilungen bringen; vermittelst einer Quecksilberchloridlösung hingegen kann man deren drei aufstellen. Man hat hierbei den Vortheil sogleich, nämlich durch die Farbe des hierbei entstehenden Niederschlags, zu erkennen, zu welcher von diesen drei Abtheilungen die durch Quecksilberchloridlösung geprüfte Base gehört.

Zu der ersten Abtheilung gehören die starken Basen, welche im Überschuß zu einer Quecksilberchloridlösung gesetzt, schon bei gewöhnlicher Temperatur einen gelben Niederschlag von reinem Quecksilberoxyd hervorbringen.

Es sind dies namentlich nur die Hydrate der Alkalien, des Kali's, des Natron's und des Lithions, und der drei alkalischen Erden, der Baryterde, der Strontianerde und der Kalkerde, so wie die Lösungen der kieselsauren Alkalien, nicht nur der gewöhnliche liquor silicum, sondern auch die Lösung des krystallisirten kieselsauren Natrons, des einzigen löslichen kieselsauren Salzes, das man bisher künstlich im krystallisirten Zustande hat darstellen können.

Zu der zweiten Abtheilung gehören die minder starken Basen oder starke Basen, deren stark-basische Eigenschaften durch die Verbindung mit einer schwachen Säure in etwas abgestumpft sind. Sie geben in der Queksilberchloridlösung einen Niederschlag von rothbrauner Farbe, der aus einer Verbindung von Queksilberoxyd mit Queksilberchlorid besteht, in welcher selbst durch einen Überschuß der Base bei gewöhnlicher Temperatur das Chlorid nicht in Oxyd verwandelt werden kann. Eine ganz ähnliche Verbindung bildet sich bekanntlich in der Queksilberchloridlösung auch durch die stärksten Basen, wenn diese nur in geringer Menge hinzugefügt werden; ein Übermaaß derselben verwandelt aber schnell das Chlorid in Oxyd, und die rothbraune Farbe des Niederschlags wird dann sogleich gelb.

Durch die Quecksilberchloridlösung kann man daher auch die Stärke mancher schwachen Säure prüfen, deren Verbindung mit starker Base diese in eine andre Abtheilung bringt, als die ist, zu welcher sie ursprünglich gehört.

Es gehören hierzu die **neutralen kohlensauren Alka-lien, das anderthalbfach-kohlensaure Natron, die bor-sauren Alkalien** (die neutralen, und die Biborate) **die bor-sau-ren alkalischen Erden, die Magnesia, das Magnesiahy-drat, die Verbindungen der kohlensauren Magnesia mit Magnesiahydrat, die künstlich dargestellte neutrale kohlen-saure Magnesia** ($\overset{\cdot\cdot}{\text{Mg}}\ \overset{..}{\text{C}} + 3\ \overset{..}{\text{H}}$), **das Silberoxyd und das kohlensaure Silberoxyd.** Es ist indessen schwer zu bestim-men, ob das Silberoxyd zur ersten oder zweiten Abtheilung ge-hört. — Gewissermaßen gehören noch zu dieser Abtheilung einige **phosphorsaure und pyrophosphorsaure Alkalien.**

Zu der **dritten Abtheilung** gehört die große Zahl der Basen, welche die Queksilberchloridlösung nicht zersetzen. Es gehören hierzu auch die **Bicarbonate der Alkalien und die Carbonate der alkalischen Erden.** Aus dieser Thatsache geht hervor, daß auf nassem Wege die Kohlensäure eine stärkere Säure sein muß als die Borsäure, da nicht nur die zweifach-borsau-ren Alkalien, sondern auch die einfach- und zweifach-borsauren al-kalischen Erden die Queksilberchloridlösung zersetzen. Aber beide Säuren, die Kohlensäure und die Borsäure sind auf nassem Wege stärkere Säuren als die Kieselsäure, welche in ihrer Verbindung mit Alkalien die basischen Eigenschaften derselben nicht mehr ab-zustumpfen vermag als das Wasser, wie dies aus dem Verhalten dieser Verbindungen zu der Queksilberchloridverbindung her-vorgeht.

Es gehört zu dieser Abtheilung auch der **Magnesit,** die in der Natur vorkommende neutrale kohlensaure Magnesia, während die künstlich dargestellte neutrale kohlensaure Magnesia zur zweiten Abtheilung gehört.

16. August 1855. Gesammtsitzung der Akademie.

Hr. H. Rose las über die Zusammensetzung der Beryllerde.

Die Chemiker sind hinsichtlich der atomistischen Zusammensetzung der Beryllerde verschiedener Meinung. Es ist nicht zu läugnen, daſs sie stärker-basische Eigenschaften besitzt als alle andern Basen von der Zusammensetzung $2R+3O$, und deshalb wird sie von mehreren zu den Basen $R+O$ gezählt. Es war namentlich Afdejew, der nachdem er die richtige Zusammensetzung der Beryllerde ermittelt hatte, sich für letztere Ansicht entschied.

Diese wurde indessen zuerst von Berzelius angefochten, und auch ich wurde durch die Resultate einer Reihe von Versuchen von der Richtigkeit der Zusammensetzung $2R+3O$ überzeugt.

In neuster Zeit sucht Hr. Debray in einer Abhandlung über das Beryllium und seine Verbindungen die Meinung zu verfechten, daſs in der Beryllerde gleiche Atome von Metall und von Sauerstoff enthalten seien. Die Gründe, welche er für seine Ansicht anführt sind namentlich folgende:

Das Hydrat der Beryllerde absorbirt Kohlensäure, und die kohlensaure Beryllerde verbindet sich mit kohlensauren Alkalien zu krystallinischen Doppelsalzen, was bei der Thonerde nicht der Fall ist.

Die Beryllerde kann nicht wie die Thonerde mit Kalkerde zusammengeschmolzen werden, sondern gebraucht dazu der Hülfe von Thonerde, von Kieselsäure oder von einem ähnlichen Körper, der die Rolle einer Säure spielt.

Chlorberyllium kann sich nicht auf ähnliche Weise mit alkalischen Chlormetallen verbinden, wie das Chloraluminium.

Endlich meint Hr. Debray, daſs die Zusammensetzung der Verbindungen der Beryllerde sich durch einfachere Formeln ausdrücken lieſse, wenn man in ihnen die Base durch $G+O$ und nicht durch $2G+3O$ bezeichnet.

Diese Ansicht erhält nun noch die wichtige Stütze durch die Thatsache, welche ich vor einiger Zeit bekannt machte, daſs die Beryllerde im Stande ist, die Lösung ammoniacalischer

40*

Salze zu zersetzen, was sonst keine Base von der Zusammensetzung $2R + 3O$ vermag.

Dennoch ist aber diese Thatsache in meinen Augen nicht so wichtig, um die Gründe zu widerlegen, welche ich aus meinen früheren Untersuchungen für die Zusammensetzung $2G + 3O$ für die Beryllerde genommen hatte.

Ich zeigte, daſs die Thonerde nach dem Glühen im Porcellanofen eine ähnliche Dichtigkeit erhielt, wie die in der Natur als Corund, Sapphir und Rubin vorkommende. Sie hatte ein specifisches Gewicht von 3,99, zeigte zwar unter dem Microscop keine krystallinische Structur, aber im polarisirten Lichte mit dem Microscop untersucht Farben, die auf eine krystallinische Structur schlieſsen lassen.

Wurde Beryllerde der Rothgluht ausgesetzt, so zeigte das lockere Pulver eine Dichtigkeit von 3,083 bis 3,09; wurde dasselbe aber dem Feuer des Porcellanofens ausgesetzt, so verwandelte es sich in eine dichte zusammengebackene Masse, welche auffallender Weise die geringere Dichtigkeit von 3,021 bis 3,027 hatte, und unter dem Microscope besichtigt aus lauter schön ausgebildeten Krystallen bestand, welche reguläre Prismen waren und die Form des Corunds zeigten.

Wegen der Isomorphie dieser im Porcellanofen geglühten krystallisirten Beryllerde mit der in der Natur vorkommenden krystallisirten Thonerde und da letztere dasselbe specifische Gewicht hat, wie die im Porcellanofen geglühte Thonerde, so kann man wohl annehmen, daſs die im Porcellanofen geglühte Thonerde und Beryllerde von analoger Dichtigkeit sind. Nimmt man die Dichtigkeit letzterer zu 3,021 und ersterer zu 4,0, und legt man die Zusammensetzungen von Berzelius und Aſdejew zum Grunde, und nimmt in beiden zwei Atome Metall mit drei Atomen Sauerstoff verbunden an, so hat erstere ein Atomvolum von 160, letztere von 157. Diese beiden Zahlen sind aber sehr annähernd, so daſs durch diese Übereinstimmung die der Thonerde gleiche atomistische Zusammensetzung der Beryllerde mir bewiesen zu sein schien.

Nimmt man dagegen an, daſs die Beryllerde aus gleichen Atomen von Metall und von Sauerstoff bestände, so wäre ihr Atomvolum 52,3. Um dasselbe mit dem von andern Oxyden von dieser Zusammensetzung zu vergleichen, wurden die specifischen Gewichte der Magnesia und des Nickeloxyds untersucht.

Setzt man Magnesia dem Feuer des Porcellanofens aus, so erhält man dieselbe krystallinisch und von ganz ähnlichen Eigenschaften, wie sie das von Scacchi entdeckte interessante Mineral vom Vesuv zeigt, das derselbe Periclas genannt hat. Sie ist in Säuren scheinbar unlöslich, und wird erst nach langer Behandlung mit denselben gelöst. Ihr specifisches Gewicht ist 3,694, und das Atomvolum 71, sehr abweichend also von dem der im Porcellanofen geglühten Beryllerde, wenn man dieser eine ähnliche atomistische Zusammensetzung wie der Magnesia beilegen wollte.

Der Periclas krystallisirt in regulären Octaedern, wie ein krystallisirtes Nickeloxyd, welches Genth aus einem Garkupfer ausgeschieden hat, und das daher auch einer hohen Temperatur ausgesetzt gewesen ist. Es ist ebenfalls sehr schwerlöslich in Säuren, und hat das specifische Gewicht 6,605; also das nämliche Atomvolum, wie die krystallisirte Magnesia, nämlich 71.

In der Beryllerde kann man daher nicht eine ähnliche atomistische Zusammensetzung wie in der Magnesia und in dem Nickeloxyd annehmen; sondern nur eine solche wie in der Thonerde.

Ich habe diese Resultate von Versuchen aus einer früheren Abhandlung hier deshalb mitgetheilt, weil Ebelmen einige Jahre später als ich durch ganz ähnliche Versuche zu ähnlichen Resultaten gelangt ist, mit dem Unterschiede, daß er nicht die reinen Oxyde dem Feuer des Porcellanofens aussetzte, sondern sie in der Temperatur des Porcellanofens in Auflösungsmitteln löste, aus denen sie sich beim Erkalten durch Krystallisation abschieden, wie ein Salz aus seiner Lösung in heißem Wasser. Aber die Zahlen, die er erhalten, stimmen mit den meinigen überein. Er nimmt aber auf meine früher erschienene Abhandlung keine Rücksicht, und doch muß er dieselbe genau gekannt haben, denn der Ideengang, dem er bei seinen Untersuchungen folgte, ist von dem meinigen im Wesentlichen nicht verschieden; auch ist er dadurch zu denselben Schlüssen wie ich gelangt, und auch er nahm in der Beryllerde eine ähnliche Zusammensetzung wie in der Thonerde an.

Die Gründe welche Hr. De bray, jetzt gegen diese Ansicht anführt, lassen sich widerlegen. Wie die Beryllerde so können Wismuthoxyd, selbst Thonerde, Eisenoxyd und andere ähnlich zusammengesetzte Oxyde sich mit Kohlensäure verbinden. Dahingegen kann die Beryllerde wie diese Oxyde durchs Schmelzen mit kohlensauren Alkalien aus diesen Kohlensäure austreiben, was sonst kein Oxyd von der Zusammensetzung $R + O$ zu thun vermag. — Daß Chlorberyllium nicht wie Chloraluminium sich mit alkalischen Chlormetallen verbinden kann ist nicht entscheidend, da die Verbindungen der Chlormetalle untereinander mehr wie Doppelverbindungen, denn als Chlorsalze in dem Sinne als wie Sauerstoffsalze und Schwefelsalze unterschieden, angesehen werden müssen. — Daß endlich die Verbindungen der Beryllerde durch einfachere Formeln ausgedrückt werden können, wenn man ihr die atomistische Zusammensetzung $G + O$, und nicht $2G + 3O$ giebt, so ist dies in so fern nur wahr, als überhaupt die Formeln der Verbindungen $\dot{R}$ einfacher sind, als die der Verbindungen $\ddot{R}$.

Es können diese Gründe mich nicht bestimmen, der Beryllerde die Zusammensetzung $G + O$ zu geben, und selbst die wichtige Thatsache, daß die Beryllerde die Lösungen der ammoniacalischen Salze zu zersetzen vermag und dadurch eine einzige Ausnahme von einem sonst allgemein geltenden Gesetze stattfindet, halte ich doch nicht für so entscheidend, um die andern Gründe für die Zusammensetzung $\ddot{G}$ zu entkräften.

An eingegangenen Schriften wurden vorgelegt:

Carrington, *Results of astronomical observations made at Durham from 1849—1852.* Durham 1855. 8.

Astronomische Nachrichten no. 976 Altona 1855. 4.

Zambelli, *Sull' influenza politica dell' Islamismo*, Memoria VIII. Milano 1854. 4.

Bericht

über die

zur Bekanntmachung geeigneten Verhandlungen
der Königl. Preuſs. Akademie der Wissenschaften
zu Berlin

in den Monaten September und Oktober 1855.

Vorsitzender Sekretar: Hr. Encke.

Sommerferien.

18. Oct. Öffentliche Sitzung zur Geburtstagsfeier Sr. Majestät des Königs.

Die Öffentliche Sitzung zur Feier des Geburtstages
Sr. Majestät des Königs leitete der vorsitzende Sekretar
Hr. Encke mit folgendem Vortrage ein:

Die heutige akademische Feier des Geburtstages Sr.
Majestät des Königs, an welchem Höchstderselbe sein 61stes
Jahr antritt, giebt eine natürliche Veranlassung auf die früheren Zeiten zurückzublicken, und die Zeit in welcher wir jetzt
leben, zu vergleichen mit den früheren Jahrhunderten, aus
denen unsere Zustände hervorgegangen sind. Wendet doch
der denkende Mann am Schlusse einer Epoche, in der Regel
den Blick rückwärts, wie der Wanderer, wenn er auf seiner
Reise ein Ziel erreicht hat, auf den zurückgelegten Weg zurückschaut, und ihn noch einmal im Ganzen durchmustert, um
sich an den Genüssen desselben zu laben, der überwundenen
Schwierigkeiten und der Art ihrer Überwindung noch einmal
zu gedenken, und sich durch diese Betrachtungen zu stärken,
für das was ihm noch zurückzulegen übrig bleibt. Es ist dabei merkwürdig, wenn man die nächstverflossenen Jahrhunderte nimmt, daſs die Mitte des Jahrhunderts und noch eigent

licher das Jahr 55 in jedem derselben, nicht sowohl durch
eine Epochemachende That in der Geschichte unseres Staates
ausgezeichnet ist, als vielmehr ein Ereigniſs auſserhalb desselben aufweist, welches durch die daran geknüpften Folgen von
der gröſsten Bedeutung für unser Vaterland geworden ist.

Im Jahre 1555 ward am 21. Septbr. der Augsburger Re-
ligionsfrieden abgeschlossen, hervorgegangen aus dem Passauer
Vertrage, wodurch zuerst dem Protestantismus eine staatsrecht-
liche Stellung zugesichert ward, wie wenig dieser Friede sonst
auch vermochte, eine Einigung der verschiedenen Religions-
partheyen herbeizuführen, vielmehr als der Anfang angesehen
werden kann von den Streitigkeiten, welche leider unser weiteres Vaterland so lange beunruhigt haben. Aber gerade darin
lag die Bedeutung des brandenburgischen Fürstenhauses,
daſs es in den folgenden Jahrhunderten an die Spitze der
evangelischen Stände des deutschen Reiches trat, und als das
mächtigste unter den übrigen evangelischen Häusern, auch in
seinen Fürsten bis auf die neueste Zeit das innere Gefühl dieses hohen Berufes weckte, und damit die Neigung und das
Bestreben durch genaue Kenntniſs der früheren, und der aus
ihnen sich entwickelnden zweckmäſsigen Einrichtungen für die
jedesmalige Zeit, den Bau der evangelischen Kirche immer
fester zu gründen.

Ein Jahrhundert später im Jahre 1655 begann der Krieg
zwischen Schweden und Polen, wodurch der groſse Kurfürst
auf eine Weise in Verlegenheit und Bedrängniſs gesetzt ward,
wie er sie bei dem so eben beendigten 30jährigen Kriege mit
so vieler Gewandheit überwunden hatte.

Der letzte Wasa Johann Kasimir war 1648 seinem Bruder
Ladislaus IV auf dem polnischen Throne gefolgt. Zwar hatte er
insgeheim seinen Ansprüchen auf die Krone Schwedens als Wasa
entsagen müssen. Als aber die Tochter des groſsen Gustav Adolph,
Christina, den Thron an ihren Vetter Karl Gustav von Pfalz
Zweibrücken abtreten wollte, so protestirte Johann Kasimir
durch seinen Gesandten feierlich dagegen, daſs seine Nachgie-
bigkeit, die schwedische Krone seinen nächsten Blutsverwand-
ten zu überlassen, nicht so weit ausgebeutet werden dürfe,
jetzt einem andern Hause sie zuzuwenden. Ob dieser Ein-

spruch den Sinn hatte, durch wirkliche Waffengewalt seine
Rechte geltend machen zu wollen, oder nur den, eine möglichst grofse Entschädigung für das Aufgeben seiner Ansprüche
zu erlangen, läfst sich nicht entscheiden, wenigstens reichte
zu dem Letzteren die ihm von Christina angebotene Geld-
summe nicht zu. Nichts aber konnte dem kriegerischen Karl
Gustav erwünschter sein, als den ihm geschenkten Thron
durch eigene Thaten gegen ein im Ganzen doch schwaches
und in sich zerrissenes Reich zu erkämpfen, und mit dem
Stolze, welchen der so glücklich beendigte 30jährige Krieg in
den Schweden hervorgerufen, forderten sie den grofsen Kurfürsten auf, mit ihnen zusammenzuwirken, und die preufsischen
Häfen gegen ansehnliche Entschädigung auf Kosten Polens,
und gegen Befreiung von der Lehnsherrschaft Polens ihnen
abzutreten. Das letztere mufste dem Kurfürsten erwünscht
sein, da er selbst mit grofsen Geldopfern schon im Jahre 1649
die persönliche Belehnung abgekauft hatte, um nur für dieses
eine mal die Begünstigung zu erhalten, durch einen Gesandten
sie sich ertheilen zu lassen. Dennoch in der Mitte zwischen
zwei kriegführenden Staaten, von denen jeder mächtiger war
als er für den Augenblick, und der eine schwächere durch die
Lehnsoberherrlichkeit Veranlassung hatte, in dem eigenen Lande
des Kurfürsten, durch Aufregung der Partheien seine noch der
Zukunft angehörigen Pläne der Souverainität, und freier durch
Stände möglichst wenig gehemmter Herrschaft mächtig zu durch-
kreuzen, gehörte die Lage des Kurfürsten zu den allerschwierigsten. Zwar ergriff er zuförderst das Nächstliegende sich
auf alle Fälle möglichst gut zu rüsten, und die Entscheidung,
auf welche Seite er sich wenden werde, möglichst lange hin-
auszuschieben. Aber es lag jeder der beiden Partheien zu viel
daran ihn für sich zu gewinnen, als dafs es ihm möglich gewesen wäre neutral zu bleiben. Nur der äufsersten Gewandheit,
verbunden mit der kräftigen Anwendung seiner Macht, bald
als Verbündeter Schwedens gegen Polen in der warschauer
Schlacht, bald als Verbündeter Polens gegen Schweden in seinem Zuge nach Jütland und Pommern, gelang es ihm in dem
Frieden von Oliva 1660 3. Mai, allein unter allen Verbündeten eine wesentliche Vermehrung seiner Macht, durch die Ab-

41 *

lösung der Lehnsherrlichkeit von Polen über das Herzogthum Preußen zu erringen.

Ganz ähnlich führte auch noch ein Jahrhundert später das Jahr 1755 ein Ereigniß herbei, welches die jetzige Stellung Preußens in der europäischen Welt begründete. Den Verlust Schlesiens hatte Maria Theresia nach den beiden schlesischen Kriegen keinesweges verschmerzt. Es war vorauszusehen, und Friedrich der Zweite war es sich wohl bewußt, daß noch ein Kampf erforderlich sei, um die wichtige Eroberung sicher zu stellen. Dennoch würde dieser Kampf gewiß erst später erfolgt sein. Zu sehr fühlten die Betheiligten, vor Allen Maria Theresia die Bedeutung und Wichtigkeit eines solchen. Sie konnten nicht übersehen, daß er sich nicht auf Preußen und Österreich allein beschränken würde, sondern die größeren europäischen Mächte in sich hineinziehen. Daher die unaufhörlichen Verhandlungen und Verbindungen, welche seit der Beendigung des zweiten schlesischen Krieges zwischen Österreich, Rußland, Sachsen, Frankreich und England Statt fanden. Zwar hatten im Aachener Frieden 1748 die Seemächte den Besitz Schlesiens und der Grafschaft Glatz gewährleistet, aber nur unwillig und widerstrebend trat Österreich diesem Artikel bei, und Rußland zeigte sich selbst beleidigt darüber. Die persönliche Abneigung des Königs Georg gegen Friedrich vermehrte noch dessen Besorgnisse. Die neue Macht die er in das alte Staatensystem Europa's eingeführt, und zwar im Herzen Europa's selbst, hatte die alten Verhältnisse wesentlich verändert. Die Besorgniß, was ein glücklicher Feldherr, an der Spitze eines kriegsgeübten, schlagfertigen, zahlreichen Heeres bei günstiger Gelegenheit zu thun im Stande sei, eine Besorgniß, welche durch die beiden ersten schlesischen Kriege allerdings sehr gerechtfertigt war, erfüllte viele der andern Mächte mit Mißtrauen. Verbindungen wurden zu der eigenen Sicherheit zwischen Mächten angeknüpft, welche man bisher als natürliche Gegner angesehen hatte, andere die man bis dahin als die auf den gemeinschaftlichen Interessen am festesten gegründeten angesehen, aufgelöst. Österreich näherte sich dem Pariser Hofe mehr, als man nach den Grundsätzen seiner Beherrscherin je hätte erwarten kön-

nen, und die Abneigung Maria Theresia's ward immer mehr
genährt und gestärkt durch den, man kann wohl sagen, persönlichen Haſs, den ihr Staatskanzler Kaunitz gegen Friedrich
hatte. Das seit Heinrich IV und Richelieu eingewurzelte
Miſstrauen der französischen Staatsmänner gegen die Macht
Österreichs ward geschwächt und fast überwunden, in demselben Maaſse, in welchem Österreich's Hinneigung zu England und
die Verbindung zwischen den noch vor kurzen eng verbundenen Gegnern Frankreichs sich lösten. Während England
glaubte, als der Retter der österreichischen Monarchie in dem
österreichischen Erbfolgekriege angesehen werden zu dürfen,
hatte Maria Theresia nur die Opfer die der Aachener Frieden
ihr kostete im Auge, und legte sie zum Theil wenigstens
der englischen Regierung zur Last. Wenn bei dem Glück-
wunsche des englischen Gesandten wegen des Aachener Friedens Maria Theresia sich nicht enthalten konnte zu erwidern:
Beileidsbezeugungen wären passender, er möge ihr die höchst
unangenehme Unterhaltung ersparen, so deuten diese Worte
schon den Anfang einer bevorstehenden Spaltung zu deutlich
an. Schon im Jahre 1746, kaum 6 Monate nach dem Dresdener Frieden, ward dem engen Vertheidigungsbündnisse zwischen Ruſsland und Österreich der geheime Artikel hinzugefügt, wenn Preuſsen einen Angriff auf Österreich, Ruſsland
oder Polen machen sollte, so sollten die Rechte Maria Theresia's auf Schlesien und Glatz wieder in Kraft treten, und
Ruſsland mit bedeutenden Streitkräften sie unterstützen. England und Sachsen, zum Beitritte zu diesem geheimen Artikel
eingeladen, lehnten dieses indessen damals ab, da sie Bedenken
trugen, damit gewissermaſsen den Dresdener Frieden zu ver-
letzen. Aber der Gedanke einer Schwächung der preuſsischen
Macht von Österreich hauptsächlich ausgehend, fand in Ruſsland einen nicht ungünstigen Wiederhall, und war schon vor
1755 so erstarkt, daſs die neue Verbindung mit Frankreich
bereits mehr als angebahnt, die alte Verbindung mit England
sehr gelockert war.

Dennoch würde der Ausbruch dieses Kampfes noch längere Zeit unterblieben sein, wenn nicht der Beginn der
Feindseligkeiten zwischen Frankreich und England in ihren

nordamerikanischen Colonien im Jahre 1755 die geb·
Verabredungen genöthigt hätten in die Öffentlichkeit zu treten
Georg besorgt für Hannover verlangte Truppenstellung w
Österreich zur Vertheidigung Hannovers und Flanderns. Mari
Theresia erklärte Hannover nicht decken zu können, ohne S.
cherung gegen Preufsen durch ein Bündnifs Englands si
Rufsland zu diesem Zwecke, und Subsidienzahlung an Sachsen,
Baiern und Hessen. Als aber diese Anforderungen erfüll
waren und nun Österreich zur Deckung Flanderns aufgefor-
dert ward, zeigte es sich, dafs nicht Sicherstellung gegen einen Angriff Preufsens, sondern ein Angiff auf Preufsen selbst
beabsichtigt ward. Das alte, durch die neue Macht Preufsens
veränderte Staatensystem müsse wiederhergestellt werden. Vergebens machte England Gegenvorstellungen. Maria Theresia
erwiederte die Vorwürfe Englands mit Gegenvorwürfen. Der
Bund zwischen Österreich und England ward aufgelöst und
das Bündnifs zwischen England und Preufsen geschlossen, womit zugleich der Vertrag zwischen Frankreich und Preufsen,
der ohnedies im Juni 1756 abgelaufen wäre, aufgehoben ward.
Der einfache Neutralitätsvertrag zwischen Preufsen und England lautete eigentlich nur dahin, dafs die früheren Bündnisse
und Gewährleistungsverträge erneuert wurden. Hinzugefügt
ward, dafs nicht nur jede Macht von dem Angriffe auf die
Staaten beider Theilnehmer abgehalten werden sollte, sondern
auch wenn irgend eine fremde Macht Truppen in Deutschland
einrücken lassen würde, die beiderseitigen Streitkräfte vereinigt werden sollten, um den Friedensbruch zu bestrafen und
die Ruhe in Deutschland zu erhalten. Aber unstreitig war
dieser Vertrag Marien Theresien und ihrem Kanzler sehr erwünscht, denn an ihn konnten jetzt ihre weiteren Entwürfe
gegen Preufsen fortgebaut werden. Die Gereiztheit Frankreichs über diesen Vertrag diente dazu, das enge Bündnifs
zwischen Frankreich und Österreich völlig zu Stande zu bringen, wozu Rufsland, dessen Beistimmung zur Schwächung
Preufsens schon vorher bei der persönlichen Empfindlichkeit
Elisabeths gegen Friedrich gesichert war, hinzutrat. Allein
im Rathe der Vorsehung war ein anderer Ausgang beschlossen,

und die für so sicher gehaltenen Entwürfe und Pläne des
Jahres 1755 scheiterten an Preußen's König.

Wenn so 1555 den kirchlichen Beruf Preußens hervor-
rief, 1655 durch einen fremden Krieg der mächtigeren Nach-
baren die Souverainität der Beherrscher Preußens begründete,
und 1755 durch einen andern fremden Krieg der mächtigsten
Staaten Europa's die Veranlassung gab zu dem für Preußens
Stellung in die Reihe der europäischen Mächte nothwendigen
Kampfe, so stehen wir jetzt 1855 in einer Zeit, die menschlicher Voraussicht nach ebenfalls zu wichtigen Entscheidungen
führen wird. Die größten Mächte des östlichen und westlichen Europas sind in einem Kampfe begriffen, dem an Eigenthümlichkeit der Kriegführung, an Aufbietung aller Mittel
durch welche die Erfindungskraft des Menschen das Verderben
des Gegners herbeizuführen gelehrt hat, an Größe der, auf
einen oder wenige Punkte gerichteten Anstrengungen kaum
in der neueren Zeit ein anderer zu vergleichen ist. Der Ausgang desselben ist so wenig mit Sicherheit vorauszusagen, der
Wunsch nach seiner Beendigung so lebhaft, daß die gewieg-
testen Staatsmänner schon einmal diesem Wunsche ihre Stellung zum Opfer zu bringen für ihre Pflicht hielten. Hier ist
gewiß nicht der Ort, dem eigentlichen Ursprunge dieses
Kampfes nachzuforschen und entscheiden zu wollen, auf welcher Seite das Recht oder Unrecht ist, noch weniger über die
Stellung zu sprechen, welche die übrigen Großmächte Europas, die unmittelbar nicht dabei betheiligt waren, einzuneh-
men für gut fanden, oder gar auch nur andeuten zu wollen,
welcher Gang für die Zukunft der sein würde, dessen Verfolgung am heilbringendsten sei. Wenn aber bisher die Weisheit des Königs unser Vaterland vor den unmittelbaren Folgen eines Krieges bewahrt hat, der die glückliche, und in
den letzten Jahrzehnten so augenscheinlich hervortretende Entwickelung aller Staatskräfte gestört oder vernichtet haben
würde, so liegt bei einer Feier wie die heutige ist, an einem
Orte der den Künsten des Friedens ausschließlich angehört,
nichts näher, als vertrauensvoll zu der Weisheit unseres Be-
herrschers aufzusehen und mit den heißen Wünschen um seine
Erhaltung die zuversichtliche Hoffnung zu verbinden, daß es

ihm gelingen werde, auch in der jetzigen bedrängten Zeit mit
gleichem Erfolge die bevorstehenden Stürme zu überwinden,
wie seine erlauchten Vorfahren es in den früheren Jahrhunderten gethan haben.

Es ist eine keinesweges ungewöhnliche Erscheinung, daſs
in den Zeiten politischer Aufregung, wenn die Lebenskraft
des Volkes noch in voller Stärke ist, die geistige Spannung
nach der einen Richtung hin sich auch der andern, wenn auch
gar nicht damit verwandten, mittheilt. Zu unserer Zeit trägt
Vieles dazu bei, diese Erscheinung in erhöhtem Maaſse hervorzurufen. Die für Deutschland ungewöhnlich lange, man
möchte sagen so ununterbrochen noch nie dagewesene, Zeit
des Friedens nach auſsen hin; der früher nie so lebhafte Verkehr der verschiedenen europäischen Nationen unter sich; das
Zusammentreffen der wunderbarsten Entdeckungen und Erfindungen, welche die Genüsse des Lebens überraschend erleichtert und gesteigert haben; die Erkenntniſs, was durch vereinte
Kräfte geleistet werden kann, und damit verbunden der in
Deutschland wenigstens früher so allgemein noch nicht verbreitete Eifer für groſse und umfangreiche Unternehmungen;
das Aufschlieſsen bisher fast unzugänglicher Gegenden der
Erde und ganzer Welttheile; Alles dieses kann nur zusammenwirken auch in den Wissenschaften, welche dem Leben
ferner stehen, eine Regsamkeit hervorzubringen, wie sie früher
nicht gesehen worden ist. Bei der durch die Statuten vor-
geschriebenen Pflicht, an dem heutigen Tage von dem Erfolge
der gröſseren Unternehmungen der Akademie, und den in ihr
gelesenen Abhandlungen Rechenschaft abzulegen, möge es
deſshalb erlaubt sein von dem Unternehmen, was jetzt nach
dreiſsigjähriger Dauer seinem Ende wenigstens sich zuneigt,
und was seinem Zwecke, die Kenntniſs unseres Sonnensystems
zu vervollständigen, in einer die Erwartung weit übertreffenden Weise erfüllt hat, von dem Unternehmen der Sternkarten
zuerst etwas ausführlicher zu sprechen.

Die Übersicht von den Sternen welche am Himmel sich
der Beobachtung darbieten, war zuletzt noch durch Bessel's
eigene Arbeiten so erweitert worden, und die Zahl der ihrem
Orte nach durch Beobachtung bekannten so gestiegen, daſs

man hoffen durfte, durch Niederlegung dieser festen Punkte
auf einer Karte, und einfaches Einzeichnen der noch fehlenden Sterne in das so gebildete Netz, ohne andere Hülfsmittel
als das Augenmaaſs, ein hinlänglich genaues Bild des gestirn-
ten Himmels zu erhalten. Es konnte und sollte ein solches
den doppelten Zweck erfüllen, einmal zu zeigen welche Sterne
noch zu bestimmen seien, dann auch unter den festen Sternen
durch Vergleichung der Charte mit dem Himmel zu verschiedenen Zeiten diejenigen herauszufinden, welche dem äuſsern
Ansehn nach durchaus nicht von den andern Sternen verschieden, durch ihre Bewegung als Planeten sich zu erkennen geben. Daſs die letzteren nur zu den schwächeren Sternen gehören muſsten, lag in der Natur der Sache, da sie sonst schon
früher als bewegliche Gestirne erkannt worden wären. Den
Plan zu einem solchen Unternehmen, welches zugleich auch
Gelegenheit zu andern Wahrnehmungen über das veränderliche
Licht einiger Sterne, über die Anzahl der Doppelsterne in
sich begriff, legte Bessel bei meinem Eintritte in mein hiesiges
Amt im Jahre 1825 der Akademie vor und nahm ihre Unterstützung in Anspruch, um bei der Vertheilung der ganzen Arbeit an mehrere Astronomen, die Aufmunterung dazu
durch eine ausgesetzte Prämie für jedes Blatt, und die Be-
streitung der Kosten für die Herausgabe der Charten aus ihren Mitteln zu erhalten. Zur gröſseren Beschleunigung beschränkte er die Ausdehnung der Charten auf einen Raum,
der etwas mehr als den vierten Theil des Himmels umfaſste.

Die damals gebildete Commission der Akademie, von der
ich allein noch übrig bin, fügte diesem Plane wesentlich nichts
Neues hinzu, bis auf den einzigen Punkt, daſs sie verlangte,
es solle auſser der gezeichneten Charte auch die Grundlage
des Netzes, nämlich der berechnete Ort der Sterne, welche
als gut bestimmt die festen Anhaltspunkte darboten, in einem
Catalogue eingereicht werden. Dieser Zusatz hat sich als sehr
zweckmäſsig erwiesen. Er hat theils Bewerber, welchen die
nöthige Kenntniſs abging diese Grundlage sich zu bilden, und
die nur nach dem Augenmaaſse Alles hingezeichnet haben
würden, entfernt, theils hat er die Prüfung erleichtert, man
möchte fast sagen allein möglich gemacht, theils hat er sich

bei dem späteren Gebrauche der Charten als ungemein nützlich bewährt. Allerdings aber hat er in den ersten Jahrzehnten den Fortschritt des Unternehmens gehemmt. Es wiederholt sich auch hier die etwas niederschlagende Betrachtung,
dafs gerade das, was die Astronomie specifisch von den andern
Naturwissenschaften unterscheidet, die Möglichkeit, die Theorie mit der Erfahrung strenge zu vergleichen, etwas was nur
durch Rechnung geschehen kann, dem allgemeinen Geschmacke
noch bei weitem nicht hinreichend entspricht. Für die rein
theoretische Auffassung findet sich Neigung, für die rein an-
schauende Betrachtung ebenfalls. Aber für die Verbindung
beider fehlt es an Übung, an Neigung, hauptsächlich an Ausdauer. Dennoch, wenn die Astronomie ihr eigentliches Wesen aufrecht erhalten soll, und nicht blofs auf Anhäufung des
Materials, Vermuthungen über Dinge die wir doch niemals
entscheiden können, weil das grofse Weltall von dem winzigen
Standpunkte unserer Erde allein aus nicht erkannt werden
kann, oder auf Erklärungen die mehr blendend als beweisfähig
sind sich beschränken, so wird dieser wichtige Theil mehr und
mehr in das Auge gefafst werden müssen. Wesentlich der
Bedingung dafs nicht blofs Zeichnungen, sondern auch Zahlen
verlangt wurden ist es zuzuschreiben, dafs in den ersten 20
Jahren bis 1845 hin das Unternehmen nur langsam fortschritt,
kaum beachtet ward, keine der gehofften Erfolge zeigte, und
es nur mit dem gröfsten Danke erkannt werden kann, dafs die
Akademie schon damals mehr als fünftausend Thaler ohne
Widerstreben fortdauernd bewilligte, zu einem Unternehmen
was so wenig Anklang zu finden schien.

Endlich gab ein Liebhaber, Dr. Hencke in Driesen, der
mit ungewöhnlicher Ausdauer schon von den letzten Jahren
meines Vorgängers Bode her den Himmel sich betrachtet hatte,
jetzt aber durch die Charten und Cataloge eine sicherere Grundlage erhielt, als er sie sich bis dahin hatte verschaffen können,
den Impuls der für dieses Unternehmen nöthig war. Die
Entdeckung der Asträa am 8ten Decbr. 1845, wie alle kleinen
Planeten als ein solcher, allein durch ihre Bewegung unter
den übrigen Fixsternen erkannt, zog zuerst die Aufmerksamkeit auf die Sternkarten. Hierzu aber kam ein höchst glückli-

cber Umstand, dafs nämlich im folgenden Jahre 1846 Spt. 23. der Besitz einer noch nicht ausgegebenen Sternkarte den Prof. Galle auf der hiesigen Sternwarte in den Stand setzte, nach wenigen Stunden der Nachforschung das Vorhandensein des Neptun's nachzuweisen, zufolge der bis dahin noch nie so angewandten Berechnungen des Herrn Le Verrier in Paris. Beiläufig bemerke ich, dafs man später gefunden, das sehr nahe Zusammentreffen der Vorausberechnung mit der Beobachtung sei zum Theil die Folge günstiger Zufälligkeiten gewesen, und dafs, wenn auch das Dasein eines unbekannten Planeten durch die Vorausberechnung nachgewiesen war, er doch ohne diese Gunst etwas weiter entfernt von dem angegebenen Orte gefunden sein würde. Man hat dadurch das Verdienst des Hrn. Le Verrier zu verringern gesucht. Meiner Ansicht ist dieses ganz unwesentlich. Ob die Übereinstimmung etwas geringer oder gröfser gewesen, trifft nicht das Wesen der Sache. Die Anwendung der Theorie auf diesen früher nie eingetretenen Fall bleibt das unbestreitbare grofse Verdienst des Pariser Astronomen. Ebenso hat ein höchst verdienter englischer Physiker die Entdeckung gewissermafsen zu einer Nationalsache gemacht. Hr. Adams in England hatte eine ganz ähnliche Arbeit wie Hr. Le Verrier, unabhängig von demselben ausgeführt, aber sie war nur sehr wenigen englischen Astronomen bekannt geworden, und der Öffentlichkeit ganz entzogen gewesen. Der englische Astronom Hr. Challis in Cambridge hatte sie seinen ebenfalls geheim gehaltenen Nachforschungen am Himmel zum Grunde gelegt, aber kein Resultat erhalten bis die Nachricht von der Auffindung durch Hrn. Prof. Galle ihn erreichte, und er nun fand, dafs unter den früher verglichenen Sternen sich auch der Neptun befunden. Hieraus ward deducirt, es gebühre Hrn. Adams und Challis der Ruhm dieser Entdeckung. Es bedarf sicher keiner Auseinandersetzung, dafs diese Auffassung vollkommen unerklärlich ist, ohne dafs dabei dem Verdienste der beiden Engländer zu nahe getreten werden soll. Bei allen Prioritätsstreitungen liegt stets die Entscheidung darin, wann die erste Veröffentlichung stattgefunden, und es ist ganz unerklärlich, wie man über Priorität streiten kann, wenn auf der einen

Seite gar nichts vorher öffentlich bekannt gemacht ist. Und
wollte man Hrn. Challis, deshalb weil er früher ohne es zu wissen den Neptun gesehen, die Auffindung zuschreiben, so würde
der verstorbene Lalande noch gegründetere Ansprüche haben,
der, wie man bald nach der Entdeckung des Neptun fand, im
Jahre 1795 Mai 10, ihn gleichfalls beobachtet hat, ohne seine
Planetennatur zu ahnden. Die Comission hat es nicht der
Mühe werth gehalten auch nur ein Wort darüber zu verlieren.

Ebenso hat sie, aber allerdings absichtlich, es nicht für
rathsam gehalten einer andern irrigen Behauptung entgegenzutreten. Da die Pariser Sternwarte sich den Ruhm der Auffindung hatte entgehen lassen, so ward behauptet es sei dieses ganz natürlich, weil die Berliner Sternwarte im Besitze
eines Hülfsmittels, nämlich der akademischen Sternkarte gewesen, ohne welche die Auffindung nicht möglich gewesen wäre,
während die Pariser Sternwarte dieses Hülfsmittel entbehrt
habe. Dieses ist nur ein Vorwand. Der eigentliche Grund
des Fehlschlagens in Paris war, daſs man zu den schon mehrere Monate vor der Entdeckung in Paris selbst bekannt gemachten Rechnungen des Hrn. Le Verrier kein Vertrauen hatte,
sie als theoretische Künsteleien betrachtete, und es nicht der
Mühe werth hielt am Himmel nachzusehen. Sonst hätte
ohne alle sonstige Charten, das Verzeichnen der Sterne auf
wenigen Quadratgraden, wozu etwa zwei helle Abende gehört hätten, und das Vergleichen dieser Aufzeichnungen nach
14 Tagen völlig hingereicht um in Paris so gut wie in Berlin den Planeten zu finden. Die Commission hielt es indessen
nicht für rathsam, diese Bemerkung früher zu veröffentlichen,
da es vorauszusehen war, daſs dieser Erfolg, vermeintlich den
Charten allein zugeschrieben, wesentlich beitragen würde das
Unternehmen zu befördern.

In der That war dieses auch in hohem Maaſse der Fall.
Die Verbreitung der schon beendigten, die Vollendung der
angefangenen Charten ist in den zehn Jahren seit 1845
viel rascher fortgeschritten als in den 20 Jahren von 1825—
1845. Die Entdeckungen neuer Planeten nahm eben so überraschend zu. Das Jahr 1847 lieſs 3 finden, 1848 einen, 1849
einen, 1850 3, 1851 2, 1852 . . 8, 1853 4, 1854 . . 6, 1855

bis jetzt 4. Von den 34 neuen Planeten welche seit 1845 gefunden sind, bewegen sich merkwürdigerweise 33 zwischen Mars und Jupiter, so daſs mit den vier älteren der kleinen Planeten 37 kleine Körper zwischen Mars und Jupiter ihre Bahn beschreiben. Einen Grund vermögen wir dafür nicht anzugeben, denn die Zersprengung eines gröſseren Planeten in kleine Bruchstücke in diesem Raume hat nach festen dynamischen Principien nicht stattfinden können bei diesen Körpern. Es würde in diesem Falle sich ein Punkt im Weltraum nachweisen lassen müssen, in welchem die Bahnen aller dieser kleinen Planeten wenn nicht völlig scharf, doch sehr nahe sich schneiden müſsten, weil die Störungen allein diesen Punkt, an welchem die Zersprengung stattfand, nicht sehr weit auſserhalb der spätern Bahnen entfernen konnten. Ein solcher Punkt findet sich aber so wenig, daſs bei der Ceres und Pallasbahn, deren Bahn unter allen andern sich am nächsten kommen, ein solcher Punkt erst nach sehr langer Zeit (1600 Jahren) künftig sich finden wird. Die beständige Wiederholung der Frage, ob doch nicht eine solche Zersprengung möglich gewesen sei, ist nur ein Beweis wie vorsichtig man sein muſs, nicht durch ein hingeworfenes Wort Vorstellungen hervorzurufen, welche den Erscheinungen auf der Erde entsprechend, begierig von dem gröſseren Publikum aufgefaſst werden. Der hochverehrte Dr. Olbers, der diese Hypothese einmal flüchtig hinwarf, hat sie nie ernsthaft aufgestellt.

Wir haben in Allem jetzt 45 Planeten, während das vorige Jahrhundert mit 7 schloſs und die ersten sieben Jahre des jetzigen noch 4 hinzufügten, so daſs bei meinem Eintritte in die Astronomie 1811, nur 11 vorhanden waren. Die Zahl hat sich jetzt vervierfacht. Sie wird zuverläſsig noch immer sich vermehren. Denn wenn die alten Planeten mit bloſsem Auge sichtbar sind, und auch Neptun von der achten Gröſse, so sinkt in manchen Jahren die Helligkeit einiger der vier älteren kleinen Planeten schon unter die 9te Gröſse herab und von den neuerdings entdeckten sind mehrere die bis zur 11ten und 12ten Gröſse herabgehen. Bei den hellsten Sternen findet näherungsweise das Verhältniſs statt, daſs etwa 3 mal so viel Sterne der

4ten Gröſse vorhanden sind, als der 3ten, 3mal so viel Sterne
der 5ten Gröſse, als der 4ten. Wollte man dieses ganz ohne
theoretische Begründung abgeleitete Verhältniſs auch auf die
schwächeren Sterne ausdehnen, so geht schon daraus hervor,
daſs die Zahl der Planeten wahrscheinlich ähnlich zunehmen
wird, je mehr man zu den schwächeren Sternen fortgeht. Je
gröſser die zu der Auffindung der kleinen Planeten angewandten Fernröhre sind desto lichtschwächere Punkte wird man als
Planeten erkennen und wenn man auch jetzt wohl behaupten
kann, daſs die Planeten welche heller werden können, als Sterne
9ter Gröſse so ziemlich alle aufgefunden sind, so läſst sich gar
noch nichts über die schwächeren bestimmen. Aber um so
dringender erscheint das Bedürfniſs das Material nicht bloſs
immer anzuhäufen, sondern das schon vorhandene zu verarbeiten.
Das ist der geschichtliche Gang in der Astronomie gewesen, daſs
man stets bemüht gewesen ist, die theoretischen Bestimmungen
mit den Daten der Erfahrung so in Verbindung zu setzen, daſs
der Fortschritt der einen auch den Fortschritt der andern her-
vorrief, und darin liegt der Vorzug dieser Wissenschaft vor
den andern Naturwissenschaften, daſs, während bei den letzteren
die Masse des Materials so wächst, daſs immer dringender das
Bedürfniſs allgemeiner Gesichtspunkte gefühlt wird, umgekehrt
bei der Astronomie bis jetzt was Bewegung betrifft, das Bestreben
vorgeherrscht hat, von dem allgemeinen Gesichtspunkte der in
ihr aufgestellt ist aus, sich Rechenschaft geben zu können von
dem was die Erfahrung zeigte.

Und eben hierin möchte ich einen Hauptgewinn setzen,
den die kleinen Planeten der Wissenschaft bringen, daſs sie
nämlich selbst durch ihre vermehrte Anzahl nöthigen, auch hier
diesen Grundsatz anzuwenden und die Theorie hinlänglich auszubilden, um, was bisher noch nicht gelungen war, bei ihnen
eine genaue allgemeine Vorausbestimmung ihres Laufes zu erhalten. Funfzig Jahre und mehr sind verflossen, seitdem für die
älteren 4 dieser kleinen Planeten dieser Wunsch hätte erfüllt
sein sollen, die bisherigen bei den alten Planeten angewandten analytischen Methoden reichten dazu nicht aus. Hier, wie
so häufig anderswo, wird die Nothwendigkeit der Lösung des

Problems in einer hinlänglich bequemen Form um sie ausführbar zu machen, den menschlichen Geist nöthigen, neue Wege einzuschlagen. Wenn man bei 4 kleinen Planeten auch ein halbes Jahrhundert verfliefsen lassen konnte, ohne dieses Ziel zu erreichen, so wird bei 37 solcher Körper es nicht mehr gestattet sein, diese Lücke in der Theorie unausgefüllt zu lassen.

Und dieser Gewinn wird sich nicht blofs auf die Astronomie beschränken. Darin besteht ein Hauptvorzug der Naturwissenschaften, dafs sie fortwährend dem menschlichen Geiste Probleme darbieten, an deren Lösung er sich zu üben hat, und durch welche er weit mehr erstarkt, als durch solche Aufgaben, die er sich selbst stellt. Der gefährliche Abweg, bei Verfolgung der Einzelnheiten und des tieferen Eindringens in sie, zu Spitzfindigkeiten sich verleiten zu lassen, und wie das Mittelalter so schlagende Beispiele aufstellt, sich zuletzt darin zu verlieren, findet, wenn einmal der rechte Eingang entdeckt ist, bei ihnen nicht statt. Die Wissenschaft soll nicht blofs die Schwierigkeiten wegräumen, die sie sich selbst macht, sondern die, welche wirklich sich ihr entgegenstellen.

Es sind jetzt von den 24 Blättern des ursprünglichen Planes 21 Blätter vollendet und publicirt, ein Blatt bereits gestochen, aber wegen des mangelnden Catalogs noch nicht publicirt. Die zwei noch fehlenden sind in den Händen zuverläfsiger und geübter Bearbeiter bereits vorgeschritten und werden wahrscheinlich im Jahre 1856 und 1857 vollendet werden.

Bei einem Unternehmen was in den Händen von so vielen Theilnehmern war, deren Beruf bei einigen nicht mit der Astronomie zusammenhing, kann man eine vollkommene Gleichmäfsigkeit nicht erwarten. Es läfst sich selbst zugeben, dafs ein oder zwei Blätter nicht das erfüllen, was beabsichtigt war. Die Commission stimmte aber darin mit Bessel überein, dafs besonders im Anfange, als das Unternehmen noch langsam fortschritt, eine allzugrofse Strenge nachtheilig gewirkt haben würde. Alle übrigen erfüllen das, was der ursprüngliche Plan vorschrieb. Mehrere vortreffliche gehen selbst noch darüber hinaus und werden schwerlich übertroffen werden können.

Diese geringe Ungleichförmigkeit schadet indessen um so weniger, als auch darin das Unternehmen sich erfolgreich ausgewiesen hat, daſs es andere hervorgerufen, die wesentlich dasselbe, in derselben Form, aber in gröſserem Maaſstabe, für andere Theile des Himmels, auszuführen bezwerken. So viel mir bekannt, sind zwei solcher Charten-Unternehmungen bereits im Gange, und wenn diese wirklich durchgeführt werden sollten, wenn sie die akademischen Charten übertreffen sollten, vielleicht selbst, was indessen gewiſs noch längere Zeit hindurch nicht stattfinden wird, diese Charten als völlig ersetzt gänzlich beseitigen sollten, so glaube ich, daſs auch die Akademie selbst einen solchen Fortschritt mit Freuden begrüſsen würde.

Hieran schloſs sich der Bericht über die andern gröſseren Unternehmungen und diesjährigen Arbeiten der Akademie.

Hr. Pinder las dann über die kaiserlichen Silbermedaillons der Provinz Asia.

---

22. Oktober. Sitzung der philosophisch-historischen Klasse.

Hr. Bopp las über die Zahlwörter der Burnusprache.

---

25. Oktober. Gesammtsitzung der Akademie.

Hr. Buschmann las über die Sprachen Kizh und Netela von Neu-Californien.

Hierauf trug Hr. Curtius folgende aus Constantinopel
eingegangene Mittheilung der Hrn. Blau und Schlottmann
über die Alterthümer der von ihnen im Sommer 1854
besuchten Inseln Samothrake und Imbros vor.

Von der grofsen Wasserstrafse aus, auf welcher alle von
Süden herkommenden Schiffe den Dardanellen zueilen, gewahrt
man unweit des Einganges derselben im Westen, gegenüber
der sandigen Küste von Troja, die langgedehnte steinige Hü-
gelreihe von Imbros, über welcher wiederum in weiterer
Ferne die ungleich höheren malerisch zackigen Felsengipfel
von Samothrake hervorragen. Dort „auf dem höchsten Gipfel der waldreichen thrakischen Samos" safs nach der Homeri-
schen Dichtung der Erderschütterer Poseidon, „keine vergebliche Umschau haltend," als er das Meer verlassen um dem
Kampf und der Schlacht zuzusehen; denn „von dort zeigte
sich ihm das ganze Idagebirg und des Priamos Stadt und die
Schiffe der Achaier."(¹)

Der Wanderer, welcher heutzutage jenen höchsten Gip-
fel erklimmt, wird auch an seinem Theile keine vergebliche
Umschau halten. Während das Eiland unter ihm wie ein ver-
einzelter Fels in der Fluth verschwindet, breitet sich das
Meer, an welches sich die reichsten anmuthigsten Erinnerungen der jugendlichen Menschheit knüpfen, das seines lichten
Glanzes wegen von den jetzigen Anwohnern sogenannte weifse
Meer, in einer Weite vor ihm aus, wie sonst kein anderer
Punkt sie überblicken läfst. Die Inseln Thasos, Imbros, Lemnos, Tenedos und Lesbos tauchen aus dem silbernen Wasser-
becken hervor, welches nur nach Süden hin in unbegränzter
dämmernder Ferne sich verliert, während auf den andern Seiten die thessalischen, thrakischen, phrygischen und ionischen
Höhenzüge sich in scharfen Umrissen dem Auge darbieten.
Kaum kann man dem samothrakischen Hirten, der als Führer
dient, in weitester Ausdehnung einen irgend hervorragenden

(¹) Ilias 13 im Anf.

Punkt der asiatischen oder europäischen Küste bezeichnen und ihn fragen ob er hier zu sehen sei, daſs dieser nicht mit dem auch von dem alten Homer in der angeführten Stelle gebrauchten Worte „Φαίνεται" antwortete.

Bekanntlich knüpften sich an jene Höhen die alten Mysteriensagen der heiligen Insel. Früher als die übrigen Erdüberschwemmungen, so hiefs es (²), habe die grofse Fluth stattgefunden, in welcher der Pontus, durch die in ihn sich ergiefsenden Ströme angewachsen, sein Ufer durchbrochen und erst durch den Bosporus, dann durch den Hellespont sich einen Ausweg gebahnt habe. Damals sei ein grofses Stück von Asien hinweggespült und auch ein nicht geringer Theil des Flachlandes von Samothrake in Meer verwandelt worden, wefshalb auch noch in späterer Zeit Fischer beim Auswerfen ihrer Netze in der Tiefe die Spuren versunkener Städte entdeckt haben. Diejenigen von den Ureinwohnern der Insel aber, welche sich auf deren höhere Orte geflüchtet, haben, nachdem die Fluth allmählich sich verlaufen, den Landesgottheiten *rings im Umkreise* Denkmale ihrer Rettung und Altäre gegründet, auf denen noch jetzt geopfert werde. — Durch diese bei Diodor dem Sicilier erhaltenen Nachrichten ist zugleich schon angedeutet, daſs die höchsten Punkte des Saonberges selbst keine Heiligthümer als Wahrzeichen der erzählten Sage auf ihrem Rücken trugen. Vergebens sieht man sich in jener Felsenwildnifs nach den geringsten Spuren der Erinnerung an die klassische Zeit um. Die Trümmer einiger kleinen Kapellen, die dort oben in der Periode des blühenden Mönchs- und Einsiedlerthums aus Steinen des Berges aufgebaut worden, unterscheiden sich von den zahlreichen ähnlichen tiefer gelegenen dadurch, daſs sie nicht wie letztere mit Säulen und Marmorstücken als Tropäen des überwundenen Heidenthums geschmückt sind, sicher weil es zu mühsam schien, diese von den viel weiter unten befindlichen Stätten der ehemaligen Götterverehrung heraufzuholen.

Versuchen wir es nun, von dort oben anfangend, uns die Örtlichkeiten der Insel in ihren Hauptumrissen zu vergegen-

(²) Diod. Sic. 5, 47.

wärtigen. In der Bergkette welche von Ost nach West sich erstreckend den Kern des Eilandes bildet, ragen vier Zacken besonders hervor, alle von unten auf fast ununterbrochen steil sich erhebend und daher nur in vier bis fünf Stunden mit Mühe zu ersteigen, alle durch Schluchten von einander geschieden, die sowohl durch ihre Steilheit als durch das sie erfüllende Felsgeröll den Weg auf dem Kamme entlang sehr beschwerlich machen. Beginnen wir von Osten, so erhebt sich dort der Gipfel der unter allen der höchste und also wohl unzweifelhaft der alte Saon ist. Er führt gegenwärtig zusammen mit dem folgenden etwas niedrigeren, wegen der halbmondähnlichen Gestalt, die sie zusammen bilden, den Namen des Φεγγάρι. Der dritte heißt der der heiligen Sophia, der vierte der des heiligen Georgios. Neben diesen höchsten Bergen ist als fünfter der des heiligen Elias zu nennen, der, obgleich niedriger, durch seine gewaltige Masse imponirt. Er liegt nicht in der Hauptkette, sondern bildet von der Sophienspitze aus einen mächtigen Vorsprung nach Süden hin.

Von dem höchsten Gipfel des Phengari sieht man auf der Nordseite in ein wildes Thal hinab, das jedoch in der Nähe des Meers bebaut ist und selbst in seinem obern Theile einige Baumgruppen und Weideplätze umfaßt. Es mündet unweit der Ruinen eines mittelalterlichen Kastells, welche den Namen Phonia führen. Ein noch wilderes Thal, rechts durch die Felsen des Eliasberges eingeschlossen, zeigt sich uns, wenn wir von der zweiten niedrigern Spitze des Phengari südwärts blicken. Nirgends gewahren wir dort irgend erheblichere Spuren von Vegetation. In der Nähe nichts als todtes Gestein und weit unten an der Mündung des Thales der eben so todte weiße Sand, welcher jenem Küstenfleck den Namen Ammos gegeben hat. Denselben öden und wilden Charakter trägt der ganze Theil der Insel, welcher zwischen den beiden eben erwähnten Thälern, zwischen Phonia und Ammos, Imbros zugewandt, sich erstreckt. Er enthält, wie man uns sagte, nicht nur keine menschliche Wohnung, sondern selbst die umherziehenden Hirten meiden ihn, weil das an einzelnen Stellen etwa sprossende Gras den Weg dahin nicht lohnt.

42*

Nur die Jäger gehen dort den Gemsen nach, welche auf den einsamen Klippen ihre Zuflucht haben.

Dagegen ist die andere Seite der Insel, die hervorragenden Felsen ausgenommen, mit einer unvergleichlich herrlichen und üppigen Pflanzenwelt bedeckt. Wie Homer der Thrakischen Samos das Beiwort der waldreichen giebt, so rühmte uns auch der türkische Bootsführer, der uns hinfuhr, im voraus die vielen grofsen und schönen Bäume, die es dort gebe und den Überflufs des aller Orten hervorsprudelnden frischen Wassers, von dem seiner Preiswürdigkeit wegen (denn die Orientalen sind bekanntlich Feinschmecker hinsichtlich des Wassers) er selbst einem dorther kommenden Schiffer schon auf Imbros einen Vorrath abgenommen hatte. Alle unsere Erwartungen wurden weit übertroffen, als wir, nachdem wir am Abend gelandet waren und an dem einsamen Meeresufer unter freiem Himmel übernachtet hatten, an einem schönen Morgen das Thal von Xeropotamion hinaufritten. Es ist dies das grofsartigste der Insel, bis zur Sophienspitze sich hinaufziehend, rechts durch den Eliasberg von dem oben genannten Thale von Ammos getrennt. Seinen Namen führt es in so fern uneigentlicher Weise, als nie versiegende Quellen seinem Bache allezeit reichliches Wasser zuführen, während freilich das breite Bette desselben nur im Winter ganz gefüllt und dann oft genug überfüllt ist. Vor uns hatten wir zuerst in der Ferne die kühn geformten Felsengebilde des obern Thales. Dann aber umfing uns ein von der Natur gepflanztes Bosket, dessen Büsche uns mitten im Juli durch die Frische ihres Grüns und die Fülle ihrer Blüthenpracht überraschten, die Mangelhaftigkeit unserer botanischen Kenntnifs uns nicht wenig bedauern liefsen und den Wunsch in uns hervorriefen, ein Kunstgärtner möchte einige dieser prächtigen Stauden nach Europa zu verpflanzen Gelegenheit finden. Wie dort die Anmuth eines wahrhaft feenartig schönen Gartens, so sollte uns an einem der folgenden Tage, einige Stunden diesseit Phonia's, die strotzende Fülle einer urwaldmäfsigen Vegetation in Erstaunen setzen. Ungeheure Eichen, Kastanien, Platanen, theilweise von undurchdringlichen Schlingpflanzen überdeckt; dazwischen Farrenkräuter, die Reuter und Rofs überragten; oft

ein Dickicht, durch welches uns hindurchzuleiten unserm Führer viel Schwierigkeit machte; dann wieder Giefsbäche, die
mit steilen Ufern, umgestürzten Bäumen und grofsen Felsmassen den Weg versperrten; einmal auch zur Abwechslung
hart unterhalb eines Gewässers, das nach der Bemerkung der
Inselbewohner durch seine Eiskälte vor allen andern hervor-
sticht, heifse Salpeterquellen von einer 42 Grad Réaumur hohen Temperatur, in geraumer Ausdehnung einen eigenthümlich
weichen Dunstkreis um sich verbreitend, an einer Stelle von
einem wahrscheinlich aus römischer Zeit herrührenden Gemäuer eingefafst; daneben Gruppen an Überfeinerung nicht
leidender Badegäste vom benachbarten Festlande, welche sich
das alte Becken zu Nutzen gemacht und hier mitten im Walde
einige Zelte und luftige Laubhütten aufgeschlagen hatten;
hernach, eben so unerwartet, eine ganze lange Reihe üppiger
Gärten, inmitten eines jeden ein Häuslein, an der Seite der
Thür von einer dasselbe an Gröfse übertreffenden Weinlaube
überschattet — dürftige Wohnungen nur auf den Sommer berechnet, da im Winter die Bergwasser hier Niemanden hausen
lassen; rings umher zwischen dichten Reben stämmige Obst-
bäume aller Art, an Fülle mit den Bäumen der Wildnifs wetteifernd, Äpfel, Pflaumen, Pfirsiche, Feigen und Granaten, mit
ihren fruchtbeladenen Zweigen öfter über die Hecken hinüber
in das überall hart sich andrängende Dickicht hineinragend,
welches, wenn man es wieder betritt, nach wenig Schritten
jedes Gedächtnifs an ordnende Menschenhand verschwinden
läfst; — das alles sind Eindrücke, die man sich vergegenwärtigen mufs, um ein Bild von den reichen und mannichfaltigen
Naturscenen zu haben, welche auf dem kleinen mysteriösen
Eilande sich einander drängen.

Ungefähr im Mittelpunkte des fruchtbaren Theiles der
Insel, auf der Hälfte des Weges zwischen der Anfurt von
Xeropotamion und Phonia liegen die Trümmer der alten Stadt
und ihrer Heiligthümer, welche Gegend jetzt Paläopolis
oder Paläokastron genannt wird. Die letztere Bezeichnung
stammt von den mächtigen Ruinen byzantinischer Burgen und
Befestigungen, welche zeigen, dafs hier auch im Mittelalter
das Centrum einer werthgeschätzten und planvoll vertheidigten

Besitzung sich befand. Denn auf der einen Seite schlofs sich das Kastell von Phonia an; auf der andern Seite wurde der Bergpafs zwischen Paläopolis und Xeropotamion durch eine starke Felsenburg beherrscht, deren Thürme zum grofsen Theil noch jetzt übrig sind und um die herum das gegenwärtig einzige Dorf der Insel sich zu einer Zeit bildete, als die Bewohner hier eben so wie in Imbros aus Furcht vor den Piraten das Seegestade mieden und sich auf die leichter zu schützenden Höhen zurückzogen.

Wenn man von diesem Dorfe nach Nordosten hin abwärts steigt, berührt man nach etwa anderthalb Stunden, indem man jenseit eines waldigen Grundes die Thürme von Paläokastron in mäfsiger Entfernung vor sich sieht, die etwas über dem Meer erhöhte Gegend, in welcher die spärlichen Ueberreste der alten Stadt von Samothrake zu erkennen sind. Geht man von da in der Richtung auf die Thürme zu weiter hinab, so gelangt man mitten im Walde an die Trümmer eines grofsen viereckigen Gebäudes mit vielen Kammern. Der untere Theil der Mauer ist, obgleich von Bäumen und Gestrüpp überwuchert, fast durchgehends erhalten. Das Material ist ein poröser Stein der Insel; doch liegen an einigen Stellen neben der äufsern Mauer kolossale Marmorstücke, von denen wir nicht recht zu erkennen vermochten, in welcher Weise sie an dem Gebäude angebracht waren. Einige mächtige Platten scheinen zur Bekleidung der Aufsenwand gedient zu haben. Jenseits kommt man über einen kleinen Vorplatz an einen Bach mit hohem steilen Ufer, der hier den Namen Φυλακή, weiter unten nach der eine Viertelstunde entfernten Mündung zu von den Ruinen einer Kapelle den der Παρασκευή führt. Auf jenem Vorplatze liegen mehrere grofse Marmorstücke umher. Insbesondere fällt einer der Theile eines mächtigen Frontispices ins Auge. Es hat keine Inschrift. Dagegen lasen wir auf einem andern den Mafsen nach genau dazugehörigen, das mit zahlreichen schönen Säulenfragmenten unten im Bette des Baches lag, das auf den ersten Blick räthselhafte Fragment einer in grofsen zierlichen Buchstaben eingegrabenen Inschrift.([3]) Die das Vorhergehende und Nachfolgende enthaltenden Stücke waren nicht zu finden. Sie haben aller Wahrscheinlichkeit nach mit so vielen andern Marmor-Überresten der Insel das Schicksal getheilt, dem Nützlichkeitsprincipe verfallen und in Kalk verwandelt worden zu sein. — Steigen wir noch einmal die eben verlassene Höhe hinauf und verfolgen dieselbe aufwärts an dem Bach der Φυλακή entlang, so durchwandeln wir, durch den Wald und das dornige Gestrüpp uns durchdrängend, in der Ausdehnung von fast einer Viertelstunde eine Reihe von ähnlichen doch etwas kleineren viereckigen Gebäuden als das zuerst beschriebene. Auf dem Rücken einer ziemlich schmalen Erhöhung liegend, die wie auf der einen Seite durch die Flufsrinne der Φυλακή, auf der andern durch die der Κόψ begränzt ist, haben sie noch jetzt in ihren Trümmern etwas durch ihre Masse Imposantes.

Wir kehren nun zu dem Punkte in der Bachrinne der Φυλακή zurück, wo wir den Marmor mit den Buchstaben fanden. Steigen wir jetzt von dort auf der entgegengesetzten Seite an dem rechten Ufer hinauf, so führt uns der Weg über massenhafte Fragmente von Säulen und seltsam geformten Kapitälen hin zu dem Platze, welcher jener Wasserrinne den Namen gegeben hat. Wir stehen vor einer schöngebauten Mauer mit einem verschütteten gewölbten Thore, das eben noch oben hinlänglichen Raum läfst, um kriechend durch einen etwa 20 Schritt langen Gang zu einer viereckigen Kammer von mäfsiger Gröfse zu gelangen. Diese nennen die Einheimischen Φυλακή. Uns erinnerte sie an die Höhle, in welcher auf Samothrake die Kabiren und insbesondere die Kabirenmutter durch Hundeopfer verehrt wurden. Nahe dabei, dem Thore gerade gegenüber, findet sich eine gemauerte verliefsähnliche Vertiefung. Der dazwischen liegende Raum ist wiederum mit Marmorstücken angefüllt. Zwei Frontispicestücke enthielten zusammen den Namen Βασιλεὺς Πτολεμαῖος. Etwas weiter aufwärts ist ein kleiner runder scharf abgegränzter Platz, dessen Pflaster noch wohlerhalten ist. Mehrere

---

([3]) ΝΔΡΟΥΜΙΛΗΣΙΑΘ.

glaubwürdige Leute der Insel versicherten dort früher einen
Marmor mit der Inschrift Δρόμοι τῶν ποδῶν gesehen zu haben,
der seitdem zu Kalk verbrannt worden sei. Wir verfehlten
nicht, bei dieser Gelegenheit die uns begleitenden Griechen
auf das Unrecht hinzuweisen, welches sie auf diese Weise an
ihrem sonst von ihnen mit Ehrfurcht behandelten Alterthume
begehen; eine Ermahnung, welche bei dem stets wachsenden
Interesse auch der gemeinen Griechen an diesen Gegenständen einen empfänglichen Boden fand, so dafs selbst der nicht
sehr gebildete Priester in der Kirche an die Pflicht erinnern
zu wollen erklärte, alle sich findenden alten Inschriften sorgfältig zu erhalten. — Von dort abwärts, hart unterhalb der
oben beschriebenen Reste viereckiger Gebäude befinden sich
die Ruinen eines dorischen Tempels, wie es scheint einst des
gröfsesten der Insel, zu dessen gänzlicher Zertrümmerung
wohl unzweifelhaft mächtige Erdbeben mitgewirkt haben. Aus
den umherliegenden Säulen und andern Marmorstücken liefse
sich der grofsartige Bau noch ziemlich reconstruiren. Die Samothrakier drückten ihre Verwunderung aus, wie man nur in
der alten Zeit so viel Marmor (da dieser auf der Insel sich
nicht finde) habe über das Meer hierherbringen können. Bei
dem Versuche von Nachgrabungen stiefsen wir überall auf ungeheure Massen, die nur durch viel gröfsere Kräfte zu bewäl-
tigen wären.

Von dieser Gegend aus führt ein durch aufgehäufte unbe-
hauene Steine eingefafster Gang, den die Einheimischen als
Königsweg (δρόμος τοῦ Βασιλέως) bezeichneten in der Richtung
nach den von allen Seiten immer wieder gesehenen Thürmen
zu aufwärts. Man kommt bald zu einem polygonischen Mauer-
werk, das, je weiter man es verfolgt, je näher man die kolos-
salen Bestandtheile betrachtet, um so mehr die gespannteste
Aufmerksamkeit in Anspruch nimmt. Wir gingen an ihnen
entlang. An den unteren Theilen machen sie einige, vier-
eckige Räume umschliefsende, Ausbiegungen. Wir fingen an,
ihre Ausdehnung mit Schritten abzumessen. Aber schon kamen
wir hoch in die Hunderte, ohne das Ende abzusehen. Endlich
fanden wir eine Stelle, wo wir neben einer Art von Thor die
Mauer ersteigend dieselbe weiterhin überschauen konnten und

nun geriethen wir wahrhaft aufser uns vor Erstaunen, als wir entdeckten, dafs der riesenhafte Bau den ganzen steilen Gang hinauf bis zur nächsten Bergesspitze fortgeführt war.

Diese war natürlich unser nächstes Ziel. Beim Hinaufklimmen bemerkten wir noch einige thorförmige Öffnungen, die allemal durch zwei kurze rechtwinklig von der Hauptmauer nach innen ausgehende Flügelmauern eingefafst waren. Eine von diesen letzteren zeichnet sich dadurch aus, dafs die Bausteine sehr genau und scharf polygonisch behauen sind und dafs sämmtliche Kantensteine rechtwinklig auslaufen. Oben endet die Mauer an einem Felsen, der zusammen mit einem andern gegenüberstehenden einen natürlichen Felsenpafs bildet. Dieser ist dann auf seinem höchsten Punkte durch eine 12 Fufs hohe und ungefähr eben so dicke polygonische Mauer gesperrt, welche in ihrer Mitte ein oben spitz zulaufendes und überdecktes, 9 Fufs hohes und 4 Fufs breites Thor enthält. Von diesem Thore wird der Berg selbst Porta genannt. Jenseits führt eine steile schwer zu erklimmende Felsenspalte in die Tiefe. — Von dort oben läfst sich nun auch die ganze Anlage des Kyklopenbaus bequem überblicken. Sieht man nämlich von der Porta auf ihn zurück, so hat man zur Rechten den Felsen, welcher die eine Seite des bezeichneten Passes bildet, sich dann als scharfe Kante den ganzen Berg hinunterzieht, zuletzt die Fläche begränzt, auf welcher die öfter erwähnten byzantinischen Thürme stehen, und sich von dort steil in's Meer hinabstürzt. Dieser ganze Felsenkamm ist, wo er Lücken enthält, durch einzelne Stücke kyklopischen Baues ausgefüllt und gleichsam ergänzt. Ihm gegenüber haben Menschenhände als Fortsetzung der zweiten Seite des Felsenpasses, welche man von der Porta aus zur Linken hat, einen andern künstlichen Felsenkamm in der grofsen kyklopischen Mauer geschaffen. Etwa 12 Fufs dick und zwischen 10 und 20 Fufs hoch an dem Berge hinlaufend endet sie auf einem Felsen, welcher dem die Thürme tragenden gegenüber gleichfalls steil ins Meer abfällt. Zwischen diesen beiden Felsen ist ein Hain mit zwei reichlich fliefsenden Quellen. Neben der, welche man, von oben her kommend, zur Linken hat, sind die Ruinen einer byzantinischen Kapelle, die wir aus dem Schutt her-

vorgraben liefsen und in der wir einige altgriechische Basreliefs und Steine mit Inschriften eingemauert fanden. Grund-
mauern und Trümmer irgend eines griechischen Tempels haben wir in dem durch die kyklopischen Mauern eingehegten
Gebiet vergebens gesucht. Ob diese Abgränzung des unzweifelhaft ältesten heiligen Bodens lediglich den Zweck religiöser
Symbolik oder auch den der Befestigung hatte, dafür fanden
wir in der Anlage des Ganzen keine entscheidenden Gründe.
In überwältigender Weise aber drängt sich dem Beschauer das
Räthsel auf, wie die ungeheueren Menschenkräfte, welche erforderlich waren um einen solchen Riesenbau zu vollenden,
sich auf der kleinen Insel haben vereinigen können und schon
in Beziehung hierauf dürfte die Sage von einem einstigen
gröfseren Umfange der letztern sich empfehlen.

Dies sind die Örtlichkeiten, welche den Mittelpunkt der
Heiligthümer von Samothrake bildeten. Ob von den übrigen
im Alterthume erwähnten Cultusstätten noch Spuren übrig
seien, das vermochten wir während unsres kurzen viertägigen
Aufenthaltes nicht zu bestimmen. Künftige Reisende dürften
besonders auf die waldigen Höhen zwischen Paläokastron und
Phonia anfmerksam zu machen sein, wo wir den kyklopischen
Mauern ähnliche Steinwälle aufgeschüttet fanden. Bei Ammos
und in der Nähe von Xeropotamion sollen Reste alter Bauten
vorhanden sein, welche zu besichtigen uns unmöglich war.
Auch der zwischen Paläokastron und Xeropotamion an der Küste
sich hinziehende flachere Theil der Insel, den wir nicht betra-
ten, dürfte der Untersuchung werth sein. Die zahlreichen
verfallenen byzantinischen Kapellen verdienen hier wie in Imbros die sorgfältigste Aufmerksamkeit, da man zu ihrem Baue
aus den alten heidnischen Tempeln gerade die leichteren Marmorstücke, auf welche häufig die Inschriften eingegraben waren, herbeizuholen liebte. Viele solcher beschriebenen Marmorstücke sind auch in den Thürmen von Paläokastro enthalten. Endlich würden Ausgrabungen, an den hervorstechenden
Orten planmäfsig angestellt, sicher eine reichliche Ausbeute
gewähren. Wir selbst machten an einem Tage einen natürlich sehr kleinen Versuch der Art, indem wir morgens mit
einer rasch aufgetriebenen Schaar junger Leute, von dem grie-

chischen Ortsvorsteher und einem Priester begleitet, in einer bunten Karavane von dem Dorfe auszogen. Und doch gelang es uns auf diese Weise eine Anzahl von Inschriften dem Schoofse der Erde zu entreifsen. Möchte es bald andern Reisenden möglich werden, nicht nur Samothrake und Imbros sondern auch Thasos und Lemnos nach allen Seiten hin gründlich zu durchforschen!

Wir schliefsen hier einige Bemerkungen über die gegenwärtige Bevölkerung der Insel an. Dem türkischen Mudir, der uns in dem unmittelbar an die alten Thürme des Bergpasses stofsenden Konak gastlich aufnahm, wird es leicht mit Einem türkischen Kawassen die ganze übrige etwa aus 2000 Seelen bestehende reingriechische Bevölkerung zu beherrschen. Es ist im Ganzen ein sehr gutmüthiger Menschenschlag. Wenige vereinzelte Gehöfte ausgenommen sind alle festen Wohnungen in dem Dorfe, das schlechthin χωριό oder auch κάστρο heifst, zusammengedrängt. Ungeachtet der reichen Produktion macht der Mangel des Verkehrs einen gröfseren Wohlstand unmöglich. Ein grofser Theil der Männer durchzieht im Sommer mit den Heerden die verschiedenen Weidethäler. Bei diesen Hirten hat sich die alte Tracht, die aus einem weifsen der Fustanelle ähnlichen aber faltenlosen Gewande besteht, und der eigenthümliche Dialekt der Insel erhalten. Die Türken erzählten uns daher auch von einem doppelten das Eiland bewohnenden Volke. Die Samothrakier selbst aber läugnen diese Verschiedenheit und behaupten, dafs alles, was jene Hirten jetzt auszeichne, ursprünglich ihnen allen gemeinsam gewesen sei und nur bei einem Theile von ihnen durch die Berührung mit anderen Griechen allmählich sich verloren habe. Jener Dialekt, den wir trotz aller Erkundigungen, bei keiner andern griechischen Bevölkerung haben wiederfinden können, klingt sehr fremdartig. Man glaubt anfänglich eine völlig ungriechische etwa dem Albanesischen ähnliche Sprache zu hören. Man erinnert sich unwillkürlich, wenn auch nicht ernstlicher Weise, dessen, was Diodor von dem in den Mysterien erhaltenen eigenen alten Dialekte der Autochthonen dieser Insel erwähnt. Bei einiger Gewöhnung des Ohres und bei näherer Untersuchung reducirt man aber

leicht das ganze Wesentliche des Unterschieds von dem gewöhnlichen Neugriechisch, abgesehen von dem eigenthümlich
singenden Accente, darauf dafs unser Sch, welches andere Griechen selten auszusprechen vermögen, hier umgekehrt überall
an die Stelle des griechischen Sigma gesetzt und dafs der
Buchstabe, welcher dem Demosthenes so viele Schwierigkeit
verursachte, schlechtweg ausgelassen wird — Eigenheiten, welche natürlich den griechischen Wörtern oft eine seltsame,
schwer wieder zu erkennende Gestalt verleihen. — Wir fügen
ein Lied bei, welches wir aus dem Munde eines Samothra-
kiers aufgezeichnet haben und welches zeigt, dafs auch auf jener Insel durch allen Barbarismus hindurch in dem Volksge-
sange die Nachklänge des alten Hellenenthums sich erkennen
lassen. Die unerbittliche Gewalt der Nemesis, die in dem
Charon verkörpert den seiner Kraft sich überhebenden Jüngling ergreift, ist darin in einfacher aber ergreifender Volks-
weise dargestellt. — Das Sylbenmafs ist das auch in den von
Fauriel gesammelten Liedern der Klephten herrschende, das,
wenn man es singen hört, oft an den Fall des Hexameters erinnert. Die dem Metrum nach überzähligen Sylben werden
ähnlich wie in manchen deutschen Volksliedern beim Gesange
durch kürzere Noten ausgeglichen.

Samothrakisches Volkslied.

Λεβέντης ἐκαταίβαινε 'πο 'να ὑψηλὸ παγίρι.
Εἶχε τὸ φέζι του στραβὰ καὶ τὰ πετζά του κάτω.
Ὁ Χάο τὸν ἐκύτταξε, πολὺ τὸ κακοφάνη.
Ἀπ'τὰ μαλλιὰ τὸν ἔπιασε καὶ 'πὸ τὸ δεξὶ του χέϊ.
Ἐμένα ὁ Θεὸς μ'ἀπέστειλε νὰ πάω τὴν ψυχήν του. —
Ἀφίσ' με Χάε 'πὸ τὰ μαλλιὰ καὶ πιάτ' μ'ἀπὸ το χέϊ,
Καὶ χάϊδι να πάιεν νὰ παλαίψωμεν σὲ μα'μα'ενὶ ἀλόνια,
Καὶ ὅποιο νικῆσ' 'πὸ τους δυὸ νὰ πάη τὴν ψυχήν του.
Λεβέντης ὅπου τόπιασε αἷμα καὶ τὸν ἐβγάνει.
Ὁ Χάο ὅπου τόπιασε τὰ ὄη, κ'ἔας χοταίνουν.
Πα'ακαλῶ σὲ Χάο τὰ μὴ πάης τὴν ψυχήν μου.
Καὶ ἔχω π'εβατα ἄκο'α καὶ τὸ τυΐ 'στὸ ζύγι,
Ἔχω γυναῖκα ὁμο'φὴν καὶ χή'α δὲν τὴν π'επει.
Ἔχω παιδιὰ μικ'ουτζικὰ καὶ ὀ'φανα δὲν τὰ π'επει.

Τὰ π'όβατα κο'εύονται καὶ τὸ τυῖ ξυγιάζει.
Κ'αἱ χη'αις καὶ πο'εύονται καὶ τὰ 'φανα κυβε'νιοῦται.
Πα'ακαλῶ σὲ Χάο τὰ μὴ πα'ῃς τὴν ψυχήν μου.
Σὺ δεῖξε μου τὴν τέντα σου καὶ ν' αἱ του μόναχός μου.
Σὰ πᾶς κ'ιδῆς τὴν τέντα μου Θέλεις νὰ σὲ συντ'ομάξῃς,
Διατὶ εἶναι ἀπόξω π'άσινη καὶ μέσα μαυ'ομένη.
Μ' ἄνοιξε τὸ στομάτι σου νὰ πάω τὴν ψυχήν σου.

Übersetzung.

Ein junger Bursch der stieg herab von einem hohen Berge,
Er trug den Fes auf einem Ohr und volle Locken drunter.
Der Charon sahe sich den an, gar übel ihm gefiel es.
Er faßt' ihn bei den Locken an, ihn an bei seiner Rechten:
„Mich hat Gott zu dir abgesandt zu holen deine Seele!" —
Laß, Charon, meine Locken los, nur bei der Hand mich fasse!
Und auf! laß gehn, laß ringen uns auf jener Marmortenne,
Und wer da sieget von den zwein, der hol' des andern Seele! —
Und als der Bursche drauf anpackt, beginnt sein Blut zu fließen.
Und als der Charon drauf anpackt, da sättigt Fleisch den Hügel. —
Ich bitte dich, o Charon du, nicht hole meine Seele!
Hab' ich doch Schaafe ungescheert und Käse auf der Waage;
Ich hab' ein wunderschönes Weib, nicht Wittwe soll sie werden;
Ich habe zarte Kindelein, nicht Waisen soll'n sie werden.
„Die Schaafe werden schon gescheert, der Käse wird gewogen,
Und auch die Wittwen kommen durch und Waisen die versorgt man." —
Ich bitte dich, o Charon du, nicht hole meine Seele!
Laß du mich sehen dein Gezelt, dann will ich selber kommen. —
„Und kommst und siehst du mein Gezelt, dann wirst du gar erzittern,
Dieweil von außen grün es ist und schwarz es ist von innen:
So öffne denn mir deinen Mund, zu holen deine Seele!"

————————

Es heben sich auf dem oben gegebenen Bilde der Insel vor
allem zwei Gruppen von Alterthumsresten ab, während andere
Punkte, im Lichte der antiquarischen Forschung besehen, fast ganz
in Schatten treten; so das Thal Xeropotamion mit den Kapellen
Agios Vlasios und Agios Joannis, die nur durch einige alte Säulen
und Säulchen an die Vorzeit der Insel erinnern, und in näherem
oder entfernterem Zusammenhang mit den von uns nicht besuchten

Ruinen stehen mögen, die nach Aussage einiger Einwohner nord-
westlich von der Mündung des Xeropotamion liegen sollen.

So das D o r f (χωρίο) im Innern der Insel, das sich wohl dann
und wann, um seine Häuser und Kirchen zu schmücken, einen Mar-
morblock, oder um die Erddächer seiner Häuser zu walzen, einen
Säulenschaft aus den Ruinen von Paläopolis holt, im Übrigen aber
nicht älteren Ursprunges zu sein scheint, als aus der Zeit der by-
zantinisch-fränkischen Herrschaft, welche sich hier durch jeweilige
Münzfunde, so wie durch Bauart und Inschriften des ziemlich wohl
erhaltenen Castells, von dem das Dorf selbst auch den Namen
K a s t r o führt, hinlänglich documentirt.

So auch ist in P h o n i a an der N. W. Spitze Samothrakes
nichts zu sehen, als ein einsamer mittelalterlicher Thurm über dessen hohem meerwärts gekehrten Fenster sich ein schöner Marmor-
bogen wölbt, und wenige Spuren einer alten Kapelle und ehemaliger Wohnstätten.

So endlich mögen auch die Alterthümer von A m m o s , an der
Südküste der Insel, unbedeutender Natur sein. Die Einwohner
wußten nicht zu sagen, ob dort Inschriften existirten; wir selbst
haben es nicht besucht.

Die Th e r m e n , derer oben gedacht wurde, scheinen schon
in alter, wenn wir recht urtheilen, wenigstens in römischer Zeit,
ein besuchter Ort gewesen zu sein; darauf deutet wenigstens die
Sorgfalt, mit der man die Salpeterquelle, deren Wärme wir am
Sprudel 42° R. fanden, in eine Leitung gefaßt und ein Bassin ge-
mauert hat, in dem das Wasser sich sammelt: aber außer einem
Stückchen Portal und spärlichen Resten einer Umfassungsmauer ist
nichts erhalten.

Von den beiden Punkten, die wir als die wichtigeren bezeichneten, ist der eine der nördliche flache Ausläufer des Agios Georgios, zwischen Phonia und den Thermen, wo umschlossen von einer dichten Wildniß von Wald und Gebüsch, Felsen und Klüften
jetzt eine verfallene Kapelle steht, die im Munde des Volkes als
K l o s t e r C h r i s t o häufig genannt wird. Wir fanden hier Spuren
alter aus großen Steinen gebauter Wohnungen und Reste einer
aus polygonischen unbehauenen Blöcken aufgeführten Mauer; doch
bereits einer solchen Zerstörung anheimgefallen, daß wir zwischen
den umgestürzten Trümmern und naturwüchsigen Felsen hindurch

Gestalt und Lauf dieses Gemäuers nicht genauer zu erkennen vermochten.

Neben diesen kyklopischen Erinnerungen deutet das Material,
aus dem die genannte Kapelle gebaut ist, auf ein vormals hier bestan-
denes Heiligthum hin. Die Säulen, Marmorblöcke und Reliefs, die
wir hier sahen, sind aus bester griechischer Zeit. Einiges reicht
indefs bis in die römische Periode hinab, wie namentlich eine über
der Eingangsthüre befindliche, aber bis zur Unleserlichkeit über-
tünchte lateinische Inschrift. Die griechischen Inschriften, die wir
hier entdeckten, sind folgende vier:

> No. 1 und 2 auf e i n e m Steine, der jetzt die Oberschwelle
> der inneren Thüre bildet.
> [*Inschrift siehe p. 616.*]

Zu I. Z. 1. Σ Z. 3. OΣ Z. 8. und 10. N sind wohl Endbuchsta-
ben vorausgegangener Namen; wonach ein bedeutendes Stück des
Steines fehlt. — Z. 3. Ἀρχιππο(ς Ἀρι)ττίωνος. Z. 4. Ἁ)λικαρ-
ναττεῖς. — Z. 5. Μ)ελάντου. — Z. 6. Κα)ύνιοι. — Z. 7. Πυ)ρρίχου.
Zu II. In Z. 2. ist das H des Κεραμυητῦν nicht ganz gut erhalten.
Z. 6. copirten wir bei schon ungünstiger Beleuchtung; es wird
κ)ατ'ὑοϑετίαν zu lesen sein. — Z. 7. in weitläuftigeren Characteren
von anderer Hand daruntergeschrieben, enthält vielleicht nichts
anderes als ein mifslungenes εὐτεβὴς μύττης.—

> No. 3. an der innern Wand, schlecht erhalten.

> Η Κ Ο Σ . . . . Α Ρ Α Τ Ο Υ Α Ρ Χ Ι Α
> Δ Ι Ε Ι Σ Α Φ Ρ Ο Δ Ι Τ Η Ι
> Κ Α Μ Α Δ Ι

Aus dieser Inschrift scheint hervorzugehen, dafs das Heiligthum der Aphrodite geweiht war.

> No. 4. An der Aufsenseite, Nordmauer der Kapelle.

> Θ Υ Α Λ Ε Ξ Ι Μ Α
> Δ Ι Ο Ν Υ Σ Ι Ο Σ Δ Ι Ο Δ Ω Ρ Ο Υ
> Θ Ο Α Ν Τ Ο Σ Φ Ι Λ Ο Κ Λ
> Α Κ Ο Λ Ο Υ Θ Ε Ι
> Α Ρ Τ Ε Μ Ι Δ Ω Ρ Ο Σ   [*sq. p. 617.*]

1.

ΣΑΡΙΔΕΙΚΟΥΚΡΑΤΗΣΚΡΑΤΗΙΟΣ
ΚΥΙΙΚΗΝΟΙ
ΟΞΝΙΔΙΟΥΑΡΧΙΠΠΟΥ...ΣΤΙΩΝΟΣ
ΛΙΚΑΡΝΑΣΣΕΙΣ
ΙΕΛΑΝΤΟΥΜΟΣΧΟΣΜΟΣΧΟΥ
ΙΥΝΙΟΙ
ΡΡΙΧΟΥΒΕΛΛΕΡΟΦΟΝΤΗΣΑΓΙΟΣ
Ν.ΤΙΜΩΝΟΣ
ΑΛΛΑΒΑΝΔΕΙΣ
ΝΙΑΣΟΝΟΣΟΦΥΣΕΙΜΙΝΝΙΩΝΟΣΠΑΜΦΙΛΟΣΑΠΟΛΛΩΝΙΟΥ
ΔΑΡΔΑΝΕΙΣ
ΛΑΟΣΑΝΤΗΝΟΡΟΣΔΕΙΦΙΛΟΣΜΗΝΙΟΥ
ΣΙΛΗΝΟΥ

2.

ΕΠΙΒΑΣΙΛΕΩΣΠΥΘΙΟΝΟΣΤΟΥ
ΚΕΡΑΜΙΗΤΩΝΘΕΩΡΟΙ
ΜΥΣΤΑΙΕΥΣΕΒΕΙΣ
ΙΕΡΟΚΛΗΣΔΗΜΗΤΡΙΟΥΤΟΥΜΟ
ΑΡΙΣΤΟΜΕΝΗΣΑΡΙΣΤΟΜΕΝΟΥΣ
ΑΘΥΟΘΕΣΙΑΝΔΕΔΩΡΟΘΕΟΥ
ϵΘΥϹϵΒΗϹΜΙϹ
ϵΥϵ

Andere Inschriften an derselben Seite waren ganz erloschen. Leider zu spät erfuhren wir im Moment unsres Abschiedes von Samothrake, durch einen Eingebornen, daß in der Nähe von Christó im Walde sich ein großer Stein befinde, auf dem eine alte Inschrift stände.

Die zweite Hauptgruppe und der eigentliche Centralpunkt der samothrakischen Alterthümer ist Paläopoli an der Nordseite der Insel. Sobald wir uns dem heiligen Thalgebiet nähern, das von der Κόψ einer- und dem Φυλακή-Bache andrerseits eingeschlossen ist, haben wir zur Rechten und Linken des Pfades ein weites mit Steinhaufen und Mauerspuren bedecktes Gefilde vor uns, das wir für den Platz halten möchten, wo einst die alte Stadt stand. Es lehnt sich südlich an die Bergabhänge an und reicht nordwärts bis ans Meer, ostwärts bis an die Kops. Da wo der zum Strande führende Fußsteig die Kops durchkreuzt, liegt unter dem Schatten einer großen Platane ein granitner Sarkophag von schlichter Arbeit, 6' 4" Länge, 2' 2" Breite, 1' 5" innere Tiefe, dessen Deckel daneben geworfen ist. Als man vor einigen Jahren diesen Sarg ausgrub und öffnete, fand man darin drei Gerippe: in dem Munde des einen Schädels lag eine Art Gabel von Kupfer, die wir von dem Finder selbst zu kaufen Gelegenheit hatten.

Von der Landseite in das Gebiet der Kops tretend trifft man hinter und zwischen dichtem Gestrüpp auf große Massen theils weißen Marmors, theils und häufiger groben porösen Gesteins, wie es auf der Insel selbst gebrochen wird. An vielen Stellen bemerkt man deutliche Umrisse viereckiger Gebäude; vereinzelt stehen deren Mauern noch mehrere Fuß hoch. Von dem großen viereckigen Hauptgebäude an, das auf anliegendem Plane als Labyrinth bezeichnet ist und dessen Hauptthor nach Osten gerichtet ist, ziehen sich diese Ruinen wohl eine Viertelmeile weit auf dem Plateau hin. Zwischendurch liegen Säulen dorischer Gattung von untersetzten Dimensionen. An einer Stelle häufen sich diese in auffallender Menge; wir setzen hier die Stelle des alten dorischen Tempels an. Von über der Erde liegenden Säulenschäften zählten wir 24, deren Durchmesser 33 Rhein. Zoll, und gewöhnliche Länge 54" waren. Hin und wieder trifft man auf Triglyphenstücke, an denen wir die Einschnitte auf 5 und 6 Rh. Z. maßen. — An beiden Rändern des Phylaki-Baches deuten die umherliegenden und

herabgestürzten Marmorstücke darauf hin, daſs hier zwei sich entsprechende Portale standen. Von den Capitälern, Frontispicen
und Carniesstücken, die wir hier fanden, schien das Meiste einer
späteren Epoche anzugehören. Von der linken Seite herabgestürzt
liegt in der Tiefe der Schlucht der bereits erwähnte Block weißen
Marmors, auf dem mit fünfzölligen Buchstaben die Inschrift

No. 5.

ΝΔΡΟΥΜΙΛΗΣΙΑΘ

stand: er ist 7½ Fuſs lang, 1⅓ Fuſs hoch und muſs als Oberschwelle
des einen Portals gedient haben. Seitenstücke zu diesem Block von
gleicher Arbeit und gleichen Dimensionen aber ohne Inschrift
liegen am Rande.

Auf der Höhe der rechten Thalwand gruben wir ein halbver-
sunkenes Fragment eines Blockes, das noch jetzt 4 Fuſs lang ist,
aus. Die Inschrift in 5zölligen Buchstaben besagt:

No. 6.

ΑΙΟΥΘΥΓΑ
ΕΟΙΣΜΕΓΑΛ

Z. 1. Θυγά(τηρ) und Z. 2. Θ)εοῖς μεγά(λοις sind leicht zu ergänzen.
Auf dem Rücken desselben Hügels entdeckten wir die Grotte
Φυλακή nebst dem gegenüberliegenden thurmartigen Verliefs, zwei
merkwürdige Baureste, von denen wir an Ort und Stelle eine
flüchtige Skizze aufgenommenen haben. Der Eingang der Grotte
ist über die Hälfte verschüttet: der noch freiliegende Bogen-
bau wird durch neun grofse Steinblöcke eingefafst. Zu beiden
Seiten schliefst sich eine Mauer an, die zwar jüngern Ursprungs
ist als jene dorischen Bauten, aber durch die Regelmäfsigkeit ihrer
Bauart und Gleichförmigkeit des dazu verwandten Materials sich als
der guten griechischen Zeit angehörig ausweist. Dicht vor dem
Eingange der Phylaki gruben wir zwei Marmorblöcke aus, die die
Oberschwelle eines Portals gebildet zu haben scheinen. Beide zusammen ergaben die Inschrift:

No. 7.

ΒΑΣΙΛΕΥΣΓΤΟΛΕΜΑΙΟΣΓ

Von hier aus an den weiland δρόμοι τῶν ποδῶν vorbei und dann seewärts dem Abhange folgend streiften wir an Trümmern dreier mittelalterlicher, jetzt der Erde gleichgemachter Thürme vorüber und stiefsen unterhalb derselben auf einen lichten Platz, wo viel Marmor zusammengeschleppt ist, und wo daher die Kalkbrenner der Insel den vorzüglichsten Heerd ihrer Thätigkeit haben. Das Zusammenholen dieser Marmorstücke erfolgte anscheinend zum Behuf des Baues der byzantinischen Kirche, die hier gestanden hat. Sie verräth sich durch umhergestreute Capitäler mit Kreuzeszeichen; zwei kleine halbversunkene Säulen sind das Einzige, was von diesem Baue noch aufrecht steht. Wir stellten hier Ausgrabungen an und fanden binnen kurzer Zeit mehrere Inschriften und Reliefs. Eins der besterhaltenen unter den letzteren stellt ein langbekleidetes Weib dar, das einen Kelch in den Händen trägt und zwischen zwei candelaberähnlichen Gegenständen hindurch einem von einem Vorhange halbverdeckten Adyton zuzuschreiten scheint. Ein zweites, das gleichzeitig mit einer Inschrift versehen ist, nahmen wir mit uns:

No. 8.

ϹΥ ϹΕΒΗϹ
ΟϹ Δ ΗΜΗΤΡΙοΥ
Υ

Ferner fand man einen Stein mit folgender Inschrift:

No. 9.

ΜΥϹΤΑΙΕΥϹ
ΕΓΙΔΑΜΝΙϹ
ΦΙΛΩΝ...ΑϹΤ
ΛΥϹΙΩΝΕ
ϹΩϹΙΑΛΟϹΓΑΡΜΕΝΙϹ
ΑΤΕΙΡΙοΥ   ΧΡΗ Ν

Z. 1. Εὐσ(εβεῖς Z. 2. Ἐπιδαμνί(ων Z. 3. Ἀδράστου? Z. 4 steht nicht Σωτίλαος.

Endlich fanden wir hier einen Stein, der zweimal zu einer Weihtafel benutzt worden war. An der schmalen Seite steht:

43*

No. 10.

F

. . . . . .

(Θε)ΩΡΟΙ

. . . . . .

ΟΛΙΔΟΣ

.ΔΩΡΟΥ

ΥΗΣΑΡΙΣ

ΑΤΟΥΗΡΑ

οΔοΤοΣ

ΔΗΜΗΤΡ

ΣΝΕΚ

An der breiten Seite   No. 11.

ΥΣΤΑΙ

ΕΥΣ.ΒΕΙΣ

ΝΙΚΗΦΟΡΟΣ

.ΙΛΟΣΤΡΑΤΟΣΔΩΣΙ

.ΕοΣΔΑΟΣΕΥΗΜΕΡΟΣ

..ΑΜΙΝΩΝΔΑΣΤΑ..

ΡΑΣΒΙΘΥΣ

Z. 1. M)υσταί   Z. 2. εὐσ(ε)βεῖς   Z. 4. Φ)ιλόστρατος   Z. 4\5. Δωσί(θ)εος   Z. 5. Ἐπ(α)μινώνδας Τα(μύ)ρας.

Eine grofse Menge von Marmorstücken sind auch zum Bau des weithin sichtbaren Kastells mit den drei Thürmen, das terassenförmig auf dem äufsersten Vorsprunge des Abhanges der Porta angelegt ist, verwandt worden. Die Inschriften die wir hier copirten sind folgende:

No. 12.

ΕΓΙ . . ΣΙΛΕΩΣΓΕΙΣΙΛΕΟΥΚΡΙΤΩΝΟΣ
  ΗΛΕΙΩΝΘΕΩΡΟΙ
  ΜΥΣΤΑΙΕΥΣΕΒΕΙΣ
ΑΝΤΑΝΔΡΟΣΘΕΟΔΩΡΟΥ
ΑΡΙΣΤΟΚΡΑΤΗΣΑΝΤΙΦΑΝΕΟΣ

Z. 1. ergänzen wir βα)σιλέως (Πει)σιλίου.

No. 13. an der Südmauer zwischen dem untern und mittleren
Thurme:

  ΣΙ . . . . ΙΑΣ
ΤΗΣΠΟΛΕΩΣΘ
ΑΛΙΚΑΡΝΑΣΕΙΣ
ΜΕΝΕΚΡΑΤΗΣΜΕΝΕΚΡΑΤΟΥΣ
ΦΥΛΗΣΕΡΜΙοΥ
ΜΗΝΟΔΟΤΟΣΑΓΟΛΛΩΝΙΟΥ
  ΚΟΛΟΦΩΝΙΟΙ
ΝΙΚΑΝΩΡΜΗΝΟΦΙΛοΥ
ΜΥΘΑΙΟΣΑΓΟΛΛΩ (folgen keine weitere Buchstaben)
  ΕΦΕΣΙΟΙ
ΘΕΟΦΙΣΝΙΚΟΣΡΑΤΟΥ

. . . .

No. 14. Zwischen dem mittleren und oberen Thurme:

  ΙΕΤΙΔΕΣΕΥΣΕΒΕΙ
  ΑΙΝΙΑΙ
  ΥΙΝΤΙΑΜΜΩΝΟΣ
  ΙΑ.ΗΠ.ΓΥΡΟΝ
  ΚΑΛΛΙΚΡΑΤΟΥ
  ΓΗΝΙΚΩΝΟΣ

Z. 1. Obwohl wir ΕΤΙΔΕΣ abgeschrieben haben, scheint doch
die Conjectur Μύσ)τιδες bei der großen Ähnlichkeit des Ε und C
und der Analogie von μύσται εὐσεβεῖς zulässig.

No. 15. Am obern Thurme, Nordseite, so eingemauert, daß die Inschrift unterwärts nach innen liegt, und wir sie nur durch Ausbrechen des darunter liegenden Steines zugänglich machten, was indeß nur zum Theil gelang; die hintere lateinische Partie war nicht blos zu legen.

ΕΓΙΒΑΣΙΛΕΩΣΙΦΙΚΡΑΤΟΥΣΤΟΥ
ΘΕΩΡΟΙΔΑΡΔΑΝΕΩΝ
ΜΥΣΤΑΙΕΥΣΕΒΕΙΣ
ΓΑΥΣΑΝΙΑΣΔΙΦΙΛοΥ
. ΔΙοΝΥΣΙΟΣΣΚοΓΙοΥ
ΑΝΤΙΟΧΟΣΣΚοΓΙοΥ
. . . . ΓΑΥΣΑΝΙοΥΟΜΙΛοΣ
. . . fehlen drei Zeilen . . . .
DIONYSIVS
ALEXANDER

Am mittleren Thurme sind mehrere Capitäler, Reliefs u. s. w. eingemauert; eines der letzteren stellt sechs Frauen dar (μύστιδες), die Hand in Hand geschlungen einen Reigen aufführen.

Wir reihen hier, indem wir den Spuren der aus den Heiligthümern der alten Mysterien entführten Marmorstücke weiter nachgehen, gleich die Inschriften an, die es uns nach mehreren vergeblichen Bemühungen gelang im Dorfe selbst aufzutreiben, wohin sie wie bemerkt, alle aus den Ruinen Paläopolis gekommen sind.

No. 16. In einem Hause am Heerde eingemauert.

ΝΗΘΕΝΤΕΣΑ $\dot{}a)\nu(a)\theta\acute{\epsilon}\nu\tau\epsilon\varsigma$?
ΞΕ   ΑΣΤΥΡΑΛΛ $\Xi\epsilon(\nu\alpha\gamma\acute{o}\varrho)\alpha\varsigma$ $T\upsilon\varrho\alpha(\nu\nu\acute{\iota}\omega\nu o\varsigma)$
ΝΟΚΡΑΤΗΙΣΓΟΛΥΚΛ $\Phi\alpha)\nu o\kappa\varrho\acute{\alpha}\tau\eta\varsigma$ $\Pi o\lambda\upsilon\kappa\lambda(\acute{\epsilon}o\upsilon\varsigma)$
ΒΑΥ

. . . .
ΡΟΥ

No. 17. An der Aufsenseite eines anderen Hauses.

```
        ΟΣ
ΕΓΕΝΟΝΤο       ΚΤΟΣΤΟΥ
Μ . ΡΙΝΑΙΩΝ    ΟΙΔΕΓΡΟΞΕΝΟΙΤ
ΥΣΙΟΣΜΥο       ΩΣΕΓΕΝΟΝΤΟΘΕΣ
· · · · ·      ΡΑΓΕΝΟΜΕΝΟΙΣΑΛ
· · · · ·    5 ΑΔΗΡΙΤΟΣΘΕΡΣΑΝ
· · · · ·      ΔΗΜΗΤΡΙοΣΑΡΤΕΜΩΝ
· · · · ·
        οΥ     ΘΑΛΗΣΗΡΑΚΛΕΙΔΟΥ
        οΣ        ΚΩΙΩΝ
      · · ·    ΦΑΙΝΙΓΓοΣΔΗΜοΚΡΑΤ
      ΕΝΟΥ  10 ΚΑΛΛΙΚΡΑΤΗΣ.ΙΛΙΓΓΙΔ
        ΟΥ     ΑΓΑΘΟΚΛΗΣΑΓΟΛΛΟΝ
```

Conjecturen zur Ergänzung sind Z. 3. Θε(ωροί. Z. 5. Θερσάν(δρου.
Z. 6. Ἀρτέμων(ος. Z. 9. Δημοκράτ(ους. Z. 10. (Φ)ιλιππίδ(ου.

No. 18. Ein uns aus einem Hause des Dorfes zugetragener Stein,
der uns leider erst in der letzten Stunde unsres dortigen Aufenthaltes zukam, und eines längern Studiums bedurft hätte, um ganz
entziffert zu werden.

```
    ΣΙΛΕΥΣΛΥΣΙΜΑ
    ΛΕΙΓΑΣΑΝΕΓΙΜΕΛΕΙΑΙ
    ΤοΥΙΕΡοΥΚΑΙΤΗΣΠΟΛΕΩΣΝΙ
    ΑΣΕΒΗΣΑΝΤΑΣΕΙΣΤΟΙΕΡΟΝΚΑΙ
  5 ΕΡΗΣΑΝΤΑΣΣΥΛΗΣΑΙΤΑΑΝΑΘΗΜΑΤ.
    ΑΝΑΤΕΘΕΝΤΑ.ΓΟΤΩΝΒΑΣΙΛΕΩΝΚΑΙ
    ΑΛΛΩΝΕΛΛΗΝΩΝΚΑΙΣΗΤΗΣΑΝΤ
    ΗΣΑΙΤΟΤΕΜΕΝΟΣΤΩΝΘΕΩΝΚΑΙ
    ΗΔΗΣΑΝΤΑΣΝΥΚΤΩΡΕΓΑΔΙΚΙΑΙ
 10 ΑΣΕΒΕΙΑΙΤΟΥΜΕΤΑΤΩΝ
    ΕΥΣΑΝΤΩΝΕΓΝΥΚΤΩΜΓΑΡΑ
    ΑΓοΡοΥΓΑΡΑΓΕΝΟΜΕΝοΣοΒΑΣΙ
    ΤΟΥΣΤΟΓΟΥΣΔΕΔΩΚΕΝΕΓΔΟΤΟΥ
```

ΠοΛΕΙΚΑΙΑΦΕΣΤΑΛΚΕΓΡοΣΤοΝ
15 ΟΝΟΓΩΣΤΥΧΩΣΙΤΗΣΓΡοΣΗΚοΥ
ΤΙΜΩΡΙΑΣΚΑΙΤΑΛΛΑΣΥΝΤΕΤΑΧΙ
ΩΣΚΑΙΜΕΓΑΛοΓΡΕΓΩΣΓΕΡΙ
ΙΣΤοΥΓοιοΥΜΕΝοΣΤΗΜΓΡΟΣ...
ΣΕΥΣΕΒΕΙΑΝ - ΑΓΑΘΙΤΥΧΗΙ
20 ΛΕΩΣΛΥΣΙΜΑΧΟΥΚΑΙΤΗΣΓοΛΕΩ
ΗΦΙΣΘΑΙΤΩΙΔΗΜΩΙΟΓΩΣΑΝΑΞΙΑΣ
ΡΙΤΑΣΑΓΟΔΙΔΩΙΗΓΟΛΙΣΤΟΙΣ   ·
ΕΡΓΕΤΑΙΣΙΔΡΥΣΑΣΘΑΙΒΩΜΟΝ
ΣΙΛΕΩΣΛΥΣΙΜΑΧοΥΕΥΕΡΓΕΤΟΥ
25 ΑΛΛΙΣΤοΙΚΑΙΘΥΕΙΝΚΑΤΕΝΙΑΥΤΟΙ
ο.. ΕΥΕΙΝΤΟΥΣΕΝΝΕΑΑΡΧΟΝΤΑ
ΧΑΙΣΤΕΦΑΝΗΦΟΡΕΙΝΤΟΥΣΓΟΛΙΤΑΣ

Z. 1. Λυσίμα(χος — Z. 2. ἐπιμέλε(ιαν — Z. 4\5. ἐπιχει)ρήσαν-
τας - ἀναθημματ(α — Z. 7. τῶν)ἄλλων — ζητήσαντ(ας — Z. 8\9.
εἰσπηδήσαντας — Z. 10. zu Anfang καὶ)ἄτεβ.— Z. 12. βα-
σι(λεὺς — Z. 13. εἰς)τοὺς τόπους — Z. 13. ἐγδότου(ς — Z. 14.
τῆ)πόλει — Z. 15. προσηκού(σης — Z. 16. συντέταχ(ε — Z. 17.
καλ.)ῶς — Z. 18. πλε)ίστου — Z. 18\19. τὴμ (für τὴν wie Z. 11.
νυκτῶμ παρὰ) πρὸς (τοὺς Θεοὺς — Z. 20. βατι)λέως — Z. 21.
ἐψηφίσθαι — Z. 22. χάρ)ιτας — Z. 23. εὐεργέταις — Z. 23\24.
ἐπὶ βα)σιλέως — Z. 26. ἄρχοντα(ς — Z. 27· κ)αὶ. Hinter πο-
λίτας folgt nichts weiter.

Von einer anderen, ebenfalls an einem Hause eingemauerten
Inschrift, die wegen grofser Entfernung und starker Verdorbenheit
nicht lesbar war, vermögen wir nur zu sagen, dafs sie ursprünglich
griechisch, dann aber mit grofsen lateinischen Buchstaben quer
überschrieben war: wenigstens erkannten wir ein DOMI.

Endlich sind hier noch zwei Basreliefs zu erwähnen, von
denen das eine, in der Mauer eines Hauses befindlich, einen bärtigen Mannskopf mit eigenthümlicher Kopfbedeckung, das andere,
welches in Paläopoli bei der Φυλακή gefunden worden, zwei geflü-
gelte Einhörner, die über einen Hirsch hergefallen sind, darstellt.
Letzteres erinnerte uns unwillkürlich an die Kämpfe zwischen Hir-

schen und wilden Thieren, die auf Monumenten der Achämeniden-
zeit so mannigfach zur Darstellung kamen.

Alle diese Reste klassischer Zeit an Alter und Großartigkeit
weit übertreffend steht als Hauptwerk der Gruppe von Paläopolis
die **kyklopische Mauer** da. Ihren Lauf stellt der beigege-
bene Grundriß ungefähr dar. Die beiden Flanken schließen sich
auf der Spitze des Berges an die natürlichen Felsmassen an: wo
diese auseinanderklaffen, sind sie durch eine Mauer von gewaltigen
Felsstücken verbunden, in deren Mitte ein schmales Thor offen gelassen ist. Dies ist die **Porta**. Die ganze Höhe der Mauer ist
hier $12\frac{1}{4}$ F., die Dicke $9\frac{1}{2}$ F. Das Thor läuft nach oben spitz zu,
die untere Breite ist 4 Fuß, die obere $1\frac{1}{4}$. Oben darüber liegt ein
ungeheurer Stein. Zu bestimmen in welcher Höhe über dem
Meeresspiegel die Porta liegt, gelang uns leider nicht, da ein Gintl'-
scher Apparat zu Höhenmessungen, den wir mit uns führten, wegen des anhaltenden starken Windes nicht anwendbar war. Wir
glauben indeß der Wahrheit nahe zu kommen, wenn wir diese
Höhe auf 700—800 Fuß schätzen. Von diesem Gipfelpunkte
steigen die beiden das heilige Revier abgrenzenden Flanken der
Mauer, erst steiler, dann flacher zum Meere hinab. Die östliche, rechte Mauer (von der Porta aus gesehen) ist im Wesentlichen nur eine Ausfüllung der Lücken des Felskammes und
endigt bei der Terrasse, auf welcher die drei genannten Kastell-
thürme stehen. Die westliche ganz von Menschenhand aufge-
führte Mauer hat von der Porta bis zu ihrem Verlauf ins Meer
eine beiläufige Länge von 1800 bis 1900 Schritt: ihr natürlicher
Schlußpunkt ist der kahle Absturz eines Hügels, nahe der Mündung der Paraskevi. Etwas unterhalb der Mitte ihres Laufes
bildet sie ein nach Westen ausspringendes Knie. In der westlichen Schwenkung ist ein nicht geschlossener 5 Schritte breiter
Durchgang, der durch starke Quermauern markirt ist. Hier ist
das Gemäuer 12 Fuß dick, an einigen Stellen noch 20 F. hoch.
Unterhalb des Knies, wo die Mauer sich wieder nach Norden wendet, springen westwärts vier Quermauern aus und bilden eine Art
von Kammern, die eine Tiefe von 30—36 Schritt haben. In ähnlicher Weise bemerkten wir an mehreren Punkten des oberen Schenkels der Mauer, etwa in der Mitte zwischen der Porta und der gedachten Biegung nach Westen, ausspringende Winkel, von denen

der eine die Eigenthümlichkeit hat, dafs seine Aufsenkante mit
scharfbehauenen rechtwinkligen Steinen eingefafst ist. In allen
übrigen Theilen ist die Mauer aus unregelmäfsig-vieleckigen grofsen
Blöcken kunstreich ohne Mörtel und ohne zwischengefügte Steine
aufgethürmt — ein wunderbar gewaltiges Denkmal der Vorzeit!

Imbros.

Die geographischen Verhältnisse der Insel sind durch die
Kiepertsche Specialkarte, welche der Mustoxydischen Monographie
über Imbros [1]) angehängt ist, im Wesentlichen festgestellt worden. Mit Beziehung auf dieselbe und unter Voraussetzung dessen,
was in jenem Hypomnema bereits niedergelegt ist, stellen wir hier
dasjenige zusammen, was als in antiquarischer Hinsicht bemerkenswerth uns während eines einmal anderthalb-und einmal halbtägi-
gen Aufenthaltes daselbst aufzufassen vergönnt war.

Bedeutende bauliche Überreste des Alterthums sind auf Imbros schwerlich zu finden; doch dürfte eine genaue Durchsuchung
eine nicht geringe Ausbeute an Inschriften und Münzen geben.

Der vornehmlichste Sitz der griechischen Ansiedelungen
scheint das untere Thal des Ilissus (jetzt Μέγας Ποταμός
genannt) gewesen zu sein. Dort liegen noch jetzt vier Dörfer,
Agios Theodoros, Panagia, Glyky und Kastro. Panagia mit c. 3500
E. gegenwärtig der Hauptort der Insel, zeigt keine Spuren, dafs
hier eine alte Ansiedelung gewesen wäre; in seiner Nähe aber, eine
halbe Stunde thalaufwärts an der Stätte, welche jetzt Δουκενά-
δος heifst, fanden wir eine alte Kultusstätte. Die kleinen überaus
lieblichen stillen Seitenthäler und Bergwinkel, welche sich hier
von dem Bett des Ilissus abzweigen, die buschigen und waldigen
Höhen ringsumher, die uralten Olivenhaine in den Gründen und
an den Abhängen — das Alles liefs es uns recht natürlich erscheinen, dafs man gerade diesen Ort einst zu Heiligthümern erkoren
hatte. Die griechische Christenheit baute hier, wohl nicht üneinge-
gedenk der alten Heiligkeit der Stätte, mehrere kleine Kapellen,

---

[1]) Ὑπόμνημα ἱστορικὸν περὶ τῆς Ἴμβρου συνταχθὲν μὲν παρὰ τοῦ φιλ. Κυσίου
Α. Μουστοξύδου τοῦ Κερκυραίου, ἀναπληρωθὲν δὲ τὰ ἐλλείποντα ὑπὸ Βαρθολομαίου
Κουτλουμουσιάνου τοῦ Ἰμβρίου. Ἐν Κωνσταντινουπόλει 1845. (Siehe S. 661.)

zu deren Herstellung und Verzierung man sich der Reste der heidnischen Tempel bediente. Wir fanden gleich bei der Untersuchung der ersten dieser Kapellen, der der Ἁγία Μαρίνα, über der Eingangsthüre eingemauert, eine Marmortafel, 21 Rh. Zoll lang, 14 Zoll hoch mit der Inschrift:

No. 18.

ΑΣΚΛΗΓΙΩΙΑΝΕΘΕΣΑΝ
ΔΙΟΓΕΙΘΗΣΔΙΟΓΕΙΤΟΝΟΣΓΑΙΑΝΙΕΥ
ΧΑΡΗΣΦΙΛΩΝΟΣΣΦΗΤΤΙΟΣ
ΕΓΙΙΕΡΕΩΣΧΑΡΗΤΟΣ

Bei einer zweiten nicht ausgebauten und nicht eingeweihten Kapelle, welche mit dem Namen Ἁγίων Ἀποστόλων bezeichnet wurde, deuten die zum Theil noch stehenden Säulenschäfte aus Granit, umherliegende Blöcke von behauenem Marmor, und Reste alter Mauern an, daſs an derselben Stelle einst ein Tempel stand. Er war dem in dem Mysterienkulte der Insel vorzugsweise verehrten Gotte, dem kabirischen Hermes geweiht gewesen, wie sich aus der Inschrift eines Marmorblockes ergab, den wir im innern Raume der Kapelle ausgruben. Sie lautet:

No. 19.

ΝΙΚΟΔΩΡΟΣ
ΕΡΜΗΙ

Der Block ist 21 Rh. Zoll lang und breit und $13\frac{1}{2}$ Zoll hoch, oben mit einer Art von Zapfenloch versehen. Wir halten ihn für das Postament eines Altares, der unmittelbar daneben in die Wand eingefügt ist. Wir haben uns davon überzeugt, daſs dieser letztere ohne Inschrift ist.

Durch die ersten glücklichen Funde in den beiden Kapellen ermuthigt, besuchten wir, von Δουκινάδος aus, an der rechten Thalwand emporsteigend in der Richtung nach Panagia zu, noch die Kapellen Παναγία Ψαρίνη und τοῦ Ταξιάρχη. In letzterer, welche byzantinischen Ursprungs und wohl erhalten ist, finden sich, in den Altar eingemauert mehrere alte kleine Säulen auffallend kurzer, nach oben sehr verjüngter Dimension, wie wir sie auch in Samothrake sahen. — Höher hinauf auf der Spitze des Berges, sollen sich nach Angabe unserer Führer noch mehr Ruinen des Alterthums befinden.

Nächst diesem Theile der Insel zeigte sich uns als besonders ergiebig für unsere Zwecke der W eg v on P an a g i a n a ch K a s tr o. Er führt am linken Ufer des Ilissus entlang, an dem Kloster Ἁγίος Κωνσταντῖνος und mehreren, zum Theil in Trümmer zerfallenen Kapellen vorüber. Eine der best-erhaltenen Ἁγίων Ἀποστόλων genannt, enthält viele alte Säulen und Marmorstücke, darunter einen in der hinteren Nische eingemauerten Stein mit der Inschrift:

No. 20.

Λ . . Τ . C Ε Υ
C Ε Β Η C Κ Α Λ
Λ Ι Ι Ν C Γ Ο Υ
Δ Α Ι Ο Γ Ε Ν Ο
Ο C

Z. 1. dürfte nach der analogen Ausdrucksweise Samothrakischer Inschriften Μύστης zu ergänzen sein.

In einer andern näher nach Kastro zu belegenen Kapelle arbeiteten wir aus der Wand einen Marmorstein los, dessen Inschrift, vielleicht die interessanteste unter den in Imbros gefundenen, uns werthvoll genug erschien, um den Stein selbst mitzunehmen. Sie lautet, soweit wir sie zu entziffern vermochten, folgendermafsen:

[*Inschrift siehe p. 629 und 630.*]

No. 21.

Z 8|9. wohl εὐθύ(νας δ)οῦναι. — Z. 9|10. προσγέ(ν)ηται. — Z. 10. προσκαταπλασθέ(ν) — Z. 19. (ἀτ)πιδίσκαι — Z. 21. (βουβ)άλια?

K a s t r o selbst, auch Paläokastro genannt, auf einem isolirten Hügel gelegen, ist jetzt ein Dorf von c. 1200 E. und Sitz eines Metropoliten. Schon durch die verhältnifsmäfsig gröfseren Reste antiker Bauten, durch die häufigen Funde von Münzen in seiner Umgebung und durch das Vorkommen geschnittener Steine, deren wir mehrere sahen, verräth es sich als einstiger Sitz blühender Cultur: es ist d i e S t ä t t e d e s a l t e n H a u p t o r t e s und des, un-

[*sq. p. 631.*]

```
. . . . . . E . . ΗΣ
. . ΕΙΝΑΙΔΕΑΥΤΟΥΣ
. . . ΧΕΙΝΤΩΝΙΕΡΩΝΚΑ
. ΕΑΝΔΕΤΙ . . . ΠΟΙΗΕΩΣΕΙΝΟΙΠΡΑΚΤΟΙ . . . ΤΩ
. . . ΤΩΙ        ΙΓΕΓΡΑΜΜΕΝΩΝΗΤΩΝΕΝΤΩΙΝΟ
ΓΕΓΡΑΜΜΕΝΩΝΟΦΕΙΛΕΤΩΕΚΑΣΤΟΣΑΥΤΩΝ|ΗΔΡΑΧΜΑΣ
ΤΟΙΣΘΕΟΙΣΤΟΙΣΜΕΓΑΛΟΙΣΚΑΙΜΗΕΙΝΑΙΑΥΤΟΙΣΤΑΣΕΥΘΥ
. ΟΥΝΑΙΠΡΙΝΑΝΕΚΤΕΙΣΩΣΙΝΠΡΟΣΑΝΑΓΡΑΦΕΤΩΣΑΝ . .
. ΙΟΙΜΕΤΑΤΑΥΤΑΓΕΝΟΜΕΝΟΙΠΡΑΚΤΟΡΕΣΕΑΝΤΙΠΡΟΣΓΕ
. ΗΤΑΙΑΡΓΥΡΙΟΝΤΩΙΙΕΡΩΙΗΑΛΛΟΤΙΠΡΟΣΚΑΤΑΣΚΕΥΑΣΘΕ .
ΤΟΝΔΕΤΑΜΙΑΝΜΕΡΙΣΑΙΤΟΓΕΝΟΜΕΝΟΝΑΝΑΛΩΜΑΕΙΣ
ΤΗΝΣΤΗΛΗΝΚΑΙΛΟΓΙΣΑΣΘΑΙΤΩΙΙΕΡΩΙ
ΚΑΙΤΑΔΕΕΞΗΤΑΣΑΝΥΠΑΡΧΟΝΤΑΤΩΙΙΕΡΩΙΕΠΙΚΤΗΣΙ
ΚΡΑΤΟΥΑΡΧΟΝΤΟΣΟΙΠΡΑΚΤΟΡΕΣΑΝΔΡΟΚΛΗΣΚΛΕΟΦΗΜΟΥ
ΘΟΡΙΚΙΟΣΘΕΜΙΣΤΙΟΣΑΝΤΙΦΑΝΟΥΛΑΜΠΤΡΕΥΣ
ΕΥΘΥΜΑΧΟΣ   ΕΥΘΕΤΟΥ   ΛΑΜΠΤΡΕΥΣ
```

ΠΛΑΣΤΡΑΧΡΥΣΕΑΟΛΚΗΔΔΠΗ   ΚΑΙΑΡΓΥΡΙΟΥΤΩΙΙΕΡΩΙΤΩΙ
ΟΡΜΙΣΚΟΣΟΛΚΗΡΔΙ-Ι-ΙΙΙΙ   ΤΗΣΘΕΟΥ ΡΗΗΗΔΔΔ
.. ΓΙΔΙΣΚΑΙΜΙΚΡΑΙΔΕΚΑΔΥΟ   ΗΗΙΙΙΙΙΣΤΚΑΙΓΥΡΩΝΜΕΔΙΜΝΟΙ ΓΔΔΔ
20 ΜΕΙΞΟΥΣΔΥΟΟΛΚΗΔΠΙ-Ι-ΙΙΙ   ΚΑΙΤΩΝΙΜΙΡΡΙΕΙΩΝ
...ΑΛΙΑΟΛΚΗΡΔΠΙ-Ι-ΙΙΙ   ΧΧΡΗΗΗΡΠΙΙΙCΤ
ΕΣΧΑΡΙΣΑΡΓΥΡΑΟΛΚΗ ΗΗΗΠΗΗ-   ΚΑΙΤΩΝΓΛΑΥΚΩΝΕΩΝ
ΛΙΒΑΝΩΤΙΣΟΛΚΗΡΔΔΔΔ-   ΧΧΗΙ-
ΚΗΡΥΚΕΙΟΝΟΑΚΗ ΔΔΔΙΙΙ   ΚΑΙΤΩΝΑΤΤ
25 ΚΑΡΧΗΣΙΟΝΟΛΚΗ ΗΗΔΔΔΔΙ-ΙΙΙΙ   ΗΙΙΙΓΛ
ΦΙΑΛΑΙΤΕΤΤΑΡΕΣΑΝΑΡΔ   ΚΑΙΣΙ
ΑΛΛΑΙΦΙΑΛΛΑΙΔΥΟΑΝΑΡΔΙ-
ΑΛΛΑΙΦΙΑΛΛΑΙΔΥΟΑΝΑΡΔΙ-
ΑΛΛΑΙΦΙΑΛΛΑΙΤΕΤΤΑΡΕΣΑΝΑΡΔ
30 ΑΛΛΗΦΙΑΛΛΗΜΙΑΟΛΚΗΡΡΡΙΙΙ
ΑΛΛΗΦΙΑΛΛΗΟΛΚΗΡΙ-
ΑΛΛΗΦΙΑΛΛΗΡ

zweifelhaft dem von Samothrake verwandten alten Mysterienkultus
(s. oben Inschr. No. 20). Der oberste Priester scheint, worauf das
ἐπὶ ἱερέως der Inschriften (s. unten No. 25. 26) hindeutet, eine
ähnliche Stellung als Magistratsperson gehabt zu haben, wie der
Βασιλεύς genannte Oberpriester von Samothrake.

Auf dem Gipfel des Hügels ragen die Ruinen einer Akropole,
deren Thürme und Mauern anscheinend aus byzantinischer Zeit
stammen, einer Zeit, auf welche auch mehrere daselbst befindliche
Inschriften paläologischen Ursprungs hinweisen (s. Mustoxydis
p. 44). Trümmer altgriechischer Zeit enthält vornehmlich die Me-
tropolitankirche nebst den daran stofsenden Gebäuden und Gärten.
Die von Mustoxydis (S. 35. ff.) erwähnten Grabsteine sahen wir
nicht; die Gedenktafel der Kallinike, T. d. Titus Servilius ist noch,
an der Ostmauer der Kirche eingefügt, vorhanden. Im Garten
des Erzbischofs entdeckten wir unter allerhand Säulentrümmern
und Marmorstücken, ähnlich denen in der Kapelle τοῦ Ταξιάρχου,
ein ovales Postament auf dessen oberer Fläche am Rande die
Inschrift

Nr. 22.

ΜΙΤΡΑΙ

steht. — Über einer in den Hof führenden Seitenthüre der erzbi-
schöflichen Wohnung ist eine weifse Marmorplatte eingemauert,
welche die Inschrift trägt:

No. 23.

ΟΙΕΡΑΣΑΙΙΕΝΟΣ

ΤΟΥΓΑΤΡΩΟΥΑ

ΓΟΛΛΩΝΟΣ - Α

ΧΙΛΛΕΥΣΕΓΙΧΑ

ΡΟΥΚΗΤΤΙΟΣ-Μ

. ΟΣ - . . ΙΡΕ..

Z. 1. ἱερατ(άμ)ενος — Z. 6. (χα)ίρε(ιν)?

Aus Privathäusern des Dorfes wurden uns, nachdem einmal der Anfang gemacht und die ersten Finder belohnt worden waren, verschiedene Inschriften zugetragen. Hätten wir unsern Aufenthalt

in Kastro verlängern oder erneuern können, so hätten wir sicherlich eine reichere Ernte erwarten dürfen, als uns unter obwaltenden Umständen zu Theil ward. Hierher gehören folgende Fragmente:

No. 24.

ΔΟΝΤΙΡΟ
ΝΓΡΩΤΩΙΜΕΤΑ
ΤΩΙΑΓΑΘΟΝΟΤΟΥΑΝΔΟΚΕ
`ΝΑΓΡΑΨΑΙΔΕΤΟΔΕΤΟΨΗΦΙΣΜ . . . . ΔΕ
Λ ΑΤΕΑΤΟΥΔΗΜΟΥΕΝΣΤΗΛΕΙΔΙΟ .
ΣΤΗΣΑΙΕΝΤΕΙΑΥΛΕΙΤΟΥΓΡΥΤΑΝΕΙΟΥ
ΔΕΤΗΝΑΝΑΓΡΑΦΗΝΤΗΣΣΤΗΛΗΣΜΕΡΙΣ
ΤΟΝΤΑΜΙΑΝΤΟΕΚΤΗΣΔΙΑΤΑΞΕΩΣ

No. 25.

ΟΔΗΜΟΣΕΓΙΙΕΡΕΩΣ
. . . . . . ΓΤΟΥ
. . . . . . ΟΕΩΣ

No. 26.

ΑΧΑΙΟΣΑΧΑΙΟΥ
ΙΚΙΔΗΣΘΕΟΙΣΜΕΓΑ
ΛΟΙΣΕΥΧΗΝΕΓΙΙΕΡΕΩΣ
ΔΙΟΔΩΡΟΥΧΑΡΗ . . .

Letzteres bildet die Aufschrift eines Postaments von weifsem Marmor, auf welchem eine kleine Bildsäule gestanden haben mag. Wir haben es mit uns genommen. Die Gruppe von Kastro schliefsen wir mit folgender Inschrift, die auf einem Marmor in einer Gartenmauer befindlich ist:

No. 27.

Ϝ.ΕΝΔ . . . . ΝΟΝ
ΠΙΚϦχΣΕΡΜΟΓΣ
ΚΑΣΣ

Außerhalb des Dorfes, etwa 10 Minuten entfernt, liegt ein Brunnen, mit Namen Ἁγίου Νικηφόρου. Der Weg dahin über den südöstlichen Abhang des Hügels, auf welchem Burg und Dorf liegen, führt an der Stätte vorbei, wo ehemals das **Theater** gestanden zu haben scheint. Eine Senkung des Abhanges, mit herrlicher Aussicht auf das Ilissusthal ist halbkreisförmig ausgebaut gewesen: man erkennt nicht allein die Bearbeitung des Terrains, sondern theilweis sind sogar die Mauern noch erhalten, zu beiden Seiten des Halbzirkels sich hinstreckend, und durch terrassenähnliche Absätze oberwärts cotoyirt. Jenseits der Senkung im Thalgrunde liegt dann jener Brunnen. Das Brunnenhaus ist beinahe ganz aus alten Marmorstücken zusammengesetzt, die unter der Hand des Steinmetzen Formen annahmen, die ihre frühere Bestimmung nicht durchweg erkennen lassen. So wird der eine Eckpfeiler der Ummauerung des Röhrkastens von einem senkrecht gestellten, 34 Rh. Z. hohen, 12 Z. breiten, mit Kehlungen verzierten Steine gebildet, dessen ursprüngliche Lage horizontal gewesen ist, wie aus der Richtung der darauf stehenden schlechterhaltenen Inschrift hervorgeht:

No. 28.

........ΣΤΕΙΡΙΕΥ

..ΑΛΛΑΜΑΡΙΟΥΣΤΕΙ

ΜΑΝΔΙΙοΥΣΤΕ

ΣΤΗΣΙΒΙοΥ..ΓΙΜ

Z. 1. Στειριεύ(ς) und so Z. 2 und 3. Στει(ριέως) ist wohl auf den Demos Steiria der pandionischen Phyle zu beziehen, wie denn in andern imbrischen Inschriften öfters Bürger attischer Demen vorkommen.

Eine zweite Inschrift bot uns die Überdachung des Brunnens auf einer fast quadratischen Marmorplatte. Sie ist vollständig und sehr gut erhalten und lautet so:

No. 29.

ΕΝΙΣΣΩΙ

ΩΝΙΟΣΜΑΡΑ

ΘΩΝΙΟΣ

ΧΑΙΡΕ

Wir beabsichtigten auf der Rückreise von Samothrake diesen
ergiebigen Boden um Kastro noch genauer zu durchforschen, und
dann von da die ganze Insel der Länge nach zu durchwandern.
Allein Wind, Wetter und Wogen verschlugen unsern Kahn bei
der Rückfahrt auf die ganz entgegengesetzte Seite des Eilandes,
und so haben wir Kastro nicht wiedergesehen.

Die Stelle, auf der Westspitze der Insel, wo wir vor Anker
gingen, heißt bei den Griechen Πύργος, bei den Türken Dschi-
fut-Kalessi, d. i. „Judenthurm". Auf der Kiepertschen Karte
bei Mustoxydes ist dieser Punkt nicht angegeben; er würde an den
Ausfluß des kleinen Baches im Thale nördlich von Dämonokastron zu setzen sein. Ein paar elende Fischerhütten und ein alter
zerfallener genuesischer Thurm sind der gesammte Bestand an Bau-
lichkeiten; die kleine sandige Bucht ist ein gesuchter Zufluchtsort
der Schiffer gegen die Nordstürme. Von hier aus machten wir
einen kurzen Ausflug ins Innere bis nach dem Dorfe Σχοινοῦδι.

Das eben erwähnte Dämonokastron ist ein vom Gipfel bis
zum Fuß mit Felsblöcken übersäeter Hügel, um dessen Abhänge
sich die Ackerbauer der Umgegend mit Dreschtennen, Ställen und
Wohnungen angebaut haben: die kleine ländliche Colonie heißt,
wenn wir uns recht entsinnen, Agriphi. Nordwärts gegenüber erhebt sich eine kegelförmige weithingesehene Bergspitze, deren
weißes Gestein gegen den rothen Fels der andern Berge merklich
absticht. Unser Führer versicherte uns, daß dort viel Marmor gefunden werde.

Am Wege nach Schinudi begegnet man hin und wieder
alten Sarkophagen von derber schlichter Arbeit, die jetzt als Was-
sertröge für den in künstliche Rinnen geleiteten Bach dienen, an
welchem entlang sich der Pfad schlängelt, bis er, gegenüber von
dem kleinen Dorf Agia Eleni, diesen überschreitet und nach Schinudi hinüberbiegt. Dieses ist nächst Panagia das größeste Dorf
der Insel. Wenn es nicht selbst eine altgriechische Anlage gewesen ist, so muß wenigstens in der Nähe früher eine Ortschaft
gelegen haben; [1]) denn wir sahen in Schinudi eine noch größere
Menge griechischer, römischer, byzantinischer und fränkischer Münzen als im Ilissusthale. Auch zeigten uns die Einwohner mehrere

---

[1]) Auf einem Hügel, eine halbe Stunde vom Dorfe liegt das von mir
besuchte Palaeokastro.   Kiepert.

alte geschnittene Steine, und wir erwarben daselbst einen aus
Terracotta geformten Kopf einer weiblichen Figur. Von
Inschriften ward uns nur eine zu Theil: eine Grabschrift auf einer
Marmorplatte, die in der Kirche des Ortes aufbewahrt wird, und
unter der Reliefdarstellung eines sitzenden Weibes mit zwei Kin-
dern folgende zwei Zeilen enthält:

No. 30.

$$\Theta \mathsf{A} \Lambda \Lambda \mathsf{O} \mathsf{Y} \Sigma \mathsf{A} \mathsf{A} \Lambda \mathsf{E} \Xi \mathsf{A} \mathsf{N} \Delta \mathsf{P} \mathsf{O} \mathsf{Y}$$
$$\mathsf{K} \mathsf{O} \Lambda \Lambda \mathsf{Y} \mathsf{T} \mathsf{E} \mathsf{W} \Sigma \Gamma \mathsf{Y} \mathsf{N} \mathsf{H} \mathsf{H} \mathsf{P} \mathsf{W} \mathsf{I} \mathsf{N} \mathsf{H}$$

Das Gentilicium Κολλυτεύς erläutert sich vielleicht durch die Notiz,
welche auf unser Befragen Ortseinwohner uns gaben, daß Κολλίδαι
noch jetzt der Name einer Landschaft in der Nähe von Schinudi sei.
Die Inschrift selbst, sowie die zum Portal der Kirche verwandten
Säulen sind nicht in Schinudi gefunden, sondern aus der Nachbarschaft dahin gebracht worden. Man bezeichnete uns namentlich
zwei Punkte auf diesem Theile der Insel als solche, wo sich viele
Marmorüberreste fänden; einer derselben führt im Volksmunde
selbst den Namen Μάρμαρα, und es wurde uns von mehreren Seiten versichert, daß daselbst auch Inschriften vorhanden seien.

Unsere knapp zugemessene Zeit vergönnte uns nicht, diesen
und anderen, von Mustoxydi S. 62. angedeuteten Spuren nachzugehen, welche immerhin eine nähere Durchforschung der ganzen
Insel recht wünschenswerth erscheinen lassen.

Was die gegenwärtige Bevölkerung von Imbros betrifft, so
beträgt sie nach dortigen Angaben gegen 9000 Seelen. Mit Ausnahme des Müdirs und der wenigen unter ihm stehenden Türken
sind alle Einwohner Griechen. Im Winter zieht sich die Mehrheit
der Bevölkerung auf die sechs Dörfer zusammen, während im Sommer ein großer Theil auf dem Felde in vereinzelten ländlichen
Hütten zerstreut wohnt. — Auch auf dieser isolirten Insel hat das
unter den Griechen überall rege gewordene, für dieselben sehr
ehrenvolle Bedürfniß sich kundgegeben, die Jugend in der Sprache
des alten Hellas unterrichten zu lassen. Die Begründung einer gemeinschaftlichen höheren Schule wird freilich durch die zum Theil
beträchtliche Entfernung, welche die Hauptdörfer von einander
trennt, gehemmt. Hoffen wir, daß es dennoch den Imbrioten möglich werde, hinter dem Beispiel ihrer Landsleute zu Tenedos nicht

zurückzubleiben, bei denen wir einen tüchtigen und talentvollen Lehrer des Altgriechischen und eine unter seiner Leitung aufblühende Schule vorfanden.

Hr. Peters legte von seinem Reisewerke über Mossambique die ersten 40 Bogen der Insecten vor, welche die Dipteren, Hemipteren, Neuropteren, Orthopteren und den grösten Theil der Coleopteren enthalten und theilte fernere Diagnosen neuer Coleopteren und Lepidopteren mit.

CHRYSOMELINAE.

1. *Sagra festiva* Gerstaecker n. sp. Oblonga, nigro-cyanea, opaca, elytris purpureis, aeneo-micantibus, evidenter punctato-striatis, striis haud gemellatis, retrorsum evanescentibus. Long. mar. lin. 10, fem. lin. 8.

var. fem. Minor, elytris obscure cyaneis vel nigricantibus.

2. *Clythra (Diapromorpha) Tettensis* G. n. sp. Conico-cylindrica, nigra, subtus sericea, prothoracis margine antico et laterali, elytrorum fasciis duabus obliquis, extus coëuntibus, maculisque tribus apicis flavis. Long. lin. 4.

ACOLASTUS G. nov. gen. (*Cryptocephalides.*) Caput latum, crassum. Oculi permagni, intus leviter tantum emarginati. Antennae breviusculae, thoracis marginem posticum parum superantes. Thorax amplus, transversus, apicem versus vix angustior. Scutellum magnum, fere planum, triangulare, apice acuto. Elytra basi apiceque calloso-elevata.

3. *Acolastus callosus* G. n. sp. Oblongus, subparallelus, niger, subtus dense cinereo-pilosus, ore, antennarum basi, frontis maculis duabus, prothorace, elytris, genubus, tibiis tarsisque testaceis; prothoracis maculis tribus elytrorumque callo humerali fuscescentibus. Long. lin 2.

4. *Corynodes Dejeanii* Drege i. lit. Oblongus, punctatus, nitidus, laete purpureus, prothorace supra capiteque viridibus, igneo-micantibus; antennis nigris, basi coeruleis. Long. lin. 4½.

PALAEOPOLI AUF SAMOTHRAKE.

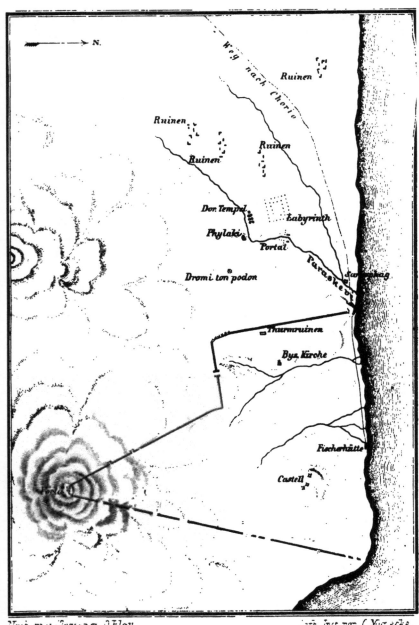

5. *Pachnephorus flavipes* G. n. sp. Niger, opacus, squamulis cinereis sat dense tectus, antennis, ore pedibusque testaceis: elytris evidenter punctato-striatis, interstitiis subtiliter granulatis. Long. lin. 1½.

6. *Colasposoma crenulatum* G. n. sp. Oblongum, subparallelum, laete viridi-metallicum, femorum antennarumque basi, tibiis tarsisque ferrugineis; thorace subgloboso, lateribus rotundato-ampliato, elytris fortiter transverse rugosis. Long. lin. 1¾—2.

CERALCES G. nov. gen. (*Chrysomelae genuinae.*) Antennae apicem versus sensim dilatatae, articulis ultimis subquadratis, compressis. Palpi maxillares articulo ultimo brevi, cylindrico. Thorax gibbus, elytrorum basi multo angustior. Scutellum magnum, rotundato-triquetrum. Tarsi articulo tertio integro, unguiculis simplicibus.

7. *Ceralces ferrugineus* G. n. sp. Ferrugineus, punctatus, glaber, subnitidus, antennis pedibusque nigris. Long. lin. 3½.

8. *Polysticta confluens* G. n. sp. Breviter ovata, convexa, rufa, antennarum clava pedibusque fuscescentibus; thorace subopaco, disco subtilissime punctato, punctis quatuor transverse dispositis nigris; elytris regulariter punctato-striatis, maculis numerosis in dorso confluentibus splendide cyaneis. Long. lin. 4.

9. *Plagindera egregia* G. n. sp. Suborbicularis, rufa, subtus nitida, elytris sutura margineque laterali exceptis splendide viridi-cyaneis. Long. lin. 4—4⅔.

CEROCHROA G. nov. gen. Corpus obovatum, glabrum. Clypeus truncatus. Mandibulae validae, porrectae. Palpi maxillares articulo ultimo brevi, acuminato. Antennae brevissimae, articulo basali elongato, tertio secundo dimidio longiore, ceteris brevissimis, arcte connexis, tomentosis. Thorax trapezoideus. Scutellum rotundatum. Elytra retrorsum dilatata. Metasternum cuneato-productum. Unguiculi apice bifidi.

10. *Cerochroa ruficeps* G. n. sp. Nigra, glabra, subnitida, capite rufo-ferrugineo, macula frontali nigra; thorace elytrisque crebre punctatis, pallide testaceis. Long. lin. 5—5½.

11. *Galleruca divisa* G. n. sp. Nigra, subnitida, antennarum basi, capite, thorace, elytrorum dimidio anteriore abdomi-

neque laete croceis; tarsorum articulo primo elongato - trique-
tro, unguiculis fissis. Long. lin. 4½.

12. *Monolepta flaveola* G. n. sp. Oblongo - ovata, subtus
pubescens, testacea, subnitida, labro oculisque nigris; thorace
angulis anterioribus in lobulum rotundatum productis, elytris
crebre punctatis, basin versus leviter biimpressis. Long. lin. 3.

13. *Monolepta discoidea* G. n. sp. Rufo-ferruginea, supra
glabra, subnitida, antennarum apice elytrisque nigris; bis fascia
communi latissima pone medium pallida. Long. lin. 1¼.

14. *Monolepta trivialis* G. n. sp. Oblongo - ovata, ferruginea, subtus parce pilosa, supra glabra, subnitida, thorace parvo,
longitudine vix dimidio latiore, elytris confertim rugoso-punctatis, antennis apice fuscescentibus. Long. lin. 2.

DIAMPHIDIA G. nov. gen. (*Gallerucariae.*) Corpus oblon-
go-ovatum. Labrum leviter sinuatum. Palpi maxillares articulo ultimo subulato, praecedentis fere longitudine. Antennae
validae, articulis 4.—8. intus subdilatatis. Oculi ovati, convexi.
Pedes subsaltatorii, robusti, tibiis apicem versus dilatatis, oblique truncatis, excisis. Tarsorum anteriorum articulus primus
cordatus, posticorum elongato-triqueter. Unguiculi basi acute
dentati.

15. *Diamphidia femoralis* G. n. sp. Oblongo - ovata, ferruginea, subtus sericea, antennis basi excepta, genubus, tibiis
tarsisque nigris: thorace subtilius, elytris fortius punctatis,
apicem versus rugulosis. Long. lin. 4½—5.

MELASOMA [1])

16. *Opatrum angusticolle* G. n. sp.; oblongum, nigrum,
dense griseo-pubescens, thorace elytrorum basi multo angus-
tiore, apicem versus angustato, angulis posterioribus acutis,
elytris evidenter punctato-striatis, interstitiis interioribus planis, exterioribus leviter convexis. Long. lin. 3⅓

17. *Cossyphus grandicollis* G. n. sp.; oblongo-ovatus, pallide brunneus, opacus, thorace magno, apicem versus subdila-
tato, elytris obsolete bicostatis. Long. lin. 7.

---

[1]) S. Bericht d. K. Akad. 1854. p. 530.

LAGRIARIAE.

18. *Lagria aeruginea* G. n. sp.; violacea, rude punctata, glabra, elytris viridibus. Long. lin. 7—9.

CURCULIONIDES[1])

LEPTOBARIS Gerst. nov. gen.

Corpus elongatum, subcylindricum, parallelum. Rostrum capitis thoracisque longitudine, arcuatum, cylindricum. Antennae ante medium rostri insertae, scapo oculos non attingente, funiculo 7- articulato; articulo 1. breviter obconico, 2. hoc duplo fere longiore, sequentibus brevissimis, transversis, apicem versus sensim latioribus, clava breviter ovata. Oculi inferiores. Thorax lateribus rotundatus, basi apiceque truncatus. Scutellum apertum, minutum. Elytra thorace plus duplo longiora, apice conjunctim rotundata. Femora antica subclavata. Abdomen annulis 1. et 2. inter se connatis.

19. *Leptobaris castaneus* G. n. sp.; rufo-brunneus, glaber, subnitidus, rostro supra disperse subtiliterque punctulato; thorace lateribus rotundato, evidenter et sat crebre punctato; elytris fortius striato-punctatis, interstitiis serie punctorum minorum obsitis. Long. lin. 2—2⅓. — Mossambique.

20. *Hylesinus pusillus* G. n. sp.; oblongo-ovatus, rufus, pallide setulosus, thorace brevissimo, transverso, muricato, elytris subtiliter punctato-striatis, interstitiis seriatim tuberculatis. Long. lin. ⅘. — Tette.

LEPIDOPTERA DIURNA.

1. *Pieris Thysa* Hopffer n. sp.; alis rotundatis denticulatis, maris albis, foeminae stramineis vel dilute ochraceis; anticis apice, maculis triangularibus marginalibus punctisque 3—4 subapicalibus nigris, subtus albis basi miniata, apice aurantiaco; posticis maculis marginalibus subrotundis nigris, subtus aurantiacis serie punctorum intramarginali nigrorum. ♂♀ Exp. alar. ant. lin. 24—27.

---

[1]) S. Seite 83.

2. *Pieris Eunoma* Hpfr. n. sp.; alis albis, anticis puncto discoidali apiceque nigris, lituris duabus subapicalibus purpureis; posticis subcrenatis infra flavis. ♂ Exp. alar. ant. lin. 26.

3. *Pieris Simana* Hpfr. n. sp.; alis utrimque albis, anticis macula disci maris subtus, foeminae utrimque, costa apiceque nigris; posticis subtus serie punctorum marginalium alteraque intramarginalium fuscorum. ♂♀ Exp. alar. ant. lin. 19—21.

4. *Anthocharis Pallene* Hpfr. n. sp.; alis albis, supra anticis fascia apicis arcuata fulva, fusco cincta vittaque marginis interioris abrupta fusca; posticis maculis marginis subtriangularibus fuscis; subtus omnibus puncto discoidali nigro, anticarum apice virescenti, aurantiaco suffuso lituraque in margine interiore fusca; posticis costa aurantiaca, margine exteriore virescenti suffuso. Mas. Exp. alar. ant. lin. 14.

5. *Terias Zoë* Hpfr. n. sp.; alis integerrimis rotundatis supra sordide, infra laetius viridi-flavis, atomis innumeris fuscis densissime utrimque adspersis, singularum limbo supra lato fusco intus dentato. Foem. Exp. alar. ant. lin. 13½—16.

6. *Acraea Oncaea* Hpfr. n. sp.; alis oblongis integerrimis nigro-punctatis, maris fulvis, anticarum apice lineolisque subapicalibus, posticarum limbo angusto, fulvo-punctato nigris; foeminae nigro-fuscis, anticis fascia lata obliqua alba, harum apice posticarumque limbo subtus luteo-maculato nigris. ♂♀ Exp. alar. ant. lin. 21—25.

7. *Acraea Cabira* Hpfr. n. sp.; alis integerrimis fuscis, supra anticis maculis duabus stramineis, altera disci irregulari, altera ad apicem ovali; posticis basi utrimque nigro-punctatis, fascia lata sinuata straminea; subtus omnibus basi rubro-ferrugineis, striolis marginalibus fuscis albidisque inter maculas pallidas positis. Mas. Exp. alar. ant. lin. 17.

8. *Neptis Marpessa* Hpfr. n. sp.; alis denticulatis utrimque fuscis, anticis maculis quatuor punctisque ad costam sex, posticis fascia discoidea, omnibus ante marginem exteriorem lunulis triseriatis albis. Mas. Exp. alar. ant. lin. 17—19.

9. *Romaleosoma Neophron*; alis dentatis, anticis dimidio apicali nigris, fascia lata apiceque luteis, dimidio basali posticisque coerulescenti-aeruginosis micantibus; omnibus subtus

fuscescentibus, varicoloribus, fascia media punctisque marginalibus biseriatis obsoletis albidis. ♂♀ Exp. alar. ant. lin. 30—35.

10. *Aterica Theophane* Hpfr. n. sp.; alis integris nigris, anticis utrimque fasciis duabus macularibus maris flavis, foeminae niveis, posticis maris disco flavo aurantiaco cincto, foeminae aurantiaco toto, subtus maris murinis, foeminae cervinis fusco-marmoratis, disco dilutiore punctisque duobus nigris. Exp. alar. ant. ♂ lin. 25—26. ♀ 31.

11. *Harma Achlys* Hpfr. n. sp.; alis integris chalybeis, supra strigis communibus lunulatis quatuor nigris; anticis striga dimidiata punctorum alteraque angulorum alborum; omnibus subtus rubenti-brunneis, anticarum strigis duabus, posticarum unica punctorum alborum. Foem. Exp. alar. ant. lin. 27.

12. *Harma Concordia* Hpfr. n. sp.; alis subcrenatis supra lilacinis strigis macularibus tribus nigris fasciaque abrupta apicali obliqua albida; subtus flavis, strigis limbi duabus, interna punctorum, externa lunularum nigris, posticis maculis limbi spathulatis septem cinereo-coeruleis. Foem. Exp. alar. ant. lin. 30.

13. *Mycalesis Eusirus* Hpfr. n. sp.; alis nigro-fuscis, anticis area apicali subquadrata dilutiore, utrimque biocellatis; omnibus subtus concoloribus, striga media duabusque marginalibus cano-violaceis; posticis ocellis septem violaceo cinctis. Mas. Exp. alar. ant. lin. 19.

14. *Mycalesis Evenus* Hpfr. n. sp.; alis subcrenatis nigro-fuscis, anticis macula apicali angulata testacea ocellisque duobus; omnibus subtus basi fuscis, limbo murinis fusco-nebulosis, striga media lutea, anticis ocello magno punctoque ocellari, posticis ocellis quinque punctisque ocellaribus duobus. ♂♀ Exp. alar. ant. lin. 20—23.

15. *Dipsas Antalus* Hpfr. n. sp.; alis purpurascenti-fuscis, violaceo-micantibus, appendicula anali, coeruleo-argenteo notata, caudula albo-terminata maculaque adjacente nigris; subtus laete canis striga duplici undulata pone medium strigulaque gemina abbreviata discoidea fuscis albo marginatis, posticarum punctis tribus basalibus nigris. ♂♀ Long. alae ant. lin. 6½—8.

16. *Jolaus Orejus* Hpfr. n. sp. Alis supra fuscis, posticis bicaudatis strigis marginalibus duabus albis, extima maculis tri-

bus analibus, quarum tertia fulvo-lunulata, aterrimis; omnibus
subtus albis, linea abbreviata gemina discoidea, strigis prope
marginem duabus punctoque ad basim costae posticarum flavis.
Foem. Long. alae ant. lin. 7½.

17. *Jolaus Caeculus* Hpfr. n. sp.; alis supra cyaneis violaceo-micantibus, apice nigris, posticis bicaudatis maculis analibus
supra tribus aterrimis, subtus duabus viridi-aureo et argenteo-
cyaneo cinctis; omnibus subtus laete canis, singulis linea abbreviata discoidea strigisque quatuor fulvis. ♂♀ Long. alae ant.
lin. 7—8.

18. *Lycaena Calice* Hpfr. n. sp.; alis caudatis supra nigris,
disco anticarumque macula apicali albis, subtus albis strigis
punctisque nigris, posticis punctis marginalibus quatuor aterrimis coeruleo-argenteo notatis. Mas. Long. alae ant. lin. 5—6.

19. *Lycaena Sybaris* Hpfr. n. sp.; alis caudatis, maris supra coeruleis, puncto discoidali margineque fuscis, foeminae
fuscis, basi coeruleis, maculis disci lunulisque marginalibus bifariis albis, subtus albis punctis numerosis, analibus tribus coeruleo-argenteo notatis, nigris. ♂♀ Long. alae ant. lin. 5—5½.

20. *Lycaena Jobates* Hpfr n. sp; alis caudatis supra fuscis
disco violaceo, posticis utrimque punctis marginalibus, paenul-
timo majore nigro, fuscis fasciae fulvae subjectis; omnibus
subtus laete canis, lunulis discoideis fuscis punctisque numerosis nigris albo-cinctis. Mas. Long. alae ant. lin. 5—6.

21. *Lycaena Osiris* Hpfr. n. sp.; alis caudatis supra violaceis, purpureo-micantibus, posticis utrimque punctis duobus
analibus aterrimis, fulvo-lunulatis, subtus coeruleo-argenteo
cinctis; omnibus subtus griseis, lunula discoidea strigaque pone
medium catenulata albidis fusco-impletis; posticis puncto costae
tribusque baseos aterrimis albido-cinctis. Mas. Long. alae ant.
lin. 7¼.

22. *Lycaena Asopus* Hpfr. n. sp. Alis supra fuscis, foeminae disco coeruleo-micantibus, posticis macula subanali aterrima
fulvo-lunulata maculisque marginalibus sagittatis bifariis albidis; omnibus subtus griseis annulo centrali, striga catenulata
lunulisque marginalibus bifariis albidis; posticis punctis ad costam duobus ocellaribus nigris. ♂♀ Long. alae ant. lin. 6—7½.

23. *Abantis* (nov. gen.) *Tettensis* Hpfr. n. sp.; alis integris, anticis supra nigris vitta basali, fasciis duabus macularibus strigaque punctorum marginali albis, subtus luteis albofuscoque maculatis; posticis disco supra albo, infra luteo, utrimque nigro-punctato, limbo nigro albo-punctato. Foem. Exp. alar. ant. lin. 16.

24. *Pamphila Philander* Hpfr. n. sp.; alis integris nigricantibus, anticis utrimque maculis octo, inferiore nivea, vitreis, posticis supra fascia abbreviata, medio fenestrata, fimbriaque anali niveis, subtus niveis, costa, margine exteriore maculaque ad angulum ani fuscis. Mas. Exp. alar. ant. lin. 15.

25. *Pamphila Fatuellus* Hpfr. n. sp.; alis integris supra nigricantibus, infra virescenti-fuscis, anticis striga media arcuata punctorum sex vitreorum; posticis infra punctis tribus albidis. Mas. Exp. alar. ant. lin. 15—15$\frac{1}{2}$.

26. *Pamphila lugens* Hpfr. n. sp.; alis integris utrimque nigricantibus, anticis subtus punctis quinque vix dilutioribus. Mas. Exp. alar. ant. lin. 12—12$\frac{1}{2}$.

27. *Pamphila Herilus* Hpfr. n. sp; alis integris supra fuscis, anticis supra macula discoidali, altera ante apicem fasciaque pone medium abbreviata fulvis, subtus fulvo-virescenti-fuscoque variis; posticis supra puncto discoideo, fascia abbreviata, fimbriaque fulvis, subtus virescentibus vel rubescentibus nigro-punctatis. Mas. Exp. alar. ant. lin. 11$\frac{1}{2}$.

28. *Pyrgus Diomus* Hpfr. n. sp.; alis supra nigris, anticis maculis plurimis sparsis, posticis puncto basali fasciaque media incurva, omnibus punctorum serie marginali albis; posticis subtus albidis fasciis duabus virescenti-fuscis. ♂♀ Exp. alar. ant. lin. 11.

Hr. Klug übergab die Fortsetzung der Diagnosen der neuen (und bereits seit mehreren Monaten vollständig gedruckten) Coleopteren, welche die Insectensendungen des Hrn. Dr. Peters von Mossambique enthalten hatten, von der Familie der *Staphylinii* an bis zu den *Lamellicornia*, diese mit eingeschlossen (s. Monatsbericht v. J. 1853, p. 244 u. f.).

Familie: STAPHYLINII

Gattung: Philonthus.

36. *Ph. nitidicollis*: niger, thorace subaeneo-micante, elytris punctatis, fusco-subpilosis, antennarum articulo primo subtus, femoribus supra testaceis. Länge 3 Linien. Von Sena.

Gattung: Paederus.

37. *P. luctuosus*: ater, antennarum articulo primo et palporum maxillarium secundo subtus testaceis, elytris subtilissime punctatis, cinereo-sericeis. Länge 2½ Linien. Von Tette.

Familie: BUPRESTIDES.

Gattung: Sternocera.

38. *St. luctifera*: nigra, nitida, thorace foveolato-reticulata, macula laterali albido-villosa, elytris obsolete striato-punctatis, transversim rugosis, immaculatis. 13 bis 19 Linien lang. Von Tette.

39. *St. monacha*: nigra, nitida, thorace cicatricosa, macula magna laterali, elytris rugoso-subimbricatis elongata humerali testaceo-villosis. Länge 18½ Linien. Von Sena.

Gattung: Julodis.

40. *J. splendens*: elongata, supra obscure chalybea, capite confertim rugoso-punctato postice, thorace sparsim punctato dorso violaceis, hoc sulco longitudinali medio foveaque utrinque albido-villosis; elytris striato-punctatis, quadricarinatis, obsolete sulcatis, punctis sulcisque pilis brevibus albidis adspersis; corpore subtus cum pedibus viridi-coeruleo, confertim punctato, helvolo-piloso, pectore utrinque plaga magna subquadrata, abdominis segmentis quatuor prioribus utrinque macula rotundata minori denudata viridi coerulea ornatis. Länge 12 Linien. Von Tette. Sehr ähnlich der *J. natalensis* Boheman.

Gattung: Acmaeodera.

41. *A. excellens*: subtus cum pedibus nigra, supra viridi-aurata, capite thoraceque confertim punctatis; thorace medio sulcato, ad latera sulci plano, sparsim punctato, coeruleo, nitido, ad marginem posticum utrinque foveola impressa; elytris punctato-striatis, punctis impressis baseos majoribus, transversis, insterstitiis subelevatis, primo, secundo tertioque vix spar-

sim punctatis, reliquis sat confertim impresso-punctatis. Länge
7¼ Linien. Von Tette.

42. *A. consobrina*: viridi-coerulea, nitida, capite thoraceque
punctatis, elytris punctato-striatis apice sulcatis. 4 Linien lang.
Von Tette.

Gattung: STERASPIS.

42. *St. aeruginosa*: subdepressa, aeneo-fusca, thorace subquadrato, punctato-rugoso, utrinque obsolete cupreo-reticulato,
elytris pone basin parum dilatatis, foveolato-striatis, rugosis,
in foveolis lateribusque cupreo-punctatis, margine cupreo. 20
Linien lang. Von Inhambane.

Gattung: CHRYSODEMA.

44. *Ch. limbata*: subtus cuprea, supra aeneo-fusca, thorace
sparsim punctato, lateribus rugoso, ad apicem utrinque tuberculato, tuberculis parum elevatis laevibus, linea dorsali media
impressa; elytris rude punctato-striatis, vitta ad marginem externum longitudinali viridi-aenea griseo-pubescente subimpressa.
Länge 10½ Linien. Von Tette.

Gattung: BUPRESTIS.

45. *B. perspicillata*: obscure subaeneo-fusca, capite cicatricoso sparsim aeneo, thorace vage aeneo-punctato, plaga longitudinali media, macula dorsali subocellata rotundata majori et
altera minori ad angulum anticum utrinque, lituris denique
irregularibus lateralibus laevibus nigris; elytris pone medium
vix angustioribus, aeneo punctato-striatis, interstitiis vix elevatis, alternatim punctis minoribus sparsis maculisque e punctis
coacervatis aequaliter fere distantibus ornatis, sulco intramarginali laete purpureo-cupreo. 12 Linien lang. Von Tette.

46. *B. amaurotica*: fusco-nigra, capite rugoso, aeneo-va-
riegato, thorace rugoso-punctato, sparsim aeneo, maculis utrinque duabus magnis laevibus nigris; elytris pone medium sensim
angustioribus, apice truncatis, cupreo-aeneo-punctato-striatis,
interstitiis alternatim vage punctatis maculisque impressis aeneis
ornatis, sulco intramarginali aeneo, albido-villoso. 13 Linien
lang. Von Tette.

47. *B proxima*: nigro-subaenea, thorace sparsim punctato,
macula utrinque magna oblique transversa medio subinterrupta
notato; elytris pone medium angustioribus, apice truncatis, su-

pra aeneo-punctato-striatis, interstitiis alternatim punctis rugu-
lisque transversis maculisque distantibus majoribus aeneis ornatis, sulco intramarginali confertim subtiliter punctulato aeneo,
subtilissime albido piloso. 13 Linien lang. Von Tette.

48. *B. ophthalmica*: fusco-subaenea, thorace medio sparsim,
lateribus rugoso-punctato, utrinque violaceo-bimaculato; elytris
apicem versus angustioribus, apice truncatis, aeneo-punctato-
striatis, interstitiis subelevatis, nigro-violaceis, alternatim sparsim aeneo-punctatis et maculatis, sulco intramarginali viridi-
aeneo, albido-villoso. 12 Linien lang. Von Sena.

49. *B. consobrina*: fusco-nigra, thorace medio sparsim aeneo-
impresso-punctato, lateribus rugoso, utrinque laevi-bimaculato,
elytris versus apicem angustioribus, apice truncatis, punctato-
striatis, punctis cupreis, interstitiis transversim rugosis, interrupte costatis, sulco intramarginali aeneo, albido-villoso. Zehn
Linien lang. Von Sena.

50. *B. pupillata*: fusco-aenea, thorace sparsim punctato,
linea dorsali longitudinali media maculaque utrinque parva rotundata laevibus; elytris obsolete punctato-striatis, interstitiis
elevatis, nigro-violaceis, interrupte aeneo-maculatis. Länge 13¼
Linien. Von Tette.

51. *B. pyritosa*: capite thoraceque rugoso-foveolatis, elytris excavato-punctato-striatis, apice oblique truncatis et uni-
spinosis, supra aurato-viridis, subtus cum pedibus cuprea. Zehn
Linien lang. Von Cabinda (Angola).

52. *B. aliena*: subtus punctata cum pedibus cupreo-aeneo,
supra nigro-fusca, capite thoraceque variolosis, elytris transversim rugosis, apicem versus attenuatis, margine serratis, sulco
intramarginali aeneo, albido-farinoso. Zehn Linien lang. Von
Sena.

Gattung: BELIONOTA.

52. *B. reticulata*: supra nigro-aenea, cupreo-micans, subtus
eum pedibus cuprea, albo-pilosa, abdomine medio canaliculato;
thorace sparsim impresso-punctato, pone medium utrinque fovea brevi oblique transversa parce albido-pilosa notato, scutello
laevi cupreo, elytris sparsim punctatis, longitudinaliter elevato-
lineatis et transversim contorto-rugosis. 13 Linien lang. Von
Sena.

53. *B. nervosa*: supra nigro-aenea, thorace sparsim punctato, utrinque oblique impresso, elytris crebre punctatis, longitudinaliter linealis, obsolete transversim rugosis; subtus punctata, cupreo-aenea, abdominis segmentis intermediis tribus area
quadrata impressa scabra elevato-marginata notatis. Zehn Linien lang. Von Tette.

Familie: ELATERIDES.

Gattung: DICREPIDIUS.

54. *D. nubilus*: confertim punctatus, fuscus, griseo-pilosus,
elytris obsolete striatis, antennis pedibusque rufescentibus. Sechs
Linien lang. Von Tette.

55. *D. adspersulus*: elongatus, sat confertim punctatus, fuscus, sparsim griseo-pilosus, thoracis angulis posticis, antennis
pedibusque rufescentibus. Drei Linien lang. Von Tette.

Gattung: PHYSORHINUS.

56. *Ph. dubius*: fusco-brunneus, helvolo-pubescens, subtus
rufo-ferrugineus, antennis pedibusque rufis. Länge 3½ Linien.
Von Tette.

Gattung: AGRYPNUS.

57. *A. infuscatus*: capite thoraceque confertim punctatis,
elytris punctulatis, basi lateribusque punctato-striatis, fusco-
niger, antennis pedibusque fusco-ferrugineis. 8½ bis 9½ Linien
lang. Von Tette.

Gattung: CARDIOPHORUS.

58. *C. taeniatus*: fuscus, cinereo-pubescens, elytris punctato-striatis, vitta laterali sanguinea, antennis pedibusque rufescentibus. Länge 4½ Linien. Von Tette.

59. *C. vestitus*: fuscus, cinereo-pubescens, elytris obsolete
punctato-striatis, antennis pedibusque testaceis. Länge 3½ Linien. Von Tette.

60. *C. lateritius*: thorace confertim punctato, elytris punctato-striatis, rufo-castaneus, elytrorum basi antennis pedibusque
pallidis. 3 Linien lang. Von Tette.

61. *C. rufescens*: fuscus, thorace antice rufo, elytris punctato-striatis, cinereo-pubescentibus, antennis pedibusque rufo-
testaceis. 3 Linien lang. Von Tette.

Familie: LYCIDES.

Gattung: LYCUS.

62. *L. cuspidatus*: luteus, thorace vitta longitudinali media scutelloque nigris, elytris basi ad humeros dente compresso armatis, pone humeros ampliatis, reticulatis, elevato-trilineatis, apice singulatim subtruncatis, late, praesertim ad latera nigris. Nur Männchen. 6 bis 8 Linien lang. Von Tette und Inhambane.

Familie: LAMPYRIDES.

Gattung: LUCIOLA.

63. *L. obscuripennis*: lutea, abdomine subtus fasciis tribus capiteque nigris, elytris confertim punctatis, obsolete costatis nigricantibus, margine externo tenui suturaque luteis, pedum tibiis tarsisque fuscis. 6 Linien lang. Von Sena.

64. *L. cisteloides*: pallide lutea, thorace globoso brevi, elytris confertim punctatis, fuscescenti-cervinis, lateribus pallidis, antennis tarsisque fuscis. Länge 5 bis $5\frac{1}{4}$ Linien. Von Sena.

65. *L. bimaculata*: pallide lutea, thorace fusco-bimaculato, elytris confertim punctatis, fuscescenti-cervinis, pallide bicostatis; abdomine subtus fascia transversa media tarsisque fuscis. Länge $3\frac{1}{4}$ Linien. Von Sena.

66. *L. cincticollis*: fusca, thoracis elytrorumque marginibus luteis. Männchen 3 Linien lang. Sena.

67. *L. exigua*: fusca, cinereo-sericea, thorace subquadrato, supra confertim punctato, medio obsolete sulcato, margine tenui pedibusque testaceis. Länge 2 Linien. Von Tette.

Familie: MELYRIDES.

Gattung: MALACHIUS.

68. *Malachius pulchellus*: luteus, thorace margine postico albo, elytris albidis, macula oblique transversa baseos et semiannulari ante apicem nigro-violaceis. Länge $1\frac{1}{2}$ Linien.

Familie: LYMEXYLONES.

Gattung: ATRACTOCERUS.

69. *Atractocerus frontalis*: fuscus, capite postice fere toto, thorace vitta longitudinali media flavis. Länge $15\frac{1}{2}$ Linien. — Sena.

Familie: HISTEROIDES.

Gattung: HISTER.

70. *Hister plebejus*: subovalis ater, nitidus, mandibulis sub-
dentatis, thorace utrinque bistriato, elytris striis dorsalibus duabus primis abbreviatis, lineola ad marginem externum brevi impressa. Länge 3—3½ Linien. Von Sena und Tette.

Familie: NITIDULARIAE.

Gattung: LORDITES (Erichson).

71. *L. grammicus*: brunneus, rufescente-marginatus, capite thoraceque subtiliter confertim punctatis, elytris obsolete
luteo-maculatis, tenerrime elevato-lineatis, lineis subpilosis, interstitiis subseriatim punctatis. Länge 2¼ Linien.

Familie: DERMASTINI.

Gattung: ATTAGENUS.

72. *A. vestitus*: fuscus, pube denso flavo-griseo vestitus,
thorace fusco-variegato, elytris macula rotundata baseos fasciisque duabus transversis angulatis denudatis fuscis. Länge 1½ Linien. Von Tette.

Familie: HYDROPHILII.

Gattung: ACIDOCERUS.

Eine neue, *Spercheus* verwandte Gattung. Die drei sichtbaren Glieder der Maxillarpalpen sind wie bei *Hydraena* verlängert. An den Fühlern ist die aus drei zusammengedrückten,
fast dreieckigen Gliedern, von welchen das letzte das gröfste
ist, bestehende Keule deutlich zu unterscheiden. Diese bilden
vier cylindrische Glieder, die beiden ersten von fast gleicher
Länge, die folgenden kürzer; das vierte endigt in einen nach
innen hervortretenden geraden und spitzen Zahn.

73. *A. aphodioides*: fuscus, capite thoraceque supra obscure
ferrugineis, subtilissime rugoso-punctulatis, elytris pallidioribus,
subcostatis, costis alternatim abbreviatis, interstitiis subtiliter
transversim striatis, abdominis apice pallido. Länge 1¼ Linien.
Von Tette.

[1855.] 45

Familie: COPRIDES.

Gattung: ATEUCHUS.

74. *A. aeruginosus*: convexus, aeneus, capite, vertice excepto, confertim cicatricoso, inter oculos carina oblique transversa medio interrupta laevi, thorace dense granulato, plaga
lanceolata, baseos media nitida, elytris striatis, inter strias
subtilissime granulatis, impresso-punctatis, tibiis anticis extus
subquadridentatis, intus crenatis. Vierzehn bis fünfzehn Linien
lang. Von Tette.

75. *A. infernalis*: ater, capite confertim reticulato, fronte
tuberculo frontali longitudinali brevi, thorace confertim granulato, plaga dorsali trifida laevi, elytris obsolete elevato-punctatis, punctis in interstitiis majoribus subimpressis. Länge:
18—18½ Linien. In Mossambique verbreitet, eben so, doch
gewöhnlich kleiner, in Port Natal.

76. *A. ebenus*: niger, nitidus, capitis clypeo acute dentato, impresso-punctato, vertice glaberrimo, thorace convexo,
vage punctato, dorso laevi, elytris apice angustioribus, planis,
subtiliter striatis, inter strias sparsim punctatis. Acht Linien
lang. Von Inhambane. Ähnlich der *A. puncticollis* Latr.

Gattung: GYMNOPLEURUS.

77. *G. chloris*: parum convexus, aeneo-viridis, pedibus nigro-
cyaneis, capite thoraceque confertim granulatis, elytris striatis,
in interstitiis seriatim elevato punctatis, clypeo quadridentato.
Sieben Linien lang. Von Sena.

78. *G. thalassinus*: atro-virens, capite thoraceque confertim granulatis, elytris striatis, in interstitiis sparsim granulatis,
clypeo quadridentato. Sechs Linien lang. Von Tette.

79. *G. humeralis*: fuscus, supra obscure cupreus, confertim subtiliter punctatus, elytris striatis, humeris abrupte sinua-
tis, acute angulatis. Länge: 5½ Linien. Von Tette.

80. *G. ignitus*: clypeo bidentato, aeneus, supra purpureo-
cupreus, capite thoraceque confertim striolato-punctatis, fronte
medio carinata, thorace litura longitudinali media maculisque
duabus lateralibus utrinque laevibus, elytris subtilissime punctulatis, obsolete lineatis, ad suturam transversim plicatis.
Länge 4½ Linien. Von Inhambane und Sena. Eine lebhaft grün gefärbte Abänderung von Tette.

Gattung SISYPHUS.

81. *S. infuscatus*: fuscus, capite thoraceque antice, elytris lateribus, pedibus externe luteo-testaceis, femoribus posticis spinosis, tibiis intermediis basi excisis et tuberculo brevi conico instructis. Länge 3½ Linien. Von Sena.

82. *S. atratus*: ater, elytris margine externo brunneo, pedibus antice testaceis, femoribus posticis (in mare) basi dente acuto, medio tuberculo armatis. Vier Linien lang. Von Tette.

83. *S. calcaratus*: aterrimus, sparsim nigro-pilosus, thorace subgibboso, elytris striatis, femoribus posticis basi spina longiore apice recurva, medio dente acuto armatis. Drei Linien lang. Von Sena.

Gattung TRAGISCUS.

Was die Körperform dieser neuen Gattung im Allgemeinen betrifft, so steht sie hierin *Eurysternus* am nächsten, ist jedoch weniger verlängert, überall gleich breit, oben fast gleichmäßig flach. Der Scheitel ist mit Hörnern, und zwar bei dem vermuthlichen Männchen mit einem, bei dem Weibchen mit zweien, welche kurz und nach hinten gekrümmt sind, bewaffnet. Die untere Körperseite ist fast gleichmäßig gewölbt, ohne Aushöhlung in der Mitte der Brust und der ersten Bauchsegmente. Die Insertion der mittleren und hintersten Beine ist nicht ganz so, wie bei *Eurysternus*, nur ähnlich. Schon bei den mittleren Beinen ist die Entfernung geringer, die hintersten aber sind so genähert, daß kaum ein Zwischenraum übrig ist. Die Füße sind flach gedrückt, die Glieder von ungleicher Länge, das erste länger als die übrigen zusammengenommen. Es ist fast überall gleich breit, wogegen die folgenden dreieckig sind und bis zum ersten hin an Größe abnehmen.

84. *Tr. dimidiatus*: ater, elytris basi late testaceis. Länge: 7 bis 8 Linien. Von Inhambane.

Gattung ONITIS.

85. *O. Lycophron*: oblongo-quadratus, ater, capite linea arcuata transversa inter oculos, vertice tuberculo brevi, thorace excavato-punctato, elytris punctato-striatis, in interstitiis sparsim punctatis. Acht Linien lang. Von Tette.

45*

652   *Gesammtsitzung*

86. *O. uncinatus*: niger, capite transversim bicarinato,
thorace elevato-punctato, elytris punctato-striatis; tibiis anticis
(in mare) intus planis, acute carinatis, utrinque denticulatis,
femoribus posticis dente compresso valido armatis. Neun Linien lang. Von Sena.

87. *O. fulgidus*: cupreo-aeneus, capite thoraceque confertim granulatis, linea inter oculos elevata, vertice tuberculo
brevi, elytris striatis, striis aeneo-viridibus, in interstitiis impresso-punctatis, pedibus aeneis, tibiis anticis (in mare) elongatis, apice arcuatis, acuminatis, femoribus posticis subtus bi-
dentatis. Länge 8 bis 8½ Linien. Von Sena und Tette.

88. *O. aeruginosus*: fusco-aeruginosus, capite rugoso-punctato, transversim bicarinato, thorace confertim granulato,
elytris striatis, impresso-punctatis. Länge 8½ Linien. Von Sena.

Gattung: ONITICELLUS.

89. *O. egregius*: subtus cum pedibus pallide flavus, thorace
supra nigro-violaceo, utrinque flavo; elytris punctato-striatis
nigris, lateribus apiceque laete flavis. Sieben Linien lang.
Von Tette.

Gattung: ONTHOPHAGUS.

90. *O. pyramidalis*: ater, capite thoraceque confertim elevato-punctatis, fronte bicorni, cornubus magnis arcuatis acutis,
spinula parva media, thorace antice profunde excavato medio in
cornu validum compressum producto (in femina trituberculato),
elytris subtilius punctatis, obsolete striatis. Länge 6 bis 8½ Linien. Von Sena und Tette.

91. *O. rangifer*: aurato-cupreus, capite (in mare) cornubus
duobus arcuatis infra medium intus ramo lineari instructis ad
apicem incrassatis compressis nigris ornato (vertice in femina
trituberculato); thorace antice acuto bituberculato (in femina
confertim granulato, transversim tuberculato); elytris sparsim
punctatis, humeris (in mare) in clavam apice compressam arcuatam elevatis. Länge 4½ bis 6 Linien. In den Ebenen von
Sena und in Caya häufig, besonders in menschlichen Excre-
menten.

92. *O. Ardea*: aeneus, supra cupreus, capitis cornu incumbente, longitudinaliter subdiviso, apice recurvo, clypeo reflexo
truncato. Länge 5-6 Linien. Von Tette und Sena.

93. *O. flavocinctus*: nigro-aeneus, supra cupreus, capitis clypeo acuminato reflexo, cornu brevi incumbente subbifido, thorace confertim granulato, elytris striatis, in interstitiis sparsim granulatis, flavo-limbatis. Länge 5 Lin. Von Sena.

94. *O. Boschas*: nigro-aeneus, capite inermi, basi utrinque latiori, clypeo apice acuminato reflexo, thorace granulato, antice tuberculo quadrato bicorni armato; elytris striatis, interstitiis subtiliter granulatis. Länge 5 Lin. Von Sena.

95. *O. loricatus*: viridi-auratus, thorace ubique confertim punctato, bidenticulato, flavo-limbato, capitis cornu elongato, antice punctato, apice recurvo, subbifido, elytris testaceis. Länge $4\frac{1}{2}$-$5\frac{1}{2}$ Lin.

96. *O. bicallosus*: viridi-aeneus, supra cupreus, confertim granulatus, thorace magno, medio longitudinaliter subdepresso, bicalloso. Länge $5\frac{1}{2}$-$6\frac{1}{2}$ Lin. Von Sena.

97. *O. plebejus*: fusco-aeneus, capite thoraceque punctatis inermibus, elytris testaceo-variegatis, elevato-punctatis. Länge 5 Lin. Von Sena.

98. *O. Alcyon*: subdepressus, obscure violaceus, nitidus, capite cornu erecto simplici, thorace antice retuso, elytris punctato-striatis. Länge $4\frac{1}{8}$ Lin. Von Tette und Sena.

99. *O. carbonarius*: ubique confertim punctatus, ater, capite inter oculos carinato, clypeo marginato, thorace antice utrinque obsolete tuberculato, elytris striatis. Länge $4\frac{1}{2}$ Lin. Von Sena.

100. *O. discolor*: fusco-niger, elytris aciculatis, punctato-striatis; capite antice marginato reflexo, postice in tuberculum elevato thoraceque, dorso oblique bicarinato, impresso-punctatis, cupreo-fuscis Länge 4 Lin. Von Tette.

101. *O. auriculatus*: vertice inter oculos transversim elevato, trituberculato, niger, capite thoraceque confertim punctatis, elytris aciculatis, punctato,-striatis. Länge $3\frac{1}{2}$ Linien. Von Tette.

102. *O. anomalus*: subovatus, subdepressus, nitidus, niger, sparsim subtiliter punctatus, elytris striatis, tibiis anticis apice dilatatis, subtrigonis. Länge $3\frac{1}{2}$ Lin. Von Sena.

103. *O. cruentatus*: fusco-aeneus, thorace antice utrinque subimpresso, dorso bituberculato, elytris punctato-striatis, in

interstitiis sparsim punctatis, sanguineo-maculatis. Länge 3½ Lin. Von Sena.

104. *O. sugillatus*: capite (in mare cornubus duobus apice recurvatis, obtusis, basi tuberculatis verticis armato) thoraceque confertim elevato-punctatis, fusco-aeneis; elytris sparsim punctatis, obsolete striatis nigris, macula humerali apiceque late sanguineis. Länge 2 Lin. Von Inhambane.

105. *O. mactatus*. Nur das Weibchen bekannt, welches doppelt so grofs wie die vorige Art ist, das Kopfschild weniger tief ausgerandet und die Scheitelleiste nicht gebogen sondern gerade, überall gleich hoch und an den Seiten vor den Augen ausgeschnitten. Von Inhambane.

106. *O. suffusus*. Ebenfalls aus Inhambane, nur Weibchen. Von Gröfse und Gestalt wie *O. mactatus*, das Kopfschild ausgerandet wie bei *O. sugillatus*. Scheitelleiste mehr stumpfhökkerig. Deckschild nicht allein an der Spitze und den Schultern sondern überall in den Zwischenräumen dunkel blutroth.

107. *O. tenuicornis*.: fusco-aeneus, capitis vertice (in mare) cornubus duobus filiformibus erectis armato, thorace confertim punctato, elytris punctis lineolisque confluentibus subrugosis, nigro-subaeneis. Länge 3 Linien. Von Sena.

108. *O. crucifer*: punctatus, albido-pubescens, ater, vertice (in mare) cornu valido compresso apice furcato armato, elytris obsolete sanguineo-maculatis. Länge 3 Linien. Sena.

109. *O. nigritulus*: niger, capite, clypeo apice rotundato integro, thoraceque subtilissime punctatis, elytris striatis, in interstitiis obsolete punctulatis. Länge 2 Linien. Sena.

110. *O. flavo-limbatus*: niger, nitidus, capitis vertice tricorniculato, thorace subgloboso, sparsim punctato, elytris punctato striatis, flavo-limbatis. Länge 2 Linien. Sena.

111. *O. castaneus*: fusco-brunneus, nitidus, elytrorum lateribus late rufo-castaneis. Länge 2½ Linien. Sena.

112. *O. nitidulus*: capite (in mare) postice bituberculato, thorace antice excavato, nigro-virescens, nitidus, elytris nigris, lateribus luteis. Länge 2½ Linien. Sena.

113. *O. seminulum*: capitis clypeo bidenticulato, thorace foveolato-punctato, nigro-aeneus, elytris striatis nigris, vix apice sanguineis. Länge 1½ Linien. Sena.

Gattung: COPRIS.

114. *Copris Japetus*: nigra, thorace elevato, antice truncato, utrinque dentato, capitis cornu late emarginato. Länge 20—24 Linien. Von Sena.

115. *Copris Rhinoceros*: atra, capite cornu erecto valido armato, thorace medio elevato, lateribus oblique truncato, dorso plano, basi utrinque bidentato, elytris subtiliter lineatis. Länge 13—16½ Linien. Von Tette.

116. *Copris platycera*: nigra nitida, capitis clypeo cornu incumbente apice emarginato armato, thorace plano, medio transversim carinato, antice oblique truncato, elytris striatis. Länge 15½ Linien. Von Sena.

117. *Copris Elphenor*: nigra, capite cornu erecto (in femina brevi truncato), thorace confertim granulato, antice oblique truncato, lateribus excavato, unispinoso, dorso gibbere magno transverso, apice late emarginato et utrinque bituberculato (in femina angustiori, incumbente, medio porrecto, obtuso), elytris striatis laevibus. Länge 9—10½. Von Sena.

118. *Copris Bootes*: atra, capite cornu erecto, thorace medio profunde excavato, utrinque in laminam compressam apice intus flexam, antice denticulo instructam elevato, elytris punctato-striatis. Länge 9 Linien. Von Inhambane.

119. *Copris excavata*: nigra, capitis cornu basi incrassato, brevi, thorace medio late et profunde excavato, elytris striatis interstitiis obsolete punctatis. Länge 9 Linien. Inhambane.

120. *Copris Amyntor*: nigra, capite transversim rugoso, cornuto, cornu (in mare) erecto acuto, postice infra medium bidenticulato (in femina brevi emarginato), thorace ubique impresso-punctato, dorso medio elevato, antice truncato, utrinque excavato, dentato (in femina mutico, antice transversim carinato), elytris punctato-striatis, in interstitiis vage obsolete punctatis. Länge 7 Linien. Von Sena.

121. *Copris evanida*: nigra, capite clypeo emarginato, cornu frontis erecto (in femina brevi emarginato), thorace impresso-punctato, dorso parum elevato, antice truncato, medio trituberculato, lateribus sinuato, obsolete unituberculato (in femina inermi), elytris striatis. Länge 5 Linien. Von Sena.

Familie: APHODIIDAE.

Gattung: APHODIUS.

122. *Aphodius picipes*: piceus, supra niger, capite clypeo emarginato, medio tuberculo frontali conico, utrinque transverso minimo armato, thorace vage punctato, elytris punctato-sulcatis. Länge 3 Linien.

123. *Aphodius adustus*: capite thoraceque confertim punctatis, niger, elytris striatis apice pedibusque ferrugineis. Länge 2 Linien. Von Tette.

124. *Aphodius dorsalis*: luteus, nitidus, capite, thoracis dorso elytrorumque sutura brunneis. Länge 1½ Linie. Tette.

125. *Aphodius connexus*: elongatus, fuscus, thoracis lateribus, elytrorum vitiis duabus abbreviatis fascia undata oblique transversa ante apicem conjunctis femoribusque luteis. Länge 1½ Linien. Von Tette.

126. *Aphodius cruentus*: fusco-niger, nitidus, capite thoraceque laevibus, elytris striatis, basi apiceque rufo-sanguineis. Länge 2 Linien. Von Tette.

127. *Aphodius cinerascens*: elongatus, fuscus, capite thoraceque laevibus, hujus lateribus luteis, elytris subtilissime punctulatis, obsolete striatis, testaceis, pube tenui cinerascente vestitis. Länge 2⅓ Linien. Von Tette.

128. *Aphodius circumdatus*: oblongus, testaceus, thorace elytrisque supra castaneis, lateribus late fulvis. Länge 5 Linien. Von Sena.

129. *Aphodius opatroides*: subovatus, valde depressus, lateribus deplanatus, marginatus, fuscus, thorace impresso-punctato, elytris punctato-striatis. Länge 3 Linien. Von Sena.

Gattung: CHIRON.

130. *Chiron volvulus*: capite thoraceque confertim punctatis, elytris crenato-striatis. Länge 3⅓ Linien. Von Tette.

Familie: ORPHNIDAE.

Gattung: ORPHNUS.

131. *Orphnus bilobus*: capite (in mare) cornu erecto armato, thorace medio late excavato, lateribus elevato, supra niger, nitidus, elytris striato-punctatis. Länge 5 Linien. Von Tette.

Familie: HYBOSORIDAE.
Gattung: HYBOSORUS.

132. *Hybosorus crassus*: niger, nitidus, capite thoraceque confertim impresso-punctatis, elytris striato-punctatis. Länge 4¼ Linien. Von Tette.

Familie: TROGIDAE.
Gattung: OMORGUS.

133. *Omorgus tuberosus*: thorace, inaequali, punctato, lateribus dilatato, obsolete crenato, elytris inaequaliter seriatim tuberculatis. Länge 5 Linien. Von Tette und Sena.

Familie: ORYCTIDAE.
Gattung: TEMNORHYNCHUS.

134. *Temnorhynchus clypeatus*: nigro-fuscus, clypeo subtetragono, margine infero utrinque nodoso, supero emarginato, lateribus rotundatis, thorace rugoso, antice excavato laevi. Länge 9—10 Linien. Von Tette.

Familie: STRATEGIDAE.
Gattung: HETERONYCHUS.

135. *Heteronychus niger*: niger, antennis piceis, capite antice ruguloso, clypeo marginato reflexo, apice truncato, vix bidentato, fronte impressa bituberculata, thorace subgloboso lateribus marginato, laevi, elytris striato-punctatis, in interstitiis sparsim punctatis. Länge 9 Linien. Von Tette.

136. *Heteronychus corvinus*: nitidus, niger, antennis tarsisque castaneis, clypeo ruguloso, apice reflexo, subbidentato, fronte transversim carinata, thorace subgloboso laevi, elytris striato-punctatis, in interstitiis ad suturam et marginem externum sparsim punctatis. Länge 7½—8 Linien. Von Tette.

137. *Heteronychus atratus*: ater, antennis tarsisque ferrugineis, capite rugoso, clypeo marginato obtuso, linea frontali medio subinterrupta, thorace laevi subgloboso, elytris striato-, apice confertim punctatis, striis intermediis abbreviatis. Länge 6½ Linien. Von Tette.

Familie: PHILEURIDAE.
Gattung: TRIONYCHUS.

138. *Trionychus bituberculatus*: niger nitidus, thorace marginato, dorso excavato, lateribus elevato, sparsim punctato (in

femina obsolete bituberculato, confertim punctato) elytris rugoso-punctatis. Länge 13—18 Linien. Von **Inbambane.**

Familie: MELOLONTHIDAE.

Gattung: CLITOPA.

139. *Clitopa Erichsoni*: fusca, cinereo - villosa, abdomine
testaceo. Länge 7 Linien. Von **Inbambane.**

Gattung: CYCLOMERA.

Aus einer Vergleichung mit **Erichsons** sehr ähnlichen Gattung *Clitopa* ergeben sich die Unterscheidungszeichen der neuen
Gattung. Das Kopfschild ist ohne Querleiste, mit Punkten und
Haaren bedeckt, nur wenig vorgestreckt, an der Spitze gerundet: der Fühlerfächer ist von mäfsiger Länge. Am Halsschild
sind die hintern Ecken nicht, wie bei *Clitopa*, gerundet, sondern rechtwinklig. Schienen und Schenkel sind, besonders bei
dem Weibchen, in ähnlicher Weise, wie bei *Pachypus*, verdickt.

140. *Cyclomera dispar*: elongata, capite thoraceque imbri-
cato-, elytris rugoso-punctatis, fusco - nigra, fusco - pilosa, an
tennis ferrugineis, clava testacea. Länge 13 Linien. Von **Inbambane.**

141. *Cyclomera castanea*: fusca, fulvo-villosa, elytris castaneis, sparsim pilosis. Länge $8\frac{1}{2}$ Linien. Von **Inbambane.**

Gattung: LEUCOPHOLIS.

142. *Leucopholis lepidota*: clypeo retuso, medio late emarginato, thorace lateribus crenato brevi, oblonga, confertim
punctata, fusco - nigra, subtiliter griseo - squamosa, elytris impresso - punctatis, squamis majoribus niveis sparsis, tuberculo
apicali macula oblique transversa punctoque imposito fulvo-vil-
losis ornato. Länge $13\frac{1}{2}$ Linien. Von **Tette.**

Gattung: SCHIZONYCHA.

143. *Schizonycha livida*: elongata, obscure livida, confertim punctata, albido-subsquamosa, tarsis, anticis praesertim,
gracilibus elongatis. Länge 6 Linien. Von **Tette.**

144. *Schizonycha consobrina*: subcylindrica, confertim
punctata, fusco-brunnea, subtus fulvo-pilosa, clypeo emarginato.
Länge $6\frac{1}{2}$ Linien. Von **Tette.**

Gattung: TROCHALUS.

145. *Trochalus picipes*: globosus fuscus, pectore pedibusque piceis. Länge 4 Linien. Von Tette.

Gattung: ANOMALA.

146. *Anomala lutea*: ovalis, luteo-testacea, capite, thoracis margine, elytrorum sutura tarsisque ferrugineis. Länge 9 Linien. Von Tette.

147. *Anomala brunnea*: rufo-brunnea, capite thoraceque aeneo-micantibus, subtiliter vage punctatis, elytris striato-punctatis. Länge 5 Linien. Von Tette.

148. *Anomala lucida*: obscure ferrnginea, supra aeneomicans, capite, thorace scutelloque impresso-, elytris striato-punctatis. Länge $4\frac{1}{2}$ Linien. Von Sena.

149. *Anomala nitidicollis*: viridi-aenea, nitida, elytris punctato-sulcatis, rufis, abdomine nigro. Länge 4 Linien. Von Sena.

Gattung: ADORETUS.

150. *Adoretus tarsatus*: elongatus, fuscus, albido-pubescens, thoracis lateribus, pectore, abdomine pedibusque pallidis, tarsis ferrugineis. Länge 4 Linien. Von Tette.

151. *Adoretus sellatus*: elongatus, pallide testaceus, capite postice, thoracis dorso elytrorumque sutura brnnneis. Länge $4\frac{1}{2}$ Linien. Von Tette.

152. *Adoretus atricapillus*: elongatus, pallide testaceus, capite nigro, clypeo brevi ferrugineo. Länge 4 Linien. Von Sena.

153. *Adoretus subcostatus*: elongatus, pallide testaceus, capite brunnneo, elytris rugoso-punctatis, subcostatis. Länge $4\frac{1}{2}$ Linien. Von Tette.

Familie: CETONIADAE.

Gattung: RHAMPHORRHINA.

Unterscheidet sich besonders durch die Bildung des Kopfes und der Mittelbrust von der verwandten Gattung *Dicranorrhina*. Der Brusthöcker ist überall gleich breit, länglich viereckig, an der Spitze gerade abgeschnitten, nicht gerundet. Der Kopf ist ohne deutliche Trennungen ungewöhnlich nach vorn verlängert und allmählig erweitert. Der Seitenrand geht in einen zahnförmigen Fortsatz über. Der Hinterkopf ist zu jeder Seite mit einem kurzen, hakenförmig nach vorn gekrümmten Horn bewaffnet.

154. *Rhamphorrhina Petersiana*: laete viridis, elytris plaga longitudinali media vittaque laterali apice coëuntibus albis; abdomine rufo. Länge 15½ Linien. Von Tette.

Gattung: HETERORHINA.

155. *Heterorhina alternata*: viridis, capite inermi thoraceque marginatis punctatis, elytris punctato-striatis, striis per paria approximatis, interstitiis elevatis laevibus. Länge 8½ Linien. Von Tette.

Gattung: DISCOPELTIS.

156. *Discopeltis vidua*: atra, thorace utrinque macula punctoque ad marginem posticum medio, scutello elytrorumque maculis marginalibus tribus albis, pygidio albo-bimaculato. Länge 6 Linien. Von Sena.

Gattung: OXYTHYREA.

157. *Oxythyrea luctifera*: atra, nitida, thorace punctis quatuor, elytris maculis marginalibus duabus punctoque apicali albis. Länge 5½ Linien.

Gattung: PACHNODA.

158. *Pachnoda cuneata*: nigra, thorace elytrisque fusco-sanguineis, luteo-limbatis, mesosterno in clavam magnam subquadratam apice incrassatam truncatam producto. Länge 10½ Linien. Von Inhambane.

159. *Pachnoda virginea*: olivacea, albo-maculata, thorace albo-quinquelineato, linea media tennissima, elytrorum basi bilineata. Länge 8½ Linien. Von Tette.

Anmerkung zu der Abhandlung der Herren Blau und Schlottmann
(Siehe p. 626.)

Mit dieser Karte hat es folgende Bewandtnifs. Nachdem ich die Insel vom 17ten bis 20sten April 1842 nach verschiedenen Richtungen durchzogen und durch möglichst viele Winkelmessungen mit dem Reflector und panoramatische Zeichnungen auf hochgelegenen Punkten reiches Material zur topogra-

phischen Zeichnung auch aufserhalb der Wegelinien gesammelt
hatte, nöthigte mich heftiger Nordsturm bis zum 23sten in
Kastro an der Nordseite der Insel die Gastfreundschaft des
Bischofs zu benutzen und ruhiges Wetter zur Überfahrt
nach Samothrake abzuwarten. Diese unfreiwillige Mufse benutzte ich unter anderem zur Entwerfung einer topographi-
schen Skizze, die natürlich nur zur vorläufigen Orientirung
und nach den nebenher gemachten Compafswinkeln leichthin
ausgeführt wurde, da zur Berechnung und Auftragung der
durch den Reflector gewonnenen Triangulation Zeit, Bequemlichkeit und Instrumente fehlten. Dem Bischof, der nie eine
Karte seiner Insel gesehen hatte, gefiel indefs dieser sehr unvollkommene Entwurf so sehr, dafs er um eine Copie bat, die
ich ihm so gut die Kürze der Zeit es erlaubte, ins reine
zeichnete. Nach diesem Blatte nur kann die in dem oben angeführten Werke enthaltene Lithographie gearbeitet sein —
von dessen Existenz ich übrigens bei dieser Gelegenheit zum
erstenmal höre, während unsere Autoren, indem sie auf
dasselbe verweisen, vorauszusetzen scheinen, dafs dergleichen
Erzeugnisse der griechischen Presse in Constantinopel auch in
deutschen Bibliotheken zu finden seien. — Die neue britische
Küstenaufnahme der Insel, bis jetzt nur in reducirter Form
auf der Karte des Aegaeischen Meeres in 6 Bl. publicirt,
scheint für das Innere ebenfalls nur meine Ms. Karte, vielleicht
in Folge von Mittheilung des Bischofs, benutzt zu haben, liefert dagegen eine weit genauere Küstenlinie, als die ich damals aus Gauttiers älterer Karte entnehmen konnte. Vielleicht
wird also eine Bekanntmachung meiner berichtigten Zeichnung
in besserer Gestalt als Constantinopolitaner Steindruckerei sie
erwarten läfst, auch jetzt noch nicht überflüssig sein.

H. Kiepert.

Bei der Eröffnung der Sitzung begrüfste der vorsitzende
Sekretar im Namen der Akademie das neue heute zuerst ein-
getretene Mitglied Herrn Rammelsberg. Er drückte darauf

die Trauer der Akademie am über den Verlus
durch den am 6ten Okt. erfolgten Tod des Hei
litten. Die zur Zeit der Beerdigung in Berl
Mitglieder hatten der Begrähnifsfeier beigewohr

Hierauf kamen folgende Gegenstände

Der hohe vorgeordnete Hr. Minister
1sten Septbr. der Akademie an, dafs des König
die Allerhöchste Ordre vom 15ten Aug.
len der Akademie zu bestätigen geruht habe.
Wahl des Hrn. Rammelsberg zum ordentli
der physikalisch-mathematischen Klasse, der
Sabine in London und Sir William Hook
Ehrenmitgliedern und der Herren Professor
Göttingen, Freiherr von Liebig in München
Thénard in Paris zu auswärtigen Mitgliedern d
mathematischen Klasse.

Derselbe hohe vorgeordnete Minister gene
den Anträgen der Akademie, durch verschiedene
die Verwendung von folgenden Summen aus di
Akademie:

Unter dem 14ten Aug. für die Wiederh
Luftpumpe des physikalischen Kabinets der Akade
für den Druck der Floratafeln des Hrn. D
114 Thlr. 28½ Sgr., für die Kosten der Reise
Sehacht nach Madeira 600 Thlr. Unter dem
für die von Hrn. Prof. Dieterici beabsichtigt
des Motannabbi mit dem Commentar des Wahi
für die von Hrn. Dr. Gosche unternommene,
mäfsigen Auszügen belegte Geschichte der p
schichtsschreibung 300 Thlr., für die Indices zu
Gregoras 50 Thlr. und für die von Hrn. Dr. Pa
Abschriften aus dem Archive des Tower 100 Th

Unter dem 15ten Oktober übersendet der hohe
Hr. Minister der Akademie Abdrücke zweier in
zu Malaga entdeckten Broncetafeln welche bede
mente der Stadtrechte der latinischen Gemeine
pensa und Malaca in Hispania Baetica enthalten

Malaga über diesen Fund. Auf den Wunsch des Hrn. Hen-
sen in Rom hatte der Hr. Minister der auswärtigen Angelegenheiten den Königlichen General-Consul in Spanien veranlafst, durch Vermittelung des Consuls Rose in Malaga und in
Folge dessen durch die bereitwillige Anfertigung dieser Abdrücke von den Herren Loring und Berlanga diese für die
Akademie besorgen zu lassen. Der Hr. Minister der auswärtigen Angelegenheiten hat die Gegenstände gleich nach dem
Empfange an das Ministerium der geistlichen- Unterrichts- und
Medizinal-Angelegenheiten übersandt. Sie sind der epigraphi-
schen Commission der Akademie übergeben.

Die Akademie erhielt durch dieselbe gütige Vermittelung
des auswärtigen Ministerii ein Exemplar des Almanaque nautico para el año 1856 herausgegeben von dem Observatorio de
Marina de la Ciudad de San Fernando.

Ein Exemplar der selten gewordenen Rau'schen Münz-
tafeln wurde an das Königliche Hausarchiv auf dessen geäufserten Wunsch abgegeben.

Die Herren van Beneden zu Löwen, Barth aus Hamburg und Kölle in Damiette nehmen durch ihre Schreiben
vom 17ten Okt., 18ten Okt. und 30sten Juli die auf sie gefallene Wahl der Akademie zu correspondirenden Mitgliedern
dankend an.

Es ward beschlossen der Literary und philosophical Society of Manchester und dem Serbisch literarischen Verein zu
Belgrad die Monatsberichte der Akademie, sowie dem Konink-
lich Nederlandsch Meteorologisch Instituut zu Utrecht die jetzt
im Drucke befindliche Abhandlung des Hrn. Dove zu übersenden.

Die Empfangschreiben der Universitätsbibliothek und des
naturforschenden Vereins in Bonn, der Universitätsbibliotheken
in Breslau, Greifswalde und Halle, der naturforschenden Gesellschaft in Danzig, des physikalischen Vereins in Frankfurt a. M., der Oberlausitzischen Gesellschaft der Wissenschaften in Görlitz, der Gesellschaft der Wissenschaften in
Göttingen, der deutschen morgenländischen Gesellschaft in
Leipzig, der Royal Society und der Bibliothek des British
Museum in London, des Istituto lombardo in Mailand, der

Akademie der Wissenschaften in München, der Gesellschaft
der Wissenschaften in Prag und der kaiserlichen geologischen
Reichs-Anstalt in Wien über die von uns gemachten Sendungen der Denkschriften und Monatsberichte wurden vorgelegt.

An eingegangenen Schriften wurden vorgelegt:

Bulletin de la société de géographie. IV Série. Tome 9. Paris 1855. 8.

Abhandlungen der Königl. Böhmischen Gesellschaft der Wissenschaften.
Band VIII. Prag 1854. 4.

Annales des mines. Vol. VI, Livr. 6. Paris 1854. 8.

Denkschriften der K. K. Akademie der Wissenschaften zu Wien. Math. naturw. Klasse. Band IX. Wien 1855. 4. Phil. historische Klasse.
Band VI. Wien 1855. 4.

Sitzungsberichte der Kaiserlichen Akademie der Wissenschaften zu Wien.
Math. naturw. und phil. historische Klasse. Jahrgang 1855. Heft
3. 4. Wien 1855. 8.

Kreil, *Jahrbücher der K. K. Centralanstalt für Meteorologie.* Band III.
Wien 1855. 4.

Antiquarisk Tidskrift af det K. Nordiske Oldskrift-Selskab. 1849—1851.
Heft 2. 3. Kjobenhavn 1851. 1852. 8.

Mémoires de la société des antiquaires du Nord. 1848—1849. Copen-
hague 1852. 8.

Earl of Ellesmere, *Guide to northern Archaeology.* London 1848. 8.

Bibliotheca indica. no. 58—93. Calcutta 1853—1854. 8. et 4.

Bullettino archeologico napolitano. Anno III, no. 13. 14. 15. et tab. 8. 9.
Napoli 1855. 4.

*Monumenti, Annali e Bullettini dall' Instituto di corrispondenza archeolo-
gica nel 1854.* Roma 1854. folio.

Journal of the Asiatic Society. Vol. XV. London 1855. 8.

Huillard-Bréholles, *Historia diplomatica Friderici II.* Tomus IV,
Pars 2. Parisiis 1855. 4.

Publicationen des literarischen Vereins in Stuttgart. Band 35 und 36.
Stuttgart 1855. 8.

*Abhandlungen der historischen Klasse der Bayrischen Akademie der Wis-
senschaften.* Band VII, Abth 3. München 1855. 4.

Gelehrte Anzeigen. Band 40. München (1855) 4.

Fr. von Thiersch, *Rede am 28. Marz 1855.* München 1855. 4.

Wissmayr, *Lorenz Hübner's Biographische Charakteristik.* München 1855. 4.

Zeitschrift der deutschen morgenländischen Gesellschaft. Band 9. Heft 4. Leipzig 1855. 8.

Revue archéologique. Année XII, Livr. 5. 6. Paris 1855. 8.

Journal of the Asiatic Society of Bengal. no. 247. Calcutta 1855. 8.

Kopp, *Geschichtsblätter aus der Schweiz.* Band 2. Heft 2. Luzern 1855. 8.

Förstemann, *Altdeutsches Namenbuch.* Lieferung 7. Nordhausen 1855. 4.

(Cavedoni), *Appendice alla numismatica biblica.* Modena 1855. 8.

Zacher, *Das gothische Alphabet Ulfilas.* Leipzig 1855. 8.

Comte d'Escayrac de Lauture, *Mémoire sur le Soudan.* Cahier 1. Paris 1855. 8.

——————————————, *De l'influence du canal des deux mers.* Paris 1855. 8.

——————————————, *Mémoire sur le ragle.* Paris 1855. 8.

Catalogue des manuscrits orientaux recueillis par l'abbé Guérin. Paris 1855. 8.

Abhandlungen der Geologischen Reichsanstalt. Band II. Wien 1855. 4.

Jahrbuch der Geologischen Reichsanstalt. 6. Jahrgang. Heft 1. Wien 1855. 4.

Zeitschrift für Berg - Hütten- und Salinenwesen, von v. Carnall. Band 3. Heft 2. Berlin 1855. 4.

Crelle, *Journal für Mathematik.* Band 50. Heft 3. 4. Berlin 1855. 4.

Almanaque nautico para el año 1856. San Fernando 1854. 4.

Report of the 24. meeting of-the British Association for advancement of science. London 1855. 8.

Sillimann, *American Journal of science.* Vol. 20. no. 58. New Hawen 1855. 8.

Quarterly Journal of the geological Society. Vol. XI. Part 3. London 1855. 8.

Quarterly Journal of the chemical Society. London 1855. 8.

Proceedings of the Royal Society. Vol VII. no. 14. London 1855. 8.

Proceedings of the Royal Society of Edinburgh. Vol. III. no. 45. Edinb. 1855. 8.

Transactions of the Royal Society of Edinburgh. Vol XXI. Part 2. Edinb. 1855. 4.

Philosophical Transactions of the Royal Society of London. Vol. 145. Part 1. London 1855. 4.

Archives du Museum d'histoire naturelle. Tome VII et VIII. Livr. 1. 2. Paris 1853—1855. 4.

Comptes rendus de l'Académie des sciences. Vol. 41. no. 3—15. Paris 1855. 4.

Mémoires de l'Académie de médecine. Tome **19.** Paris 1855. **4.**

Annales de chimie et de physique. Tome **44,** 3. **4.** Tome **45.** 1. Paris 1855. **8.**

L'Institut, I. Section. Année XXIII. no. 1121 — 1135. II. Section. Année XX. no. 233 — 236. Paris 1855. **4.**

Meteorologische Waarnemingen in Nederland. 1853 und 1854. Utrecht 1854—1855. **4.**

Rendiconto della Società Reale borbonica. Anno 1854. Juli—Oct. Napoli 1854. **4.**

M e l l o n i, *Elettroscopio.* Napoli 1854. **4.**

C o o k e, *On two new cristalline compounds of Zinc and Antimony.* Cambridge 1855. **4.**

Natuurkundig Tijdschrift voor Nederlandsch Indië. Deel IX. Fasc. 1. 2. Batavia 1855. **8.**

Commission hydrométrique de Lyon. Resumé des observations de 1854. Lyon 1855. **4.**

Arabischer Commentar des Valens zum 10ten Buche des Euclids, von Hrn. Dr. W ö p c k e. Paris 1855. **8.**

W a l z und W i n c k l e r, *Neues Jahrbuch für Pharmacie.* Band 3, Heft 5. Band 4. Heft 1. 2. Speyer 1855. **8.**

Verhandlungen des naturhistorischen Vereins der preussischen Rheinlande. 12. Jahrgang. Heft 1. 2.

Verhandlungen der physikalisch-medicinischen Gesellschaft zu Würzburg. 6. Band. Heft 1. Wurzburg 1855. **8.**

B o n c a m p a g n i, *Intorno ad alcune opere di Leonardo Pisano. Notizie raccolte.* Roma 1854. **8.**

———————— , *Intorno alla risoluzione delle equazioni simultanee.* Roma 1855. **8.**

P r a n t l, *Geschichte der Logik im Abendlande.* 1. Band. Leipzig 1855. **8.**

K o p s, *Flora batava.* Afl. 177. Amsterdam 1855. **4.**

Memoires of the Geological Survey of Great Britain. Vol. I. II. 1. 2. London 1846 — 48. **8.**

———————————— *British Organic Remains.* Decade 1 — 4. 6 — 8. London 1849 — 1855. **4.**

Records of the school of mines. Vol. I. Part 1 — 4. London 1853. **8.**

D e l a B e c h e, *Report on the geology of Cornwall, Devon and West Somerset.* London 1839. **8.**

P h i l l i p s, *Figures and descriptions of the palaeozoic fossils of Cornwall, Devon and Somerset.* London 1841. **8.** (Die letzteren fünf Werke übersendet von Sir Roderick Murchison.)

Bericht

über die

zur Bekanntmachung geeigneten Verhandlungen der Königl. Preuſs. Akademie der Wissenschaften zu Berlin

im Monat November 1855.

Vorsitzender Sekretar: Hr. Encke.

1. Nov. Gesammtsitzung der Akademie.

Hr. Encke zeigte zuerst der Akademie an, daſs nach einem Briefe des Hrn. Airy vom 3ten Oktober der Comet von kurzer Umlaufszeit am 12ten Juli auf dem Vorgebirge der guten Hoffnung von dem Sohne des dortigen hochverdienten englischen Astronomen Hrn. Maclear aufgefunden worden sei, wie der letztere unter dem 12ten Juli es dem Hrn. Airy gemeldet. Hr. Maclear der Vater hatte schon früher im Jahre 1842 sich um diesen Cometen das Verdienst erworben, ihn nach seinem Durchgange durch das Perihel auf dem Vorgebirge der guten Hoffnung zu beobachten, in welcher Gegend seiner Bahn der Comet in Europa nicht gesehen werden kann. Die jetzige Auffindung ward veranlaſst durch eine Vorausberechnung des Ortes des Cometen, welche Hr. Airy die Güte hatte zu rechter Zeit nach dem Vorgebirge der guten Hoffnung hinzubefördern.

Diese Wiederkehr ist die 11te seit dem Jahre 1819, wo die kurze Umlaufszeit des Cometen zuerst bemerkt wurde. Die Auffindung des Cometen ist bei ihr von noch höherem Interesse, da bei den sich immer mehrenden Störungsrechnungen es nicht mehr möglich sein wird, die sämmtlichen Beobach-

tungen, welche bereits 36 Jahre umfassen, wenn man auch die
früheren von 1786—1819 ganz aufser Acht lassen will, zusam-
menzunehmen, sondern man sich wird begnügen müssen, von
den zunächst liegenden Erscheinungen auf die jedesmal folgende zu schliefsen. Die Schwierigkeit bei einer solchen
Behandlung würde bedeutend vergröfsert, wenn einmal eine
Wiederkehr ohne beobachtet zu werden vorüberginge. Bis
jetzt ist es seit 1819 noch nie der Fall gewesen.

Er las darauf eine Abhandlung über die Hansensche Form
der Störungsrechnungen, in welcher er die Ursachen nachwies,
weshalb leider bisher diese Methode so wenig Anklang gefunden hatte. Diese liegen ganz besonders in der zu allgemein
analytischen Behandlung und Betrachtungsweise von der Herr
Direktor Hansen ausgeht. Die Einführung von Verbindungen
durch welche die Örter für eine gewisse Zeit gefunden werden
unter der Voraussetzung, dafs bei ihrer Berechnung gestörte
Elemente angewandt sind, welche einer andern Zeit angehören, ist eine analytische Verallgemeinerung, welche, weil
sie nie in der Wirklichkeit eintritt, nur zu Weitläuftigkeiten
in der Darstellung und Bezeichnung führt. Herr Prof. Zech
hat sich um das eigentliche Wesen der Methode deshalb ein
wahres Verdienst erworben, indem er (Astron. Nachr. No. 969.)
mit einer überraschenden Kürze und Strenge ohne eine solche
Verallgemeinerung die Endformeln für zwei Polar-Coordinaten
ganz in der Form ableitete, wie Hansen sie gegeben. Diese
Ableitung nur unwesentlich modificirt und vervollständigt durch
eine Erweiterung auf die dritte Coordinate, um gleichfalls die
Hansensche Form zu erhalten, ist der Gegenstand der Abhandlung.

Herr Encke benutzte noch diese Gelegenheit, um den
Vorwurf einer Inconsequenz, welchen Herr Arago in einem
gedruckten Sendschreiben an Herrn v. Humboldt (1840)
der hiesigen Akademie gemacht hatte, zu widerlegen. Herr
Arago deutet darin an, als habe die Akademie bei einem im
Jahre 1830 dem Herrn v. Pontécoulant ertheilten Preise
die Preisfrage unmittelbar wiederholt, nachdem sie die Beantwortung gekrönt habe. Den Anlafs zu dieser auffallenden
Behauptung gab ein äufserst heftiger persönlicher Streit des

Herrn Arago mit Herrn v. Pontécoulant, bei welchem
es dem ersteren unbeqnem war, einräumen zu müssen, daſs
die Pariser Akademie dem Herrn v. Pontécoulant einige
Jahre früher einen Preis auf den eigenen Rapport von Arago
ertheilt habe. Er suchte deshalb durch Verweisung auf das
vermeintliche Verfahren der hiesigen Akademie bei demselben
Preisbewerber den Eindruck zu schwächen. Die Thatsache ist
einfach, daſs die hiesige Akademie dem Herrn v. Pontécoulant,
der zu rechter Zeit seine Beantwortung eingesandt hatte, den
ordentlichen Preis ertheilte, wenngleich sie bemerkte, er habe
nur einen Theil der Aufgabe gelöst, daſs sie aber in derselben Sitzung einer zweiten Bewerbungsschrift von Herrn Dir.
Hansen, die unglücklicher Weise einige Tage nach dem ge-
setzlichen Termine eingegangen war, einen auſserordentlichen
Preis zuerkannte. Die Geschichte der Akademie in dem Bande
der Denkschriften für 1830 spricht dies Verhältniſs deutlich aus.

Hr. Pertz machte der Akademie Mittheilung über die von
ihm während seiner letzten Reise nach England entdeckten Stücke
des 26sten, 28sten, 35sten und 36sten Buches der Annalen des
Römischen Geschichtschreibers Granius Licinianus. Dieses bisher
unbekannte classische Werk erscheint namentlich für die Geschichte
des Cimbrischen Krieges, also auch der ältesten deutschen Geschichte, von Bedeutuug.

Hr. W. Grimm überreichte das Buch von W. Wackernagel: Geschichtlicher Entwurf der deutschen Glasmalerei und
gab über den Inhalt desselben einige Erläuterungen.

Hr. Pinder sendet unter dem 27sten Oktbr. einen Brief des
Hrn. Ober-Appellations-Gerichtsrathes Pauli aus Lübeck ein,
worin derselbe die Erlaubniſs nachsucht, aus den für die Akademie
gemachten Abschriften von Dokumenten aus dem Tower in London mehrere Lübeck betreffende Urkunden abschreiben lassen zu
dürfen, um sie in dem Cod. Dipl. Lubec. zu veröffentlichen. Die
Akademie gab ihre Zustimmung.

Dem Verein für vaterländische Naturkunde für Würtemberg wird auf seinen Wunsch die Reihefolge der Denkschriften der physikalisch-mathematischen Klasse von 1850 an gegen die vollständige Serie seiner Jahreshefte zugesandt werden.

Durch Hrn. Hebeler in London erhielt die Akademie eine Sendung des Herausgebers des Electrical Magazine Hrn. Walker wodurch das früher Eingegangene vervollständigt wird.

Der vorgeordnete Hr. Minister dankt für den ihm übersandten Band der Denkschriften für 1854.

————

An eingegangenen Schriften wurden vorgelegt:

Bulletin de la société géologique de France. Tome XII, Bogen 8—32. Paris 1855. 8.

C. H. Th. Reinhold, *Noctes pelasgicae.* Athenis 1855. 8. (Im Namen des Herausgebers durch Herrn Consul v. Hahn in Syra eingesendet, und durch Herrn Bupp überreicht.)

Ephemeris archaeologica. Heft 18. Athen 1854. 4.

Bulletin de la société des Naturalistes de Moscou. Tome 28. no. 2. Moscou 1855. 8.

Proceedings of the London Electrical Society. Session 1841—1842 Part 3 London 1842. 8.

The Electrical Magazine, by Ch. F. Walker. No. 1—14. London 1843—1846. 8.

Ch. F. Walker, *Electrotype Manipulation.* Part 1. 2. London (1855.) 8.

—————, *Electric Telegraphe Manipulation.* London (1855.) 8. Mit Schreiben des Herrn Ch. F. Walker vom 25. September 1855 durch Herrn General-Consul B. Hebeler mitgetheilt.

Martens, *De la théorie electrochimique; sur les décompositions électrochimiques; sur l'origine du calorique; sur les couleurs des végétaux, et Nouvelles recherches sur la coloration des plantes.* (Bruxelles 1850—55.) 8.

Kieser, *Elemente der Psychiatrik.* Breslau 1855. 8.

Würzburger Gemeinnützige Wochenschrift. 5. Jahrgang. No. 20 Würzburg 1855. 8.

Ménabréa, *Sopra una teoria analitica.* (Roma 1855.) 8.

W. Wackernagel, *die deutsche Glasmalerei.* Leipzig 1855.

5. Novbr. Sitzung der physikalisch-mathematischen Klasse.

Hr. Müller las über die im Hafen von Messina beobachteten Polycystinen.

In meinem Vortrag vom 19. April d. J. über Sphaerozoum und Thalassicolla gab ich Kenntnifs von einigen im J. 1853 bei Messina beobachteten Polycystinen und ihrem Bau und versparte die Beschreibung der Formen zu späterer gelegener Zeit. Es sind im Ganzen bei Messina 5 Arten von Polycystinen zur Beobachtung gekommen, davon gehören 2 der Gattung Haliomma, 1 der Gattung Eucyrtidium, 1 der Gattung Podocyrtis, 1 der Gattung Dictyospyris an.

1. *Haliomma polyacanthum* M. Die etwas längliche eiförmige Netzschale ist überall mit starken conischen Stacheln besetzt, welche von dem innern Nucleus entspringen und die äufsere Schale durchsetzen. Sie sind unregelmäfsig vertheilt, doch stehen meistentheils zwei gegenüber. Die längsten Stacheln sind so lang als der halbe Durchmesser der Schale. Man übersieht auf einmal gegen 15 Stacheln und es mögen ihrer im Ganzen über 20 sein. Beim Zerbrechen der Schale erschien unter dem äufseren Kiesel-Netz ein Fachwerk von Kiesel bis zu einer zweiten Netzschale, welche den Nucleus bildet und wenig von der äufseren Schale entfernt ist. Dieses Exemplar war sowohl frei von innern Weichtheilen, als ohne fadige Ausläufer der Oberfläche und ist daher als todt und organisch leer anzusehen.

2. *Haliomma hexacanthum*. M. Unter den in der Microgeologie von Hrn. Ehrenberg abgebildeten sicilischen fossilen Formen von Caltanisetta Taf. XXII. Massenansicht *A* oben links befindet sich eine wahrscheinlich zu Haliomma gehörende Gestalt mit 6 Stacheln. Eine ganz ähnliche aber gröfsere Polycystine von $\frac{1}{8}'''$ kömmt lebend bei Messina vor. Die langen Stacheln sind drei oder vierkantig und treten genau symmetrisch auf der sphaerischen durchlöcherten Schale hervor, jedesmal zwei einander gegenüber und stehen in Ebenen, welche sich rechtwinklig schneiden. Die Maschen des Kieselnetzes sind polygonal, sechsseitig und fünfseitig. Auf der Oberfläche der Kieselschale war eine Menge äufserst feiner

radienförmig ausgestreckter weicher Fäden von grofser Durchsichtigkeit, sie reichen weit, so weit als die Stacheln und weiter. Die Zahl der Fäden stimmt im Allgemeinen mit der Zahl der Öffnungen in der Schale und es scheint, dafs jeder Öffnung ein Faden entspricht. Der innerste Theil im Innern der Schale erschien vor dem Zerbrechen braunroth, beim Zerbrechen bemerkte man im Innern der Schale eine schleimige Masse, worin gelbe Zellen mit gelblichem Körncheninhalt von $\frac{1}{240}'''$, auch farblose Zellen und violette Molecularkörperchen. Bei Messina an der Oberfläche des Meeres gleich den andern mit dem feinen Netz gefischt.

3. *Eucyrtidium sanclaeum* M. Diese Art von $\frac{1}{20}'''$ Gröfse steht zunächst dem Eucyrtidium aegaeum Ebr. Microgeologie Taf. XXXV. A. XIX. A. fig. 5. vom tiefen Meeresgrunde des aegaeischen Meeres, ferner dem E. lithocampe Ebr. Taf. XIX. fig. 56 aus dem plastischen Thon von Aegina. Nahe der Spitze der Schale ist diese nach einer Seite etwas aufgetrieben. Auf der dem Buckel entgegengesetzten Seite der Spitze läuft ein Kiel herab über den obersten stark abgesetzten Theil der netzförmigen Kuppel. Die Höhe der Schale bis zur Stelle wo das Gitter in die ungegitterte Spitze übergeht, ist wenig gröfser als die Breite der Schale an ihrer Basis. Bei der Einsicht in die Aushöhlung der Schale erscheint an der Basis eine innere schmale Randleiste, ebenfalls gegittert. Auf dem obern Theil der Schale standen einige lange äufserst zarte durchsichtige Fäden wie Radien empor. In der Aushöhlung des Gewölbes unter der Spitze befand sich eine weiche, dunkle Masse, welche ganz symmetrisch in 4 Lappen eingetheilt war. In diesen Lappen waren einige helle runde Körper erkennbar. Eine die Masse zusammenhaltende Membran ist wohl wahrscheinlich aber nicht beobachtet. Einmal bei Messina gefischt.

4. *Dictyospyris messanensis* M. Von dieser Gattung waren bisher nur fossile Arten von Barbados bekannt. Bei Messina beobachtete ich öfter eine lebende Art D. messanensis M. Sie ist $\frac{1}{20}'''$ grofs. Die beiden Hälften der Schale sind durch eine tiefe Einschnürung getrennt oder verbunden. Die Löcher der Kieselschale sind in verschiedenen Exemplaren sehr verschieden, bald gröfser, bald kleiner, zuweilen äufserst klein, punctförmig. Von der Oberfläche der Schale und zwar, wie es scheint, von ihren Löchern ge-

ben sehr regelmäfsig äufserst zarte durchsichtige Fäden wie Strahlen aus. Die organische Masse im Innern der Schale, die Schale zum gröfsern Theile ausfüllend, besteht aus Zellen von gelbem körnigem Inhalt.

5. *Podocyrtis charybdea* M. Von der Gattung Podocyrtis lebt auch eine Art bei Messina. Sie hat eine hohe Scheitelspitze und 3 lange Füfse am untern Rande. Leider ist mir der Gegenstand beim Übergang von der Suchlinse zu den stärkern Vergröfserungen verloren gegangen. Diese Art ist weiterer Beobachtung empfohlen und mag Podocyrtis charybdea heifsen.

Die Fäden sind in denjenigen Exemplaren von Polycystinen, die ich bei hinlänglicher Vergröfserung beobachten konnte, (Haliomma, Eucyrtidium, Dictyospyris) übereinstimmend gesehen, ihre Natur und Function war mir ungewifs geblieben, da es nicht gelang Bewegungsphaenomene zu beobachten. Nur diefs wurde festgestellt, dafs sie zur Polycystine selbst gehören. Dieselben strahligen Fäden beobachtete ich bei der Acanthometra, einer eigenthümlichen neuen von den Thalassicollen und Polycystinen verschiedenen Form und ich stellte die Fäden der Polycystinen mit den strahligen Fäden der Gallerte der Acanthometren zusammen, die ich auch nur unbewegt gesehen, und bemerkte, dafs sie auch an die Strahlen gewisser Infusorien, der Actinophrys, erinnern. Jene Organe sind von mir zwar in beiden Reihen, in den Polycystinen und Acanthometren zum erstenmal beobachtet und angezeigt, gleichwohl mufste ich sie ohne etwas sehr Wesentliches, ohne alle Kenntnifs der Bewegungserscheinungen überliefern.

Da dieser Gegenstand jetzt viel weiter fortgeschritten ist, so mag es passend sein, den Standpunct ins Gedächtnifs zurückzurufen, wie ich ihn eingenommen und verlassen. Ich bin es übrigens meinem Collegen Hrn. Ehrenberg schuldig, eine Bemerkung desselben zu meiner Abhandlung vom 19. April anzuführen, dafs er die von mir beobachteten und durch Abbildungen erläuterten Fäden der Polycystinen als ansstreckbare und zurückziehbare Organe sich denke. Auch darf nicht unerwähnt bleiben, dafs Hr Ehrenberg in seinen Mittheilungen über die Polycystinen die Kieselformen dieser Geschöpfe den Kalkformen der Jugendzustände der

Echinodermen verglichen und entgegengesetzt, und die Polycystinen als nächste Verwandte der Polythalamien, jedoch in völlig eigenthümlicher Stellung aufgefaßt hat.

Darauf gab der Vortragende Kenntniß von den Beobachtungen des Hrn. **Claparède über die Lebenserscheinungen und insbesondere Bewegungserscheinungen der Acanthometren.** Hr. Claparède hatte bei seinen fortgesetzten Beobachtungen über Actinophrys schon im Sommer zu Berlin eine strömende Bewegung von Körnchen in den Strahlen dieses Thiers wahrgenommen. Dieselbige Bewegung von Körnchen bald auf bald nieder hat derselbe auf unserer Reise in Norwegen in den faltigen Strahlen einer großen neuen Acanthometra der Bergenschen Küste *A. echinoides* Cl. aufgefunden. Wenn die Acanthometren und Actinophrys in so weit ganz auffallend übereinstimmen, so sind dagegen die Strahlenfäden der starren Acanthometren viel weniger steif, sie krümmen sich leise, verlängern und verkürzen sich, fast wie Tentakeln und Füße, und sind die Ursache von ganz geringen Ortsbewegungen des starren Körpers, die bei starken Vergrößerungen deutlich werden. Zuweilen an ganz frischen Exemplaren sieht man die Enden der Strahlen sogar wie Geißeln in schwingender Bewegung. Die Strahlen der Acanthometren haben auch das Eigene, daß sie nicht Verlängerungen der äußern Haut der Acanthometra sind, sondern aus der tiefern organischen Masse stammend, indien schon unter der Haut gesehen werden und die Haut durchsetzen. Hr. Claparède hat auch gefunden, daß die vierkantigen Stacheln dieser Acanthometra in der Achse einen Canal enthalten und an ihren Enden in gleiche Fäden von gleichen physiologischen Eigenschaften wie die andern Strahlen verlängert sind. Der Centralkanal der Kieselstacheln ist von Stelle zu Stelle gespalten und endet in eine Endspalte aus welcher der Tentakel hervortritt, an dem Ursprung jedes Stachelstrahls ist eine rautenförmige Grube, welche in den Strahl zu führen scheint. Übrigens erscheinen die Stacheln bald nackt, bald auf lange Strecken von Gallert umgeben. Die Zellen in der organischen Masse um den Stachelstern sind theils farblos theils enthalten sie gelbe, theils purpurrothe Pigmentkörner. Daher kömmt es, daß diese Acanthometra für das bloße Auge wie ein rother Punkt erscheint. Nicht alle Exemplare haben

die Stacheln so verlängert, daſs sie weit hervorstehen, bei einigen
sind sie so kurz, daſs sie nicht bis zur Oberfläche der Haut des
Thiers reichen und erst beim Zerdrücken zum Vorschein kommen.
Die über der Haut und zwischen den Stacheln liegende Gallertschicht ist bald gröſser, bald geringer, fehlt aber zuweilen ganz und
gar. Man findet sie noch an Exemplaren, deren Strahlen die Lebenserscheinungen zeigen, und diese Lebenserscheinungen an Exemplaren, welche gar keine Gallertschicht besitzen. Wenn diese
Schicht am stärksten ausgebildet war, so waren die Lebenserscheinungen der Strahlen schwächer oder es fehlten alle Lebenserscheinungen und die Strahlen waren spurlos zurückgezogen oder verschwunden. Die Zahl der Stacheln beträgt meist 14, sie sind an der
Basis stärker. Von den Stacheln der Acanthometra multispina des
Mittelmeers weichen sie darin ab, daſs sie nicht die flügelartige Erweiterung oder Zacke besitzen. Die Reactionen der Zellen mit
gelbem Pigment gegen Jod verhielten sich ganz so wie bei
der *Thalassicolla punctata*, d. h. das gelbe Pigment wurde durch
Jod braun und bei Zusatz von Schwefelsäure tief gedunkelt bis
zum Schwarzen. Es ist noch eine andere norwegische Art von Acanthometra, *A pallida* Cl. gesehen, sie ist viel kleiner und blaſs, so
daſs ihren Zellen die lebhaften Pigmente fehlen. Ihre Stacheln
enthalten ebenfalls den centralen Canal Eine dritte Art *A arach-
noides* Cl. weicht von allen andern darin ab, daſs die Stachelstrahlen nur auf einer Seite des kugeligen thierischen Körpers auslaufen
und daſs die Stacheln sich in drei lange Äste theilen. In diesen
Stacheln ist kein Canal, dagegen sind sie von einer schleimigen
Substanz überzogen, die sich an den Enden der Stacheln in die tenta-
kelartigen Fäden verlängert. Sehr eigenthümlich ist auch, daſs die
verschiedenen Stachelstrahlen durch brückenartige Balken von derselben thierischen Substanz vielfach verbunden sind. Von diesen
Brücken und von den Seiten der Stacheln gehen wieder Fäden ab.
Die Bewegung von Körnchen findet sowohl in den Brücken als in
der schleimigen Hülle der Stacheln gleichwie in den fadigen Aus-
läufern der Brücken und Stacheln statt und zeigen die fadigen Ausläufer alle Bewegungserscheinungen wie in den andern Acanthometren. Der kugelförmige Körpertheil besteht aus einer consisten-
ten thierischen Masse, worin braune Körner enthalten sind. Eine
Acanthometra mit getheilten Stacheln ist nicht mit einem *Bakteri-*

astrum zu verwechseln, dessen Strahlen auch getheilt sein können. Die Gattung *Bakteriastrum*,[1]) welche mit den organischen Theilen und im lebenden Zustande noch nicht beobachtet ist, mag wohl den Acanthometren verwandt sein, die erstere ist aber darin abweichend, dafs ihre in einer Ebene liegenden Strahlen von einem mittlern kreisförmigen Theil des Skelets ausgehen. An den frisch beobachteten Exemplaren einer sechsstrahligen *Dictyocha* war das Kieselnetz von einer gelblichen organischen Substanz gefüllt, die das Netz auch auswendig überzog und verhüllte, und war der Körper niemals in weiche Strahlen verlängert.

Hr. Braun theilte vom Professor Schulze in Rostock brieflich eingesendete Bemerkungen über das Vorkommen wohlerhaltener Cellulose in Braunkohle und Steinkohle mit:

„Bei Gelegenheit einer chemischen Untersuchung über das Holz und verwandte Gegenstände sah ich mich veranlafst, auch Braunkohle auf das Nochvorhandensein von Cellulose darin zu prüfen. Die Vermuthung bestätigte sich auf eine glänzende Weise, und zwar nicht blofs bei den Ligniten von deutlicher Holzstructur, sondern auch bei denjenigen Braunkohlen, an welchen die pflanzliche Structur fast bis zum Verschwinden zurücktritt, und welche das Produkt eines so weit vorgeschrittenen Verwesungsprocesses zu sein scheinen, dafs man kaum veranlafst sein könnte, unveränderte Cellulose noch darin zu vermuthen.

Zur Blofslegung der Zellen und zur Isolirung der Cellulose wählte ich dasselbe Verfahren, welches zur Isolirung und Reinigung der Zellen lebender Pflanzen so vorzügliche Dienste leistet, nemlich die Macerirung mit einem Gemisch von chlor-

---

[1]) Diese Körper waren zuerst im Darminhalt der *Comatula mediterranea* zur Beobachtung gekommen, (Abh. d. Akad. a. d. J. 1841 Pentacrinus Taf. 6 fig. 5.) und sind von Shadbolt unter Diatomaceen von Port Natal wieder beobachtet und benannt (Transactions of the microscopical society. Vol. II. p. 13. Taf 1. fig. 1. 2.). Die Gattung *Bakteriastrum* Sh. enthält Arten mit einfachen und getheilten Strahlen, sie sind von Ehrenberg zu *Actiniscus* gezogen.

saurem Kali und Salpetersäure.   Der Gefahr einer zu energischen, d. h. die Cellulose selbst chemisch alterirenden Einwirkung des Gemisches entgeht man dadurch, daſs man die Salpetersäure nicht von gröſserer Concentration nimmt wie das Acid. nitr. pur. der Pharmacopöe, und die Macerirung bei gewöhnlicher Temperatur vor sich gehen läſst.   Reine Cellulose wird dabei so wenig angegriffen, daſs Schwedisches Filtrirpapier, nachdem es 14 Tage lang bei etwa 14° R. der Einwirkung des Gemisches unterworfen gewesen, dann mit Wasser und zuletzt mit Alkohol ausgekocht worden war, nur 0,48 Procent an Gewicht verloren hatte, während die gewöhnlichen Hölzer dabei die Hälfte an Gewicht verlieren.   Letzteres erklärt sich aus dem Vorhandensein einer so groſsen Menge einer andern Substanz im Holze, welche zugleich mit Cellulose die Verdickungsschichten bildet, und der oxydirenden Einwirkung des Säuregemisches ziemlich leicht unterliegt, gleichwie auch dieselbe Substanz zuerst in Verwesung übergeht, und für pflanzenfressende Thiere, z. B. die holzfressenden Insektenlarven, verdaulich ist.

Braunkohle wurde also in der angegebenen Weise macerirt, darauf erst mit Wasser, dann mit verdünntem, wäſsrigem Aetz-Ammoniak und zuletzt mit Weingeist so lange behandelt, als noch lösliche Stoffe daraus extrahirt wurden.   Das Resultat erkennen Sie aus der beifolgenden Probe: überraschend reine Zellen der verschiedensten Art: Holzzellen (*Taxus?*), Pollen, Kork, Epidermis-Parthieen, Algen etc. etc.

Durch solche Resultate ermuthigt, wagte ich mich auch an Steinkohle, und wurde für meine Mühe durch ein Produkt belohnt, welches hoffen läſst, daſs ein wesentlicher Fortschritt zur Erkennung der mikroskopischen Verhältnisse jeder Art von Steinkohle gethan sei.   Aus der mit dem oxydirenden Gemisch behandelten Steinkohle zieht wäſsriges Ammoniak eine groſse Menge von brauner Substanz aus, welche in der ursprünglichen Kohle die Erkennung der Struktur verhindert.   Die erkennbaren Zell-Überreste in der beifolgenden Probe sind nur sparsam, aber zum Theil sehr deutlich, namentlich Bruchstücke von porösen Gefäſsen, auch porösen Holzzellen, ja sogar kugligen Massen, welche man für Pollen (oder Sporen?) zu halten ver-

anlafst sein könnte. Die gröfste Überraschung war mir jedoch
die Auffindung von 2 Splittern, welche bei der Behandlung
mit Chlorzink-Jodkalium-Jod-Lösung deutliche Reaction auf
Cellulose zeigten."

Rostock den 19ten Sept. 1855.   Franz Schulze.

---

8. Novbr. Gesammtsitzung der Akademie.

Hr. Dieterici las über die Fortschritte der Industrie und die Vermehrung des Wohlstandes unter
den Völkern in besonderer Beziehung auf die ethischen
Verhältnisse und die geistige Entwickelung der Menschen.

Es wurde zunächst nach statistischen Angaben nachgewiesen, dafs wirklich seit 50 und 100 Jahren bei den civilisirten Völkern Europa's eine grofse Vermehrung der materiellen Güter der Verzehrung und des Verbrauchs — auf den Kopf
berechnet — statt gefunden hat. Es tritt diese Vermehrung
des Wohlstandes auch in Bezug auf die ersten Nahrungs-
mittel hervor, stärker ist sie in Bezug auf alle Bekleidungs-
gegenstände. Daran schon erkennt sich, dafs die Verbesserung der Zustände wesentlich durch den Aufschwung der
fabricativen Industrie herbeigeführt ist. Die Vermehrung der
äufseren Güter ist, wenn man etwa 100 Jahre zurückgeht,
nicht so erfolgt, dafs in jedem einzelnen der 100 Jahre ein
gleiches Plus auf den Kopf sich herausstellt; es ist vielmehr
in den letzten 10 oder 20 Jahren der Fortschritt sehr viel
bedeutender als in den weiter zurückliegenden Jahren. Dies
wurde statistisch nachgewiesen an den Vermehrungen der Ver-
zehrungs- und Verbrauchsgegenstände, an der Vermehrung der
Dampfmaschinen, der Zahl der Arbeiter in den Fabriken in
den letzten Jahren in England, Frankreich, Preufsen; — die
bei weitem den Fortschritt der Bevölkerung in denselben
Zeiträumen übertreffen.

Hieran ward die Frage geknüpft, ob diese Vermehrung
materiellen Gutes, wenn auch an sich eine sehr erfreuliche
Erscheinung, nicht für die Völker Nachtheile für geistige und
ethische Entwickelung der Menschen habe. —

Diese Frage wurde zunächst in Betreff der Nachtheile beantwortet, welche durch den Aufschwung der Fabriken für den einzelnen Arbeiter nach weit verbreiteter Annahme herbeigeführt werden sollen. — Es sind besonders fünf verschiedene Nachtheile, welche man ziemlich allgemein als verderblich für den Fabrikarbeiter bezeichnet, nämlich 1. daß die Beschränkung auf einen kleinen Arbeitstheil die geistigen Fähigkeiten abstumpfe, und überhaupt die Bestimmung eines Arbeiters für seine Lebenszeit vielleicht nur eine ganz kleine mechanische Arbeit zu liefern, der Würde der menschlichen Natur nicht entspreche; 2. daß durch die Theilung der Arbeit es möglich werde, Kinder zur Fabrikarbeit zu verwenden, die geringer bezahlt würden als Erwachsene, aber durch diese Heranziehung zur Fabrikarbeit in ihrer körperlichen und geistigen Ausbildung gehemmt würden. In ähnlicher Art wie die Beschäftigung der Kinder, werde durch die Theilung der Arbeit, auch die Heranziehung des weiblichen Geschlechts zur Fabrikarbeit möglich, welches gleichfalls Nachtheile nach sich ziehe; 3. daß die Theilung der Beschäftigungen den Fabrikarbeiter in die vollständigste Abhängigkeit vom Fabrikherrn bringe, so daß die Lage der Fabrikarbeiter zu einer Art moralischer Sclaverei hinabsinke; sie müssen sich Alles gefallen lassen, und kommen in die bitterste Noth wenn sie alt und schwach werden; 4. daß die Vereinigung vieler Arbeiter beiderlei Geschlechtes in denselben Räumen großer Fabriken zur Unsittlichkeit führe, ebenso zu leichtsinnigen Ehen und zahlreichen Kindern, die im Elend geboren und erzogen wieder in die Fabrik kämen, so daß durch diese Verhältnisse die Anzahl körperlich und geistig niedergedrückter, schwacher und armer Menschen sich vermehre; 5. daß die Arbeit in den Fabriken ungesund sei, der Mangel an frischer Luft in den geschlossenen Räumen bei kümmerlicher Nahrung die Kräfte der Arbeiter früh aufzehrten.

Diese verschiedenen Einwendungen gegen das Fabrikwesen wurden nach statistischer Prüfung der Lebensdauer in Fabrikgegenden, der Krankheitsfälle und des Gesundheitszustandes in denselben, nach den Sittlichkeitsverhältnissen in Bezug auf die Zahl unehelicher Kinder, der neugeschlossenen Ehen und

der Ehescheidungen einer näheren Prüfung unterworfen. Es
ergab sich als Endresultat, dafs die bezeichneten Übel bei dem
Fabrikwesen allerdings entstehen könnten, und, in früherer
Zeit besonders, auch wirklich vorhanden gewesen seien, dafs
aber theils diese Übel im Vergleich zu den wirklich obwaltenden Zuständen oft sehr übertrieben dargestellt seien, dafs namentlich in neuester Zeit bei Anlage neuer Fabriken für gesunde Räume in den Fabriklocalen gesorgt werde, dafs die
Länge der Lebensdauer, die Gesundheits- und Sittlichkeits-Zu-
stände in den Fabrikgegenden oft sogar besser und günstiger
seien, als in wenig bevölkerten Gegenden, denen es an aller Fa-
brication fehlte, dafs der Mifsbrauch der Kinder und die Hülflo-
sigkeit und Noth der alten und schwachen Fabrikarbeiter durch
positive Maasregeln vom Staate, welcher die Verpflichtung habe,
dafür zu sorgen, dafs jedem Einwohner die Möglichkeit gegeben werde, seine Kräfte geistig und körperlich auszubilden,
und nach eigener, freier Entscheidung zu seinem Wohle anzuwenden, beseitigt werden können. Es wurden die auch im
Auslande anerkannten milden und vorzüglichen Bestimmungen
der Preufsischen Gesetze in Bezug auf Heranziehung der Kinder zur Fabrikarbeit, und die wohlthätigen Einrichtungen in
Betreff der Unterstützungs-Kassen für alt und schwach werdende Fabrikarbeiter hervorgehoben. Die Ansichten und der
Sinn der Fabrikherren selbst hat sich in neuerer Zeit sehr
günstig dahin geändert, dafs sie selbst die Verpflichtung erkennen, für die arbeitende Klasse in ihren Anstalten möglichst
zu sorgen. Es geschieht sehr viel von ihnen; gute Arbeit
wird gut bezahlt, und kann gut bezahlt werden. Auch die
Arbeiterklasse selbst bessert sich, sie selbst kann durch Ordnung, Sittlichkeit, Bildung das Meiste für glücklichere Zustände
wirken, der Staat sorgt für die Fortschritte in diesen Beziehungen, für den allgemeinen Unterricht in möglichster Ausdehnung. Die Beschäftigung der Fabrikarbeiter in einer bei
Theilung der Arbeit oft sehr beschränkten Thätigkeit, kann
für weniger Begabte ein grofser Vortheil sein, die fortdau-
ernde Erfindung neuer Maschinen und Verbesserung derselben
ist das wirksamste Gegenmittel gegen die Nothwendigkeit sehr
geringfügiger Handleistungen, erfahrungsgemäfs endlich hebt

der Anblick einer großen Fabrik und die Beschäftigung in derselben oft den Sinn und Verstand der Arbeiter. Der tägliche Anblick einer Menge von verschiedener Arbeit, verschiedenen Kräften zu einem Zwecke, der Darstellung des Fabrikats, weckt zum Nachdenken, fördert die geistige Kraft auch der arbeitenden Klassen.

An die Betrachtung über die Einwendungen gegen das Fabrikwesen in Bezug auf die arbeitende Klasse und die einzelnen Arbeiter ward die allgemeine Frage gereihet, ob, wie oft behauptet wird, der Aufschwung der Industrie für die Nationen im Ganzen nachtheilig sei, Sittlichkeit, Bildung, Ordnung im Leben zurückbringe, dem Fortschritt der humanen Wissenschaften und der Kunst nachtheilig sei, den kriegerischen Muth der Nationen verringere. Es ward nach statistischen Ermittelungen und der Beobachtung der Zustände der Völker nachgewiesen, daß solche Befürchtungen nicht allgemein begründet erschienen. — Die Fabriken und deren Aufschwung verbessern den Gesammtzustand der Völker, sie verbreiten Intelligenz, Kenntniß, wirken selbst auf Ordnung und feste Regelung des Familienlebens, wenn sie in richtiger Weise getrieben und befördert werden, sie vermehren die Kapitalien in der Nation und schaffen Befriedigung vieler sonst gar nicht gekannter Bedürfnisse, sie wirken vortheilhaft auf Wissenschaft und Kunst, und da die Wissenschaften unter sich im inneren Zusammenhang sind, befördern sie nicht bloß Mathematik und Naturwissenschaften, deren sie unmittelbar bedürfen, sondern auch die andern Zweige menschlicher Cultur, Philosophie, Geschichte, Sprachkunde. Es läßt sich nicht nachweisen, daß Nationen, wie England, Belgien, Frankreich, Preußen, in denen der Aufschwung der Industrie mächtig hervortritt, des kriegerischen Muthes entbehrten. Ein ausgedehntes Fabrikwesen hebt den Gesammtzustand der Völker, und ist von höchster Wichtigkeit ganz besonders für die Landwirthschaft, in welcher die Cultur des Bodens fortschreitet, je mehr die Technik vorschreitet, Maschinen erfunden werden auch für den Ackerbau, die ganze Bodencultur sich die Fortschritte der Erfindungen, der Naturwissenschaften aneignet. Fabriken entstehen erst und können nur gedeihen bei dichter Bevölkerung;

diese aber ist schon an sich ein Vortheil für die Landwirthschaft, indem sie einen gröfseren Absatz für die Producte des
Landes herbeiführt.

Der Sekretar der Pariser Akademie Hr. Flourens be-
nachrichtigt die Akademie unter dem 30. Okt., dafs die drei
fehlenden Bände der Pariser Mémoiren und die drei ebenfalls
noch nicht eingegangenen der Savans étrangers für die Akademie bereit gehalten werden.

Die Dankschreiben des Hrn. Wöhler für seine Ernennung zum auswärtigen Mitgliede, und des Hrn. Unger für seine
Wahl zum Correspondenten wurden vorgelegt.

An eingegangenen Schriften wurden vorgelegt:

Kongl. Vitterhets, Historie och Antiquitets Academiens Handlingar. Delen
17—20. Stockholm 1846—1852. 8.

Kongl. Svenska Vitterhets-Akademiens Handlingar. Delen 1—5. Stockholm 1755—1788. 8.

Arvidson, *Handlingar till upplysning af Finlands Häfder.* 1—7 Delen.
Stockholm 1846—1854 8.

Beckman, *Den nya swenska Psalmboken.* Häftet 1—4. Stockholm
1845. 4.

Brunius, *Skånes Konsthistoria för Medeltiden.* Lund 1850. 8.

Dybeck, *Svenska Run-Urkunder.* Haftet 1. Stockholm 1855. 8.

Hildebrand, *Diplomatarium suecanum.* Vol. III. IV, 1. Holmiae
1842—1853. 4.

Hyltén-Cavallius och Stephens, *Sveriges historiska och politiska
Visor.* 1. Delen. Örebro 1853. 8.

Kröningssvärd, *Diplomatarium dalekarlicum.* Delen III und Supplement Stockholm 1853. 4.

Palmblad, *Grekisk Fornkunskap.* Bandet II. Upsala 1844—45. 8.

Rietz, *Skånska Skolväsendets Historia* Lund 1848. 8.

Schonberg's *Historiska Bref, utgifna af Arwidson.* Delen 1—3.
Stockholm 1849—1851. 8.

Schroder, *Handbok i Philosophiens Historia.* Bandet 1—3. Upsala
1846—1849. 8.

Strinholm, *Svenska Folkets Historia.* Bandet 3—5. Stockholm
1848—1854. 8.

Tornberg, *Annales regum Mauritaniae.* Vol. posterius. Upsala 1846. 4.

Uppström, *Fragmenterna af Matthaei Evangelium på Götiska.* Upsala 1850. 8.

—————— , *Codex argenteus.* Upsaliae 1854. 4.

Arkiv till upplysning om Svenska Krigens Historia. Stockholm 1854. 8.

Samlingar utgifna af Svenska Fornskrift Sällskapet. I. Delen 3. II, 1—4. III, 1—3. IV, 1—5. V, 1—3. VI, 1—3. VII, 1. 2. und Heft 23. Stockholm 1845—1855. 8. (Mit Begleitschreiben des Herrn Professor Hildebrand, d. d. Stockholm 22. October 1855.)

Revue archéologique. XII Année, Livr. 7. Paris 1855. 8.

Mnemosyne. IV. Deel, Stuk 4. Leyden 1855. 8.

Astronomische Nachrichten. No. 993. Altona 1855. 4.

L'Institut, I. Section, No. 1136—1139. II. Section. No. 237. Paris 1855. 4.

Krönig, *die Fortschritte der Physik im Jahre 1852.* Berlin 1855. 8.

---

15. Nov.   Gesammtsitzung der Akademie.

Hr. Klug las über Ameisen von Ceylon.

An eingegangenen Schriften wurden vorgelegt:

Verhandelingen der derde Klasse van het Koninkl. Nederlandsche Instituut. Deel 1. 3. 4. 5. 6.   Amsterdam 1817—1848. 4.

Commentationes latinae tertiae classis Instituti regii belgici. Vol. VII. Amstelod. 1855. 4.

Verhandelingen der eerste Klasse ... Vol. VII.   Amsterdam 1825. 4. Mit Begleitschreiben des Hrn. W. Vrolik vom 18. Octbr. 1855.

Oeuvres de Frédéric le Grand.   Tome XXVII. Partie 1. Berlin 1855. 8.

Astronomische Nachrichten. no. 994. Altona 1855. 4.

---

19. Nov.   Sitzung der philosophisch-historischen Klasse.

Hr. Schott las über zwei ungarische dichtungen aus älterer zeit.

Das älteste bekante sprachdenkmal der Magyaren ist eine leichenpredigt (*temetési besséd*), vermutlich aus dem zeitalter

des heil. Stephan (10ten jahrhundert), die nach einer handschrift des 12ten jahrh. schön und sorgfältig gedrukt, auch
von sprachlichen erläuterungen begleitet, zu finden ist im
ersten bande der '*régi magyar nyelvemlékek*' (altmagyarische
sprachdenkmäler, 1838). die predigt hat einen solchen character dafs sie auf jeden verstorbenen christen pafst, und
scheint demnach ein allgemeines schema gewesen zu sein.
von dem hohen alter derselben zeugen gewisse merkwürdige
eigentümlichkeiten der sprache, denen man anderswo nicht
mehr begegnet.

Nach poetischen überresten aus einer so frühen periode
des magyarentums ist bis heute vergeblich geforscht worden.
alles vorgefundene geht höchstens bis ins 14te oder 15te jahrh.
zurück. das bemerkenswerteste davon sind, ausser einer ver-
sificirten legende von der heiligen Catharina, zwei längere
erzäblende gedichte: 1) *magyar ország megvételéről* (von der
einnahme des ungarlandes); 2) *a' császár leány* (die kaisertochter). jenes nahm Franz Toldy in sein 'handbuch der un-
garischen poesie' auf; die 'kaisertochter' aber bildet mit wenigen anderen (ziemlich unbedeutenden) poesien aus älterer zeit
den inhalt einer kleinen, im gleichen jahre (1828) herausge-
kommenen samlung: *magyar költöi régiségek* (poetische alter-
tümer der Ungarn). sie ist auch von Toldy besorgt.

Derselbe tätige schriftsteller räumte dem erstgenanten
gedichte wieder eine stelle in der beispielsamlung (*példatár*)
zum ersten bande seiner 'geschichte der magyarischen litteratur' (*magyar irodalom története*), Pesth 1851.

Georg Pray war der erste welcher von diesem gedichte
kunde gab (1774); die erste edition desselben besorgte aber
der sprachforscher Révai im jahre 1787. Pray, der es aus einem noch nicht näher bekanten codex in 'gothischen schriftzügen' copirte, läfst den verfasser im 14ten jahrh. leben, und
darin ist Toldy mit ihm einverstanden. ein noch früheres
zeitalter kann dem dichter oder versificator meines erachtens
schon deswegen kaum angewiesen werden, weil er die urhei-
mat der Magyaren mit dem namen Scythien belegt, und
zwar an folgenden drei stellen: (strophe 1, vers 2) *az Szityából kijüttekrel* die aus Scythien gekommen; (str. 2, v. 1) *Szi-*

tyából kiindulának aus Scythien brachen sie auf; (str. 18, v. 2)
kik Szityából kijüének die aus Scythien kamen. ausserdem ist
die erzählung im ganzen erweislich auf den grund jener un-
garischen chronik gefertigt, deren text die (noch unedirte)
sogenante 'wiener bilderchronik' (lezte abschrift vom jahre
1358) aufbewahrt hat. das gedicht gehört ins gebiet der litteratur, und keinesweges der historischen volkspoesie. in 39
vierzeiligen strophen wird jene alte sage wiedererzählt, nach
welcher A'rpád des Svatopolk (Sventopolk) besitzungen
an der Donau gegen ein weifses pferd mit goldnem zaum und
sattel eintauschte.

A'rpád, das oberhaupt der in Siebenbürgen eingewanderten
'sieben scharen', erführt, dafs die Donau gutes wasser habe
und durch ein gesegnetes land fliefse. er schikt einen kund-
schafter aus, der bis nach Veszprim komt, wo ein polnischer
herzog über deutsches Volk herschte. hier wird er gastfrei
empfangen und kehrt wieder heim nachdem er eine flasche mit
donauwasser und auch etwas erde und gras zu sich gestekt,
A'rpád und die übrigen führer schicken nun dem herzog ein
weifses rofs mit goldnem zaum und sattel, und bitten ihn um
ein stück land zur ansiedelung. dieser verspricht unbedachtsa-
mer weise, ihnen soviel land als sie nur wünschen, abtreten
zu wollen. jezt glauben sie sich berechtigt, das ganze zu
fordern, und erklären jenes pferd für den kaufpreis. vergebens
protestirt der herzog: die scharen des A'rpád rücken siegend
an die Donau, und ir oberhaupt nimt seinen wohnsitz in Buda.

Alles stimt mit den angaben der obgedachten chronik,
und dem magyarischen versmacher ist nichts eigentümlich, als
der inhalt zweier strophen (34—35), in welchen des A'rpád
zug über die Donau und marsch gegen Svatopolk mit voll-
komner ortskentnis schritt für schritt, und wahrscheinlich nicht
ohne eine basis in der lebendigen überlieferung, wenn gleich
mit willkürlicher auslegung der ortsnamen, berichtet wird.

Die 'ballade von der kaisertochter' (wie Toldy sie nent)
besteht aus 32 dreizeiligen strophen; dann kommt eine strophe
als zugabe, die ich so übersetze:

'Als man 1671 schrieb, verfafste (dies) ein jüngling in

48*

der stadt Szöndörö, nach den versen eines dichters, in seinem kummervollen gemüte.'

Vermutlich ist hier ein politischer kummer zu verstehen wegen des türkischen joches seit der unglüklichen schlacht bei Mohács (1526). der poet (oder bearbeiter) hat sich, wie wir sehen, nicht genant; aber die worte 'szörzé vala . . . . egy poétának verseiből' weisen auf irgend ein älteres product hin das denselben stoff behandelt haben mag. die 'kaisertochter' hat einen romantisch-ritterlichen character und einige scenen voll zärtlicher leidenschaft. zwei junge magyarische ritter werden von den Türken gefangen, nach Constantinopel abgeführt, und in einen dem Serai benachbarten kerker gestekt. der eine von ihnen, Szilágyi Mihály, sizt eines tages an seinem gitter und singt zu den tönen seines *koboz* (laute, leier) ein lied, worin die sehnsucht nach seiner heimat sich ausspricht. an einem fenster des palastes hört und erblikt ihn die tochter des sultans; sie schleicht sich an die gefängnispforte und verspricht beide ritter zu befreien, wofern Szilágyi sie mit nach Ungarn entführen und zu seinem rechtmäfsigen weibe nehmen wolle. dieser gelobt es ir. [1]) jezt besticht das mädchen den kerkermeister, führt die beiden ritter in den marstall, und versorgt sie mit waffen und kostbarer türkischer kleidung. alle drei entfliehen zu pferde, nachdem sie das stalgesinde niedergesäbelt. der sultan läfst den fliehenden nachsetzen; man erreicht sie endlich, und es komt zu einem kampfe, in welchem die ritter sieger bleiben. vorher haben beide ire retterin auf einer aue in sicherheit gebracht, wo sie, ire beschützer verloren gebend, das schiksal derselben mehr als ihr eignes beklagt. schon will sie in der einöde sterben; aber die magyarischen ritter erscheinen zur rechten zeit wieder und nun sezt man den ritt nach der grenze fort. da komt es plözlich dem Haimási in den sinn, um des mädchens besitz mit seinem gefährten zu kämpfen. vergebens ruft die kaisertochter aus: 'tödtet mich, eh ir solches beginnet!' sie zihen die schwerter und der neidische Haimási wird schwer

---

[1]) Man wird einigermafsen an die bekante novelle des Cervantes: 'der galeerensclav in Algier' erinnert.

verwundet. voll reue bittet er seinen freund um verzeihung
und bekent dafs die ihn getroffene strafe wolverdient sei, um
so mehr, da er zu hause weib und kinder besitze. darauf nehmen sie freundlichen abschied.

Die metrische form dieser gedichte hat viel unvolkomnes.
damals ahnete man noch kaum den grofsen vorteil, welchen ir
r e i c h t u m an n a t ü r l i c h l a n g e n v o c a l e n und eine glük-
liche mischung irer längen und kürzen in dieser hinsicht der
magyarischen sprache giebt. die quantität ist hier von der
äufserst simpeln, immer nur die erste silbe des wortes treffen-
den betonung ganz unabhängig: es können der tonsilbe, gleich
viel ob sie lang oder kurz sei, mehrere silben mit natur-
langen vocalen folgen, deren dehnung gewöhnlich streng zu
beobachten ist. kein wunder also, wenn der Ungar es dem
zufall überläfst, ob der tactschlag in seinen versen eine be-
tonte oder unbetonte silbe trift. wie ausgezeichnet das magyarische den versmafsen des altertums, z. b. dem hexameter
sich eignet, davon können die epischen dichtungen eines
C z u c z o r und V ö r ö s m a r t y i überzeugen. beispiele aus dem
'Cserhalom' des lezteren, einem kleinen epos, das könig Salo-
mo's sieg über die Kumanen feiert:

Néma bo | *rongás* | *sal megy az* | *oskor* | *lelke fö* | *lötted,*
In stummer düsterheit wandelt der vorzeit geist über dir,
Cserhalom! | *és nem* | *kér em* | *lékül* | *oszlopot* | *erczböl:*
Cs. und nicht verlangt er zum denkmal säule aus erz:
oszlop | *vagy magad* | *oh dia* | *dalnak* | *halma me* | *zöddel!*
säule bist du selbst, o sieges hügel mit dem felde!
téged | *még az e* | *rös ter* | *mészet* | *säule ma* | *gából,*
dich hat noch die gewaltge natur geschaffen aus sich selber,
hogy mint | *ember* | *nek gyar* | *ló mun* | *kája, fel* | *ejtett*
dafs, wie des menschen nichtige arbeit, vergessen
porba ne | *szállna te* | *töd, hanem* | *állna mig* | *emberek* | *élnek,*
in staub nicht sinke dein gipfel, sondern stehe weil menschen leben,
és a' | *¹) harczos a* | *pák hi'* | *rének* | *lenne tu* | *núja.*
und der kriegerischen väter ires ruhmes sei zeuge.

---

¹) das z des artikels (az) verschwindet (heutzutage) vor einem consonanten, der aber alsdann geschärft zu sprechen ist; daher entsteht po-
sitionslänge.

.   .   .   .

Ők, kiket | annyi ha | lál meg | nem fá | raszthata, | kikkel
Sie die soviel tod nicht kont ermüden, über die
nem birt | a' hadi | vész, az i | dő mé | lyébe me | rültek,
nichts vermochte der kriegsturm, in der zeiten tiefe versanken sie,
's hamvai | kat már | a' szel | lő sem | letheti | többé.
und ire asche kann der wind schon nicht ferner mehr finden.

még maga | áll a' | hegy, tete | jén sok | század u | tán is
noch allein steht der berg, auf seinem gipfel auch nach vielen
jahrhunderten
véren | nőtt fü | vel koszo | rúzva u | ralkodik | a' hir.
waltet der ruf, umkränzt mit blutentsprossenem grase.

oajha, mi | don oda | tér hon | nunk fia, | el ne fel | ejtse
möcht nicht vergessen der heimat sohn, wenn er hierher den
schritt lenkt,
őseit, | és szaba | dabb lé | lekkel | zengje u | tánunk:
seine väter, und rufen uns nach mit freierer seele:
Cserhalom, | a' te te | tőd dia | dalnak | büszke te | tője!
Cs., dein haupt ist der stolze gipfel des sieges!

Anlangend unsere beiden alten gedichte, so besteht das über
Ungarns eroberung wesentlich aus achtsilbigen und vierfüßigen,
das von der kaisertochter aber aus 16silbigen und 8füßigen versen.
beispiele:

1.

emle | kezzenk | régi | ekrel,
az Szi | tyából | kijüt | tekrel.
laßt der alten uns gedenken,
die aus scythenland gekommen.
az her | ceggel | megvi | vának,
isten | vala | magyar | néppel.
mit dem fürsten sie sich schlugen,
gott war mit dem magyarvolke.

2.

egy szép | dolog | ról én | emlé | kezném, | ha meg | hallgat |
nátok,
az ki | nek má | sát nyil | ván, jól | tudom, | ti nem | hallot |
tátok.
eine schöne sache möcht ich künden, wenn ir hören woltet,

deren gleichen euch, ich weiss es, nimmer noch zu obr gekommen.

azért | *akko* | *ron csá* | *szár le* | *ánya* | *kikö* | *nyöklött* | *vala,*
palo | *tu ab* | *laká* | *ról o̲* | *ohaj* | *tását* | *hallja* | *vala.*
damals auf dem ellenbogen ruht des kaisers schöne tochter;
aus palastes ofnem fenster hört sie seine schweren seufzer.

   Da der wortton im magyarischen stets die erste silbe trift, so
läfst sich die vorwaltende neigung zum absteigenden rythmus bei
den Ungarn (wie bei den Finnen), sehr wol erklären. die füße beider gedichte solten daher immer trochäen, etwa gemischt mit spon-
deen, sein; jedoch haben auch viele pyrrhichien und selbst iamben
sich keck eingedrängt. in solchen fällen trift der tactschlag natürlich eine kurze silbe: vergleiche *vălă* in *isten vala magyar néppel,*
oder *dŏlog* in *egy szép* | *dolog* | *ról* u. s. w. ') sogar **unbetonte**
kürzen findet man gelegenheitlich in der arsis, z. b. *rĕ* in:

     nagy ĕ | *rĕjek,* | *mint Sam* | *sonnak.*
     grofs war ire kraft, wie Simson's.
     egy kĕ | *vĕtĕt* | *választának.*
     einen boten sie erwählten.

   Auch kann die Zeile eine oder einige silben mehr haben, und
so kommen dreisilbige Füße der verschiedensten art zwischen die
zweisilbigen:

     Erdély | *ségben* | *letele* | *pedének.*
     liefsen sich in Erdély nieder.

Hier sind die zwei lezten füße respective tribrachys ($\cup\cup\cup$) und
amphibrachys.

     hogy an | *nál jobb* | *sohol nem* | *volna.*
     dafs ein bessres nirgend wäre.

Hier ist der dritte fufs ein amphibrachys ($\cup - \cup$).

     azért | *keztek* | *fŏ kapi* | *tán vala.*
     darum ward er auch ir feldherr.

Hier sind die beiden lezten füße dactylische.

     ŏ meg | *szálla* | *fen egy* | *hegyben,*
     Székesfe | *jérvár hoz* | *tán ŭ ke* | *zelben.*

') in *dolog* wird die zweite silbe wegen des folgenden consonanten
positionslang, daher entsteht ein iambus.

einen berg erstieg er dorten,
war Stuhlweissenburg benachbart.

Die zweite dieser zeilen besteht aus antibachius, molossus, wieder antibachius, und trochäus.

Beispiel eines dactylus als vorlezten fuses im zweiten gedichte:

nem il | lik é | rettem | illy vi | tézek | nek as | ő vesse | delmek.
nicht geziemts dafs meinetwegen solche helden sich gefährden.
Zuweilen ist der lezte fus des 2ten gedichts verstämmelt und alsdann entsteht ein *teträmēter catalecticus*:

egy éj | félkor | as vi | tése | ket fől | kőltőt | te va | la.
eine mitternachtzeit (sie) die helden aus dem schlafe wekt. [1]

Als ein mangel ist hervorzuheben dafs der dichter von no. 2 gar keine einschnitte macht. fast immer reicht das lezte wort der ersten hälfte einer zeile mit einer oder mehren silben in die nächste hälfte hinüber, und wo wirklich in der mitte ein wort endet, da gehört es meist so innig zum folgenden, dafs zwischen beiden kein atemzug gestattet ist. so erhalten diese langen verse einen zu unruhigen, oft gehezten character, ungefär wie die flucht selber die in ihnen besungen wird.

In den meisten strophen ist ein gewisser einklang der endungen angestrebt, und zwar auf sehr verschiedne weise; nur wahre reime giebt es selten. oft läfst der dichter alle vier zeilen der strophe auf ein und dasselbe wort ausgehen, wie z. b. *vala*, *volna*. oft ergiebt sich eine art reim aus dem gleichen grammatischen verhältnis aller schlufswörter. zuweilen ist auch eine zeile hinsichtlich ires schlusses von den übrigen ganz abweichend und diese reimen oder assoniren untereinander.

---

22. Nov. Gesammtsitzung der Akademie.

Hr. Buschmann las: Parallelen sonorischer und mexicanischer Wörter.

---

[1] Diese versart liebt der Türke, besonders in erotischen und potatorischen gedichten, z. b.

آلدانوب صانمه كه بونلر بويله باق قالهلر

aldanyp sanma kı bunnar böjle baky kalalar!
täusch dich nicht und denk dafs diese dinge ewig fortbestehn!

Hr. D o v e las über die von ihm gegebene Erklärung des Glanzes in Beziehung auf eine von Hrn. B r e w s t e r dagegen gemachte Bemerkung.

Im Jahr 1851 habe ich (Berichte 1851 p. 261 und Pogg. Ann. 83 p. 180) gefunden, dafs wenn man von den für die beiden Augen entworfenen stereoskopischen Projectionen, die eine mit weifsen Linien auf schwarzen Grund entwirft, die andre mit schwarzen Linien auf weifsen Grund, und sie stereoskopisch combinirt, das Relief sich zeigt, aber so, dafs die Linien sich nicht decken, sondern der Länge nach berühren, die Flächen aber zugleich metallisch glänzend erscheinen, und dafs dieselbe Erscheinung sich zeigt, wenn man statt weifs und schwarz, verschieden brechbare Farben auf dunklem Grunde wählt. Ich habe darauf folgende Ableitung der Entstehung des Glanzes gegründet: „Unter allen Fällen, wo eine Fläche glänzend erscheint, ist es immer eine spiegelnde durchsichtige oder durchscheinende Schicht von geringer Mächtigkeit, durch welche man hindurch einen andern Körper betrachtet. Es ist also äufserlich gespiegeltes Licht in Verbindung mit innerlich gespiegeltem oder zerstreutem, aus deren Zusammenwirkung die Vorstellung des Glanzes entsteht. Dies steigert sich bei der Anzahl der Abwechselungen beider Körper. Daher nimmt aufgeblätterter Glimmer Metallglanz an, Salze von Glasscheiben hingegen Perlenmutterglanz. Die beiden auf das Auge wirkenden Lichtmassen wirken auf dasselbe aus verschiedenen Entfernungen. Indem nun das Auge sich dem durch die durchsichtige Schicht gesehenen Körper anpafst, kann das von der Oberfläche zurückspiegelnde Licht n i c h t d e u t l i c h g e s e h e n werden, und das Bewufstwerden dieser undeutlich wahrgenommenen Spiegelung erzeugt die Vorstellung des Glanzes. Der Glanz ist daher stets im eigentlichen Sinne ein falscher, ein Beiwerk, welches blenden kann, das aber, wenn wir es beachten, die Sache auf die es ankommt scharf ins Auge zu fassen verhindert. Er verschwindet daher, wenn man die Spiegelung fortschafft, indem man unter dem Polarisationswinkel durch ein Nicolsches Prisma auf den Firnifs eines Gemäldes sieht."

Nach dem Athenaeum 1855 p. 1120 hat S i r D a v i d B r e w s t e r der Versammlung der englischen Naturforscher in

Glasgow eine Mittheilung über das binoculare Betrachten verschieden farbiger Flächen gemacht, welche folgende Bemerkung enthält: Prof. Dove hat vor einigen Jahren mehrere schöne, diesen Gegenstand betreffende Versuche veröffentlicht, auf welche er eine Theorie des Glanzes gründet, indem er annimmt, derselbe entstehe durch die Zusammenwirkung des Lichtes, welches von Flächen aus verschiedenen Entfernungen zum Auge gelangt. Sir David bestreitet diese Theorie, da er gefunden, daß, wenn man eine weiße und schwarze Fläche stereoskopisch kombinirt, auf welcher keine Zeichnungen entworfen sind, diese nicht glänzend erscheinen. Der Glanz entsteht also nicht dadurch, daß das Licht von einer Fläche durch die andre hindurchgeht, sondern durch die Schwierigkeit, die beiden stereoskopischen Bilder zu combiniren (the lustre is due not to the rays from one surface passing through the other to the eye, but to the effort of the eyes to combine the two stereoscopic pictures) oder wie es in einer französischen Übersetzung heißt, durch die Schwierigkeit der Accommodation des Auges für die beiden Bilder.

Man sieht, daß hier behauptet wird, meine Erklärung erheische, daß das Licht der einen Fläche durch die andre hindurchgehen müsse. Um dieses Mißverstehen zu beseitigen fügte ich der oben gegebenen Erklärung noch folgendes hinzu. „Die Modificationen, welche durch den Reflex des Lichtes der spiegelnden Flächen aus dem Gangunterschied zweier Lichtmengen auf die daraus resultirenden Lichtschwingungen entstehen, sind daher nicht die Ursachen des Glanzes, sondern vielmehr Nebenfolgen der Bedingungen, unter welchen er überhaupt entsteht." Auch schließt die stereoskopische Combination zweier Flächen in der Wirklichkeit vollständig das Hindurchgehen des Lichtes der einen Fläche durch die andre aus. Da wir aber, wenn wir zwei Flächen an derselben Stelle zu sehen glauben, nothwendig die Vorstellung erhalten, daß die eine durch die andre gesehen wird, so sieht es auch bei den von mir angestellten stereoskopischen Versuchen, besonders bei blauen und gelben Flächen so aus, als wenn man durch die eine durchsichtig gewordne die andre erblickte. Daß dies aber nur eine im Zustande der Ruhe, also bei be-

stimmter Richtung der Augenachsen hervortretende
Vorstellung sei, geht einfach daraus hervor, daſs ich die Erscheinung der „flatternden Herzen" auf eine scheinbare Parallaxe zurückgeführt habe, welches unmöglich sein würde, wenn
ich angenommen hätte, daſs man durch den umgrenzten farbigen Fleck die anders farbige Grundfläche hindurchsehe. Die
Nothwendigkeit dieser bestimmten Richtung der Augenachsen
wird nun eben durch den von Hrn. Brewster angeführten
Versuch, daſs ohne Zeichnungen die Combination der weiſsen
und schwarzen Fläche ohne Glanz erscheint, bestätigt, ganz
im Sinne der von mir gegebenen Ableitung. Übrigens können auch die schwarzen und weiſsen Linien dicht neben einander liegen, um die Vorstellung des Glanzes zu erzeugen. Ich
erinnere in dieser Beziehung nur an den unangenehmen Glanz
grauer Haare.

Den Anstoſs, den Hr. Brewster an dem Vergleich einer
glänzenden Fläche mit einem mit Firniſs überzogenem Ge-
mälde nimmt, ist mir nicht klar. Sehen wir unter sehr schie-
fem Winkel auf dasselbe, so erscheint nur das gespiegelte
Licht der äuſseren Oberfläche, und wir sehen das Bild gar
nicht. Schafft man durch ein Nicolsches Prisma das äuſserlich
gespiegelte fort, so sieht man das Bild, aber mit todten Farben. Nur die Verbindung beider bringt das hervor, daſs wir
sagen, der Eindruck des Bildes werde durch den Glanz gehoben. Beim Poliren einer rauhen Metallfläche geht zerstreutes
Licht durch glänzende Mittelstufen, bei denen die Farbe immer
mehr verschwindet, in gespiegeltes Licht über. Die vollständige Spiegelung vernichtet zuletzt die Farbe so, daſs eben
durch die Politur das Metall immer weiſser wird.

Daſs ich die hier erläuterte Ansicht nicht nachträglich
meinen Worten unterlege, daſs diese vielmehr in diesem Sinne
auch von andern so verstanden worden, dafür mögen folgende
Bemerkungen des Hrn. Haidinger (Pogg. Ann. 91, p. 599)
sprechen: „Von der allergröſsten Wichtigkeit und namentlich
auch ganz in Übereinstimmung mit dem Inhalte der vorausste-
henden Betrachtungen erschienen mir Hrn. Dove's Ansichten
in Hinsicht des Glanzes. Jedes letzte Körpertheilchen ist je
nach seiner Brech- oder Absorptionskraft von verschieden be-

schaffenen Lichtäthersphären umgeben, die seine Sichtbarkeit
überhaupt vermitteln. Unebene, rauhe Oberfläche zeigt genugsam den Unterschied metallischen oder nicht metallischen
Ansehns, wenn sie nur nicht vollständig matt ist, aber das
Auge ist sich der Natur der Lichtätherhülle der zu äußerst
liegenden Theilchen bewußt, ohne daß man eigentlich opti-
sche Mittel besitzt, den Unterschied anders als eben durch das
Ansehn zu prüfen. Anders wird es, je mehr eine Fläche an
Ebenheit gewinnt. Der Körper wird glänzend, immer vollkommner und vollkommen, bis man ihn je nach seiner Natur,
gar nicht mehr sieht, sondern nur das Bild der Gegenstände,
das er zurückwirft. Ist der Körper nicht metallisch, so zeigt
sich nur unter den entsprechenden Bedingungen die mehr oder
weniger vollständige lineare Polarisation. Eigentlich kann die
Polarisation bei den am vollkommensten polarisirenden Körpern
nur ein Maximum werden, sie ist mehr und mehr elliptisch
bei den Körpern von metallischem Ansehn. Die Grenze ist
innere totale Reflexion. Der Glanz selbst als „ein Beiwerk"
läßt sich gewiß sehr überzeugend nach dem Vorgange von
Dove mit einer durchsichtigen Schicht vergleichen,
die auf der Oberfläche des Körpers ruht. Das Katop-
trische Weiß wirkt im Stereoskop einfach wie ein helles
Lichtfeld. Hrn. Prof. Dove's Versuch im Stereoskop über-
trägt das von dem einen Auge direct gesehene Bild der begrenzten durchsichtigen Fläche auf das der Form nach
ebenfalls begrenzte dunkle Bild im andern Auge, und
combinirt dergestalt Körper und Durchsichtigkeit zu Glanz."

Wenn ich schließlich noch hinzufüge, daß Hr. Moigno
im Kosmos, als Hr. Brewster bereits früher die jetzt wiederholten Einwürfe veröffentlichte, die Bemerkung machte:
wenn wir das Englische recht verstehen, so ist die von Hrn.
Brewster gegebene Erklärung genau die von Hrn. Dove
selbst gegebne," so glaube ich von meiner Seite annehmen
zu dürfen, daß Hr. Brewster durch ein bei einer fremden
Sprache leicht erklärliches Mißverständniß meiner Ansicht,
diese bestätigt, ja eigentlich nur wiederholt hat, indem er sie
zu widerlegen glaubte.

Hr. Luther in Bilk welcher die Hora 0 der akademischen Charten übernommen hat und mit grofsem Eifer daran arbeitet, hat nach einer Mittheilung an Hrn. Encke eine bisher unbekannte Lichtveränderung an T Piscium (AR. 0^h 21′ 40″ Decl. $+$ 13° 29′) bemerkt. Der Stern war am 18. Okt. 1854 9ter bis 10ter Gröfse, am 16. Febr. 1855 11ter, während des Juli und August dieses Jahres wieder 9ter bis 10ter und Ende Oktober bis Mitte November 11ter Gröfse. Es gehen folglich die Veränderungen des Lichtes von der 9ten bis 10ten Gr. bis zur 11ten, und die Periode ist kürzer als ein Jahr.

Hr. Stephan in Görlitz sendet unter dem 12ten Novbr. eine Abhandlung ein über die Theorie der menschlichen Erkenntnifs, welche der philos. hist. Classe überwiesen wird.

Hr. Thénard in Paris dankt für seine Ernennung zum auswärtigen Mitgliede.

An eingegangenen Schriften wurden vorgelegt:

Annales de chimie et de physique. Tome XLIV. Paris Oct. 1855. 8.

Gianotti, *Calcolo originale straordinario indipendente dall' Algebra.* Casale 1855. 4.

Rabenhorst, *Hedwigia. Notizblatt für kryptogamische Studien.* no. 12. 13. Dresden 1855. 8.

----

29. Nov. Gesammtsitzung der Akademie.

Hr Schott las über einige benennungen des himmels in der altaischen sprachenclasse.

Der sichtbare (scheinbare) himmel, welcher leicht mit dem waltenden himmelsgeiste gleichbedeutend wird, hat in den verschiedenen sprachfamilien dieses völkergeschlechts verschiedne namen, von denen einige mir noch rätselhaft sind, andere, meinen ergebnissen zufolge, auf zwei kernwörter des hohen, grofsen, erhabnen zurükgehen. als solche erkenne ich: 1) das türkische *kük* oder *gjök*; 2) das magyar. *ég*, welches man lange mit einer heutzutage gleichlautenden wurzel für brennen und glühen (nicht etwa leuchten oder schei-

n e n) identificirt hat. ¹) 3) die türkisch-mo[
tengry oder *taüry* und *tengri*, *tegri*, von welc
Tschuwaschen *tora* geworden ist. ²) 4) das [
golen sich vorfindende *oktargoi* (*oktorgoi*).

Gjök und *oktargoi* bezeichnen den sichtba
gry ist im türkischen sprachgebrauche der gr[
höchste wesen; ³) die Mongolen aber vers[
tengri's oder *tegri's* elementargeister, verkl[
schützende genien.

Das eine der beiden hier in betracht h[
wörter für hohes und grofses waltet durch s[
sprachen in reichster mannigfaltigkeit. alle sei[
fsen mit einem kehllaute und beginnen ent[
solchen, oder mit blosem vocale. bisweilen e[
als anlaut.

Die verschiednen, einigermafsen bekanten [
gusischen sprache im östlichen Sibirien zeig[
wort nie ohne grammatische anbildung. von [
erscheint es als *gak*, *gag*, *guk*, *hok*, *ok*, *ög*, *eg* [
gakda berg, *gakdakan* hügel, ferner in *gagda*, [
okdi, *ög-gon*, *eg-gan*, die alle hoch und grofs [
kommen in der m a n d s c h u s p r a c h e *guk*, *kuk* [
dechun anhöhe; *kukduri* (hochmachung) lobprei[
die höhe treibendes) gährungstoff; ohne zweife[
anhäufen.

Im m o n g o l i s c h e n entsprechen *kük*, [
beispiele: *küktä* hochbelegen, in *küktü-gür* hoc[
weiblichen brüste; *kükä* sich heben, anschw[

---

¹) wäre an c o e l u m e m p y r é u m zu denken, w[
wenigstens *égô* (das g l ü h e n d e) sagen? sofern *ög*[
entspricht im turkischen *jak* a n z ü n d e n.

²) so verlangen es die lautgesetze der Tschuwa[
abhandlung 'de lingua Tschuwaschorum', s. 7 ff. vgl[
wissensch. kunde von Rufsland', band XIII, à. 51 ff.[

³) alle muhammedanischen Türken gebrauchen *Tan*[
haupt noch vorkomt — in gleicher weise mit *Allah*, dem

mit *kükä* blau (die himmelfarbe, s. w. u.); *ügä-dä* am oberteil, oben. *jäkä* grofs.

Bei den Suomi-Finnen begegnen uns z b. *kuk*, *köyk*
und *juk* in *kukkura*, *köykkä*, *jukka*, drei wörtern für hügel, anhöhe; *koh* und *kuh* als wurzeln des hochwerdens, anschwel-
lens, und der pralerei; *kork* (mit eingeschobenem r) in *korkea*
hoch. daneben *kok* auf einander schichten, häufen, sammeln,
und *jouk* in *joukko* haufen. endlich *öyhk* in *öyhkä* sich grofs
machen, pralen. Tscheremissisch: *kogn* grofs; *korok* berg.

Die Magyaren haben *hegy* (für *hegi*, *heg*) berg; *gög* oder
gige kehlkopf, (weil er vorragt, daher für) hochmut, *gögös*
hochmütig; *kék* blau (als himmelsfarbe). Bei den Ostjaken
finden wir *ög* in *ögor* hoch; dann *och* in *ochta* oberteil; endlich *nok* oder *noch* für oben, aufwärts. lezterem darf man das
magyarische *nagy* (für *nagi*) grofs anreihen.

In der türkischen familie lautet das kernwort bald *kük*,
z. b. *kük-re* sich erheben, gähren, aufbrausen, *küküf* (*gögüf*,
gjögjüf) brust; bald *jok*, *jük*, z. b. *jokuš* hügel, *jokary* oberteil,
jüksek hoch; bald *jyg* in der bedeutung anhäufen, woher *jygyn*
haufen; [1]) endlich *ög* (*öj*): (grofs oder hoch machen) rühmen;
ög-ün sich grofs machen, pralen.

Nach allem vorangegangenen kann der ursprung des türkischen *kük* oder *gjök*, und magyar. *ég* (sofern dieses himmel
bedeutet) kaum einem zweifel unterliegen. die blaue farbe
hat vom himmel iren namen, und beide bedeutungen sind im
türkischen worte noch vereinigt, während im *kükä* der Mongolen und *kék* der Ungarn nur die bedeutung *blau* sich erhalten hat. aber *ég* war den Magyaren immer ein ausdruck für
himmel allein.

Das *ok* der Tungusen (*ög* und *och* der Ostjaken) deutet
uns den ersten bestandteil des zusammengesezten *okturgni* der
Mongolen. dieser bestandteil mufs *okta* (*okto*) sein; denn schon
in mehrern der oben citirten tungusischen formen sehen wir
dem kernworte ein *da*, in der einen ostjakischen form ein *ta*
angebildet, das hier wiederkehrt. was den zweiten bestandteil

---

[1]) Vgl. finnisch *kok* und *jouk*; mandsch. *ik* in *ikta*. — Im schwedischen
ist *hög* (höhe) sowol hügel als haufen.

betrift, so heifst dieser nach meiner überzeugung ort; also
oktargoi zusammen: locus altus (sublimis).

Die mandschusprache besitz nemlich für den begriff ort
schlechtbin ein wort *ergi*, das bald absolut, bald als zweiter
bestandteil vieler zusammengesezten wörter (nomina und par-
tikeln) vorkomt. in zusammensetzung verliert es meist sein *e*.
beispiele: *amargi* (aus *ama-ergi*) hinterort, rükseite, norden;
g'ulergi (*g'ule-ergi*) vor-ort, vorderseite, süden; *dorgi* (*do-ergi*)
inner-ort, inwendig; [1] *ebe-rgi* hie-ort, hier; *c'a-rgi* da-ort,
dort. nur ein mir bekantes mandschuisches beispiel zeigt für
ergi bloses *ri*: *g'uleri* vorn, zum unterschiede von *g'ulergi*
süden. keine andere altaische sprache besitz dieses wort
absolut (wenn wir es nicht in dem *hely* (ort) der Magyaren,
das für *helgi*, *hergi* stehen kann, wiedererkennen wollen); aber
nur wenigen ist es als zweiter teil zusammengesezter wörter
fremd, und insofern haben es die östlichen Türken am treusten
bewahrt. [2]

Was ist nun natürlicher, als anzunehmen, dafs jenes *ergi*
den Mongolen ir mehrerwähntes wort für himmel hat bilden
helfen? *oktargoi* steht für *oktargi* = *okta-ergi* d. i. locus sublimis.

Ich wende mich nun zur zweiten wurzel des hohen im
vorliegenden sprachgeschlechte, die gleich der ersten auf einen
kehllaut ausgeht, aber mit *t* (*d*) anfängt. gewöhnlich hat sie
e (*ä*), bisweilen *u* oder *ü* zum vocale.

---

[1] als eine abkürzung dieses *dorgi* darf man *dor* (*dur*), ein zeichen des
locativs bei den Mongolen, betrachten.

[2] in der verschiebung *geri* (*gari*, *chary*), wofür bei den Osmanen *ri*, *re*
(*ra*) erscheint. so entspricht das osttuik. *ilgeri* dem osmanischen *ileri*
(vorderseite); in dem obenerwähnten *jokary* (oberteil) gehört aber *k* zur
wurzel: es steht fur *jok-chary* = *jok-argy*. beispiele von *re* (*ra*) seien:
üf-re ober-ort, oben, auf (von einer andern wurzel des o b e r e n mit *re* = *ri*);
song-ra spur-ort, hinten, nach. Schon im mongolischen hat man oft *ra*
für *rgi*, z. b. wortbildend in *umara* norden (vgl. das mandsch. *amargi*);
bai-ra (ort des verweilens) aufenthalt. daneben *ri*, z. b. *bagu-ri* (ort wo
man absteigt) station. in der form *ra* (*rä*) bildet es bei den Mongolen auch
eine art supina und wird also hier bereits wahre postposition: *abu-ra* zu
nehmen; *üdsä-ra* zu sehen. nur als postposition erscheint *ra* (*re*)
bei den Ungarn.

Mongolische formen sind *däg, dägä* (selten *täg*) und *dük*.
beispiel: *dägäbür* oberteil, daoh; *dägä-dü* (in der höhe) oben,
hoch; *dägä-rä* (*dägrä*) nach oben, oben; *dägärä-lä* erheben,
hoch machen, loben; *dägdäi* und *tägdü* sich erheben; *dükdüi*
sich heben, wachsen.

Mandschuisch: *da*(n) hoch, vermutlich (d. h. nach analogie des mongolischen zu schliefsen) aus *deg-en*; *te*(n) gipfel
und wipfel (*teg-en*?); *dergi* hoch, erhaben, (als verbalwurzel)
steigen. [1])

Mit *u*: *tuk* in *tukie* erheben.

Türkisch: *tek* in *tekir* steigen (vermutlich gleichen ursprungs mit *dergi*); *tekis* (für *tekir*) in *tekis-lik* hochmut. die
starke form ist wahrscheinlich in *tag* oder *dag* (*tau, dau*)
berg erhalten.

Noch bei den heutigen Mongolen kann eine und dieselbe
wurzel mit *t* oder *d* anfangen. ausser dem obigen *tägdü* neben
dägdäi (sich erheben) vergleiche man *togol* neben *dugul*
überschreiten, durchdringen. wenn also das mongolische *tegri*
oder *tengri* (für genius) niemals *dengri* lautet, so kann man
hieraus nicht schliefsen, dafs der erste teil des wortes etwas
anderes als hoch bedeute. eine starke form (mit *a*) mufs
übrigens auch den Mongolen nicht fremd gewesen sein; denn
noch im heutigen mongolischen giebt es ein vereinzeltes wort
tanglai (auch *tangnai*), welches den gaumen bedeutet, der
bekantlich in einer menge sprachen (wegen seiner schönen
wölbung) 'himmel des mundes' oder geradezu 'himmel'
genant wird.

Chinesisch heifst der himmel (und himmelsgeist) *t'ian*, ein
wort das die späteren Chinesen — wie die Mongolen ir *tegri* —
auch auf die *déva's* der Buddhisten beziehen. hoch oder oben
bedeutet dieses *t'ian* niemals, und ein etymologischer zusammenhang desselben mit der altaischen wurzel *t-g* ist unerweislich.
'wie aber — könte man einwenden — wenn die nomadischen
nachbarstämme dieses wort den Chinesen abgeborgt und mit
seiner hülfe ir *tangri* geformt hätten?' alsdann stellte sich, mei-

---

[1]) dieses gewifs aus *den+ergi* hoher ort! vgl. das *dägärä* (*dägrä*) der
Mongolen.

meines erachtens, folgende alternative: 1) jene völker schufen einen chinesisch-altaischen zwitter, das *t'ian* in *tan* (*ten*) verwandelnd und ein verschobenes (oder bald sich verschiebendes) *ergi* anhängend: *tan-ergi*, *tan-rgi*, *tan-gri*; oder 2) das ganze wort wäre verderbung eines chinesischen compositums 天理 *t'ian-li*, welches himlische regel, himlisches walten bedeutet.

Zur unterstützung von no. 2 liefse sich besonders anführen, dafs unser altaisches wort niemals für den sichtbaren himmel vorkomt. kann es aber darum nie diese bedeutung gehabt haben? wenn das mongolische *tanglai* (gaumen) wirklich eine alte form desselben ist, so bedürfte man kaum anderer beweise. aber sehr unwahrscheinlich bleibt in jedem falle die aufnahme eines rein chinesischen ausdruks für den waltenden himmelsgeist bei völkern die, so weit man historisch zurükgehen kann, meist in feindlicher bezihung zu den Chinesen standen und für deren begriffe vom sinlichen und übersinlichen die respect. sprachen sonst nur selbständige ausdrücke aufweisen. [1])

Es hindert mich also nichts wesentliches, in dem vorliegenden compositum (denn ein solches ist es unbestreitbar) dieselbe bedeutung wiederzuerkennen, die im *oktargoi* der heutigen Mongolen liegen mufs: hoher (erhabener) ort. denn erst an den begriff des sichtbaren himmels knüpfte sich der des geistig fühlbaren.

Von der zweiten wurzel für hoch gab es sonach (wie von der ersten) formen mit starkem und mit schwachem vocal,

---

[1]) es versteht sich, dafs ich beim übersinnlichen hier an ursprüngliches, nicht an später und von aufsen eingebrachtes, denke. höhere, auf die welt einwirkende, wenn auch dem himmel untergeordnete geister des altaischen völkergeschlechts waren die *onggon's* der Mongolen und Tungusen, *ogan's* der alten Turken, *henka's* oder *inge's* der Finnen. sie sind nach hauch oder atem (geist, seele) benant, vgl. mein 'finnisch-tartarisches sprachengeschlecht', s. 349-50 (69 70), und die 'zusätze und berichtigungen' zu demselben in den monatsberichten der academie von 1851 (s. 436). das türkische اوغان *ogan* oder *ugan* habe ich seitdem auch in einem türkmanuscr. der 'bibliotheca Dieziana' (A. quart. 57) gefunden, wo es ausdrüklich heifst, in der sprache von Ugria (اوغرية دلناجه) heifse die gottheit *ogan*.

und so mochte das vielerwähnte wort ursprünglich *tag-ergi*
oder *teg-ergi* lauten. durch stärkere agglutination mit verküm-
rung des zweiten teils entstand *tagri, tegri*; oder es war bei
der verbindung schon ein ausgebreitetes *tan* (*ten*) für *tagan*
(*tegen*) vorhanden, welches vor *gri* (verschobenem *ergi*) erst
tangri, tengri, und in der folge *tegri* wurde. als nebenformen
erkennen wir das heutige mandschuische *dergi* (hoch, erhaben
schlechthin) und mongolische *dägrä* (oben schlechthin), von
welchen die erste aus *den* (*degen*) *ergi*, die andere ebenso,
aber zugleich mit verschiebung der consonanten des zweiten
bestandteils (*gre* für *rge = rgi*), oder, wenn man lieber will,
aus *deg* + *re* (*ri*), d. h. der vollständigen wurzel des hohen und
abgekürztem *ergi*, erwachsen ist.

Zusatz.

Nach einigen, zuerst von Sſy-ma çian verzeichneten und
in verschiedene compilatorisch-critische werke, z. b. Ma tuan-
lin's Wen-hian t'ung-k'aò (b. 340), wieder aufgenommenen
proben der sprache des Hiungnu-volkes (des ersten entschieden
altaischen von welchem die Chinesen berichten) nante dieses
volk den himmel 撐黎. das zweite dieser beiden schrift-
zeichen lautet *li* und mag für *ri* stehen; von dem ersten kennen die einheimischen wörterbücher der Chinesen keine andere
aussprache als *ćeng* (*tscheng*); wenn man also bisher *tang-li*
statt *ćeng-li* gelesen hat, so war man im irtum. dieses *ćeng-li*
der Hiungnu gehört sicherlich zu den ältesten formen und
führt von dem chinesischen *t'ian-li* (himmels-walten) noch weiter ab als die übrigen.

Hierauf sprach Hr. Haupt über die Inschrift eines im
fürstlichen Museum zu Arolsen befindlichen Steines,
die Hr. Huschke in seinen so eben erschienenen Oskischen und
Sabellischen Sprachdenkmälern als eine altitalische behandelt und
mit Hilfe des Griechischen und der italischen Mundarten gedeutet
hat. Der Stein ist eines der vielen Amulete, die sich aus später
Zeit des Alterthums erhalten haben und die man ehemals mit un-
sicherem Rechte gnostisch nannte. Es enthält nichts Altitalisches,
sondern in griechischen Buchstaben die bekannten Wörter und

Formeln solcher Amulete, ΙΑΩ, ΑΒΛΑΝΑΘΑΝΑΛΒΑ, ΣΑ-
ΒΑΩΘ (durch einen Fehler steht ΣΑΒΑΘΩ), ΑΔΩΝΑΙΟΝ
(für ΑΔΩΝΑΙ auch sonst nachweislich) u. s. w., auch die Reihe
der griechischen Vocale ΑΕΙΟΥΩ, die nicht selten in magischen
Inschriften erscheint, wie in der milesischen im *Corpus inscriptionum Graecarum* n. 2895, wo Hr. Böckh darüber handelt. Er ist
nicht unbekannt, sondern als *iaspis Waldeccensis* längst herausgegeben und als das was er ist erkannt von Kopp im 3n und 4n Theile
seiner *Palaeographia critica*.

In dem Briefe des Rektors der Kasaner Universität Hrn.
Kowalewski (Kasan, den 26. Aug), welcher die sehr große
Sendung der Kasaner Abhandlungen begleitete, war der Wunsch
eines Austausches der gegenseitigen Schriften ausgedrückt. Die
Akademie beschloß demzufolge ihre Denkschriften vom Jahre
1850 an, der Kasaner Universität zu übersenden, nebst den
Monatsberichten von dieser Zeit an, so viel deren noch vorhanden sind und mit dem gewünschten Austausche in Zukunft
fortzufahren.

Es wurde heute die vollständige Abmachung einer Ange-
legenheit angezeigt, welche seit einigen Jahren die Akademie
beschäftigt hatte, nämlich die Errichtung eines Denkmals auf
den großen Naturforscher und Reisenden Pallas, einen ge-
bornen Berliner auf seinem Grabe, welches sich auf dem Be-
gräbnißplatze der Jerusalems und Neuen Kirchen-Gemeinde vor
dem Hallischen Thore befindet. Die Anregung dazu ging von
der Petersburger Akademie aus, welche im Jahr 1835, nach
Auffindung der Grabstätte Eulers in Petersburg, dessen Andenken durch ein anspruchsloses aber dauerhaftes Grabmal ge-
ehrt hatte, und in der Meinung, es könnte die Auffindung des
Grabes von Pallas ähnliche Schwierigkeiten darbieten, unserer
Akademie vorschlug, auf gemeinschaftliche Kosten dasselbe auf
ähnliche Art zu bezeichnen. Solche Schwierigkeiten waren
allerdings nicht zu befürchten, da der wohlerhaltene und mit
einer einfachen Inschrift: „Hier ruhet Peter Simon Pallas, alt
70 Jahr, gestorben den 8. September 1811" versehene Grabstein noch besonders kenntlich war durch die daneben befind-

liche Grabstätte Rudolphi's, welche auf dessen Wunsch gerade
dieser Nachbarschaft wegen so ausgewählt war. Die Akademie
ging sogleich bereitwillig auf den geäufserten Wunsch ein
und erfreute sich dabei der liberalen Unterstützung des Vor-
standes der Jerusalems und Neuen Kirche, welcher nicht nur
die Errichtung gebührenfrei bewilligte, sondern selbst noch
einen Platz, der dem Plane nach für das Denkmal nöthig war,
unentgeldlich abtrat. Das Denkmal besteht zufolge des von
einer Commission entworfenen Planes aus einer auf den vier
Seiten polirten Stele von rothem Granit von 7 Fufs Höhe in
dorischem Style. Im Aufsatze befindet sich ein in Granit erhaben ausgearbeiteter Lorbeerkranz und darunter das Bildnifs
von Pallas in einem Medaillon von Marmor erhaben ausgeführt.
Unter diesem ist folgende Inschrift auf dem Steine in Capital-
form eingehauen und vergoldet:

PETRUS SIMON PALLAS
BEROLINENSIS
EQUES
ACADEMICUS PETROPOLITANUS
MULTAS PER TERRAS IACTATUS
UT NATURAM RERUM INDAGARET
HIC TANDEM REQUIESCIT.
NATUS D. SPT. XXII A. MDCCXLI.
OBIIT D. SPT. VIII A. MDCCCXI.
CIPPUM TITULUMQUE
AB IPSO IUSSUM
ACADEMIAE SCIENT.
BEROLINENSIS ET PETROPOLITANA
POSUERUNT.
A. MDCCCLIV.

Ein glücklicher Zufall hatte in der That einen Zettel von
Pallas's Hand auffinden lassen, auf welchem diese Grabschrift
von ihm selbst angegeben war.

Das Denkmal steht hinter dem Grabsteine, der aufgefrischt
ist, auf einem Unterbaue als Fundament, der gleiche Höhe mit
dem Grabsteine hat. Es ist von einem eisernen Gitter umge-

ben und die unmittelbar dahinter liegende Kirchhofsmauer ist
reparirt und durch Anpflanzungen maskirt.

Das Ganze ist, in seinen wesentlichen Theilen wenigstens,
entworfen und ausgeführt von dem Bildhauer Herrn Heidel.
Für die Erhaltung desselben und der von dem Herrn Univer-
sitätsgärtner Sauer angeordneten Anpflanzungen hat die Akademie eine kleine jährliche Summe ausgesetzt. Von der Summe,
welche die Petersburger Akademie als den muthmaßlichen Be-
trag der Hälfte der Kosten übersandt hatte, konnte noch ein
kleiner Theil zurückerstattet werden.

——————

An eingegangenen Schriften wurden vorgelegt:

Gelehrte Denkschriften der Kaiserlichen Universität Kasan. Jahrgang 1839, 2.
1844, 1. 1846, 3. 4. 1847, 1. 2. 3. 1849 — 1853. Kasan 1839 — 1853.
8. und 4.

Nebst Schreiben des Rektors der Universität Kasan, Herrn J. S. Kowalewski vom 26. August d. J. und Rescript des vorgeordneten Ministeriums vom 21. November d. J.

Annales des mines. Tome VII, Livr. 1. Paris 1855. 8.

Mit Rescript des vorgeordneten Ministeriums vom 23. Nov. 1855.

Jahreshefte des Vereins für vaterländische Naturkunde in Würtemberg.
Jahrgang 1845 — 1855, Heft 1. 2. Stuttgart 1845 — 1855. 8.

Nebst Schreiben des Herrn Bibliothekars, Prof. Dr. Krauss in Stuttgart vom 18. Nov. 1855.

Meteorologische Waarnemingen in Nederland. Jahrgang 1852. (Ergän-
zungsblätter) Utrecht 1852. 4.

Mit Schreiben des Herrn Buys Ballot vom 23. Nov. 1855.

Crelle, *Journal für Mathematik.* Band 51 Heft 1. Berlin 1855. 4.

Gerhard, *Denkmäler, Forschungen und Berichte.* Lieferung 27. Berlin
1855 4.

Sillimann, *The American Journal of science and arts.* Vol. XX. no. 59.
New Hawen 1855. 8.

Archiv des historischen Vereins für Unterfranken und Aschaffenburg.
Band 13 Heft 3 Würzburg 1855 8.

Corrispondenza scientifica in Roma. Vol. IV. no. 21. Roma 1855. 4.

Ephemeris archaeologica. no. 39. Athen 1855. 4.

*Übersicht der Arbeiten der schlesischen Gesellschaft für vaterländische
Kultur.* Jahrgang 1825. 1826. 1827. 1828. 1829. 1832. 1833.
1835. 1836. 1837. 1838. 1854. Breslau 1826 — 1855. 4.

Verhandlungen der Kgl. Gesellschaft der Wissenschaften in Göttingen.
    Band 6.   Göttingen 1856.   4.

Geuther, *Über die Natur des Torbanehill - Minerals.*   Göttingen.
    1855. 8.

de Ram, *Discours funèbre pour Mr. J. G. Crahay.* Louvain 1855. 8.

Bericht

über die

zur Bekanntmachung geeigneten Verhandlungen der Königl. Preuſs. Akademie der Wissenschaften zu Berlin

im Monat December 1855.

Vorsitzender Sekretar: Hr. Encke.

3. Dec. Sitzung der physikalisch-mathematischen Klasse.

Hr. G. Rose las über den Schaumkalk als Pseudomorphose von Aragonit.

Zu Wiederstädt im Mansfeldschen kommt in derbem feinkörnigen Gyps eingewachsen großblättriger Gyps vor, der gewöhnlich ganz, zuweilen aber nur theilweise in Schaumkalk (kohlensaure Kalkerde) umgeändert ist, und so förmlich in ihn übergeht. Schon Freiesleben, dem wir die erste gründliche Beschreibung des Schaumkalks verdanken, gedenkt dieses Überganges[1]), und fand ihn sehr merkwürdig, hielt ihn aber nicht für eine Umänderung des Gypses in kohlensaure Kalkerde, sondern für eine Verwachsung mit derselben. Blum[2]) stellte zuerst die Ansicht auf, daſs diese Verwachsung eine beginnende Umänderung des Gypses, und der Schaumkalk überhaupt ein Pseudomorphose sei, eine Ansicht die auch jetzt allgemein angenommen ist. Blum hielt aber, wie Jedermann, den Schaumkalk für eine Abänderung des Kalkspaths, der Verfasser sucht nun zu zeigen, daſs dieſs ein Irrthum, und der Schaumkalk Aragonit sei.

[1]) Geognostischer Beitrag zur Kenntniſs des Kupferschiefergebirges 1809. B. 2, S. 235.
[2]) Die Pseudomorphosen des Mineralreichs, 1843. S. 47.

Der Schaumkalk ist schneeweifs und undurchsichtig, betrachtet man aber die Ränder dünner Blättchen unter dem Mikroscop, so erscheinen diese durchsichtig und wasserhell. Man sieht dann, dafs der Schaumkalk aus lauter dünnen langgezogenen rechtwinkligen, aber an den Enden verbrochenen, tafelartigen Krystallen besteht, die alle eine untereinander parallele Lage haben, aber nicht dicht auf und aneinander liegen, und dadurch in dickern Stücken undurchsichtig und perlmutterglänzend erscheinen. Betrachtet man sie unter dem Mikroscop im polarisirten Lichte, so erscheinen die Tafeln von ganz gleicher Farbe, die sich nur da, wo zwei oder mehrere über einander liegen, verändert.

Wo der Schaumkalk in unveränderten Gyps übergeht, ziehen sich von der schneeweifsen Masse des Schaumkalks gerade und untereinander parallele Streifen in den wasserhellen Gyps hinein, die dem unbewaffneten Auge feinfasrig erscheinen.   Unter dem Mikroscop erkennt man, dafs die Fasern die länglichen tafelartigen Krystalle sind, aber man sieht sie auch hier selten an den Enden regelmäfsig begränzt; nur einmal sah der Verf. an den Krystallen, die in den unveränderten Gyps hineinragten, Endflächen, und dann waren es innere Flächen, die auf den Hauptflächen der Tafeln gerade aufgesetzt waren.   Diefs ist kein Ansehen von Kalkspath - Krystallen, aber es stimmt vollkommen mit der Form der Aragonitkrystalle überein, denn in diesem Falle entsprechen die Hauptflächen der Tafeln den Längsflächen des vertikalen Prismas von 116° 16′, und die Endflächen sind die Flächen eines Längsprismas, wahrscheinlich desjenigen, das eine Zuschärfung von 108° 27′ bildet, und am gewöhnlichsten beim Aragonite vorkommt.

Die Streifen des Schaumkalkes, die in den unveränderten Gyps hineinragen, gehen stets der Kante der deutlichsten Spaltungsfläche des Gypses mit derjenigen der beiden sich schiefwinklig schneidenden Spaltungsflächen parallel, die die Abstumpfung der stumpfen Kante des vertikalen Prismas von 111° 14′ ist, und sich von der andern Spaltungsfläche dadurch unterscheidet, dafs sie häufig in muschligen Bruch überspringt, während jene ein fasriges Ansehen hat.   Davon kann man sich theils durch den Augenschein überzeugen, theils auch dadurch, dafs der Gyps von Wiederstädt unter dem Mikroscop eine Menge regelmäfsig gebildeter Höhlungen zeigt, die die Form des Gypses haben, und alle eine untereinander und mit dem Gyps worin sie liegen, parallele Lage haben [1]). Diese sind mit seltenen Ausnahmen in der Richtung der Axe der Prismen von 111° 14′ verlängert und diese liegen stets den Streifen des Schaumkalks parallel. Der Schaumkalk gehört also zu den Pseudomorphosen, bei welchen die entstandenen Individuen eine untereinander parallele und in Bezug auf den ursprünglichen Krystall, aus welchem sie entstanden sind, ganz bestimmte Lage haben. Nimmt man an, daß die tafelartigen Krystalle Aragonit sind, so würde die Hauptfläche der Tafeln, oder die Längsfläche des Aragonits der Hauptspaltungsfläche oder der Längsfläche des Gypses, und die Hauptaxe des Aragonites der Hauptaxe des Gypses, d. i. der Axe des Prismas von 111° 14′ parallel sein.

Da indessen die Endflächen der Aragonitkrystalle so selten zu sehen sind, so ist die Form der Individuen des Schaumkalks für ihre Natur nicht vollkommen überzeugend. Eine sicherere Auskunft giebt das specifische Gewicht, das der Verf. untersucht hat, nachdem er sich zuvor überzeugt hatte, daß die zur Wägung bestimmte Menge fast reine kohlensaure Kalkerde sei, indem sie beim Auflösen in Säuren nur einen sehr geringen Rückstand von noch unverändertem Gyps hinterließ. Er fand bei zwei mit verschiedenen Massen angestellten Versuchen das specifische Gewicht 2,989 und 2,984; Zahlen, die, wenn man die Schwierigkeiten, die mit der Wägung solcher lockerer Massen, wie der Schaumkalk ist, verbunden sind, bedenkt, nicht so weit von der Zahl 2,95, die die genausten Wägungen für das spec. Gew. des Aragonites gegeben haben, abweichen, daß man hiernach den Schaumkalk nicht unbedenklich für Aragonit halten kann. Davon muß man sich um so mehr überzeugen, als auch der Verf. das specifische Gewicht des schwach geglühten Schaumkalkes genommen hat, das 2,717 wie beim Kalkspath befunden wurde, in welchen sich der Schaumkalk bei dem schwachen Glühen wie jeder Aragonit umgewandelt hatte. Unter dem Mikroscop betrachtet erscheinen nun die einzelnen Tafeln des Schaumkalkes von viel mehr Sprüngen durchsetzt, als dieß vorher der Fall gewesen ist, und im polarisirten Lichte ange-

---

[1]) Ähnliche regelmäßige Höhlungen hat L e y d o l t beim Quarz, Topas und beim Eise beobachtet, vergl. die Sitzungsberichte der math. naturw. Classe der kais. Akademie d. Wiss. vom Oct. 1851.

sehen, zeigte jede einzelne Tafel nun verschiedene stark von einander abweichende Farben, die stets an Sprüngen scharf abschnitten. Das frühere Individuum war nun durch das schwache Glühen in mehrere kleinere zerfallen, die alle eine gegeneinander verschiedene Lage hatten, und daher verschiedene Farben gaben.   Alle kleinen Krystalle des Aragonits, die geglüht nicht zerfallen, sondern nur Risse und Sprünge bekommen, verhalten sich ebenso, aber bei keiner Varietät ist die Erscheinung so schön zu sehen, und sind die zum Vorscheinen kommenden Farben so vielfach und so glanzvoll als beim Schaumkalk.

Der Verf. geht nun noch die übrigen Fundorte durch, wo der Schaumkalk vorgekommen ist.   Er kommt gewöhnlich nur in den verschiedenen Gebirgsarten der Zechsteinformation vor, am Meißner aber auch in einem Thone der Muschelkalksteinformation. Wenn man den Schaumkalk dieser Fundorte in Chlorwasserstoffsäure auflöst, so erhält man gewöhnlich einen kleinen Rückstand, der unter dem Mikroscop aus den zierlichsten Quarzkrystallen besteht, die sich offenbar auch erst bei der Umänderung des Gypses in Schaumkalk gebildet haben.   Ganz besonders findet man diese bei dem Schaumkalk vom Meißner.   An keinem Fundorte außer Wiederstädt fand aber der Verf. eine theilweise Umänderung des Gypses in Schaumkalk, dagegen fand er, daß die regelmäßigen Höhlungen, die in dem Gyps von Wiederstädt vorkommen, eine sehr gewöhnliche Erscheinung sind, und sich fast in allen durchsichtigen Abänderungen des Gypses finden.

Wenn durch das Bisherige bewiesen zu sein scheint, daß der Schaumkalk eine Pseudomorphose des Aragonits nach Gyps sei, so gewinnt diese Pseudomorphose noch dadurch an Interesse, daß es das erste bekannte Beispiel ist, daß der Aragonit als Pseudomorphose beobachtet ist.   Der Schaumkalk kommt zu Wiederstädt in Gyps eingewachsen vor, wie er auch aus Gyps entstanden ist, was insofern wieder interessant ist, als die einzigen eingewachsenen ächten Krystalle des Aragonits, die man kennt, nämlich die von Aragonien und den Pyrenäen (Bastennes), in einem Thone vorkommen, der sehr viel Gyps enthält.   Wahrscheinlich sind daher auch diese durch Zersetzung des Gypses entstanden.

Hr. Braun theilte folgenden Aufsatz über Wärmeentwicklung in der Blüthe der Victoria regia von Hrn. Dr. R Caspary mit.

Die erhöhte Temperatur, welche die Pflanzen in den Stammspitzen, den Blättern, keimenden Saamen und in den Blüthen zeigen, ist einer der interessantesten Gegenstände physiologischer Forschung. Es erregt unsere Aufmerksamkeit in hohem Grade, daſs die Pflanze, die uns sonst kalt, wie ein unorganischer Körper erscheint, bei genauerer Untersuchung eine oft sehr beträchtliche eigene Wärme zeigt. Es drängt sich uns der Gedanke auf, daſs diese Wärme der thierischen analog sei und es erfreut in den beiden groſsen Gebieten des organischen Lebens, die wir mehr in ihrer Verschiedenheit, als in ihrem Gemeinsamen aufzufassen pflegen, ein Zeichen innerer Einheit und inneren Verbandes zu entdecken.

Wo es sich um die Lösung einer schwierigen physiologischen Aufgabe von allgemeiner Bedeutung handelt, ist der geeignetste Weg dazu dieser, daſs man sie erst in einem speciellen Fall, der für ihre Bearbeitung besonders günstig ist, mit unabläſsiger Ausdauer und Geduld verfolgt. Ist dann in dem einzelnen Fall der Schleier gelüftet, so werden das Allgemeine und die Ausnahmen sich leichter erkennen lassen.

Obgleich die erhöhte Wärme der Blüthen bei etwa 20 Pflanzen, die zu 10 Familien gehören, festgestellt ist und von einzelnen Pflanzen, z. B. *Colocasia odora* und *Arum maculatum*, höchst sorgfältige Untersuchungen von ausgezeichneten Beobachtern gemacht sind, so sind der unvollständig beantworteten Fragen doch noch so viele, daſs neue Untersuchungen in jeder Beziehung nöthig sind. Die *Victoria regia*, deren Blüthe mir in diesem Jahre sich einmal um $12^{\circ},2$ R. wärmer als die umgebende Luft zeigte, bietet eben durch diese bedeutende Wärmeerhöhung, der bedeutendsten nach der der *Colocasia odora* und des *Arum Dracunculus*, und durch die auſserordentliche Gröſse ihrer Blüthen, so entschiedene Vortheile für die Untersuchung über die Temperatur der Blüthen vor andern Pflanzen dar, daſs sie sich besonders zur Erledigung der in Bezug hierauf noch unbeantworteten Fragen eignet.

Untersuchungen, die ich über die Wärme der Blüthe der *Victoria regia* an 3 Blüthen 1854 machte (Bonplandia 1855 p. 178 ff.), liefsen mich über manchen wesentlichen Punkt hauptsächlich aus 2 Gründen in Ungewifsheit. Einmal waren die direkten Strahlen der Sonne bei 2 Blüthen nicht ganz ausgeschlossen worden, da der Rohrvorhang des Victoriahauses im botan. Garten doch noch einigen Strahlen Eingang gestattet hatte und bei der dritten Blüthe, die ich im Garten des Hrn. Borsig beobachtete, gar nicht, da hier kein Vorhang angebracht werden konnte. Freilich hatte die Sonne selten während der Untersuchung geschienen und die riesige Blüthe, in der die Thermometer oft 3—4″ tief steckten, hatte selbst diese vor dem Einflufs der direkten Sonnenstrahlen geschützt; aber neue Untersuchungen waren der Ungewifsheit wegen wünschenswerth.[1]) Dann aber hatte ich bei allen 3 Blüthen entweder kaltes, regnerisches Wetter gehabt, oder der Sonnenschein war wenigstens oft durch Wolken unterbrochen worden und die Periode der Lufttemperatur war vom normalen Gange sehr abweichend gewesen. Ich habe daher in diesem Jahr von neuem 4 Blüthen untersucht, von denen das direkte Sonnenlicht gänzlich ausgeschlossen wurde und ich war so glücklich bei 2 derselben schönes, helles Wetter und fast durchweg klaren Himmel zu haben, so dafs die Tagesperiode der äufsern Luft sehr regelmäfsig verlief. Die früher gewonnenen Resultate sind durch die neuen Untersuchungen modificirt worden und ich habe zugleich das wichtige Faktum gefunden, dafs die Periode der Blüthenwärme einen ersten selbstständigeren Theil und einen zweiten unselbstständigeren hat, welcher letztere von der Luftwärme in seinem Verlauf abhängig ist.

Die diesjährigen Beobachtungen sind mit 5 neuen Thermometern gemacht, die auf Kosten des botan. Gartens für meine Untersuchungen von C. F. Geissler angefertigt waren. Die Thermometer sind einzeln in warmem Wasser mit dem I. G. Greiner-

---

[1]) Die neuen in diesem Aufsatz mitgetheilten Untersuchungen haben ergeben, dafs die Befürchtung, dafs die 1854 gemachten, in der Bonplandia veröffentlichten, wegen Einwirkung direkten Sonnenlichts mangelhafte Resultate gegeben hätten, unbegründet war.

schen Normalthermometer des meteorologischen Instituts verglichen worden, den Herr Professor Dove mir zu diesem Zweck
zu benutzen gütigst erlaubte. Das Resultat dieser Vergleichung
enthält die folgende Tabelle, nach der meine Beobachtungen
der Temperatur der Blüthe der *Victoria* korrigirt worden sind.

Correctionstafel der Thermometer.

Normal-thermometer	Thermometer I	Thermometer II	Thermometer III	Thermometer IV	Thermometer V
+ 30°5					0
30	0	+ 0,15	— 0,05	— 0,1	0
29,5	0	+ 0,1	— 0,1	— 0,1	0
29	0	+ 0,1	— 0,1	— 0,05	0
28,5	0	+ 0,05	— 0,1	— 0,05	0
28	0	+ 0,1	— 0,1	— 0,1	0
27,5	0	0	— 0,1	— 0,1	0
27	0	+ 0,1			0
26,5	0	+ 0,1	— 0,1	— 0,1	0
26	0	+ 0,1	— 0,1	— 0,1	0
25,5	0	+ 0,1	— 0,1	— 0,1	0
25	0	+ 0,1	— 0,1	— 0,1	0
24,5	0	+ 0,1	0	— 0,1	0
24	0	+ 0,1	— 0,1	— 0,1	0
23,5	+ 0,05	+ 0,1			0
23	+ 0,05	+ 0,1	— 0,1	— 0,1	0
22,5	+ 0,05	+ 0,1			0
22	+ 0,05	+ 0,1	— 0,1	— 0,1	0
21,5	+ 0,05	+ 0,1			0
21	0	+ 0,1	— 0,1	— 0,1	0
20,5	+ 0,05	+ 0,1			0
20	+ 0,05	+ 0,1	— 0,1	— 0,1	0
19,5	+ 0,05	+ 0,05			0
19	+ 0,1	+ 0,15	— 0,1	— 0,1	+ 0,05
18,5	+ 0,05	+ 0,1	— 0,05	— 0,05	+ 0,05
18	+ 0,1	+ 0,1			+ 0,05
17,5	+ 0,1	+ 0,1			+ 0,05
17	+ 0,1	+ 0,1	— 0,1	0	+ 0,1
16,5	+ 0,1	+ 0,1	— 0,05	0	
16	+ 0,1	+ 0,1	— 0,05	0	+ 0,1
15,5	+ 0,1	+ 0,1	0	0	
15	+ 0,15	+ 0,15	0	+ 0,05	+ 0,1
14,5			0	+ 0,05	
14	+ 0,15	+ 0,15	0	+ 0,05	
13,5	+ 0,2	+ 0,2	0	+ 0,1	
13	+ 0,2	+ 0,2	0	+ 0,1	
12,5			0	+ 0,1	
12	+ 0,2	+ 0,2	0	+ 0,05	
11,5	+ 0,2	+ 0,2	+ 0,05	+ 0,1	
11	+ 0,2	+ 0,2	+ 0,05	+ 0,1	
10,5	+ 0,2	+ 0,2			
10	+ 0,2	+ 0,2	+ 0,15	+ 0,2	

Die 5 Thermometer sind alle nach Réaumur getheilt und zeigen Fünftel Grade. I' und II' sind sehr klein und empfindlich, nur 6½" lang und kaum dicker als 2'''. Ich benutzte sie für die Blüthe. Ihr cylindrischer Quecksilberbehälter ist nur 1¼''' dick; sie gehen I' von — 8° bis + 54°, II' von — 8° bis + 48°. III', IV' und V' sind 13¼—14" lang, mit kugligem Quecksilberbehälter und nebst der Scala in Glasröhren eingeschmolzen. III' und IV' bilden ein Psychrometer, dessen Umfang von — 28° bis + 45° reicht. V' umfaßt die Scala von — 13° bis + 50°.

Über dem 23' im Durchmesser haltenden 16eckigen Bassin des Victoriahauses des botan. Gartens war am Dache eine starke, senkrechte, drehbare, eiserne Stange angebracht, die unten einen eisernen Querbalken hat, der etwa 1' über der Wasserfläche sich befindet. Auf diesen Querbalken wurde vom Rande des Bassins aus eine Leiter horizontal gelegt, welche leicht mittelst der drehbaren Stange nach irgend einem Theil des Bassins bewegt werden konnte. Die beiden Thermometer I' und II', welche für die Blüthe gebraucht wurden, waren an Bindfäden befestigt, die von der Decke des Hauses hinabhingen. Die Thermometer III' und IV', welche das Psychrometer bildeten, waren an einer Stange, die in den Boden des Bassins in dessen Mitte hineingesteckt war, angebracht, befanden sich in nächster Nähe der Blüthe, etwa nur 1' davon entfernt und in gleicher Höhe mit derselben etwa 5" mit ihren Kugeln über dem Wasser. An derselben Stange war auch das 5te Thermometer befestigt, welches 4" ins Wasser eintauchte. Machte die Lage der Blüthe eine Ortsveränderung der Thermometer nothwendig, so sind die angegebenen Verhältnisse doch stets beibehalten worden.

Die Knospe der *Victoria* öffnet sich mit einiger Regelmäßigkeit zwischen 4½ und 5 Uhr Nachmittags. Man kann es einer Knospe einige Stunden vorher ansehen, ob sie sich an demselben Tage öffnen wird oder nicht. Schon einige Stunden zuvor lösen sich die Kelchblätter etwas; der weißliche Rand kommt bei den seitlichen und dem inneren Kelchblatt zum Vorschein und die Knospe hebt sich mit dem Germen mehr oder weniger hoch über das Wasser empor. Fehlt

diese Lösung der Kelchblätter, sind die weifslichen Ränder
derselben nicht sichtbar, sinkt die Knospe beim Beginn des
Nachmittags mit dem Germen ins Wasser zurück, worüber sie
sich bei Tagesanbruch erhoben hatte, so bricht sie an diesem
Tage nicht auf. Ich habe bei den drei ersten Blüthen, die
ich in diesem Jahre untersuchte, ihre Öffnung nicht abgewar-
tet, sondern, wenn ich die Anzeichen sah, dafs sie stattfinden
würde, schon einige Zeit zuvor, bei der 6ten Blüthe (ich
zähle, die drei 1854 untersuchten mit) schon vor 3 Uhr Nachmittags, ein Loch mit einer messingenen, scharfen Röhre oder
einem Federmesser bis auf die Antheren gebohrt und in diefs
ein Thermometer hineingesteckt, um auch den Zustand der
Knospe vor dem Aufbruch in Bezug auf Wärme zu untersuchen. Sobald die Blüthe geöffnet war, wurde dann diefs Thermometer zwischen die unbeschädigten Antheren geschoben.
Das 2te Thermometer wurde durch das Loch von etwa einem
Centimeter Durchmesser, welches die Parakarpelle und Antheren zwischen sich lassen hindurch, in die urnenförmige Höhlung, welche sich über der Scheibe der Stigmata befindet, gesteckt, sobald die Blüthe weit genug geöffnet war um diefs
zu gestatten. Die innersten Petala, welche sich erst am 2ten
Tage zurückschlagen, wurden dabei immer vorsichtig mit der
Hand oder einem Holzstäbchen gelöst. Das 2te Thermometer
stand also auf der Scheibe der Stigmata und zeigte so die
Wärme des Germen an. Um zu verhindern, dafs die Blüthe,
besonders gegen Schlufs der Blüthezeit, nicht durch Eintauchen
ins Wasser die Untersuchung unmöglich machte, wurde stets
noch vor dem Aufbrechen ein grofses Stück Kork unter dieselbe geschoben, so dafs das Germen sich etwa $\frac{1}{2}''$ über Wasser befand, wenn die Blüthe sich nicht selbst höher über dasselbe hinaushob. Hatte sich die Blüthe geschlossen, so wurde
der Kork weggenommen, worauf sie dann bald so tief ins
Wasser sank, dafs dieses in die Räume der Blüthe eintrat und
die Untersuchung geschlossen werden mufste. Die Beobachtungen sind durch den ganzen Verlauf der 41—45stündigen
Blüthezeit Tag und Nacht stündlich, wenn die Temperatur
stieg, sogar alle Viertelstunde oder alle zehn Minuten gemacht. Um die störenden Einflüsse der direkten Sonnenstrah-

len auszuschließen, sind über dem Dach des Hauses und vor den Seiten desselben 7—8 hölzerne, oder dichte, mit Ölfarbe gestrichene, leinwandene Laden angebracht und je nach dem Stande der Sonne umgestellt worden; die Blüthe befand sich so stets vollständig im Schatten. Die Folge dieser Beschattung war das interessante Phänomen, was ich zuerst bei dem Handelsgärtner Goeschke in Köthen kennen lernte, daß sich die Blüthe nicht wie gewöhnlich schloss, selbst nicht zur Mittagszeit, sondern ununterbrochen geöffnet blieb. Für die Unterstützung, die ich bei meinen Untersuchungen durch zeitweise Stellvertretung von Seiten der Gehülfen des botan. Gartens, der Herren Jannoch, Morgenstern und ganz besonders des Hrn. Scheppig erhalten habe, fühle ich mich diesen zu großem Danke verpflichtet.

Ich lasse jetzt die Beobachtungen über die 4te, 5te und 6te Blüthe folgen:

4. Blüthe.

45 Stunden beobachtet. 71 Beobachtungen.

Tag	Stunde	Temperatur					Bemerkungen
		der Blüthe		der Luft im Hause	des Wassers	der Luft draußen	
		Germen	Antheren				
		Thermometer I	Thermometer II	Thermometer III	Thermometer IV	Thermometer V	
29.Septbr. 1855	4 h. 45 m. p. m.		23,3	20,8	24,1	13,19	Heizung täglich von 7—12 h. a. m. — Das Wetter während der ganzen Beobachtungszeit mit Ausnahme einiger unbedeutender Störungen heiter und die Temperaturperiode der äußern Luft ganz normal. — Um 4 h. 45 m. öffnet sich das äußere Sepalum etwas und die Blüthe duftet stark. Es wird ein Loch bis auf die Antheren gebohrt, in welches Thermometer II° hineingesenkt wird.

6 h. p. m.		22,6	18,75	23,4	11,7
6 h. 30 m.	20,35	22,1	18,1	23,1	10,6
6 h. 50 m.	22,45	23,5	18,1	23	
7 h.	21,75	23,5	18	23	10
7 h. 10 m.	22,95	23,7	17,8	23	
7 h. 20 m.	23,35	24,2	17,7	22,8	
7 h. 40 m.	23,15	24,4	17,3	22,7	9,5
7 h. 50 m.	22,95	24,6	17,2	22,6	
8 h.	22,95	24,7	17,2	22,6	9,1
8 h. 10 m.	22,95	24,8	17,2	22,6	
8 h. 20 m.	22,95	24,7	16,85	22,6	
8 h. 30 m.	22,95	24,7	16,75	22,5	8,6
8 h. 40 m.	22,45	24,6	16,55	22,4	
8 h. 50 m.	22,85	21,6	16,55	22,4	
9 h.	22,65	24,5	16,65	22,3	8,2
9 h. 30 m.	22,45	24,1	16,25	22,1	7,9

um 5 h. noch geschlossen.

Zwischen 5 und 6 h. öffnet sich das innere Sepalum und alle Petala; selbst die innersten öffnen sich etwas und zeigen sich schon karmosinroth gesprenkelt. Himmel ganz wolkenlos. Etwas vor 6 h geht die Sonne unter.

Thermom. I' zeigt zwischen der 2. und 3. Reihe der Petala dieselbe Temperatur, wie in der Höhle über der Scheibe der Stigmata.

I' steht von nun an in der Höhle über der stigmatischen Scheibe und zeigt so die Wärme des Germen. II' wird aus dem Loch, welches in die Antheren gebohrt war, entfernt und zwischen unbeschädigte Antheren geschoben, wo es von jetzt ab stehn bleibt.

Die innersten Petala, die ich mit Gewalt gegen 6 h. zurückgeschlagen hatte, zeigen sich gegen 7 h. wieder geschlossen.

Tag	Stunde	Temperatur der Blüthe – Germ Thermometer I	der Blüthe – Andern Thermometer II	der Luft im Hause Thermometer III	des Wassers Thermometer IV	der Luft draußen Thermometer V	Bemerkungen
29. Septbr. 1855	10 h.	21,95	21,6	15,7	22	7,6	Die Blüthe duftet fortwährend ausgezeichnet. Die Petala stehn alle sperrig; die innern sind mit der Basis angelegt.
	11 h.	21,95	21,6	15,2	21,6	7,3	
	12 h.	21,25	21,5	14,9	21,3	7,1	
30. Septbr.	1 h. a. m.	20,55	20,7	14,5	20,9	6,6	
	2 h.	19,85	20,5	14,1	20,7	5,8	
	3 h.	19,2	20	13,7	20,5	5	
	4 h.	18,9	19,75	13,4	20,2	4,7	Die Sonne geht etwa um 5½ h. auf. Am 30. Septbr. wird Luft gar nicht gegeben, um die Periode der Temperatur der Blüthe nicht zu stören. À 12' lange und 4' breite Laden werden auf das Dach des Hauses da hingelegt, wo die Sonne die Blüthe treffen konnte, so daß die Blüthe ganz im Schatten steht. Später werden noch einige Laden senkrecht vor das Haus auf die Sonnenseite gesetzt, um auch das zerstreute Tageslicht von die-ser Seite zu schwächen. Erst gegen 8 h. fangen einige Sonnenstrahlen an in den übrigen Theil des Hauses zu dringen. Um 6⅓ h. geheizt.
	5 h.	18,65	19,55	13	20	4,6	
	6 h.	18,35	19,75	12,8	19,8	4,3	
	7 h. a. m.	18,35	19,45	13,3	19,8	5,3	
	8 h.	19,75	22,5	15,1	21,2	7,4	
	8 h. 15 m.	19,95	22,8	15	21,2	7,7	
	8 h. 30 m.	20,25	21,2	15,2	21,4	8,1	
	8 h. 45 m.	20,55	23,3	15,7	21,4	8,8	

						Bemerkungen
9 u. 15 m.	2t	2t,5	19,25	22,3	11,5	
9 h. 45 m.	21,75	24,4	19,4	22,3	11,4	
10 h.	22,05	24,6	19,5	22,4	11,7	
10 h. 30 m.	22,05	24,6	18,95	22,8	12,7	Bis jetzt ganz heiterer Himmel. Von 11 h. ab einige kleine, lichte Wolken.
11 h.	22,45	24,7	20,1	23	13,5	
11 h. 30 m.	23,15	25,3	21,1	23,2	14	
12 h. m.	23,45	25,9	22,3	23,6	14,4	
12h 30m p.m.	24,3	26,5	22,7	24,2	14,9	
12 h. 45 m.	24,6	26,7	23	24,4	15,1	
1 h.	24,9	27,1	23,5	24,4	15,6	
1 h. 15 m.	25	27,3	23,6	24,4	15	Einige kleine, lichte Wolken ziehn schnell an der Sonne vorbei, erniedrigen jedoch den Thermometerstand.
1 h. 30 m.	24,9	27,1	22,6	2,44	14,8	Lichte Wolken hin und wieder vor der Sonne.
2 h.	24,4	26,6	21,7	25	14,3	Desgleichen.
3 h.	23,45	26,1	21,7	23,8	15,4	Da die Bluthe stets beschattet war, hat sie sich bei Tage gar nicht geschlossen.
4 h.	23,45	25,3	20,5	23,6	13,5	Himmel, wie um 2 h. Alle Petala zurückgeschlagen, die inneren auf der Basis tiefer karmoisinroth gespenkelt und mehr, als am Abend zuvor. Die Staminodien bilden einen geschlossenen Knopf.
4 h. 30 m.	22,55	24,4	20,1	23,4	13,3	Himmel ganz klar. Etwas vor 6 h geht die Sonne unter. Die Staminodien und Antheren fangen an sich senkrecht aufzurichten.
5 h.	21,95	21,6	19,3	21,2	13,0	
6 h.	20,65	20,9	17,9	22,8	10,1	
7 h.	19,15	21,8	17,2	22,4	9,4	Die Staminodien ganz zurückgeschlagen und die Antheren fast alle senkrecht aufgerichtet. Therm. II' fiel zwischen 7 u. 8 aus den aufgerichteten Antheren hinaus und die Stellung von I' und II' mit einander bis 8 h. a. m. den 1. Octbr. gewechselt.

Tag	Stunde	Temperatur					Bemerkungen
		der Blüthe		der Luft im Hause	des Wassers	der Luft draußen	
		Germen Thermometer I	Antheren Thermometer II	Thermometer III	Thermometer IV	Thermometer V	
30.Septbr. 1855.	8 h.	19,55	19,75	16,25	22,1	9,6	Durch das Sichaufrichten der Stamina entsteht zwischen den Parakarpellen eine 1 cm. im Durchmesser haltende Öffnung nach der Höhle über der stigmatischen Scheibe.
	9 h.	19,05	18,8	15,85	21,7	9,0	
	10 h.	19,05	18,35	15,6	21,5	9,1	Die Stamina fangen an sich wieder über die mittlere Öffnung zu legen und sie zu schließen.
	11 h.	18,85	18,7	15,2	24,1	9,1	
	12 h.	18,8	18,35	15,1	21	9,0	
1. Octbr. 1855	1 h. a. m.	18,5	17,7	14,8	20,8	8,6	
	2 h.	17,9	17,7	14,4	20,5	8,2	
	3 h.	17	16,9	14,3	20,3	8,2	Himmel im Süden leicht bewölkt. Die Petala beginnen sich zu schließen.
	4 h.	16,8	15,2	14,2	20,1	7,2	Himmel leicht bewölkt. Der größte Theil der Staminodien hat sich zur Mitte geneigt.
	5 h.	16,5	15,3	14,2	19,9	8,2	Alle Staminodien geschlossen. Um 5½ h. geht die Sonne auf.
	6 h.	16,1	15,05	13,9	19,8	7,8	Leichte Wolken hie und da.
	7 h.	15,2	14,65	14	19,7	8,8	Ebenso bis 10 h. a. m.
	8 h.	16,4	16,2	15,7	19,8	10,2	Himmel ebenso. Die Basen der Petala an die Staminodien gelegt. Petala rosig, ohne Gelb.
	9 h.	18	18	17,7	20,6	11,9	Die Spitzen der Petala und Sepala beginnen sich einzubiegen.
	10 h.	20,3	19,65	18,55	21,1	12,1	Innere Petala senkrecht, die äußeren zur Axe unter ¼ R. geneigt.

Stunde	I	II	III'	V'	der Luft draußen	Bemerkungen
12 h. m.	23,2	22,55	21,5	22,5	14,5	Sonne scheint nur für Augenblicke. Sonne scheint hin und wieder schwach durch den lückenhaft bewölkten Himmel. Die Zwischen 12 und 1 h. meist Sonnenschein. Die Blüthe fast ganz geöffnet
1 h. p. m.	2,39	23,85	22,5	24	15,8	
2 h. p. m.	23,9	24	21,7	23,3	14,7	Die geschlossene Blüthe sinkt nach 2 h. ins Wasser, als der Kork, der beim Aufbrechen unter sie gelegt war, fortgezogen wird. Die Untersuchung daher aufgehoben.

5. Blüthe.

43 Stunden beobachtet. 73 Beobachtungen.

Tag	Stunde	Temperatur					Bemerkungen
		der Blüthe		der Luft im Hause	des Wassers	der Luft draußen	
		Antheren Thermometer I'	Germen Thermometer II'	Thermometer III'	Thermometer V'		
3. Octbr. 1855	4 h. 45 m. p. m.	21,95		18,35	22,7	11,3	Das Thermometer draußen ist ein Greinersches, in Holz gefaßt, sonst im Victoria-Hause im Gebranch. Um 4½ h. wird ein Loch bis auf die Antheren gebohrt, als sich eben die Sepala zu lösen anfangen und Thermom. I' hineingesteckt. Heizung stets bei Tag von 6½ h. — 12 h. Morgens.
	5 h.	22,15	20	18,05	22,5	11,2	Um 5½ h. wird Therm. I' aus dem Loch herausgenommen und zwischen die Antheren der mit Nachhülfe geöffneten Blüthe geschoben. Die Para-
	5 h. 30 m.	22,05	20	17,9	22,4	10,8	
	5 h. 45 m.	21,95	20	17,4	22,3	10	

Tag	Stunde	Temperatur					Bemerkungen
		der Bluthe		der Luft im Hause	des Wassers	der Luft draußen	
		Antheren Therm.-meter I'	Germen Thermometer II'	Thermometer III	Thermometer V		
3. Octbr. 1855	6 h.	21,85	20	16,95	22,2	9,7	Petala aufgerichtet und ein rundes Loch von 1 cm. Durchmesser zwischen ihnen über der Höhlung der Stigmata; durch diefs wird II' in die Höhlung über des Stigmaton gesetzt. I' zwischen die Filamente, tiefer geschoben, sinkt sofort auf 21°, steigt aber sogleich wieder auf 22,05, sobald es von Neuem in Höhe zwischen die Antheren gezogen wird. Die äußern Petala ganz weiß; die innern an der Basis karmoisin gesprenkelt; sonst röthlich weiß. Antheren auch karmoisin auf den Spitzen.
	6 h. 30 m.	21,95	20,4	16,35	22,2		
	6 h. 45 m.	22,25	20,6	16,8	22,2		
	7 h.	22,35	20,7	15,95	21,9	9,2	Die Thür von 7 h. bis 7 h. 15 m. offen. Diefs hat ein Sinken der Temperatur in der Höhlung über dem Germen zur Folge. — Himmel stets klar.
	7 h. 15 m.	22,35	20,5	14,8	21,8		Die Thür um 7 h. 15 m. geschlossen, was mittelst Erhöhung der Temperatur der Luft im Hause ein Steigen in dem Thermometer über dem Germen bewirkt.
	7 h. 30 m.	22,95	20,6	15,7	21,7	8,3	
	7 h. 45 m.	23,15	20,9	15,6	21,6		
	8 h.	24,45	21,2	15,6	21,6		Zwischen 8 h. 35 m. und 45 m. die Thür offen. Dadurch wird das Steigen von I' u. II' gehindert, aber die Temperatur der Luft im Hause fällt so,
	8 h. 15 m.	23,9	21,6	15,6	21,6		
	8 h. 30 m.	24	21,8	15,6	21,4		

Zeit						Bemerkungen
9 h.	24	21,8	15	21,4	7,7	"
9 h. 15 m.	24	21,7	15,2	21,3		Einzelne Wolken; sonst sternklar.
9 h. 30 m.	21,9	21,7	15,3	21,3	8,3	"
10 h.	23,8	21,7	15,4	21,1	8	"
10 h. 30 m.	23,45	21,5	15,4	21	7	"
11 h.	23,25	21,1	15,2	20,9	7,2	"
12 h.	22,15	20,7	14,6	20,6	6,5	"
1 h. a. m.	21,75	20	14,5	20,4	6,1	Sternklar.
2 h.	21,35	19,85	14,3	20,2	5,9	Etwas neblig.
3 h.	20,75	19,25	13,8	20	5,5	"
4 h.	20,45	18,95	13,6	19,7	6	"
5 h.	20,15	18,6	13,5	19,5	6,5	"
6 h.	20,25	18	13,7	19,4		Die Sonne geht etwas vor 6 h. auf.
7 h.	20,65	18	13,9	19,4		Leichte Wolken.
8 h.	22,25	19,75	15,7	20,3	8,3	Etwas neblig; jedoch sonst klar und Sonnenschein. 6 Laden über das Dach und vor die Seiten des Hauses gelegt und nach Veränderung des Standes der Sonne verändert.
4. Octbr. 1855						
8 h. 30 m.	23,35	20,7	17,1	21,3	10	Himmel neblig bewölkt; jedoch scheint die Sonne schwach durch den Nebel.
9 h.	24,4	21,5	17,9	21,6	11	Himmel wie vorhin. Der Nebel fällt.
9 h. 15 m.	24,6	21,7	18,25	21,9	10,25	"
9 h. 30 m.	24,8	21,9	18,25	22	11,4	"
9 h. 45 m.	25,1	22,3	18,45	22,1	11,7	"
10 h.	25,2	22,4	18,65	22,1	12	Sonne scheint stets durch den Nebel.
10 h. 15 m.	25,3	22,5	19	22,1	12,5	"
10 h. 30 m.	25,4	22,7	19,3	22,3	13	"
10 h. 45 m.	25,6	22,9	19,8	22,6	13,4	"
11 h.	25,7	23,1	20,5	23	14,3	"

Tag	Stunde	Temperatur					Bemerkungen
		der Bluthe		der Luft im Hause Thermometer III'	des Wassers Thermometer V	der Luft draußen	
		Antheren Thermometer I'	Germen Thermometer II'				
4. Octbr. 1855.	11 h. 15 m.	25,9	23,4	20,8	23	14,2	Sonne scheint stets durch den Nebel.
	11 h. 30 m.	26,2	23,6	21,1	23	14,5	"
	11 h. 45 m.	26,4	23,7	21,2	23,2	14,4	"
	12 h. m.	26,6	23,8	21,6	21,4	15	"
	12 h.15m. p.m	26,8	24,1	22,3	23,5	15,2	Heiterer Sonnenschein.
	12 h. 30 m.	27,2	24,4	22,7	21,9	15,3	"
	12 h. 45 m.	27,3	24,7	22,9	24	15,7	Die Sonne scheint durch lichte Wolken.
	1 p. m.	27,4 / 27,3	24,8	22,7	24,1 / 24	15,4	"
	1 h. 15 m.		24,9	22,4		15,4	"
	1 h. 30 m.	27,1	24,8	22,1	23,9	15,4	"
	2 h.	26,8	24,5	21,5	23,6	15	"
	3 h.	26,3	23,8	20,8	21,2	14,3	"
	4 h.	25,1	22,9	19,9	23	14	"rübe.
	5 h.	23,75	22	18,75	22,6	13	Himmel ganz bezogen. Die stets beschattete Blüthe hatte sich den ganzen Tag nicht geschlossen. Nun fangen die innern Petala an sich zurückzuschlagen. Trüb. Himmel fast ganz bezogen. Die innern rothgefleckten Petala meist zurückgeschlagen, die übrigen wagrecht.
	6 h. 15 m.	22,15	21,3	18,05	22,1	12,8	Trüb. Die Staminodies fast senkrecht. Die Petala sämmtlich zurückgeschlagen; die Stamina fangen an sich aufzurichten. Daher fällt zwischen 5 u. 6 h. Thermometer I' aus ihnen heraus und wird ¼ Stunde nach der Wiederaufrichtung zwischen die

Zeit						Bemerkungen
8 u.	20,15	20,1	16,05	21,5	10,05	Himmel am W... bezogen.
9 h.	19,65	19,7	15,7	21,6	10,5	Die Staminodien zurückgeschlagen und die Antheren aufgerichtet, so von 9—11 h. Dann legen sich die Antheren und die Staminodien fangen an sich zu schliessen.
10 h.	19,35	19,45	16,55	21,8	10,7	Neblig. Jedoch Sterne sichtbar.
11 h.	19,25	19,35	16,05	21	10,1	Sternklar, ohne Nebel.
12 h. m. n.	18,35	18,95	15,95	20,6	9,4	Die Antheren über einander gelegt u. das mittlere Loch verdeckend. Die Staminodien halb geschlossen.
1 h. n. m.	17,5	18,4	15,4	20,6	9,2	Staminodien noch mehr nach innen gebeugt.
2 h.	16,6	17,4	15,3	20,4	8,6	Sternklar. Staminodien geschlossen. Die innern Petala haben sich mit der Basis ihnen angelegt. Sternklar.
3 h.	16,2	16,7	14,6	20,1	8,5	
4 h.	15,7	16,2	14,6	20,0	8,3	
5 h. n. m.	15,3	15,8	14,6	19,8	8,5	
6 h.	15,2	15,7	14,7	19,6	8,9	Einzelne Wolken. Die innersten Petala erheben sich.
7 h.	15,4	16,1	15	20	10	Himmel trüb.
8 h.	16,6	17,7	16,85	21,4	11	Himmel bezogen; jedoch hie und da das Blau sichtbar. Petala in wagrechter Lage.
9 h.	19	18,95	19,8	21,7	14,8	Himmel fast ganz bezogen. Petala alle rosig.
10 h.	21,35	21,1	20,2	22,6	14,3	Sonne scheint durch neblige Wolken.
11 h.	22,15	21,5	21	23,1	15,4	Himmel ganz bezogen. Kein Sonnenschein. Himmel licht bezogen. Kein Sonnenschein. Blüthe fast ganz geschlossen.
12 h.	22,55	22,2	21,7	23,5	16	Wetter ebenso. Bei Wegnahme des Korks, der beim Aufbrechen unter die Blüthe gelegt war, sinkt sie, geschlossen, ins Wasser und die Beobachtung wird eingestellt.

5. Octbr. 1855

6. Blüthe.

43 Stunden beobachtet.   81 Beobachtungen.

Tag	Stunde	Temperatur					Bemerkungen.
		der Blüthe		der Luft im Hause	des Wassers	der Luft draußen	
		Germ. Thermometer I'	Anthren Thermometer II'	Thermometer III'	Thermometer V		
7. Octbr. 1855	3 h. p. m.	24,2		21,8	23,9	17,3	Am 7. Oct. ganz klares Wetter, den 8. Oct. am Vormittag durch etwas Regen getrübt, später, wie am 9. Oct. Himmel bald klar, bald bezogen. — In der Luft im Freien ein Greinersches Thermometer, das des Victoriahauses. — Die Knospe um 2¼ h. in Schatten gesetzt durch 3 aufgelegte Laden. — Um 3 h. etwa ½ Stunde vor Öffnung der Blüthe bohrte ich ein Loch bis auf die Antheren, in welches Thermometer II' eingesteckt wird; das sofort auf 24,2 steigt. Das Thermometer am den Antheren herausgezogen, und noch ¼" tief in der Knospe, fällt sogleich auf 23,5, steigt aber in die Antheren zurückgeschoben wieder auf 24,2. Bis zu Sonnenuntergang heiterster Sonnenschein.
	, h. 1> m.	24		21,7	23,8	17	
	3 h. 30 m.	23,7		21,2	23,7	16,9	
	3 h. 45 m.	23		21	23,6		
	4 h	22,9	22,9	21	23,5	16,2	Das äußere Sepalum der Knospe fängt an sich loszulösen und die Knospe beginnt zu duften.
	4 h. 15 m.	22,9	22,9	20,8	23,5	15,5	
	4 h. 30 m.	22,9	22,9	20,4	23,4	15,8	Eins der äußern Petala beginnt sich zu lösen.
	4 h. 45 m.	22,9	22,9	20	23,3	14,6	

8. Octbr. 1855

Zeit						Bemerkungen
5 h.		22,9	19	23,2	14	Alle Sepala und viele Petala haben sich geöffnet.
5 h. 15 m.		23,1	19,3	23,1	13,7	Blüthe fast ganz offen.
5 h. 30 m.		23,2	18,95	23	13,2	Die Sonne geht um 5¼ h. unter.
5 h. 45 m.		24,5	18,65	22,9	12,9	Der Himmel die ganze Nacht über durchaus klar.
6 h.	22,75	23,8	18,65	22,8		Blüthe ganz offen. Therm. I' wird dur ·|· die Öffnung zwischen den Parapetalis in die Höhle über den Stigmaten geschoben und giebt so die Wärme des Germen an.
6 h. 30 m.	23,85	24,1	18,45	22,8	12	Ich öffnete die Thür von 6 h. 35 m. bis 7 h. 20 m., um den Einfluss der eindringenden kalten Luft auf die Blüthe zu beobachten.
6 h. 45 m.	24,8	25,3	17,3	22,6	11,7	
7 h.	24,3	25,4	16,75	22,6	11,5	
7 h. 10 m.	24,3	25,5	16,45	22,5	11,3	
7 h. 20 m.	24,1	25,5	16,35	22,4	11,3	
7 h. 30 m.	23,9	25,5	17,1	22,3	11,2	
7 h. 40 m.	24	25,7	17,4	22,3	11	
7 h. 50 m.	24,2	25,8	17,5	22,3	11	
8 h.	24,3	25,95	17,5	22,2	11	
8 h. 10 m.	24,3	26	17,5	22,1	10,9	
8 h. 20 m.	24,4	26,05	17,5	22,1	10,8	
8 h. 30 m.	24,3	26	17,3	22	10,8	Um 7 h. 20 m. die Thüre geschlossen.
8 h. 40 m.	24,2	25,9	17,2	22		
8 h. 50 m.	24,2	25,7	17,2	21,9	10,7	
9 h.	24,1	25,6	17,1	21,9	10,5	
9 h. 15 m.	24	25,4	17	21,8	10,4	
10 h.	23,25	24,8	16,45	21,6	10,3	
11 h.	22,35	23,7	16,15	21,4	9,7	
12 h.	21,95	22,9	16,05	21	9,4	
1 h. a. m.	21,35	22,8	15,85	20,8	9,6	
2 h.	20,85	21,6	15,6	20,6	9,4	Hie und da eine leichte Wolke.

Tag	Stunde	Temperatur					Bemerkungen
		der Blüthe		der Luft im Hause	des Wassers	der Luft draußen	
		Germes Thermometer I'	Antheren Thermometer I''	Thermometer III'	Thermometer V		
8. Octbr. 1855	3 h.	20,25	21,6	15,4	20,4	9,9	Himmel ganz klar.
	4 h. a. m.	20,05	21,6	15,2	20,8	9,0	
	5 h. a. m.	19,85	21,9	14,95	20,0	9,0	Einzelne, kleine Wolken.
	6 h.	19,75	22,1	15,0	19,8	9,8	
	7 h.	19,45	22,4	14,5	19,8	10	Trübe. Um 7¾ h. werden die Laden aufgelegt, um die Knospe gegen die Sonne, falls sie scheinen sollte, zu schützen. — Trübe um 9 h.
	8 h.	19,75	23,3	16,45	20,4	11	
	9 h.	20,15	25,1	17,7	21	12,8	Ganz bezogen.
	9 h. 15 m.	21,35	25,1	18,15	21,8	12,8	Ebenso.
	9 h. 30 m.	21,45	25,2	18,55	22	12,9	Etwas Regen.
	9 h. 45 m.	21,85	25,4	18,65	22,7	13	Feiner Regen.
	10 h.	21,95	25,5	18,25	22,7	12,5	Ganz bezogen. Feiner Regen.
	10 h. 15 m.	21,95	25,5	18,15	22,9	12,6	Dick bezogen. Regen. Durch den eintröpfelnden
	10 h. 30 m.	21,85	25,45	17,9	22,7	12,4	Regen fällt die Temperatur des Wassers.
	10 h. 45 m.	21,75	25,3	17,9	22,5	12,4	Ebenso.
	11 h.	21,55	25,3	17,8	22,4	12,4	Lichter bezogen. Kein Regen. Die Temperatur der Blüthe, besonders in der Höhlung über dem Germen, sinkt mit der der Luft und des Wassers.
	11 h. 15 m.	21,45	25,3	18,35	22,4	12,6	Licht bezogen.
	11 h. 30 m.	21,75	25,5	19,6	22,8	13,7	Mit der Temperatur der Luft und des Wassers steigt die der Blüthe. Die Sonne scheint trüb durch lichte Wolken.
	11 h. 45 m.	21,25	25,9	20,3	23,5	14	Wetter ebenso. Ein Fenster und die Thür wird von 11 h. 50 m. bis 12 h. geöffnet. Trotz der fol-
	12 h. m.	22,45	26	19,2	23,5	14	

Zeit						Bemerkungen
						bleibender Wassertemperatur ist die Wärme der Blüthe gestiegen.
12 h. 15 m. p. m.	22,15	25,8	18,95	23,7	14,2	Von 12 h. bis 12 h. 15 m. die Thüre und 2 Fenster offen. Die Lufttemperatur fällt und mit ihr die der Blüthe, obgleich die des Wassers gestiegen ist.
12 h. 30 m.	22,45	25,9	20,6	24,1	14,2	Thüre und Fenster um 12 h. 15 m. geschlossen. Mit Erhöhung der Lufttemperatur steigt die der Blüthe wieder. Sonne scheint trüb durch Wolken.
12 h. 45 m	23,05	26,1	20,6	24,3	14,1	Sonne scheint trüb durch Wolken.
1 h. p. m.	23,35	26,3	20,6	24,3	14,2	Ebenso.
1 h. 15 m.	23,55	26,3	20,4	24,8	13,6	Ebenso.
2 h.	23,35	26,3	21,2 / 20,1	23,8	15,3 / 13,3	Ebenso.
3 h.	23,25	25,7	20,1	23,5		Ganz bezogen. Die beschattete Blüthe hatte sich nicht bei Tage geschlossen und ist um 3 h. bis auf die Staminodien, welche einen platten Knopf bilden, geöffnet.
4 h.	22,75	25	18,55	23,2	14,5	Sonnenschein. Himmel leicht bewölkt.
5 h.	21,85	23,8	17,5	22,8	11,7	Hie und da einige Wolken, sonst klar.
6 h.	20,95	23,9	16,75	22,5	10	Die Staminodien fangen an sich aufzurichten.
7 h. p. m.	20,55	23,5	16,45	22,2	9,2	Himmel wie vorhin. Die Sonne geht um 5½ h. unter.
8 h.	20,15	22,5	16,35	21,7	9	Sternklar. Die äußern Staminodien aufgerichtet, auch einige Antheren. Die Petala alle weit zurückgeschlagen.
9 h.	19,95	21,3	16,25	21,4	9,4	Sternklar.
10 h.	19,75	20,3	16,05	21,4	9,4	Etwas wolkig. Sterne jedoch sichtbar.
11 h.	19,35	19,45		21,2	9	»

Tag	Stunde	Temperatur					Bemerkungen
		der Blüthe		der Luft im Hause Thermometer III'	des Wassers Thermometer V	der Luft draußen	
		Gemein Thermometer I	Anthera Thermometer II				
8. Octbr.	12 h. m. n.	18,9	19,05	15,6	20,8	8,4	Sternhell.
9. Octbr. 1855	1 h. a. m.	17,9	18,7	15,1	20,4	7	Sternhell. Stratbwollen und Staubflocken geschlossen.
	2 h.	17,3	18,3	14,8	20,4	6,8	Sternklar.
	3 h.	17,1	18,1	14,6	20,4	6,8	"
	4 h.	16,5	17,1	14,4	20	6,4	"
	5 h.	16,3	16,9	14,7	19,9	8	"
	6 h.	16,2	16,8	14,4	19,6	8	Klar. Die Sonne geht etwas vor 6 h. auf.
	7 h.	15,9	15,9	14,9	19,6	8,9	Himmel theilweise bewölkt.
	8 h.	17,5	16,7	16,55	21,5	10,2	Wolkig. Hin und wieder Sonnenschein. Die ganze Blüthe rosig.
	9 h.	18,9	18,6	17,8	22,3	11,3	Die Sonne scheint durch lichte Wolken. Ebenso.
	10 h.	20,15	20,5	20	22,9	13,3	
	11 h.	21,25	21,9	2,01	23	13,1	Trübe Wolken. Wenig Sonnenblicke. Blüthe halb geschlossen.
	12 h. m.	21,55	22,1	20,3	23,7	13,8	Wolken licht. Die Sonne scheint oft. Die Blüthe, welche fast ganz geschlossen ist, sinkt bei Wegnahme des Korks ins Wasser.

Die Maxima sind in den vorstehenden Tabellen durch einen doppelten horizontalen Strich unter der Zahl, die Minima durch einen einfachen bezeichnet.

Auch füge ich drei Tafeln bei (Tafel I, II, III), auf denen
der Lauf der Temperatur der 4ten, 5ten und 6ten Blüthe, so
wie der umgebenden Luft und des Wassers graphisch dargestellt ist. Die Grade sind auf ihnen senkrecht, die Zeit horizontal aufgetragen.

Von den Resultaten, welche sich aus diesen Beobachtungen ergeben, hebe ich vorläufig nur einige wenige hervor,
die für die weitere Untersuchung von Wichtigkeit sind, indem ich mir die Zusammenfassung aller am Schlusse vor-
behalte.

Kurz nachdem das Thermometer zwischen die Antheren
gesteckt war und diese 2°,4 bis 3°,6 wärmer als die Luft gezeigt hatte, sank dasselbe ein wenig, höchsens jedoch um 1°,3.
Diese Senkung bezeichne ich als das kleine Minimum.
Nach dem kleinen Minimum steigt die Blüthenwärme sogleich
beträchtlich und schliefst diese Erhebung mit einem Maximum
von 24°,2 — 27°,48 R, welches die Luftwärme um 8°,05 bis
11°,1 übertrifft und 1 bis 4 Stunden nach dem Aufbrechen der
Knospe eintritt. Nach diesem ersten Maximum sinkt die Wärme
der Blüthe, erreicht ungefähr gleichzeitig mit der Lufttemperatur ein 2tes Minimum des Morgens zwischen 5 und 7 Uhr,
steigt dann wieder mit der Lufttemperatur, hat mit dieser zusammen gegen 1 Uhr des Nachmittags ein 2tes Maximum,
fällt wieder mit der Lufttemperatur auf ein 3tes Minimum,
welches gegen 6 oder 7 Uhr des Morgens eintritt und steigt
zu einem 3ten Maximum, das in die ersten Nachmittagsstunden des 3ten Tages fällt, in fast parallelem Gange mit der
Lufttemperatur empor. Gegen Eintritt des 3ten Maximums
hat sich die Blüthe geschlossen und sinkt ins Wasser. Das
2te und 3te Minimum bezeichne ich als die grofsen Minima. Die Periode der Wärme der Blüthe verläuft demnach
mit Ausnahme des ersten selbstständigen Maximums, welches
trotz dem Sinken der Luft und Wasserwärme 1—4 Stunden
nach Aufbruch der Blüthe eintritt, nach den diefsjährigen
durch schönes Wetter begünstigten Untersuchungen so auffallend parallel mit der Periode der Luftwärme, dafs mir der
Gedanke an die Abhängigkeit des 2ten Theils der Blüthenwärme von der Luftwärme unabweisbar aufgenötbigt wurde.

Da aber der Gang der täglichen Wärme der Luft zugleich parallel geht mit dem des Lichts, so fragte sich in Bezug auf den 2ten unselbstständigen Theil der Blüthenwärme, ob er nicht vielmehr vom Licht, als von der Temperatur abhängig sei, denn dafs das erste Maximum, welches oft ganz im Finstern längere Zeit nach Sonnenuntergang eintritt, vom Licht unabhängig ist, eben so wie es durch die Luftwärme nicht verursacht wird, ist klar. Jedoch waren mehrere Anzeichen da, dafs die Luftwärme hauptsächlich auf den Verlauf der Blüthenwärme einwirke. Die Kurven der Temperatur der Antheren und des Germen zeigten selbst bis zu den kleineren Veränderungen, in steilerem oder flacherem Ansteigen und Sinken sich grofsentheils parallel mit denen der Luft, obgleich keine Unterbrechung des Lichts dabei statt fand. Ich hatte mehrere Male durch Öffnen von Fenster und Thür die Lufttemperatur plötzlich bei sich gleichbleibendem Licht zum Sinken gebracht und meist sank damit auch die Wärme der Blüthe. Am 8ten Oktober öffnete ich von 12 h. m. bis 12 h. 15 m. die Thür und 2 Fenster. Die Luft im Hause sank von 19°,2 auf 18°,95; trotz dem, dafs sie nur 0°,25 gesunken war, hatte diefs doch schon zur Folge, dafs das Germen von 22°,45 auf 22°,15 und die Antheren von 26° auf 25°,8 fielen. Nach Schliefsung der Fenster und der Thür stieg jedoch die Temperatur der Blüthe wieder sogleich. Selbst für die selbstständigere Hebung, die alsbald nach Aufbruch der Blüthe eintritt, ist eine plötzliche Erniedrigung der Lufttemperatur, besonders in Bezug aufs Germen, nicht ohne Einflufs. Bei der 6ten Blüthe öffnete ich 1½ Stunden nach ihrem Aufbruch, um 6 h. 35 m. die Thür, welche ich bis 7 h. 20 m. offen liefs. In Folge dessen sank die Luft im Hause um 2°,1. Sowohl die Wärme des Germen, als die der Antheren, stieg anfangs nach Öffnung der Thür noch etwas; dann sank aber die im Germen allmälig um 0°,4 und stieg erst wieder nach Schlufs der Thür. Die Temperatur in den Antheren sank gar nicht, stand aber 20 Minuten lang auf derselben Höhe, was zu dieser Zeit der ersten Hebung sonst nicht vorkommt und stieg erst ebenfalls nach Schlufs der Thür. Zeigt sich auf solche Weise die Temperatur der Blüthe im unselbstständigen zweiten Theil und selbst einigermafsen, wenn auch nur in sehr schwachem Grade, im selbstständigeren ersten abhängig von der Lufttemperatur, so finden sich freilich besonders bei kaltem, regnerischem Wetter und öfterem Wechsel von Sonnenschein und Schatten, unter welchen Umständen die vorjährigen Beobachtungen gemacht sind, der eigenthümlichen von der Luft unabhängigen Schwankungen der Temperatur der Blüthe im Einzelnen so viele, dafs mich diefs bewogen hatte, in meinem früheren Aufsatz zweifelhaft zu erklären, dafs der Gang der Temperatur der Blüthe nur von der der Luft und des Wassers abzuhängen scheine (Bonplandia l. c. p. 189).

Die von Andern an den Blüthen anderer Pflanzen angestellten Beobachtungen geben über die Frage: ob die Periode der Blüthenwärme abhängig sei von der des Lichts oder der Luftwärme keine oder keine sichere Auskunft. Die meisten Beobachter haben die Periode der Temperatur der Blüthe nicht untersucht; aber auch da, wo sie am Besten bekannt ist, wie bei der *Colocasia odora*, kennen wir sie nicht ganz, da die Beobachtungen bei Nacht für längere oder kürzere Zeit eingestellt wurden. Die Minima der Temperatur der Blüthe kennen wir selbst bei der *Colocasia odora*, die Hubert, Brogniart, Vrolik und de Vriese, Hasskarl, Beek und Bergsma untersucht haben, nicht. Was das Maximum der Periode der Temperatur der *Colocasia odora* anbetrifft, so fällt dies höchst verschieden. De Vriese hebt das sehr auffallende Faktum hervor (*Nederlandsch kruidkund. Arch* III p. 189), dafs auf Ile de Bourbon nach Hubert und auf Java nach Hasskarl das Maximum der Wärme in die Morgenstunden gegen Sonnenaufgang fällt, während es in Europa nach den Beobachtungen von Brogniart, Vrolik und de Vriese, Beek und Bergsma gewöhnlich in den Nachmittagsstunden eintritt. Unter den 52 Beobachtungen über die Zeit des Maximums der *Colocasia odora*, welche ich in meinem früheren Aufsatz (l. c. p. 190 ff.) zusammengestellt habe, fallen 41 auf den Nachmittag zwischen $12\frac{1}{4}$ und $10\frac{1}{2}$ Uhr und nur 9 auf den Vormittag, darunter 2 um 7 und 8 Uhr, 1 um 9, 2 um 10, 1 um $10\frac{1}{2}$, 2 um 11, 1 um $11\frac{1}{4}$ und 2 auf 12 Uhr. Da die Angabe der Maxima aber oft nur auf 2, 3, 5 Beobachtungen des Tags beruht, da ferner keiner der Beobachter die Frage, von der ich handele, oder auch nur die Ermittelung der täglichen Periode scharf ins Auge gefaßt hat, so kann aus den vorhandenen Beobachtungen nicht entschieden werden, ob und wie weit die Periode der Wärme der *Colocasia odora* von der des Lichts oder der der Wärme abhängig ist und die Untersuchung in Bezug auf diese Frage ist erst zu unternehmen. Bei *Arum maculatum* zeigten die sorgfältigen Untersuchungen von Dutrochet (*Ann. sc. nat.* Ser. II. Vol. XIII. p 70 ff.), daß am zweiten Tage der Blüthe diese selbst in völliger Dunkelheit eine Periode hat und ein Maximum erreicht; eine Blüthe übertraf in Dunkeln um $10\frac{1}{7}$ h. a. m. die Lufttemperatur am $3°9$ R. ($4°9$ C). Es entspricht also diese Temperaturerhebung im *Arum maculatum* an Selbstständigkeit der Erhebung der Temperatur der Blüthe der Victoria, welche 1 — 1 Stunden nach ihrem Aufbruch des Abends eintrifft, ob aber der übrige Theil der Periode der Wärme des *Arum maculatum* dieselbe Unabhängigkeit vom Licht hat oder ob sie abhängt von der Luftwärme, hat Dutrochet nicht ermittelt und überdieß fallen die Maxima der von Dutrochet bei Tageslicht untersuchten Blüthen von *Arum maculatum* so verschieden zwischen 8 h. a. m. und 4 h. 30 m. p. m., daß man, da die Witterungsverhältnisse während der Beobachtungszeit nicht angegeben und wohl auch nicht beachtet sind, keinen Schluß auf das Agens, welches die Periode der Blüthe bedingt, aus ihnen ziehen kann.

Um bei der *Victoria regia* die Frage: ob das Licht oder die Wärme den unselbstständigeren 2ten Theil der Periode bedingt, auf's Experiment zu bringen, beschloß ich die Periode der Luftwärme durch veränderte Heizung umzukehren und so von der des Lichts zu trennen. Es war bis dahin stets von $6\frac{1}{2}$ Uhr Morgens bis 12 Uhr Mittags geheizt worden und Luft und Wasser, deren Wärme durch die steigende Temperatur der Luft im Freien und besonders durch die Wirkung der Sonne auf das Innere des Hauses noch beträchtlich gehoben wurde, erreichten in den ersten Stunden des Nachmittags ihr Maximum und gegen Sonnenaufgang ihr Minimum. Ich beschloß jetzt des Nachmittags die Heizung zu beginnen und bis 3 oder $3\frac{1}{2}$ Uhr Morgens fortzusetzen, damit das Wasser und die Luft das Maximum des Morgens erreichten, zu der Zeit, zu welcher sonst das Minimum stattfand und ich hoffte dadurch, daß ich an einem kalten Novembertage zur Tageszeit zugleich Fenster und Thür öffnete, bewirken zu können, daß in

Wasser und Luft das Minimum zu der Zeit der Tage eintrite, zu welcher sonst das maximum statfand. Nach diesem Plan ist eine Blüthe, welche am 1. November um 5 Uhr Nachmittags aufbrach und bis zum 3. November 10 Uhr Vormittags blühte, behandelt worden.

Ich lasse die Tafel der Beobachtungen dieser 7. Blüthe, nebst einer graphischen Darstellung ihrer Temperatur (Tafel IV.), hier folgen:

7. Blüthe.

41 Stunden beobachtet. 73 Beobachtungen.

Tag	Stunde	Temperatur					Bemerkungen
		der Blüthe		der Luft im Hause Thermometer III'	des Wassers Thermometer V	der Luft draußen	
		Anthern Thermometer I'	Germen Thermometer I''				
1. Novbr. 1855	5 h. p. m.	20,15	18,3	14,8	21,4	7,3	Am 1. Novbr. ziemlich klares Wetter, die Sonne hatte meist geschienen; am 2. und 3. kaltes Wetter und ganz bezogener Himmel. Das Haus des Nachts geheizt. Um 4 h. 30 m. hatte sich die Blüthe mit meiner Nachhilfe geöffnet; ihre Sepala hatten sich um 4 h. 15 m. zu lösen begonnen. Geruch schwach. Um 4½ h geht die Sonne unter und um 5 h muß schon bei kerzenlicht beobachtet werden. Um 6 h. p. m. den 1. Nov. wird die Heizung begonnen und bis 4 h. a. m. den 2 Nov. fortgesetzt. Den Morgen des 1. Nov. war wie gewöhnlich auch von 7 h. – 12 h. geheizt worden. Himmel bis 7 h. 45 m. ganz klar.
	5 h. 30 m	19,85	17,9	14,7	21,4	7,2	
	6 h.	19,75	17,8	14,3	21,3	6,7	

Tag	Stunde	Temperatur					Bemerkungen
		der Blüthe		der Luft im Hause	des Wassers	der Luft draußen	
		Anthere Thermometer r	Germen Thermometer n	Thermometer III	Thermometer V		
1.Novbr. 1855.	6 h. 30 m.	19,85	17,9	11,5	21,4	6,5	Einige Wolken, sonst sternklar.
	7 h.	20,9	18,95	14,8	22,1	6,1	
	7 h. 30 m.	22,05	19,9	15,1	22,8	6,0	
	7 h. 45 m.	23,85	20,7	15,6	23,8	6,2	
	8 h.	23,55	21,4	15,7	23,5	6,6	
	8 h. 15 m.	24,1	22,2	16,05	24,8	7	
	8 h. 30 m.	21,8	23	16,05	24,1	6,7	
	8 h. 45 m.	25	23,6	16,05	24,8	6,5	
	9 h.	25,1	24,9	16,05	24,4	6,3	
	9 h. 15 m.	25,1	24,1	16,15	24,5	6,4	
	9 h. 30 m.	25,1	24,2	16,1	24,7	6,7	
	9 h. 45 m.	25	24,3	16,45	24,9	6,4	
	10 h.	25	24,3	16,35	25,3	6,1	Wolkenfrei. Sternklar.
	10 h. 15 m.	24,8	24,3	16,55	25,4	6	"
	10 h. 30 m.	24,8	23,4	16,65	25,6	5,8	
	10 h. 45 m.	24,8	24,5	16,65	25,8	6	
	11 h.	24,7	24,5	16,75	26	6,1	Himmel über die Hälfte bezogen.
	11 h. 15 m.	24,7	24,55	16,9	26,1	6,1	Ganz bezogen.
	11 h. 30 m.	24,8	24,6	17	26,9	6,8	"
	11 h. 45 m.	24,8	24,7	17,5	26,3	7,1	Wolken stellenweise lichter. Einzelne Sterne sichtbar.
	12 h. m. n.	25	24,9	17,7	26,5	7,2	
2.Novbr. 1855	12h.15m a.m.	25,05	24,9	17,7	26,5	7,2	
	12 h. 40 m.	25,1	24,9	17,5	26,5	7	
	12 h. 45 m.	25,0	23,1	17,6	26,6		

						Bemerkungen
1 h. 30 m.	24,7	85	17,9	26,9	6,8	»
1 h. 45 m.	24,6	24,9	17,9	27	6,8	»
2 h. a. m.	24,6	24,9	17,9	27	6,6	»
2 h. 15 m.	24,4	24,8	17,6	27	6,3	»
2 h. 30 m. a. m.	24,2	24,8	17,5	27,1	5,8	»
3 h.	21,8	24,1	17,4	27,2	5,5	Um 3 h. wird aufgehört zu heizen.
3 h. 30 m.	23,35	23,8	17,1	27,2	5,2	Wetter, wie um 1 h. 45 m.
4 h.	23,15	23,7	17	27,0	5,8	»
4 h. 30 m.	22,95	23,1	17	26,8	5,8	»
5 h.	22,75	22,7	16,45	26,4	5,1	»
5 h. 30 m.	22,65	22,3	16,25	26,1	5,0	»
6 h.	22,65	21,9	16,05	25,8	5,0	Lichtes Gewölk im Osten, sonst klar. Lichtes Gewölk über dem ganzen Himmel. Die Sonne geht nach 6 h. auf.
6 h. 30 m.	22,75	21,7	14,8	25,5	5,0	Wetter ebenso.
7 h. 15 m.	23,15	21,6	15,6	25,2	5,0	Um 7 h." 8 Fenster geöffnet und um 9 h., auch die Thür, um die Temperatur im Hause zu erniedrigen.
8 h.	22,55	19,8	12,8	24,6	6,5	Trübe. Bezogen. Etwas Regen.
9 h.	22,55	19,9	13,1	24,1	7,2	Um 9½ h. 3 Läden über die Blüthe auf das Dach des Hauses gelegt, für den Fall daß die Sonne scheinen sollte, was jedoch nicht geschah. — Trübe und Regen.
10 h.	22,25	19,35	10,03	23,6	6,5	Trübe. Regen.
11 h.	21,35	18,4	10,75	22,0	6,9	Gleichmäßig bezogen. Regen. Die innere Petala der Blüthe, die sich gar nicht bei Tage schloß, beginnen ungewöhnlich früh, zwischen 11 und 12 Uhr
12 h. m.	20,65	18,2	11,55	22,7	8,4	

Tag	Stunde	Temperatur					Bemerkungen
		der Blüthe		der Luft im Hause	des Wassen	der Luft draußen.	
		Germen Thermometer I	Antheren Thermometer II	Thermometer III	Thermometer V		
2. Nov. 1855	1 h. p. m.	19,95	17,4	11,25	22,1	7,7	sich zurückzuschlagen. Die Staminodien jedoch geschlossen.
	2 h. p. m.	19,65	17,3	1,3,8	21,9	8,5	Gleichmäßig bezogen. Kein Regen. Um 2 h. werden alle Fenster und die Thüre geschlossen. Gleichmäßig bezogen.
	3 h. p. m.	20,45	18,7	15	21,8	7	Gleichmäßig bezogen. Um 2½ h. beginnt die Heizung und wird bis 4½ h a m den 3. Nov fortgeführt. Die Wärme der Blüthe fängt mit der Lufttemperatur nach Schluß der Fenster und Thür an zu steigen an, obgleich die Wasserwärme noch sinkt. Die Petale alle zurückgeschlagen. Die Staminodien fangen an sich zurückzuschlagen.
	4 h. p. m.	19,85	19,55	14,8	22,4	6,1	Ganz bezogen. Um 4½ h. geht die Sonne unter.
	5 h.	19	19,7	14,8	22,6	5,8	
	6 h.	18,55	19,8	14,8	22,7	5,5	Staminodien schief aufgerichtet, die Antheren stärker. 1' steht daher zu tief, weil es zwischen den Filamenten der aufgerichteten Stamina und nicht zwischen den lockeren Antheren steht. Etwas nach 6 h. stellte ich 1' an eine andere Stelle zwischen Antheren, die dichter lagen und nach einigen Minuten stieg es auf 19°.
	6 h. 15 m.	19	20,1	15,8			
	7 h.	18,9	20,5	15	22,2		

3. Nov.						
11 h.	19,75	22,7	16,45	25,3	5,8	»
11 h. 30 m	20,25	22,9	16,65	25,5	5,3	»
12 h. m. a.	20,75	23,7	17,2	26,2	5,3	»
1 h. a. m.	21,35	24,1	17,4	26,7	5,4	»
2 h.	21,05	23	17,7	27	5	»
3 h.	20,55	23,8	17,8	27,6	4,9	»
4 h.	20,55	23,7	17,9	27,7	4,9	»
5 h.	20,35	23,5	17,6	27,7	4,9	»
6 h.	19,65	22,3	17,3	27,0	4,5	Blüthe schon geschlossen.
7 h.	19,1	21,7	17,1	26,4	4,9	»
8 h.	18,75	20,9	16,75	25,8	5,0	»
9 h.	18,2	20,1	16,45	25,2	5,0	Um 9¾ h. 4 Fenster und die Thür geöffnet.
10 h.	16,9	18,5	12	24,6	6,8	Nach Wegnahme des Korks sinkt die geschlossene Blüthe ins Wasser.

Die Periode des Lichts und die der Wärme waren bei Untersuchung dieser Blüthe, nicht wie sonst, mit einander verbunden, sondern getrennt. Wasser und Luft erreichten ihr Maximum entgegengesetzt der gewöhnlichen Ordnung in der Nacht und ihr Minimum bei Tage. Das Wasser hatte sein Maximum in der ersten Nacht um 3 h. a. m., in der zweiten um 4 h. a. m.; die Luft in der ersten Nacht von 1 h. 15 m. — 2 h. a. m., in der zweiten um 4 h. Das Wasser hatte sein Minimum um 3 h. p. m. den zweiten Tag und um 10 h. den dritten. Die Luft hatte ihr Minimum um 10 h. a. m. den zweiten Tag und um 10 h. den dritten. Für die Blüthe der Victoria, welche sich in der Luft befindet, deren Periode der Wärme bei der bestehenden Einrichtung des Victorien-Hauses durch die Heizung des Wassers bedingt ist, kommt übrigens nur die Periode der Luft in Betracht. Die Periode der

55.]

52

Wärme der Blüthe war bei dieser umgekehrten Periode der Luftwärme in ihrem 2. Theil, nach dem ersten Maximum, der Luft- und Wasserwärme parallel und ihrem gewöhnlichen Verlauf entgegengesetzt. Die Antheren und das Germen verhielten sich, wie auch sonst, etwas verschieden. Das kleine Minimum und das erste Maximum waren wie gewöhnlich in den Antheren eingetreten. Um 5 Uhr begann die Untersuchung; um 6 Uhr war die Wärme der Antheren um $0{,}^{\circ}4$ gefallen, hob sich dann bis 9 Uhr und erreichte ein Maximum, welches von 9 h. — 9 h. 30 m. dauerte. Dann trat eine schwache Erniedrigung ein, die schon um 11 h. p. m. ihr Minimum, welches nur um $0{,}^{\circ}4$ von dem vorhergehenden Maximum verschieden war, erreichte und bis 11 h. 15 m. dauerte. Diefs Minimum entspricht dem grofsen Minimum, welches sonst gegen Morgen der ersten Nacht regelmäfsiger Weise eintritt. Dann hob sich die Wärme der Antheren wieder und erreichte nur 12 h. 30 m. a. m. ein zweites Maximum, nur um $0{,}^{\circ}4$ vom vorhergehenden Minimum verschieden. Diefs 2te Maximum entspricht dem sonst am Nachmittag des zweiten Tages, 12 Stunden später, als im vorliegenden Falle, eintretenden. Die Blüthe anticipirte ihren Entwicklungsverlauf. Am zweiten Tage trat dann das zweite grofse Minimum um 6 Uhr Nachmittags, und in der nächsten Nacht um 1 Uhr das dritte Maximum ein, welchem eine starke Senkung folgte, während welcher um 10 Uhr Vormittags die Untersuchung aufgehoben wurde, da die Blüthe früher als gewöhnlich geschlossen, war. Die Wärme des Germen verhielt sich im Allgemeinen, wie die der Antheren, nur war ihr Verlauf dem der Lufttemperatur paralleler, und das erste selbstständige Maximum ging so in das zweite unselbständige, welches in der ersten Nacht von 12 h. m. — 1 h. 15 m. stattfand, über, dafs beide durch kein Minimum getrennt waren. Das 2te Minimum trat um 2 Uhr des Nachmittags am 2ten Tage ein, das 2te Maximum in der 2ten Nacht um 1 Uhr; dann sank die Temperatur bis zum Schlufs der Untersuchung. Die Periode der Wärme der Blüthe war also in ihrem ersten Theil, im kleinen Minimum und ersten Maximum, wie gewöhnlich gewesen, aber in ihrem 2ten unselbstständigen Theil nicht der Periode des Lichts gefolgt, sondern vielmehr der künstlich erzeugten Wärmeperiode der Luft und es war damit schlagend bewiesen, dafs der 2te Theil der Periode der

Wärme der Blüthe der *Victoria regia* von der Periode der Luftwärme und nicht von der des Lichts abhängig ist.

Da die Blüthe zwar bis 18°,2 wärmer als die Luft, aber nur 5°,95 im Maximum wärmer als das Wasser, ja sogar meist kälter, als dieses ist, so kam es darauf an zu bestimmen, ob die Blüthe einen Theil ihrer Wärme durch Leitung mittelst des Blüthenstiels aus dem Wasser empfängt. Zu dem Ende erhob ich eine unreife Frucht, die noch an der Pflanze war, aus dem Wasser, legte sie auf ein Korkstück, so daß sie in einer Lage war wie sonst die Blüthe, steckte einen Thermometer (II') in ein Loch, welches in's Germen gebohrt war, legte ein anderes (I') mit dem Quecksilberbehälter auf die Scheibe der Stigmata und beobachte beide gleichzeitig mit einem Thermometer in der Luft (III'), der sich mit der Kugel über dem Korkstück nur 1″ von der jungen Frucht befand und einem vierten Thermometer (V') im Wasser, dessen Kugel, wie sonst 4″ tief ins Wasser eintauchte. Die Beobachtungen sind in folgender Tabelle enthalten:

Untersuchung über Wärmeleitung des Blüthenstiels.

Tag	Stunde	Stigmatische Scheibe von außen Thermometer I	Germen innen Thermometer II'	Luft Thermometer III'	Wasser Thermometer V	Bemerkungen
3. Nov. 1855	2 h. 40 m. p. m.	16,1	16,1	15,9	23,1	Temperatur der Luft und des Wassers fallend.
4. Nov.	4 h. p. m.	15,05	14,95	14,9	22,7	
	8 h. 35 m. a. m.	12,4	12,1	12,4	18,35	Temperatur von Luft und Wasser steigend.
	8 h. 50 m. a. m.	13,2	12,6	13	18,75	
	11 h. 15 m. a.m.	15,3	15,05	14,8	20,9	Temperatur von Luft und Wasser fallend.
	4 h. p. m.	15,2	14,85	14,1	21,6	

Tag	Stunde	Stigmatische Scheibe von aufsen Thermometer I'	Germen innen Thermometer II'	Luft Thermometer III'	Wasser Thermometer V	Bemerkungen
Nov. 1855	8 h. a. m.	12,4	12	11,8	17,55	Temperatur der Luft und des Wassers steigend.
	9 h. 30 m. a. m.	13,7	13,4	13,4	18,75	
	1 h. 30 m. a. m.	14,45	14,05	13,6	20,8	
	1 h. 30 m. p. m.	15,6	15,15	15	21,7	
	3 h. p. m.	15,9	15,7	15,1	22	Temperatur des Wassers steigend, der Luft fallend.
	4 h. 30 m. p. m.	15,8	15,4	14,8	23	Temperatur von Luft und Wasser steigend
	8 h. 30 m. a. m.	12,2	11,9	11,55	18,25	Bis jetzt stand Thermometer III' senkrecht. Es wird nun schief aufgehängt und zwar mit der Kugel über dem Kork, so dafs es dieselbe Lage und Entfernung vom Wasser hat, als I' und II'.
	8 h. 50 m.	12,4	12,2	12,5	18,55	
	10 h. a. m.	13,6	13,2	13,6	19,7	Temperatur von Luft und Wasser steigend.
	1 h. 30 m. a. m.	14,75	14,15	14,2	21,3	
	1 h. 30 m. p. m.	16,3	16,1	15,4	22,9	
	3 h. p. m.	16,3	16,5	16,05	21,6	Temperatur von Luft und Wasser fallend.
	4 h. 30 m. p. m.	16,4	16,2	15,3	23,4	

di Beobachtungen hervor, dafs die Wärme des Germen bei stei en r Luftem eratur hin er der

Ich lasse eine Tafel über die Differenzen der Temperatur der Blüthe, der Luft und des Wassers folgen:

Tafel über den Unterschied der Temperatur der Blüthe, des Wassers und der Luft.

Unterschied der Temperatur der Blüthe und der Luft.

Beobachtungszeit	4. Blüthe Germes	4. Blüthe Anth.	5. Blüthe Germes	5. Blüthe Anth.	6. Blüthe Germes	6. Blüthe Anth.	7. Blüthe Germes	7. Blüthe Anth.
3 h. p. m.						2,4		
3 h. 15 m.						2,3		
3 h. 30 m.						2,5		
3 h. 45 m.						2,0		
4 h.						1,9		
4 h. 15 m.						2,1		
4 h. 30 m.		2,5				2,5		
4 h. 45 m.		3,1				2,9		
5 h.						3,3		
5 h. 15 m.			2,1	3,6		3,8	3,5	5,35
5 h. 30 m.			2,6	4,1		4,25	3,8	5,15
5 h. 45 m.			3,05	4,15		4,85		
6 h.		3,85	3,55	4,55	4,1	5,1	3,5	5,45
6 h. 30 m.	2,24	4,0	3,8	4,95	5,4	5,6	3,4	5,35
6 h. 45 m.				5,1				
6 h. 50 m.	4,35	5,4		5,45	6,9	8,0		

Unterschied der Temperatur der Blüthe und des Wassers.

Beobachtungszeit	4. Blüthe Germes	4. Blüthe Anth.	5. Blüthe Germes	5. Blüthe Anth.	6. Blüthe Germes	6. Blüthe Anth.	7. Blüthe Germes	7. Blüthe Anth.
3 h. p. m.						0,3		
3 h. 15 m.						0,2		
3 h. 30 m.						0,0		
3 h. 45 m.						−0,6		
4 h.						−0,6		
4 h. 15 m.						−0,6		
4 h. 30 m.		−0,8				−0,5		
4 h. 45 m.		−0,5		−0,75		−0,4	−3,1	−0,25
5 h.				−0,35		−0,3		
5 h. 15 m.			−2,4	−0,35		0,0		
5 h. 30 m.			−2,3	−0,35		0,2	−3,5	−1,55
5 h. 45 m.			−2,2	−0,25	−0,05	0,6		
6 h.		−0,8	−1,8	0,05		1,0	−3,5	−1,55
6 h. 30 m.	−8,75	−1,0	−1,6		1,05	1,3	−3,5	−1,5
6 h. 45 m.								
6 h. 50 m.	−0,55	0,5			1,6	2,7		

Beobachtungszeit	Unterschied der Temperatur der Blüthe und des Wassers								Unterschied der Temperatur der Blüthe und der Luft							
	4. Blüthe		5. Blüthe		6. Blüthe		7. Blüthe		4. Blüthe		5. Blüthe		6. Blüthe		7. Blüthe	
	Germen	Anth.	Germen	Anth.	Germen	Anth.	Germen	Anth.	Germen	Anth.	Germen	Anth.	Germen	Anth.	Germen	Anth.
7 h.	−1,25	0,5	−0,8	0,54	1,7	2,8	−3,35	−1,4	3,75	5,5	4,75	6,4	7,55	8,65	4,15	6,1
7 h. 10 m.	−0,05	0,7			1,8	3,0			5,15	5,9			7,85	9,05		
7 h. 15 m.			−1,3	0,55	1,7	3,1					5,7	7,55	7,5	9,15		
7 h. 20 m.	0,55	1,4							5,65	6,5						
7 h. 30 m.	0,45	1,7	−1,1	1,25	1,6	3,2	−2,9	−0,75	5,85	7,1	4,9	7,25	6,8	8,4	4,8	6,95
7 h. 40 m.	0,35	2,0			1,7	3,4			5,75	7,4			6,6	8,3		
7 h. 45 m.	0,35	2,1	−1,3	1,55			−2,5	−0,35	5,75	7,5	5,3	7,55	6,8	8,3	5,1	7,25
7 h. 50 m.	0,35	2,2			1,9	3,5			5,75	7,6			6,8	8,45		
8 h.			−0,4	1,85	2,1	3,75	−2,1	0,05			5,6	7,85	6,8	8,5	4,3	7,85
8 h. 10 m.	0,35	2,1			2,2	3,9			6,15	7,85			6,9	8,55		
8 h. 15 m.			0,0	2,3	2,3	3,95	−1,6	0,5			6,0	8,3	7,0	8,7	6,15	8,25
8 h. 20 m.					2,3	4,0										
8 h. 30 m.	0,45	2,2	0,4	2,6	2,2	3,9	−1,1	0,7	6,25	7,95	6,2	8,4	7,0	8,7	6,95	8,75
8 h. 40 m.	0,55	2,2							6,4	8,05						
8 h. 45 m.			0,4	2,6	2,3	3,8	−0,6	0,8			7,5	9,7	7,0	8,5	7,55	8,95
8 h. 50 m.	0,45	2,2			2,2	3,7			6,35	8,05						
9 h.	0,45	2,3	0,4	2,6			−0,5	0,7	6,0	7,85	6,8	9	7,0	8,5	7,85	9,65
9 h. 15 m.											6,5				7,95	9,95

Zeit																
10 h.	8,35	7,85	8,33	0,8	8,4	0,5	7,9	6,85	-0,5	-4,0	3,3		4,1	0,0	1,0	-0,05
10 h. 15 m.	8,25	7,55							-0,6	-1,1						
10 h. 30 m.	8,15	7,55			8,05	6,1			-0,8	-1,2			2,45	0,5	2,0	0,35
10 h. 45 m.	8,15	7,85							-1,0	-1,3						
11 h.	7,95	7,7	7,55	6,8	8,05	5,9	8,4	6,75	-1,3	-1,5	2,3	0,95	2,35	0,3	0,2	-0,05
11 h. 15 m.	7,8	7,55							-1,4	-1,55						
11 h. 30 m.	7,8	7,6							-1,4	-1,6						
11 h. 45 m.	7,3	7,2							-1,5	-1,6						
12 h.	7,3	7,2	6,85	5,9	7,75	6,1	6,6	6,35	-1,5	-1,6	1,9	0,95	1,75	0,1	0,2	-0,05
12 h. 15 m.	7,35	7,2							-1,45	-1,6						
12 h. 30 m.	7,6	7,4							-1,4	-1,5						
12 h. 45 m.	7,4	7,5	6,35	5,5					-1,6	-1,6		0,55				
1 h. a. m.	7,2	7,2			7,25	5,5	6,2	6,05	-1,8	-1,7	1,4		1,35	-0,4	-0,2	-0,35
1 h. 15 m.	6,9	7,1							-2,0	-1,9						
1 h. 30 m.	6,8	7,0							-2,2	-2,1						
1 h. 45 m.	6,7	7,0	6,0	5,25					-2,4	-2,1						
2 h. a. m.	6,7	7,2			7,05	5,55	6,4	5,75	-2,4	-2,2	1,0	0,25	1,15	-0,35	-0,2	-0,85
2 h. 15 m.	6,8	7,3	6,8	4,85		5,45	6,3	5,5	-2,6	-2,3	1,2	-0,15			-0,5	-1,3
2 h. 30 m.	6,7	6,7	6,4	4,85	6,95	5,35			-2,9	-3,1			0,75	-0,75		
3 h. 30 m.	6,4	6,7		4,9			6,35	5,5	-3,4	-3,4	1,4	-0,15	0,75	-0,75	-0,45	-1,3
4 h.	6,25	7,7							-3,85	-3,3						
4 h. 30 m.	6,15	6,1	6,95	4,75	6,95	5,1	6,55	5,65	-3,85	-3,7	1,9	-0,15	0,65	-0,9	-0,45	-1,35
5 h.	5,95	6,25			6,65	4,3			-3,65	-3,7					-0,05	-1,45
5 h. 30 m.	6,3	6,05	7,1	4,95	6,55	4,1	6,95	5,55	-3,45	-3,8	2,3	-0,05	0,35	-1,4		
6 h.	6,4	5,85							-3,15	-3,9						
6 h. 30 m.	6,6	3,9	7,9		6,75		6,15	5,05	-2,75	-3,7	2,6	-0,35	1,25	-1,4	-0,35	-1,45
7 h.	7,9	6,0							-2,05	-3,6						

| Beobachtungszeit | Unterschied der Temperatur der Blüthe und des Wassers | | | | | | | | Unterschied der Temperatur der Blüthe und der Luft | | | | | | | |
| | 4. Blüthe | | 5 Blüthe | | 6. Blüthe | | 7. Blüthe | | 4. Blüthe | | 5. Blüthe | | 6. Blüthe | | 7. Blüthe | |
	Germen	Anth.	Germen	Anth.	Germen	Anth.	Germen	Anth.	Germen	Anth.	Germen	Anth.	Germen	Anth.	Germen	Anth.
8 h.	−1,45	1,3	−0,55	1,95	−0,65	2,9	−4,8	−2,05	4,65	7,4	4,05	6,55	3,3	6,85	7,0	0,75
8 h. 15 m.	−1,25	1,6							4,95	7,8						
8 h. 30 m.	−1,15	1,8	−0,6	2,05					5,05	8,0	3,6	6,25				
8 h. 45 m.	−0,85	1,9	−0,1	2,8	−0,65	4,1			4,85	7,6	3,6	6,5	2,65	7,4		
9 h.	−0,85	2,1	−0,2	2,7	−0,15	3,9	−4,2	−1,55	3,25	6,2	2,45	6,35	3,2	6,95	6,8	9,45
9 h. 15 m.	−0,6	2,3							2,65	5,55						
9 h. 30 m.	−0,55	2,1	−0,1	2,8	−0,55	3,2			2,35	5,0	3,65	5,55	2,90	6,65		
9 h. 45 m.			0,2	3,1	−0,85	2,7					3,85	6,65	3,20	6,75		
10 h.	−0,35	2,2	0,3	3,1	−0,75	2,8	−4,25	−0,35	2,55	5,1	3,75	6,58	3,70	6,25	9,3	12,2
10 h. 15 m.	−0,75	1,8	0,4	3,2	−0,95	2,6			3,15	5,65	3,5	6,3	3,8	7,35		
10 h. 30 m.			0,4	3,1	−0,85	2,75					3,4	6,1	3,95	7,55		
10 h. 45 m.	−0,55	1,7	0,3	3,0	−0,75	2,8	−3,6	−0,65	2,35	4,6	3,1	5,8	3,85	7,4	7,65	10,6
11 h.			0,1	2,7	−0,85	2,9					2,6	5,2	3,75	7,5		
11 h. 15 m.	−0,55	1,7	0,4	2,9	−0,95	2,9			2,05	4,8	2,6	5,1	3,1	6,95		
11 h. 30 m.			0,6	2,9	−1,05	2,7					2,5	5,1	2,15	5,9		
11 h. 45 m.	−0,05	2,1	0,5	3,2	−2,25	2,4			2,05	4,8	2,5	5,2	0,95	5,6		
12 h. m.	−0,15	2,3	0,4	3,2	−1,05	2,5	−4,5	−2,05	1,15	3,6	2,8	5,0	3,25	6,8	6,65	9,1
12 h. 15 m p.m.			0,6	3,3	−1,55	2,1					1,8	4,5	3,2	6,85		
12 h. 30 m.	0,1	2,3	0,5	3,3	−1,65	1,8			1,6	3,8	1,7	4,5	1,85	5,3		
12 h. 45 m.	0,9	2,3	0,7	4,1	−1,95	1,8			1,6	3,7	1,9	4,4	2,45	5,5		

Zeit																
1 h. 30 m.	0,5	2,7	0,9	3,8	−0,45	2,5	−4,6	−2,25	2,3	4,5	2,7	5,0	2,15	5,1	3,5	5,85
2 h.	−0,6	1,6	0,9	3,8	−0,25	2,2	−3,1	−1,35	2,7	4,9	3,0	5,3	3,15	5,6	3,7	5,45
3 h.	−0,35	2,3	0,6	3,1	−0,45	1,8	−2,85	−2,55	1,75	4,4	3,0	5,5	2,65	4,9	4,75	5,05
4 h.																
4 h. 30 m.	−0,15	1,7	−0,1	2,1	−0,95	1,0	−2,9	−3,6	2,95	4,8	3,0	5,2	3,3	5,25	4,9	4,2
5 h.	−0,85	1,0	−0,6	1,15	−1,55	1,4	−2,9	−4,15	2,45	4,3	3,25	5,0	3,4	6,4	5,0	3,75
6 h.	−1,25	0,4	−0,8	0,1	−1,65	1,3	−2,8	−4,4	2,65	4,3	3,25	4,15	3,8	6,75	4,3	3,2
6 h. 15 m.	−2,15	−1,9	−1,2	−0,35			−2,3	−4,35	2,75	3,0	3,2	4,05			5,5	3,9
7 h.	−2,25	−1,2					−2,3	−4,45	1,95	4,0					6,1	4,05
8 h.																
8 h. 30 m.	−2,55	−2,35	−1,7	−1,65	−1,55	0,8	−2,5	−4,75	3,35	3,5	3,25	3,35	3,7	6,05	6,1	3,95
9 h.	−2,65	−2,9	−1,9	−1,95	−1,45	−0,1	−2,7	−4,5	3,2	2,95	4,0	3,95	3,6	498	6,1	3,85
10 h.	−2,45	−3,15	−1,75	−1,85	−1,65	−1,1	−2,6	−5,55	3,45	2,75	2,9	2,85	3,5	4,05	6,05	3,25
11 h.	−2,25	−2,4	−1,65	−1,75	−1,85	−1,75	−2,6	−5,25	3,65	3,5	3,3	3,2	3,3	3,4	6,25	3,3
11 h. 30 m.	−2,2	−2,65	−1,65	−2,25	−1,9	−1,75	−2,5	−5,45	3,7	3,25	3,0	2,4	3,3	3,45	6,25	4,6
12 h.	−2,3	−3,1	−2,1	−3,0	−2,5	−1,7	−2,6	−5,45	3,7	2,9	3,0	2,1	2,8	3,6	6,5	3,55
1 h.															6,7	3,75
2 h.	−2,6	−2,8	−3,0	−3,8	−3,1	−2,1	−4,0	−5,95	3,5	3,3	2,1	1,3	2,5	3,4	5,3	3,35
3 h.	−3,3	−3,4	−3,4	−1,9	−3,3	−2,3	−3,8	−7,05	2,7	2,6	2,1	1,6	2,5	3,5	6,0	2,75
4 h.	−3,3	−1,9	−3,5	−4,3	−3,5	−2,9	−4,0	−7,15	2,6	1,0	1,6	1,1	2,1	2,7	5,8	2,65
5 h.	−3,4	−4,6	−4,0	−4,5	−3,6	−3,0	−4,2	−7,35	2,3	1,1	1,2	0,7	1,9	2,5	5,9	2,75
6 h.	−3,7	−4,75	−1,9	−4,4	−3,4	−2,8	−4,7	−7,35	2,2	1,15	1,0	0,5	1,8	2,4	5,0	2,35
7 h.	−4,5	−5,05	−3,9	−4,6	−3,7	−3,7	−4,7	−7,3	1,2	0,65	1,1	0,4	1,0	1,0	4,6	2,0

Unterschied der Temperatur der Blüthe und des Wassers

Beobachtungszeit	4. Blüthe		5. Blüthe		6. Blüthe		7. Blüthe	
	Germen	Anth.	Germen	Anth.	Germen	Anth.	Germen	Anth.
8 h.	−1,4	−3,6	−3,7	−4,8	−4,0	−4,8	−4,9	−7,05
9 h.	−2,6	−2,6	−2,75	−2,7	−3,4	−3,7	−5,1	−7,0
10 h.	−0,8	−1,45	−1,5	−1,25	−2,75	−2,4	−6,1	−7,7
11 h.	0,6	−0,25	−1,6	−0,95	−1,75	−1,1		
12 h.	0,7	0,05	−1,3	−0,95	−2,15	−1,6		
1 h.	−0,1	0,15						
2 h.	0,6	0,7						

Unterschied der Temperatur der Blüthe und der Luft

	4. Blüthe		5. Blüthe		6. Blüthe		7. Blüthe	
	Germen	Anth.	Germen	Anth.	Germen	Anth.	Germen	Anth.
8 h.	0,7	0,5	0,85	−0,25	0,95	0,15	4,1	2,0
9 h.	0,3	0,3	−0,25	−0,2	1,1	0,8	3,65	1,75
10 h.	1,75	1,1	0,9	1,15	0,15	0,5	6,5	4,9
11 h.	2,95	2,1	0,5	1,15	1,15	1,8		
12 h.	1,7	1,05	0,5	0,85	1,25	1,8		
1 h.	1,4	1,15						
2 h.	2,2	2,3						

Die Resultate, welche sich aus den mitgetheilten Untersuchungen und denen die ich 1854 machte (Bonplandia 1855 p. 178 ff.), über die Wärme der Blüthe der *Victoria regia* ergeben, sind folgende.

1) Schon vor Öffnung der Knospe hat diese, besonders in den Antheren, eine erhöhte Temperatur.

Die Knospe, welche ich am 7ten October 1855 untersuchte, hatte um 3 h. p. m., 1½ Stunden vor dem Aufbrechen schon eine Wärme, welche die der Luft um 2°,4 übertraf. Sobald ich das Thermometer aus den Antheren hinaus zwischen die Petala schob, sank es sofort von 24° auf 2,3°3, stieg aber gleich wieder auf 24°, sobald es zwischen die Antheren zurückgebracht wurde. Dutrochet hat zuerst bei *Arum maculatum* L. das interessante Faktum, daß die Blüthe schon vor ihrer Öffnung eine erhöhte Temperatur hat, beobachtet (Ann. sc. nat. II. Ser. XIII. p. 7b) und eine solche Erhöhung sogar schon 1½ Tage vor Öffnung der Spatha nachgewiesen.

2) Die Temperatur der Blüthe sinkt etwa 1 Stunde nach ihrer Öffnung zu einem kleinen Minimum hinab. Die Temperaturerniedrigung beträgt dabei nur $0°,4$— $1°,3$ R.

3) Nach dem kleinen Minimum steigt die Wärme der Blüthe zu einem Maximum an, welches oft in völliger Dunkelheit 1—4 Stunden nach dem Aufbruch der Knospe, so wohl bei sinkender als steigender Wasser- und Lufttemperatur eintritt und sich dadurch als selbstständiger beweist, obgleich eine plötzliche Erniedrigung der Lufttemperatur nicht ohne Einfluß auf dasselbe ist. Dieß Maximum übertrifft die Lufttemperatur um $6°,45 = 11°,1$ R. und die des Wassers um $0°55$ bis $1°,04$.

Solche selbstständigeren Momente der Wärme der Blüthe darf man in vielen Fällen bei andern Pflanzen da vermuthen, wo ein Maximum beobachtet ist, welches nicht mit dem der Luftwärme zusammenfällt, besonders wenn ein solches Maximum wiederholentlich zu derselben Zeit wahrgenommen wurde. Es ist z. B. wahrscheinlich, daß *Cycas circinalis* ein solches selbstständiges Maximum des Nachmittags zwischen 4 und 10 Uhr erreicht, indem Teysman in Buitenzorg auf Java an 7 Beobachtungstagen das Maximum 3 mal auf 10 Uhr Nachmittags, einmal auf 7 und 10 Uhr, einmal auf 4 Uhr, einmal auf 5 Uhr und einmal auf 6 Uhr fallen sah. Jedoch läßt sich über die Periode der Blüthenwärme von *Cycas circinalis* nicht urtheilen, da Teysman nur 2—5 Beobachtungen täglich machte (Nederlandsch kruidkundig Arch. 1851 p. 183.).

4) Auf das selbstständigere Maximum folgt der 2te unselbstständigere Theil der Periode der Blüthenwärme, welcher von der Temperatur der Luft abhängig ist und wie diese regelmäßiger Weise täglich gegen Sonnenaufgang ein Minimum und kurz nach der Mittagszeit ein Maximum erreicht. Der zweite unselbstständige Theil der Periode der Blüthenwärme hat also 2 Minima und 2 Maxima.

5) Die Wärmeerhöhung zeigt sich in den Antheren, den Filamenten, Staminodien, Petalen und in dem Germen.

6) Die bedeutendste Wärmeerhöhung findet in den Antheren statt, welche die des Wassers im Maximum um $2°9$—$5°95$, die der Luft im Maximum um $8°,66$—$12°,2$ (letzteres den 2ten November 1855 10 Uhr Vormittags) übertrifft. Die Filamente zeigen sich immer etwas kälter, als die Antheren. Ich schob das Thermometer oft aus den Antheren, zwischen denen es sonst immer stand, tiefer hinab zwischen die Filamente; es sank dann stets sogleich etwas, stieg aber wieder zu seiner früheren Höhe, sobald es wieder zwischen die Antheren hinaufgezogen wurde.

7) Im Germen, dessen Wärmeerhöhung nur durch Auflegen des Thermometers auf die stigmatische Scheibe bestimmt werden konnte, ist die Temperatur geringer, als in den Antheren, im Maximum $0°,4$—$2°,3$ über der des Wassers und $5°,0$—$8°,1$ R. über der der Luft.

8) In den Petalen und Staminodien ist die Wärmeerhöhung noch geringer, als im Germen, im Maximum $1°,2$ R über der Temperatur des Wassers und $2°,8$ über der der Luft.

Dutrochet fand in den Petalen einiger Pflanzen, die er untersuchte, keine eigne Wärme (Ann. sc. nat. II Ser. XIII p. 81).

9) Die Temperatur des Germen ist, obgleich sonst immer geringer, als die der Antheren, am dritten Tage zur Zeit der Senkung der Temperatur der Blüthe gewöhnlich etwas höher, um $0°,8$—$1°,1$ R., als die der Antheren.

10) Die Wärmeerhebung, für sich betrachtet, ist bei verschiedenen Blüthen verschieden und kann in den Antheren auf $27°,48$, im Germen auf $27°$ R. steigen.

11) Die Differenz zwischen der Temperatur der Blüthe, der Luft und des Wassers ist ebenfalls in verschiedenen Blüthen ungleich.

12) Die mittlere Temperatur der Blüthe ist im Allgemeinen desto höher, je höher die mittlere Temperatur der Luft ist. Die Differenz zwischen der mittleren Temperatur der Blüthe und der der Luft ist dagegen im Allgemeinen desto gröfser, je kälter die Luft ist. Die Belege dafür, die freilich nicht ohne Ausnahmen ie folgende Tafel:

	Germen	Antheren	Luft	Wasser	Unterschied zwischen Germen u. Luft	Unterschied zwischen Antheren u. Luft	Unterschied zwischen Germen u. Wasser	Unterschied zwischen Antheren u. Wasser	Bemerkungen
3. Blüthe	18°21R.		12°11 R.	16°95 R.		6°10 R.		1°26 R.	Mittel aus 51 Beobachtungen. Bonplandia 1855 p 186 ff.
7. Blüthe	22,19	22,20	15,58	24,5	6,61	6,62	−2,31	−2,3	Mittel aus 73 Beobachtungen.
5. Blüthe	20,95	22,55	17,43	21,7	3,52	5,12	−0,75	0,85	Mittel aus 71 Beobachtungen, aus 73 für die Antheren, die Luft und das Wasser.
4. Blüthe	21,11	22,33	17,53	22,11	3,58	4,80	−1,00	0,22	Mittel aus 68 Beobachtungen fürs Germen, aus 71 für die Antheren, die Luft und das Wasser.
6. Blüthe	22,83	23,38	17,83	23,4	4,40	5,55	−1,17	−0,02	Mittel aus 69 Beobachtungen fürs Germen, aus 81 für die Antheren, die Luft und das Wasser.
2. Blüthe	22,40	23,83	18,48	23,2	3,92	5,35	−0,80	0,63	Mittel aus 49 Beobachtungen fürs Germen, aus 51 für die Luft, aus 58 für die Antheren und das Wasser. Bonplandia l c. p 183.

Auffallend ist, daß nach dieser Tafel die mittlere Temperatur des Germen stets unter der des Wassers ist und daß selbst bei einigen Blüthen die mittlere Temperatur der Antheren niedriger, als die des Wassers sich zeigt.

13) Die selbstständige Erhebung der Temperatur der Blüthe, 2 — 4 Stunden nach dem Aufbruch, geht der Entfaltung der Antheren und der Verschüttung der Pollen, welche meist erst in der 2ten Nacht stattfindet, voraus.

14) Zur Zeit der Minima sinkt die Temperatur der Blüthe immer unter die des Wassers; ist aber selten geringer, als die der Luft. Es ist daher wahrscheinlich, daß die erhöhte Temperatur der Blüthe selbst zur Zeit der Minima auch in dem Fall nicht unterbrochen ist, daß die Blüthe kälter ist, als die Luft, daß es vielmehr eine Wirkung der Verdunstung ist, daß die Wärme der Blüthe sich niedriger zeigt, als die der Luft.

Es liegt die Frage nach der Ursache der erhöhten Temperatur der Blüthe der *Victoria regia* und der übrigen Pflanzen, in welchen sie beobachtet ist, und nach der Art und Weise, wie sie von der Temperatur der Luft abhängig ist, nahe. Saussure (Ann. de chim. et phys. 1822 XVI, p. 279 ff.) hat bei einer nicht unbeträchtlichen Zahl von Blüthen gezeigt, daß sie Sauerstoff verbrauchen und dafür ein gleiches Volumen Kohlensäure aushauchen. Er zeigte ferner, daß unter allen Blüthentheilen die Stamina am meisten Sauerstoff aufnehmen. Bei einer Blüthe von *Arum Dracunculus* z. B. verbrauchte die Spatha die Hälfte, die nackte Keule des Spadix das Sechsundzwanzigfache, die männlichen Blüthen das Hundertfünfunddreißigfache, die weiblichen Blüthen zusammen das Zehnfache ihres Volumens an Sauerstoffgas in 24 Stunden. Vrolik und de Vriese haben bei *Colocasia odora* nachgewiesen, daß die Blüthe Sauerstoff verbraucht und Kohlensäure dafür ausscheidet (Tijdschrift voor nat. Gesch. en Phys. 1838. V. p. 291 ff. Ann. sc. nat. II. Ser. XI p. 65 ff.) und daß die Blüthe zur Zeit ihrer höchsten Temperatur gegen Mittag die größeste Quantität von Sauerstoff verbraucht und von Kohlensäure ausscheidet (Tijdsch. voor nat. Gesch. en Phys. 1840 VII, p. 461 besonders p. 466; Ann. sc. nat. II, Ser. Vol. 14. p. 359). Garreau hat bei *Arum italicum* gefunden, daß je höher die Temperatur einer Blüthe ist, sie desto mehr Sauerstoff verbraucht (Ann. sc. nat. III Ser. 1851 XVI 250 ff.). Aus diesen Beobachtungen ergiebt sich, daß die Wärmequelle der Blüthe die Aufnahme von Sauerstoff und die Ausscheidung von Kohlensäure ist. Jedoch fand Saussure, daß die

Blüthen mehrerer Pflanzen, in denen er keine Wärmeerhöhung beobachtete, wie die von *Typha latifolia* und *Zea mays* viel mehr Sauerstoff verbrauchten, als die anderer, in denen er eine Wärmeerhöhung beobachtete, z. B. die von *Bignonia radicans*. Saussure schließt daraus: „daß die Verbindung des Sauerstoffs mit dem Kohlenstoff nicht die einzige Quelle der Wärme der Blüthe sei", ein Resultat, welches bei zukünftigen Untersuchungen besondere Beachtung verdient.

Da es feststeht, daß in vielen der bisher untersuchten Blüthen, die erhöhte Wärme derselben ihre hauptsächliche Ursache in der Aufnahme von Sauerstoff und Ausscheidung von Kohlensäure hat, so darf man der Analogie nach wohl schließen, daß diese Ursache der erhöhten Temperatur auch bei der *Victoria* stattfinde. Kann man ferner nach den Untersuchungen von Vrolik und de Vriese annehmen, daß die Temperatur der Blüthe in ihrer Hebung und Senkung dem lebhafteren oder matteren chemischen Proceß der Aufnahme von Sauerstoff und Bildung von Kohlensäure entspricht, so liegt die Hypothese sehr nahe, daß die Ursache des Parallelismus des unselbstständigen Theils der Wärmeperiode der Blüthe, mit der Periode der Luft, wie ich denselben bei der *Victoria regia* beobachtet habe, darin bestehe, daß der chemische Proceß der Aufnahme von Sauerstoff und Bildung von Kohlensäure lebhafter bei höherer Lufttemperatur und schwächer bei tieferer von Statten gehe, so daß die im Verhältniß seiner Lebhaftigkeit durch ihn erzeugte Wärme dem Gange der Lufttemperatur entspricht.

Das kleine Minimum scheint 2 Ursachen zu haben, indem einmal die Blüthentheile nach Öffnung der Knospe durch Berührung mit der kälteren Luft abgekühlt werden und zugleich auch die Verdunstung an ihrer Oberfläche eintritt, die bis dahin in der Knospe nicht stattfinden konnte, wodurch ihre Temperatur nothwendig erniedrigt werden muß.

Das erste selbstständige Maximum, welches 1 — 4 Stunden nach Aufbruch der Knospe sich zeigt, hat ohne Zweifel seine Ursache darin, daß in den Blüthentheilen, die nun zum ersten Mal mit der Luft in freie Berührung kommen, der chemische Proceß sehr lebhaft von Statten geht.

Nach dem Vorgange von Senebier (Physiol. végét. III, 315) ist die erhöhte Temperatur der Blüthen oft „ein Verbrennen" ge-

nannt worden. Link bestimmt sogar näher, daſs die Verbrennung
eines ätherischen Oels oder des Kohlenwasserstoffgases im Sauerstoff der Athmosphäre die Ursache der erhöhten Temperatur der
Blüthen sei (Elem. phil. bot. 393).   Treviranus vergleicht die
Wärmeerhöhung der Blüthen mit der Wärmeerhöhung bei der
Gährung und Fäulniſs (Physiolog. II, 694).   Gavarret (de la
chaleur produite par les êtres vivants 1855 p. 539) stellt die Wärme
der Blüthen und keimenden Saamen auf eine Linie mit der der
Thiere.   Die Frage, wo wir das Analogon der Blüthenwärme finden, ist nicht müſsig, denn es ist von Wichtigkeit zu wissen, ob die
lebende Pflanze im Bezug auf den chemischen Proceſs, der in ihr
die Wärme erzeugt, dem lebenden Thier, oder todten organischen
Stoffen, welche in Zersetzung begriffen sind, verwandt ist.

Was zuerst die Processe anbetrifft, die in todten organischen
Stoffen vorgehn und bei der vorliegenden Frage in Betracht kommen können, so bieten sie deſswegen eine groſse Schwierigkeit
dar, weil die meisten wenig oder gar nicht näher untersucht sind
und die Ansichten der besten Autoritäten über sie sehr von einander abweichen.   So viel scheint jedoch in Betreff der Gährung und
Fäulniſs festzustehn, was man auch darunter verstehen mag, daſs in
den meisten Fällen die Gegenwart des Sauerstoffs der athmosphä-
rischen Luft nur zur Einleitung des Processes nöthig ist, später
aber entbehrt werden kann und daſs die Produkte, welche erzeugt
werden, nicht bloſs Kohlensäure, sondern eine groſse Zahl von
andern, als Alkohol, Ammoniak-, Kohlenwasserstoffverbindungen
u. s. w. sind.   Auſserdem frägt es sich, ob bei der Gährung und
Fäulniſs, wenn sie auch lebhafter bei einer gewissen Temperaturerhöhung von Statten gehn, sich eine tägliche Periode der Wärme,
abhängig von der der Luft, findet.   Jedenfalls beweisen jedoch die
Entbehrlichkeit des Sauerstoffs für den gröſsten Theil des Verlaufs
der Processe der Gährung und Fäulniſs und ihre Produkte, die von
denen verschieden sind, welche bei der erhöhten Temperatur der
Blüthen entstehn, daſs der Proceſs, welcher die letztere erzeugt,
nicht in Analogie mit dem der Gährung und Fäulniſs zu stellen ist.

Die Essiggährung dagegen und die Verbrennung zeigen beide
deſswegen, weil sie Oxydationsprocesse sind, mehr Verwandtschaft
mit dem Vorgange der erhöhten Temperatur der Blüthen.   Aber

N:

.Luft . —

flle Linie unter

c

to

G.
R.

c

abgesehen davon, daſs die Temperaturerhöhung der Eſsiggährung und Verbrennung wahrscheinlich keine Periode hat, die der der umgebenden Luft entspricht, so sind sie sowohl in Betreff der Produkte von dem chemischen Proceſs, der in den Blüthen vor sich geht, ganz oder theilweise verschieden, als auch in ihrer physikalischen Erscheinung.

Eine viel gröſsere Analogie, als die erwähnten Processe in organischen, sich in Zersetzung befindenden Substanzen, bietet dagegen die thierische Wärme dar.   Ihre hauptsächlichste Quelle ist die Respiration, — ich verweise für die Literatur auf Gavarret l. c. —, die Aufnahme von Sauerstoff aus der Athmosphäre und die Ausscheidung von Kohlensäure und Wassergas.   Die Blüthe verhält sich in beiden Rücksichten, sowohl in Bezug auf den Stoff, den sie aufnimmt, als auch in Bezug auf die ausgeschiedenen Stoffe in dem Proceſs, der ihre Temperatur erhöht, wie das Thier; denn auch die Blüthe scheidet neben Kohlensäure reichlich Wassergas aus, wie Saussure (l. c.) bei *Arum maculatum* und Goeppert (über Wärmeentwickelung in der lebenden Pflanze 1832, p. 25) am Kolben von *Arum Dracunculus* beobachteten.   Darin besteht jedoch ein beträchtlicher Unterschied zwischen der Blüthe und dem warmblütigen, höheren Thier, daſs dieſs eine Temperatur hat, die sich fast immer auf derselben Höhe erhält und wenigstens im Innern nicht mit der Athmosphäre schwankt.   Aber die kaltblütigen Thiere, z. B. ein Frosch, dessen Temperatur nur $0°,01—0°,05$ C über der des umgebenden Mediums ist, (Dutrochet Ann. sc. nat. II. Ser. XIII. Zoologie p. 12 ff.) haben vermuthlich, wie dieſs eine Tagesperiode der Wärme und das nächste Analogon der erhöhten Temperatur der Blüthen findet sich daher in der, wenn auch wenig erhöhten Wärme, der niederen Thiere. Auch die Periodicität der Temperatur der niederen Thiere und selbst einiger Säugethiere, der Winterschläfer, welche durch die Jahresperiode der Lufttemperatur in ihnen veranlaſst wird, bietet in Bezug auf die Abhängigkeit von der Luftwärme einen Vergleichspunkt mit der Tagesperiode der eignen Wärme der Pflanzen dar.

Sehr auffallend ist es, daſs die Blätter einiger Pflanzen ihre schwach erhöhte Temperatur, welche sie nach den besten Untersuchungen zeigen, (Van Beek Compt. rend. 6. Jan. 1840. Dutrochet Ann. sc. nat. II. Ser. XIII. p. 80.) einem anderen, gerade dem

umgekehrten chemischen Prozeſs zu verdanken scheinen, indem sie
Kohlensäure aufnehmen und Sauerstoff ausscheiden (vergl. die
neueste und umfassendste Arbeit über diesen Gegenstand von Rau-
wenhoff: Onderzoek naar de betrekking der groene plantendeelen
tot de zuurstof en het koolzuur des dampkrings onder den invloed
van het zonneulicht 185³), wogegen keimende Pflanzen in Bezug
auf die Quelle ihrer erhöhten Temperatur, sich wie die Blüthen
verhalten (Boussingault Ann. de chim. et de phys. II. ser.
LXVII. p. 5).

6. Decbr.   Gesammtsitzung der Akademie.

Hr. Riedel erörterte die Regierungsgeschichte der dem
14. Jahrhunderte angehörigen Nürnberger Burggrafen Johann's
I. und Friedrich III, so wie ihrer Nachfolger Johann II. Con-
rad V. und Albrecht, vornämlich in ihren Beziehungen zum
Reich.   Es tritt darunter besonders der gewichtige Antheil
bemerkenswerth hervor, den der Burggraf Friedrich IV. an der
Entscheidungsschlacht bei Mühldorf, die den Streit über den
Besitz der Römischen Königswürde zu Gunsten Ludwigs des
Baiern entschied, so wie später an der von diesem Könige
gegen die Hierarchie inne gehaltenen Politik nahm. Ohne die
Verdienste zu unterschätzen, welche der brave Schwepper-
mann sich um den Ausgang der Schlacht bei Mühldorf er-
warb, schrieb doch König Ludwig selbst in einer nach seiner
Kaiserkrönung ausgestellten Urkunde auch dem Burggrafen das
Verdienst dieses Sieges zu, im Einklange mit mehreren ältern
Geschichtsschreibern.   König Ludwigs anfänglich kräftige Haltung gegen das Papstthum aber erlitt so bald eine durchgreifende Änderung, als der König durch den früben Tod des
Burggrafen Friedrich dieser Stütze in der Reichsregierung beraubt wurde.

Darauf wurde durch Hrn. **Magnus** die folgende Mittheilung des Hrn. **Helmholtz** in Bonn: **über die Messung
der Wellenlängen des ultravioletten Lichts** vorgelegt, welche Hr. E. **Esselbach** in dem Laboratorio des Hrn.
Helmholtz in Königsberg i. P. ausgeführt hat, und welche
dieser mit einem Zusatz **über die physiologisch-opti-
schen Resultate dieser Untersuchung** begleitet.

Da die bisher angewendeten Methoden zur Messung von
Wellenlängen, auch die von **Fraunhofer**, welcher Gitter-
spectra dazu gebrauchte, wegen Lichtschwäche beim ultravioletten Lichte sich nicht als brauchbar erwiesen, mußte eine
andre Methode gewählt werden, welche auf ein von **Talbot**
beobachtetes Phänomen gegründet ist.

Betrachtet man ein reines Spectrum im Fernrohr, während man von der Seite des Violett her mit einem dünnen
Blättchen durchsichtiger Substanz die halbe Pupille bedeckt,
so erscheint das Spectrum in helle und dunkle Streifen gleichmäßig getheilt, welche abgesehen von ihrer regelmäßigen Anordnung den **Fraunhofer**schen Linien parallel und ähnlich
sind. Mit der Dicke des Blättchens wächst ihre Zahl und ihre
Feinheit. Sie entstehen durch Interferenz desjenigen Theils
des Strahlenbündels, welcher durch die dünne Platte gegangen
ist, mit dem anderen Theile desselben Bündels, welcher daran
vorbeigegangen ist.

Zu den Versuchen wurde ein aus Bergkrystallinsen zusammengesetztes Fernrohr benutzt, und zwei Prismen von
demselben Material. Das Ultraviolett war dem Auge unmittelbar sichtbar, wenn man nach der von **Helmholtz** vorge-
schlagenen Methode durch das Fernrohr und ein davorgesetz-
tes Prisma einen Spalt betrachtete, durch den schon ultravio-
lettes Licht, isolirt durch das andere Prisma, hindurchdrang.
Die Helligkeit war sogar für das bloße Auge größer, als
wenn in die Blendung des Oculars eine zwischen Quarzplatten
eingeschlossene Schicht von Chininlösung als fluorescirender
Schirm eingefügt wurde.

Ist a die Dicke der Platte, sind ferner λ_1 und λ_2 die
Wellenlängen zweier Farben in Luft, n_1 und n_2 die Bre-
chungsverhältnisse in der dünnen Platte, und m der Gangun-

terschied der durch die Platte und neben ihr vorbeigegange-
nen Strahlen von der Wellenlänge λ_1, so ist

$$\frac{a}{\lambda_1} - \frac{a}{n_1\lambda_1} = m$$

Für jeden hellen Streifen im Spectrum muſs m eine ganze
Zahl sein, für den nächst benachbarten hellen Streifen um eine
Einheit gröſser oder kleiner. Ist also zwischen den Farben
von der Wellenlänge λ_1 und λ_2 die Zahl der dunklen Streifen gleich p, so ist

$$\frac{a}{\lambda_2} - \frac{a}{n_2\lambda_2} = m + p$$

Wählt man zuerst zwei Farben, deren Wellenlängen und Bre-
chungsverhältnisse bekannt sind, (es wurden genommen Fraun-
hofers Wellenlänge für *C* und *H*) so kann man aus diesen
beiden Gleichungen die Constanten *a* und *m* berechnen.
Stellt man dann dieselbe Gleichung auf für eine Farbe von
unbekannter Wellenlänge und zählt die Streifen zwischen ihr
und λ_1, so giebt die Gleichung den Werth ihrer Wellenlänge, vorausgesetzt, daſs man ihr Brechungsverhältniſs an der
Platte kennt.

Weil dem Autor keine Methode bekannt war den Brechungsindex eines Strahls in einem dünnen Blättchen zu bestimmen, ohne daſs die Wellenlängen gegeben waren, so
wurde ein Bergkrystallplättchen genommen, welches senkrecht
gegen die Krystallaxe geschnitten war, da ja doch die Bre-
chungsverhältnisse der betreffenden Strahlen im Bergkrystall
gleichzeitig gemessen werden sollten. Mit dem vorhandenen
Apparate war nur die 4te Decimale zu erreichen, was aber
für die Bestimmung der Wellenlängen hier genügt. Die
Werthe der Brechungscoefficienten des ordentlichen Strahls im
Bergkrystall, welche in der folgenden Tabelle unter *n* angegeben sind, sind Mittelwerthe aus Bestimmungen an den drei
Winkeln desselben Prisma angestellt. Sie sind constant
0,0004 höher als Rudberg's, welche ich zur Vergleichung
daneben gesetzt habe. Die festen Linien bis *P* sind nach
Stokes benannt, mit *Q* und *R* habe ich zwei der stärksten
Linien des nur durch Quarzapparate sichtbaren Theils des
Ultraviolett bezeichnet. Mit *p* ist die Zahl der Talbotschen

ifen zwischen je zwei auf einander folgenden Fraunho-
:chen Linien bezeichnet, wobei die Resultate mehrerer
ungen angegeben sind. Neben die von mir berechneten
lenlängen habe ich zum Vergleiche die von Fraunhofer
las sichtbare Spectrum gestellt, von denen die für C und
ur Bestimmung der Constanten in der Rechnung benutzt
Man sieht, daſs die Übereinstimmung beider Reihen
grofs ist. In der letzten Columne sind die Wellenlän-
nach der Annäherungsformel von Cauchy

$$n_{\prime\prime} - n_{\prime} = c \left(\frac{1}{\lambda_{\prime}^2} - \frac{1}{\lambda_{\prime\prime}^2} \right)$$

chnet, wobei die Constanten c und λ_1 aus den Werthen
Fraunhofer für C und H berechnet wurden. Man
, daſs diese Formel im ultravioletten Spectrum ziemlich
so gut mit den Messungen stimmt, wie im sichtbaren.

:chungs-hältniſs nach :einen ssungen	Brechungs-verhältniſs n nach Rudberg	P	Wellenlänge nach meinen Messungen in Millimetern	Fraunhofers Werthe der Wellenlängen	Wellenlängen nach Cauchy's Formel
,5414	1,5409	7,5—7	0,0006874	0,0006878	0,0006960
,5424	1,5418	20—19—19,5		6564	
,5446	1,5442	22,5—22—23	5886	5888	5819
,5476	1,5471	18,5—18,5	5260	5260	5233
,5500	1,5496	31—31—31	4845	4843	4839
,5546	1,5542	24,5—25—25	4287	4291	4278
,5586	1,5582	11—11		3929	
,5605		11,5—11,5—(7)	3791		3824
,5621		14,5—15,5—15	3657		3741
,5646		14,5—14,5	3498		3532
,5674		8—7,5—8	3360		3383
,5690		7—7	3290		3307
,5702		18	3232		3243
,5737			3091		3108

Man sieht, daſs in Bezug auf die Wellenlängen das In-
ill, welches durch das Ultraviolett zum Spectrum hinzu-
mt, allerdings kleiner ist, als die Ausbreitung im Quarz-

spectrum es erwarten liefs. Das 6 bis 8mal so lange Ultraviolett des electrischen Kohlenlichts wird dem bisher gewonnenen aber, wenn Cauchy's Formel auch dafür gilt, etwa
noch eine Octave hinzufügen.

Die Methode der Linienzählung wird sich in gewissen
Fällen mit Vortheil zur Bestimmung von Brechungsindices und
Dispersionsconstanten verwenden lassen, wenn man die Wellenlängen als bekannt voraussetzt, namentlich wo man nicht
mehr Material hat, als um eine dünne Platte zu bilden, die
die halbe Pupille bedeckt, und zweitens bei stark absorbiren-
den Mitteln. Stokes hat aufserdem darauf aufmerksam gemacht, dafs man den ersten Brechungsindex erhält, wenn man
die Plattendicke durch Neigung verändert.

Zusatz von H. Helmholtz.

Die Messungen des Hrn. Esselbach machen es möglich,
eine ausgedehntere Vergleichung der Verhältnisse der Licht-
wellenlängen mit denen der Tonintervalle anzustellen, als es
bisher möglich war. Ich bemerke, dafs ich selbst vor einiger
Zeit die Wellenlänge der Linie A im äufsersten Roth nach
Fraunhofer's Methode an einem Spectrum bestimmt habe,
von dem alles Licht mit Ausnahme des äufsersten Roth durch
Anwendung von zwei Prismen und zwei Schirmen abgeblen-
det war. Ich fand diese Wellenlänge gleich 0,0007617mm.
Es war aber jenseits A noch ein Streifen rothen Lichts mit
einigen Linien darin sichtbar, der dem Zwischenraume von A
und B an Breite etwa gleich kam.

In der folgenden Tabelle habe ich das Licht der Linie A
dem Tone G entsprechend gesetzt, und die den einzelnen halben Tönen entsprechenden Farben daneben gestellt. In der
letzten Rubrik sind die Fraunhoferschen Linien bei den ihnen zunächst liegenden Tönen aufgeführt.

In dieser Tabelle stellt sich sehr deutlich heraus, wie we-
nig Analogie zwischen der Tonempfindung und Farbenempfin-
dung besteht. In der Gegend des Gelb und Grün sind die
Farbenübergänge aufserordentlich schnell, an den Enden des
Spectrum aufserordentlich langsam. Dort sind sämmtliche
Übergangsstufen zwischen Gelb und Grün in die Breite eines

kleinen halben Tons zusammengedrängt, hier befinden sich Intervalle von der Größe einer kleinen oder großen Terz, in denen das Auge gar keine Veränderung des Farbentons wahrnimmt.

Der ganze sichtbare Theil des Sonnenspectrum umfaßt etwa eine Octave und eine Quarte.

Ton	Wellenlänge		Entsprechende Farbe	Frauenhofer'sche Linien mit ihrer Wellenlänge
	$c = 1$	$G = 7617$		
Fis	$\frac{64}{45}$	8124	Ende des Roth	
G	$\frac{4}{3}$	7617	Roth	*A* 7617
Gis	$\frac{32}{25}$	7312	Roth	*B* 6878
A	$\frac{6}{5}$	6771	Roth	*C* 6564
B	$\frac{10}{9}$	6347	Rothorange	
H	$\frac{16}{15}$	6094	Orange	*D* 5888
c	1	5713	Gelb	*E* 5260
cis	$\frac{24}{25}$	5217	Grün	
d	$\frac{8}{9}$	5078	Grünblau	
es	$\frac{5}{6}$	4761	Cyanblau	*F* 4643
e	$\frac{4}{5}$	4570	Indigoblau	
f	$\frac{3}{4}$	4285	Violett	*G* 4291
fis	$\frac{32}{45}$	4062	Violett	
g	$\frac{2}{3}$	3808	Überviolett	*H* 3929
gis	$\frac{16}{25}$	3656	Überviolett	*M* 3657
a	$\frac{3}{5}$	3385	Überviolett	
b	$\frac{5}{9}$	3173	Überviolett	
h	$\frac{8}{15}$	3047	Ende des Sonnenspectrum	*R* 3091

An eingegangenen Schriften wurden vorgelegt:

James Dana, *Crustacea. Atlas.* Washington 1855. folio.

Smithsonian Contributions to Knowledge. Vol. VII. Washington 1855. 4.

James B. Francis, *Lowell Hydraulic experiments.* Boston 1855. 4.

James B. Francis and l. F. Baldwin, *Report on the Measurement of the water power.* Boston 1853. 4.

Wetherill, *On Adipocire.* Philadelphia 1855. 4.

St. Alexander, *Observations of the annular eclipse of May 26.* Cambridge 1855. 4.

Proceedings of the American Academy of arts and sciences at Boston. Vol. III, no. 14—23. Boston 1855. 8.

Proceedings of the Boston Society of natural history. Vol. IV, no. 25. 26. Vol. V, no. 1—11. Boston 1854—1855. 8.

Proceedings of the New Orleans Academy of sciences. Vol. I, p. 1—71. and Constitution and By-Laws. New Orleans 1854. 8.

Proceedings of the Academy of natural sciences of Philadelphia. Vol. VII, no. 2—7. Philadelphia 1854. 8.

Journal of the Academy of natural sciences of Philadelphia. Vol. III, Part 1. Philadelphia 1855. 4.

Proceedings of the American Philosophical Society. Vol. VI, no. 51. 52. Philadelphia 1854. 8.

Eighth and ninth Annual Reports of the Board of Regents of the Smithsonian Institution. Washington 1854—1855. 8.

Report of the Commissioner of patents for the year 1853. Agriculture. Washington 1854. 8.

Report of the Commissioner of patents for the year 1854. Arts and Manufactures. Vol. I. Text. Washington 1855. 8.

Ninth Annual Report of the Board of agriculture of the State of Ohio. Columbus 1855. 8.

Lieut. S. P. Lee, *Report and Charts of the cruise of the U. S. Brig Dolphin.* Washington 1854. 8. (2 voll.)

John B. Trask, *Report on the geology of the coast Mountains.* no. 1. 2. Washington 1854—1855. 8.

Baird, *Report on Fishes of the New Jersey Coast.* Washington 1855. 8.

Baird, Cassin, Girard and Stimpson, *8 zoologische Flugblätter.*

L. Schade, *The United States and the immigration since 1790.* s. l. et a. 8.

G. P. Marsh, *Lecture on the camel.* s. l. et a. 8.

Ch. C. Jewett, *On the Construction of catalogues of libraries.* Washington 1853. 8.

Moesta, *Determinacion de la latitud geografica del circulo meridiano del osservatorio de Santiago.* Santiago 1854. 8.

Ch. Wetherill, *Organic Analysis by illuminating Gas.* Philadelphia 1854. 8.

I. B. Greene, *Fouilles exécutées à Thèbes dans l'année 1855.* Paris 1855. folio. Mit Schreiben des Herausgebers, Paris 9. Nov. 1855.

Zeitschrift für Berg- Hütten- und Salinenwesen, von R. von Carnall. III. Band, Lieferung 3. Berlin 1855. 4.

Encke, *Astronomisches Jahrbuch für 1858.* Berlin 1855. 8.

Revue archéologique. Année XII. Livr. 8.   Paris 1855.   8.

Journal of the asiatic Society of Bengal.   no. 248. Calcutta 1855.   8.

Nova Acta regiae societatis scientiarum Upsaliensis.   Vol. XIV.   Fasc. 1. Upsaliae 1848.   4.   Mit Schreiben des Sekretars, Hrn. Elias Fries, vom 18. Okt. 1855.

L'Institut.   Première Section: Année XXIII, no. 1140—1143.   Paris 1855.   4.

Tabellen und amtliche Nachrichten über den Preufsischen Staat, herausgegeben von dem Kgl. Statistischen Büreau.   Band 6.   Berlin 1855.   4.   Mit Schreiben des Directors des Statistischen Büreaus, Hrn. Dieterici, vom 30. November 1855.

Nova Acta Academiae Caesareae Leop. Carol. Naturae Curiosorum Vol. XXIV, Supplement, et Vol. XXV. Pars prior.   Bonnae 1854—1855.   4.

Bulletin de la société impériale des naturalistes de Moscou. Tome XXVIII. no. 3. Moscou 1855.   8.

Kiepert. *Handatlas.*   Lieferung 2.

Übersicht der bei dem meteorologischen Institute zu Berlin gesammelten Ergebnisse der Wetterbeobachtungen, Januar—September 1855.   4.

Recueil de Mémoires des Astronomes de l'observatoire central de Russie. Vol. I. Petersbourg 1853.   4.

Ivan Fedorenko, *Positions moyennes pour l'époque de 1790,0 des étoiles circompolaires.*   Petersbourg 1854.   4.

Otto Struve, *Expéditions chronométriques de 1845 et 1846.*   Petersbourg 1853—1854.   4.

—————————, *Positions géographiques déterminées en 1847 et 1848 par le Lieutenant-Colonel Lemm.*   Petersbourg 1855.   4.

—————————, *Narratio de parallaxi stellae a Lyraé.*   Petropoli 1852.   4.

—————————, *Sur la jonction des opérations géodésiques, russes et autrichiennes.*   Petersbourg 1853.   8.

Lindelöf, *De orbita cometae anni 1764.*   Helsingforsiae 1854.   4.

W. Döllen, *Über Dr. Wichmann's Bestimmung der Parallaxe des Argelanderschen Sterns.*   Petersburg 1854.   8.

---

13. Dec. Gesammtsitzung der Akademie.

Hr. Ranke las über den Ursprung des siebenjährigen Krieges.

Hr. **Ehrenberg** las über den am 14. und 20. **Nov. in der
Schweiz im Canton Zürich gefallenen Rothweinarti-
gen Regen und dessen Mischung mit organischen
Formen.**

In No. 326 der Allgemeinen Augsburger Zeitung wurde aus
Bern unterm 17. Nov. mitgetheilt: „Eine merkwürdige Erscheinung ist der am 14. d. M. in mehreren schweizerischen Ortschaften
gefallene Infusorien-Regen.   Es wurden große Gefäße voll von
den Dächern gesammelt.   Die Flüssigkeit ist ganz hell wie schil-
lernder Rothwein.   Eine wissenschaftliche Untersuchung ist eingeleitet."

Eine Probe dieses Regens sandte mir aus freiem Antriebe
Hr. Prof. **Heer**, der so verdiente Botaniker und Palaeontolog in
Zürich, unterm 26. Nov., welche am 2. Dec. in Berlin eintraf und
die ich Tags darauf in der Sitzung der physik.-mathemat. Klasse
der Akademie in den noch uneröffneten Gläsern in ihrer Integrität
vorzeigte.   Seitdem habe ich diesen merkwürdigen rothen Regen
der mikroskopischen Analyse unterworfen und ich halte für nützlich dieselbe als einen Beitrag zu den zu erwartenden ausführlicheren Nachrichten vorzulegen.

Hr. Prof. **Heer** schreibt mir:

„Sie haben wahrscheinlich aus öffentlichen Blättern ersehen,
daß in unserer Gegend ein sogenannter Blutregen gefallen ist.
Es wird Ihnen daher wohl erwünscht sein einige Proben dieses
Wassers zu erhalten.   Wir hatten solchen Regen am 14. und 20.
November.   Am 14. wurde er in Rafz und Hüntwangen beobachtet, 2 Ortschaften im nordöstlichen Theile unsers Cantons, nahe an
der badischen Grenze.   Nach dem Berichte des Arztes von Rafz,
Hrn. **Graf**, verdunkelte sich bald nach 4 Uhr Abends die Be-
deckung des Himmels immer mehr und mehr bis zum Pechschwar-
zen, $4\frac{1}{2}$ circa fing es an zu regnen und schon jetzt wurde die rothe
Farbe des Wassers von einigen Personen bemerkt.   Wie Hr. **Graf**
selbst sagt habe es dann etwa 35 Minuten lang roth geregnet, darauf aber dann $\frac{1}{2}$ Stunde lang farbloses Wasser.   Zu gleicher Zeit
wurde dieser rothe Regen auch in Hüntwangen beobachtet.   An
beiden Orten fiel eine sehr bedeutende Masse dieses rothen Wassers,
so daß die Rinnen um die Häuser herum roth flossen.   Auch in

Zürich hatten wir an demselben Tage diese Erscheinung, doch in geringerem Grade und es wurde daher leider zu spät darauf geachtet. Der zweite rothe Regen fiel letzten Dienstag (20. Novemb.) und zwar nicht allein in Rafz, sondern auch in Embrach, dann in Dettighofen, Großberzogthum Baden (Bezirksamt Tetstetten) und ferner in Böttenbach, Canton Thurgau, also in sehr großer Verbreitung. Vom 14. bis 20. war in Rafz kein Regen mehr gefallen, der Himmel war immer (wie auch bei uns in Zürich) aschgrau bedeckt, während unsere Berggegenden heitern Himmel und Sonnenschein hatten. Der erste Regen welcher wieder in Rafz fiel war roth. Es regnete von $8\frac{1}{4}$ Uhr morgens bis etwa $8\frac{3}{4}$ Uhr, doch fiel nur wenig Regen."

„Natürlich dachte ich bei dieser so seltenen Erscheinung sogleich an den Passatstaub und war sehr begierig die im Wasser enthaltenen Körperchen mit Ihrer so wichtigen Arbeit in den Abhandlungen der Berliner Akademie zu vergleichen. In der Flüssigkeit fand ich indessen mit Ausnahme von wohl nur zufällig hineingekommenen Gebilden, keine festen Körperchen, wohl aber traten solche beym Eintrocknen des Wassers auf. Auf dem Papier sowohl wie auf Glas bilden sich gelbbraune Flecken, bringen wir diese unter das Mikroskop, so sehen wir sehr verschieden gestaltete Körperchen; eine Masse äußerst kleiner rother Kügelchen und daneben öfter Formen, die lebhaft an Ihre *Gallionella distans*, *Eunotia*, *Lithodontium* und *Lithostylidium* erinnern, allein ganz genau wollen sie mir doch nicht dazu passen. Es will scheinen als sei der Farbestoff hier gelöst, und rühre die rothe Färbung des Wassers nicht von diesen Körperchen her, welche in viel zu geringer Menge vorhanden sind um eine so intensive Färbung zu bewirken. Dafür spricht auch der Umstand, daß sich fast kein Bodensatz bildet und das Wasser fortwährend seine Färbung behält. Es scheint als wenn diese so verschieden gestalteten Körperchen nur Anfänge von Crystallbildungen seien und nicht der organischen Natur angehören. Ich habe eine Zahl derselben auf dem beiliegenden Blättchen gezeichnet wie sie mir bei einer 300maligen Vergrößerung erschienen. Die bei Fig. 2 sind am häufigsten und zuweilen röthlich gefärbt, ihre Größe und Form ist sehr constant; 3 ähnelt der *Eunotia amphioxys*; 7 dem *Amphidiscus*; 9 dem *Lithodontium fur-*

catum?; 14 dem *L. Lithostylidium calcaratum*; 12 *Lithostylidium Securis*; 11 ebenso einem *Lithostylidium* wie 1 der *Gallionella distans*. Doch wollen wir über alle diese Dinge Ihr Urtheil abwarten, auf welches ich sehr gespannt bin. Eine sorgfältige chemische Analyse haben wir von Prof. S c ä d e l e r zu erwarten, welcher ein ziemlich bedeutendes Quantum Wasser dazu verwenden konnte.

Von den beiliegenden Fläschchen enthält das gröfste mit I bezeichnete Wasser das am 14. in Rafz gefallen ist. Von derselben Farbe ist das Wasser von Hüntwangen und hat seine Farbe ebenfalls nicht verändert. Viel heller ist das Wasser im Fläschchen II, das am 20. Nov. in Embrach gefallen ist. Fläschchen III enthält Wasser vom 14. Nov. von Zürich. Zu diesem mufs ich indessen bemerken, dafs es mit anderem Wasser gemischt und gesotten worden, bevor es in meine Hand kam.

Zu dem früheren habe ich noch hinzuzufügen, dafs am 14. in Rafz den ganzen Tag über abwechselnd rauhe Ost und Nordwinde wehten, bei einer Temperatur von $+3-4^{\circ}$ R.

Hoffend u s. w.

Zürich 26. Nov. 1855.   Oswald Heer Prof.

Die mir zugekommenen 3 Gläschen dieses Regenwassers enthalten No. 1 ein durchsichtig klares Wasser von der Farbe eines hellenRothweins oder intensiver Crocusfarbe, etwa $1\frac{1}{2}$ Unzen an Masse bildend; No 2, ein kleines enges Cylinderglas, mit etwa 1 Drachme fast farblosen Wassers, das jedoch bei reflectirtem Licht einen röthlichen Schein zeigt; No. 3 etwa 2 Drachmen noch blasseres klares Wasser enthaltend.

Alle 3 Wasserproben zeigen bei längerer Ruhe einen wenig in die Augen fallenden höchst unbedeutenden Bodensatz, welcher auf die Färbung gar keinen Einflufs erwies. Andere sehr feine Trübungen, welche suspendirt blieben, liefsen sich zwar mit Hülfe einer Lupe erkennen, aber dem blofsen Auge erschien das Wasser klar.

Die mir früher zur Anschauung und Untersuchung gekommenen rothen meteorischen Gewässer hatten sämmtlich ihre Färbung von einer beigemischten Trübung, welche sich als röthliche Erde zu Boden setzte und die Flüssigkeit als ein farbloses klares Wasser erkennen liefs. Dieses neue klare und doch stark gefärbte Meteorwasser zeigt einen ganz anderen Character und erweckt dadurch ein besonderes hohes Interesse. Es kam mir alsbald ein ähnliches früheres Ereignifs aus Ulm vom Jahre 1755 in Erinnerung, welches der Doctor Rau in den Novis actis Naturae Curiosorum Vol. II De pluvia purpurea ulmensi chemisch analysirt und ausführlich beschrieben hat und dessen ich in meiner Abhandlung über den Passatstaub und Blutregen 1849 historisch Erwähnung gethan. EinigeVersuche bestätigten die auffallende Übereinstimmung auch der chemischen Charaktere dieses, vor gerade 100 Jahren sogar fast an demselben Tage, nämlich am 15. November 1755 gefallenen rothen Regenwassers. Da ich jedenfalls eine gleichzeitig gefallene Staubtrübung des Regens vermuthete, so schrieb ich sogleich am anderen Tage zurück nach Zürich und machte bemerklich, dafs vielleicht an anderen Orten oder abgesondert an dem gleichen Orte eine schlammartige Masse von weniger auffallender Färbung aus den Wolken gefallen sein möge, deren Spuren wohl noch auf Pflanzen, an Holz, Wänden u. s. w. (Fenstern unbewohnter Zimmer) anzutreffen und nachträglich zu sammeln sein könnten. Der Erfolg dieser Hinweisung ist dann weiter abzuwarten.

Zunächst halte ich für wissenschaftlich nützlich und interressant die meist übereinstimmenden, selten abweichenden Charactere des so eigenthümlichen Regens von Ulm mit dem 100 Jahre späteren ähnlichen von Zürich zusammenzustellen, da jene von Dr. Rau gemachten Angaben es mannigfach erlauben.

Regen von Ulm 15. Nov. 1755.	Regen von Zürich 14. Nov. 1855.
1. Es waren 2 Tage vorher Südstürme dann Windstille und feuchte warme Luft.	1. Die nächsten Tage vor dem Regen haben sich wie es scheint nicht ausgezeichnet.
2. Am 15. Nov. fiel der rothe Regen gegen Mittag in gewöhnlichen Tropfen und erschien in Ansammlungen und Gefäfsen roth. Von den Dächern flofs er blasser. Verhalten aufser der Stadt unbekannt.	2. Am 14. Nov. zuerst fiel ein rother Regen um 4 Uhr Nachmittags mit sich verdunkelnden, zuletzt pechschwarzen Wolken in Rafz und Hüntwangen, erst 35 Minuten roth, dann $\frac{1}{2}$ Stunde farblos. Er fiel in bedeutender Masse. Die Rinnen um die

Häuser flossen roth. Gleichzeitig war auch in Zürich rother Regen, aber weniger auffallend, bei aschgrau bedecktem Himmel, O. und N. Wind.

Ein zweiter rother Regen fiel am 20. Nov. in Rafz, Embrach, Dettighofen in Baden und Böttenbach in Thurgau bei aschgrau bedecktem Himmel und Sonnenschein in den Berggegenden.

3. Dr. Rau hatte zur Untersuchung 2 Fläschchen voll, eines von 4 Drachmen und eines von $1\frac{1}{2}$ Drachmen von einem Freunde erhalten.

3. Ein ziemlich bedeutendes Quantum Wasser konnte Prof. Scädeler auf die chemische Analyse verwenden. Ich erhielt in Berlin ein Gläschen voll von $1\frac{1}{2}$ Unzen von Rafz, ein Gläschen voll von 1 Drachme aus Embrach und eines von 2 Drachmen aus Zürich.

4. Die Farbe des gröfseren Fläschchens war die gesättigte Crocusfarbe oder wie reiner Neckarwein, im kleineren Fläschchen war sie blafsroth, wie dünner Rothwein.

4. Die Farbe des gröfseren Fläschchens wie gesättigte Crocusfarbe, die des kleinern sehr blafs, nur etwas röthlich, die des dritten kaum sichtbar gefärbt.

5. Durch Papier filtrirt behielten beide ihre Farbe.

5. Filtrirt behielt das dunklere Wasser seine Farbe.

6. Verdunstet gab das Wasser einen gleichfarbigen Rückstand, welcher sich in Brunnenwasser wieder vertheilte.

6. Ebenso.

7. Strenger Kälte ausgesetzt fror es nicht ganz.

7. In Kälte von $-8°$ R. war im December ein dazu benutzter Theil ganz gefroren. Dabei bildete die rothe Farbe

einen Ballen in der Mitte, während alle Seitentheile farbloses Eis zeigten. Aufgethaut war es wieder gleichartig gemischt.

8. Kein besonderer Geruch, Geschmack bitterlich und rauchig.

8. Kein Geruch, Geschmack nur rauchig.

9. Silber-Auflösung gab eine gelbe Farbe und balsamischen Veilchengeruch der mit der gelben Farbe wieder verging, während die Farbe der Silberauflösung blieb.

9. Salzsaure Silber-Auflösung verdünnte und verblasste nur die Farbe. Man sah in der geringen Menge im Reagenzglase keine weitere Veränderung.

10. Lackmus und Veilchen Syrup erhielten keine Veränderung.

10. Lackmus- und Curcume-Papier änderten im Wasser ihre Farbe nicht.

11. Alaun und Oleum Tartari per deliquium (Liquor' Kali carbonici) ergaben keine Veränderung.

12. Essigsaure Bleiauflösung gab braune Farbe mit schwärzlichem Niederschlag.

12. Essigsaure Bleisalzauflösung änderte die Farbe nicht.

13. Durch Schwefelsäure verschwand die röthliche Farbe, das Wasser blieb klar und zeigte ein sehr feines schwärzliches Präcipitat.

13. Durch Schwefelsäure, Salzsäure und Salpetersäure wurde das Wasser sogleich farblos. Ein Niederschlag war nicht bemerkbar.

Durch Zusatz von Alkalien wurde die rothe Farbe wieder hergestellt, aber durch Verdünnung blasser.

Nach Jahresfrist hat Dr. Rau bemerkt, daß in dem wohlverstöpselten Glase die rothe Farbe sich ins Grünliche verwandelt hatte. Das Wasser war trübe und es hatte sich ein grüner Bodensatz und Wandüberzug gebildet. Beim Öffnen war kein übler Geruch bemerklich, noch auch der von verdorbenem Wein. Noch ei-

nige Versuche mit diesem älteren Rückstande gaben keine besonderen Charaktere. Er schließt aus dem chemischen Verhalten, daß
der rothe Regen weder sauer noch alkalischer Natur sei, keine erdigen noch Eisentheile habe, vielmehr ein sehr reiner Schwefel sei,
der in Verbindung mit dem Regenwasser die Farbe bedinge. Aus
Schwefelkies-Exhalationen der dortigen Gegend will er diesen
Schwefelgehalt nicht ableiten, vielmehr macht er auf die großen
vulkanischen Bewegungen gerade dieser Tage aufmerksam. Am
1. Nov. 1755 sei das schreckliche Erdbeben in Lissabon gewesen
und an demselben Tage wären auch die Teplitzer Quellen bald ver-
siegt, bald trübe und purpurroth stärker geflossen, zuletzt wieder
klar und wie gewöhnlich geworden. Auch am Jura der Schweiz
seien die Quellen trübe geworden und in Afrika bei Mequinez wären aus gespalteten Bergen rothe Quellen entsprungen. Er citirt
dabei noch mehrere rothe Meteore, die aber deutlich ihre Farbe von
erdiger Beimischung hatten und offenbar dem Scirocco-oder dem
Passat-Staube angehört haben. Diese und ähnliche Erscheinungen
hält Dr. Rau vor 100 Jahren für Produkte vulkanischer Thätigkei-
ten und zwar in dem speciellen Fall für Schwefel-Exhalationen die
sich mit dem Wasser der Quellen und Wolken gemischt haben.

Sieht man ab von der vulkanischen Hypothese des Dr. Rau,
welche die Erscheinung erklären soll, so ergiebt sich eine wesentliche Übereinstimmung beider Regen in der ohne färbende
erdige Theile vorhandenen intensiv-rothen Farbe, welche sich nicht
abfiltriren läßt, in dem Niederfallen aus Wolken, in der Geruch-
losigkeit, im rauchigen Geschmack, in der weder sauren noch alkalischen Reaction, im Verblassen durch Säure. Daß die Färbung
Schwefelverbindung sei, ist eine Meinung die aus den Reactionen
nicht hervorgeht, da die so intensiv bestimmte Farbe auch deutlich
ausgesprochene Resultate ergeben haben müßte und die nach Jahresfrist angestellten Versuche mit der indessen unbeobachtet gebliebenen, vielleicht organisch veränderten, von Monaden-For-
men grün gewordenen und wieder geklärten Flüssigkeit geben
keine Sicherheit für die chemische Analyse.

Sonderbar auffallend ist zwar allerdings nach den von mir im
Jahre 1849 der Akademie vorgelegten historischen Zusammenstel-
lungen, bald rother bald schwarzer Regen, das zerstörende Erdbe-
ben-Jahr 1755. Am 14. October, also 14 Tage vor dem Erdbeben

von Lissabon und 4 Wochen vor dem rothen Regen von Ulm waren
die rothen Staubnebel am Lago Maggiore und gleichzeitig dort drei-
tägiger ganz unerhört massenhafter rother Regen bis Schwaben
und 6 Fuß hoch rother Schneefall auf den Alpen. Am 20. Oct. fiel
schwarzer Staub wie Lampenruß auf den Shetlands Inseln mit Süd-
West Wind.   Zwischen dem 23. und 24. October fiel zwischen
den Shetlands Inseln und Island schwarzer Staub in großer Menge
auf ein Schiff im Ocean. Am 29 Oct. fiel bei Kirsa in Rußland mit
dicker Finsterniß und einem Schalle wie Trompeten aus den Wolken (Meteorstein?) viel Blut vom Himmel.   Am 15. November fiel
nach 2tägigen Südstürmen der rothe Regen in Ulm.   Ich habe
schon, in meiner Abhandlung von 1849 über den Passatstaub, darauf
aufmerksam gemacht, [1]) daß leicht alle diese Meteore im October
und November 1755 einen Zusammenhang haben können und daß
die schwarzen vielleicht nur durch ein Verrotten und Zersetzen
beim Herumtreiben als feuchte Wolken ihre Eigenthümlichkeit erlangt haben konnten, ihr Material aber ursprünglich dem rothen
Passatstaube angehörte.   Denn daß die schwarzen Niederschläge
bei den Shetlands Inseln 1755 vulkanische Auswürflinge aus Island
gewesen ist nicht zu erweisen, da eine damalige Thätigkeit der is-
ländischen Vulkane ganz unbekannt geblieben, obschon ihr Einfluß auf das so räthselhafte Erdbeben von Lissabon die größte Aufmerksamkeit erweckt haben müßte.   Dagegen ist der Tintenregen
in Irland 1849 entschieden nicht vulkanisch gewesen, so wenig als
der 1850 bei Detmold beobachtete rußartige Staub, wovon ich in
den Monatsberichten von 1849 p. 200 und 1850 p. 123 Nachricht
gegeben.
    So wie es nun nachweisliche schwarze Staubniederschläge
giebt, welche als veränderte rothe Staub-Meteore angesehen werden können, so liegt es freilich nahe, daran zu denken, daß unter
gewissen Verhältnissen die feuchten Substanzen solcher Meteore
von den erdigen getrennt werden und daß sich Extracte der Staubnebel als klare farbige, auch rothe Flüssigkeiten zeigen können.

---

[1]) Es heißt 1849 p. 105. Diese sämmtlichen Meteore von 1755 können sich leicht auf eine und dieselbe weit ausgedehnte atmosphärische Bewegung beziehen und dann mag leicht auch der schwarze Staub der Shet-
lands-Inseln ein (in der Luft) verrotteter, ursprünglich rother, nichtvulka-
nischer Staub gewesen sein.

Was die mikroskopische Analyse anlangt, so hat sich ergeben, daſs allerdings die von Hrn. Prof. Heer beobachteten und gezeichneten Formen sämmtlich kein Lebenselement enthalten und daſs die meisten derselben Producte der Verdunstung und der Concretion einiger festen Stoffe des Wassers sind, wie es von ihm selbst sehr richtig vermuthet worden ist. Die zweifelhaft gegebenen Namen gehören daher den genannten Gegenständen sämmtlich nicht zu. Die fragliche *Gallionella distans* halte ich für zuweilen vorkommende runde Amylum-Körperchen, welche mit polarisirtem Licht ein Farbenkreuz zeigten. Die *Eunotia* ist weder als regelmäſsig noch als gestreift erkannt, mithin irgend ein Zellstoff oder eine Concretion, die scheinbaren Lithodontien, Amphidisceen und Lithostylidien sind ebenfalls solche Körper nicht, weil sie, wie die übrigen Formen, so weit ich sie wieder gefunden habe, mit polarisirtem Licht bunt erschienen. Einige davon mögen zufällig so oder anders geformte Überreste von Pflanzenzellen zwischen Crystallisationen sein.

Meine eigene Analyse ist nun folgendermaſsen eingerichtet worden. Da die gefärbte Flüssigkeit einige feine Flocken enthielt, welche auch als ein geringer flockiger Bodensatz zu erkennen waren, so habe ich die obere Flüssigkeit nach längerer Ruhe in ein anderes, reines Gefäſs abgegossen und den flockigen Bodensatz in ein Uhrglas abgesondert. Auf diese Weise erhielt ich gesondert aus den 3 Flüssigkeiten folgende Formen zur Ansicht.

	Rafz	Embrach	Zürich
Polygastern : 7.	1	2	3
Cocconema Fusidium	—	+	
Eunotia amphioxys	+	+	
Fragilaria?	+		
Gomphonema gracile	—	+	
Navicula gracilis	—	+	
Pinnularia — ?	—	+	
Synedra?	+?		
	3	5	—

	Rafz	Em-brach	Zürich
Phytolitharien: 2.	1	2	3
Lithostylidium crenatum	—	+	
quadratum	—	+	
	—	2	—
Weiche Pflanzentheile: 12.			
Blattfragment, grün	+		
Pflanzenparenchym verschieden	+	+	
— rundzellig getüpfelt	+	+	+
— langzellig	+	+	
Pflanzenhaar einfach	—	—	+
Pflanzensamen	+		
(*Seminulum reniforme tuberculosum*)			
Bastfaser weiß	+	+	+
Pflanzenfaser blau	+	+	
— roth	+	+	+
— knotig	+	`	
Extractiv-Körperchen	+	+	+
Amylum-Körperchen	+		
	11	7	5
Unorganisches: 2.			
Crystallprismen grün	—	+	
Trümmersand	+	+	+
	15	16	6

Summa 23.

Im Ganzen sind 23 Formen-Arten beobachtet: 7 Polygastern, 2 Phytolitharien, 12 weiche Pflanzentheile, 2 unorganische Formen. Diese sämmtlichen Formen sind in 15 Analysen hervorgetreten. Vom Bodensatz und dem stark farbigen Wasser mit schwebender Trübung aus dem Gläschen No. 1 (Rafz) wurden 9 Analysen bereitet. Diese ergaben 15 Formen: 3 Polygastern, 11 weiche Pflanzentheile, darunter 1 über 1''' großes Blattfragment von grüner Farbe und ein kleiner grüner Pflanzensamen, und Trümmersand. Vom Bodensatz aus No. II (Embrach) ist nur eine Analyse gemacht worden, da es sehr wenig war. Dabei fanden sich aber zwischen mancherlei Bastfasern, welche denen von Papier

54*

und Löschpapier gleichen, auch wohl Spuren von Wollfasern, 5
verschiedene Arten von Polygastern, 2 Phytolitharien und noch
andere weiche Pflanzentheile, zusammen 7 Arten und neben Trümmersand auch grüne Crystallprismen.   Im Bodensatz No. III von
Zürich, dessen Wasser verunreinigt und gekocht worden, fanden
sich in 5 Analysen aufser Trümmersand nur 5 derselben weichen
Pflanzentheile wie in No. I und II, nebst einem weichen Pflanzenhaar, zusammen 6 Formen.

Als Resultat dieser Untersuchung läfst sich aussprechen:

1. Dafs der Mitte Novembers d. J. gefallene weinrothe klare Regen
   von Zürich, welcher sehr massenhaft weit verbreitet war und
   gleichartig wiederkehrte, von allen bekannten rothen Regen nur dem vor gerade 100 Jahren einen Tag später in
   Ulm gefallenen ähnlich ist.

2. Das intensiv safranfarbige oder blafs weinrothe Regenwasser von
   Zürich ist anscheinend klar und die Farbe geht mit dem Wasser durch das Papierfiltrum.   Die Farbe wurde durch vorgelegte Safranfäden und gute Abbildungen des Crocus sativus
   aufser Zweifel gestellt, sie glich der des Crocus - Pistills.

3. Dennoch giebt es eine schwebende und schwach abgelagerte
   im Verhältnifs zum Volumen geringere, dem blofsen Auge
   bemerkbare Trübung in dem Wasser.

4. Das zusammengesetzte Mikroskop zeigt bei 300maliger Vergröfserung, dafs die Farbe des Wassers durch sehr kleine
   ovale Körperchen bedingt ist, welche zwischen $\frac{1}{2000} - \frac{1}{4000}$
   Linie Gröfse haben, mit deren Entfernung das Wasser farb-
   los erscheint.

   Im Tropfen auf Glas ziehen sie sich an die Ränder desselben, welche sich intensiv färben, und lassen die Mitte zuletzt farblos.   Beim Gefrieren ziehen sie sich in die Mitte des
   Eises und lassen den Rand farblos.

5. Beim Eintrocknen kleiner Mengen auf Glas oder Glimmer bilden sich aus den Körnchen rothbraune Ränder und Zonen
   um die Stelle der verdunsteten Flüssigkeit.   Auf Glimmer,
   bis zum Glühen erhitzt, wurden diese Zonen erst schwarz,
   dann weifs und verschwanden zuletzt ganz.

   Die in No. 4 und 5 bezeichneten Charactere stimmen
   mit denen von Pflanzen-Extracten sehr überein.

6. Die. schwebende und sich schwach ablagernde Trübung, durch
   welche die rothe Färbung gar nicht bedingt erschien, zeigte
   feinen Trümmersand von quarzigem Mulm, dazwischen
   Pflanzenfasern und auch gefärbte, blaue und rothe Bastfasern,
   mancherlei Pflanzenparenchym, Polygastern-Schalen und
   Phytolitharien.

7. Von geformten meist organischen Körperchen sind 23 verschiedene Arten überzeugend erkannt und in vorgelegten Präparaten fixirt worden.

8. Diese organischen Charactere der Beimischung schliefsen den
   rothen Regen des Cantons Zürich in der gröberen Mischung
   zunächst an den Sciroccostaub von Udine 1803 und von Calabrien 1813 an. Besonders bezeichnend ist der kleine
   Pflanzensaame (*Seminulum tuberculosum reniforme*) welcher
   4 mal beobachtet und fixirt ist und der bisher von allen untersuchten Meteorstaub-Arten nur allein in dem so merkwürdigen Sciroccostaube von Calabrien vorgekommen und
   1849 auf Tafel I. II. fig. 111 abgebildet ist. Die damals gleichzeitig abgebildete Form der *Eunotia amphioxys* I. II. fig. 30
   stellt auch die gegenwärtige, bei Embrach gefallene Form genau dar. Das Exemplar von Rafz ist kleiner. *Navicula gracilis*
   ist nur halb so grofs als die damals I. II. fig. 49 abgebildete
   Form. *Lithostylidium quadratum*, das glatte Pflanzenhaar
   und die knotige Pflanzenfaser von 1813 schliefsen sich der
   jetzigen an. Das *Cocconema* und *Gomphonema* gleichen denen des Scirocco-Staubes von 1803 Tafel I. I. fig. 38 und 35.
   Die getüpfelten Pflanzenzellen gleichen an Form denen von
   1803 Tafel I. I. fig. 100. 101. '

   Zugleich darf nicht unerwähnt bleiben, dafs einige der
   Haupt-Character-Formen des Passatstaubes ganz vermifst
   werden, nämlich die Gallionellen und Discopleen.

9. Die färbenden feinen Körnchen des Züricher Regens treten in
   Gestalt und Gröfse nahe an die Körperchen der *Monas prodi-*
   giosa, allein es ist an ihnen kein Lebenszeichen beobachtet
   worden. Nicht einmal die Molecular-Bewegung ist deutlich
   hervorgetreten, obwohl die passive Bewegung nach dem
   Rande des Tropfens stets zu sehen war.

Überhaupt sind lebensfähige Formen in dem Züricher Regen bis jetzt nicht erkannt.

10. Das von mir gemachte Experiment die färbenden kleinen Körnchen auf feuchter Semmel oder Papier, oder auch im Wasser bei warmer feuchter Atmosphäre fortzupflanzen, wie es mir bei der *Monas prodigiosa* 1848 gelang, ergab ein negatives Resultat.

11. Wenn man beim Züricher Regen die abfiltrirbaren, also gröberen, die Färbung nicht mit bedingenden Substanzen als zufälligen Luft- oder Dach-Staub ignoriren wollte, so bleiben im Wasser als mikroskopische Gegenstände nur die daraus crystallisirbaren Salze und die allein die Färbung bedingenden höchst feinen Körnchen übrig.

Andererseits kann man jene geringe gröbere Beimischung als den Überrest einer massenhafteren ähnlichen Grundmasse ansehen und muß bedauern, daß die Umstände nicht hinreichend günstig gewesen, um das Bedingende der Erscheinung im Zusammenhange aufzufassen.

12. So ist es denn wahrscheinlich, daß der Züricher rothe Regen vom November d. J. nur das wässrige farbige Extract eines Passat-Staubnebels oder Sciocconebels ist. *Extractum Graminis, Centaureae minoris* (*Erythrææ Cent.*) und *Succus Liquiritiae* geben als wässrige Extracte sehr ähnliche klare Wasserfärbungen, die auch feinkörnig erscheinen und deren Farbe sich bei der Verdünnung mit Wasser an dem Rande verdunstender Tropfen verdichtet. Der rauchige Geschmack des Regenwassers wird zu weiteren Vergleichungen führen. Die Biester- oder Rußfarbe war nicht vergleichbar.

Ist diese Färbung ein Extractivstoff, so möchte wohl der ihm zum Grunde liegende reichorganische Passat-Staub, vielleicht großentheils entfärbt, irgend wo anders hin von den ihn führenden Wolken als Schlamm oder Trübung entladen worden sein und es bleibt in jedem Falle der unbefriedigte Wunsch, daß doch der ungewöhnliche Regen nicht hätte mögen von Dächern, sondern frei in reinen Eimern und Porzellangeschirren aufgefangen sein. Die nur halbstündige Dauer des Regens und das nicht im Anfange sogleich deutliche Bewustwerden der Verhältnisse, hinderten freilich die damit in Berührung gekommenen an specieller Auffassung und es ist mit Dank anzuerkennen, daſs die Erscheinung der Prüfung so weit zugänglich gemacht worden ist.

Nachtrag.

Hr. H. R o s e , welchen ich ersuchte und veranlaſste, die von mir wiederholten chemischen Versuche des Dr. R a u von 1755 zu revidiren und zu vervollstäudigen, und dem ich eine kleine Menge seines Bodensatzes beraubten Wassers zur Verdampfung übergab, hat mir nachträglich folgende, die Beschaffenheit der Färbung wesentlich erläuternde Notiz mitgetheilt:

In einem kleinen Porzellantiegelchen abgedampft giebt das Wasser einen wie wohl sehr geringen Rückstand, der durch stärkere Hitze wie organische Materien verkoblt, dabei aber keinen Geruch verbreitet, wie ihn die stickstoffhaltigen Körper beym Erhitzen geben. Die organische Materie enthält also keinen Stickstoff, oder nur eine geringe Spur. Die Kohle läſst sich vollständig verbrennen, ohne Rücklassung eines feuerbeständigen Rückstandes. Das Wasser enthält also (als Färbung) nichts Unorganisches was feuerbeständig wäre.

An eingegangenen Schriften wurden vorgelegt:

Mémoires de l'académie royale des sciences de Belgique. Tome 28. 29. Bruxelles 1854 1855. 4.

Mémoires couronnés et Mémoires des savants étrangers. Tome 26. Bruxelles 1855. 4.

——————————, id. Collection in 8. Tome VI, partie 2. Bruxelles 1855. 8.

Bulletin de l'académie royale des sciences de Belgique. Tome 21, 2. 22, 1. Bruxelles 1854. 1855. 8.

Annuaire de l'académie royale des sciences de Belgique. Année 21. Bruxelles 1855. 8.

Annuaire de l'observatoire royal, par Q u e t e l e t. 1855. Bruxelles 1854. 8.

Bibliographie académique. Bruxelles 1855. 8.

H o u z e a u, *De la symmétrie des formes des continents.* (Bruxelles 1855.) 8.

Collection des Chroniques Belges inédites. (Edmond de D y n t e r, *Chronique des Ducs de Brabant,* Tome 1, 2. 2.) Bruxelles 1854. 4.

Nachrichten von der Universität Göttingen. no. 16. Göttingen 1855. 8.

Ernst Foerstemann, *Altdeutsches Namenbuch.* 8. Lieferung. Nordhausen 1855. 4. Mit Begleitschreiben des Hrn. Foerstemann vom
4. Dcbr.

Kongl. Svenska Wetenskaps Academiens Handlingar. Vol. 1—15. Stockholm 1739—1754. 8. — *Nya Handlingar,* Vol. 1—27. ib. 1780—
1806. 8. und die einzelnen Jahrgänge 1817 und 1846. (Geschenk
der Königl. Schwedischen Akademie der Wissenschaften, mit Schreiben des Hrn. Prof. Wahlberg d. d Stockholm 1. Dec. 1855.)

Keilhau, *Gaea norvegica.* Christiania 1850. folio.

Nicolayson, *Mindesmerker af Middelalderens Kunst i Norge.* Heft
1—5. Christiania 1854—1855. folio.

Th. Kjerulf, *Das Christiania Silurbecken.* Christiania 1855. 4.

N. H. Abel, *Oeuvres complètes,* rédigées par B. Holmboe. Tome 1. 2.
Christiania 1839. 4.

Norske Stiftelser. I, 2. II, 1. Christiania 1854—1855. 8.

Diplomatarium norvegicum. Tredie Sammling, anden Halfdel. Christiania 1855. 8.

Chr. Hansteen, *Den magnetiske Inclinations Forandring i den nord-
lige tempererte Zone.* Kjobnhavn 1855. 4.

Kong Christian den Fjerdes Norske Lovbog af 1604, udgiven af Fr.
Hallager og Fr. Brandt. Christiania 1855. 8.

Beretning om Bodsfaengslets Virksomhed i Aaret 1854. Christiania
1855. 8.

Nyt Magazin for Naturvidenskaberne. Bind VIII, 3. 4. Christiania
1854—1855. 8.

Kongl. Norske Frederiks Universitets Aarsberetning for 1853. Christiania
1855. 8.

Eilert Sundt, *Om Dodeligheden i Norge.* Christiania 1855. 8.

Reglement for Gaustad Sindsyge-Asyl. Christiania 1855. 8.

Boeck og Danielsen, *Hudens Sygdomme. Recueil d'observations sur
les maladies de la peau.* Livr. 1. Christiania 1855. folio.

Karter over Norges Kyster. 1—XIX med Text. Christiania s. a. folio
max. (Geschenk der Königl. Norwegischen Friedrichs-Universität
zu Christiania, mit Begleitschreiben des Hrn. Chr. Holst vom 12.
und 15. November 1855.)

Salmai girje. (Lapplandisches Psalmenbuch) Kristiania 1854. 8.
(Mit Begleitschreiben des Central-Committees der Norwegischen Bi-
belgesellschaft vom 2. Dezember 1855.)

Astronomische Nachrichten. no. 997. Altona 1855. 4.

Zantedeschi, sechs Broschüren physikalischen Inhalts.

17. Dec. Sitzung der philosophisch-histo-rischen Klasse.

Hr. Dirksen las zur Auslegung einzelner Stellen in des Cornelius Fronto Reden und Briefen.

---

20. Dec. 1855. Gesammtsitzung der Akademie.

Hr. Jac. Grimm las über den Personen-Wechsel in der Rede.

Hr. Ehrenberg las über das Fortrücken des Supplementes zur Mikrogeologie und das mikroskopische Leben in den südlichen Staaten Nord-Amerikas.

Die im vorigen Jahre der Akademie vorgelegte Mikrogeologie giebt in den 41 sie begleitenden Kupfertafeln die volle Übersicht der Verhältnisse des mikroskopischen Lebens auf der Erde, sowohl in den Süßwasser-Bereichen als im Bereiche des Meeres, sowohl aus den Oberflächen aller Zonen und der beiden Polargegenden, als aus den bisher zugänglichen Erdschichten aller geologischen Perioden, sowohl von über 14000 Fuß Alpenhöhe der Schweiz, was hierbei fast 25000 F. Höhe in den Aequatorial-Alpen gleicht, als aus bis 12000 Fuß Meerestiefe, auch aus den unteren und oberen Schichten der Atmosphäre. Der Text, welcher dazu gegeben ist, wurde mit den Süßwasserverhältnissen von Australien, Asien, Afrika, Süd-Amerika und Mittel-Amerika sammt den Inseln, mit Einschluß von Mexico abgeschlossen und das Rückständige über Nord-Amerika, den Nordpol, Europa, die Meere und die Atmosphäre sollte in einem Supplement später erscheinen. Über den Fortgang dieses Supplementes für den Text erlaube ich mir am Schlusse des Jahres einige Mittheilungen zu machen.

Der bereits ausgegebene Text enthielt 836 genaue ausführliche Analysen der verschiedensten Erdverhältnisse der obigen Länder, außerdem aber waren noch auf den Tafeln 140 Analysen anderer Erdverhältnisse ausgeführt und dargestellt, welche zwar in allen Theilen benannt, aber mit ausführlichem Texte nicht erläutert wurden. So betrug die Summe der im vorigen Jahre 1854 publi-

cirten Analysen 976, mit denen die Übersicht des Ganzen in allen
Haupttheilen abgeschlossen werden konnte.

Das noch erscheinende Supplement giebt die ausführliche Erläuterung der rückständigen Erdverhältnisse in ähnlicher Art wie
es im publicirten Texte geschehen ist und das zunächt fertig gewordene betrifft die Vereinigten Staaten Nordamerikas.

Vom mikroskopischen Leben in Nordamerika habe ich bereits
vor 14 und 12 Jahren, im Jahre 1841 und 1843, der Akademie verschiedene Mittheilungen gemacht, welche in den Abhandlungen
von 1841 gedruckt sind, eine ausführliche Übersicht nach den
neuesten weit reicheren Materialien habe ich für den Staat Florida
vor 2 Jahren vorgelegt, wobei 395, mithin nahebei 400, Arten von
Formen und unter denselben 340 Süfswasserformen namentlich
aufgezählt worden sind, wie es in den Monatsberichten von 1853
p. 264 vorliegt.

Die allmälig fortrückenden Supplemente haben nun die aus
Amerika mir zugesandten zahlreichen Materialien schon sehr viel
weiter in Übersicht bringen lassen. Von dem bereits Gedruckten
erlaube ich mir die 12 ersten Aushängebogen in gleichem Druck
und Folio Format der Mikrogeologie vorzulegen, welche nicht nur
jene Übersicht des mikroskopischen Lebens von Florida mit enthalten, sondern eine ebensolche von Georgia, Alabama, Luisiana, Texas,
New-Mexico und dem Territorium Cherokee Nation vollständig
abschliefsen, während auch die Übersichten von anderen südlichen
Staaten: Arkansas, Missouri, Nebraska, Tennessee und Kentucky
bereits gedruckt oder abgeliefert sind.

Vom Staate Georgia hatte Hr. Prof. Bailey im Jahre 1850
155 Arten mikroskopischer Organismen in gleicher Art publicirt:
147 Polygastern, 6 Räderthiere, 1 Phytolitharie, 1 Pollen. Von
mir selbst sind aus seinen Materialien 121 Arten erkannt worden:
62 Polygastern, 47 Phytolitharien, 2 Polycystinen, 2 Polythalamien,
1 Pollen, 4 unorganische Formen. Durch meine eigenen Untersuchungen hat sich die Zahl der durch Hrn. Bailey ermittelten um
80 Arten vermehrt. Bei Hrn. Prof. Bailey hatten die dortigen
Verhältnisse des Culturlandes die geistreiche, ansprechende Vorstellung erweckt, dafs dieses reiche Ackerland in Georgia, den noch
jetzt fortlaufenden Bildungsprocefs der geologisch so merkwürdigen marinen Tripelfelsen von Virginien vor Augen lege. Die

speciellere Entwicklung hat jedoch diesen interessanten Gesichtspunkt zu verlassen genöthigt und ergeben, daſs zwar sicher beide Erdlagen einst Meeresgrund gewesen sind, daſs aber die Substanz sowohl als die Mischung der Formen beider doch sehr verschieden sind. Das Reis-Culturland ist dem dortigen jetzigen Meeresgrunde in der Bildung aus marinen Formen-Arten zwar ähnlich, aber die Tripelfelsen von Virginien sind reich an jetzt überall auf dem Meeresgrunde seltenen besonderen Arten. In einem fortlaufenden Zusammenhange scheinen daher doch diese Gebilde nicht gedacht werden zu können, zumal die Tripel nirgends die ähnliche Mischung mit Süſswasserformen zeigen wie das Oberflächenland.

Vom Staate Alabama waren die mikroskopischen Süſswasserformen noch gar nicht bekannt. Ich habe aus verschiedenen von Dr. Albert Koch mir zugeführten Materialien 119 Formen entwickelt: 61 Polygastern, 144 Phytolitharien, 8 Polythalamien, 2 weiche Pflanzentheile, 4 unorganische Formen. Die wichtigen, die Kreidefelsen, den Zeuglodonkalk und den marinen Grünsand daselbst betreffenden Ergebnisse gehören der späteren Übersicht des Meereslebens an.

Aus Luisiana sind besonders die Mississippi-Trübungen gründlich beachtet worden. Die Untersuchung der Fluſs-Filtra hat 143 Formen-Arten des mikroskopischen Lebens in denselben festgestellt: 58 Polygastern, 53 Phytolitharien, 16 fossile Polythalamien, 1 Insektentheil, 4 weiche Pflanzentheile, 11—12 unorganische Formen.

Eine besonders reichhaltige Übersicht hat der Staat Texas gewinnen lassen, von welchem mehrere Hundert verschiedene Erdproben und Wasser-Filtra zu meiner Untersuchung vorlagen und von denen 105 wirklich analysirt worden sind. Die Untersuchungen betreffen beinah alle Hauptflüsse und mehrere Nebenflüsse des Landes, so wie auch den Cultur-Boden der Prairieen. Einige der Flüsse sind rücksichtlich ihrer Trübungen zu mehrmonatlicher ja voller JahresÜbersicht gekommen. Die Gesammtzahl der in Texas beobachteten Formen beträgt 311 Arten: Polygastern 169, Phytolitharien 90, fossile Polythalamien der Kreide als Beimischung 28, fossile Polycystinen 2, Rädertliere 2, weiche Pflanzentheile 8, unorganische Formen 12. Die Mehrzahl der Formen sind weitverbreitete Arten, welche beweisen, daſs die Natur auf diese, so konstant in solchem

Maßstabe wiederkehrenden Lebens-Elemente ein höheres Gewicht
legt als auf vereinzelte, eigenthümliche Lokalformen, welche zwar
auch überall, aber meist sehr untergeordnet vorhanden sind. *Ter-
psinoë musica* ist von Florida an bis Texas überaus reichlich, wie in
Mexico, fehlt aber sonderbarerweise ganz im Gebiete des oberen
und mittleren Rio Grande, dessen ganz unerhört massenhafte Was-
ser-Trübung noch besonders auffallend ist.

Das Culturland des Hügellandes am Guadelup Flusse in Texas
die sogenannte Rolling Prairie, hat eine überaus grofse Ähnlichkeit
mit der Schwarz-Erde Tscherno sem von Rufsland und hilft unzweifelhaft deren Entstehung als Waldhumus ehemaliger, nicht
völlig geschlossener, dann zerstörter Wälder erläutern.

Von Neu Mexico sind aus dem Rio Grande 119 Formen ermittelt: 62 Polygastern, 39 Phytolitharien, 8 Polythalamien, 1 weicher
Pflanzentheil, 10 unorganische Formen.

Vom Territorium Cherokee Nation, dem ehemaligen Osagen
und Ozork-District hat die Trübung der beiden Hauptflüsse, des
False Washita, welcher zum Redriver fliefst und des Neosho, welcher in den Arkansas mündet, durch viele Monate geprüft werden
können. Aus dem False Washita sind 111 Formen erkannt: 57
Polygastern, 33 Phytolitharien, 8 Polythalamien, 2 Insectentheile, 5
nennbare weiche Pflanzentheile, 6 unorganische Formen. Aus
dem Neosho traten 88 Formen hervor: 41 Polygastern, 39 Phytolitharien, 4 Polythalamien Steinkerne, 2 weiche Pflanzentheile, 2 unorganische Formen.

Die Gesammtzahl der Formen aus dem Cherokee Lande beträgt 142 Arten: 70 Polygastern, 42 Phytolitharien, 12 fossile Polythalamien, 2 Insectentheile, 6 weiche Pflanzentheile, 6 unorganische Formen.

Die Zahl der im Druck festgestellten Analysen von Örtlichkeiten der Erdverhältnisse beträgt, mit den vorliegenden 12 Bogen des
Supplements nun 1172.

Alle verzeichneten Formen, mit geringer Ausnahme einiger
mifslungenen Präparate, sind wieder fixirt und als Präparate zur
Wiedervergleichung in der oft vorgezeigten Art aufbewahrt worden. Das hierbei vorgelegte Kästchen, welches nur die Präparate
für diese ersten Supplement Bogen enthält, umfafst 10 Doppel-
schieber, deren jeder 80 (zweimal 40) Objecttäfelchen einschliefst.

Jedes einzelne Objecttäfelchen enthält selten weniger als 3, oft aber 5—6 verschiedenfarbige kleine Ringe aus durchschlagenem Papier, in denen die unterhalb verzeichneten, je durchschnittlich etwa 10, Objecte liegen und sogleich leicht zu finden sind. Die Zahl der fixirten und namentlich verzeichneten Formen beträgt daher für die ersten 12 Bogen etwa 10 mal 800.

Der 13te, in der Correctur vollendete, noch nicht vorgelegte Supplementbogen enthält:

Von Arkansas, mit Berücksichtigung der dortigen heifsen Quellen (Hotsprings) 89 Formen: 31 Polygastern, 42 Phytolitharien, 5 Polythalamien, 3 weiche Pflanzentheile, 7 unorganische Formen.

Von Missouri, mit Berücksichtigung der dortigen Erdlagen, welche das Missourium des Dr. Koch (Mastodon) sammt einer Pfeilspitze der Ureinwohner einschlofs, mit Untersuchung auch jener Pfeilspitze, 112 Formen: 53 Polygastern, 42 Phytolitharien, 2 Polythalamien, 11 weiche Pflanzentheile, 4 unorganische Formen.

Von Nebraska aus dem Platte River 80 Formen: 40 Polygastern, 36 Phytolitharien, 2 weiche Pflanzentheile, 3 unorganische Formen.

Der im Schriftsatz befindliche Text enthält:

Von Tennessee, hauptsächlich den Mississippi betreffend, 88 Formen: 44 Polygastern, 37 Phytolitharien, 2 Polythalamien, 1 Anguillate, 1 weicher Pflanzentheil, 3 unorganische Formen.

Von Kentucky, mit Berücksichtigung der so merkwürdigen, viele augenlose Wirbelthiere und Gliedertiere einschließenden Mammuthshöhle bei Bowling green so wie des Mississippi · Ohio- und Licking-Flusses 189 Formen: 109 Polygastern, 53 Phytolitharien, 13 Polythalamien, 7 weiche Pflanzentheile, 7 unorganische Formen, wovon 20 der Mammuthshöhle, 19 der Schwarzerde angehören.

Die Zahl der gedruckten und im Schriftsatz begriffenen analysirten Erdverhältnisse beläuft sich damit auf die Proben von 1225 verschiedenen Örtlichkeiten, worauf zunächst eine Übersicht der sämmtlichen Südstaaten Nordamerikas folgt.

Hr. Lepsius gab folgenden Bericht über den akademischen Typenguſs und die fortschreitende Verbreitung des allgemeinen linguistischen Alphabets.

Am 8ten Dezember 1853 erlaubte ich mir der Akademie in einem besondern Vortrage meine Ansichten über den Nutzen und die Möglichkeit der Ausführung eines auf unsre lateinische Schrift begründeten Alphabets mitzutheilen, welches geeignet wäre, die wesentlichen Laute aller Sprachen auf eine einfache, sowohl den wissenschaftlichen Grundgesetzen als auch den praktischen Bedürfnissen entsprechende Weise darzustellen, wobei hauptsächlich eine allmähliche Beseitigung der orthographischen Anarchie in der Linguistik und die Einführung einer gleichmäſsigen Schrift unter den heidnischen Völkern, welche in immer steigender Anzahl der christlichen Civilisation durch die Missionare zugeführt werden und zum gröſsten Theile noch gar keine Schrift besitzen, ins Auge gefaſst wurde.

An diesen Vortrag wurde der Antrag geknüpft, daſs die Akademie die nöthige Summe bewilligen möchte, um das vorgeschlagene Alphabet schneiden und für die Akademie gieſsen zu lassen. Zu diesem Behufe wurde eine besondere Commission, bestehend aus den Herren Bopp, Buschmann, Gerhard, Jacob Grimm, Johannes Müller und Pertz niedergesetzt, welche die Vorschläge prüfte und ihre Annahme der Klasse zu empfehlen beschloſs. Hierauf wurde von derselben der Anschlag von 260 Rthlr. zur Herstellung des Alphabets genehmigt und am 23sten März 1854 die Geldbewilligung dem Plenum mitgetheilt.

Es erschien zweckmäſsig die Hauptschrift auf den Corpus-Kegel, und die zugehörige Notenschrift auf Petit einzurichten, während für den Cicero-Kegel der akademischen Abhandlungen nur die nothwendigsten Zeichen geschnitten wurden. Die akademische Druckerei besitzt jetzt 170 Matrizen der Corpus-Schrift, 108 Petit und 54 Cicero. Von Versalien genügt hierbei vor der Hand nur eine geringe Auswahl, da sie nur selten, in der Regel nur in fortlaufenden Texten in Anwendung zu kommen pflegen. Die vollständige Liste der vorhandenen Corpus-Zeichen mit Ausschluſs der Versalien, ist

nun folgende, wobei nur zu bemerken, daſs die in Klammern
gesetzten Zeichen, welche nur selten vorkommen können,
nicht besonders in Matrizen vorhanden sind, aber vorkommenden Falles aus den vorhandenen Typen durch Wegnahme
eines Punktes oder Striches vom Setzer leicht herzustellen sind.

a ę ȩ e i ǫ ǭ o ʋ [ǫ] [ǫ] [ǫ] [ʋ]
á ę́ ę́ é í ó ǫ́ ó ú ǫ́ ǫ́ [ǫ́] ʋ́
à ę̀ ę̀ ȅ ì ǫ̀ ǫ̀ ȍ ʀ [ǫ̀] [ǫ̀] [ǫ̀] [ʋ̀]
ǎ [ę̌][ę̌] ě ȉ [ǫ̌][ǫ̌] ǒ ʋ̌ [ǫ̌][ǫ̌] [ǫ̌] [ʋ̌]
á̇ ę̇ ę̇ ·ė̇ ı̇ ȯ̇ ȯ̇ ȯ̇ ú̇ ȯ̇ ȯ̇ ȯ̇ ʋ̇
ä̇ ę̈ ę̈ ë̇ ï̇ [ö̇][ö̇] [ö̇][ü̇] ö̇ [ö̇] [ö̇] ʋ̈
ā ę̄ [ę̄] ȩ̄ [ō] [ō][ū] ō̄ [ō̄] ʋ̄
ɋ ȿ ı̨ ǫ̨ ʋ̨
ɋ́ ȿ́

ı̨ ·
k g ṅ [ƙ] [ǥ] │ ƙ h ˙ │   │   │
ƙ ǵ ń ƙ̄ ǧ │ x̌ x́ x̣̌ │   │ ṙ   │ ṙ̇   │ ṙ r̄
ṭ ḍ ŋ ʄ ǰ │ x̌ x́ x̣ │ y   l   │   │   │
ṭ ḍ ʋ   │   ṣ̌ ẓ̌ │ ṙ   ḷ   │   │   │ r ꞓ
t d n [ṭ] [ḍ] │ s   z ṣ̌ ṣ̌ │ r ꞓ l l │ ŋ [ẓ] ẓ̌ ɭ ḷ
*   │ ꝡ [θ] θ̄ │   │*
p b m ṗ ꞗ │ f   v   │ w   │ m̨

│ / ſ ⎸ (Schnalzlaute)

q γ γ̇ δ ı̨̈ ʒ ⸚ ⎯ ꝟ
ȿ ꝟ ꝡ r ṭ ſ ꝙ ꝙ̇

Dasselbe Alphabet ist nun auch für andere Druckereien bereits
mehrmals abgegossen worden. Die Missionsgesellschaft
der Englischen Kirche hat die sämmtlichen Matrizen der
Corpus-Schrift und zwar die Versalien in gleicher Vollständigkeit wie die kleinen Buchstaben angekauft und außerdem
dieselben Zeichen nochmals in einer fetten Corpus-Schrift
besonders schneiden lassen, in der Absicht, sich derselben für

die neu einzuführenden Afrikanischen Schriften statt der Versalien zu bedienen. Es ist in der That ein Übelstand, daß die Formen unsrer grofsen Buchstaben allmählich so weit von denen der kleinen Buchstaben abgewichen sind, dafs sie wie eine ganz verschiedene Schrift erscheinen und dem Lernenden doppelte Mühe machen. Es würde eine grofse Erleichterung bei der Einführung der Schrift unter bisher uncivilisirte Völker gewähren, wenn man sich im Anfange der Sätze und der auszuzeichnenden Wörter derselben Zeichen, nur in gröfserer oder fetterer Form bedienen könnte. In Berlin hat sich die Ungersche Buchdruckerei die Corpus-Schrift in gleicher Vollständigkeit wie die Englische Gesellschaft giefsen lassen, und hat bereits mehrere Bücher und in denselben grofse fortlaufende Texte mit dieser Schrift gedruckt. Auch die Rheinische Missionsgesellschaft zu Barmen hat ein vollständiges Corpus-Alphabet nebst den nothwendigsten Zeichen der Petit-Schrift für ihre Station auf Borneo abgiefsen lassen, und bereits dahin abgesendet. Es steht zu hoffen, dafs noch zahlreiche andre Druckereien sich die neuen Typen anschaffen werden; denn wenn auch die Schrift so eingerichtet ist, dafs die Abzeichen besonders gesetzt werden können, so wird die dadurch entstehende Schwierigkeit eines wohlgefälligen Druckes doch noch lange den leichtesten Vorwand gegen die allgemeine Einführung des Alphabetes darbieten, bis der vollständige Typengufs aller accentuirten Buchstaben ebenso allgemein geworden sein wird. [1]

Vor einigen Tagen ist nun auch die Englische Übersetzung der Alphabets-Schrift, deren deutsche Ausgabe schon früher der Akademie vorgelegt wurde, beendigt und ausgegeben worden. Aus dem vorausgeschickten „Advertisement"

---

[1] Der Schriftgiefsereibesitzer Herr F. Theinhardt (Linienstr. 112), liefert die Matrize unjustirt zu ⅓ Rthlr., justirt zu ½ Rthlr, mit Vergutung von 5 Sgr für noch nicht vorhandene Zeichen, ferner von der Corpusschrift 100 Pfund Schriftgufs zu 50 Rthlr, unter 100 Pfund das Pfund zu 22½ Sgr ; von der Petit-Schrift 100 Pfund zu 60 Rthlr, unter 100 Pfund das Pfund zu 25 Sgr.; von der Cicero-Schrift 100 Pfund zu 45 Rthlr., unter 100 Pfund das Pfund zu 20 Sgr.

ist zu ersehen, daſs das Alphabet jetzt nicht nur von der
Missionsgesellschaft der Englischen Kirche angenommen und zum allgemeinen Missionsgebrauche empfohlen
worden ist, sondern auch von den Sekretären der Wesleiani-
schen Gesellschaft, der London Missionary Society,
und der Mission der Mährischen Brüder in England,
so wie von dem Comité der Société des Missions Evan-
géliques zu Paris, und den Vorständen der Rheinischen
Missionsgesellschaft zu Barmen, der Baseler Missionsgesellschaft und des Calwer Verlagsvereins.

Die genannten Gesellschaften vertreten bei weitem den
gröſsten Theil derjenigen Missionsthätigkeit der Europäischen
Gesellschaften, welche besonders durch den Druck von Büchern in fremden Sprachen auf die unchristlichen Völker zu
wirken unternimmt. Es steht zu hoffen, daſs nach einem so
groſsen gemeinschaftlichen Vorgange in Europa, auch die Amerikanischen Gesellschaften, unter denen bereits eine Bewegung zu gleichen Zielen in den letzten Jahren stattgefunden
hat, sich derselben Orthographie anschlieſsen werden, um
somit das vorgeschlagene Alphabet in der That allmählich zum
gemeinschaftlichen Ausdrucke für die stets wachsende Menge
der schriftfähig werdenden Sprachen und für die ausgebreitete Litteratur der hierauf bezüglichen Missionsschriften werden dürfte. Da aber durch die Missionare zugleich der
gröſste Theil des werthvollen Sprachstoffes für die linguistische Wissenschaft gewonnen und zugänglich gemacht
wird, so dürfte auch für diese Wissenschaft selbst, in welcher
das Bedürfniſs nach gegenseitiger Verständigung schon längst
groſs ist, ein neuer Antrieb gegeben sein, dieselben Vorschläge
sich gleichfalls mehr und mehr anzueignen.

––––––

Hr. George Bentham dankt für seine Ernennung zum
Correspondenten.

––––––

An eingegangenen Schriften wurden vorgelegt:

Memoria dell' I. R. Istituto veneto di scienze, lettere ed arti. Vol. 1—4.
    Venezia 1843—1852. 4.

Atti delle adunanse dell' I. R. Istituto veneto. Tomo 1—7. Venezia
    1841—1848. 8. Serie seconda, Tomo 1—5. Venezia 1850—
    1854. 8. Serie terza. Tomo 1, Bogen 1—36. Venezia 1855. 8.

Mémoires présentés à l'Académie impériale des sciences de St. Petersbourg
    par divers savans. Tome VII. St. Petersburg 1854. 4.

Bulletin de la classe physico-mathématique de l'Académie de St. Peters-
    bourg. Tome 2. 12. 13. St. Petersbourg 1843. 1854. 1855. 4.

Bulletin de la classe historico-philologique de l'Académie de St. Petersbourg.
    Tome 11. 12. ib. 1854. 1855. 4.

Recueil des Actes de l'Académie de St. Petersbourg. Année 1827. 1828.
    1838. 1839. Petersburg 1828—1840. 4.

Compte rendu de l'Académie impériale des sciences de St. Petersbourg.
    Année 1849—1853. ib. 1850—54. 8.

Catalogue des livres publiés par l'Académie impériale des sciences de St.
    Petersbourg. ib. 1854. 8.

B o e c k e r, *Untersuchungen über die Wirkung des Wassers.* (Aus Nova
    Acta Acad. Caes. Nat. Cur., vol. XXIV, pars 1.)

——————, *Über die physiologische Erstwirkung der Phosphorsäure.*
    s. l. et a. 8.

——————, *Wirken Phosphorsäure und phosphorsaures Natron auf Puls*
    und Wärmebildung ein? s. l. et a. 8. (Mit Begleitschreiben des
    Verfassers, Bonn 30. Nov. 1855.)

Repertorio italiano per la storia naturale. Vol. II. Bononiae 1854. 8.
    Mit Schreiben des Herrn Senoner, d. d. Wien 5. Dec. 1855.

Jahrbuch der K. K. Geologischen Reichsanstalt. 6. Jahrgang no. 2. Wien
    1855. 4.

Abhandlungen der Senckenberg'schen naturforschenden Gesellschaft.
    Band I, Lieferung 2 Frankfurt a. M. 1855. 4.
    Mit Schreiben des Herrn Dr. Mettenheimer v. 5. Dez. 1855.

Corpus scriptorum historiae Byzantinae: Nicephorus Gregoras, Vol. III.
    Bonnae 1855. 8. *Michael Attaliota.* ib. 1853. 8. Mit
    Schreiben des Herrn Buchhändler Ed. Weber in Bonn vom
    13. Dec. 1855.

Corrispondenza scientifica in Roma. Anno IV. no. 24. Roma 1855. 4.

Astronomische Nachrichten, no. 998. Altona 1855. 4.

Namen-Register.

Sach-Register.

9 780260 920706